LES PRINCES DU SANG

DU MÊME AUTEUR

De l'autre côté du bistouri, roman, Belfond, 1981.
L'Antirégime, ou Lettre à mes frères Trogros, essai, Orban, 1982.
La Santé et le Vêtement, essai, Pierre Marcel Favre, Lausanne, 1983. Traduit en italien et publié chez Musumeci editore.
Le Guide de la santé en vacances, essai, Orban, 1984.
Le Malingot, roman, Belfond, 1985. « Prix Littré », décerné par le Groupement des écrivains médecins.

GILBERT SCHLOGEL

LES PRINCES DU SANG

roman

FAYARD

À ma femme Michèle,
sans laquelle ce livre
n'aurait pas été.

Note

Parmi les acteurs qui jouent un rôle dans ce roman, certains sont des personnages de fiction, d'autres au contraire sont bien réels et leur biographie est connue. Une notice est consacrée à chacun d'eux en fin de volume.

Prologue

Guillaume aperçut la grande enveloppe grise qu'il redoutait. Sa gorge se serra. Il la prit, vérifia qu'elle émanait bien de l'Institut Gustave-Roussy, et, laissant les autres lettres, il alla jusqu'à la bibliothèque. Il s'assit derrière son bureau, les mains posées à plat de chaque côté de cette missive qui lui apportait la vie ou la mort. Son cœur cognait dans sa poitrine, à lui faire mal.

Il ajusta ses petites lunettes en demi-lune et vérifia l'adresse : « Professeur Guillaume de La Verle, 2, rue de l'Entrepôt, Paris 7e. » Jamais il ne recevait de courrier professionnel à son domicile. C'était donc bien *la* lettre. *Le* résultat.

Depuis l'intervention chirurgicale, ses collègues avaient tous parlé de « sa guérison » avec un ton si optimiste qu'il avait fini par ressentir une impression de doute, puis un curieux pressentiment, mis bien vite sur le compte d'une légendaire anxiété. N'y tenant plus, il avait décidé de monter cette petite supercherie qui allait enfin lui permettre d'en avoir le cœur net.

Il était allé se présenter sous le nom de Pierre Dupont à l'Institut Gustave-Roussy, pour un scanner, avec une lettre d'introduction qu'il avait écrite lui-même... Et le résultat était là, dans cette enveloppe qu'il hésitait à ouvrir.

Bien qu'il eût un peu maigri ces temps derniers, la stature était solide, les cheveux restaient noirs, à peine rayés de gris sur les tempes, et le regard sombre sous les sourcils épais. Malgré les circonstances, le sourire conservait sa note ironique...

Ses mains ne tremblaient pas. Lentement il prit son mince coupe-papier d'ivoire et déchira l'enveloppe. Il sortit les clichés mais ne les regarda pas. Il chercha directement le compte rendu. C'était une longue missive détaillée, pleine d'alinéas et de mots soulignés. Son regard glissa sur le texte sans le voir et vint se fixer sur la conclusion : « Le présent examen permet donc de déceler l'existence de multiples métastases hépatiques, probablement en rapport avec le cancer digestif précédemment opéré. »

Il lâcha la feuille. Le visage avait perdu son sourire, et les traits semblaient s'être effondrés. Un froid glacial tomba sur ses épaules. Ce qu'il craignait arrivait donc aujourd'hui.

Guillaume n'avait jamais eu peur de la mort. Il la considérait comme une issue naturelle et, au demeurant, assez commode. Plus facile à accepter, en tout cas, que certains modes de vie. « Allez, ricanait-il souvent, on éteint la lumière, et il n'y a plus rien derrière. De quoi avez-vous peur ? » Mais cette fois, il ne s'agissait plus de mots. Il allait falloir jouer la pièce « pour de vrai » comme disent les enfants.

Le dimanche qui suivit fut une superbe journée. Le soleil, dès le matin, avait mis sur les quais de Seine une lumière de fête. Guillaume était allé, comme à l'accoutumée, faire ses courses au marché de Buci qui ressemblait à un jardin de province. Il y avait rencontré des amis du quartier, croisé quelques hommes de lettres qui paraissaient en récréation. Le déjeuner au fond de son panier, il était rentré à petits pas de flâneur, en grignotant le croûton de sa baguette.

À treize heures, Francis avait sonné, son visage poupin surmontant un superbe hortensia mauve.

— Pardonnez, monsieur, ce présent un peu féminin, mais je sais votre amour des plantes fleuries...

— Vous êtes très gentil. C'est magnifique et sa couleur est si exceptionnelle... Merci mille fois. Asseyez-vous et servez-vous un verre, je donne mes derniers soins aux pommes de terre, et je vous rejoins.

Il disparut, laissant le nouvel arrivé dans le magnifique salon bibliothèque dont les trois fenêtres donnaient sur la Seine. Partout des rayonnages, des livres précieux, des objets de collection et des fleurs... Francis Barbier considérait cet intérieur de rêve avec un sourire admiratif mais pas envieux. C'était un homme satisfait de son sort et tout en rondeurs. Sa petite quarantaine l'avait doté d'un léger embonpoint contre lequel il luttait sans hargne, et sa calvitie naissante le faisait paraître plus vieux que son âge, ce dont il se moquait éperdument. Avec ses cheveux blonds et son regard bleu pâle, il était tellement l'opposé de son patron que c'était, pour beaucoup de leurs collègues, un sujet habituel de plaisanterie.

Malgré leurs dissemblances, les deux hommes s'étaient toujours entendus à merveille. Ils posaient sur les choses de la vie un même regard teinté d'humour, et ils avaient vécu ensemble dans le service de chirurgie générale du vieil hôpital Sainte-Marthe sans l'ombre d'un problème.

C'est tout juste si le patron reprochait parfois à son élève un manque de combativité évident en face d'une administration de plus en plus omniprésente. Mais il est vrai aussi que ces innombrables réunions, commissions et comités où l'on singeait la concertation, ne résistaient pas à un œil critique. Francis n'avait aucune ambition personnelle et, depuis qu'il avait obtenu sa nomination, il attendait tranquillement que l'ancienneté fasse son œuvre, sans chercher à se battre contre ses concurrents dont l'agressivité lui paraissait bien vaine.

Il assurait le remplacement de son patron depuis que celui-ci avait été opéré, et il profitait sagement de la vie. Il préférait les activités culturelles discrètes aux mondanités d'une vie parisienne qu'il n'aimait pas.

C'est pourquoi il était si ravi, ce jour-là, d'avoir été invité à déjeuner par son bon maître, dont il appréciait fort les talents culinaires, la cave et la faconde. Ils s'étaient peu vus depuis l'opération, et c'était presque des retrouvailles.

Deux heures plus tard, enfoncé dans un fauteuil de cuir patiné, il détaillait d'un œil plissé de bonheur, le camaïeu des toits parisiens, pendant qu'une vieille fine se réchauffait dans le creux de ses mains.

— Mon cher Francis, maintenant que nous avons apaisé nos angoisses digestives, il faut que nous parlions un peu.

« Singulière entrée en matière, pensa le jeune homme, pour quelqu'un qui n'a pratiquement pas cessé de discourir pendant tout le repas... » Cependant un léger voile d'inquiétude passa dans son regard.

Guillaume de La Verle vint s'installer en face de lui dans l'un des deux fauteuils Louis XIII qu'il affectionnait, et où il s'installait habituellement pour lire. Mais il resta assis au bord du siège, les coudes sur les genoux, le regard fixé sur le liquide ambré qu'il faisait tourner lentement dans un verre de cristal.

Puis il eut un petit rire :

— Figurez-vous que je ne sais pas vraiment par où commencer !

Francis, intrigué, restait muet.

Guillaume se rejeta contre le dossier du fauteuil et, le menton levé, les yeux fermés, la voix devenue tout à coup étrangement rauque, il se décida à livrer son secret :

— Il y a des phrases si inhabituelles qu'elles semblent impossibles à dire. Et l'on a beau ne pas attacher trop d'importance à la vie, il est difficile de prononcer ainsi, tout à trac : « Je vais mourir ! »

Il s'interrompit et considéra le jeune chirurgien qui l'observait avec un regard figé d'étonnement.

— Oui, mon cher Francis, la partie est finie. J'ai fait faire un scanner : mon foie est truffé de métastases. Je sais où je vais, et j'évalue à deux ou trois mois la durée de ma survie. Inutile d'ajouter que je n'ai nulle intention de me livrer aux facéties que nos brillants chimiothérapeutes me proposent depuis des mois, ni de me laisser implanter quelque cathéter que ce soit... Le temps qui me reste, je veux le gérer à ma façon, et loin du public. Quand j'estimerai que ce dernier acte aura suffisamment duré, je baisserai le rideau. Et il n'y aura pas de rappels... Comme Montherlant !

Francis but une gorgée de fine pour reprendre souffle. Quand son regard croisa de nouveau celui de son patron, il rencontra le sourire ironique que celui-ci posait habituellement sur les petites originalités de l'existence.

Après un moment de silence, Guillaume continua :

— Merci de ne pas protester. Vous savez que cela n'aurait servi à rien, sinon à alourdir un texte, qui ne manque déjà pas de poids ! Il eut un petit rire crispé et reprit, sur un ton presque enjoué : C'était la première période de ma harangue, n'y revenons plus. Passons à des choses plus concrètes et qui justifient votre présence ici en de telles circonstances. Votre avenir, mon cher Francis, m'a toujours préoccupé, vous le savez. (L'autre eut une moue gênée.) Ne me remerciez pas, c'était tout naturel, et puis il y avait entre nous une autre complicité que celle du travail. Sans en avoir jamais vraiment parlé, je sais que nous avons ce goût commun pour... disons, les choses de l'art, sans vouloir être pompeux. En un mot, nous parlions plus volontiers de peinture et de musique que du congrès de chirurgie ! Nous avions peut-être tort, mais c'est ainsi ! (Francis hocha la tête, toujours muet.) Nous sommes deux célibataires, et, somme toute, pas mécontents de l'être.

Guillaume avait perdu sa femme dans un accident de voiture alors qu'ils étaient jeunes mariés, et il s'était installé dans une solitude triste et amère qui, au fil des années, était devenue un égoïsme raffiné et méfiant. Il avait entretenu ensuite quelques liaisons où le cœur n'était pas invité. Jusqu'à Agnès... Il avait rompu avant de se faire opérer, six mois plus tôt. Et depuis, il s'était refusé à la voir. Mais soudain, il avait envie de savoir.

— À propos, Francis, avez-vous des nouvelles d'Agnès Lemercier ? demanda-t-il d'un ton anodin.

— Je la vois peu.

Guillaume eut un regard lointain pendant un bref instant, puis il se reprit :

— Comme l'Assistance publique a refusé ma démission, et me considère en congé de maladie, vous continuerez à assurer mon remplacement, et sans doute, ensuite, l'intérim... J'essayerai de militer pour que vous me succédiez dans le nouvel hôpital, mais cela ne sera pas simple, vous vous en doutez.

Il faisait allusion au fait que la direction de ce service de chirurgie ultramoderne serait convoitée, à coup sûr, par des candidats moins comblés et plus spécialisés que Francis. Celui-ci, ne s'étant jamais imposé comme un leader redoutable, risquait d'être un peu bousculé dans la course à la succession.

— Ce sera à vous de jouer. Quand je ne serai plus là, les requins se déchaîneront, vous le savez aussi bien que moi. D'où je serai, je n'y pourrai pas grand-chose. Mais à vrai dire, ce n'est pas le plus important de ce que j'ai à vous... raconter aujourd'hui.

Francis le regardait maintenant d'un air plus attentif. L'instant d'émotion laissait place à un suspens que le vieux chirurgien appréciait. Il en profita pour remplir les verres, avant de lever le voile.

— Je n'ai pas l'intention de vous faire un grand discours sur le bilan d'une vie, rassurez-vous. J'ai fait ce que j'ai pu, dans de nombreux domaines, il y a eu des manques et des échecs, mais des succès aussi... Là n'est pas la question. Parmi les choses que j'aurais voulu faire, et que je gardais pour ma retraite, il en est une qui me tenait à cœur, et que je savourais par avance... Maintenant, je sais que je n'en aurai pas le temps. Or c'était un plaisir, et.. comment dire... un devoir. Quasiment une obligation. Je m'étais juré d'accomplir cette tâche, et le sort m'aura refusé le moyen de tenir mon serment.

Francis ne voyait pas où il voulait en venir.

— Après mûre réflexion, j'ai décidé de vous demander votre aide, et de vous transmettre le pensum.

Un sourire soumis lui répondit.

— Oh ! je sais bien que vous serez fidèle à l'engagement que je vous demanderai de prendre, mais il n'y a vraiment aucune raison de vous soumettre ainsi à quoi que ce soit. Les liens de la féodalité s'éteignent quand le suzerain décède sans descendance. C'est l'évidence. Aussi ai-je préféré vous proposer un marché. Une sorte de donnant-donnant post-mortem.

La situation devenait cocasse par son côté complètement surréaliste.

— Rien ne vous obligera, je le sais bien. Mais, nonobstant le fait que votre mission peut ne pas vous déplaire, la contrepartie en sera si plaisante et quotidiennement présente, que vous aurez mauvaise grâce, j'en suis persuadé, à tromper mon attente d'outre-tombe.

Le regard interrogateur du jeune homme était d'une éloquence criante et Guillaume ne le mit pas à l'épreuve plus longtemps. Sa patience allait être récompensée bien au-delà de ce qu'il aurait pu attendre, même avec l'imagination la plus féconde.

— C'est donc un marché que je vous propose. Il y a ce que je vous donne, et ce que vous me donnez. Commençons par le cadeau.

Guillaume s'était levé. Il fit un large geste du bras, et, un rien théâtral, il prononça deux mots :

— Tout ça.

L'autre manifestement ne comprenait pas.

— Je vous lègue cet appartement et tout ce qu'il contient. Je n'ai pas d'héritiers directs. Ma sœur et mes nièces se moquent de mes livres. Je leur laisse la maison de Saint-Yé et un peu d'argent pour que le souvenir soit meilleur, mais vous aurez le reste. Si vous acceptez, je verrai le notaire et je réglerai par avance les droits de succession de telle sorte que le jour venu... (il eut un geste qui évoquait l'incertitude du moment) vous entrerez ici avec cette clé que vous voyez sur le bureau, et que vous emporterez aujourd'hui. Ensuite... vous serez chez vous.

Francis avait une mimique qui hésitait entre la surprise et le ravissement. Jusque-là il avait été silencieux par discrétion ; maintenant, il était muet de stupeur.

— Vous connaissez l'histoire de cet appartement ? C'est le dernier étage de l'ancien hôtel de La Verle. Mon ancêtre, ami du baron Haussmann, l'avait fait construire au temps où les chirurgiens étaient de vrais notables. Il s'est transmis de père en fils jusqu'à mon père qui, malheureusement, n'avait guère le sens des affaires. Après sa mort, ces voyous de la banque Legrand m'ont annoncé que j'étais ruiné. C'est tout juste si, en leur laissant cet hôtel, nous étions quittes. Heureusement j'avais des amis. Un promoteur a rasé notre belle maison, et il a construit cet immeuble de grand standing. La vente des appartements nous a renfloués, et je me suis fait réserver le dernier étage, où nous sommes. Il a d'abord été loué pendant plusieurs années, quand j'avais besoin de revenus, puis je m'y suis installé. Bref vous succéderez dans ce lieu au dernier des La Verle et je sais que vous apprécierez tout ce qui s'y trouve. De plus, je sais aussi que vous êtes sans fortune, et que vous n'auriez jamais eu la possibilité de vous loger... disons, comme vous le méritez.

— Certes !

C'était le premier mot qu'il prononçait depuis le début du discours, et sa voix avait une curieuse sonorité de gond mal huilé.

— Passons maintenant à la seconde partie de ce marché que, rappelons-le, vous n'êtes pas obligé d'accepter. C'est ce que je vais vous raconter maintenant qui vous déterminera.

Le sourire de Francis laissait penser qu'il n'avait guère d'inquiétude.

— Comme vous le savez, je suis d'une famille où, depuis deux siècles et demi, il y a toujours eu des chirurgiens. De valeur inégale, il est vrai. L'important c'est que l'histoire de cette généalogie se confond évidemment avec celle de la chirurgie moderne. Et c'est là que vous allez intervenir, mon cher Francis, si vous le voulez bien. Car il y a autre chose d'étonnant. Figurez-vous que tous ces gens ont manié, en plus du bistouri, un instrument moins dangereux en général, la plume. C'est le premier de la lignée, Aubin de La Verle, qui a commencé à tenir une sorte de journal intime dans les années 1750. En cela il répondait au vœu d'une religieuse qui lui avait un peu servi de mère, et qui lui avait légué un cahier où elle avait raconté, au jour le jour, sa vie de jeune orphelin à Saint-Yé. Il faut dire que les circonstances de cette « adoption » étaient tout à fait romanesques, et cette jeune femme, sans doute en avance sur son temps, avait deviné qu'un jour il faudrait que cela fût raconté. Aubin a écrit toute sa vie, et Dieu sait que sa destinée n'a pas été simple. C'est déjà, en soi, un roman. Mais le plus fort, c'est que son fils Benoît a continué l'œuvre entreprise et, après lui, Damien et Florian. Ainsi de père en fils la tradition s'est-elle maintenue. Avec des hauts et des bas, c'est évident, avec aussi de longues interruptions. Je suppose que chaque fils devait se promettre de publier le tout, mais l'importance de la tâche le décourageait et à son tour il transmettait le flambeau au suivant. Dernier de la liste, ultime relayeur, je m'étais juré d'accomplir ce devoir familial, et vous connaissez la suite... Alors ? Qu'en pensez-vous ?

Francis était abasourdi. Il aurait voulu être capable de prononcer quelque phrase d'anthologie, et avoir les mots qu'il faut en pareilles circonstances. Mais entre les condoléances, les remerciements, l'engagement, et l'étonnement, il ne savait comment s'y prendre. Les idées se bousculaient dans sa tête, chacune chassant la précédente. Finalement il se racla la gorge, s'extirpa du fauteuil et marmonna :

— Si ce n'était pas trop vous demander, je reprendrais bien un peu de fine.

Dans la bouteille, le niveau baissa encore avant que les deux hommes puissent parler de nouveau. Puis Guillaume sut rompre le silence et la gêne ambiante.

— Venez voir, je vais vous montrer le corps du délit.

Il s'approcha d'une grosse malle de cuir dont l'origine était difficile à deviner, mais qui avait sans doute fait les guerres napoléoniennes. Il prit une clé sur un rayonnage voisin et fit tourner une serrure bruyante. À l'intérieur, c'était un bric-à-brac indescriptible. Il y avait des cahiers de toutes tailles et de toutes couleurs, des livres reliés de cuir patiné, des objets médicaux anciens, clystères d'étain, scalpels de bronze, stéthoscope en bois du temps de Laennec. Des vieilles gravures, des photos jaunies, des dessins, des cartes...

— Voilà, Francis, deux cent cinquante ans d'Histoire. Si personne ne s'est mis au travail, c'est qu'il y a là plus à faire qu'on ne pourrait l'imaginer au départ. On ne peut pas se contenter de classer et de publier. Il faut trier, gommer, reconstruire parfois, et remettre dans leur contexte des faits qui sont ici à l'état brut. Je crois que ce qui a retenu les descendants d'Aubin, c'est moins l'ampleur de l'entreprise, qu'une certaine pudeur aussi à l'égard de tous ces errements qui caractérisent l'histoire de la médecine. Aucun d'eux n'a pu décrire, n'a osé raconter les erreurs du père, sachant que cette vérité, que chacun d'eux pensait détenir, risquait d'être mise à mal aussi par ses enfants...

Guillaume prit dans la bibliothèque deux gros livres noirs, comme ceux que les comptables utilisent. Il les tint un moment à deux mains, en les regardant d'un air pensif, puis les déposa dans le coffre.

— Moi aussi, voyez-vous, j'ai beaucoup écrit. Mais je doutais que cela intéressât quiconque de lire mes élucubrations. En revanche, dans quelques générations, ce texte aurait pu amuser quelques jeunes carabins en quête d'anecdotes historiques... J'ai peut-être, moi aussi, manqué de courage plus que de temps.

Debout, les mains derrière le dos, face au paysage séculaire des quais de Seine, il ne disait plus rien.

Francis avait retiré du coffre un gros livre au cuir chamois, patiné par d'innombrables mains. Il l'ouvrit et lut : *Cours d'opérations de chirurgie démontrés au jardin royal. Par M. Dionis, Premier Chirurgien de feuës Mesdames les Dauphines, et Chirurgien-juré à Paris.* En bas de la page, il déchiffra la date en chiffres romains : 1765. Il revint en arrière et découvrit une dédicace : « À Aubin, son vieil ennemi qui l'aime. Hertius. » Fasciné, il feuilleta les pages de papier précieux et parcourut ces textes qui lui paraissaient tout à coup chargés d'une signification nouvelle. Ce n'était évidemment pas la première fois qu'il avait en main un livre médical ancien, mais jamais il n'avait ressenti une telle présence. Cet ouvrage avait été lu, étudié, annoté et discuté par des gens qui avaient une réalité. Par une famille dont le dernier représentant était à ses côtés.

Il releva la tête. Mais dans la pièce il n'y avait plus personne. Il eut un frisson. On venait de lui proposer un curieux héritage : l'histoire de cette famille était là, et sa mise au grand jour, en un mot sa survie, reposait désormais sur un engagement de sa part. Allait-il accepter ? Il saisit au hasard un cahier dans le coffre et alla s'asseoir derrière le bureau Louis XVI qui occupait l'angle de la bibliothèque, face au panorama du Louvre.

Il commença à lire... Et il sut qu'il écrirait la vie de la famille La Verle.

PREMIÈRE PARTIE

Aubin

CHAPITRE PREMIER

La petite salle des hommes était devenue étrangement silencieuse, et tous les regards suivaient le chirurgien qui venait d'arriver. C'était un homme de taille moyenne, chauve, au visage sombre et ridé, que dissimulait une barbe grise coupée court. Il marchait vite, malgré une boiterie que sa canne corrigeait mal. Il portait un strict habit noir, à culottes courtes sur des bas, noirs également. La mise était soignée mais sans recherche.

Il arriva à l'extrémité de la salle où se trouvait autrefois la chapelle, et qu'occupaient une vingtaine d'hommes couchés sur des paillasses le long des murs. Il s'arrêta auprès du blessé qui l'attendait, le torse nu, assis sur un tabouret et soutenu par une jeune religieuse. L'homme avait une cinquantaine d'années et son visage glabre était crispé de douleur. De sa main gauche, il tenait son bras droit visiblement déformé par une fracture, et entamé par une plaie qui s'étendait du coude à l'épaule.

Le chirurgien lui prit délicatement la main droite.

— Bouge tes doigts, dit-il d'une voix douce.

L'homme, surpris, obéit, remua sa main et ses doigts.

— C'est bien, tu n'as pas de paralysie, et la plaie est peu profonde, tu as de la chance. Ne t'inquiète pas, tu retrouveras l'usage de ton bras, je te le promets.

Le blessé esquissa un sourire de gratitude. La jeune religieuse observait la scène d'un air si terrorisé que le chirurgien la remarqua.

— Vous êtes nouvelle ici, ma sœur, n'est-ce pas ?

— Je suis arrivée hier soir.

Une autre religieuse venait à eux rapidement. Grande et forte, elle précisa d'une voix puissante :

— Bonjour maître Hippolyte, vous ne connaissez pas encore sœur Clotilde, la nièce de notre supérieure ; je voulais vous la présenter, mais vous êtes arrivé plus vite que je ne le pensais. J'étais allée chercher un cordial pour notre blessé.

Et, tendant au pauvre homme un gobelet d'étain, elle continua à son intention :

— Tenez, buvez ! Un peu d'esprit-de-vin vous rendra des forces...

— Ne perdons pas de temps, sœur Ignace, reprit le chirurgien. Il faut remettre ce bras en place.

Il enleva son habit qu'il posa sur un tabouret voisin, puis remonta les manches de sa chemise et demanda :

— L'emplâtre est-il prêt ?

— Il est tout juste en train de refroidir.

— À quoi est-il ?

— Au blanc de céruse, répondit-elle avec une nuance d'inquiétude dans la voix. Vous dites toujours que c'est un bon cicatrisant.

— C'est vrai.

La religieuse continua avec plus d'autorité :

— Il y a une bonne proportion de cire qui devrait bien tenir quand ce sera sec.

— Nous verrons cela, dit-il. Et, à l'intention du blessé : Installons-nous maintenant.

Sœur Clotilde était médusée. Elle vit le chirurgien prendre un court bâton rond et le glisser sous le bras cassé, jusqu'à l'aisselle. Une corde passée sur une poutre pendait au-dessus d'eux, et il en fixa un bout à chaque extrémité du bâton, si bien que l'épaule se trouva soulevée. Puis, doucement, il posa l'avant-bras sur une table que sœur Ignace venait d'avancer.

— Il faudrait un coussin de plus.

La religieuse ajouta un sac de sable qui souleva davantage le poignet.

— C'est bien, dit le chirurgien, maintenant, la sangle.

Une sangle de cuir, large d'un pouce, fut enfilée sur l'avant-bras et poussée vers le coude. Elle pendait jusqu'à un pied du sol. Dans la boucle ainsi formée, le chirurgien et la religieuse posèrent avec précaution une grosse pierre, taillée à cet effet, qui présentait une encoche suffisamment profonde pour tenir en équilibre. Ils lâchèrent progressivement le poids qui tira sur le membre cassé de sorte que la déformation commença à se réduire.

L'homme grimaçait, et jetait à ses tortionnaires un regard lamentable. Entre le morceau de bois fixé par les cordes au plafond et la sangle qui supportait la pierre, son bras s'allongeait sous ses yeux. Il ouvrit la bouche pour crier, mais il parvint à se contrôler. Enfin, il poussa un soupir de soulagement.

— Vous avez moins mal ainsi ? demanda sœur Ignace.

— Oh ! oui, ma sœur. Je ne sens presque plus rien.

Le chirurgien s'approcha et palpa minutieusement le bras au niveau de la cassure.

— C'est presque bon, constata-t-il. Après un instant de silence, il ajouta : Serre les dents, mon brave, je vais te faire un peu mal.

Des deux mains, il manipula la fracture. Un craquement sinistre retentit, suivi d'un hurlement étouffé. Dans la salle, un murmure lui répondit, puis le silence revint. Les hospitalisés suivaient la scène avec un intérêt anxieux.

— Voilà, c'est parfait, affirma le chirurgien avec un sourire satisfait. Et, à l'intention de la religieuse, il ordonna : Cette fois, nous allons pouvoir mettre l'emplâtre.

Il prit de petites attelles de bois dans un coffre, les disposa avec soin autour du bras, de l'épaule jusqu'au coude en ménageant la plaie, et les fixa avec des bandelettes de toile. Puis, par-dessus, il étala l'emplâtre qu'il prenait à la spatule dans un chaudron que sœur Ignace avait approché. Une odeur de cire chaude et de cérat se répandit dans l'air. Enfin, un large bandage enveloppa le torse de l'homme qui semblait ne plus souffrir et se prêtait même volontiers à l'emballage dont il était l'objet. Bientôt, son bras et son avant-bras furent complètement soudés au corps. Seule la main était libre, et il la faisait remuer avec une joie évidente.

— Merci, mes sœurs, grommela le chirurgien en remettant son habit.

Sans un mot de plus, il s'en fut de son pas rapide et claudiquant. En face de lui, une troisième religieuse arrivait. Ils se saluèrent d'un mouvement de tête acccompagné d'un sourire. De taille moyenne, elle avait une démarche élégante et un visage d'une grande finesse, aux yeux d'un bleu intense. Les deux autres s'inclinèrent devant elle.

— Bonjour, mes filles. L'initiation de notre novice est commencée, si je comprends bien.

— Oui, ma mère, répondit sœur Ignace, nous avons traité notre première fracture.

— Sans faiblesse ?

La jeune religieuse répondit :

— Oh ! ma mère, quand l'os a craqué, j'ai bien failli perdre l'esprit. J'ai senti mes jambes mollir, mais Dieu a voulu que je résiste...

— Eh bien, je vous félicite. Venez maintenant, sœur Clothilde, on nous appelle à la conciergerie. Je crois qu'il s'agit d'un enfant trouvé.

Les deux femmes se hâtèrent, traversèrent la grande cour pavée de l'hospice vers le portail d'entrée. La sœur tourière les attendait en faisant de grands gestes et, dès leur arrivée, tira sur le lourd vantail qui tourna en grinçant.

Dans l'entrebâillement, apparut un jeune paysan vêtu d'un manteau noir, et qui portait dans les bras un paquet enveloppé de linges.

— Alors, brave garçon, montre-moi ta trouvaille, dit la supérieure d'une voix enjouée.

Le jeune homme lui tendit son précieux fardeau et elle s'en saisit avec délicatesse.

— Entrons tous au chaud, nous allons voir à quoi il ressemble.

Ils pénétrèrent dans la conciergerie où la température était plus clémente. Elle s'arrêta devant la cheminée où rougeoyaient des braises, et écarta les linges avec précaution. Elle découvrit le corps chiffonné d'un nouveau-né qui paraissait n'avoir que quelques heures, et vagissait faiblement.

— C'est un garçon. C'est vrai qu'il n'a pas l'air très vivace, ce petit. Où l'as-tu trouvé ?

Tout en parlant, elle l'enveloppait dans une couverture chaude que la sœur tourière lui avait tendue.

— Il était dans l'herbe au bord de la rivière, en lisière de notre herbage. J'avais laissé la charrette hier soir...

Elle interrompit ses explications :

— L'Oise ou la Verle ?

— La Verle, ma mère, la Verle qu'est au bout de mon champ.

— Près du petit pont ?

— À cinquante pas de là, oui.

C'était un jeune gaillard d'une vingtaine d'années dont les traits déjà burinés témoignaient du temps passé à travailler la rude terre picarde. La religieuse le fixait d'un regard bleu, presque métallique, à peine adouci par les petites rides ironiques qui entouraient ses paupières.

— Comment t'appelles-tu, brave garçon ?

— Martin, ma mère.

— Tu es le fils du saunier ?

— Oui.

Les yeux bleus se plissèrent encore avec un bon sourire.

— Tu as bien honoré le saint dont tu portes le nom, Martin, le Seigneur s'en souviendra.

Elle le regarda quelques secondes sans parler, puis reprit sa voix de commandement :

— Nous allons voir ce que nous pouvons faire pour ce chérubin. Notre sœur tourière va te servir un bol de soupe chaude, et tu pourras retourner à tes champs. Viens nous voir de temps en temps, tu auras des nouvelles de ton... protégé. Dieu te bénisse, mon fils.

Martin, médusé par le charme autoritaire de la religieuse, resta planté sur le pas de la porte et, pendant que la grosse sœur tourière tournait sa louche dans la marmite pendue au coin de la cheminée, regarda s'éloigner les minces silhouettes qui emportaient l'enfant vers les bâtiments de l'hospice.

Les deux femmes, qui marchaient maintenant à pas rapides sur les pavés inégaux de la cour intérieure, avaient la même allure, et, avec quelque trente ans d'écart, un visage identique. Toutes deux accomplissaient le même destin, celui des filles nées trop tard dans une famille de noblesse pauvre : une fois les sœurs aînées dotées pour un brillant mariage, il restait juste aux cadettes de quoi entrer au service du Seigneur, choix si naturel qu'il n'y avait aucune révolte de leur part.

Mère Lucie était entrée à dix-sept ans parmi les sœurs grises de la Charité en sachant qu'elle serait un jour supérieure d'un de ces couvents-hospices qui faisaient la fierté de leur ordre. Sa nièce Clotilde venait, au même âge, de lui être confiée, et elle serait appelée un jour aux mêmes fonctions. Sous la bure la plus austère, la hiérarchie de ce temps était respectée.

Pour le moment, la jeune fille, qui avait prononcé ses vœux quelques semaines auparavant dans la maison mère de Beauvais, découvrait ce monde de misères où elle allait apprendre à aider ses semblables.

— Croyez-vous qu'il va vivre, ma mère ?

— La vie est solidement accrochée dans ces petits êtres, et celui-ci est bien constitué. Il était chaudement couvert, il n'aura pas eu le temps de souffrir du froid. De toute façon, c'est notre Seigneur qui en décidera... Nous allons le baptiser dans un instant.

Son regard bleu souriait à la jeune fille qui, tout en marchant, essayait de voir le visage du bambin enfoui dans la couverture.

— Comment allons-nous l'appeler, ma nièce ? Connaissez-vous le saint du jour ?

— Nous sommes le 1er mars, ma mère, c'est la saint Aubin.

— Va pour Aubin, c'était un breton courageux qui avait des idées saines sur la famille. Espérons qu'il lui apportera sa protection.

— Aura-t-il aussi un nom ?

— Bien sûr, on va lui donner le nom de sa rivière.

— De sa rivière ?

— Oui, la rivière où notre brave paysan l'a trouvé, la Verle. Aubin de la Verle, cela sonne bien, vous ne trouvez pas ? Ce petit air de noblesse lui servira peut-être un jour... D'autant que ce gamin a bien des parents, et qui sait s'il n'est pas noble déjà, par sa naissance !

— La rivière...

— Oui, la rivière. Elle est au bout du pâturage de notre paysan, mais elle est aussi en limite des terres du château...

— Vous pensez, ma mère...

— Je ne « pense » pas, ma fille, je ne suis pas là pour penser, mais... sait-on jamais ?

Toutes deux avaient atteint le bâtiment central de l'hospice, une haute construction sombre couverte d'ardoises qui occupait le fond de la cour. Les deux autres côtés étaient fermés par de longues bâtisses plus basses flanquées d'une galerie couverte, comme dans un cloître. Elles pénétrèrent dans un couloir sonore où toute une foule s'affairait : des religieuses avec leurs grandes cornettes blanches flottant sur leurs épaules, des femmes de service chargées de seaux et de balais ou poussant des chariots, au milieu d'un petit peuple d'hommes et de femmes en guenilles, le visage émacié, et d'enfants aussi qui couraient en tous sens, à peine habillés malgré le froid, pieds nus pour la plupart.

Sœur Clotilde osait à peine regarder autour d'elle. Elle marchait dans les pas de la supérieure, les yeux baissés comme on le lui avait appris, essayant de retarder le plus possible le moment où elle serait confrontée à ces malheureux auxquels son destin venait de la lier. L'épreuve de la fracture du bras l'avait épuisée.

Elles tournèrent à droite, dans un couloir plus étroit, et la supérieure murmura à voix basse :

— Ma chère fille, vous allez découvrir maintenant la lie de ce monde qui sera désormais le vôtre.

Elles poussèrent une nouvelle porte et pénétrèrent dans une immense salle pleine de malades, la grande salle des femmes. La jeune fille, qui n'avait quitté la demeure familiale que pour entrer au couvent, n'aurait jamais pu imaginer un tel spectacle. Haute et longue comme une église, avec une voûte de bois en forme de coque de navire et d'étroites fenêtres ogivales, la salle était aussi richement décorée que sa population était misérable.

La supérieure, sans se soucier de sa compagne qui trottait sur ses talons, le visage à moitié baissé, traversa la salle d'un pas rapide. Mais ce que la jeune fille ne voulait pas regarder, elle le percevait tout de même, dans une véritable vision d'horreur.

Le long des murs s'alignait une rangée ininterrompue de paillasses à peine séparées du sol par des cadres de bois. Trois, quatre, cinq femmes parfois étaient allongées tête-bêche sur chaque paillasse, à peine couvertes par des draps de grosse toile que les souillures enraidissaient. Au milieu de la salle, de longues tables supportaient un amoncellement de linges, d'objets hétéroclites, de gamelles en étain, en plomb, en bois... Entre les tables et les paillasses, l'allée était recouverte d'un carrelage inégal, et une rigole charriait les immondices en un ruisseau répugnant.

Ce qui frappait d'abord, c'était l'attitude de ces créatures de tous âges, dont les yeux, agrandis par la maigreur et brûlants de fièvre, suivaient les visiteurs avec un regard intense où se mêlaient l'interrogation et l'espoir.

Arrivée à l'extrémité de la salle, la supérieure s'immobilisa un instant et regarda sœur Clotilde. Celle-ci leva vers elle un visage bouleversé.

— Toutes ces malheureuses, murmura-t-elle dans un souffle.

— C'est vrai, il faut venir dans un établissement comme celui-ci pour se rendre compte de l'état véritable de notre peuple.

— Elles sont toutes malades ?

— Non, pas toutes, mais elles font partie de ces gens dont

personne ne veut plus : les indigents, les tarés, les infirmes, les victimes de la peur, de la faim, de la solitude... Et de la maladie aussi, bien sûr. Beaucoup d'abandonnés, comme celui-ci que nous allons essayer de remettre dans le chemin de la vie. Ouvrez-moi cette grosse porte, je vous prie, je n'y parviendrai pas avec mon colis.

Sœur Clotilde fit jouer l'énorme clé et la porte s'ouvrit sur un autre univers, tout aussi imprévisible, mais ô combien plus réjouissant.

La pouponnière était une haute pièce voûtée, où les pleurs d'une armée de nourrissons se répercutaient sur les murs de pierre, en un sanglot unique et continu. Des berceaux de rotin s'alignaient le long des parois, et de volumineuses matrones circulaient autour de la table centrale en portant dans leurs bras nus des paquets d'enfants hurlants. Dans un coin, assises sur des tabourets, trois nourrices aux mamelles monstrueuses, tenaient un enfant sur chaque sein. Dans l'air flottaient des remugles d'urine, de camphre et de lait caillé.

Sœur Clotilde eut un haut-le-cœur qu'elle maîtrisa avec une grimace, mais sa mimique n'échappa pas à la supérieure qui la surveillait du coin de l'œil et semblait beaucoup s'amuser.

— Voici notre élevage, ma chère fille, s'exclama-t-elle, le fruit des naissances malvenues. Et, à voix plux haute : Mesdames, je vous présente un nouveau pensionnaire !

Immédiatement, ces femmes qu'on aurait cru blasées se précipitèrent avec des cris d'émerveillement sur la petite chose rosâtre qui gesticulait mollement dans ses linges blancs.

— Oh ! Qu'il est beau ! Comme il est mignon ! Il doit avoir soif, vite un peu d'eau sucrée. Il ne doit pas être encore en état de boire du lait, mais on va voir s'il avale...

Celle qui paraissait la plus âgée prit la direction des opérations. Sœur Clotilde avait subitement oublié ses réticences et suivait avec passion les gestes précis et doux de ces énormes mains qui auraient pu broyer l'enfant sans effort. L'enfant mis à nu, un cri d'admiration jaillit :

— Oh ! La belle médaille ! Et quelle jolie chaîne...

Toutes les femmes se rapprochèrent.

La supérieure décrocha le bijou entortillé dans le linge, le soupesa et regarda attentivement la médaille pour y chercher une inscription.

— C'est une effigie de la Vierge. Un bijou très ancien, probablement un souvenir de famille. La chaîne est en or également et pèse un bon poids. C'est bien. Cet enfant, en cas de besoin, aura là de quoi se sortir d'embarras. Tendant le bijou à la jeune sœur, elle ajouta : Tenez, gardez-le. Ce nouveau-né est un bienfait du Ciel pour fêter votre arrivée parmi nous ; je vous le confie. Quand il devra nous quitter, vous lui rendrez son viatique, et vous lui raconterez son enfance...

La cloche de la chapelle sonna pour la messe, et la supérieure interrompit le concert bêtifiant des matrones.

— Allez, mes filles, c'est un enfant comme tous les autres, ne perdez plus votre temps. L'une d'entre vous l'apportera à la fin de l'office pour que monsieur le curé puisse le baptiser. Se retournant vers sœur Clotilde :

— Venez, fit-elle, il faut prier pour notre nouvelle recrue.

L'une à côté de l'autre, les mains dans les manches, elles partirent vers la chapelle.

La statue de Saint-Yé, perché sur le toit de l'hospice, dominait la cour où un flot de cornettes blanches convergeait vers le lieu de prière.

— Voulez-vous me permettre une suggestion, ma chère fille...

— Mais bien sûr, ma mère...

— Votre arrivée ici a coïncidé avec celle de cet enfant, et je vois là un signe du destin. Notre Seigneur, qui a voulu vous réunir, a sans doute mis cette jeune vie sous votre protection, et c'est une belle histoire qui commence. Mais il ne faut pas laisser votre cœur de femme prendre le dessus... N'oubliez pas que vous êtes avant tout au service du Christ. Elle laissa passer un temps, et reprit : Dans ma jeunesse, j'ai appris à écrire chaque soir une sorte d'examen de conscience. Si vous ne l'avez jamais fait encore, je vous conseille de commencer ce soir. Je vous donnerai un cahier où, avant votre dernière prière, vous consignerez vos pensées, avec les faits et gestes du bambin. Plus tard, le récit de ses jeunes années, et de ce que vous aurez fait pour lui, sera un utile enseignement où il puisera peut-être la force de lutter...

— Bien sûr, ma mère...

— Si vous voulez, de temps à autre, vous me montrerez votre cahier et nous parlerons ensemble de ce qui sera... le reflet de votre âme. Pensez-y !

Elles entrèrent dans la chapelle, et la jeune religieuse eut beaucoup de mal, ce matin-là, à se consacrer à la prière. Les événements du jour et l'arrivée de cet enfant laissaient peu de place à la spiritualité !

Le soir même, dans sa petite cellule chaulée de blanc, elle alluma sa chandelle et s'installa devant la table de bois. Elle coupa une plume neuve, ouvrit le cahier brun que la supérieure lui avait donné, et écrivit sur la première page, de sa grande écriture penchée : *Histoire d'Aubin de la Verle, né le Ier mars 1731. Par sœur Clotilde de la Charité.*

Le lendemain matin, mère Lucie dispensa sa jeune nièce de prière à la chapelle et la convia à une marche de réflexion dans la campagne environnante. C'est ainsi qu'elle appelait ses promenades matinales, à vrai dire peu fréquentes. Un soleil printanier jouait sur les coteaux de l'Oise, et recouvrait la plaine picarde d'une brume complice qui masquait les marécages. En bas serpentait la route de Paris à Calais, et l'on pouvait détailler facilement les bâtiments compliqués de l'auberge-relais du Cerf-à-Genoux où s'arrêtaient les diligences et les voitures de commerce.

La supérieure, férue d'histoire, se plaisait à raconter les origines pittoresques de son couvent-hôpital, et la nouvelle venue était un auditoire de choix. Les deux femmes savaient qu'elles allaient devoir cohabiter pendant de nombreuses années, avant que celle qui deviendrait un jour mère Clotilde prenne à son tour le commandement.

Le château des Malmort de Saint-Yé était perché sur la colline, et son donjon médiéval semblait surveiller d'un côté le village, souriant sous ses tuiles roses, et, de l'autre, une austère succession de bâtiments gris, coiffés d'ardoise. Adossée aux remparts de l'ancienne forteresse, la partie habitée du château dominait l'hospice, le couvent et sa chapelle. Les premiers édifices dataient du XIIe siècle, mais chaque époque avait laissé son empreinte. C'est au début du XVIIe siècle, quand Henri IV eut rendu au pays une relative paix religieuse, que l'hospice et le couvent avaient été construits par le comte Aymart de Malmort et par Bonne, sa sainte épouse.

À cette époque, la quiétude retrouvée avait donné aux échanges commerciaux un nouvel essor, et le château, entouré de terres fertiles et placé en lisière des Flandres, s'était considérablement enrichi. Pour se faire pardonner, et dans l'espoir de s'assurer une éternité confortable, les châtelains avaient décidé d'affecter une part de leur fortune à la création de cet établissement charitable.

Dans son récit, la religieuse savait mettre une note d'humour qui trahissait sa remarquable lucidité, à une époque où, pourtant, on ne badinait pas volontiers avec les choses de la religion.

Plus que l'historique et ses nuances, c'est le quotidien de la vie conventuelle qui intéressait sœur Clotilde. Sur ce sujet aussi, la bavarde supérieure était intarissable, et son sens critique donnait à son discours une saveur acidulée que la jeune fille savait apprécier.

L'hospice abritait, en permanence, une centaine d'adultes, et une cinquantaine d'enfants de tous âges, abandonnés à la naissance ou plus tard. Pour triste que fût leur situation, ces derniers apportaient une note joyeuse et insouciante à un univers dominé par la laideur et la maladie.

Chaque matin, une horde de malheureux assiégeait le porche d'entrée, et la religieuse chargée de l'administration communautaire hospitalisait autant de patients qu'il y avait eu de décès dans la nuit et le jour précédent. Les autres s'en retournaient avec une gamelle de soupe chaude et une tranche de pain. Ils revenaient le lendemain, dès l'aube, pour être parmi les premiers et avoir une meilleure chance d'être acceptés. Les élus du jour entraient avec le sourire car ils savaient qu'ils allaient enfin trouver là, pour un moment, le gîte et l'apaisement, de quoi manger, et surtout la sollicitude d'un personnel laïc et religieux qui leur procurerait du réconfort.

Les traitements médicaux étaient dirigés, racontait la supérieure, par trois personnages hauts en couleur.

La comtesse de Malmort assurait seule, en pratique, la permanence des soins. Elle régnait avec fierté sur sa majestueuse apothicairerie, une belle salle tapissée de vitrines rutilantes où s'alignaient, comme à la parade, des pots de faïence bleue ornés d'inscriptions magiques et savantes. Au milieu de la pièce, sur une longue table de chêne ciré, des mortiers de porcelaine et de bronze alternaient avec des récipients de cuivre et d'étain de toutes tailles. Chaque matin, après la messe, la maîtresse de ces lieux arrivait de la chapelle, suivie du sacristain.

Elle avait la cinquantaine imposante et il fallait la voir relever ses manches de velours pour manier à deux mains un pilon de dix livres sous le regard admiratif et courtisan du sacristain qui lui arrivait à peine à l'épaule ! Avec ses cheveux gris soigneusement tirés en arrière sous une coiffe amidonnée, ses yeux noirs perçants et sa bouche en coup de sabre, elle ne prêtait guère à la plaisanterie. De plus, ses colères étaient terrifiantes. Mère Lucie en parlait d'une voix suave, car, manifestement, rien ne l'impressionnait vraiment. De plus, elle savait que si l'on comparait leurs quartiers de noblesse, la comtesse se ferait plus discrète.

Les deux femmes se respectaient pour leur commune efficacité mais sœur Clotilde percevait, en écoutant sa tante, une secrète rivalité entre ces deux personnalités riches en contrastes. Elle décida de changer le tour de la conversation.

— Comment se distribuent les médicaments ?

— Nos sœurs viennent à tour de rôle chercher les potions et les onguents destinés à leurs patients.

— Elles savent ce qu'il leur faut ?

— Elles ont tellement l'habitude. Lorsqu'un cas sort de l'ordinaire, la comtesse se déplace et décide ce qu'il faut faire.

Il n'y avait pas de médecin à demeure, à l'hospice de Saint-Yé. Mais il en venait un presque chaque semaine. Maître Hertius qui exerçait habituellement à la cour de Versailles, devant un parterre de jeunes gens fascinés par son érudition, était né à Saint-Yé et sa mère, très âgée, y habitait encore. Alors il allait lui rendre visite le dimanche, et il profitait de ce devoir filial pour paraître à l'hospice pendant quelques heures. Là, il étalait, en termes hermétiques, une science d'autant plus admirée que personne n'y comprenait rien.

C'était un grand escogriffe qui arborait encore la longue robe noire comme au siècle dernier et affectait volontiers des allures sacerdotales. Son visage long et osseux était précédé d'un nez immense qu'il caressait avec application dans les moments d'intense réflexion.

Sa grande spécialité, c'était l'examen des urines. Il avait un geste d'une élégance inégalable pour élever vers la lumière le flacon fraîchement rempli et de le faire tourner dans ses doigts pendant qu'il discourait à l'infini sur les caractéristiques de cette humeur d'importance diagnostique, à son avis, négligée.

Sœur Clotilde souriait en voyant sa tante imiter le médecin :

— Voici des urines safranées, je les eusse préférées vineuses. L'écume est spumeuse, la colique menace. L'hypostase est épaisse, la fièvre va venir... Il conclut toujours, ajouta-t-elle, par une de ces sentences latines qui représentent sûrement la quintessence de sa culture scientifique !

La comtesse accompagnait maître Hertius dans ses visites, sans se laisser duper par le spectacle, mais persuadée qu'une médecine sans médecin n'est pas crédible aux yeux des gens simples. Malgré l'acuité de son esprit critique, elle respectait les années d'études de celui qui avait tout de même acquis le titre envié de docteur, alors qu'elle-même s'était bornée à lire quelques grimoires et à reproduire les recettes transmises par feu sa belle-mère.

De toute façon, elle savait bien que si un moribond en réchappait, c'était surtout Dieu qu'il fallait remercier de son heureuse intervention.

Dans cet univers de désolation, un troisième larron jouait un rôle déterminant. On l'appelait maître Hippolyte, ou, plus familièrement le « père Polyte ». La jeune religieuse avait fait sa connaissance la veille. C'était un ancien chirurgien de marine qui avait échoué à Saint-Yé, après un accident qui lui avait définitivement raidi un genou.

Il avait appris son métier sur le tas, par un véritable compagnonnage, à bord des navires terre-neuviers, et avait fait l'apprentissage du scalpel au milieu des tonneaux de saumure. Nul ne contestait l'habileté de sa main vive comme l'éclair et qui incisait quotidiennement les bubons, les abcès et autres collections purulentes, innombrables à l'hospice. Il exécutait aussi les saignées salvatrices prescrites par maître Hertius ou la comtesse.

Disponible à toute heure du jour ou de la nuit, il se déplaçait vivement, sa main rivée à un bâton qui aurait pu tout aussi bien lui servir de gourdin. Son visage buriné n'était qu'un fin lacis de rides entremêlées où brillait la fente étroite de ses yeux. Muet par goût, il ne répondait à une question directe qu'après avoir longuement frotté son crâne chauve de ses doigts velus. Mère Lucie expliquait qu'avant de parler il vérifiait longuement s'il n'était pas possible d'économiser quelques mots pour exprimer sa pensée.

Chirurgien à l'hospice, il était aussi, malgré les interdictions officielles, le barbier du village. La tradition se perpétuait dans beaucoup de campagnes, car l'enseignement de la chirurgie n'avait pas encore formé assez de praticiens officiels pour qu'ils puissent quitter les grandes villes. Ce dont ils n'avaient d'ailleurs nulle envie !

Il habitait au-dessus de son échoppe, marquée par l'enseigne à l'effigie de saint Côme. On le voyait souvent, assis sur le pas de sa porte, aiguisant lentement ses lames de scalpel et de bistouri sur la pierre tendre où l'eau s'égouttait d'une gourde de peau. Puis il les affinait sur une lanière de cuir fixée au mur par un gros crochet de bronze. Les dents serrées sur une courte pipe rarement allumée, il fredonnait des chansons de marins sans se soucier des gens qui venaient le regarder travailler.

Certains soirs, on le voyait partir en claudiquant vers l'auberge du Cerf-à-Genoux. Il n'en rentrait que tard dans la nuit, d'une démarche dont les oscillations ne devaient plus grand-chose à la boiterie.

Dans ses caricaturales descriptions, la supérieure manifestait nettement sa préférence pour le vieux chirurgien, dont elle respectait l'efficacité, la discrétion, et même une certaine humilité. Elle avait pour en parler des accents où perçait une nuance de tendresse.

La comtesse aux bras de lutteur, le médecin amateur de jeunes garçons et le chirurgien de marine boiteux, formaient un trio plein de dissonances. Mais leur action concertée faisait de l'hospice de Saint-Yé un lieu où l'on parvenait à soulager les souffrances humaines, même si les rites médicaux n'y étaient guère plus efficaces qu'ailleurs.

Depuis un moment, sœur Clotilde écoutait plus distraitement le bavardage animé de sa tante, car son esprit était revenu au nourrisson que la Providence avait mis sur son chemin. Elle n'osait pas faire préciser à la supérieure ses sous-entendus concernant la naissance de l'enfant. Mais elle se promettait de tout faire pour en savoir davantage... En attendant, d'autres questions lui brûlaient les lèvres.

— Des enfants abandonnés, ma mère, en recevez-vous beaucoup ?

La religieuse brossa alors, de sa voix posée et presque détachée, le tableau abominable de l'enfance malheureuse qui déshonorait le Siècle des lumières. Chaque année, des milliers d'enfants étaient déposés dans le tourniquet des orphelinats, à la porte des églises et des couvents, ou au bord des chemins. Les institutions charitables les prenaient en charge, mais les conditions rudimentaires d'hygiène rendaient inévitable une mortalité désespérante : trois nourrissons sur quatre n'atteignaient pas l'âge de un an. Les épidémies, et surtout la variole qui menaçait en permanence ces communautés fragiles, faisaient des ravages parmi les survivants que les moyens thérapeutiques de l'époque étaient impuissants à soulager.

Les enfants qui parvenaient à l'âge scolaire étaient confiés au curé qui leur enseignait les rudiments de la religion et tentait de les sauver de l'analphabétisme ambiant. Les plus doués pouvaient même être envoyés au collège dans une ville voisine ; mais le coût de la scolarité les empêchait d'accéder aux études supérieures. La plupart d'entre eux essayaient d'apprendre un métier, dans les fermes ou chez les artisans locaux. Les moins chanceux se retrouvaient dans les filatures où ils occupaient les strates les plus basses d'une main-d'œuvre à bon marché.

La supérieure décrivait avec précision et amertume la vie laborieuse de ces enfants qui, dès l'âge de sept ou huit ans, étaient attelés, dix heures par jour, aux métiers à tisser ou aux bacs à teinture.

Ils ne revenaient à l'hospice que si la maladie ou un accident les rendaient inutilisables pour un temps et Saint-Yé prenait alors, à leurs yeux, figure de paradis !

« Le mien ne partira pas, se jurait sœur Clotilde, je saurai bien le garder ! »

Les deux femmes rentrèrent au couvent au moment de la messe. La jeune religieuse eut ainsi tout loisir de demander au Seigneur aide et bienveillance pour son protégé que tant de dangers menaçaient. Dès l'*Ite missa est,* elle se précipita vers la pouponnière pour voir où en était son chérubin. En chemin, elle buta sur la comtesse qui arrivait à grands pas.

— Où est mère Lucie ? gronda celle-ci d'une voix de stentor.

— Elle vient, Madame.

Sœur Clotilde, suffoquée, venait de comprendre à quel point le tableau qu'avait fait sa tante était véridique. La grosse dame écarlate soufflait comme un dragon. Apercevant la supérieure, elle vira de bord, et fonça sur sa proie.

— Ma mère, je vous salue !

La voix était si forte que la salle entière fit silence. Par contraste, la réponse de la supérieure sembla mélodieuse.

— Dieu vous garde, Madame, et me protège de ce courroux dont j'espère ne pas être la cause.

— Mais non, ma mère, mais non, vous n'êtes pas en cause ! Il s'agit de sœur Ignace qui fait de mes onguents une consommation abusive. Je connais ses patients et rien ne justifie un tel gâchis. À moins qu'elle ne soigne aussi les indigents du dehors, ce qui est contraire à nos habitudes... et à mes directives !

— Madame, ils souffrent autant que ceux que nous gardons ici !

— Personne ne vous dit le contraire, ma mère, mais je ne peux pas suffire. Rien n'est prévu ici pour soigner autant de gens. Même la bonté a ses limites !

— Madame, est-ce notre faute si la petite vérole fait autant de scrofuleux ?

La comtesse se retourna et partit en grommelant :

— Vous avez toujours le dernier mot, ma mère, ce n'est vraiment pas la peine de discuter !

Pendant ce temps, sœur Clotilde s'était éclipsée vers la pouponnière. Elle trouva son protégé dans l'un des berceaux d'osier, et une nourrice vint lui expliquer qu'il avait bu facilement un peu de lait. Tout se passait bien.

Rassurée, elle revint dans la salle où mère Lucie aidait sœur Ignace à installer les patients valides à la table centrale pour le dîner de midi. En même temps elle lui parlait à mi-voix, sans doute de l'algarade seigneuriale. Sœur Ignace avait une trogne de paysanne avec des joues écarlates et des petits yeux bleus toujours en mouvement. Elle dominait sa supérieure d'une bonne tête. Manifestement, ces remontrances ne l'atteignaient pas, elle se savait sur terre pour aider ses semblables sans tenir compte de si basses contingences matérielles. Personne, ici, n'en faisait autant qu'elle avec une telle sérénité. Mère Lucie, d'ailleurs, ne semblait pas la tancer avec beaucoup d'énergie...

Au bout de la longue table, des montagnes d'écuelles de bois attendaient l'arrivée de l'énorme marmite que deux religieuses apportaient de la cuisine. Sœur Clotilde, qui participait pour la première fois à cette tâche, souriait devant ce spectacle insolite. Tous ces visages malheureux s'illuminaient, comme si cette grosse soupe paysanne avait été un festin de roi. Une vieille femme édentée à la peau parcheminée et flasque riait aux éclats en voyant passer les écuelles fumantes de mains en mains.

La supérieure surprit le regard étonné de sa nièce.

— Vous voyez, ma fille, l'essentiel de notre travail est là. Il serait plus simple de pouvoir leur proposer un remède magique capable de leur rendre la santé à tous... Hélas ! Nos médecins n'ont pas trouvé encore la Thiriaque universelle et, pour le moment, il faut se résoudre à ne leur apporter que notre temps et notre amour.

— Et la bonne soupe de sœur Félicie.

— C'est vrai qu'elle est bonne. D'ailleurs, Dieu me pardonne, mais je sens qu'il va être l'heure du *bénédicité*. Pas vous ?

Les deux femmes s'en furent ensemble vers leur réfectoire en passant sous le cadre où Bonne de Malmort, la bienfaitrice, offrait à tous son sourire éternel.

Ce soir-là, sœur Clotilde écrivit sur son cahier :

« Demain je prendrai mon service régulier. Je ne sais rien des soins à donner à tous ces pauvres gens mais sœur Ignace me montrera, c'est la meilleure infirmière de la communauté.

« Voici quel sera désormais l'horaire de mes journées :

« Lever cinq heures, et prime à la chapelle. À cinq heures trente, début du service dans les salles. Huit heures, prière avec les malades et déjeuner. Onze heures, grand-messe. Douze heures, dîner des malades. Douze heures trente, prière et dîner au réfectoire. Jusqu'à quinze heures, méditation en commun. Seize heures, service des malades. Dix-huit heures, vêpres. Dix-huit heures trente, souper des malades. Dix-neuf heures, souper au réfectoire. Vingt heures, prière du soir et méditation.

« Deux fois par semaine, je serai “ veilleresse ” de nuit.

« Aubin a bu un peu de lait, et il a ouvert les yeux. Ils sont bleus, mais la nourrice m’a dit que cela ne voulait rien dire. Tous les nouveaux-nés ont les yeux bleus... »

CHAPITRE II

Pendant quatre ans, rien ne troubla l'ordonnancement rigoureux de cette vie. Sœur Clotilde apprit à lever, laver, habiller les malades, et à ensevelir les morts. On lui montra comment serrer fort le bras d'un patient dont le père Polyte incisait un abcès, ou tenir sans trembler la petite écuelle qui recueille le liquide de la saignée. Sans broncher, elle soutenait le front du vomissant, le ventre de l'accouchée, ou la main du dément terré dans sa folie. Chaque matin, elle entrait dans la salle avec le sourire malgré ses nausées, et elle parvenait à parler de Dieu à ceux qui lui répugnaient.

Malgré ces tâches harassantes et souvent rebutantes, elle s'estimait la plus heureuse des femmes car dans la petite salle, là-bas, il y avait Aubin.

Plusieurs fois par jour, elle s'évadait un instant vers la pouponnière et passait avec le bambin des moments de grand bonheur. Elle le vit s'éveiller à la vie, dirigea ses premiers pas, calma ses premiers chagrins et déchiffra ses premiers babillements. Un jour, il interrompit son bredouillis habituel, resta silencieux un instant, comme s'il réfléchissait. Les yeux bien plantés dans ceux de la religieuse, il arrondit ses lèvres et prononça :

— Clo...

Elle abandonna son service et rentra dans sa cellule, bouleversée.

Ce soir-là, son cahier était taché de larmes...

Il lui était difficile de quitter trop fréquemment ses patients pour aller voir le petit enfant. Alors, le plus souvent possible, elle se proposait pour les gardes de nuit, où elle régnait seule sur la grande salle assoupie. Le gamin venait la retrouver et, après avoir longtemps babillé, s'endormait à ses pieds, enfoui dans les plis de son manteau. Elle enlevait avec précaution son vêtement pour ne pas le réveiller, l'installait confortablement, et jetait une couverture sur ses épaules, avant d'aller s'occuper des malades. Toute la nuit elle revenait le voir dormir, émerveillée, et ne le portait sur sa paillasse qu'aux premières lueurs de l'aube.

Il n'y avait, chez cette jeune femme, aucune amertume à n'avoir pu mettre au monde ses propres enfants. Son destin avait été tracé si tôt, sa « vocation » lui avait été à ce point présentée comme une évidence, que le service du Seigneur représentait réellement sa seule raison de vivre. L'existence d'Aubin était une sorte de gratification, un bonheur supplémentaire dont elle remerciait Dieu chaque jour, sans aucune arrière-pensée de révolte à l'égard de ses parents qui l'avaient ainsi enfermée si jeune dans le lourd carcan religieux. Bien au contraire, elle les remerciait, dans chaque lettre, de lui avoir donné un tel bonheur...

Dans ses préoccupations quotidiennes, les questions qui lui revenaient sans cesse ne concernaient que le petit Aubin. D'où venait-il ? Comment avait-on pu abandonner un tel chérubin ? Qu'allait-il devenir, sans protection, sans famille, dans cette vie semée d'embûches ? Dieu avait voulu qu'elle soit à l'abri des soucis matériels, mais elle savait combien, pour le petit peuple de la rue, tout était difficile. Depuis qu'elle était arrivée à l'hospice, elle avait vu tant de malheureux échouer là, épuisés, désespérés, sans autre recours que la charité... Elle retournait sans répit, dans sa tête, les énigmes qui entouraient la naissance du bambin.

Elle avait bien essayé de faire parler la mère supérieure, mais elle n'avait obtenu, pour toute réponse, qu'un sourire ironique. C'était le seul sujet sur lequel cette grande bavarde se taisait obstinément. Et ce silence même prouvait à sœur Clotilde qu'il y avait quelque chose qu'elle ne *voulait* pas dire. La jeune fille avait bien compris qu'il fallait chercher du côté du château, mais comment se renseigner ? De la famille seigneuriale, elle ne connaissait que la comtesse et ce n'était certainement pas à elle qu'il fallait s'adresser...

Souvent, elle voyait Martin, le fils du saunier, qui venait prendre des nouvelles de sa trouvaille, mais il n'était guère bavard. Il rougissait et se troublait dès qu'on lui adressait la parole. Il était devenu le cocher occasionnel de la communauté, et, plusieurs fois par semaine, livrait des marchandises ou transportait ceux qui devaient se déplacer. Mais il était difficile d'accrocher son regard.

Alors elle attendait, et son cahier demeurait le seul confident pour ces questions sans réponses.

Mère Lucie, à la vérité, n'en savait pas plus qu'elle. Elle se doutait que l'enfant venait du château, mais que se passait-il de l'autre côté des grandes murailles ? Le sacristain était un demeuré, et le curé, qui confessait la comtesse, vivait dans son ombre. Il ne venait au couvent qu'au moment des offices et pour la pénitence des religieuses qu'il expédiait sans s'attarder.

Elle savait bien, qu'un jour ou l'autre, la vérité se ferait jour.

Elle n'eut pas à attendre très longtemps.

À l'automne 1735, Aubin avait quatre ans et demi quand une épidémie de variole recommença à s'étendre sur le pays. La maladie ne disparaissait jamais; elle était toujours là, latente et sournoise, et atteignait sans discernement jeunes et vieux, pauvres et riches, comme au hasard. Tous les quatre ou cinq ans, le fléau semblait se réveiller et tel, un orage, s'abattait sur la région avec une force renouvelée.

Les hospices étaient exposés, car les cas les plus graves y affluaient. Ceux qui n'avaient jamais encore été frappés tremblaient d'être les prochaines victimes; les religieuses, en particulier. Elles étaient bien placées pour savoir que parmi celles qui seraient atteintes, une sur dix en mourrait.

Pour sœur Clotilde, c'était le baptême du feu et, dès l'arrivée des premières formes graves de l'affection, la supérieure lui avait confié des travaux à l'intérieur de la communauté. Interdite d'hospice, la jeune fille s'en montrait d'autant plus malheureuse qu'elle s'inquiétait pour Aubin, qui n'avait pas encore été atteint par la maladie. La règle d'obéissance lui interdisait de regimber, mais l'angoisse se lisait sur son visage.

La supérieure, très préoccupée, essayait de maintenir ses compagnes dans la plus stricte hygiène sans y parvenir efficacement, tant les soins du corps étaient contraires à la règle. Ces femmes croyaient trop à l'origine divine de la maladie pour imaginer qu'on puisse s'en protéger par d'autre mesure préventive que la prière. Sans nier l'efficacité d'une ferveur qu'elle encourageait, mère Lucie, en esprit éclairé, était persuadée qu'il fallait aussi se laver les mains avec soin... Mais personne ne voulait l'entendre! Elles attendaient la maladie avec sérénité, sachant que celles qui en réchapperaient seraient ensuite protégées pour le restant de leurs jours.

Les enfants étaient les plus atteints, en nombre et en intensité. Deux sur dix mouraient. Parmi les rescapés, la moitié au moins étaient infirmes pour la vie : aveugles, sourds ou idiots; tous étaient grêlés et certains défigurés. Il était impossible de les protéger. Toujours en mouvement, ils vivaient en bandes, se poursuivant en courant dans les salles de malades, chassés par les religieuses et revenant aussi vite.

Un matin, Aubin ne se leva pas. Il était fébrile, vomissant, abattu. La supérieure évita d'en parler à sœur Clotilde, mais son visage était éloquent. La jeune fille n'osait pas poser de questions. Sans cesse, elle priait le Seigneur de protéger l'enfant. Heureusement, très vite on s'aperçut qu'il développait une forme bénigne de la maladie et que, selon toute vraisemblance, il s'en tirerait sans séquelles sérieuses.

La jeune religieuse, plongée dans ses pensées anxieuses, sursauta quand elle entendit la voix de la supérieure.

— Ma fille, il faut que je vous parle, suivez-moi.

Cette phrase avait été dite après la messe, sur un ton sans réplique. Les deux femmes arrivèrent dans le petit oratoire qui jouxtait la cellule de la supérieure. Elles s'assirent sur la banquette qui faisait face à la fenêtre, et un long moment s'écoula avant que la supérieure reprenne la parole, cette fois, d'un ton ému qui ne lui était pas habituel.

— Vous avez su, je pense, qu'Aubin était malade. Mais il ne va pas mourir, rassurez-vous. Il a de la chance, car les formes graves abondent, et nos pauvres enfants succombent les premiers. Elle tourna son visage dont les yeux s'étaient remplis de larmes et ajouta : Notre chère sœur Ignace qui était si dévouée va sûrement nous quitter aussi. Je l'ai vue il y a quelques instants, son corps n'est plus qu'une plaie et elle délire. Elle paye les conséquences de son immense dévouement.

Elle interrompit sœur Clotilde qui voulait parler.

— Je sais, vous l'auriez aidée volontiers, et je ne l'ai pas voulu. Je ne pouvais pas exposer ainsi la plus jeune sœur de notre communauté. Et puis, j'ai, en ce qui vous concerne, des responsabilités personnelles...

Elle s'arrêta de parler un instant :

— De toute façon, j'ai une autre idée pour vous, reprit-elle avec un ton doctoral. Elle sembla réfléchir avant de poursuivre : Vous savez que la maladie semble se transmettre par des miasmes... Leur existence est discutée par certains, et les savants sont loin d'être d'accord sur ce sujet. Mais mon expérience personnelle me permet d'être affirmative sur un point : si les formes graves donnent habituellement, par contagion, des formes sévères, les formes frustres transmettent leur bénignité également. D'autres que nous ont fait cette constatation, et j'ai appris il y a quelques jours qu'en Angleterre, notamment, cette particularité était mise à profit pour protéger ceux qui n'avaient pas encore été malades.

Le couvent de Saint-Yé, placé sur la route entre les Flandres et Paris, recevait souvent des ecclésiastiques voyageurs qui faisaient étape, sur la route de Rome. Au souper, à la table de la supérieure, les conversations allaient bon train pendant que les religieuses mangeaient en silence et lançaient des coups d'œil furtifs vers les inconnus.

Ainsi mère Lucie avait-elle entendu parler d'une certaine lady Montagu qui avait su protéger ses enfants de la maladie, par une méthode qu'elle avait apprise lors de ses voyages en Orient.

La supérieure continua, mal à l'aise :

— La méthode se nomme « inoculation ». On met en contact un

malade qui semble présenter une maladie bénigne, ou bien le pus d'une de ses pustules, avec ceux qui n'ont pas encore été atteints par la maladie... La contagion s'effectue, et la petite vérole transmise est généralement bénigne...

— Généralement ?

— Oui, c'est là que le bât blesse... Dans certains cas la maladie du receveur est plus grave que celle du donneur... Et nul ne peut savoir pourquoi. Mais c'est exceptionnel...

Sœur Clotilde regardait intensément sa supérieure, attendant la suite qu'elle commençait à entrevoir.

— Voilà, je vous propose d'essayer cette méthode en tentant de vous transmettre la maladie du petit Aubin. Si vous acceptiez, je vous enverrais tous les deux pendant quelques jours au couvent d'Amiens dont je connais bien la supérieure, en lui demandant de vous isoler ensemble, dans une cellule, jusqu'à ce que vous développiez la maladie. C'est le seul moyen actuellement à notre disposition pour vous éviter une contagion plus grave... Car je ne pourrai pas éternellement vous maintenir à l'abri derrière nos murs... Il va bien falloir, un jour, que vous retourniez en salle...

Elle avait dit ces derniers mots sur un ton où transparaissait la tendresse qu'elle portait à la jeune fille.

Celle-ci n'hésita pas une seconde pour répondre.

— Vous voulez dire que je vais rester avec Aubin ? Seule avec lui ?

— Oui. Vous n'êtes pas obligée d'accepter, ce n'est pas un ordre, ce n'est qu'un projet. Une proposition que vous êtes en droit de refuser, car la chose est grave... Il y va de votre vie.

— J'accepte immédiatement. De toute façon, le risque est le même si je retourne à l'hospice.

— C'est certain...

— Alors... Quand partons-nous, ma mère ?

— Demain à l'aube.

Le sourire de la jeune fille témoignait, s'il en avait été nécessaire, des raisons affectives de son choix. L'inoculation, si elle était positive serait, certes, bénéfique ; mais partir seule avec ce bambin qu'elle adorait, justifiait tous les risques.

— Seulement, sœur Clotilde, je vais vous demander de garder le secret sur les raisons de ce voyage. J'ai à peine effleuré ce sujet, l'autre jour, avec maître Hertius, et il a poussé des hauts cris. La comtesse l'a soutenu, et le curé s'est lancé dans un grand discours sur la volonté de notre Seigneur à laquelle on n'a pas le droit de s'opposer... Je n'ai pas insisté, mais je ne parlerai à personne des motifs de ce voyage. Je vous demande d'être aussi discrète que moi. Du moins pour le moment.

— Vous pouvez me faire confiance, ma mère.

— Je le sais bien.

Elle sortit de sa robe un pli scellé de cire :

— Voici la lettre que j'ai préparée pour la supérieure d'Amiens. Martin vous emmènera. Je me suis assurée de sa discrétion. Je vous apporterai Aubin au moment de votre départ.

Sœur Clotilde se sauva en jubilant, et elle eut beaucoup de mal, jusqu'au soir, à cacher sa joie et son excitation. Elle se rattrapa en couvrant son cahier de réflexions enthousiastes, avant de le glisser dans son sac et de se coucher. Elle pria longtemps pour que Dieu lui accorde le succès, et elle Le remercia de lui procurer une telle joie. Elle dormit très mal cette nuit-là.

Le lendemain, le jour n'était pas encore levé que les deux chevaux de Martin emmenaient d'un trot rapide la voiture que la communauté venait d'acquérir. C'était un modèle récent avec une capote cirée, une banquette à l'avant et de la place à l'arrière pour les bagages. Les deux jeunes gens étaient donc assis côte à côte, tandis qu'Aubin, emmitouflé dans une grosse couverture, babillait sur les genoux de sœur Clotilde.

La jeune fille espérait bien obtenir de son cocher quelques informations au cours du voyage. Malgré tous ses efforts et ses multiples approches, l'autre resta muet, les dents serrées, se bornant à quelques grognements et aux bruyantes exhortations destinées aux chevaux. Les trois heures de trajet les conduisirent aux faubourgs de la ville, et la voiture laissa bientôt ses voyageurs aux mains de la sœur tourière qui les entraîna aussitôt vers l'intérieur du couvent.

Martin revint plus lentement, plongé dans ses pensées, sans se douter des conséquences de ce court périple.

Quelques jours plus tard, en effet, il réapparut à l'hospice, presque porté par ses parents, atteint d'une petite vérole d'apparence sévère. Tremblant de fièvre et de terreur, il demanda un prêtre, un médecin et la mère supérieure. Celle-ci fut la première à son chevet.

— Ma mère, je vais mourir.

— Non, mon fils, on ne meurt pas si vite.

— Si, si, je le sens, ma mère, je vais mourir, aidez-moi...

La religieuse pensait qu'effectivement la panique de ce garçon risquait de lui être fatale, tant elle avait peu confiance dans les traitements qu'on appliquait à l'hospice sous la direction de maître Hertius et de la comtesse de Malmort. Elle avait toujours eu l'impression que les malades qui restaient chez eux, à l'abri des thérapeutiques agressives de ce temps, s'en tiraient plutôt mieux que les autres... Mais ce n'était pas à elle de le dire !

Pour le moment, le jeune homme, qui avait été contaminé sans doute par le petit Aubin pendant le voyage, ne semblait pas atteint par une forme si grave de la maladie, ce qui ne l'empêchait pas d'être persuadé de sa mort prochaine.

— Ma mère, ma mère, j'ai besoin de soulager ma conscience, pleurait-il, venez près de moi, il faut que je vous raconte, et après, je pourrai mourir en paix.

Fort intéressée, la religieuse écarta l'entourage, et s'assit près de lui, les mains enfouies dans ses vastes manches, le visage baissé, prête à recevoir ses confidences. Elle n'avait pas très bonne conscience. Pour satisfaire sa curiosité, elle profitait de la panique du jeune homme, alors qu'elle aurait dû le rassurer et se borner à le confier au prêtre. Mais elle savait bien que l'autre ne lui raconterait rien, et elle était trop avide de savoir pour se laisser brider par ses scrupules. Elle les enfouit donc soigneusement au fond de sa conscience et se résigna à rendre au garçon le service qu'il attendait d'elle : elle l'écouta. Elle l'aida même à soulager son âme en lui posant, à l'occasion, les petites questions qui précisaient certains points obscurs.

Lorsque le confesseur arriva, elle lui fit signe de patienter, et, se penchant vers le malade, elle lui murmura à l'oreille :

— Ce n'est peut-être pas la peine de trop entrer dans les détails avec monsieur le curé. Vous savez qu'il est tout dévoué à la comtesse, et s'il avait un jour la faiblesse de laisser échapper devant elle de quoi lui donner des soupçons sur votre loyauté, vous risqueriez de passer un mauvais quart d'heure...

— Mais ma mère, c'est au Ciel que je risque bientôt d'avoir à rendre des comptes...

— Justement. Si vous racontez tout ici-bas, vous n'aurez plus rien à dire en arrivant Là-haut... Et puis si Notre Seigneur a la distraction de ne pas vous appeler cette fois, songez que vous avez encore de longues années à passer avec la comtesse qui n'aura peut-être pas la même grandeur d'âme... Croyez-moi, mon fils, repentez-vous de vos grosses fautes, l'orgueil, le mensonge, la gourmandise, la luxure peut-être... Pour le reste, vous aurez toujours le temps. Faites-moi confiance. En retour, je vais vous faire une promesse. Le jour où je sentirai que vous êtes au bord du grand voyage, je vous préviendrai, et il sera temps alors de mettre à jour les recoins obscurs de votre conscience, n'ayez aucune crainte.

Rassuré, le jeune homme se confessa sans rien dire de la longue histoire qu'il avait racontée à la mère supérieure.

Ravie d'avoir enfin éclairci le mystère, celle-ci rentra dans sa cellule pour le mettre au propre dans son Journal. Elle savait bien qu'il n'était pas temps encore, pour elle, de faire à son tour des confidences... Mais c'est avec un plaisir certain qu'elle décrivit en détails, dans son livre de raison, les secrets de la naissance d'Aubin. Un jour, pensait-elle, quelqu'un d'autre apprendrait cette histoire avec intérêt.

La comtesse de Malmort était restée veuve très jeune. Son fils unique était, hélas, tout le portrait de son père. Beau et charmeur, mais avec plus de muscles que de cervelle, et exclusivement préoccupé de chasse... à tous les gibiers! On l'avait fiancé depuis longtemps à sa cousine Hermine, dont la dot en terres viendrait opportunément élargir le domaine étriqué des Malmort.

L'hiver 1729 fut redoutable et le froid fit des ravages. Hermine, devenue orpheline, vint habiter chez sa tutrice, la comtesse, qui eut la bonté de prendre en charge l'administration de ses biens.

La gamine n'ayant que quatorze ans, l'évêque d'Amiens demanda à surseoir quelque peu au mariage. Il fallait, au moins, attendre la fin du deuil. La noblesse ne s'embarrassait pas toujours des directives ecclésiastiques, mais comme, dans le cas présent, les Malmort avaient intérêt à ne pas mécontenter l'évêché, on rangea la promise dans une chambre de la tour, et on conseilla au jeune Aymeric de continuer à s'occuper de ses chevaux, et accessoirement des servantes du château.

Mais l'attrait du fruit défendu fut le plus fort et l'instinct du chasseur le conduisit, au bout de quelques mois, vers l'escalier mal gardé de la tour interdite. Hermine étant d'une nature généreuse mais dissimulée, se trouva rapidement enceinte et se garda d'en parler à qui que ce fût. Si bien que, quand les conséquences de sa faute devinrent évidentes, il était trop tard pour organiser le mariage, même avec précipitation.

La comtesse entra dans une colère homérique et convoqua aussitôt Aurélie, la femme de chambre chargée de surveiller la fiancée. Sous la contrainte elle finit par avouer qu'ayant de son côté une liaison clandestine avec Martin, le fils du saunier, les tourtereaux avaient dû profiter d'un moment de distraction... Pour sa pénitence, la jeune femme avait été chargée d'assister la parturiente au moment de l'événement, qu'en d'autres circonstances on aurait qualifié d'heureux, et ce dans le plus grand secret. Après la naissance, on verrait bien ce qu'il faudrait faire...

L'accouchement eut lieu discrètement et sans difficulté; mais l'enfant non désiré n'était guère vivace à son entrée dans le monde, et personne n'avait envie de faire trop d'efforts pour qu'il le devienne. Aurélie annonça à la jeune mère qu'il était mort-né, et l'emporta hors de la chambre.

Mais la vie a des ressources cachées et les vagissements commencèrent dans l'escalier... Il fallut prendre une décision rapide. Martin, mis dans la confidence, était venu aux nouvelles; Aurélie imagina de confier l'enfant au couvent et d'annoncer à la comtesse la mort du nouveau-né. Martin protesta, mais elle sut le convaincre en un instant.

— Si cet enfant est né, c'est un peu de notre faute, alors il faut payer. Si tu refuses, je vais raconter à ton père que tu m'as déshonorée !

Le jeune homme capitula, et Aurélie lui remit le paquet compromettant. Un remords de dernière minute l'incita à mettre dans les langes une médaille et une chaîne qu'elle avait dérobées, longtemps auparavant, à la comtesse.

Martin s'en fut avec son précieux fardeau, tandis qu'Aurélie demandait au jardinier de creuser un trou dans le fond du parc. Elle vint y enterrer un petit tas de linges entortillés autour d'une bouteille... C'était le 1er mars 1731.

Le dimanche de Pâques, on célébra en grande pompe les noces d'Aymeric de Malmort et d'Hermine de Weuvre, belle et pure jeune fille de Picardie, qui accoucha pour Noël d'un petit garçon prénommé Geoffroy, comme son grand-père.

Au couvent d'Amiens, sœur Clotilde était la plus heureuse des infirmières, au chevet de son unique patient. Elle le nourrissait à la cuillère, badigeonnait les pustules de teinture d'iode, et enduisait les cicatrices d'une crème à base de blanc d'œuf comme le lui avait enseigné mère Lucie. Le gamin appréciait ce régime nouveau et son esprit s'ouvrait chaque jour davantage. Il élargissait son vocabulaire, apprenait à chanter les rondes enfantines, à tresser des fils de laine, et à dessiner sur le cahier de sa « Clo ». La maladie, comme prévu, était bénigne et les pustules laissaient place à des croûtes de bon aloi quand la religieuse manifesta, à son tour, de la fièvre et des douleurs abdominales.

Elle prit le lit et le bambin lui rendit ses soins. C'était une sorte de jeu qui générait des crises de fous rires, et l'excellent résultat confirma l'hypothèse avancée déjà par certains médecins, selon laquelle la gaieté était le meilleur agent thérapeutique — la « bonne humeur », une expression particulièrement bien adaptée à ces circonstances...

L'enfant et la religieuse restèrent trois semaines dans leur cellule qui ouvrait sur un minuscule jardinet. Deux fois par jour, on leur glissait leur repas par le guichet, et la cloche de la chapelle rythmait leur vie. Très vite, l'enfant sut dire ses prières et apprit la vie des saints. Ils auraient voulu que cette intimité ne cessât jamais. Pourtant, la santé revenue, il fallut bien s'en retourner...

Une voiture du couvent les ramena à Saint-Yé. L'émotion fut grande quand ils aperçurent la tour du château et, plus bas, le petit clocher de la chapelle, avec les longs bâtiments de l'hospice. L'automne colorait de roux les arbres de la forêt toute proche, et la campagne avait un air de fête mal assorti à l'état d'esprit des voyageurs. Ils frappèrent à la lourde porte et la sœur tourière courut appeler la supérieure qui se précipita vers eux.

— Ma fille, que je suis heureuse de vous voir en si bel état ! Et cet enfant aussi !

Elle avait, pour le bambin, un œil nouveau, cherchant des ressemblances. Elle s'extasia sur sa bonne mine en détaillant ses traits qu'elle n'avait jamais regardés avec autant d'attention. L'enfant était solidement charpenté, avec une tête toute ronde coiffée de cheveux noirs et bouclés. Les yeux étaient sombres également et ses grandes oreilles un peu décollées accentuaient son air attentif.

— Va retrouver tes amis, ils t'attendent.

Pendant que l'enfant courait vers l'hospice, la mère supérieure prit sœur Clotilde par le bras et l'entraîna vers le couvent. En chemin la jeune fille raconta sa maladie en quelques mots et s'étendit plus longuement sur les qualités d'Aubin dont l'intelligence l'avait tant surprise. La supérieure hochait la tête en souriant.

À l'hospice, l'ambiance était toujours aussi infernale. Parmi les innombrables malades, sœur Clotilde retrouva Martin avec surprise. Le brave garçon était presque guéri, mais il faisait peine à voir tant sa maladie l'affectait. Elle fit aussi la connaissance d'Aurélie, qui avait été atteinte dans l'enfance, et qui venait sans crainte aider aux soins pendant l'épidémie. Elle soignait surtout son galant qui la réclamait sans cesse. C'était une petite blonde aux yeux verts, vive, futée et efficace, que tout le monde appréciait.

La comtesse s'agitait, autoritaire et consciencieuse, au milieu du désastre général, appliquant les directives du médecin. Celui-ci citait avec onction les aphorismes de Sydenham, savant anglais du siècle précédent, qui faisait autorité. Il fallait lever les malades, quel que fût leur état, et les faire marcher, vêtus seulement d'une chemise, afin de les « rafraîchir ». On leur donnait également des boissons abondantes et fraîches. Ces traitements jouaient un rôle certain dans la genèse d'une diarrhée profuse qui hâtait leur fin.

Le père Polyte aussi était mis à contribution. Sa petite silhouette claudicante était partout à la fois. À tout instant il fallait saigner pour « évacuer le sang corrompu qui menaçait de rompre les vaisseaux... » Les vésicules devaient être ouvertes et leur contenu purulent essuyé avec un coton. Le clystère enfin occupait maints officiants car « les grandes évacuations emportent la source du mal... »

On imagine le spectacle terrifiant de ces gens hagards, déambulant comme des spectres dans des chemises tachées de pus, entre les paillasses où des moribonds râlaient, et les religieuses affairées portant consciencieusement des remèdes inefficaces à ces malades qui ne souhaitaient que la paix.

Paix qu'ils obtenaient plus vite encore qu'ils ne l'espéraient, car la mortalité décimait les rangs d'autant plus rapidement que la promiscuité accélérait les contages.

Mère Lucie observait ce déploiement de moyens thérapeutiques avec un scepticisme qui agaçait fort la comtesse et maître Hertius. Seul le père Polyte échangeait avec elle des coups d'œil complices car, s'il effectuait avec adresse et dévouement les gestes prescrits, il doutait manifestement, lui aussi, de leur nécessité. Le soutien de cet homme de terrain confortait la supérieure dans ses convictions.

Martin se tira bien de son aventure, et c'est tout étonné qu'il accepta de constater enfin sa guérison. Quand ses yeux croisaient ceux de la supérieure, son regard se faisait suppliant, ce qui prouvait à quel point il regrettait ses confidences.

— Rassurez-vous, lui chuchota-t-elle le jour de son départ. Je vous ai entendu comme en confession. Et sachez bien que si un jour votre secret se dévoilait, je n'en serais pas responsable. Ce ne serait pas moi qui aurais parlé.

Le jeune homme s'en fut, rassuré. Il quitta l'hospice au bras d'Aurélie, en promettant d'inviter tout le monde à la noce, dès qu'il aurait récupéré ses forces.

Mère Lucie les regarda partir avec le sourire. Certes elle était décidée à ne rien dire mais, après tout, la connaissance de ces événements pouvait changer bien des choses...

L'épidémie commença à perdre de son ardeur à l'approche de l'hiver, confortant la comtesse dans sa conviction sur le rôle bénéfique du froid qu'on imposait aux malades. Les nouveaux cas se firent plus rares. Ceux qui étaient en traitement, et qu'on faisait grelotter dans les couloirs balayés par le vent glacé, abandonnèrent vite leur place, dans des complications pulmonaires, voulues, sans aucun doute, par le Seigneur.

Au printemps, on en était revenu aux petites véroles endémiques, peu contagieuses et d'intensité modérée. Ceux qui en avaient réchappé essayaient de masquer leurs cicatrices, et remerciaient le Ciel de les avoir laissés en vie.

Martin et Aurélie se marièrent pour la Saint-Yé qu'on fêtait le 1er mai. La comtesse les autorisa à festoyer dans la cour du château avec le petit peuple du couvent et de l'hospice qui se retrouva pour chanter et danser selon la coutume. La supérieure vint les féliciter et, comme on le lui demandait, elle s'assit quelques instants à la table qui avait été dressée pour la famille seigneuriale.

Le Ciel participait à la fête, et la table, couverte de fleurs, resplendissait sous un soleil neuf. La comtesse trônait sur un fauteuil qu'on avait descendu du château, et elle affichait une bonne humeur inhabituelle. Quand mère Lucie arriva, elle l'accueillit avec un large sourire et lui offrit une coupe de ce vin aigrelet qu'on produisait encore, à cette époque, en Picardie.

— Ma mère, je suis heureuse que vous nous rendiez visite au château, ce n'est guère votre habitude...

— Chère comtesse, je viens toujours quand je suis invitée...

La grosse dame ne releva pas la remarque, mais elle hésita un instant avant de reprendre la parole :

— Et bien, profitons-en, vous allez connaître toute ma petite famille. Tenez, là-bas, ce grand gaillard qui danse avec les filles est mon fils Aymeric. La très jolie blonde qui est assise au bout de notre table, discutant avec le régisseur, est ma belle-fille Hermine, et dans le tas de gosses qui s'agitent dans la poussière, il doit y avoir, sans doute, mes petits-enfants, Geoffroy et Blandine.

La supérieure souriait avec un intérêt poli, mais son œil acéré s'intéressait beaucoup plus que la comtesse ne pouvait le croire à ces rejetons qu'elle brûlait de connaître.

— Tenez, voici justement Geoffroy qui nous arrive. Il a faim ou soif, probablement... Viens mon garçon, présente tes devoirs à mère Lucie, la supérieure de la communauté.

L'enfant s'arrêta devant la religieuse et s'inclina. Son attitude parfaite tranchait avec ses habits poussiéreux et ses cheveux en bataille.

— Mon pauvre garçon, comment êtes-vous mis, s'exclama la comtesse, d'un ton bienveillant que la religieuse ne lui connaissait pas.

— Bonjour, Geoffroy, quel âge avez-vous ?

— Quatre ans...

— C'est bien, intervint la grand-mère.

La comtesse était fière du ton bien élevé du gamin, mais ne voulait pas tenter le diable en continuant la conversation. Elle lui donna un fruit et lui conseilla de retourner jouer avec un peu plus de modération.

— Il est beau, n'est-ce pas ? Tout le portrait de son père ! Pourvu que la ressemblance ne soit que physique...

La religieuse ne releva pas. Les lèvres pincées, elle se retenait pour ne pas éclater de rire : le jeune Geoffroy était le portrait d'Aubin ! Même tignasse noire et bouclée, même visage rond avec de grandes oreilles un peu décollées ! Seul le regard était différent. Il y avait, dans les yeux d'Aubin, une tendresse qui n'existait pas chez le jeune seigneur, dont la prunelle était noire, mais traduisait déjà l'autorité naturelle de ceux qui savent qu'ils sont nés pour être obéis.

Le lendemain, le rite quotidien avait repris. Mais la mère supérieure attendait la comtesse dans l'apothicairerie, avec son habituel sourire ironique accroché aux lèvres, et rien ne permettait de deviner que son cœur battait à une cadence au-dessus de la normale.

— Vous ici, ma mère, si matin ? Pourquoi cette visite dans ce lieu qui ne relève habituellement pas de votre ministère ?

— Je voulais vous remercier de votre charmant accueil d'hier...

— C'était un plaisir, ma mère !

— ... et vous faire part de quelques réflexions qui me sont venues en regardant vos petits-enfants.

— Mes petits-enfants ?

— Oui, ils sont si beaux. Je me disais que si le malheur voulait qu'ils aient à affronter une épidémie de petite vérole comme celle de l'automne dernier, il serait peut-être bon d'essayer de les protéger...

— Les protéger ? Comment ? Il n'y a aucun moyen, vous le savez bien ! fit-elle d'un ton courroucé.

De quel droit cette femme de religion osait-elle se mêler de médecine ?

— Vous savez bien qu'en Angleterre...

— L'inoculation ? Calembredaine ! Des échecs, rien que des échecs, tous les médecins le savent...

— Mais nous aussi, ici, nous savons que les maladies peu graves donnent par contagion des formes bénignes, alors...

La comtesse s'était levée, rouge écarlate. Elle se retenait de parler trop fort en raison de la situation sociale de son interlocutrice, mais elle était au bord de la colère.

— Excusez-moi, ma mère, mais vous ne savez rien de tout cela ! Vous voyez des malades, c'est tout. Vous n'avez jamais provoqué des maladies par contagion...

— Mais si, madame !

La comtesse faillit exploser.

— Vous avez fait des inoculations ?

— Presque, oui.

— Comment ?

— D'un enfant à une religieuse, et à un jeune adulte.

La voix posée de la supérieure irritait encore plus la comtesse qui ne se retenait qu'à grand-peine. Tout cela était si opposé à sa philosophie des maladies, et cette façon de braver son autorité et ses connaissances médicales si incroyable, qu'elle resta muette un instant. Et c'est presque en un murmure qu'elle ajouta, effondrée :

— Vous avez fait cela ?

— Ne vous fâchez pas madame, voulez-vous les voir ?

Comme la comtesse ne répondait pas, elle se leva et décida d'un ton qu'elle savait, elle aussi, sans réplique.

— Venez, je vais vous montrer.

Les mains dans ses manches, elle sortit et, d'un pas pressé, se dirigea vers la salle où officiait sœur Clotilde. La comtesse, désarçonnée, la suivit. La supérieure poussa la lourde porte de bois. Elle aperçut immédiatement la jeune religieuse qui passait, une grosse écuelle dans les mains.

— Sœur Clotilde, s'il vous plaît.

— Oui, ma mère ?

— Venez un instant, je vous prie.

Elles entrèrent toutes les trois dans la pouponnière où les matrones s'affairaient dans l'habituel brouhaha des nourrissons hurleurs.

Elles s'isolèrent dans un angle de la vaste pièce, et la supérieure, qui avait pris la direction des opérations avec une autorité à laquelle la comtesse même s'était naturellement pliée, s'adressa à sœur Clotilde.

— Ma fille, voulez-vous raconter brièvement à notre comtesse, votre voyage à Amiens l'année dernière ?

La jeune fille eut un sourire extatique. Si bien que la supérieure s'empressa d'ajouter :

— Sur le plan médical, évidemment.

Sœur Clotilde, qui avait respecté la clandestinité de son expédition, comprit ce que voulait mère Lucie. En quelques mots rapides, elle raconta la variole d'Aubin, et la sienne, survenue dans le couvent d'Amiens.

— Quant au troisième larron, enchaîna la supérieure, c'est Martin, que vous connaissez bien et qui a fait, vous vous en souvenez, une forme très atténuée... Or c'est lui qui les avait emmenés jusqu'à Amiens, passant plusieurs heures avec le gamin malade à côté de lui.

— Où est-il cet enfant ? demanda la comtesse d'une voix sèche.

C'était la question que la supérieure attendait. Toute sa machination avait été montée pour en arriver à cette seule phrase. Elle se préparait à un moment d'intense jubilation. Elle allait enfin pouvoir mater la morgue de cette grosse comtesse dont la noblesse de naissance ne valait pas la sienne, et dont le mépris maquillé de respect l'agaçait depuis si longtemps.

Une des matrones revint avec le gamin qui avait été opportunément gardé à portée de main.

Le regard de la comtesse, et la stupeur qui se peignit sur son visage, payèrent mère Lucie de toutes ces années d'humiliation. La grosse dame se baissa vers l'enfant qui la regardait avec étonnement. Elle lui passa la main dans les cheveux et lui caressa le visage. Visiblement la ressemblance avec son petit-fils Geoffroy la bouleversait.

— Quand ce garçon est-il arrivé ici ? demanda-t-elle d'une toute petite voix...

La supérieure, feignant de chercher dans sa mémoire, et prenant sœur Clotilde à témoin, répondit sur un ton hésitant :

— Voyons, ma fille, aidez-moi... Il s'appelle Aubin, donc il est arrivé ici le 1er mars, jour de la saint Aubin, et c'était en... en 1731. Il y a cinq ans maintenant.

La comtesse se releva péniblement et regarda intensément la religieuse qui, avec son habituel sourire, soutint son regard. Puis elle détourna les yeux et s'en alla sans un mot. Sœur Clotilde, médusée par cette scène insolite, restant muette, mère Lucie conclut avec humour :

— Les voies du Seigneur sont impénétrables, il est vrai, ma chère fille ! Mais rien n'empêche de leur donner un petit coup de pouce, à l'occasion...

Quelques jours plus tard, la comtesse fit convoquer mère Lucie à l'apothicairerie. Dans un long monologue embarrassé, elle renouvela ses réticences devant les méthodes anglaises d'inoculation, prétextant que les résultats étaient encore trop incertains pour qu'on puisse les généraliser. Les deux femmes étaient seules dans la haute pièce aux armoires vitrées bien cirées. Les bocaux brillaient dans la lumière du matin. La comtesse marchait de long en large derrière la lourde table de chêne, et s'arrêtait, par moments, devant l'énorme mortier, la main posée sur le pilon d'airain. La religieuse, immobile, les mains dans les manches de sa robe, la suivait des yeux, attendant le résultat de ces savantes tergiversations.

Le discours tournait autour des idées de l'époque qui apparentaient l'inoculation à une hérésie bafouant l'ordre divin. Mais le ton était plus doucereux que lors de leur dernière conversation. On en était presque à la confidence, et l'on en vint rapidement à la complicité.

— Cet enfant, comment l'appelez-vous déjà ?... Aubin, n'est-ce pas... qui a été l'agent de cette... contagion dirigée... J'aimerais ne pas le perdre de vue. Il m'a paru plus intelligent que nos habituels petits orphelins... Et de plus, s'il a vraiment permis à sœur Clotilde et à Martin de traverser sans trop de dommages cette rude épreuve qui, un jour ou l'autre, nous menace tous... nous lui devons une certaine reconnaissance... Ne pensez-vous pas ?

— Certainement, madame.

— Alors, ne pourrions-nous pas essayer de lui faire faire quelques études, s'il présente des dispositions comme le prétend votre nièce ? Vous le confieriez d'abord à notre curé qui lui apprendrait les rudiments, jusqu'à ce qu'il soit en âge d'aller au collège. Je lui donnerais la bourse qui convient, cela va sans dire...

La religieuse s'inclina, comme pour remercier... La comtesse continua, les yeux fixés sur le carrelage aux armes de sa famille.

— Ensuite, s'il le mérite, il pourra même continuer au petit séminaire. Qui sait ?

— C'est vrai, qui sait ?

La comtesse s'arrêta en face de son interlocutrice, et, les yeux dans les yeux, elle conclut :

— Voyez-vous, ce que j'aimerais, c'est que nous en fassions un prêtre...

La religieuse, arrivée là où elle le voulait, s'inclina de nouveau.

— Si ce sont là vos désirs, madame, j'essayerai de les réaliser, dans la mesure de mes faibles moyens.

— Je vous y aiderai, ma mère, croyez-moi. De toutes mes forces...

Avec un sourire qui n'était pas forcément assorti à sa réponse, la supérieure prononça lentement la conclusion de cet entretien :

— Il faut que chacun sur cette terre ait ce qui lui revient, et que la volonté de Dieu soit faite, n'est-ce pas, madame...

La comtesse ne répondit pas. Elle ne souhaitait vraiment pas savoir ce que la religieuse voulait dire !

CHAPITRE III

Aubin commença à s'instruire chez le curé avec quelques autres orphelins de l'hospice. Son séjour avec sœur Clotilde lui avait donné une forte avance, et le vieux prêtre, qui savait comme tout le monde que la comtesse s'intéressait à cet enfant, vint chanter ses louanges au château. Si bien que le jeune orphelin se retrouva, dès la rentrée suivante, inscrit au collège de Beauvais. Trop jeune encore pour y être pensionnaire, il était logé dans une famille qui accueillait les rejetons de la bourgeoisie rurale avoisinante. Le père Vergnot était un brave homme de menuisier, et sa femme, pieuse et volumineuse matrone, réputée pour la qualité de l'éducation qu'elle donnait aux enfants. Les siens, d'abord, puisqu'elle en avait cinq, et ceux des autres qu'elle hébergeait souvent pendant plusieurs années de suite.

C'est ainsi qu'elle garda Aubin pendant quatre ans. Ensuite il devint interne au collège jusqu'à la fin de ses humanités, tout en continuant à fréquenter la maison Vergnot qui lui faisait office de famille. Il n'était pas question pour lui de revenir à Saint-Yé qui était beaucoup trop éloigné. De plus, la comtesse avait souhaité qu'il en fût ainsi, afin de le protéger de l'influence néfaste des autres orphelins et de rompre les liens avec sœur Clotilde qui, visiblement, s'attachait un peu trop à l'enfant. La mère nourricière recevait une pension rondelette qui l'incitait aussi à garder le plus longtemps possible cette source providentielle de revenus.

Aubin, au demeurant, n'était pas malheureux chez ces gens paisibles et honnêtes qui lui faisaient découvrir les charmes d'une vie familiale normale. La « mère Vergnot », comme elle s'appelait elle-même, savait y faire avec ses pensionnaires : ayant compris que celui-ci n'était pas comme les autres, elle en prenait un soin particulier. Le père Vergnot, en dehors des temps scolaires, employait les enfants à son atelier et les initiait aux mystères de la varlope et de la gouge. Il avait ainsi une main-d'œuvre à bon marché, et donnait en même temps à ceux qui ne réussiraient pas dans les études une ébauche de métier.

À Saint-Yé, le départ d'Aubin avait créé, on l'imagine, un vide douloureux. Sœur Clotilde sombra dans le chagrin, et la supérieure dut déployer toutes les ressources de son autorité affectueuse pour convaincre la jeune fille, avec un rien de sadisme, que cette sorte d'épreuve était envoyée par le Seigneur pour forger l'âme de ceux qui s'étaient mis à son service.

« C'est dans la douleur qu'on apprend à consoler les autres », lui répétait-elle souvent.

Plus que les bonnes paroles, le temps fit son œuvre. Comme on pourrait le lire plus tard, dans son livre de raison, la cicatrice, doucement, se referma.

Huit années passèrent.

Un soir de juillet 1745, un peu avant minuit, sœur Clotilde, veilleresse à la grande salle des femmes, entendit un bruit insolite. Quelqu'un ouvrait la grosse porte d'entrée. Subrepticement, comme pour ne pas faire de bruit. Intriguée, et vaguement inquiète, la jeune femme se leva et recula de quelques pas, pour se placer contre le mur. Elle vit la porte pivoter et une silhouette sombre pénétrer dans la salle. C'était un homme de taille moyenne, mais, de loin, dans la pénombre, elle ne distinguait ni ses traits ni son habillement. Le visiteur s'immobilisa un instant, puis referma la porte avec précaution. Il resta ainsi quelques secondes, et sœur Clotilde voyait bien qu'il regardait à droite et à gauche comme s'il cherchait quelque chose. Il n'y avait dans la grande salle qu'une seule lumière, la petite veilleuse posée sur sa table. Elle s'en était trop éloignée pour qu'il puisse la voir.

C'est vers la lampe qu'il se dirigea à pas lents. Les ronflements, le bruissement des femmes qui bougeaient dans leur lit, faisaient une sorte de bruit de fond ininterrompu.

Soudain, elle le reconnut, mais sans y croire. Il s'approcha encore et la vit.

— Sœur Clo....

— Aubin !

Il tomba à genoux, et enfonça son visage dans l'épaisse bure grise dont l'odeur de lessive lui faisait remonter le temps. D'un coup, il retrouvait sa petite enfance, et les souvenirs heureux de ces nuits de garde où il dormait dans les plis du manteau de la religieuse, enroulé en boule au pied de sa table.

Sœur Clotilde n'avait pas bougé. Les larmes aux yeux, elle avait seulement posé ses deux mains sur la tête du garçon, cherchant, elle aussi, le souvenir des sensations d'autrefois. Mais les fines boucles avaient laissé place à une tignasse drue, coupée court, et la nuque s'était épaissie et musclée. La peau des joues était presque rugueuse, avec les poils d'une barbe naissante et des boutons d'acné. Elle releva le visage du garçon et retrouva enfin les traits qu'elle gardait dans sa mémoire : le regard sombre et tendre, et le large front intelligent. Il y avait aussi les oreilles, plus décollées que jamais sous les tempes tondues, et qui lui donnaient un air sérieux et drôle.

— Mais qu'est-ce que tu fais là ? chuchota-t-elle.

— J'ai terminé le collège, et, à la rentrée, ils veulent que j'entre au séminaire.

— C'est parce que tu as bien travaillé, je suppose...

— Sans doute...

Et la voix se fit plus basse encore quand il ajouta, presque dans un souffle :

— Oui, seulement je ne veux pas être prêtre...

— Comment ?

Il se releva. Il avait la même taille que la religieuse, mais son allure était encore celle d'un enfant, mal à l'aise dans un corps trop grand pour lui.

— Sœur Clo, je ne veux pas être prêtre, je ne veux pas rester encore tant d'années loin d'ici.

— Mais pourtant...

— Et puis, je ne me sens pas la vocation. Je ne me reconnais pas dans ces gens-là.

— Aubin, ne dis pas n'importe quoi. Tu ne connais rien de la prêtrise, ni de la vie.

— Comment pouvez-vous dire cela ? Voilà huit ans que je vis avec des prêtres. Ce sont les hommes que je connais le mieux, et je ne veux pas devenir comme eux. J'aime mieux être... menuisier, ou autre chose. Mais je veux revenir ici, vivre ici. C'est mon pays, et cette maison est ma maison. Je veux y travailler...

— Mon pauvre petit...

Sœur Clotilde venait de réaliser les difficultés auxquelles le garçon allait devoir faire face. La supérieure et la comtesse avaient décidé d'en faire un prêtre, il avait toutes les qualités requises. Ce refus ne serait pas accepté facilement, tant les gens répugnent à voir rejeter leurs bienfaits !

Ils bavardèrent, à mi-voix, une bonne partie de la nuit. Il raconta son voyage dans une charrette de fruits et légumes qui partait vers le sud au grand galop, et qui s'était arrêtée à l'auberge du Cerf-à-Genoux pour changer de chevaux. Elle lui montra les modernisations de l'hospice où des lits avaient été installés pour tous les malades. C'étaient des meubles de bois avec une sorte de baldaquin à rideaux blancs qui permettaient d'isoler les patients. Et maintenant il n'y avait pas plus de deux personnes par lit. On espérait même qu'un jour il n'y en aurait plus qu'une...

La comtesse et la supérieure étaient toujours en bonne santé. Elles ne se chamaillaient plus. L'âge, peut-être, les avait calmées. Maître Hertius travaillait à l'hospice à plein temps. Officiellement, c'était en raison de l'état de santé de sa vieille mère. En réalité, on disait qu'il était tombé en disgrâce à la cour du roi, à la suite d'une histoire de jeunes gens.

Le père Polyte était bien malade. Son genou accidenté faisait des siennes, et on ne le voyait plus depuis plusieurs jours. Il y avait toujours autant d'enfants à la pouponnière, et on avait aménagé un dortoir au premier étage.

Au petit matin, elle l'emmena au-dessus de la salle des femmes, dans le grenier où sœur Félicie faisait entreposer les provisions de la cuisine. Elle lui installa un lit de fortune entre les sacs de blé. Épuisé, l'adolescent s'endormit comme une souche, pendant que la religieuse terminait les soins de la nuit. Il allait falloir annoncer la nouvelle de ce retour à mère Lucie, et affronter probablement un rude orage...

Aubin passa un mauvais moment dans le bureau de la supérieure. Elle avait modernisé son oratoire et s'était installé un fauteuil derrière une table pour recevoir les sœurs ou les visiteurs. Ce jour-là, le jeune garçon était planté devant elle, les yeux baissés vers le plancher, l'air buté et inaccessible au moindre raisonnement. La douceur, la colère, l'autorité froide, rien n'y fit. L'entretien se clôtura sur une phrase définitive et lourde de menaces :

— C'est bien, mon garçon. Tu ne veux rien entendre, tu refuses de comprendre tout ce qui a été fait pour toi, c'est ton droit. Comme il n'y a rien ici pour t'employer, tu iras dans les filatures. Tu sais ce que cela signifie...

Devant cette détermination obstinée et irraisonnée qu'elle mettait sur le compte du jeune âge, elle avait cherché à l'effrayer avec la description affreuse d'un avenir sinistre, comme si les enfants avaient la possibilité d'imaginer l'avenir !

— Tu ne sais pas ce qu'est la vie dans une filature. Tu seras tireur de lacs, tordu toute la journée devant la machine à t'en déformer les jambes. Tu vas respirer les huiles de graissage, les colles et les teintures, pourrir dans l'humidité ou crever de froid, et tout cela pour une tranche de pain noir et un bout de fromage... Tu te rends compte ! Alors que si tu voulais...

La comtesse, alertée à son tour, leva les bras au ciel et déclara que cet enfant était tout simplement plus bête qu'on avait voulu le lui faire croire. Il était impossible de faire son bonheur malgré lui. Si elle avait pu prévoir un tel échec, elle ne se serait pas donné tant de mal ! Payer une pension pendant huit ans pour en arriver là, quel gâchis !

Seule sœur Clotilde gardait la tête froide et raisonnait comme une mère. Il fallait trouver une solution et elle la découvrit. Elle démontra au jeune garçon l'inanité de sa position inflexible. La rentrée au séminaire était dans trois mois. S'il acceptait le principe d'y aller, elle s'engageait à lui procurer un travail à l'hospice pour l'été, et rien ne l'empêcherait, plus tard, s'il persistait dans son refus, d'en exercer un autre. Mais il fallait absolument éviter l'envoi immédiat dans les filatures ; gagner du temps, en se soumettant, même en apparence.

Après trois jours de tergiversations, Aubin accepta enfin. Tout le monde poussa un grand soupir de soulagement. Il ne restait plus qu'à savoir ce qu'il ferait jusque-là. Heureusement sœur Clotilde avait une idée.

Le lendemain matin, elle sortit de l'hospice, grimpa la ruelle qui allait vers le village, cogna à la porte du barbier. N'obtenant pas de réponse, elle poussa la porte. Elle hésita un instant, avant de descendre les deux marches qui menaient à l'échoppe. Le pauvre homme était seul dans la pénombre, assis dans un vieux fauteuil, une jambe allongée sur un tabouret. Il était amaigri, à peine habillé, et la pièce, d'ordinaire si bien rangée, ressemblait à un capharnaüm. Des reliefs de repas traînaient partout, avec des bouteilles vides, ses pipes, son tabac, des vêtements, des sabots... Un spectacle de désolation.

— Maître Hippolyte, pardonnez-moi de vous déranger, mais on ne vous a plus vu depuis quelques jours et j'ai pensé que vous aviez besoin d'une visite, déclara sœur Clotilde de sa voix la plus suave.

Imperturbable, l'homme la regardait, les yeux plissés, sans dire un mot, attendant ce qui allait suivre. Malgré l'absence d'encouragement, elle se racla la gorge et reprit :

— Je sais bien que vous ne voulez pas qu'on vienne vous aider, et que vous n'admettez personne chez vous... Mais aujourd'hui...

En parlant, elle regardait ostensiblement de tous côtés. Elle n'obtint aucune réponse. Alors, avec cette sensibilité aigüe qu'on acquiert au contact des malades, elle eut une soudaine inspiration. Elle sut ce qu'il fallait dire. Elle attira un tabouret près du chirurgien et s'assit.

— Maître Hippolyte, je ne suis pas venue pour vous offrir de l'aide. C'était un prétexte. C'est moi qui ai besoin que vous me rendiez un service.

Elle se sentit sur la bonne voie, quand le vieil homme enleva sa pipe et s'essuya les lèvres d'un revers de main. Il avait entrouvert les yeux, et manifestait son intérêt. C'est maintenant qu'il fallait emporter la partie. Très vite elle raconta le retour d'Aubin, ses brillantes études et son refus du séminaire. Elle avait eu l'idée de venir lui demander s'il accepterait de prendre un commis, un petit assistant, bref quelqu'un qui pourrait l'aider en attendant qu'il se remette...

L'homme se frotta le crâne, ferma les yeux, puis fixa de nouveau la religieuse dont le regard était devenu suppliant. Qui aurait pu résister ?

— Envoyez-le-moi, grommela-t-il, et je verrai...

Sœur Clotilde se retint de lui sauter au cou et d'embrasser sa barbe broussailleuse. Elle se garda même de remercier trop, pour ne pas le gêner, et s'en fut avec le plus de dignité possible. S'interdisant de courir, elle revint à la salle des femmes et grimpa au grenier. Elle trouva Aubin endormi entre les sacs de blé, la tête posée sur le petit baluchon qui renfermait ses modestes trésors.

Elle le regarda longuement, ne sachant que faire. Elle se mit à tousser. Il sursauta, la découvrit, et se réveilla enfin. Elle put alors le mettre au courant de ses projets. Il accepta sans une hésitation. Si vite même, qu'elle fut prise, à son tour, de panique.

— Tu es bien sûr d'en être capable ? Tu n'as pas peur du sang, des blessures et de toutes les horreurs de ce métier ?

— Vous savez, sœur Clo, déjà, lorsque j'étais petit, je vous suivais partout, vous vous souvenez ? Je rêvais de faire comme vous. Lorsque je courais avec les autres gamins partout dans l'hospice, vous ne parveniez pas à me chasser quand vous faisiez les pansements et quand le père Polyte venait opérer. Nous raffolions de ces spectacles d'horreur. Après, au collège, c'était toujours moi qui aidais la sœur infirmière quand un élève se blessait... N'ayez crainte, je saurai me tenir. Mais... c'est plutôt le père Polyte qui m'inquiète, il n'a pas l'air commode !

— C'est un brave homme, tu sais. Il faut savoir le prendre, bien sûr, mais je ne pense pas que cela te sera très difficile...

Aubin, à peine rassuré, n'en menait pas large quand il entra dans l'échoppe du barbier. Le vieil homme était exactement là où sœur Clotilde lui avait dit qu'il le trouverait, immobile sur son fauteuil, l'extrémité sculptée de sa canne entre les mains. Le jeune garçon n'était pas non plus de nature bavarde, et il était trop impressionné pour engager la conversation. D'une petite voix il proposa de mettre de l'ordre, et obtint un hochement de tête qui lui suffisait bien pour un premier contact. Il se mit de suite à l'ouvrage. Il trouva un grand seau où il ramassa tous les déchets qui jonchaient le sol. Quand il fut plein, il alla le vider dans le ruisseau qui passait au bas de la ruelle, et qui servait d'égout au village.

Passée l'émotion du premier moment, il commença à se demander, en revenant, pourquoi tout était si sale chez cet homme, et quelle était la raison de cette immobilité anormale. Il reprit son travail de nettoyage en l'observant plus attentivement, sans rien laisser paraître. Le visage du barbier était figé dans une espèce de rictus, les yeux fermés, presque crispés. De temps en temps il se contractait un peu plus, pendant une fraction de seconde. Puis il ne bougeait plus.

Quand tout fut remis au net, Aubin s'assit sur les marches de l'escalier qui menait au premier étage, et il attendit en silence. Un long moment s'écoula. On n'entendait que les bruits du village, atténués par les murs épais, et la respiration du vieil homme, devenue plus bruyante depuis quelques instants. Aubin remarqua que ses mains s'étaient tellement crispées sur la canne que les jointures étaient subitement devenues toutes blanches. Puis il sembla se détendre, et les doigts reprirent une couleur normale. Il tourna sa tête vers le garçon et il le regarda, longuement. Son souffle s'était apaisé.

— Puis-je faire quelque chose d'autre pour vous ? demanda l'adolescent. Voulez-vous de quoi boire ou de quoi manger ?

L'homme hocha la tête, ébaucha un sourire.

Rassuré, Aubin s'en fut en courant. Il grimpa la ruelle qui remontait vers l'hospice et courut chercher sœur Clotilde. Il lui raconta ce qui s'était passé et elle l'emmena vite vers la cuisine.

C'était une vaste pièce voûtée où officiaient, du matin au soir, deux religieuses et des servantes embauchées dans le pays. Il régnait là, en permanence, une bonne odeur de soupe au lard et chaque semaine, quand on faisait le pain dans l'immense four de briques, tout le quartier embaumait. Des montages compliqués de chaînes et de contrepoids actionnaient des broches qui tournaient devant la cheminée où le feu ne s'éteignait jamais. Sœur Félicie régnait en souveraine souriante sur ce monde appétissant de marmites rutilantes, et déplaçait avec vivacité un embonpoint qui appelait la plaisanterie. Ses compagnes ne s'en privaient pas, et quand elles la voyaient, devant une sauce, sucer un gros index boudiné, elles chantaient toutes en chœur : « La gourman-de, la gourman-de... » La supérieure la menaçait des pires punitions de l'enfer, mais personne n'y croyait ! Chacun savait bien qu'à part ce petit défaut, presque inhérent à sa profession, la religieuse se tuait au travail pour nourrir de son mieux l'armée d'affamés qui peuplaient l'hospice. En dépensant le moins possible, pour ne pas encourir les foudres de la sœur économe, petite femme sèche et avare, au ton aigrelet.

Aubin se retrouva les bras chargés de victuailles. Il reprit le chemin de l'échoppe. Le père Polyte n'avait pas bougé... Il accepta une écuelle de soupe mais, quand il tendit le bras pour la prendre, un grognement lui échappa, et il interrompit son mouvement pour saisir à deux mains son genou allongé. La tête penchée vers l'articulation, le visage déformé par un affreux rictus de douleur. Aubin était pétrifié, l'écuelle à la main...

— Mais qu'avez-vous donc ? murmura-t-il.

Le vieil homme resta immobile un instant puis, d'un geste brutal, arracha la couverture qui couvrait son genou, en criant presque :

— Voilà ce que j'ai !

L'articulation était énorme, déformée comme un ballon, contrastant avec la maigreur de la cuisse et du mollet ; la peau, balafrée de cicatrices anciennes, tendue, luisante, était d'un rouge vineux et sale.

— Prends le seau et va me chercher de l'eau fraîche à la fontaine.

Quand Aubin fut de retour, le vieil homme prit un linge qu'il trempa dans l'eau et qu'il déposa délicatement sur son articulation. Il ferma les yeux et eut un long soupir de soulagement...

— Il n'y a rien d'autre à faire que de mettre de l'eau fraîche ?

Aubin avait laissé échapper cette phrase qu'il sembla regretter aussitôt.

— Oui ! Il faudrait l'ouvrir, pour évacuer cette pestilence qui me ronge les os... Mais il n'y a personne pour le faire !

— Les sœurs...

— Incapables...

— La comtesse ?

— Cette grosse dinde, sortie de son mortier, que saurait-elle faire ?...

— Et maître Hertius ?

— Il préférerait mourir plutôt que de tenir un scalpel ! D'ailleurs il ne saurait pas, ou n'en aurait pas le courage. Non il n'y a que moi qui pourrais le faire, mais je n'y parviens pas.

Aubin aperçut alors la lame brillante posée dans une écuelle d'étain, sur le tabouret, à côté du genou... Et l'homme continuait à parler, comme s'il était seul :

— J'ai essayé, mais ma main me trahit... Cent fois j'ai pris la lame et je l'ai approchée. Mais cette main qui a été ma fidèle servante pendant tant d'années refuse de m'obéir... Alors il n'y a plus qu'à attendre que la peau cède d'elle-même. Allez va-t-en, laisse-moi seul maintenant !

Aubin, surpris par cette brutale conclusion, sursauta et se leva de l'escalier. Il s'apprêtait à sortir, décontenancé, quand le vieil homme ajouta :

— Merci de m'avoir aidé. Reviens dormir ce soir, si tu veux. Tu n'auras qu'à monter au premier étage, et tu y trouveras tout ce qu'il te faudra. Mais maintenant, il faut que je sois seul. File !

Aubin hocha la tête et sortit, ravi au fond de respirer un peu d'air pur après l'atmosphère confinée de cette pièce morbide.

Il ne retourna pas à l'hospice. Il descendit le chemin de la colline en direction de la route. De l'autre côté, c'était la plaine avec ses marais, ses tourbières et ses jardins maraîchers conquis sur le milieu aquatique et qu'on appelait ici des hortillonnages. Tout un monde familier. Il s'assit sur un monticule, au-dessus de la route, et regarda passer les grands charrois qui allaient et venaient sur ce chemin des Flandres dont on parlait tant. Il y avait aussi de nombreux soldats, les vainqueurs de Fontenoy, qui continuaient la guerre. Beaucoup entraient ou sortaient de l'auberge dont la cheminée fumait.

Ce qui torturait l'esprit du jeune garçon, c'était l'idée qu'il venait d'avoir, et qui concernait le vieil homme laissé là-haut. Un coup de bistouri dans cette dilatation monstrueuse ne lui paraissait pas une épreuve si difficile. Il avait vu tant de fois le barbier faire ce geste salvateur, donnant aux patients un soulagement immédiat... Pourquoi ne trouvait-il personne ? Lui, cela ne lui paraissait pas insurmontable. Là, maintenant, il se sentait capable de le faire. Pourquoi pas ?

Mais quand il serait à pied d'œuvre, n'allait-il pas faiblir ? Le vieux accepterait-il de se confier à une main aussi jeune et inexpérimentée ? Saurait-il l'endroit où inciser ? Et à quelle profondeur il faudrait enfoncer la lame ?

Plus il y réfléchissait, plus cette idée lui semblait folle. Pourtant, s'il n'y avait personne d'autre pour aider ce vieil homme, ne devait-il pas se proposer ?

Il essaya de chasser cette pensée qui, à l'évidence, était déraisonnable ; mais, à présent, il ressentait comme une impression de culpabilité en n'allant pas plus loin. Il avait honte de lui. Il essayait de regarder attentivement ce qui se passait dans la plaine, l'homme tout là-bas, qui poussait son bateau plat avec une longue perche, et la charrette abandonnée au bord d'un chemin, ses deux bras dressés vers le ciel. Une sueur froide glissa le long de son dos quand il sut que sa décision était prise.

Il se leva et remonta vers le village. Si l'autre refusait, tant mieux. Mais il aurait fait le geste. S'il acceptait, on verrait bien !

Le père Polyte n'avait pas bougé. Il avait seulement avalé sa soupe. Il leva la tête quand Aubin entra. Il ne l'attendait pas si tôt. Le jeune garçon s'assit sur le tabouret où sœur Clotilde était venue, quelques heures auparavant, plaider sa cause. Le regard du vieil homme était une invite à parler.

— Maître Hippolyte, est-ce que vous ne croyez pas...

La suite du discours restait coincé dans sa gorge. Mais l'autre avait deviné !

— Que je crois quoi ?

— Que je pourrais...

Le regard d'Aubin restait éloquemment fixé sur le genou déformé. La situation était si inattendue que le vieil homme n'osait y croire. Un long moment de silence s'écoula, sans qu'Aubin osât lever les yeux, tant il craignait, maintenant, de l'entendre accepter.

C'est pourtant ce qui se passa. Fallait-il que cet homme souffre pour confier son genoux à un gamin de quatorze ans... Comme s'il avait eu peur qu'Aubin revienne sur sa proposition, il retrouva, d'un coup, toute son autorité et son esprit de décision.

— Tu veux bien ? Tu t'en sens le courage ?

Aubin lui lança un regard plein de panique, mais acquiesça de la tête.

— Alors, allons-y ! Avant tout, ouvre l'armoire qui est là dans le coin... Il y a des bouteilles, en bas. Passe m'en une.

D'un geste rapide, il arracha le bouchon et avec un petit sourire d'excuse à l'égard du garçon, il but, directement au goulot, une longue rasade. Il reposa la bouteille sur sa cuisse, sans la lâcher, et essuya ses lèvres du dos de son autre main. Puis il tendit la bouteille à Aubin.

— Tu en veux ? Pour te donner du courage...

L'enfant refusa, avec une moue de dégoût.

— Tu as raison, ce n'est pas de ton âge. Ta main ne tremblera pas, je le sais. Moi j'ai besoin d'endormir le mal, tu comprends...

Il but de nouveau, longuement. Une odeur d'alcool se répandit dans la pièce. Ce devait être un de ces produits de distillation paysanne à base de fruits, comme on en faisait dans toutes les fermes. L'œil du vieux barbier commençait à devenir brillant... Il versa quelques gouttes sur son genou en grommelant :

— Il a le droit de boire un coup lui aussi, avant de souffrir.

Et il rit grassement.

Aubin se dit que s'il devait faire cette incision, il ne fallait pas tarder, sinon le patient serait ivre mort avant peu ! Ses craintes étaient injustifiées. L'homme était solide et il savait jusqu'où il pouvait aller. Il avait tant fait boire de blessés sur les bateaux, que les effets de l'alcool lui étaient familiers. Si la voix était un peu altérée, la pensée restait claire.

Il fit venir Aubin à côté de lui.

— Tu es droitier ?

— Oui !

Alors il le plaça où il fallait pour que la main droite fût libre de ses mouvements. Puis il saisit le bistouri qui attendait dans l'écuelle et le posa dans la main du garçon en lui montrant comment il devait le tenir : le tranchant vers le haut.

— Ce n'est pas vraiment ainsi qu'il faut faire d'habitude, expliqua-t-il, mais pour cette fois ce sera plus efficace. Tu vois, c'est là qu'il faut piquer, sur cette zone un peu blanchâtre. Et tu ressortiras un pouce plus loin, en remontant. Il faudra faire vite, mais sans te précipiter, pour ne pas rater le bon endroit. Entrer fermement dans la peau, et ne pas la griffer seulement. Pas trop profond quand même, parce qu'en-dessous il y a l'os. Si tu le touches ce n'est pas grave, ne t'inquiète pas, il est malade aussi. Enfin, il vaut mieux éviter... Tu as compris ?

Le visage d'Aubin avait pris une jolie couleur vert pâle. Mais sa main ne tremblait pas. Seulement il y avait dans son regard une immense incompréhension. Avait-il seulement entendu les explications du barbier ? Celui-ci voyait bien que rien n'était moins sûr !

— Attends, reprit-il, je vais te montrer.

Il reprit le bistouri de la main d'Aubin, et il saisit, sur la table, une pomme qu'il aurait dû manger pour son dîner. Il la tint fermement dans sa main gauche, et assura le bistouri dans sa main droite.

— Regarde bien, insista-t-il.

La lame, d'un mouvement rapide, entra et ressortit aussitôt de la pomme, ne laissant qu'une mince ouverture d'un pouce de long, d'où coula une goutte de jus. Faisant tourner le fruit dans sa main, il recommença. Une fois, deux fois...

— Tu vois, c'est facile. À toi maintenant.

Il lui donna la pomme et le bistouri. Il corrigea la position de la lame et l'encouragea.

— Allez, vas-y, mais ne t'embroche pas la main !

Alors le gamin commença à larder la pomme de coups de bistouri, hésitants d'abord, puis plus fermes, plus francs. En quelques minutes le fruit ne fut plus qu'une plaie.

— Je crois que ça va aller maintenant, murmura le gamin d'une voix altérée.

— J'en suis sûr. Il n'y a aucun risque, vas-y !

Le vieil homme saisit à deux mains les bords de son siège et ferma les yeux. Mais il les rouvrit immédiatement.

— Attends ! Il prit l'écuelle et la cala sous son genou : Ça va couler fort, tu sais, et il faut toujours travailler proprement. Donne-moi le bistouri.

Il l'essuya avec soin sur son pantalon et le remit dans la main de l'adolescent. Puis il planta sa pipe entre ses dents. Il reprit sa position, les mains crispées sur les bords du siège, et ferma les yeux.

— À toi maintenant. Vas-y !

Aubin ressentit en lui comme un grand vide. Plus rien ne comptait que cette lame en face du genou distendu et livide. Cette main ne lui appartenait plus. L'homme n'existait plus non plus. Il n'y avait plus dans la pièce qu'un bistouri et un genou. Il devait les faire se rencontrer. Dans sa tête, il répéta le geste qu'il venait de faire dix fois sur la pomme, il compta jusqu'à trois, et lança sa main vers l'articulation.

La lame entra sans rencontrer de résistance et ressortit aussi vite. Il se dit que c'était beaucoup plus tendre que la pomme. Et un flot de pus jaillit, lui éclaboussant la main qu'il n'avait même pas songé à écarter. Du côté du barbier, il y eut une sorte de grognement sourd qui semblait venir de l'intérieur de son ventre. Puis un objet tomba sur le sol en rebondissant. Aubin vit, par terre, la pipe du barbier sectionnée au niveau de l'embouchure. Il regarda alors le visage du vieil homme et vit ses traits se détendre avec un air de soulagement intense, tandis qu'il crachotait les morceaux de la pipe qui avait éclaté entre ses dents. Il ouvrit enfin les yeux, et vit Aubin qui le regardait, incrédule. Il n'avait pas bougé, et sa main tenait toujours le bistouri souillé du pus qui s'écoulait maintenant en flots pressés dans l'écuelle d'étain. Il souriait, heureux.

— Bravo ! Merci ! Je n'y croyais pas, tu sais. Tu es un brave garçon et je te revaudrai cela. Maintenant tu vas me laisser, je m'occuperai de la suite. Tu en as assez fait pour aujourd'hui. Reviens te coucher ce soir et ne me réveille pas. Avec ce que j'ai bu, je ne vais pas tarder à m'endormir, et j'en aurai pour un bon moment ! Salut !

Le garçon posa le bistouri, plongea sa main dans le seau d'eau, et s'apprêta à sortir.

— Attends, un dernier service, avant de partir donne-moi la grosse boîte qui est sur la table là-bas, il y a tout ce qu'il faut pour le pansement. Je m'en occuperai. Allez, sauve-toi maintenant.

Le lendemain matin, Aubin fut réveillé par la voix du père Polyte qui fredonnait une chanson de marin. Il descendit et le vit qui se déplaçait dans l'échoppe à l'aide de sa canne, et en s'appuyant sur la table. Il s'était confectionné une sorte d'attelle, avec deux planches et un fort bandage qui allait de la cheville à la cuisse.

— Ah, te voilà toi ! As-tu bien dormi dans ma soupente ?

— Très bien, merci.

— Veux-tu du lait ? Une paysanne vient de m'en déposer un bidon sur le pas de la porte.

Il n'était plus question du genou !

Les deux hommes s'installèrent devant du lait, du pain et du fromage, et cassèrent la croûte ensemble comme deux vieux amis. Aubin découvrit que le père Polyte n'était pas muet, quand il le voulait. Il lui raconta comment son genou en était arrivé là.

— C'était sur les bancs de Terre-Neuve. Un temps de chien. Trois jours que la tempête n'avait pas faibli. Une drisse a cassé au mât de misaine. La poulie est retombée en sifflant comme un serpent et m'est arrivée droit sur le genou. J'ai cru que ma jambe était coupée. Ils m'ont redescendu dans le carré. La rotule avait éclaté comme une noix, et il n'y avait plus de peau. Rien qu'un gros trou avec des petits bouts d'os partout. J'ai fini la campagne quand même, avec des planches autour de la jambe. Mais c'était dur de travailler ainsi.

— Vous ne pouviez pas vous arrêter ?

— Oui bien sûr, mais je savais que pour moi, les embarquements c'était fini. Alors, cette campagne, il fallait qu'elle me rapporte, tu comprends. J'avais besoin d'argent, pour la suite. Je voulais gagner ma part !

Il regardait sa pipe cassée, les yeux mi-clos...

— Tu vois, j'ai fait mentir la règle. Quand on met la pipe entre les dents de l'opéré, il serre tant qu'il peut. S'il meurt, sa pipe tombe et se casse. Moi j'ai cassé ma pipe, et je suis toujours vivant.

Il sourit, heureux de vivre, et reprit son récit.

— Après, à Brest, ils ont voulu me couper la jambe. Faut dire que ce grand trou ne se bouchait pas. La pestilence coulait toujours avec des bouts de rotule qui partaient de temps en temps. Et je ne pouvais pas m'appuyer. Alors à quoi pouvait-elle servir, ma pauvre patte ? Mais, que veux-tu, j'y tenais. Alors je suis parti, sur mes béquilles, pour retrouver ma mère, qui habitait à Pontoise. La route a été longue. Quand je suis arrivé, elle était morte. Depuis trois jours. J'ai réglé ses affaires, et le curé m'a dit qu'à Saint-Yé il n'y avait pas de chirurgien. Mon genou allait mieux ; je suis venu. Les sœurs m'ont donné cette échoppe, et depuis, je n'ai plus bougé.

— Et le genou ?

— Il s'est cicatrisé, mais il est devenu tout raide. J'ai pu commencer à m'appuyer dessus au bout de quelques mois. Plus ou moins, selon les moments. Parfois il devient tout rouge, et il coule un peu. Puis la fistule s'assèche. L'os est carrié dessous, alors ça recommence. Depuis douze ans que je suis là, j'ai quand même bien profité de ma guibole. Je ne regrette pas de l'avoir gardée. Peut-être qu'un jour il faudra la couper... En attendant, je m'en sers... C'est la première fois que ce foutu genou me fait si mal, et qu'il refuse de s'ouvrir seul. J'en ai bavé, tu sais, avant que tu viennes. Je ne sais pas si j'aurais pu supporter cette douleur encore longtemps. Mais c'est fini, maintenant.

— Que va-t-il se passer ?

— Oh ! Il cicatrisera. En changeant les pansements tous les jours. Après, on verra. Et toi, dis-moi, que vas-tu faire ?

Aubin, mis en confiance, lui raconta sa vie au collège, avec les brimades, les mesquineries de ses camarades qui le savaient enfant trouvé. Même pas orphelin ! Et l'injustice des curés qui respectaient la hiérarchie sociale, et le méprisaient aussi. Ils lui répétaient sans cesse qu'il fallait remercier la comtesse. Elle était si bonne, de s'occuper de lui ainsi... Huit années sans le faire venir une seule fois ! Les Vergnot n'avaient pas l'argent du voyage. Aubin voyait bien qu'ils avaient un peu honte, parfois...

Ils ne parlèrent pas de l'avenir, ni du séminaire, mais seulement de ce qui allait se passer dans les semaines à venir. Aubin serait le commis du barbier. En plus du travail de la maison, il l'aiderait à porter son matériel tant qu'il serait obligé d'utiliser ses béquilles. Il apprendrait à tenir les patients, à préparer les scalpels, les pansements, les éclisses. Pour les fractures aussi il faudrait aider, tirer, passer des bandes...

Tout cela se préciserait, à l'usage.

Aubin était aux anges. Il allait découvrir un métier fascinant, un vrai travail manuel, comme la menuiserie, mais avec, en plus, des rapports avec les gens qui souffrent, et qu'il apprendrait à soulager.

Surtout il resterait à l'hospice, ce qu'il désirait tant ! Comme sœur Clo avait eu raison de le confier au vieil homme !

Il demanda l'autorisation de s'absenter un moment, et courut raconter à la jeune religieuse combien son idée avait été merveilleuse. Et comme il était heureux de vivre maintenant auprès d'elle.

CHAPITRE IV

Pendant la première semaine de sa nouvelle vie, Aubin rongea son frein dans l'échoppe du barbier, lequel souffrait encore trop pour reprendre ses activités. Les attelles de bois qu'il avait confectionnées n'immobilisaient pas suffisamment sa jambe pour qu'il envisage de se déplacer jusqu'à l'hospice. Lui aussi trouvait le temps long.

Il en profitait pour instruire son jeune commis dans la connaissance du matériel qui leur servirait dans les jours à venir. Et tout naturellement, il avait commencé par les pansements qu'il utilisait chaque matin pour son genou. De la grande boîte il avait d'abord sorti des « plumasseaux ». Ce nom venait de l'Antiquité, à l'époque où l'on cousait de vraies plumes entre deux linges pour réaliser un coussinet qui était à la fois absorbant pour les sanies et source de chaleur, puisque le froid était considéré comme un ennemi des plaies et des ulcères. Sur les bateaux, le père Polyte avait utilisé bien d'autres matériaux pour ses pansements : des fibres végétales diverses, de l'étoupe, du coton...

La charpie, quant à elle, avait toutes les qualités, pourvu qu'elle fût convenablement fabriquée. Les religieuses étaient passées maîtres dans cet art. Elles prenaient des petits morceaux de tissu dont elles tiraient les fils un à un, avec une patience angélique. Le plus important était de choisir une toile de parfaite qualité, ni trop neuve ni trop vieille, ni grosse ni fine, et surtout bien blanche de lessive. On pouvait aussi imbiber la toile à l'avance avec des onguents utiles à la détersion ou à la cicatrisation des plaies, comme le genièvre ou la linaire fleurie.

La forme des plumasseaux variait avec l'usage prévu. Les plus petits s'appelaient des bourdonnets et leur consistance plus ferme les destinait à être introduits dans les plaies pour les empêcher de se fermer trop vite. Certains étaient munis d'un fil qui permettait de les récupérer quand ils avaient été placés dans une lésion profonde.

« Ainsi, expliquait le vieil homme, dans un saignement de nez très abondant, on peut mettre le bourdonnet dans le haut de la bouche, rattraper le fil par la narine, et comprimer ainsi la zone de saignement. Un second fil, laissé dans la bouche, permet de le retirer ensuite... »

Parfois, Aubin avait un peu la nausée quand les explications devenaient trop précises. Alors il faisait dévier son professeur vers ses souvenirs de campagne, au temps de la pêche à la morue dans les mers froides. Maître Hippolyte devenait un vrai bavard, contrairement à la réputation qu'on lui avait faite à l'hospice. Il était timide, en particulier lorsqu'il devait affronter la gent féminine et religieuse de Saint-Yé, mais dans l'atmosphère intime de son échoppe, surtout quand une bouteille de gnôle participait aux débats, il pouvait devenir intarissable...

Né dans le Bassin parisien, au confluent de la Seine et de l'Oise, il avait rêvé, dès son plus jeune âge, devant les bateaux qui partaient vers la mer et, à quatorze ans, s'était embarqué sur un transport de bois qui allait alimenter les chantiers navals du Havre. Il avait travaillé à la construction des navires pendant deux ans avant de prendre enfin la mer sur la *Confiance*, un petit morutier de cent tonneaux. Là, il avait aidé le chirurgien du bord, puisque c'était le rôle du mousse. Le métier lui avait plu, et il avait réussi à se faire embarquer ensuite sur la *Dauphine*, comme chirurgien en second, à vingt livres par mois, sous les ordres d'un chirurgien brestois qui lui avait appris le métier.

Ce qui étonnait Aubin, c'est que le vieux marin racontait plus volontiers ses histoires de pêche que de chirurgie. Il parlait de cent mille morues ramenées au Havre, de deux cent mille autres vendues en Martinique, et des primes vertigineuses qu'il en rapportait. Ils avaient trafiqué aussi un peu les esclaves, mais il s'en vantait moins.

Tout de même, son titre de fierté, il l'avait acquis en 1725, quand on l'avait nommé chirurgien en premier, avec dispense d'emmener un chirurgien en second. Cette consécration avait fait de lui un « maître » dans sa profession, et, dans les embarquements ultérieurs, il avait pu former ses premiers élèves. Et puis il y avait eu ce malheureux accident qui l'avait désormais cloué à terre, presque sur une seule patte.

Sœur Clotilde venait souvent les retrouver, une fois son service du matin terminé. Elle changeait alors le pansement et en profitait pour éduquer son protégé. Au début, le père Polyte avait mis, dans sa plaie, une sorte de tube de plomb qu'il appelait une « tente », destiné à drainer vers l'extérieur les sécrétions purulentes. Il l'avait remplacé ensuite par un petit bourdonnet imprégné de soufre nitré. Maintenant, la sœur mettait un plumasseau, puis un emplâtre fixé avec un bandage de toile. Chaque fois, il fallait remettre les attelles, et bien les fixer. Son adresse fascinait Aubin.

Il se familiarisait aisément avec ces pratiques dont, pourtant, il comprenait mal encore l'intérêt. Ce qui le frappait, c'était l'importance que semblaient avoir certains détails, certains choix de poudre ou d'onguent que la religieuse et le chirurgien discutaient longuement. Il avait l'impression qu'il lui faudrait des années pour assimiler ce langage codé par des générations de praticiens.

Vint le jour où le père Polyte se sentit suffisamment en forme pour retourner travailler à l'hospice. Il y fut accueilli avec joie par les malades, qui regrettaient son absence, et par les religieuses qui avaient suivi, grâce à sœur Clotilde, les progrès de sa guérison. Aubin s'aperçut aussi que l'histoire de son intervention sur le genou du chirurgien était connue, et admirée de tous. Maintenant il était regardé avec une certaine considération. Il en conçut une légitime fierté, et souffrit d'autant plus de l'attitude de la comtesse.

Celle-ci manifestait son mécontentement en le négligeant comme s'il n'existait pas. Elle ne le voyait pas. Quand elle entraînait le chirurgien vers quelque malade, quand elle assistait à une saignée ou à un clystère, Aubin avait l'impression d'être devenu transparent.

Il avait revu souvent la supérieure qui se cantonnait à parler des événements du jour, sans aucune référence, ni au passé, ni au futur. Mais avec une certaine amitié. Pour la comtesse, il n'était pas là. Sœur Clotilde lui conseilla de ne pas s'en offusquer, de continuer à respecter les convenances, et d'attendre tranquillement que la situation évolue.

En revanche, il sympathisa avec maître Hertius qui ne manquait jamais l'occasion de lui dire des mots gentils. Aubin avait été mis en garde, et il se tenait à distance des mains trop affectueuses du vieux médecin. Mais, à la vérité, il découvrait, chez cet homme, des qualités pour lui très séduisantes. D'abord il était drôle et semblait chercher toujours le côté risible des choses. Mais surtout, il s'intéressait à tout, et parlait aussi bien de la politique, des encyclopédistes ou des jansénistes, que des scrofuleux qui peuplaient l'hôpital. La supérieure qui, elle aussi, l'appréciait beaucoup, le faisait taire poliment quand il se perdait dans des bavardages sans fin. Mais le médecin ne résistait pas au regard admiratif de l'entourage, et Aubin était de ceux qui, dans ces cas-là, buvaient ses paroles...

Le grand événement de cette époque fut ce que sœur Clotilde appela sa « descente aux enfers ». Un soir, après souper, Aubin s'était assis, comme il le faisait souvent, sur le pas de la porte. Les villageois s'installaient ainsi, par les belles soirées d'été, et devisaient ensemble de la vie de la communauté. Le garçon adorait écouter ces commérages médisants et pleins de réflexions piquantes.

Soudain, il entendit le père Polyte déclarer, dans son dos, comme si c'était chose banale, qu'il se sentait si bien ce soir-là, qu'il ferait volontiers un bout de promenade. Aubin était bien placé pour savoir que si la plaie avait fait d'énormes progrès, la démarche du chirurgien demeurait précaire, et l'usage de la béquille toujours indispensable à son équilibre. L'idée d'une promenade vespérale lui paraissait tout à fait incongrue. Devant le silence du garçon, le vieux continua.

— Qu'en penses-tu, Aubin ? Veux-tu m'accompagner, nous allons marcher un peu dehors. Je sens que cela me fera du bien...

La question ne supposant pas de réponse, Aubin se leva et vint se placer sous le bras de son maître qui saisit sa béquille de l'autre main et s'engagea dans la ruelle, en descendant vers le bas du village. Les pierres du chemin étaient inégales et l'entreprise malaisée. Qu'importe, il fallait marcher, et le vieil homme se mit à chantonner.

Quelques centaines de pas plus bas, ils firent une rencontre qui éclaira brusquement la situation d'un jour nouveau ! Maître Hertius, armé lui aussi d'une canne, vint se joindre à eux, comme si de rien n'était. Et sans se concerter, ils s'engagèrent, tous les trois, sur le sentier qui menait à la grand-route, où par un heureux hasard, se trouvait l'auberge du Cerf-à-Genoux, lieu de perdition bien connu.

— Ça va, maître Hippolyte ? demandait de temps en temps Aubin.

— Je ne me suis jamais senti aussi bien mon garçon, marchons.

La perspective d'aller à l'auberge lui donnait des ailes. Et l'on doit à la vérité de dire qu'Aubin n'était pas le moins surexcité des trois !

Ils passèrent sous la voûte sonore et entrèrent dans la vaste cour pavée où régnait, de jour comme de nuit, une activité fébrile. Les attelages qui arrivaient tard croisaient ceux qui partaient tôt, et le tout donnait un tohu-bohu permanent indescriptible. Les trois compères se dépêchèrent de quitter cette zone dangereuse et entrèrent se réfugier à l'intérieur de l'auberge, lieu encore plus périlleux s'il fallait en croire les femmes du village, et les religieuses, qui n'en parlaient jamais sans se signer.

C'était une longue salle sombre et bruyante, éclairée par une multitude de chandelles qui mêlaient leur odeur de suif aux senteurs variées émanant d'une cheminée gigantesque où, malgré la saison, brûlait un tronc d'arbre. Des marmites pendaient à des crémaillères et les servantes venaient y puiser des louchées de soupe odorante. D'autres filles de salle servaient des chopes de bière, et des carafons de vin que les convives réclamaient à grands renforts de cris et de gestes.

Il y avait là une centaine d'hommes, attablés par groupes de trois, quatre ou plus, assis sur des tabourets ou des bancs, les coudes sur la table, ripaillant, buvant, s'esclaffant à tout propos. Les servantes couraient en tous sens, essayant d'éviter les mains des clients qui menaçaient de leur claquer le postérieur, et remettant à leur place les imprudents par quelques phrases sonores, dans une langue imagée qu'Aubin n'avait jamais entendue de sa vie !

Dès l'entrée, ils furent accueillis par le patron qui se précipita, les bras levés, pour leur souhaiter la bienvenue avec une voix de stentor.

— Les médicastres de notre hôpital, les voilà ressuscités ! L'un d'eux était malade, l'autre l'a soigné et ils en ont réchappé tous les deux ! *Alleluia !* Remercions le Seigneur de sa clémence !

Et il partit d'un énorme éclat de rire, repris en chœur par toute la salle.

C'était une espèce de géant, avec un crâne rasé, et des moustaches de tartare qui lui tombaient jusqu'au menton. Le père Polyte, à côté de lui, paraissait minuscule. Quant à Aubin, il regarda disparaître sa main dans la patte énorme du patron en se demandant s'il la reverrait.

— Le premier cruchon est pour moi, trouvez-vous une place.

Le chirurgien ne disait rien, mais il n'était pas fâché de s'asseoir après cette promenade qui lui avait paru interminable.

— Merci Onésime, nous n'en attendions pas moins de toi, s'exclama maître Hertius en voyant arriver les gobelets et le vin. Et il continua, sur un ton gouailleur : Je vois qu'il y a encore beaucoup de monde pour boire, chez toi, c'est bien, cela fera du travail pour l'hôpital.

— Tais-toi, vieux boit-sans-soif, si mon vin rendait malade, il y a longtemps que tu serais mort.

— C'est bien vrai, et cela tient du miracle. Il faut l'arroser ! *Nunc est bibendum !*

— Qu'est-ce que tu dis, mécréant ?

Onésime le menaçait du doigt en riant.

— Il dit qu'il est temps de boire, intervint Aubin.

— C'est vrai, tu as appris le latin, toi.

Maître Hertius le regardait avec étonnement. Et levant son verre il ajouta :

— *Spiritus promptus est...*

— ... *caro autem infirma,* ajouta Aubin en levant également son verre.

Maître Hertius éclata de rire, devant la figure étonnée du chirurgien.

— Que racontez-vous tous les deux ?

— « L'esprit est prompt mais la chair est faible », mon cher Polyte, répondit le médecin en souriant. Alors buvons à ce jeune latiniste, et à la vie qui s'ouvre devant lui.

Aubin trempa ses lèvres dans le vin, et fut surpris par l'amertume, l'acidité et le haut degré d'alcool de ce breuvage qu'Onésime faisait venir par barriques du sud de la France. Il lui sembla que jamais il ne s'habituerait à cette boisson corrosive qui réjouissait si fort ses compagnons. Mais il n'en avait pas besoin pour se sentir grisé, tant les vapeurs éthyliques flottaient dans l'atmosphère.

Cette auberge allait devenir, pour le jeune garçon, sans qu'il s'en doute, le haut lieu de son éducation. Jusque-là, il n'avait vécu que dans des mondes clos et protégés. Il avait beaucoup appris, au collège, chez les Vergnot, et surtout à l'hospice, mais aucun de ces lieux ne donnait une image vraie de la vie.

Ici, il découvrait pour la première fois une image réelle du monde, à travers des gens qu'il n'avait encore jamais rencontrés. Commis-voyageurs et marchands cossus, riches et pauvres, nobles et bourgeois, gendarmes et voyous, militaires et ecclésiastiques, tous étaient obligés de faire halte à l'auberge. Ils s'y côtoyaient par nécessité et posaient leurs coudes sur les mêmes tables poisseuses.

À partir de ce jour, les trois compères descendirent une ou deux fois par semaine chez le grand Onésime, dont les mains touchaient les poutres quand il les accueillait. Sœur Clotilde et la supérieure manifestèrent leur réprobation par des réflexions aigres-douces, mais elles ne pouvaient rien changer aux habitudes de ces hommes, et Aubin était bien obligé d'aider son patron en toutes circonstances. Cependant il promit de raconter fidèlement ces soirées aux religieuses pour qu'elles puissent juger de leur innocence.

Le jeune garçon avait un peu l'impression que ces confessions relevaient plus d'une curiosité malsaine, que d'un souci honnête de le surveiller. Aussi sut-il très vite orienter son récit dans les voies qui passionnaient les sœurs, et passer sous silence ce qu'il valait mieux qu'elles ne sachent pas. Étaient-elles dupes ?

Il était passionné par les affrontements entre ces deux hommes si dissemblables par leur aspect, leur origine et leur formation. À les entendre, on aurait pu croire qu'ils n'avaient rien en commun. Pourtant, aux yeux d'Aubin, ils faisaient le même métier, même si leurs moyens étaient différents. Mais, suivant les règles d'un jeu subtil qui remontait à l'Antiquité, ils s'opposaient, comme toujours médecins et chirurgiens, représentants de deux corporations ennemies par nature.

Les deux protagonistes prenaient à tour de rôle le jeune garçon à témoin, en développant des arguments si éculés, qu'ils n'osaient plus les défendre en se regardant en face !

Pour maître Hertius, la compréhension des maladies ne pouvait se concevoir qu'après avoir assimilé les préceptes de ceux qui avaient créé cette science, Gallien et Hippocrate. Sans les citer, point de salut !

— Bof, grommelait Polyte, mon bistouri fait plus que toutes vos belles maximes !

Levant les yeux au ciel, le vieux médecin continuait à pérorer, stimulé par les yeux admiratifs du jeune garçon. C'est ainsi qu'il entreprit de lui expliquer le chemin qu'il devrait parcourir, s'il voulait, un jour, revêtir comme lui la robe prestigieuse.

— Il ne te reste plus que quatre années pour acquérir le diplôme de « maître ès arts » et, à ce moment-là, tu pourras t'inscrire à la *Saluberrima facultas,* de Paris bien sûr ! Il prit un ton emphatique pour conclure : Alors tu seras philiatre, et tu auras le monde à tes pieds.

Le chirurgien haussa les épaules, mais l'autre poursuivit, lyrique :

— Tu m'aurais vu, en habit noir, les hauts-de-chausses fixés au pourpoint par des aiguillettes d'argent offertes par ma pauvre mère, avec un rabat de dentelle blanche, et mon bonnet carré... J'habitais rue Saint-André-des-Arts, dans une pension qui s'appelait le Coq-Hardi. On y dînait pour vingt sols, et mieux qu'ici !

— Et vos beuveries, racontez-nous ! grinça le père Polyte.

— C'est vrai, continua-t-il, sans regarder son adversaire, nous faisions la fête à tout propos. Mais il fallait bien se distraire, on travaillait tellement.

— Bof ! des parlotes...

— Nous étions à la Faculté dès six heures du matin ! Et il ne fallait pas être en retard, sinon le bedeau nous fermait la porte au nez ! Nous étions ponctuels car ces premiers cours étaient très importants. Ils étaient faits par des bacheliers qui reprenaient les leçons de la veille. Nous pouvions poser des questions et nous faire expliquer ce que nous n'avions pas compris. Ensuite nous avions les professeurs en titre. Tu les aurais vus avec leur grande robe, l'épitoge écarlate sur l'épaule, le bonnet carré sur la perruque... On les applaudissait !

— Aubin était passionné.

— Quels étaient les sujets de ces cours ?

Le médecin répondit avec un lyrisme qu'il accentua d'autant plus qu'il savait combien tout cela agaçait le chirurgien.

— Ces cours traitaient des trois matières fondamentales : les choses naturelles, c'est-à-dire l'anatomie et la physiologie, les choses non naturelles, l'hygiène et la diététique, et les choses contre nature, la pathologie et les thérapeutiques...

— Les cours d'anatomie, intervint Polyte, qui les faisait ? Qui préparait les dissections ? Qui montrait les organes ?

— Certes, le chirurgien-barbier, c'était son travail. C'est vrai que pour tripoter ces cadavres répugnants, il n'est pas nécessaire de parler latin !

— Des cadavres ! s'exclama Aubin avec une moue de dégoût.

— Oui, les condamnés à mort, qu'on allait chercher en place de Grève.

Aubin se sentait un peu nauséeux, mais il en redemandait.

— Après quatre années, j'ai eu le droit de passer l'épreuve du baccalauréat... J'avais vingt-cinq ans, c'était au mois de mars, le cérémonial était grandiose. D'abord nous présentions tous les diplômes acquis pendant ces années, avant d'accéder aux épreuves. Elles duraient une semaine entière. Enfin c'était la réception solennelle devant tout la Faculté. Les amis et les familles étaient invités. Ma mère était là, rayonnante de bonheur.

Il se rengorgeait.

— J'ai commenté publiquement un aphorisme d'Hippocrate, et tout le monde m'a applaudi. Après on m'a remis ma grande robe et j'ai prêté serment. Je m'en souviens comme si c'était hier. J'avais les larmes aux yeux !

— À ce moment-là, vous étiez docteur ?

— Non, pas encore, pour être docteur c'était beaucoup plus long. Attends, je continue. Pendant l'été suivant il fallait passer quelques épreuves complémentaires et notamment la botanique. Très important la botanique. Les chirurgiens ne connaissent rien à la botanique...

— Dans tout ce galimatias, il faut bien qu'il y ait eu quelque chose d'utile !

Négligeant ces commentaires, il continua, radieux, de se plonger ainsi dans ces souvenirs glorieux.

— En décembre, j'ai soutenu ma thèse, et quelle thèse : quatre pages en latin, ornée d'un frontispice superbe dédié à la Vierge. J'ose le dire, un chef-d'œuvre.

— Sur quel sujet ? interrompit Aubin.

— *An potores aquae morosi, vini faciles ?*

Aubin éclata de rire, et il traduisit, pour Polyte :

— « Est-on morose en buvant de l'eau, et gai avec du vin ? »

— Quatre pages sur ce sujet, ce n'est pas vrai, s'exclama le chirurgien en tapant sur la table. À boire Onésime, soyons gais !

— Ne plaisantez pas avec les choses sérieuses, reprit Hertius vexé. Ce travail m'a pris beaucoup de temps. Il m'a donné droit à demander ma licence.

— Une licence ?

— C'est une sorte d'examen concernant l'honorabilité de la famille, et les bonnes mœurs du candidat.

Polyte se mit à tousser violemment, comme s'il s'étranglait en buvant.

Maître Hertius prit un ton glacé pour lui demander s'il voulait une potion. Puis, après un instant de silence, il reprit son ton enjoué pour terminer la description de ce cursus impressionnant.

— Il y a eu encore la bénédiction du chancelier, et la cérémonie à Notre-Dame. Et, à partir de là seulement, j'ai eu le droit d'exercer la médecine. Il n'était pas nécessaire d'être docteur pour autant. Mais c'était mieux. Il fallait soutenir la thèse finale...

Aubin, les coudes sur la table, le menton dans les mains, s'était endormi. Il voguait sur un océan de robes noires et d'épitoges écarlates et se voyait déjà prêtant serment dans la cathédrale, devant une sœur Clotilde éblouie... Puis il était nommé docteur régent, le plus haut grade !

Au petit matin, Polyte le réveilla. La salle était aux trois quarts vide. Il ne restait que quelques ivrognes endormis, et les charroyeurs en partance qui se lestaient l'estomac avant la route. Aubin se frotta les yeux et se leva pour emboîter le pas à son maître dont la démarche était encore moins bien assurée que la veille. Il remarqua que son pourpoint était boutonné de travers, mais ne poussa pas plus loin ses investigations. Il se sentait trop pâteux pour demander des explications. Quant à maître Hertius, il avait disparu. Il aurait fallu sans doute aller voir du côté des écuries si quelque palefrenier ne lui avait pas offert l'hospitalité pour la nuit, mais ils ne s'y hasardèrent pas et remontèrent péniblement vers le village encore endormi.

Très impressionné par le discours du médecin et les projets qu'il faisait pour lui, Aubin n'en continuait pas moins son apprentissage auprès de son maître. Piqué au vif, celui-ci tenait à lui enseigner tout son savoir et à en faire un disciple ébloui. Ils passèrent ensemble des heures entières à étudier et entretenir les instruments qu'ils utilisaient chaque jour.

Bien que les travaux de barbe et de cheveux fussent devenus exceptionnels, maître Hippolyte avait une collection de rasoirs dont il était fier : à manche d'ivoire ou d'ébène, avec des lames d'acier damassé qui venaient d'Espagne. Mais ce que préférait le jeune garçon, c'était la boîte de chirurgie : un gros coffret de cuir patiné qui avait dû être d'un joli brun quelques décennies auparavant. À l'intérieur, rangés dans des logettes de velours usé jusqu'à la trame, tout un lot d'instruments en acier poli jouaient avec la lumière. Au premier rang, il y avait trois paires de ciseaux, droits, courbes, mousses au bout et avec un bouton sur la lame externe pour dilater les plaies. Les bistouris, les scalpels et les lancettes venaient ensuite, certains longs, d'autres courts, coupant sur l'un ou sur les deux côtés, pointus ou mousses, et dont l'usage paraissait parfaitement codifié. Une érigne courbée servait à écarter un nerf ou un vaisseau. Des sondes pour explorer la profondeur des plaies, une droite, une courbe, une creuse aussi, en forme de gouttière, pour conduire la lame d'un scalpel. Des spatules dont une s'appelait « en feuille de myrte », des pincettes aux noms évocateurs aussi : en bec de canne, de corbin ou de grue. Dans une petite boîte à part il y avait les aiguilles : droites, courbes, longues, courtes, fortes ou fines selon qu'il fallait coudre la peau, l'estomac ou l'intestin... Et surtout l'instrument le plus impressionnant, la scie ! Pour la décrire, Polyte devenait intarissable :

— Tu vois, il la faut petite et légère, avec un manche adapté à la forme de la main pour qu'elle soit tenue ferme. Les dents doivent être aiguisées comme les rasoirs pour couper l'os vite et bien droit, sans faire souffrir...

Aubin n'avait jamais vu d'amputation, mais il frissonnait en imaginant le patient réveillé, tenu par des acolytes, écoutant la scie lui couper la jambe « bien droit, sans faire souffrir » !

Pendant de longs moments, les deux hommes devisaient ainsi devant la boîte ouverte tandis qu'ils nettoyaient et huilaient les lames. Surtout ils les aiguisaient, et Polyte, qui avait été éduqué par un coutelier, savait mieux que personne montrer l'usage de la meule, de la pierre tendre ou des cuirs. Il faisait répéter à son élève ces gestes ancestraux qui avaient déjà tendance à se perdre.

Souvent maître Hertius passait la tête dans l'échoppe et lançait quelque plaisanterie qui venait ranimer les braises de la discorde. Sœur Clotilde, témoin discret de ce manège, avait bien compris que les deux praticiens étaient en compétition pour gagner l'estime et l'admiration du jeune garçon qu'elle sentait voguer vers des rêves impossibles.

— Je sais que tu aimerais aller faire des études à Paris, lui disait-elle, mais tu ne te rends pas compte de ce que cela coûte. Une fortune, que tu n'as pas.

— La comtesse voulait faire de moi un curé. Elle accepterait peut-être de changer ma destination. La médecine, c'est bien aussi. Et je serais un étudiant sérieux, vous le savez...

L'été passa. Le jour, Aubin aidait le chirurgien dans ses œuvres et, les soirs de beuverie, il faisait raconter au médecin la vie des étudiants de Paris. En l'écoutant, il se bâtissait un avenir différent chaque soir.

La comtesse avait compris que le projet du séminaire était abandonné. Et elle enrageait, car la soutane était le refuge traditionnel des rejetons inavouables. L'intransigeance du jeune garçon la déliait, pensait-elle, de ses obligations vis-à-vis de lui, et il n'était pas question qu'elle l'aide à aller mener à Paris la vie dissolue des étudiants. Elle n'en retenait que le côté ludique, et n'avait aucune raison de l'encourager. De plus, elle professait, pour le corps médical, un mépris trop évident pour dépenser des fortunes à fabriquer un charlatan de plus. Que ce gamin reste le valet du père Polyte s'il le voulait, elle n'avait rien à y redire. Pour le reste, il n'en était pas question.

Tout cela était dit avec une autorité sans faiblesse et un ton péremptoire qui montraient bien à quel point elle essayait d'enfouir, dans les profondeurs d'un oubli confortable, le remords qui la meurtrissait.

Sœur Clotilde, de son côté, avait compris que la comtesse n'accepterait jamais d'aider Aubin à réaliser ses projets estudiantins, et elle n'en était pas mécontente. Elle réagissait en suivant des sentiments maternels qu'elle ne cherchait même plus à dissimuler. Elle était convaincue que la solution actuelle restait la meilleure, et qu'il fallait militer pour la maintenir coûte que coûte. Quant à l'avenir, le Seigneur aiderait à y pourvoir.

La supérieure était la seule à juger de l'affaire avec sérénité et détachement. Le fait que la comtesse fût maintenue dans un sentiment de culpabilité évident la réjouissait pleinement. Elle avait la sensation de manier des pions, et elle entendait bien conserver la maîtrise de l'échiquier.

Polyte, évidemment, ne trouvait que des avantages à la présence d'Aubin à ses côtés, et il était prêt à tout faire pour le garder. D'abord il était soulagé des tâches mineures, ce qui n'est pas rien, mais surtout la présence d'un disciple à qui transmettre sa science le comblait d'aise, et il sentait vibrer en lui une fibre paternelle qu'il ne soupçonnait pas. De plus il rendait jaloux son compère Hertius, ce qui ajoutait beaucoup de piment à l'affaire.

Ce dernier aurait bien aimé être l'artisan de la promotion sociale qu'Aubin méritait, et l'aider à partir pour Paris, mais, au fond, la présence du jeune homme à Saint-Yé ne lui déplaisait pas non plus et, pour le moment, ce n'était pas lui qui faciliterait l'envoi au séminaire, ou à la Faculté.

Rester à Saint-Yé, c'était aussi, dans l'immédiat, le plus cher désir de l'intéressé. Car s'il avait acquis la certitude que son métier consisterait, d'une manière ou d'une autre, à soigner ses semblables, il était bien incapable de savoir comment il accomplirait cette vocation. S'accrocher au village, c'était écarter le séminaire à coup sûr. Plus tard, on y verrait plus clair. Pour le moment, il se répétait chaque soir, avec cette douce obstination juvénile qui se moque des réalités : « J'irai à Paris ! »

Mais il savait que personne ne l'y aiderait.

CHAPITRE V

Aubin était devenu chaque jour plus indispensable au père Polyte dont l'état de santé s'aggravait lentement. Au moment où il aurait dû être question du départ pour le séminaire, en octobre, une poussée d'infection l'avait de nouveau cloué au lit. Aubin allait à l'hospice chercher la nourriture, renouvelait chaque jour les emplâtres sur l'articulation et surveillait le mûrissement de l'abcès qui avait été plus rapide. L'ouverture avait été spontanée, mais l'efficacité du drainage s'amenuisait, et il avait fallu plusieurs semaines pour que la suppuration se tarisse. La remise sur pied avait été plus lente. Le genou avait subi une déformation supplémentaire définitive, gênant irrémédiablement l'appui. Non seulement Polyte était condamné à la béquille, mais l'attelle était devenue obligatoire en permanence.

Le chirurgien reprit ses activités, mais il était obligé de rester assis pour faire ses saignées. Pour les fractures, c'est Aubin qui installait les sangles de traction, et qui manipulait les os sous la direction du vieil homme.

Insensiblement le jeune homme était devenu l'exécutant, et le père Polyte, désormais, travaillait plus de la voix que du geste. Il ne se plaignait jamais, et si tout le monde pensait, même lui évidemment, qu'une amputation aurait été salvatrice, son silence était l'expression très claire de son refus. Il savait trop, sans doute, l'épreuve que représenterait une telle intervention pour l'accepter de sang-froid.

Il aurait dû partir pour un autre hôpital et abandonner Saint-Yé pendant un temps trop long. Il refusait de se résigner à ce choix. Il continua ainsi, déléguant une partie de sa vie à celui qu'il désignait très clairement, maintenant, comme son successeur.

Tout le monde s'habituait doucement à cette idée, et les années passèrent, sans que personne osât plus jamais parler de séminaire ou d'études à Paris.

Miné par cette suppuration le vieil homme dépérissait. Il lui arrivait parfois de ne pas pouvoir se lever, non à cause de son genou, mais par fatigue. Des épisodes de fièvre survenaient, qui le secouaient de frissons et le laissaient épuisé pour plusieurs semaines.

Six ans s'écoulèrent.

Au début de l'hiver 1751, une crise d'infection généralisée, plus forte que les précédentes, alita maître Hippolyte. Après huit jours de fièvre, une amélioration sembla se faire jour. Le soir, il s'était senti beaucoup mieux. Il avait bu un peu de vin qu'Onésime lui avait fait porter, et tout le monde reprenait espoir. Au petit matin, on le retrouva mort.

Aubin ressentit un immense chagrin, le premier de sa vie. Il avait vingt et un ans, et la disparition de celui qui avait donné un sens à son existence le mettait tout à coup face à son destin. Comme il marchait, entre maître Hertius et sœur Clotilde, derrière le cercueil de son ami, il mesurait le gouffre ouvert devant ses propres pas. Jusque-là, il était apprenti chirurgien. La disparition de son maître ne faisait pas de lui pour autant un chirurgien à part entière. Il avait l'impression de n'être plus rien. Il se sentait mort, lui aussi.

Tout le village en pleurs était là. Tout le personnel du Cerf-à-Genoux aussi. Les religieuses découvraient à leurs côtés ces femmes de mauvaise vie qui semblaient se racheter par leur tristesse. Le crâne chauve d'Onésime dominait l'assemblée. Léa, sa femme, Oscar, le fils aîné, et les deux filles, pleuraient également leur ami.

Cet homme qui avait juré comme un mécréant et vécu dans la paillardise était enterré comme un saint. Aubin en fit la remarque à Hertius qui conclut avec philosophie :

— C'était tout simplement un bon chirurgien... Et les gens ne s'y trompent pas.

Au retour du cimetière, Aubin monta jusqu'au bureau de mère Lucie. La supérieure souffrait des jambes et n'avait pas pu accompagner Polyte à sa dernière demeure. Son visage était bouleversé.

— Assieds-toi Aubin. Je suis contente que tu sois venu me voir aussi vite, car je voulais te dire combien, moi aussi, j'ai de la peine. Et comme je comprends le chagrin que tu dois ressentir ! J'ai beaucoup prié pour que notre Seigneur donne à cet homme de bien la place qu'il mérite à ses côtés.

Aubin, les larmes aux yeux, hocha la tête en silence. Il était incapable de prononcer une parole. La vieille religieuse respecta sa tristesse. Elle se leva péniblement et vint s'appuyer à la fenêtre, tournant le dos au jeune garçon.

— Tu n'imagines pas comme c'est bizarre, pour moi, de te trouver assis là, en pensant que dans quelques mois tu auras vingt et un ans.

Le temps a passé si vite. Je vois encore le petit bonhomme qui gigotait à peine dans ses langes tout blancs, et que nous avons vite baptisé dans la chapelle du couvent, de peur qu'il ne survive pas. J'ai l'impression que c'était hier.

Elle se retourna vers lui et revint s'asseoir. Elle continua :

— Tu veux toujours aller à Paris, je suppose. Tu as peut-être mis quelques sous de côté pour ce projet, et tu es sûrement prêt à travailler dur pour te payer des études. Je t'approuve entièrement.

Aubin la regarda avec surprise, mais elle ne se troubla pas pour autant.

— Je vais te donner une autre bonne raison de choisir cette solution. Je connais les dernières volontés de ton bon maître, il me les a dites solennellement il y a quelques jours à peine... Il te lègue tout ce qu'il avait : ses instruments, bien sûr, mais aussi son pécule et ses hardes. Ce n'est pas une fortune, mais tu verras qu'il t'a laissé tout de même de quoi subsister un bon moment.

Aubin était muet. Il avait trop de chagrin pour manifester la joie que lui inspiraient les propos de la supérieure.

La vieille dame comprenait le silence du garçon.

— Tu te dois d'aller faire des études à Paris. Je te demande seulement de patienter un peu, le temps que nous trouvions un autre chirurgien. En attendant, c'est toi qui remplaceras notre cher disparu. Tu as toutes les capacités qu'il faut, puisqu'il a su te transmettre son talent. Va mon fils. Nous sommes heureux de t'avoir avec nous.

Aubin n'avait toujours pas prononcé un mot. La gorge serrée, il se leva et rentra à pas lents pour voir sœur Clotilde à l'hospice. Cette fois ce fut le jeune homme qui parla, tandis que la religieuse écoutait avec angoisse. Comme tout le monde, elle avait été affligée par la mort du chirurgien, mais le sort d'Aubin la préoccupait davantage. Si elle comprenait les ambitions du jeune homme, l'aventure parisienne lui paraissait bien trop folle pour qu'elle acceptât d'y apporter officiellement son soutien.

Quand elle sut que, pour l'immédiat, il n'était pas question de départ, elle poussa un soupir de soulagement, en se jurant de faire tout ce qui serait en son pouvoir pour éviter cette issue.

Aubin ne fut pas dupe. Il avait passé tant de temps déjà à scruter le visage de cette femme, qu'il pouvait y lire à livre ouvert. La peau s'était ridée autour des yeux gris et sur le coin des lèvres, mais la tendresse du sourire y avait encore gagné. Tandis que le visage vieilli de la supérieure avait conservé son ironie amère, ici tout n'était que douceur et bonté candide. Quand elle disait combien elle était heureuse de savoir qu'il allait partir à Paris, ses yeux criaient leur joie de le garder à Saint-Yé.

La détermination d'Aubin n'y perdit rien, mais il sut seulement qu'il allait devoir apprendre une vertu nouvelle, la patience. Jusqu'ici, les événements avaient galopé, et il s'était retrouvé chirurgien à l'âge où tant d'autres ne sont que de timides apprentis. Aujourd'hui le temps marquait une pause, et il allait devoir s'en accommoder.

Après les obsèques, Hertius dut s'absenter quelques jours et un matin, Aubin se trouva seul en face de la comtesse qui lui tint un bien curieux discours.

— Tu es donc parvenu à ce que tu voulais, n'est-ce pas ? Tu étais un élève brillant, tes maîtres te disaient capable d'entrer dans le cercle privilégié de ceux qui ont le droit de servir Dieu, et voilà où tu en es rendu !

— Je servirai les hommes, madame...

— Un prêtre aussi sert les hommes, mais il est dans une autre classe de la société ! Enfin, tu as choisi, soupira-t-elle en faisant monter et descendre son opulente poitrine. Chacun en ce bas monde doit occuper la place qu'il mérite. Tu ne mérites sans doute que d'être chirurgien !

Et il y avait dans ce terme un mépris qui frappa Aubin comme une gifle. Il revoyait la comtesse au lit des patients, lorsqu'elle leur disait que maître Hertius passerait les voir, comme si elle leur avait annoncé la venue du messie. Mais c'est vrai qu'elle ne parlait jamais du chirurgien. Elle prescrivait des saignées, des clystères, et même l'incision de quelque bubon, mais jamais elle n'évoquait l'opérateur. Le geste lui importait, pas l'exécutant. Mortifié, Aubin jura qu'il changerait cette opinion avilissante.

Comme pour répondre à cette pensée qu'il dissimulait sans doute assez mal, la grosse dame continua :

— D'ailleurs, désormais c'est ma bru, la comtesse Hermine qui tiendra l'apothicairerie à ma place. Je lui ai enseigné tout ce que ma belle-mère m'avait appris, elle a mes livres, et c'est elle, à partir de ce jour, qui requérira vos interventions. Et, adoucissant le ton pour la première fois, elle ajouta : maître Hertius a encore bon pied bon œil, et il sera à vos côtés... Que Dieu vous aide tous les trois.

L'entretien était terminé. Marguerite de Malmort, à près de soixante-dix ans, avait droit à la retraite. Elle s'effaçait sans regret apparent devant sa belle-fille, bien qu'elle la jugeât un peu sotte. Mais c'était la tradition. Elle était fatiguée de porter tout ce poids, physique et moral ! Elle allait s'installer devant une fenêtre donnant sur la cour du château, une tapisserie sur les genoux, attendant sans impatience la fin d'une existence qui s'était déroulée sans joie. Elle n'avait même pas très envie de voir ses petits-enfants, Geoffroy et Blandine, dont elle s'était paradoxalement détachée quand elle avait découvert l'existence d'Aubin. Elle avait étouffé en elle toute espèce de fibre maternelle. Pour ne pas faire de jaloux. Elle réglerait ses comptes plus tard, et cela ne lui faisait pas peur. Elle s'en expliquerait.

En attendant, elle remettait face à face la mère et le fils qu'elle avait autrefois séparés. Curieuse de juger du résultat de cette rencontre.

Hermine approchait de la quarantaine et la graisse arrondissait ses formes molles et flasques. Avec son teint laiteux, ses cheveux blonds qui blanchissaient déjà, et ses yeux pâles, elle n'inspirait aucune sorte d'autorité. Et elle en était bien consciente. Elle compensa cette carence par une obstination d'autant plus teignarde que ses décisions étaient moins justifiées. Elle prit plaisir à contredire les religieuses dont l'expérience aurait pourtant dû lui servir de guide. Elle finit par se brouiller avec tout le monde, sauf avec Aubin.

Il s'établit entre eux une relation de défiance qui leur facilitait la tâche. Comme si Aubin avait craint de l'affronter. Ils se voyaient peu, Hermine évitant d'aller trop dans les salles de malades qui lui donnaient la nausée. Avec l'aide de sœur Clotilde, c'est Hertius qui prit la place prépondérante, jouant volontiers, vis-à-vis du jeune chirurgien, le rôle paternel laissé vacant.

Cette fonction nouvelle, il avait décidé de l'assumer dès la mort du père Polyte. C'est ainsi que du premier voyage qu'il fit à Paris après les obsèques, il rapporta à Aubin une pile de livres. Un traité d'anatomie et de physiologie, le traité d'Ambroise Paré sur les plaies d'arquebuses, et surtout le manuel de chirurgie de Dionis, remarquable ouvrage chirurgical pédagogique écrit en français, un véritable chef-d'œuvre.

Sans descendre du piédestal où il mettait naturellement la profession médicale, maître Hertius accepta désormais de donner à son jeune disciple une place plus importante dans les choix thérapeutiques, en attendant qu'il aille à Paris acquérir les vrais diplômes médicaux. Le chirurgien remplaçant ne devait pas tarder à arriver.

C'était compter sans la douce obstination des religieuses qui refusèrent, pour différentes raisons, tous les candidats proposés ! Conscient de cette opposition, Aubin se résigna à attendre l'événement qui lui permettrait, un jour, d'aller étudier comme il en rêvait. Il s'installa dans la fiction complice du départ pour Paris, avec un Hertius qui, au fond de lui-même, n'était pas fâché non plus de garder près de lui un tel compagnon.

Sous le prétexte d'assurer sa protection, il l'emmenait avec lui presque chaque soir au Cerf-à-Genoux où le jeune garçon fit bientôt partie de la famille. Le grand Onésime avait une fille d'une douzaine d'années, prénommée Adeline, qui tomba amoureuse de lui. Elle décida que le jour venu, elle l'épouserait. En attendant, elle venait s'asseoir sur un tabouret à côté de lui et elle le couvait des yeux. Aubin, ému par le regard sombre de son admiratrice, ne se privait tout de même pas d'aller parfois faire un tour sous les toits, pour retrouver quelque servante accueillante dans les soupentes de l'auberge, mais en se cachant. La fillette, qui n'était pas dupe, pleurait en silence.

En réalité, ce que le jeune homme préférait à tout, c'était ses longues soirées d'études où seul, à la chandelle, il lisait son Dionis. Il adorait le ton autoritaire et docte de cet homme qui enseignait au Jardin du Roy. Hertius lui avait raconté comment, au siècle précédent, Guy de la Brosse, botaniste célèbre, avait obtenu de Louis XIII, l'autorisation de créer, à l'intention des médecins et des apothicaires, ce jardin pour l'étude des plantes médicinales. La faculté de médecine de Paris avait vu là une atteinte à ses prérogatives, et, par de multiples procès, avait essayé de lutter contre son succès grandissant. Peine perdue ! Fagon, Jussieu, Tournefort, Buffon et tant d'autres, médecins ou botanistes, donnèrent à ce haut lieu de l'étude un essort qui ne se démentit jamais plus. Mais pas seulement en botanique, en physiologie humaine et en anatomie. Pour l'enseignement des opérations de chirurgie, ce lieu devint justement célèbre dès la fin du XVIIe siècle. Le fameux Dionis y enseigna de 1673 à 1680 dans un amphithéâtre conçu à cet usage, mais qui s'avèra vite trop petit tant l'assistance était nombreuse. Car, contrairement à toutes les habitudes de l'époque, l'enseignement y était gratuit et ouvert à tous, sans contrainte de diplôme. De quoi faire rêver le jeune provincial qui lisait à haute voix : « Toutes les opérations de chirurgie se réduisent sous quatre espèces, dont la première rejoint ce qui a été séparé, et se nomme *Synthèse* ; la seconde divise les parties dont l'union est contraire à la santé, et s'appelle *Diérèse* ; la troisième qu'on a comprise par le mot *Exérèse* ôte ce qui est étranger ; et la quatrième qu'on appelle *Prothèse*, ajoute ce qui manque. »

Aubin rêvait en déclamant ces descriptions. Lui dont l'art se limitait aux saignées, aux incisions d'abcès, et à l'appareillage des fractures, découvrait qu'il y avait bien d'autres choses à apprendre et à exécuter.

Une nuit, alors qu'il étudiait, il entendit des pas dans l'escalier. On frappa à sa porte. Il n'était guère habitué à recevoir des visites si tardives. C'était Armand, le fossoyeur, personnage sinistre et renfrogné qui vivait seul dans la maison du cimetière. Gros et gras, il était la risée du village qui l'accusait de s'enrichir sur le dos des morts. Mais au fond ce n'était qu'un brave homme qui accomplissait avec conscience une tâche aussi indispensable que décriée. Ce jour-là, il avait le visage encore plus triste qu'à l'accoutumée. Il expliqua qu'il avait une hémorroïde étranglée qui lui faisait souffrir le martyre. A bout de patience il venait, en cachette, solliciter l'aide du chirurgien.

Aubin le reçut avec gentillesse, l'examina, et lui promit le soulagement immédiat. Il le fit allonger sur sa table, les fesses au ras du bord, les genoux serrés dans les bras. Il installa la chandelle sur une autre table qu'il attira tout près de la zone opératoire, et se saisit d'une lancette spécialement choisie pour cet usage.

— Serrez les dents, maître Armand, très fort, la douleur sera aigüe mais brève. Si vous bougez, je risque de blesser quelque autre organe de voisinage, et vous en seriez encore plus marri !

L'autre comprit l'allusion, et resta coi. Tout valait mieux que ces quarante-huit dernières heures de douleurs et d'insomnie complète. Aubin, de sa main gauche écarta les fesses pour isoler la petite cerise noirâtre qui saillait sur la berge de l'anus. De la main droite armée de la lancette il fit un geste rapide, et la lame traversa l'hémorroïde en libérant un vilain caillot noir. Armand avait sursauté, mais sans lâcher ses genoux. Un grognement rauque et sourd avait été la seule manifestation de la douleur ressentie. Aubin exprima délicatement ce qui restait du caillot, avant d'enduire la plaie d'un mélange de jaune d'œuf et de lait additionné de cerfeuil. Puis il mit en place un plumasseau et une compresse en forme de « H » dont il fixa les quatre branches à la ceinture du bonhomme. Quelques instants plus tard, l'opéré était debout et ravi.

— La douleur a passé, c'est pourtant vrai. J'y croyais point. Tu as la main leste du père Polyte. Bravo, je te récompenserai.

Aubin attendait ce moment.

— Je n'ai pas besoin d'argent, maître Armand, je suis heureux de vous avoir rendu ce service.

Ne pas payer son dû a toujours été contraire aux mœurs paysannes, et l'homme ne comprenait pas cette générosité imprévue. Aubin le rassura vite.

— J'ai besoin de votre aide, moi aussi. Donnant, donnant.

— Que veux-tu donc, une tombe plus profonde que les autres ?

— Non ! Je voudrais disséquer des cadavres. Pensez-vous pouvoir m'en procurer ? Je ferai cela de nuit, bien sûr, et dans la plus grande discrétion, vous pouvez en être certain.

L'autre se grattait la tête.

— Tu sais bien que c'est interdit...

— Quand il n'y a pas de famille, personne ne peut le savoir.

— C'est ce qu'on dit...

L'homme hésitait. Mais rendre service au chirurgien pouvait avoir des avantages, et le risque était minime... Il accepta.

— Je t'appellerai. Tu viendras chez moi.

Aubin allait pouvoir enfin apprendre le corps humain comme Dionis l'enseignait : « La connaissance de la structure de nos corps est la base et le plus ferme appui de la chirurgie. »

La vie s'organisait. Aubin, serein et obstiné, savait qu'il irait un jour à Paris. Il ne restait qu'à attendre le moment propice, et il était patient. En attendant, il avait la chance de travailler à l'hospice, loin des corporations qui régissaient tous les métiers des grandes villes, et de pouvoir continuer à progresser dans son métier grâce au père Armand. Les diplômes viendraient plus tard.

Gardant l'échoppe du père Polyte pour y laisser son matériel chirurgical, il avait pris une chambre à l'auberge du Cerf-à-Genoux. Le grand Onésime le traitait comme un fils. Il faut dire aussi qu'il rendait là de nombreux services. L'auberge-relais était une ville en miniature. Chaque année il fallait agrandir tel ou tel bâtiment trop vétuste ou exigu pour un trafic en perpétuel développement. Le chemin des Flandres, ancienne voie romaine, était devenu une large route pavée où les convois se croisaient jour et nuit. L'auberge était l'étape la plus proche de Paris. Ceux qui voyageaient lentement y passaient la nuit, les voitures pressées y changeaient de chevaux et pouvaient y faire réparer un harnais ou un essieu.

Une foule de gens travaillait là. À la cuisine et aux écuries, mais aussi dans tous les autres corps de métiers. Maréchal-ferrant, bourrelier, sellier, forgeron, menuisier, réparaient, retapaient, consolidaient, tandis que la clientèle se restaurait dans la grande salle. Dans la journée, Onésime faisait le tour des bâtiments, suivi de son fils Oscar qui ne le lâchait pas d'une semelle. Il réglait les problèmes d'atelier et d'intendance. Le soir il ne quittait pas l'hôtellerie. Léa et ses deux filles officiaient aux fourneaux et les servantes portaient à deux les énormes marmites pour les accrocher dans la cheminée où elles continuaient à mijoter.

Insensiblement, Aubin était devenu indispensable. Il n'y avait pas de jour où quelque éclopé ne lui fût amené. Un gâte-sauce s'était brûlé, un garçon d'écurie s'était fait botter, une roue avait écrasé un pied, deux ivrognes s'étaient expliqués brutalement... Il soignait aussi les chevaux, à l'occasion.

Dans la salle, Onésime, dont la taille avait un rôle dissuasif évident, assurait la paix avec bonhomie. Lorsqu'il s'approchait d'une table un peu trop bruyante, le silence se faisait. Jamais aucun récalcitrant ne discutait la note devant lui. Et lorsqu'un ivrogne avait dépassé la mesure, la grande main de l'aubergiste s'abattait sur son col et l'arrachait à son tabouret. L'individu traversait la salle comme un sac traîné sur le sol, et atterrissait dans la cour au milieu des palefreniers ravis du spectacle.

Aubin avait sa table dans un coin, et il bavardait là avec les gens de passage qui lui apportaient les nouvelles du monde. Les colporteurs surtout avaient cette spécialité. Marchant tout le jour de fermes en villages, ils savaient ce qui se disait dans le pays, et ils étaient le reflet fidèle de ce qui ne s'appelait pas encore « l'opinion publique ». Il y avait aussi des médecins, des savants, des hommes de loi et Onésime n'avait pas son pareil pour déceler les gens importants. Il prévenait Aubin et s'arrangeait pour le présenter.

C'est ainsi qu'un soir il fit la connaissance d'un jeune médecin anglais qui rentrait d'Italie. John Penbroke venait de passer plusieurs semaines dans le Piémont, et il était encore sous le charme d'un personnage qui l'avait ébloui, Giovanni-Battista Morgagni. Ce personnage fantastique avait été reçu docteur à l'âge de dix-neuf ans, et, depuis le début du siècle, il enseignait à l'université de Padoue. L'originalité essentielle de ce novateur reposait sur la comparaison minutieuse des maladies avec les modifications constatées à l'autopsie. Le jeune Anglais rapportait, dans ses notes, des observations saisissantes, concernant de nombreuses affections dont les causes étaient jusqu'alors inconnues. Le maître préparait un ouvrage qui révolutionnerait les connaissances médicales, et dont le titre serait *De sedibus et causis morborum.* « Du siège et des causes des maladies », traduisit Aubin d'un ton rêveur.

Ils parlèrent jusqu'au petit matin. John Penbroke était admirable de culture, et ses connaissances théoriques stupéfiaient Aubin. Mais notre jeune chirurgien n'était pas en reste. Quand il raconta ce qu'était son métier quotidien, et le travail pratique qu'il accomplissait à l'hospice, l'autre resta muet. Ils avaient pratiquement le même âge, et l'étudiant n'avait encore jamais approché un malade. Il avait vu, de loin, des dissections exécutées par les plus grands maîtres de ce temps, il avait entendu les voix les plus autorisées de ce siècle, mais jamais encore il n'avait posé sa main sur un ventre hydropique, ou un bubon hernieux !

John Penbroke remonta dans sa diligence sans avoir fermé l'œil, et les deux hommes se serrèrent longuement les mains en jurant de se revoir bientôt. Lorsque la poussière de la route retomba, Aubin s'était fait deux serments : il se rendrait à Londres pour retrouver son ami dans la demeure familiale de Hampton Court, et il irait écouter Morgagni à Padoue ! Que de rêves à réaliser ! Aurait-il assez de toute une vie ?

Il grimpa le chemin pierreux de l'hospice sans se soucier de la nuit blanche qu'il venait de passer, tant cette rencontre avait libéré en lui les ressources d'une énergie insoupçonnée.

Sœur Clotilde, comme chaque matin, l'attendait dans la pouponnière où elle commençait sa journée. Mais ce jour-là ses yeux étaient baignés de larmes.

— Mère Lucie est morte cette nuit !

Sa voix s'étrangla et elle éclata en sanglots. Les nourrices pleuraient aussi en transportant leurs marmots et les cris des enfants semblaient participer à la tristesse générale.

Après les obsèques dans la chapelle du couvent, Aubin retrouva, dans le bureau que la défunte mère avait fait aménager, celle qui serait appelée désormais mère Clotilde. Il n'y était pas revenu depuis la mort du père Polyte, et il mesurait là, avec amertume, la légèreté des promesses. « Il faut que tu partes à Paris », avait-il entendu. Il était toujours là.

Il fit part de cette réflexion à la nouvelle supérieure et le regretta immédiatement. Il ne supportait pas l'expression de panique qui venait d'aggraver la tristesse de ce visage.

— Je sais bien que c'est impossible, s'empressa-t-il d'ajouter.

La religieuse resta un long moment le visage enfoui entre ses mains. Puis elle se reprit :

— Mon destin est ici, tu le sais, auprès de celle que je viens de perdre et qui comptait plus que ma propre mère. Toi qui es, pour moi, un véritable fils, tu dois vivre ta vie. Je souffrirais si tu partais, c'est vrai, mais si ton destin est ailleurs, je ne t'empêcherai jamais de partir...

Aubin hocha la tête longuement, sans lui faire remarquer qu'il avait déjà entendu ce discours.

— Merci, mère Clo, plaisanta-t-il. Il faudra bien que je parte un jour, c'est sûr, mais pas demain, rassurez-vous.

Il avait tout de même vingt-neuf ans !

Aubin, qui ne rêvait que de voyages, s'enchaîna pourtant dans des liens plus solides encore.

Un soir d'hiver, le feu crépitait dans la grande salle de l'auberge pour une douzaine de voyageurs seulement, regroupés frileusement autour des flammes. Aubin, l'âme triste, monta se coucher tôt. La chambre était glacée, mais il découvrit avec surprise que le lit avait été bassiné quelques instants auparavant par une main bienfaisante. Il se glissa entre les gros draps de toile rugueuse avec bonheur, et il souffla sa chandelle sans plus attendre. Quelques instants plus tard, alors qu'il était sur le point de s'endormir, il sentit une forme tiède se couler dans le lit à ses côtés. Des jambes nues se mêlèrent aux siennes, et deux bras chauds se nouèrent autour de son cou.

Ravi, il pensa qu'une des servantes avait décidé de lui offrir ses faveurs et il chercha à deviner qui elle était. Ses mains parcoururent un corps gracile qui ondulait sous ses caresses, et ses lèvres rencontrèrent une bouche tendre qui s'entrouvrit docilement. L'échec de la devinette ne l'empêcha pas de continuer ses grisantes investigations, jusqu'au moment où, n'y tenant plus, il se glissa sur sa compagne. Habitué aux filles faciles, il eut soudain une impression inconnue. Une subite réticence, une retenue insolite... Cette fois il avait deviné. Passé le bref instant de folie animale, affaissé entre ces bras qui lui serraient le torse, le visage parcouru par des lèvres avides, il savait qu'il venait de franchir une grande étape de sa vie... Adeline avait mis à exécution ce qu'elle avait décidé depuis des années, elle en avait fait son mari.

Le lendemain matin, devant un bol de soupe, Onésime apprit par le jeune chirurgien ce qui s'était passé. Il ne se fâcha pas, rassuré qu'Aubin ait été choisi par sa fille.

— Veux-tu en faire ta femme ? Moi j'en serais heureux. Elle est courageuse et je lui donnerai du bien. Tu as un bon métier, et tu es un brave garçon. Avec le tempérament qu'elle a, il vaut mieux faire vite, et ta date sera la mienne...

Aubin n'avait pas encore eu le temps de répondre qu'Adeline s'était glissée à côté d'eux, caline avec ces deux hommes qui la couvaient du regard. Elle prit la main de son père et leva vers lui un regard suppliant où la part de comédie était trop évidente pour qu'on puisse lui en vouloir.

— Ce n'est plus ma main qu'il faut prendre, grommela le géant d'une voix étranglée, tu en as choisi une autre maintenant.

Et, avec une fausse colère, il la repoussa vers Aubin qui la prit contre lui.

Pour se donner une contenance, le père se leva de table et cria :

— Léa, viens-t'en par ici un moment. Prenant par les épaules la petite bonne femme qui essuyait ses mains mouillées sur son sarrau de toile, il s'écria : Femme, voici ton futur gendre ! Et, comme elle s'exclamait, faussement surprise, il ajouta : Ma mère s'appelait Apolline, on la fête le 9 février, ce sera une bonne date pour le mariage !

— Déjà ? s'étonna la mère.

— Oui déjà ! et ce sera peut-être même un peu tard !

CHAPITRE VI

À Saint-Yé, les noces d'Aubin et Adeline furent le grand événement de ce début d'année 1756.

Onésime était un homme respecté et on le disait plus riche que beaucoup de nobliaux de la région. L'importance de sa clientèle en faisait un homme connu bien au-delà des frontières, car le Cerf-à-Genoux était une étape fameuse depuis la nuit des temps. L'auberge devait son nom à un miracle du bienheureux Saint-Yé, disciple de François d'Assise, qui avait sauvé la vie d'un cerf aux abois. L'animal épuisé était parvenu jusqu'à l'oratoire où le saint homme faisait retraite, et avait ployé le genou devant lui. Les chasseurs avaient épargné le fugitif, et l'on célébrait le miracle, désormais, chaque 1er mai.

La famille était installée dans l'auberge depuis plusieurs générations, l'aïeul ayant émigré d'Europe centrale à l'occasion de quelque conflit ethnique. Leur nom, imprononçable en langage picard, avait disparu au profit d'un qualificatif qui se répétait de père en fils, et personne ne l'appelait autrement qu'Onésime Le Grand. Sa femme, Léa, était originaire d'une famille espagnole installée là depuis le temps où les Flandres appartenaient à Sa Majesté Catholique. De cette union étaient nés une dizaine d'enfants, dont trois seulement avaient survécu : Adeline, Oscar, le fils tant attendu, et Marcelline, une fillette au regard futé qui suivrait sans doute l'exemple de son aînée, et n'attendrait pas de coiffer Sainte-Catherine pour choisir son destin.

Quant à Aubin, il avait aussi acquis une certaine célébrité, et tout le monde connaissait l'histoire de l'enfant trouvé devenu chirurgien du village pour avoir refusé la prêtrise. Certains chuchotaient aussi qu'un jour on découvrirait qu'il n'avait pas été perdu par hasard...

La comtesse, avertie de la fête qui se préparait, fit venir le garçon. Elle était devenue complètement impotente, et ne quittait pratiquement plus son fauteuil. Si les traits s'étaient épaissis, l'œil demeurait vif et le verbe acéré. Elle n'entendait plus grand-chose, mais comme elle n'avait jamais écouté personne, cette infirmité ne la gênait guère !

Sans préambule, elle se lança dans un discours longuement préparé.

— Nous nous sommes peu connus, mon garçon, et je le regrette aujourd'hui car on me dit que tu as été bon pour ce pauvre Hippolyte que j'aimais bien. On dit aussi que tu es un bon chirurgien, et j'en suis heureuse, car, qui sait si je n'aurai pas besoin de tes services un jour... Je t'en ai voulu, tu le sais, d'avoir refusé la soutane... Tu serais maintenant vicaire de la paroisse, curé ensuite, quand notre abruti actuel aura rendu au Seigneur son âme plate, et tu aurais été à l'abri du besoin, sans devoir tripoter quotidiennement tous ces scrofuleux.

— Je ne serais pas à la veille de mon mariage...

— C'est vrai. Mais es-tu certain que ce soit la vraie source du bonheur ? Sans attendre de réponse, elle continua : N'aie pas peur, je ne t'ai pas appelé pour te faire changer d'avis...

Elle tourna vers lui son œil malin, et, avec un petit sourire en coin, elle ajouta :

— ... d'abord parce que, quand tu as une idée dans la tête, il n'est pas si facile de l'en déloger, et ensuite parce que tu fais, je crois, une bonne affaire. La petite Adeline est jolie m'a-t-on dit, elle sera riche, et tu peux devenir ainsi un homme important. Un notable...

Devant le regard étonné de son interlocuteur, elle leva la main pour l'empêcher d'intervenir, et elle reprit :

— On a besoin, dans nos villages, d'hommes instruits qui connaissent mieux la vie que nos curés élevés dans l'eau bénite. Tu seras l'un de ceux-là, je le sens. Et ton beau-père saura t'aider. Tu as fait un choix intelligent, je te félicite.

— En plus, je l'aime, intervint Aubin que ce discours commençait à agacer.

— Quoi ?

La comtesse tendait l'oreille vers lui avec une grimace d'attention.

— Je l'aime, répéta-t-il plus fort.

Elle sourit et leva la main en signe d'apaisement.

— Tu l'aimes... Je m'en doute bien, mais ce n'est pas le plus difficile, surtout au début !

Elle saisit, sur la petite table à portée de sa main, une clochette qu'elle agita énergiquement en criant :

— Aurélie !

La femme de chambre entra d'un pas vif. Elle avait une bonne quarantaine d'années maintenant, mais n'en paraissait pas tant. Le destin l'avait privée de grossesses et elle avait conservé une sveltesse exceptionnelle pour l'époque. Ses cheveux blonds bouclés encadraient son front sous la coiffe, et le reflet vert de ses yeux donnait à son regard un éclat particulier.

Elle sourit à Aubin et se pencha vers la comtesse :

— Oui Madame ?

— Donne-moi la bourse, dans le secrétaire.

Elle ouvrit un meuble marqueté qui brillait doucement sous les rayons d'un soleil timide, et en sortit une bourse de cuir qu'elle donna à la comtesse. La vieille dame la soupesa, faisant remarquer par son geste combien elle était lourde, et la tendit à Aubin.

— Voilà mon cadeau de mariage.

Aubin prit la bourse, muet d'étonnement.

— Tu sais, mon garçon, je suis une vieille femme bien seule. Mon fils est le plus souvent à Versailles. Ma belle-fille, tu la connais, ne monte guère me voir, et mes petits-enfants sont à Paris où ils dépensent la fortune qu'ils n'ont pas encore. Alors je n'ai personne à qui faire plaisir. Je sais que cet argent te sera utile, et que tu en feras un bon usage.

Elle marqua un temps d'arrêt, puis, d'un geste autoritaire, elle congédia son invité avant même qu'il ait eu le temps de la remercier.

— Ne dis rien. Va, je te dois bien cela.

La comtesse jeta un regard rapide vers Aurélie qui contemplait attentivement les dessins du tapis, puis elle ajouta :

— Viens me voir de temps en temps, ce sera ta façon de me dire merci. Et fais vite des enfants, j'aimerais voir à quoi ils ressembleront.

Le 9 février fut vite là. En attendant les noces, Aubin était retourné habiter l'échoppe. Le soir, il montait souvent bavarder avec mère Clotilde qui le recevait toujours avec autant de joie. Elle avait trouvé, dans les affaires de mère Lucie, des papiers de toute sorte, et parmi eux des pages arrachées à un cahier et rangées ensemble dans une enveloppe scellée dont elle avait rompu la cire d'une main tremblante. Avec une émotion intense elle avait lu : « Ce jour, douzième d'octobre 1735, Martin, fils du saunier, m'a confessé devant Dieu, une grande faute qu'il a commise, et m'a permis d'élucider ainsi une énigme ancienne. Mais il faudra garder cette histoire secrète, autant qu'il sera nécessaire… »

La religieuse avait souri en retrouvant les subtilités de sa tante. Même un secret avait des limites… Puis elle avait découvert ce qu'elle suspectait depuis longtemps, mais avec des détails qu'elle ne soupçonnait pas. Ces gens, qu'elle croisait chaque jour, elle les voyait maintenant avec un regard nouveau. Aurélie, pimpante et mignonnette, menait le château d'une main de fer, avec le simple titre de femme de chambre. Martin était devenu charroyeur et ses voitures roulaient, la nuit, pour livrer les primeurs des jardins picards sur les marchés parisiens. Il s'occupait personnellement, en plus, de tous les transports intéressant l'hospice. Discret et efficace, on l'entendait peu mais il savait se faire respecter, et il était toujours là quand on en avait besoin. « Comme s'il avait eu quelque chose à se faire pardonner... », pensait mère Clotilde en souriant. La comtesse Hermine, qui était donc la vraie mère d'Aubin, semblait n'en rien savoir. Comment n'avait-elle pas remarqué la ressemblance avec son fils Geoffroy ? Et pourquoi leurs relations étaient-elles si distantes, alors que c'était elle qui préparait tous les médicaments qu'Aubin réclamait ?

Connaissant maintenant le grand secret, la religieuse avait reçu la nouvelle du mariage avec des sentiments mitigés. Si le jeune homme avait su ses hautes origines, aurait-il épousé la fille d'un aubergiste ? La connaissance de sa noblesse l'aurait-elle rendu plus heureux ? Il aurait dû batailler pour disputer à des frères et sœurs, dont on ne disait pas le plus grand bien, un héritage plus limité qu'on le croyait... En réalité, ce qu'elle ne s'avouait pas, c'est qu'elle se considérait comme la véritable mère de cet enfant, et que la découverte de la mère légitime la dépossédait un peu... Et cette autre femme, Adeline, venait maintenant le lui enlever plus encore. Pourtant Aubin paraissait si heureux qu'elle ne pouvait pas rester insensible à son bonheur.

À l'auberge, c'était le branle-bas de combat ! Onésime avait fait condamner le grand porche et ouvrir une nouvelle entrée derrière les écuries. En un rien de temps, une charpente avait été édifiée dans la cour pour soutenir un toit provisoire, et la grande salle ouvrait maintenant sur un immense espace couvert où des tables avaient été dressées sur des tréteaux, autour d'une piste de danse.

Les victuailles s'amoncelaient dans la cuisine et dans une remise qu'il avait aussi fallu faire construire vivement. Onésime avait décidé de convier tout le village et les clients qui arriveraient ce jour-là : plutôt que de fermer l'auberge, il avait préféré inviter ses visiteurs, si nombreux fussent-ils.

Le succès fut à la mesure des préparatifs.

Mère Clotilde avait été présente à la messe, dans le cortège, et au banquet, assise à la droite du marié. Attentive à tout, elle collectionnait les détails pour se faire des souvenirs. Elle savait que le soir même, elle en remplirait de pleines pages dans son livre de raison. Elle ne trouverait pas de mots assez forts pour raconter cette journée de liesse, de chansons, de ripaille et de folie. Les cochons tournant sur les broches de la cheminée, les tonneaux de vin mis en perce au fond de la salle, les feuillages qui décoraient les murs, les fleurs... Tout l'avait éblouie.

Surtout la foule... Gens d'ici et d'ailleurs, palefreniers et marchands, robes et tabliers, chaussures vernies et sabots avaient tourné ensemble au son des cornemuses et des tambours jusqu'à épuisement.

La religieuse consacrerait aussi, dans son récit, une longue page à une rencontre insolite dont elle avait pressenti les conséquences heureuses.

Parmi les invités impromptus, elle avait vu arriver, suivi de son valet, un homme d'une quarantaine d'années, portant perruque poudrée, vêtu d'un élégant costume de velours sombre et cravaté de blanc. Il avait un visage rond, un long nez mince et des yeux bruns rayonnants de bonté. Le verbe vif et plein de gaieté, il paraissait ravi de participer à cette fête imprévue. Vers la fin du repas, il contourna la grande table et s'approcha de la supérieure.

— Permettez-moi, ma mère, de me présenter : docteur Théodore Tronchin.

Sa voix chaude au léger accent trahissait une origine étrangère. Il la précisa :

— Je suis médecin genevois, mais j'ai fait mes études en Hollande. Ce jour, je reviens d'Angleterre. J'ai pris la liberté de venir vous saluer car on m'a dit que vous étiez la mère spirituelle du jeune marié. Et ce sympathique garçon serait chirurgien ?

— C'est exact, monsieur, voulez-vous vous asseoir ?

Ils avaient passé ainsi un long moment à bavarder, chacun passionnant l'autre. Mère Clotilde lui avait demandé ce qu'il avait fait en Angleterre, et le médecin lui avait raconté sa visite au Smallpox Hospital de Londres, construit depuis dix ans à peine, et où l'on pratiquait l'inoculation préventive contre la variole. La religieuse avait éclaté de rire et lui avait raconté à son tour comment elle avait été elle-même inoculée, vingt ans plus tôt, pendant la maladie d'Aubin.

Vivement intéressé, Tronchin lui avait dit sa surprise devant une utilisation si précoce, en France, d'une technique fustigée par la médecine officielle.

— De nos jours encore, s'était-il écrié, alors qu'on inocule les enfants par milliers en Angleterre, la faculté de Paris refuse toujours cette pratique. Figurez-vous, continua-t-il à voix basse, que je me rends de ce pas dans la capitale pour inoculer les enfants de Son Altesse le Duc d'Orléans ! Comme s'il n'y avait pas assez de médecins en France !

Étonné par un tel modernisme d'idées, le praticien genevois s'était fait expliquer ce qu'était l'hospice de Saint-Yé, et le rôle qu'y jouait le jeune Aubin. Interrogeant la religieuse sur les études de son protégé, il s'était insurgé contre son manque de diplômes.

— On ne peut plus, à notre époque, se passer d'une reconnaissance officielle pour exercer ce métier, avait-il affirmé sur un ton péremptoire. Un jour où l'autre on imposera ici un chirurgien titré, et il ne restera plus à votre protégé qu'à raser la barbe des villageois.

Très vite, en termes clairs, il lui avait expliqué quelle avait été, en quelques années, l'évolution des idées dans les grandes villes. Si la corporation des chirurgiens-barbiers avait toujours été bien séparée de celle des médecins et heureuse de son sort, les choses avaient commencé à changer en 1611 quand la profession chirurgicale s'était organisée en collège de Saint-Côme, avec leçons d'anatomie, professeurs en robe longue, etc. Le tollé avait été général, tant du côté de la Faculté que des chirurgiens-barbiers eux-mêmes qui n'admettaient pas d'être ainsi ravalés à un rang inférieur. Finalement il avait été interdit aux membres de la nouvelle confrérie d'exercer de la sorte, par un édit de 1660 qui les faisait rentrer sous la férule de la Faculté triomphante.

Mais pas pour longtemps car, grâce à leurs succès thérapeutiques, les chirurgiens du roi Louis XIV, en particulier Félix et Mareschal, avaient fait reconnaître à leur profession une autonomie qui lui était désormais acquise.

— D'ailleurs votre bien-aimé roi Louis le Quinzième n'a-t-il pas créé en 1731 ce que l'on nomme, de nos jours, l'Académie royale de chirurgie !

— 1731, comme c'est drôle, l'année de naissance d'Aubin !

— Un heureux présage, sans doute !

— Le Seigneur vous entende, monsieur. Mais comment serait-il possible qu'Aubin fasse des études maintenant ? Ne faut-il pas sept années, et beaucoup d'argent ? On m'a dit qu'il en coûtait six mille livres pour faire un docteur, à Paris, de nos jours !

— Mais il n'en est pas question ! D'abord il est chirurgien et il faut qu'il le reste. Ensuite il connaît le métier et il n'a pas besoin de l'apprendre. Ce qu'il lui faut ce sont des diplômes, et rien ne l'empêchera de les acquérir pour le quart du prix que vous venez de me dire !

Tout d'un coup l'homme s'était passionné pour cette cause inhabituelle. Il fit appeler Aubin et le félicita pour son beau mariage. Mère Clotilde expliqua en deux mots ce que le médecin genevois venait de lui affirmer. Intrigué, Aubin s'assit près d'eux.

— Tu lis le latin ?

— Bien sûr.

— Et dans quels livres as-tu étudié ?

— Ambroise Paré, Vésale, Dionis, et les *Aphorismi* de Boerhaave.

— Boerhaave, le meilleur de tous, mon merveilleux maître !

L'homme paraissait enthousiasmé par ce paysan endimanché qui avait lu ce qu'il y avait de mieux parmi les livres de médecine de ce temps !

— Mais comment t'es-tu procuré une telle bibliothèque ?

— Ce sont des cadeaux de maître Hertius, notre médecin.

— Ce grand escogriffe enrubanné ? Je l'avais mal jugé. Mais s'il est si cultivé, pourquoi ne t'a-t-il pas conseillé de faire des études officielles ?

— Il l'a conseillé, répondit la religieuse. Il aurait souhaité, je crois, qu'Aubin lui succédât, mais, comme je vous l'ai dit, sept ans d'études...

— Et je n'ai même pas de maîtrise ès arts...

Le genevois écarta cet argument d'un revers de main.

— Tout peut s'arranger, même cela. Votre beau pays est le royaume des règlements rigoureux non appliqués. Toute loi intangible peut être contournée, il suffit de connaître qui il faut.

Aubin le regardait suffoqué. Adeline était venue s'asseoir sur ses genoux et elle écoutait aussi attentivement que lui. Le grand Onésime s'était approché. Penché en avant, ses deux pattes immenses bien à plat sur la table, il ne perdait pas un mot de la conversation.

— As-tu envie de devenir un vrai chirurgien, avec des diplômes, et un avenir assuré quoi qu'il advienne ? demanda Tronchin.

Aubin tourna son regard vers Adeline, comme pour lui dire : « C'est toi aussi que cela regarde. » La jeune fille, à son tour, lança un bref coup d'œil vers son père, et répondit :

— Tu le veux, Aubin, j'en suis sûre, alors il le faut. Si tu refusais je penserais que c'est à cause de moi, et je me le reprocherais toute ma vie.

— Admettons, enchaîna Aubin en s'adressant à Tronchin, que faudrait-il que je fasse, à votre avis ?

L'autre le regarda avec un bon sourire.

— D'abord aller à Paris rencontrer un de mes amis qui enseigne l'anatomie au Jardin du Roi...

— Comme Pierre Dionis ?

— Oui, ils s'y sont connus, mais Dionis était déjà très âgé. Mon ami s'appelle Jacques Winslow, il est hollandais d'origine, mais il a fait ses études à Paris, et il y enseigne depuis vingt ans. C'est lui qui a fait construire le nouvel amphithéâtre d'anatomie qui a été inauguré en 1744, et c'est le plus grand professeur de dissection anatomique qu'il y ait jamais eu. Je lui parlerai de toi dès la semaine prochaine, et il te conseillera.

Aubin avait du mal à croire ce qu'il entendait. Le genevois, conscient de l'intérêt qu'il avait suscité, continuait :

— À mon avis, tu ne devras pas rester à Paris. Tu t'y trouveras quelques amis, et tu passeras ensuite dans une autre ville, en province. À Amiens, par exemple. C'est près d'ici et je crois qu'il existe un bon collège de médecine où l'on enseigne la chirurgie. Les diplômes sont plus faciles à obtenir dans de petites universités. Comme tu ne chercheras pas à t'y installer, tu ne risqueras pas d'exciter les jalousies. Tu sera chirurgien externe rapidement, et à défaut même, tu auras la « petite expérience », ce qui te suffira. Il se leva en concluant : Mais tu vaux mieux que cela. Et la maison d'Orléans est puissante... Je te présenterai.

Aubin se leva également.

— Je ne sais, monsieur, comment vous remercier...

— Ce n'est pas moi qu'il faut remercier, c'est Dieu qui nous a mis sur le même chemin. Moi, vois-tu, j'aime aider les plus jeunes. Et toi, tu en as grand besoin. Lis, travaille, et je t'aiderai à devenir quelqu'un... dont tu seras fier !

D'un geste large, il salua l'assemblée ébahie et monta dans sa chambre.

La noce continua toute la nuit, et quand les jeunes mariés s'échappèrent pour aller cacher leurs amours au premier étage de l'échoppe, ils étaient le couple le plus heureux du monde. L'avenir leur paraissait si facile qu'il était impensable que le bonheur ne fût pas au rendez-vous.

Le lendemain, les jeunes mariés arrivèrent à l'auberge en fin de matinée, salués par les félicitations de tout le personnel déjà en pleine activité. Onésime avait décidé que la noce serait fastueuse, mais que, contrairement à l'habitude, elle durerait une journée seulement. Il n'était pas possible de festoyer plusieurs jours et de faire face, en même temps, à une clientèle qui voyageait et n'était pas concernée par ce remue-ménage.

Les tables avaient été enlevées de la cour, et les hommes démontaient la charpente de bois. Une diligence était déjà arrivée et les voyageurs ankylosés dérouillaient leurs articulations douloureuses.

— M. Tronchin est parti ? demanda Aubin.

— Depuis longtemps, répondit Léa, mais il a laissé un sac pour toi.

— Un sac ?

— Oui ! Viens voir.

C'était un sac de voyage en cuir patiné. Aubin le souleva avec peine, le posa sur une table et l'ouvrit. Il était plein de livres. Il y avait aussi une lettre qu'Aubin ouvrit.

« Je te laisse ces quelques ouvrages qu'il faut avoir lus. Tu me les rapporteras à Paris quand tu viendras. Je t'écrirai. » C'était signé : Th. Tronchin.

Aubin commença à les regarder, et ce qu'il vit l'enchanta : *Lettres philosophiques*, de Voltaire, 1734 ; *Discours sur la science et les arts*, de J.-J. Rousseau, 1750 ; *De l'esprit des lois*, de Montesquieu, 1748 ; et, dans le fond du sac, un volumineux ouvrage : *Encyclopédie*, Premier volume, 1751. Il y en avait d'autres encore...

Le jeune homme ferma le sac et regarda pensivement Adeline qui lui souriait. Puis, se tournant vers Onésime, qui considérait le jeune couple avec émotion, il déclara :

— Voilà. Avec Adeline nous avons réfléchi : il nous semble plus facile d'habiter l'échoppe que de vivre ici avec vous. Nous viendrons vous voir souvent, c'est évident, mais notre maison sera au village.

Ce sera plus simple pour mon travail. Comme je ne fais plus de barberie, nous transformerons la pièce du bas en cuisine, et le haut sera la chambre et le cabinet de travail...

— Et les enfants ? demanda Léa.

— Quand ils seront là, nous aviserons.

Ce changement de vie et la rencontre avec Tronchin eurent une grande importance pour Aubin. Il dévora les livres et sentit confusément que l'esprit du temps était en train d'évoluer. Tous ces écrivains et ces philosophes, remettaient en question les valeurs traditionnelles. Ils ne proposaient pas grand-chose de nouveau, mais il y avait là un mode de raisonnement que le jeune homme ne se souvenait pas d'avoir entendu au collège. D'après eux, tout ce qui avait été dit par les Anciens ne devait plus être pris pour argent comptant. Chaque homme avait le droit de réfléchir à sa manière, et de proposer des solutions nouvelles aux problèmes posés.

Cela confirmait l'impression floue qu'Aubin avait toujours eue devant les pompeuses affirmations de maître Hertius. D'autant que le plus élémentaire des esprits critiques ne pouvait pas s'empêcher de constater l'échec des thérapeutiques utilisées !

Quand il réfléchissait à la manière de soigner les malades, Aubin ne savait pas ce qu'il fallait faire pour obtenir de meilleurs résultats. Mais il était bien convaincu que les règles réputées intangibles étaient d'une inefficacité flagrante.

Et comment en aurait-il été autrement, quand on voyait la comtesse Hermine, perdue dans ses inscripitons latines dont elle ne comprenait même pas le sens, mélanger n'importe quelles poudres pour n'importe quelle maladie, en évitant seulement celles dont l'odeur l'incommodait ? Elle accomplissait sa tâche avec un tel air d'importance, que les pauvres religieuses osaient à peine se rebeller devant une incohérence aussi criante.

Le hasard, si paradoxal, voulut qu'Hermine fût la première victime d'Aubin. Il monta voir la comtesse douairière et lui fit part de ses intentions de moderniser le fonctionnement de l'hospice, de faire venir un véritable apothicaire qui apporterait un sang nouveau à l'institution.

— Vous, Madame, vous étiez d'une époque où l'on savait la botanique et le mérite des plantes. Lorsqu'on vous voyait devant votre mortier, il était évident que vous saviez pourquoi tel ou tel mélange était nécessaire... Mais de nos jours, tant de progrès ont été faits que nos malades ont droit à l'intervention de quelqu'un de plus instruit que...

Elle l'arrêta d'un geste de la main. Ce long discours, qu'elle avait écouté avec l'attention que sa surdité imposait, l'avait fatiguée.

— Tu as raison, Aubin. Notre pauvre Hermine n'était pas faite pour ce travail qui ne lui a jamais plu. Mais il va falloir aller plus loin dans ton raisonnement. Réfléchis un peu. Un apothicaire, il va falloir le payer. Avec quoi ? T'es-tu jamais demandé comment vit notre hospice ?

Aubin la regardait avec étonnement. C'est vrai, qu'il ne s'était jamais posé ce genre de question. Il recevait des émoluments modestes, mais c'étaient ceux, qu'avant lui maître Hippolyte avait reçus, et sœur Henriette, qui tenait les cordons de la bourse, rémunérait ainsi le service de tous les laïcs employés à l'hospice. D'où venait cet argent ?

Devant son air ahuri, la comtesse continua :

— Lorsque les Malmort ont créé l'hospice et le couvent, au début du siècle dernier, ils les ont sagement gratifiés, en même temps, des moyens de survivre, en leur attachant des terres cultivées. Les deux grandes fermes qui sont à l'est de la colline appartiennent à l'hospice et lui fournissent l'essentiel de sa subsistance. Nous recevons aussi une subvention royale de quelques milliers de livres par an, et à peu près autant de l'évêché. Heureusement !

Le verbe de cette femme âgée était admirable de précision, et l'on sentait bien qu'elle avait été de tout temps l'âme de cette maison. Qu'adviendrait-il de tout cela après son départ ? Comme pour faire écho aux pensées du jeune homme, elle continua :

— Jusqu'ici, il faut bien le reconnaître, en dehors de l'alimentation, les frais étaient minimes. On rétribue peu de monde, les religieuses ont leurs revenus propres, le linge et le matériel nous viennent de donations diverses, et les familles aisées de notre région gagnent leur paradis par leurs générosités. Mais cela va-t-il durer ? Les impôts se font chaque jour plus lourds pour les petites gens, la guerre ruine la noblesse, et voilà qu'au nom d'un modernisme, que je ne critique pas d'ailleurs, tu viens me parler de frais supplémentaires...

Elle laissa passer un long moment, comme si elle avait voulu reprendre son souffle. Peut-être réfléchissait-elle à la solution du problème qu'elle venait de poser. Elle reprit d'un ton las.

— Je surveillais de loin les comptes de sœur Henriette, et je m'arrangeais pour qu'elle ait toujours ce qu'il lui fallait. Parfois c'était moi qui rajoutais quelques écus, parfois c'était une de nos récoltes qu'on engrangeait à l'hospice. Bon an mal an, personne ne manquait de rien.

Après un nouveau silence, elle se retourna lentement vers Aubin.

— Maintenant, vois-tu, je n'ai plus guère le cœur à l'ouvrage, et personne après moi n'aura envie de s'occuper de tout cela, j'en ai peur. Mes petits-enfants réclament sans cesse plus d'argent, Hermine a la tête ailleurs, Aymeric n'en parlons pas... Il va falloir que vous preniez les choses en main. Parle à mère Clotilde, et vous reviendrez ici tous les deux.

Les jours suivants, il y eut de nombreux conciliabules. Martin attela le cabriolet plusieurs fois pour emmener Aubin et la supérieure en promenade du côté des fermes. Ils bavardaient sous les tilleuls avec les paysans qui se plaignaient de la récolte. Elle ne valait pas celle de l'année dernière. Les blés avaient manqué de soleil et les primeurs étaient bien maigres... et le fermier général redoublait de férocité !

Finalement, l'essentiel fut décidé à l'auberge. Onésime proposa de prendre en main, avec sa femme, les comptes de l'hospice.

— D'abord, il faut savoir ce qui rentre et ce qui sort. Ensuite on verra bien ce qui manque ou ce qu'il y a de trop.

Aubin proposa cette solution à la supérieure, qui n'appréciait pas trop la venue d'étrangers dans ses affaires. D'un autre côté, elle se sentait un peu seule pour s'attaquer à des colonnes de chiffres.

Ils montèrent ensemble au château. Mère Clotilde eut une pensée émue pour sa tante qui se serait sûrement mieux comportée qu'elle. C'est peut-être aussi ce que pensait la vieille comtesse en souriant. Au fond, dans l'affrontement qui l'avait opposée si longtemps à mère Lucie, c'est bien elle qui était victorieuse aujourd'hui, à l'usure.

Elle prit sur la table un gros registre cartonné et le tendit à la religieuse.

— Voilà, les comptes de l'hospice sont là. Je ne jure pas qu'ils ont toujours été tenus à la perfection, mais l'essentiel s'y trouve. À votre place, je crois que je demanderais l'avis de quelqu'un qui sait tenir un budget... Mais il faudra bien que vous décidiez tous les deux de ce que vous voulez faire. Nous avons toujours reçu tous ceux qui nous demandaient de l'aide. Les malades, les abandonnés, les malheureux et les fous. Et on ne les soignait pas plus mal qu'ailleurs. Selon ce que vous aurez comme argent, selon ce que vous pourrez obtenir ici ou là, vous verrez bien si vous pouvez améliorer vos soins. Un apothicaire, pourquoi pas, un jour aussi il vous faudra un autre médecin, vous verrez... Tant que je vivrai je vous aiderai, c'est tout ce que je peux vous dire... Le Seigneur sera avec vous, n'est-ce pas l'essentiel ?

CHAPITRE VII

Au cours des années qui suivirent, Aubin eut souvent l'occasion de se demander si le passage de Théodore Tronchin à Saint-Yé avait été réellement bénéfique pour lui ! Cet homme de bien, bardé de bonnes intentions, avait bouleversé sans le vouloir la vie du jeune chirurgien, au point qu'à cause de lui, il ne retrouverait jamais plus, sans doute, la quiétude de l'heureux temps passé.

Jusque-là, son existence s'était orientée sans grandes difficultés. Il s'était borné à refuser la prêtrise, et à opter pour la chirurgie, rien de plus. Le reste s'était fait sans y penser. Il avait même eu la chance de vivre avec un espoir illusoire, celui d'aller à Paris.

Depuis que ce rêve s'était brutalement réalisé, le charme était rompu. Ses illusions sur la grande ville s'étaient effritées, mais il en avait rapporté des idées neuves, des besoins nouveaux qui, maintenant, lui gâchaient la vie. Les gens qui l'entouraient à Saint-Yé lui paraissaient niais et incultes, la vie du village morne et retardataire, l'échoppe même, où il avait été si heureux, était devenue sordide à ses yeux.

Dépassé par les tâches nouvelles qui l'accaparaient, il délaissait la douce Adeline et se rongeait les sangs. Il ne savait plus jusqu'où il fallait pousser la modernisation de l'hospice, quels examens il devait présenter, et à quelle faculté, ni à quel docteur régent il devait faire sa cour. Il partageait sa vie entre la capitale, Amiens et Saint-Yé.

Pourtant tout paraissait si simple quand il était arrivé à Paris ! Il n'avait passé que douze heures dans la diligence d'Amiens, et dès son arrivée sur la place, au milieu des caisses et des malles, un jeune homme souriant l'attendait. C'était Pierre-Joseph Desault, qui travaillait au Jardin du Roy. Ce fort gaillard aux allures bourrues, peu causant, et volontiers bougon, était au fond, d'une extrême gentillesse. Il l'avait conduit au Palais-Royal, domaine de la famille d'Orléans, où logeait Tronchin, qui l'avait reçu avec amitié.

Dès le lendemain, il avait été présenté à Jacques-Bénigne Winslow, vieux petit homme au regard pétillant d'intelligence, qui l'avait embauché pour l'aider au laboratoire de dissection. Ils étaient quelques-uns, dont Desault, qui œuvraient ainsi, sous la direction du maître, pour fignoler les pièces d'anatomie nécessaires aux démonstrations. À chaque cours, l'un ou l'autre des jeunes gens était désigné pour aider le professeur, en montrant au public les organes dont il faisait la description. Dans l'amphithéâtre, une foule grouillante d'étudiants se mélangeait aux gens du monde qui venaient là en spectateurs, et s'extasiaient avec des moues de dégoût.

Desault lui avait trouvé une chambre à côté de la sienne, près de la place Maubert, et ils partaient ensemble, dès l'aube, vers le Jardin, en suivant le quai de Seine embrumé. Le soir, il rentrait exténué, mais son jeune compagnon, dont la vitalité était étonnante, le traînait encore dans quelque taverne où les étudiants buvaient, chahutaient et chantaient.

La session était courte, et Winslow lui donna bientôt une lettre de recommandation pour un de ses anciens élèves, docteur régent à la faculté d'Amiens. Aubin put rapidement revenir à Saint-Yé où on l'attendait avec impatience.

Onésime, Adeline et son jeune frère Oscar étaient dans la cour de l'auberge et ce furent des embrassades sans fin. Puis ils montèrent tous en cortège jusqu'à l'hospice où mère Clotilde leur avait fait promettre de le conduire dès son arrivée. Assis au milieu des siens, il avait dû tout raconter par le menu, en glissant sur certains détails un peu scabreux, et en s'apesantissant au contraire sur ce qui l'avait le plus étonné.

Desault l'avait conduit dans plusieurs hôpitaux pour voir opérer ses maîtres, et Aubin décrivit sa stupéfaction devant l'état de l'Hôtel-Dieu, où s'entassaient des milliers de patients, les uns sur les autres, dans un état de crasse indescriptible, dévorés par la vermine, et décimés par la maladie à une cadence impressionnante. L'hôpital était d'une incroyable vétusté, partiellement détruit par l'incendie de 1737, et aux trois quarts en ruine.

En revanche, il avait vu aussi l'hôpital de la Charité qui était un modèle de propreté et d'organisation, avec ses salles vastes et claires, ses lits espacés où se trouvait un seul malade. Il n'y avait là que des hommes, et les soins infirmiers étaient assurés par les frères de la Charité, dont on louait la compétence et le dévouement. Certains d'entre eux, même, opéraient comme des chirurgiens, en particulier pour les maladies urinaires pour lesquelles cet hôpital était spécialisé. Aubin avait rapporté un flacon de remède fabriqué sur place à partir des plantes du jardin botanique sis derrière les bâtiments : « Le vin diurétique amer de la Charité. »

— Il est fait avec plus de dix plantes différentes macérées dans du vin blanc, expliquait Aubin avec admiration.

Il avait assisté à plusieurs opérations consistant à enlever des pierres de la vessie, et il restait ébloui par l'adresse et la rapidité des opérateurs.

Aubin bouillonnait d'idées pour l'avenir. Il rêvait de travailler dans un de ces laboratoires où certains étudiants aidaient les professeurs. On lui avait dit qu'il était possible de prendre pension chez un maître, avec un contrat de trois ans. C'était une solution peu onéreuse et très formatrice.

Adeline avait les larmes aux yeux. D'admiration et de crainte. Elle était fière d'avoir épousé un garçon si brillant, mais arriverait-elle à le garder ? Elle pensait qu'une grossesse serait bienvenue pour se l'attacher plus solidement, mais rien encore ne se dessinait. Il n'y avait pas de temps perdu, mais le plus tôt serait le mieux...

À Amiens, Aubin se présenta à Jean Édouard Férou, chirurgien juré et ancien élève du Jardin du Roy. Il fut reçu avec moins d'enthousiasme qu'il ne l'espérait. Il n'y avait qu'une dizaine d'étudiants en chirurgie dans le collège et tous espéraient exercer en ville, à Amiens, Beauvais ou ailleurs. L'arrivée du nouveau venu, soutenu par un patron parisien, n'était guère de leur goût. De plus, dès le premier examen d'anatomie, Aubin eut de loin la meilleure note, et l'antipathie qu'il inspirait s'aggrava d'autant.

Il avait beau leur dire qu'il n'était pas en compétition avec eux, aucun ne croyait qu'on puisse avoir envie d'exercer toute sa vie dans un hospice arriéré comme celui de Saint-Yé, sans chercher à bénéficier des avantages financiers d'une clientèle de ville. À leur contact, Aubin avait découvert ce qui pouvait faire l'attrait de l'argent, et il lui arrivait de se demander si, effectivement, il avait vraiment raison d'envisager de passer sa vie sur les chemins caillouteux de son village.

Les étudiants avaient une si haute opinion d'eux-mêmes, qu'il commença aussi à se trouver d'une humilité injustifiée. Il avait encore à l'oreille le ton méprisant de la comtesse le jour où il lui avait annoncé son désir de travailler avec le père Polyte... Ici, ces jeunes candidats chirurgiens, qui brocardaient sans cesse les médecins, se considéraient comme une élite !

Il découvrit que les examens s'obtenaient d'autant plus facilement qu'on avait offert une meilleure collation au jury, et, le jour où il évoqua distraitement l'accueil qu'il avait reçu au Palais-Royal chez les Orléans, l'obséquiosité de certains visages l'éclaira sur ce qui pouvait orienter le jugement des gens. Face à cette bourgeoisie de province mesquine et peureuse, il se mit à regretter la démesure un peu folle de la capitale.

Il avait rencontré, autour de Winslow et Tronchin, des jeunes gens originaux, intelligents et travailleurs, qui savaient, le soir venu, se transformer en joyeux compagnons et brailler des chansons à boire jusqu'à l'aube. Il en avait vu de tous les pays du monde, de tous les âges et de tous les niveaux sociaux. Ils avaient des maîtresses, des amis peintres ou sculpteurs, et ils parlaient aussi facilement de médecine que d'art ou de politique. Ils fustigeaient le parti autrichien, admiraient l'œuvre du cardinal de Fleury, ou le traitaient de vieux débris heureusement disparu...

Au milieu de cette jeunesse cosmopolite et passionnée, Aubin avait mis du temps pour se sentir à l'aise. Mais il s'y était fait des amis, certains pour un soir, d'autres pour la vie.

Dès qu'il revenait à Saint-Yé, il devait abandonner ses rêves et retrouver la gentille pagaille de l'hospice. Chaque jour, il jouait un rôle plus important dans cet établissement qu'Hertius abandonnait peu à peu. Et si mère Clotilde dirigeait toujours sa communauté avec une autorité indiscutée, elle attendait, sans s'en cacher, qu'il se décide à venir y prendre une part plus active.

Résigné, Aubin se hâta d'obtenir ses lettres de maîtrise devant la communauté chirurgicale amiénoise, ce qui lui coûta cent vingt livres seulement, alors qu'il aurait dû payer dix fois plus pour passer, à Paris, l'examen « de grand chef-d'œuvre » qui ouvrait la voie vers cette carrière officielle qu'il regretterait toute sa vie.

C'est donc tout auréolé d'une gloire dont seul il mesurait la médiocrité, qu'il rentra enfin définitivement à Saint-Yé. Onésime donna un grand banquet pour fêter le retour de l'enfant prodigue, et Adeline fut la seule à lire au fond des yeux du lauréat ce reflet de tristesse et de nostalgie qu'elle redoutait tant.

La comtesse, depuis quelques mois, perdait un peu la tête. Avertie par Aurélie du retour d'Aubin, elle entra dans un état d'excitation tel qu'elle voulut se lever seule. On la retrouva à plat ventre au milieu de sa chambre. Appelé à son chevet, le chirurgien ne fut pas long à déceler la fracture du col fémoral qui déformait la cuisse de la vieille dame. Ce diagnostic équivalait, en ce temps-là, à un arrêt de mort dans un délai de trois à quatre semaines.

Le comte Aymeric arriva deux jours plus tard. Son air navré était bien légitime, mais Aubin découvrit avec surprise que le fils était plus furieux que triste, et qu'il doutait même du diagnostic posé. Cet homme était d'une autorité maladive. Ce qu'il pensait devait avoir force de loi. Or il avait toujours prédit que sa mère mourrait un jour d'apoplexie. Gourmande et de tempérament sanguin, elle devait, selon lui, faire une attaque très certainement fatale en quelques jours, peut-être même subitement. Il fallut qu'il constate lui-même, et que le chirurgien lui explique la position bizarre de la jambe, pour accepter le verdict médical.

Cette solution ne l'arrangeait pas! Sa vie était à Versailles, et comme il ne pouvait décemment pas laisser sa mère dans cet état, cela signifiait qu'il devrait rester à Saint-Yé jusqu'à ce que le Seigneur ait pitié d'eux, et rappelle auprès de Lui sa bonne servante. Il ne pouvait pas non plus demander que l'on aidât sa mère à se hâter un peu, si bien qu'il dut se résigner à s'installer pour une durée indéterminée dans le château de ses ancêtres, qui n'avait plus pour lui, depuis longtemps, le moindre attrait.

Sa femme Hermine semblait ne s'intéresser qu'aux travaux de la cuisine et grossissait à vue d'œil. Elle était devenue amère et geignarde, lui reprochant à tout propos sa vie à Versailles où, disait-elle avec raison, il dilapidait au jeu, à la cour et dans les tripots, le patrimoine familial. Il trouva à se consoler avec la belle Aurélie, qui voyait d'un mauvais œil la disparition de sa protectrice et souffrait aussi, disait-elle, des absences de son mari toujours sur les routes avec ses voitures.

Condamné à l'inaction, insatisfait par des parties de chasse sans faste, et déçu par les revenus financiers de son domaine, il demanda les livres de comptes. Aurélie, qui n'avait pas trop intérêt à le voir fouiner dans les affaires du château, l'orienta plutôt vers l'hospice. Elle lui raconta comment la comtesse avait d'abord doté Aubin, puis abandonné ses prérogatives de gestionnaire à la mère supérieure.

Négligeant les protestations de sa mère qui devenait un peu plus confuse chaque jour, il alla fouiller dans la grande armoire de sa chambre où elle gardait les titres de droits et propriétés. Il retrouva les lettres patentes de 1608 autorisant sa famille à créer et à gérer l'hospice de Saint-Yé, et le renouvellement de 1672 quand Louis XIV avait pris un édit demandant la construction d'un hôpital dans chaque ville.

Les papiers à la main, il se précipita chez mère Clotilde pour se plaindre amèrement. Il lui reprochait d'avoir profité des faiblesses de sa mère pour récupérer la gestion d'un établissement qui lui revenait de droit. Et il entendait bien mettre fin aux projets abusifs dont il avait eu vent. Il redoutait que la venue d'un apothicaire écarte Hermine définitivement de toute fonction et qu'elle profite de ce prétexte pour exiger de quitter Saint-Yé à son tour. Et il s'imaginait mal avec sa femme à Versailles !

La supérieure terrorisée rendit le livre de comptes au châtelain qui s'en fut, enchanté d'avoir repris la direction des opérations. Il rapporta gaillardement son trophée à sa belle, et ensemble ils décidèrent de remettre les choses en bon ordre.

Aubin dut abandonner les négociations entreprises avec un jeune apothicaire d'Amiens qu'il avait enfin décidé à venir, et renoncer à certaines modernisations des locaux qui paraissaient pourtant indispensables à l'amélioration d'une hygiène encore déplorable. Tout fut refusé. Aurélie reçut la consigne de veiller désormais à la réduction des dépenses de l'hospice et la supérieure en fut informée.

Discuter avec la comtesse n'avait pas toujours été facile, mais avec cette jeune parvenue sans scrupule, la vie promettait d'être odieuse !

— Monsieur le comte pense que la communauté religieuse a des revenus suffisants pour participer un peu à l'entretien de l'hospice... Il n'y a aucune raison pour que le château soit toujours seul à payer !

N'était-ce pas plutôt l'hospice qui allait payer pour le château ?

Aubin connut le comble de la vexation quand le comte lui demanda, sur un ton sans réplique, de venir saigner la comtesse mourante.

— Il est inhumain de la laisser ainsi. Il faut faire quelque chose, pourquoi n'a-t-elle pas été saignée ?

Cette pratique avait toujours représenté la plus grande partie de l'activité du jeune chirurgien. Mais, depuis son voyage à Paris, tout était remis en question. Un jour Tronchin haussa les épaules devant un médecin qui prescrivait une saignée comme traitement souverain à un patient atteint de quelque maladie mortelle. Aubin, étonné de cette réaction dubitative, lui chuchota la phrase célèbre de Dionis : « Le plus grand remède qu'il y ait dans la médecine, c'est sans contestation la saignée. »

— Baliverne ! répondit le genevois.

Intrigué, Aubin reprit cette conversation le lendemain, et Tronchin lui fit un cours magistral véhément dont les arguments n'avaient plus cessé, depuis, de miner sa pensée.

— Il faudra bien arrêter un jour de proclamer des sornettes qui datent de l'Antiquité. Enfin, les travaux d'Harvey datent d'un siècle maintenant, et même Dionis, tu le sais, enseignait la circulation, malgré l'opposition des bavards de la faculté. On sait que le sang circule, alors quel intérêt y a-t-il, en cas de fracture par exemple, à spolier l'individu du sang d'un bras ou d'une jambe alors que c'est partout le même liquide qui revient des organes et s'en va vers le cœur... Et il avait ajouté brusquement : Et comment ce remède pourrait-il être efficace pour toutes les maladies ? Une jambe cassée, on saigne, une indigestion, on saigne, la petite vérole ou le choléra, on saigne, on saigne, on saigne ! Assez !

— Alors il ne faut plus faire de saignées ? avait demandé Aubin suffoqué.

Le médecin avait hésité une seconde avant de répondre.

— Oui, il faut en faire, parfois. Quand le sang est trop abondant et encombre la tête ou les poumons... Mais peu importe où tu la fais. Si un homme respire mal, tu lui ouvres une veine du bras et il respire mieux, c'est tout.

Ces paroles raisonnaient dans la tête d'Aubin depuis ce jour-là. Et le nombre des saignées était tombé à Saint-Yé. Mais on s'en plaignait, on l'accusait de paresse et de négligence. Et voilà que le problème se posait au château !

Aubin était monté avec mère Clotilde et ils avaient trouvé la comtesse à toute extrémité. Elle avait de la fièvre, les urines qui étaient restées dans son pot était troubles et fétides, elle avait dans le dos, aux fesses et aux talons, de vastes plaies ulcérées, et sa conscience l'avait quittée depuis longtemps.

Son fils marchait de long en large dans la pièce, en tenue de chasse, exaspéré par cette mort qui ne venait pas. Et paradoxalement, il réclamait des remèdes !

À quoi pouvait bien servir une saignée dans un tel moment ?

— Jeune homme, connaissez-vous Lorry, Lassone, La Martinière, ces noms vous disent-ils quelque chose ? Ce sont mes amis. Ce sont aussi les médecins du roi, et en pareille circonstance, ne vous en déplaise, la saignée est obligatoire. Je les ai vus faire assez souvent pour savoir ce que je dis...

Le ton était péremptoire et, de toute façon, la comtesse était perdue. S'il refusait, Aubin risquait d'être accusé d'avoir causé la mort de la malade. Il fit une saignée au pied et remplit trois poilettes de trois onces d'un sang qui lui parut parfaitement normal. La supérieure, qui l'aidait, présenta les poilettes au comte qui s'exclama qu'il était bien aise que la saignée eut été faite tant ce sang était vicié !

Le soir même la comtesse était morte. Aubin pensa qu'il l'avait peut-être aidée, par son geste, à quitter ce bas monde et c'était aussi bien.

Les obsèques furent expédiées dès le lendemain, car le corps de la pauvre femme était déjà dans un tel état de décomposition qu'il eut été insupportable d'attendre davantage. Tout le village l'accompagna retrouver son mari dans la crypte de l'église, et les sœurs chantèrent un requiem qui fit verser des larmes à toute l'assistance.

Soulagé, le comte Aymeric put regagner Versailles, laissant son domaine aux mains de sa femme et de sa maîtresse, convaincu que la haine qui opposait maintenant ces deux femmes était le plus sûr garant d'une saine gestion de ses biens.

Au couvent et à l'hospice, c'était la désolation. Aubin, frustré de ses réformes, furieux de devoir s'incliner devant cet ignare pompeux, décida de partir. À la douce Adeline, éperdue de chagrin, il expliqua qu'il lui était impossible de continuer à travailler dans ces conditions, et qu'il reviendrait plus tard, nanti d'une réputation et d'une autorité qui lui permettraient de transformer l'hospice selon ses vœux. Il lui montra une lettre qu'il venait de recevoir, dans laquelle son ami John Penbroke l'invitait à venir travailler avec lui, à Londres, dans le laboratoire d'un chirurgien de génie, John Hunter, qui avait besoin de collaborateurs.

Le traité de Paris, signé le 10 février 1763, mettait fin à sept ans de guerre avec l'Angleterre et rendait possibles, désormais, les voyages entre les deux pays. Aubin avait décidé d'en profiter. Il laissait Adeline à la garde de ses parents et il savait qu'elle l'attendrait.

La pauvre n'osait se plaindre tant elle avait honte de sa stérilité. À son âge sa propre mère avait déjà mis quatre enfants au monde. Entre femmes, on en parlait, et chacune proposait un remède infaillible : de la potion de bois de cerf, de la poudre de testis taurin diluée dans du lait d'ânesse, de l'urine de femme grosse, etc. Rien n'y avait fait. Elle avait prié Saint-Yé, et avait même consulté un sorcier ambulant en cachette d'Aubin. Beaucoup de ces empiriques couraient les campagnes, vantant leurs remèdes secrets aux mille vertus. Détestés du corps médical officiel, ils n'en attiraient pas moins une nombreuse clientèle, car leurs potions étaient bon marché, et à vrai dire pas plus inefficaces que celles proposées par les plus doctes médicastres !

Après chaque passage d'Aubin, les matrones, alertées par Léa, venaient s'enquérir de son état. Avait-elle du dégoût pour les viandes, des nausées, les seins grossis... ? Ces symptômes étant considérés comme plus importants encore, pour déceler un début de grossesse, que l'arrêt des « mois » qui n'était pas toujours immédiat. Mais il fallait se résoudre à constater l'échec et la famille redoutait le pire. Même un pèlerinage de cinquante lieues jusqu'à Saint-Colombas, pourtant réputé dans cette spécialité, n'y fit rien. Et maintenant on allait se séparer... Reviendrait-il, le mari déçu ?

Il promit. Il retourna quelques jours à Amiens et Férou s'engagea à envoyer, régulièrement, un chirurgien de remplacement à Saint-Yé, et aussi un médecin, si Hertius renonçait à sa tâche.

C'est avec mère Clotilde que la séparation fut la plus douloureuse. Elle avait passé la cinquantaine, et elle redoutait que Dieu n'ait pas la patience d'attendre le retour d'Aubin pour la rappeler à Lui. Sa santé était parfaite, elle était toujours aussi mince et alerte, mais les années pesaient parfois un peu lourd sur ses épaules. Surtout, elle allait se retrouver seule face à Aurélie, et l'avenir s'annonçait houleux.

La veille du départ, Aubin resta longtemps dans ce cabinet de travail qui lui rappelait tant de souvenirs. Ils évoquèrent longuement la sainte mère Lucie dont l'humour leur manquait. Comment aurait-elle réagi devant la prise de pouvoir de ce grand benêt d'Aymeric ? Liée par le serment, Clotilde ne pouvait évidemment pas dévoiler à Aubin tout ce que la situation actuelle avait de paradoxal, mais devrait-elle être aussi réservée quand elle affronterait Aurélie en tête à tête ? Le secret concernait-il la naissance d'Aubin, ou la confession de Martin ? Devait-elle garder éternellement le silence en face d'une des actrices du drame d'autrefois ? Ne serait-ce pas un moyen de pression efficace sur cette femme vénale et de peu de foi, si les relations s'aggravaient... En imaginant ces possibilités, mère Clotilde retrouvait cette jubilation intérieure qui avait dû être celle de sa tante, en d'autres temps.

Ce qui tracassait la religieuse, ce soir-là, c'était le risque de ne plus jamais revoir Aubin, et de laisser sombrer le secret dans un oubli définitif. Il faudrait bien qu'un jour la famille de Malmort rende des comptes... Après mûre réflexion, elle se décida, sinon à lever le voile, du moins à faire en sorte qu'on puisse le faire un jour.

Prenant un ton sérieux auquel Aubin n'était pas habitué, elle le fit asseoir et le prévint qu'il devait l'écouter attentivement, car ce qu'elle avait à lui dire était de la plus haute importance.

Elle sortit d'abord de son tiroir un coffret précieux qu'elle ouvrit avec précaution.

— Lorsque Notre Seigneur t'a remis entre nos mains, nous avons trouvé, dans tes langes, cette médaille et cette chaîne d'or. Mère Lucie m'a donné la garde de ce petit trésor pour te le remettre le moment venu. C'est sans doute un souvenir de tes parents, mais, pour le moment, il ne t'apportera sûrement pas plus d'informations qu'à nous. C'est aussi un petit capital qui pourra te servir en cas de besoin.

Ému par ce retour à son enfance, Aubin passa la chaîne avec la médaille à son cou.

— J'ai autre chose à te dire, continua la religieuse, et c'est plus délicat. Figure-toi que je suis dépositaire aussi de quelques archives qui m'ont été remises par notre sainte mère Lucie, et j'ai tenu, comme elle, une sorte de journal où sont consignés les souvenirs de ma vie à Saint-Yé. Ton enfance est donc là aussi, racontée par le menu. Personne d'autre que toi n'a le droit de connaître cette histoire. Alors s'il le fallait, je cacherais ces documents en un lieu sûr connu de nous deux seulement. Qu'en penses-tu ?

Aubin était impressionné par l'importance que la religieuse semblait attacher à ces vieux papiers alors que, pour lui, le récit de sa petite enfance ne paraissait pas digne de telles précautions. Mais il se devait d'apporter le plus grand respect à un legs qui semblait importer si fort à cette femme qu'il aimait comme sa mère.

— Ce que vous déciderez sera bien, ma mère, et j'essayerai de me montrer digne du souci que vous vous êtes fait pour moi...

— Alors souviens-toi qu'il y a, derrière le petit autel de notre chapelle, une cachette où sont gardés les modestes trésors de notre communauté. Les dalles sont rangées en arc de cercle, et celle qui est exactement au centre se lève facilement pour peu qu'on sache s'y prendre. Si un malheur m'arrivait en ton absence, tu trouverais là quelques souvenirs auxquels, de mon vivant, j'aurai attaché une certaine valeur.

Ils se levèrent, et elle l'étreignit longuement.

— Nous nous reverrons, mère Clo, je vous le promets. J'ai bien l'intention de revenir et de vous retrouver là où vous êtes. Et c'est à vous que je confie mon Adeline à qui je fais tant de peine, et toute cette maison qui est un peu la mienne. Vous n'avez pas le droit d'abandonner votre poste en mon absence.

Ils rirent ensemble.

— À ce propos, il y a une dernière recommandation que je voudrais te faire. J'aimerais que tu écrives, Aubin.

— Mais je vous écrirai, n'ayez crainte !

— Ce n'est pas ce que je veux dire. Je souhaiterais que tu tiennes un journal de raison, où tu raconteras ta vie, tes espoirs, tes tristesses. C'est ce que notre chère mère Lucie m'avait recommandé, le jour où tu es né. Je n'ai jamais cessé. Je ne sais pas si ce document aura un jour quelque valeur pour qui que ce soit, mais il aura été pour moi un soutien de tous les instants. Cette mise au point quotidienne, surtout quand on est seul, est d'un grand secours.

Aubin aurait promis n'importe quoi pour la rassurer, alors qu'elle retardait par tous les moyens le moment de la séparation.

— Je suivrai votre conseil. Devant Dieu qui nous regarde, ma mère, je vous promets de tenir ce journal ma vie durant. Aurai-je le droit, en plus, de vous écrire quelquefois ?

CHAPITRE VIII

Aubin écrivit beaucoup. D'abord par fidélité à l'engagement pris devant mère Clotilde, puis par goût. Comme elle le lui avait prédit, il ressentit une satisfaction profonde dans l'accomplissement de ce devoir quotidien. Il compensait son isolement affectif par ces longs monologues du soir. La plume en main, il remettait son esprit en ordre.

Arrivées à Saint-Yé, ses missives étaient lues à haute voix, commentées, discutées, et relues encore, avant que la religieuse ne les range dans un coffret d'ébène destiné à cet usage. Parfois, Adeline montait lui rendre visite. Elle s'installait devant le coffret ouvert, et, pendant des heures, elle parcourait ces textes qu'elle savait par cœur, pour entendre, au fond de sa poitrine, la voix bien-aimée.

De l'autre côté de la Manche, Aubin apprenait son métier de chirurgien dans des conditions qu'il n'aurait jamais imaginées. Le paradoxe étant que son nouveau maître exhortait essentiellement ses élèves à ne pas opérer...

John Hunter était un petit homme de trente-cinq ans, solide et râblé, le visage rond et volontaire, braillard et batailleur, qui avait appris à se servir de ses poings dans l'arrière-pays de Glasgow où il était né, dans une famille pauvre. Ses deux frères aînés avaient fait de brillantes études et William, en particulier, était devenu un obstétricien de haut niveau, tout en enseignant l'anatomie dans son laboratoire de Londres.

Pour John, les études avaient été une corvée insupportable. Il avait compris, avant les autres, que toutes les connaissances classiques n'étaient qu'un ramassis d'idées rabâchées sans fondement scientifique. Sur le tard, il s'était tout de même décidé à faire ses études de chirurgie ; puis il s'était engagé dans l'armée, en 1760.

C'est ainsi qu'après le traité de Paris, il se retrouva chirurgien en titre et décida de s'installer à Londres où il pourrait, en attendant mieux, continuer à enseigner l'anatomie dans le laboratoire de son frère.

Lorsque John Penbroke avait écrit à Aubin, Hunter venait de mettre à exécution un projet qui nécessitait une aide efficace, mais pas trop exigeante sur le plan financier. Il s'était fait construire, à quelques lieues du centre de la capitale, une nouvelle maison, le long d'Earl's Court road, au sud du palais de Kensington. Dans le grand jardin boisé qui entourait la construction principale, il avait le dessein d'installer une véritable ménagerie qui devait lui permettre de réaliser son rêve scientifique : l'anatomie comparée.

Son raisonnement était le même que celui de Morgagni dont l'œuvre maîtresse, le *De sedibus...* avait été rapportée en Angleterre par John Penbroke. Le maître de Padoue préconisait de comparer, après la mort, les organismes sains et malades pour mieux comprendre les maladies. Hunter allait plus loin. Il s'agissait maintenant de tout comparer : les hommes et les animaux, sains ou malades, en chassant de son esprit toute idée préconçue. Observer et comprendre, telle était la règle absolue.

Aubin arriva donc au milieu d'une faune disparate et insolite. Moutons, chevaux, chèvres, mais aussi buffles, léopards, chacals, serpents, insectes... Il fallait noter, disséquer, discuter, mais aussi nourrir, nettoyer... Et rattraper les fuyards !

Grâce à ses succès professionnels, la situation financière d'Hunter s'améliorait et il embauchait du personnel. Mais sa curiosité insatiable l'incitait à réclamer toujours plus de spécimens nouveaux qu'on lui rapportait des quatre coins du monde.

Cet homme en permanente agitation était doté d'une vitalité inégalable et il épuisait ses collaborateurs. Une nuit, il vint réveiller Aubin en plein sommeil pour lui montrer sa cheville : il venait de se rompre le tendon d'Achille. Dieu seul sait ce qu'il faisait à cette heure pour en arriver là ! Aubin lui proposa de faire une suture telle qu'il l'avait apprise dans son Dionis, mais l'autre refusa. Il voulait un emplâtre. Aubin le lui confectionna avec des herbes macérées dans l'argile. Le jeune Français savait qu'en immobilisant le pied en bonne position pendant quelques semaines, il pouvait espérer obtenir la cicatrisation. À Paris on y aurait ajouté quelques saignées, mais une telle proposition, ici, aurait déclenché l'hilarité.

Là où le Britannique démontra son originalité, c'est dans l'usage qu'il fit de sa blessure. Il commanda à Aubin d'aller chercher plusieurs chiens au chenil, et à chacun d'eux, il coupa un tendon d'Achille ! Puis Aubin dut leur faire le même emplâtre. Dans les semaines qui suivirent, les animaux furent sacrifiés un à un à des intervalles réguliers, et le maître put ainsi surveiller l'évolution de la cicatrisation tendineuse. En même temps, malgré les protestations d'Aubin, il découpait son emplâtre pour palper les progrès de sa propre consolidation. Et Aubin recommençait une nouvelle immobilisation.

Au bout de deux mois Hunter marchait sur la pointe du pied et se massait la cheville avec de l'huile de cade pour assouplir l'articulation enraidie. En même temps il rédigeait un rapport sur la cicatrisation des tendons qu'il présenta à la Royal Society, où il fut reçu en 1767.

Et ainsi les journées s'écoulaient trop vite, dans une tornade d'idées, d'expérimentations, et de discussions passionnées. Dès six heures du matin, Hunter était à sa table de dissection avec ses élèves. Vers neuf heures, il les laissait pour aller s'occuper de ses patients, à l'hôpital ou à son cabinet. Sitôt rentré, il préparait les cours qui occupaient la fin de son après-midi et dictait quelque compte rendu d'expérimentation ou l'observation d'un malade. C'est à cette époque qu'il s'inocula lui-même la blennorragie pour en observer mieux les symptômes. Le malheur voulut qu'il s'inoculât en même temps une syphilis imprévue qui enrichit inopinément son observation. Mais c'était le premier pas vers la rédaction d'un ouvrage sur les maladies vénériennes qu'il était décidé à publier plus tard, et qui deviendrait une œuvre de premier plan, malgré la confusion des deux maladies.

Aubin consacrait beaucoup de temps à rédiger, de son côté, les réflexions que lui inspiraient les travaux de son maître. Il avait fallu d'abord qu'il apprenne l'anglais, puis qu'il s'habitue au torrent verbal de cet Écossais mal dégrossi pour lequel la formulation de l'enseignement n'avait aucune importance. Pour lui, seules les idées comptaient. Il donnait souvent à ses interlocuteurs l'impression qu'il pensait en parlant, et son esprit était si vif et fertile que la parole avait du mal à le suivre. D'où des textes mal construits, truffés de retours en arrière dont lui seul comprenait l'enchaînement. Mais, jour après jour, les idées se construisaient, et le jeune Français commençait à avoir une conception nouvelle de son métier, ce qui n'allait pas lui faciliter la vie à son retour.

L'inflammation, la cicatrisation, les processus d'infection se précisaient dans son esprit, mais il ne voyait guère l'application pratique de ces principes nouveaux dans son exercice quotidien. « N'opérer que si l'on est certain qu'aucune autre méthode thérapeutique n'est possible », professait Hunter. Si l'on ajoute que, pour lui, la saignée n'avait plus cours, que restait-il au chirurgien ? Peu de choses, c'est vrai, mais tant d'interventions chirurgicales d'alors se soldaient par des échecs retentissants que l'abstention était le premier signe de la sagesse.

L'enseignement de Hunter était devenu si célèbre que les élèves se bousculaient pour venir travailler avec lui. Leur nombre n'était limité que par le manque de place.

— Dans quelque temps, disait-il, je me ferai construire une autre maison, beaucoup plus grande, et chaque élève payera cinq cents guinées pour apprendre son métier !

Pour Aubin c'était gratuit, mais il avait tant payé de sa personne qu'il faisait un peu partie de la famille ; et quand il parla de rentrer en France, ce fut la consternation. Il cohabita encore quelques semaines avec un jeune étudiant qui allait prendre sa place aux tables de dissection. Il s'appelait Edward Jenner, et, à l'origine, ne s'intéressait qu'à l'histoire naturelle. Il arrivait avec une connaissance inégalée des oiseaux, des insectes, et des petits mammifères de la forêt qu'il étudiait depuis son enfance. Joli garçon, très soigné de sa personne, il se lia d'amitié avec Aubin et ils jurèrent de se revoir bientôt.

Aubin passa quelques semaines encore à tourner dans les hôpitaux londoniens. Avec la recommandation de John Hunter, toutes les portes s'ouvraient devant lui. Il apprit des techniques nouvelles, apprécia la rigueur du personnel hospitalier qui obéissait à une discipline quasi militaire, et remarqua le souci de l'hygiène qu'il avait déjà noté à l'hôpital de la Charité à Paris.

Il dit adieu à l'Angleterre avec regret. Qu'allait-il retrouver en France ?

La traversée fut agitée, et le port de Calais était encombré par des bateaux de toutes nationalités. Enfin il prit la route vers le sud et ressentit l'émotion de celui qui remet le pied sur le sol natal après une année d'absence. La vallée de la Liane, avec ses collines verdoyantes, les villages accrochés à leur clocher, les femmes sur la route portant les fagots, les enfants dépenaillés qui saluaient la diligence, tout était plus beau qu'ailleurs... Aubin ne parvenait pas à quitter le fenestron de la portière tant il ressentait le besoin de retrouver ces images familières. De loin il aperçut la flèche aiguë de la cathédrale d'Amiens, et sa pensée folâtra un instant vers ces temps déjà anciens où il essayait péniblement d'obtenir les premiers grades d'un métier où on le nommerait bientôt « maître ».

Épuisé, il finit par s'endormir, jusqu'à ce qu'il entende, comme dans un rêve, des voix qui lui rappelaient sa jeunesse. Quelques minutes plus tard, il passait des bras d'Onésime à ceux de Léa pour finir dans ceux d'Adeline où il sombra.

Ils restèrent deux jours sans sortir du premier étage de l'échoppe. On leur portait à manger et à boire, mais ils ne quittaient pas leur lit. Il jura qu'il avait été fidèle, ce qui était presque vrai, et qu'il n'aimait qu'elle, ce qui était l'exacte vérité. Elle lui répéta mille fois qu'il était le seul homme pour toute sa vie, ce dont il n'avait jamais douté ! Et la preuve que les grands bonheurs sont fertiles, trois mois plus tard, le ventre d'Adeline s'arrondissait enfin.

L'hospice, en son absence, avait peu changé. Mère Clotilde, malgré quelques rides de plus, était toujours aussi jeune. Hermine et Aurélie lui mangeaient dans la main. Le comte était réapparu deux ou trois fois, pour donner de la voix, puis il était reparti avec un sac d'écus sans voir les regards de haine qui l'accompagnaient. Hertius ne quittait plus la maison de sa mère. Elle était mourante depuis vingt ans et il commençait à se demander s'il ne la précéderait pas dans la tombe. Les jambes glacées et perclues de douleurs, il se consolait avec humour, en proclamant fièrement qu'il mourrait comme Louis XIV. L'apothicairerie fabriquait toujours les mêmes recettes tirées du grand livre de la famille Malmort.

Aubin ne reprit pas immédiatement du service. Les mains derrière le dos, il marchait dans les salles de malades et observait. Il constatait que les gestes ancestraux étaient immuables, et qu'il en serait probablement ainsi jusqu'à la fin des temps, à moins d'un cataclysme. Les religieuses lavaient, rassuraient, pansaient, nourrissaient, ensevelissaient à longueur de jour et de nuit, sans chercher à mieux faire, ainsi qu'elles l'avaient appris.

D'Amiens venait parfois un médecin bavard accompagné d'un vieil apothicaire qui passait les clystères comme personne, et d'un chirurgien maladroit qui ratait la veine une fois sur deux.

— Saignée blanche, annonçait-il sans se démonter. Mauvais signe !

Aubin restait songeur. « Depuis combien de temps, se demandait-il, répète-t-on ces mêmes gestes, ces mêmes mots, en ne se référant qu'aux Anciens. Le monde bouillonne d'idées nouvelles, des savants remettent la science en question et nous soignons comme au temps d'Hippocrate ! Rien n'a changé depuis des siècles, et nul ne sait quand cela changera. »

Le seul événement capable de faire bouger Saint-Yé survint quelques semaines après le retour d'Aubin : le décès d'Aymeric de Malmort. Les obsèques eurent lieu en grande pompe, et le château s'anima pendant trois jours. Les villageois suivirent le cortège en cherchant à reconnaître ceux qui étaient là. Geoffroy et Blandine, tenant leur mère par le bras, conduisaient le cortège dans de somptueux habits de deuil. Aubin ne savait pas qu'il suivait l'enterrement de son père, et les commentaires allaient bon train.

Puis tout le monde s'en fut, laissant la comtesse Hermine éplorée dans les bras d'Aurélie.

Alors, sans plus s'occuper des interdits, Aubin reprit sa place à l'hospice. Il remercia poliment ceux qui l'avaient remplacé, et décida de s'installer en maître dans ce monde médical qu'il allait façonner à sa manière.

Mère Clotilde l'écouta avec attention, lui fit expliquer le détail de ses projets, et acquiesça entièrement. On allait couper en deux les immenses salles, séparer les malades des indigents et des fous. D'un côté on soignerait, et de l'autre on assisterait. Les enfants seraient éloignés des adultes et on ne les retrouverait plus couchés dans le lit des malades. Aubin s'installerait un véritable cabinet pour examiner en paix les patients qui viendraient le consulter, et il aurait un local pour opérer. On ne martyriserait plus les gens en pleine salle, au milieu de ceux qui attendaient leur tour.

La religieuse avait la fierté d'une mère qui observe les premiers pas de son rejeton. Il ne lui manquait que les spectateurs auxquels elle aurait pu dire : « N'est-il pas bien, mon fils ? »

Elle se rattrapait le soir, à sa table, devant son grand cahier.

Cette époque fut la plus heureuse qu'Aubin ait vécue. Le maçon et le charpentier venaient chaque matin mesurer, évaluer, dessiner, et le chirurgien faisait les comptes avec mère Clotilde.

Même Hermine et Aurélie participaient maintenant avec enthousiasme à ces projets. Les deux femmes avaient fini par comprendre qu'elles partageaient la même tristesse, que leur lutte était stérile, et qu'elles étaient dans le même camp.

La grossesse d'Adeline était une autre source d'enchantement pour tout le monde. On était aux petits soins pour faciliter cette naissance si longtemps désirée. Léa lui évitait les tâches fatigantes, et lui demandait souvent si elle n'avait pas d'envie, de peur que l'enfant ne naisse avec quelque marque fâcheuse.

Si les trois premiers mois avaient été rendus pénibles par les nausées et les dégoûts de toute sorte, la situation était désormais stabilisée et la jeune femme s'arrondissait en toute quiétude. Le seul souci concernait le sexe de l'enfant. Chacun présageait du résultat, selon la forme arrondie ou pointue de l'abdomen. De nombreux indices semblaient avoir une valeur indiscutable, mais les interprétations étaient contradictoires. Aubin, qui n'entendait rien à ces sornettes, se disait avec philosophie que celui des deux clans qui aurait le dernier mot en tirerait une fierté bien vaine !

Personne ne lui demandait son avis sur rien. L'accouchement était une affaire de femmes et nul ne s'avisait que le père était chirurgien. Il était d'abord un homme, et par conséquent incompétent. Il avait eu entre les mains, quelques années auparavant, un ouvrage intitulé *De l'indécence aux hommes d'accoucher les femmes*, et l'auteur résumait si bien l'opinion générale qu'il se l'était tenu pour dit. Pourtant, autant à Paris qu'à Londres, il avait bien vu que les choses changeaient. L'enseignement de l'obstétrique se développait et certains chirurgiens vitupéraient contre les matrones qu'on disait nocives et illettrées. Lui, il avait appris tout ce que l'on peut savoir dans les livres et avait passé son examen sans avoir jamais seulement vu de près une seule femme enceinte, autre que la sienne.

À Saint-Yé, les accouchements étaient gérés par une grosse femme souriante, mère de famille et bonne catholique, qui s'occupait aussi du ménage de l'église. Aidée de Léa, elle allait de maison en maison, précédée du lit d'accouchement qu'elle avait fait fabriquer et sur lequel toutes les femmes du village avaient mis bas. Quelques années plus tôt, une sage-femme de Paris était passée à Amiens pour enseigner l'obstétrique moderne. Fort savante, elle s'appelait Angélique Lebour-sier Ducaudray et avait entrepris une véritable croisade pédagogique à travers la France. Elle avait été assez fraîchement accueillie par la faculté locale, et quand le curé de Saint-Yé avait lu en chaire l'annonce de sa venue, il n'avait suscité que des sourires narquois.

Au demeurant, les nouveau-nés ne mouraient pas plus ici qu'ail-leurs, et les femmes ne se plaignaient pas. Aubin avait donc été tenu tout naturellement à l'écart des préparatifs, d'autant que Léa y jouait un rôle important, et l'on pouvait être assuré que sa fille aînée serait traitée comme il le fallait.

C'est dans la chambre de Léa et d'Onésime que l'accouchement était prévu. Elle avait l'avantage d'être vaste et d'avoir une cheminée, élément important du cérémonial traditionnel.

Le moment venu, Adeline, les mains sur le ventre, monta au premier étage, soutenue par sa mère. Inquiète, elle demanda à Aubin de rester près d'elle. Il fallut tout un conciliabule pour faire accepter cette présence insolite. On le toléra tout juste, à condition qu'il s'asseoit dans un coin et ne dise rien.

Le lit d'accouchement monté près de la cheminée, la parturiente installée sous un drap, la boîte d'outillage posée sur une chaise à portée de main, l'attente commença, ponctuée des cris habituels. À intervalles réguliers, la matrone s'enduisait les doigts d'un mélange d'huile et de vin et, passant sa main sous le drap, elle vérifiait l'état de la dilatation et la progression du travail.

Les commentaires faisaient appel à une terminologie qu'Aubin n'avait jamais lue dans les livres, et il remerciait Dieu de n'être pas sollicité pour donner son avis.

Mère Clotilde était restée au couvent, mais elle avait demandé à être prévenue dès le début du travail afin de pouvoir se mettre en prière.

Chacun à son poste, les heures passèrent ainsi. Comme le père commençait à manifester des signes d'impatience, on le confia à Onésime qui l'entraîna vers une table de l'auberge où il lui fit servir un flacon de vin provenant de sa réserve personnelle. Déjà bien éméché, le géant entreprit de confier à son gendre ses expériences vécues sur ce sujet. Les épisodes tragiques étaient si nombreux que c'est dans les larmes qu'il raconta l'essentiel de son histoire. À la vérité, il était difficile de dire à ce moment-là ce qui, du chagrin ou de l'alcool, était le plus responsable de la tristesse ambiante, mais les deux hommes n'étaient pas frais quand, au petit matin, on leur annonça que c'était un garçon.

Aubin se précipita en titubant dans la chambre transformée en champ de bataille. Adeline était épuisée, couverte de sueur mais souriante. Le bébé était déjà entortillé comme une momie, dans les bras de la grand-mère hilare. La matrone chuchota qu'il était bien conformé et que si la tête avait un peu souffert en sortant du bassin étroit de sa mère, elle l'avait remodelée comme il convenait. Elle était fière d'en avoir fait un nourrisson tout à fait présentable.

Aubin, un peu nauséeux, considérait, avec effroi, cette grosse femme aux bras souillés jusqu'aux coudes qui s'essuyait les mains sur un tablier trempé de sang et semblait si à l'aise dans cet univers apocalyptique.

— C'est le troisième d'affilée, annonça-t-elle avec fierté, et on m'attend pour un quatrième, je me sauve !

Le père fut repoussé dehors, et Onésime l'entraîna de nouveau dans la grande salle pour fêter l'événement avec la clientèle qui but gratis à la santé du nouveau venu.

— Comment va-t-il s'appeler ? demanda Léa qui sortait de la chambre en s'essuyant aussi les mains sur un tablier qui portait les marques du dur combat qui venait d'être mené.

— Je ne sais pas, répondit Aubin d'une voix molle.

— Vous devriez le nommer Benoît, comme mon père. Adeline l'aimait beaucoup et c'était un brave homme.

— Va pour Benoît, répondit Aubin qui n'avait plus aucune idée sur quoi que ce soit.

Il posa sa tête sur ses avant-bras repliés sur la table graisseuse, comme il l'avait fait si souvent dans son enfance, et il s'endormit comme une masse, tandis qu'Onésime levait son gobelet vers les cieux pour remercier le Seigneur de lui avoir donné enfin le petit-fils tant attendu.

Le lendemain, l'enfant se portait bien, mais la mère était dolente, pâle, épuisée. Les bouillons et le vin aromatisé qu'on la forçait à boire n'y changeaient rien. Bientôt la fièvre monta. On lui fit avaler les décoctions les plus diverses, et Hermine lui apporta elle-même un flacon de Thériaque réservé aux grandes occasions. Plus de cinquante substances participaient à sa composition, dont de l'or et du rubis, réputés souverains après les grandes pertes de sang. Mais rien n'y fit. Adeline se plaignait du ventre et ses pertes étaient fétides, malgré les lavages à l'eau additionnée de toutes les plantes de la création.

Aubin comprit avec horreur ce qui allait se passer. Impuissant, il vit défiler les remèdes les plus improbables, et entendit des opinions controversées. L'état de sa pauvre femme allait en empirant, malgré les vésicatoires sur les cuisses et les ventouses sur la poitrine. On proposa même des saignées qu'il refusa.

Le pouls s'accélérait et les frissons la secouaient par crises épuisantes. Quand elle vit le prêtre lui apporter les saintes huiles, elle comprit qu'elle était abandonnée en ce bas monde. Dans un dernier souffle, elle demanda des nouvelles de son enfant, et rendit l'âme. Aubin, la main sur le poignet de son épouse, sentit s'en aller cette vie qui lui avait apporté les plus belles joies de son existence.

À son désespoir s'ajoutait la honte de n'avoir pas été capable, après tant d'études, de trouver le moindre moyen d'enrayer la mécanique absurde de ce que tout le monde appelait la fatalité. Dans l'esprit de ce temps, la fièvre puerpérale était un tribu payé au Seigneur, une sorte d'impôt obligatoire, et il fallait encore remercier le Ciel d'avoir préservé l'enfant !

Lorsque Aubin remonta vers l'échoppe, seul, les yeux pleins de larmes, il ne souhaitait plus que sa vie continue. Tout ce qu'il avait appris, tout ce qu'il avait compris, et ce que la vie maintenant venait de lui montrer de si près, concourait à lui prouver l'inanité de ses efforts. Toute sa science n'était rien, ne servait à rien, et l'on ne pourrait jamais rien en faire. Depuis le jour où le père Polyte lui avait guidé la main pour inciser son genou, il n'avait fait que répéter les mêmes gestes élémentaires et naïfs. Tout le reste n'était que vanité. À quoi bon avoir disséqué des milliers de cadavres humains et animaux, avoir peiné dans ces atmosphères pestilentielles en se goinfrant de mots creux et d'idées vaines, à quoi bon tout ce temps passé loin des siens, s'il n'avait même pas été capable de conserver près de lui la femme qu'il aimait ?

Il avait été un enfant abandonné, son fils serait un orphelin, plus rien de bon ne pouvait lui arriver. La malédiction était tenace.

Il claqua la porte de sa chambre, se jeta sur le lit, et pria Dieu de le rappeler à Lui.

CHAPITRE IX

Le 20 janvier 1789, sœur Bénédicte de la Charité commença son livre de raison. C'était un cahier recouvert de cuir beige, souple et brillant, qui lui avait été remis le matin même par sa grand-tante, mère Clotilde, supérieure du couvent de Saint-Yé, où elle venait d'arriver. Pendant les premières semaines, la novice décrivit avec une précision toute scolaire ses découvertes journalières, ses émerveillements et ses stupeurs. Elle était passée directement de l'austère château familial à la maison mère des sœurs de Beauvais. De là, elle était arrivée au couvent de Saint-Yé où elle était destinée à rester jusqu'à la fin de ses jours au service des malades, sous l'affectueuse férule de celle dont elle assurerait un jour la succession, si telle était bien la volonté de Dieu.

En attendant, elle devait apprendre sa tâche et c'est sœur Eugénie qui était chargée de la former dans la salle des hommes. Cette solide femme originaire de la région parlait avec un fort accent picard. Elle houspillait ses malades avec une voix criarde, mais ses gestes étaient toute douceur, et elle savait mieux que personne apprendre aux jeunes comment refaire un pansement ou changer un lit mouillé sans faire souffrir son occupant.

Dès le premier matin, tout émue, sœur Bénédicte avait été présentée au chirurgien, maître Aubin de la Verle. C'était alors un homme d'une cinquantaine d'année, large d'épaules et mince de taille. Le front était haut, avec des cheveux gris soigneusement tirés en arrière et retenus ensemble par un ruban de velours. Elle avait été étonnée qu'il ne portât pas de perruque, mais, lui avait-on dit, il s'y était toujours refusé. L'œil était sombre sous le sourcil abondant, mais son sourire avenant lui donnait un air de grande bienveillance. Il était accompagné de deux élèves originaires d'Amiens, pensionnaires sous son toit.

Ce jour-là, son fils Benoît le suivait aussi. Il avait une vingtaine d'années et la ressemblance avec son père était frappante. La taille un peu plus haute, l'aspect un peu moins massif peut-être, mais le visage avait cette expression identique, de tristesse et de sérieux. Même regard sombre sous des cheveux noirs bouclés, et tirés en arrière, qui cachaient mal de grandes oreilles un peu décollées. Il vivait avec son père et les deux étudiants dans une maison qui appartenaient à ses grands-parents. C'était une annexe de la grande auberge du Cerf-à-Genoux, où tout évoquait une mère qu'il n'avait pas connue. Il avait été pensionnaire au collège des frères oratoriens de Beauvais jusqu'à la fin de ses humanités, et il se destinait maintenant à la chirurgie.

Son père était fier de cette vocation exprimée dès le plus jeune âge, et qu'il avait encouragée. Le soir, à la veillée, il racontait à son fils, au lieu des histoires enfantines, les aventures extraordinaires des premiers chirurgiens et les exploits des précurseurs. Ambroise Paré lui était aussi familier que, pour d'autres, Cadet Rousselle ou Till l'Espiègle. Tout enfant, il levait son petit index et disait, copiant son père : « Je le soignai, Dieu le guérit. » La célèbre phrase du chirurgien de François Ier demeurait la loi pleine d'humilité de toute une profession.

Maître Aubin, comme on disait ici, visitait chaque matin, suivi de ses élèves, les malades hospitalisés. Beaucoup étaient atteints de maladies urinaires, discipline où il était reconnu, dans la région, comme un spécialiste éminent. Chaque jour de nombreux patients se présentaient à son cabinet, dont beaucoup souffraient de cette maladie de la pierre si fréquente et douloureuse.

Ce matin-là, sœur Eugénie attendait le chirurgien à côté d'un entrant.

— C'est Granbois, le veneur du comte de Malmort. Ses urines sont retenues depuis hier, et il vous attend avec impatience.

Le chirurgien approcha et découvrit le ventre du patient.

— Bonjour Granbois, c'est la première fois que cela vous arrive ?

— Oui, maître Aubin, mais depuis quelque temps déjà j'avais du mal à pisser, fallait que je me bouge pour que ça passe...

Aubin se retourna vers ses deux élèves pour insister sur ce détail caractéristique de l'obstacle vésical. Puis s'adressant à la religieuse, il ajouta :

— Menez-le à mon cabinet, aidez-le à s'installer sur la table, nous arrivons.

Ils passèrent au lit suivant où un vieillard attendait, l'œil fixé sur le chirurgien, avec cet air de soumission résignée que prennent souvent les opérés du jour. Mais il y avait, chez celui-là, une nuance affectueuse.

— Alors Martin, on est prêt ?

— Moi, tu sais, je te fais confiance.

Le charroyeur avait vécu durement, parcourant des milliers de lieues sur les pavés mal joints des routes du Beauvaisis et de la région parisienne, avec ses voitures dont le siège n'était souvent qu'une simple planche. Devenu veuf et vieux, il avait abandonné l'affaire à Onésime, qui, en échange, l'hébergeait et le nourrissait à l'auberge. Depuis qu'il ne courait plus les chemins, tout se détraquait.

À l'intention des étudiants et de la jeune religieuse, Aubin précisa :

— Il a une grosse pierre bien dure qui s'en ira facilement.

Puis, se retournant brusquement vers le fond de la salle, il partit à grands pas, suivi de près par la jeune religieuse qui trottinait derrière lui, empêtrée dans sa robe encombrante.

Sœur Bénédicte avait un minois tout rond, avec une carnation pâle de rousse nordique, et des yeux de porcelaine qui s'ouvraient démesurément devant le spectacle offert à elle pour la première fois de sa vie.

Au fond, un couloir conduisait au domaine d'Aubin. Une salle, avec des bancs, précédait deux pièces bien différentes. La première, sombre et austère, était meublée d'une table avec deux sièges Louis XIII qui venaient du château, l'autre, plus claire, avec fenêtre sur la campagne, était occupée par une longue table de bois où était allongé Granbois. Le long des murs il y avait des coffres et des guéridons mobiles. Le patient, le buste à moitié redressé sur le coude, le visage marqué d'angoisse, suivait les mouvements du chirurgien avec un regard intense.

— Ne t'inquiète pas Granbois, tu ne souffriras pas, je te le promets. Juste au moment où la sonde passera le col de ta vessie, il y aura une douleur vive, c'est vrai. Mais si tu te laisses bien aller, cela ne durera qu'une seconde, et après, tu verras, ce sera le bonheur.

— Et ensuite ?

— Après le bonheur ?

— Oui, je pourrai pisser de nouveau tout seul ?

— Je ne sais pas encore, je te dirai cela dans un instant.

Tout en parlant, Aubin avait retiré son habit de velours vert sombre, puis l'avait accroché à une patère. Sœur Eugénie lui passa autour du cou un vaste tablier blanc qui descendait jusqu'au sol avec une grande poche sur le devant. Elle lui noua les cordons dans le dos pendant qu'il relevait les manches de sa chemise.

— Les sondes sont-elles prêtes ? demanda-t-il.

— Elles sont là, répondit la religieuse avec cette voix qui faisait trembler les vitres.

Se retournant vers le patient, il lui souleva la chemise et passa doucement sa main sur le ventre maigre où la vessie gonflée saillait comme un melon. Pour ses élèves, qui s'étaient rapprochés, il précisa :

— Il y a trois sortes de suppression d'urines, je vous le rappelle. *Dysurie* quand les urines passent mal, *strangurie* quand elles passent goutte à goutte, et *ischurie*, comme ici, quand plus rien ne passe. Dans ce cas, l'intervention qu'il importe de faire vite pour soulager le malade, quelle que soit la cause de la suppression, c'est le cathétérisme.

Derrière lui, sœur Eugénie portait un plateau sur lequel était rangés une série de sondes de toutes les tailles et un flacon d'huile. En les vérifiant, le maître continuait de parler :

— Jusqu'à ces dernières années, les meilleurs cathéters étaient en argent. Maintenant j'utilise les sondes en gomme de caoutchouc que mon ami Joseph Desault a fait fabriquer pour l'Hôtel-Dieu de Paris où il est chirurgien chef. Vous voyez, elles sont souples et procurent moins de douleurs que les sondes rigides. On dit qu'elles sont plus difficiles à conduire jusque dans la vessie... Il sourit et ajouta : Avec un peu d'habitude, la main trouve le bon chemin !

Il prit, au milieu de la série, un modèle recourbé du bout, et le trempa dans l'huile.

— On commence toujours par un calibre moyen, quitte, si cela ne passe pas, à en changer jusqu'à trouver celle qui convient. Mais il ne faut jamais forcer pour ne pas faire saigner.

— La sonde passe toujours ? demanda l'un des étudiants, d'une toute petite voix.

Aubin le fusilla du regard, et se retourna vers un Granbois terrorisé. Ses yeux menaçaient de lui sortir de la tête. Il répondit :

— Pas toujours, mais on ne laisse pas périr le malade pour autant. Ne t'inquiète pas Granbois. Tu seras soulagé, je te le promets... Allez, allonge-toi bien.

Sœur Eugénie vint se placer à gauche du patient et lui plia la jambe sur le ventre. D'un geste du menton, elle intima à sœur Bénédicte l'ordre d'en faire autant à droite, et, tenant un genou d'une main, elle maintint l'autre écarté. Sa robe, déployée ainsi, faisait une sorte de rideau devant le visage du veneur qui ferma les yeux et crispa son visage dans l'attente de la douleur.

Benoît était discrètement venu se mettre au niveau de la tête du patient et lui avait posé les mains sur les épaules, autant pour le réconforter que pour le tenir en cas de nécessité.

Le silence se fit.

De la main gauche le chirurgien saisit la verge, et la tendit vers le haut. De la droite il approcha la sonde bien huilée et l'introduisit dans le méat où elle descendit doucement.

La sonde plongea dans le périnée et s'arrêta. Lentement le chirurgien inclina la verge vers le ventre tandis que la main qui tenait la sonde cherchait le passage. Les mains du patient se crispèrent sur le bord de la table, et l'on entendit un grognement sourd.

— Détends-toi Granbois, respire profondément, elle va passer, chuchota Benoît.

L'homme fit un effort pour se relâcher, et l'on vit sa cage

thoracique se soulever, puis retomber avec un long soupir. À ce moment l'obstacle qui retenait la sonde sembla céder d'un coup et elle glissa dans la vessie cependant qu'un cri bref retentissait. C'était la jeune religieuse, surprise par le mouvement brusque de l'instrument et le sursaut qu'elle avait ressenti dans la jambe qu'elle tenait. Elle n'avait pas pu se retenir de manifester ainsi son effroi. Sœur Eugénie darda sur elle un éloquent regard de réprobation.

— C'est fini, triompha Aubin.

Les religieuses lâchèrent le malade et sœur Eugénie approcha une bassine. Aubin retira le filet de la sonde, et l'urine jaillit avec un bruit qui réjouit le cœur du patient.

— Merci mon Dieu, l'entendit-on murmurer.

Aubin s'écarta, laissant la sonde à la religieuse, le jet bruyant continuant à remplir la bassine. Quand les dernières gouttes furent évacuées, elle fixa la sonde à la verge par deux cordonnets, et la boucha par un petit fosset de bois blanc. Puis elle rabaissa les genoux du patient dont on découvrit le visage hilare.

— Ça va mieux, Granbois ?

— Pour sûr que ça va mieux, ma sœur. Jamais j'aurais cru que c'était si mauvais de ne pas pisser. On connaît pas son bonheur quand ça passe tout seul !

Dans un coin de la salle, le chirurgien montrait les sondes à ses élèves et leur expliquait le geste qu'il faut faire pour passer le col de la vessie. Une autre variété de cathéters en forme de « S », rigides ceux-là, nécessitait un geste différent qu'il leur mimait.

Pendant ce temps, Benoît installait sur une autre table les instruments qui allaient servir pour l'intervention suivante. Des pinces, des canules, des tenettes de toutes les formes, et une variété impressionnante de bistouris et de lancettes.

— Cette préparation, disait Aubin en montrant son fils, doit toujours être faite avant l'arrivée du patient car la vue d'un tel matériel est trop impressionnante pour quelqu'un qui va beaucoup souffrir et qui le sait.

— L'intervention est-elle particulièrement douloureuse ? demanda l'un des élèves.

Aubin leva les yeux au ciel en écartant les bras en signe d'impuissance.

— Tout est douloureux ! Le chirurgien doit être vif, avoir des gestes précis qui ne tâtonnent pas, et faire en sorte que cela dure le moins longtemps possible, mais la douleur est le prix à payer, et on ne la supprimera jamais. Elle fait partie de la nature de l'homme. Puis il ajouta, un ton plus bas : Ce qu'il faut, c'est bien le tenir...

Martin venait d'arriver, et Benoît l'aidait à s'installer.

— Pardonnez-moi, mon bon Martin, je vais devoir vous entortiller comme un poulet à la broche, lui dit-il d'une voix presque enjouée.

— J'imaginais bien que vous aviez inventé quelque chose de ce genre.

Benoît déroula une longue bande de toile forte, large d'un travers de main, et il en passa le milieu derrière le cou du vieil homme. Puis, aidé de sœur Eugénie, il croisa et recroisa les deux chefs autour des bras et des jambes de l'opéré après lui avoir replié les genoux sur la poitrine selon un rite manifestement établi depuis des années. Et c'est vrai qu'il paraissait ainsi en bonne position pour être embroché !

Sœur Eugénie ouvrit la porte du fond et appela :

— Vous pouvez venir !

Cinq gaillards d'une vingtaine d'années, vêtus de toile bleue, vinrent se ranger autour de la table, l'un à la tête et les autres au niveau des quatre membres.

Aubin se pencha vers le visage de Martin qui ressemblait à une vieille pomme ridée.

— Je vais faire de mon mieux.

— Si je crie, tu continues, n'est-ce pas, même si j'en perds la tête. Au moins que ce soit fini quand je me réveillerai !

— Ne t'inquiète pas...

Le chirurgien revint se mettre en face de la zone opératoire et s'assit sur un tabouret. Les deux étudiants étaient derrière lui, son fils avait approché la table des instruments et s'apprêtait à les lui passer dès que cela serait nécessaire. Les religieuses étaient de chaque côté, prêtes à intervenir aussi.

— Allons-y, murmura Aubin.

Les cinq hommes se rapprochèrent de Martin, et, unissant leurs mains de manière savante, ils l'immobilisèrent étroitement.

Aubin trempa deux doigts de la main gauche dans l'huile et les introduisit lentement dans l'anus du patient sans se soucier des grognements qui se faisaient entendre. De l'autre main il palpa le périnée.

— Je sens parfaitement la pierre, murmura-t-il. Elle a un pouce de diamètre.

Puis il approcha de la peau une sorte de bistouri triangulaire dont la lame était légèrement incurvée.

Malheureusement la suite de l'intervention ne fut pas relatée dans le journal de sœur Bénédicte car, lorsqu'elle reprit ses esprits, elle se trouvait allongée sur un lit de malade, dans la salle des femmes, entre les mains de sœur Émilie qui lui agitait sous le nez un linge fortement parfumé.

— Eh bien, ma fille, vous aviez un gros sommeil ! Voilà dix minutes que je vous passe de l'ammoniaque devant les narines, et une rose n'aurait pas eu plus d'effet.

— Merci, ma sœur. Mais que m'est-il arrivé ?

— Ce qui arrive à tout le monde quand on assiste à sa première opération !

La jeune fille se frotta les yeux.

— Vous croyez qu'il faut que je retourne là-bas ?

— Non, pour un premier jour, je trouve même que notre bonne sœur Eugénie vous a donné une dose d'initiation plus que suffisante. Venez avec moi, je vous montrerai comment on panse les femmes, cela vous sera plus facile.

Et, en riant, elle aida la jeune novice à se remettre sur pieds.

En cette fin des années 1780, Saint-Yé était devenu un hôpital réputé, et Aubin soignait les maladies urinaires de toute la région. Très fidèle, et respectueux de ses maîtres, il allait souvent à Amiens, et surtout à Paris, s'enquérir des techniques nouvelles, et à son retour s'empressait de venir raconter à mère Clotilde les perfectionnements qu'il avait appris.

La religieuse conservait, malgré ses rides, un œil toujours aussi vif, et son verbe n'avait rien perdu de sa jeunesse. La comtesse Hermine et sa gouvernante Aurélie étaient mortes, l'une noyée dans sa graisse, l'autre d'un vilain cancer du sein qu'elle n'avait pas voulu laisser opérer. Pourtant Aubin avait la pratique de ces amputations radicales qui, si elles étaient faites à temps, pouvaient entraîner la guérison. Mais Aurélie avait trop vu de pauvres femmes traîner des mois avec ces vastes plaies qui n'en finissaient plus de cicatriser pour accepter la chirurgie. Sa fin n'en avait pas été moins horrible !

Geoffroy de Malmort, fils de feu le comte Aymeric, venait parfois au château. Il avait un an de moins qu'Aubin. Intelligent et secret, il parlait peu et on le connaissait mal. Il chevauchait la campagne à longueur de journée avec son propre fils Thierry, âgé d'une vingtaine d'années, séduisant jeune homme passionné de chasse et de politique.

Dans les châteaux de la région, on se réunissait le soir pour disserter sur ces États Généraux dont la réunion approchait. Tous redoutaient la faiblesse du roi face aux idées folles qui avaient cours depuis quelque temps, et que même certains nobles semblaient approuver. Les Malmort n'étaient pas de ceux-là.

Il n'y avait plus aucune relation entre l'hospice et les châtelains. Un apothicaire avait remplacé la douce Hermine, et ses préparations étaient enfin au goût du jour. Mais c'était un homme renfrogné et peu populaire, si bien que les anciens murmuraient que les remèdes d'autrefois étaient autrement efficaces.

La supérieure gérait parfaitement ses revenus. Elle pressurait l'évêché, veillait aux redevances des habitants, et Aubin lui abandonnait une grande part des honoraires qu'il réclamait aux riches patients venus de loin pour se faire opérer. Ainsi, vaille que vaille, les malades mangeaient encore à leur faim, et on pouvait acheter chaque année un lot de draps et de chemises neuves.

Pourtant, la situation économique de la région était bien préoccupante. Depuis le traité de commerce avec l'Angleterre de 1786, les filatures périclitaient, et la moitié des métiers s'étaient arrêtés de battre. Les récoltes de 1788 avaient été mauvaises, et comme l'édit de 1787 avait libéré le commerce des grains de toutes les réglementations, les prix flambaient.

La misère s'étendait sur le royaume, et la conjonction de tous ces facteurs créait les conditions d'une crise grave. Les gens raisonnables en étaient conscients et, le soir, mère Clotilde, Aubin et sœur Bénédicte, chacun à la lueur de sa chandelle exprimait à sa façon, dans son journal, les mêmes inquiétudes.

Le chirurgien était un homme serein par nature, mais il connaissait la vie, et entendait parler ses patients. Partout ce n'était que craintes, et menaces contre les affameurs, sans qu'ils fussent clairement identifiés.

Les religieuses, quant à elles, devaient faire face chaque jour à davantage de candidats à l'hospitalisation et, parmi eux, il y avait de plus en plus d'adultes jeunes qui n'avaient plus de quoi se nourrir. Les ouvriers saisonniers étaient sans travail, et les filatures avaient interrompu les travaux à domicile qui apportaient, jusque-là, le supplément de revenus indispensable aux familles pauvres.

Partout on signalait des bandes de brigands qui rançonnaient les fermiers isolés. Les mendiants venaient, la nuit, frapper aux portes. Ils devenaient vindicatifs si la charité était insuffisante.

Les paysans qui avaient réussi à cacher un fusil le sortaient du grenier et, en ces temps où la vie ne comptait guère, ils étaient prêts à faire le coup de feu. Malheureusement ces armes devenaient aussi objets de convoitise pour les vrais bandits qui tournaient autour des fermiers armés.

Accentuée par les faux-bruits que certains colportaient à plaisir, une pénible atmosphère d'angoisse s'ajoutait aux malheurs bien réels de ces temps troublés.

En juillet 1789, la situation était devenue dramatique. La récolte de grains était encore sur pieds, et les malandrins menaçaient de se servir sur place, ce qui ruinerait un résultat tant attendu. Les paysans avaient les nerfs à fleur de peau, et le moindre incident pouvait avoir des conséquences démesurées. C'est ainsi qu'un colporteur descendu du bocage normand, avec son chargement de chaudronnerie domestique, comme il le faisait tous les ans, fut surpris, encore tout endormi au bord d'un champ de blé, et mis à mal comme un malfaiteur.

Une famille de mendiants menaçants fut jetée hors du bourg de Sourville-la-Forêt, par les villageois exaspérés, et leur petite-fille de huit ans tomba d'une charrette en pleine course. Elle fut transportée à Saint-Yé dans un coma profond et Aubin diagnostiqua une fracture du crâne. L'accident était survenu depuis cinq heures déjà quand il l'examina. Il décida une trépanation immédiate.

Les parents étaient dans la salle d'attente tandis que, dans la pièce à côté, le chirurgien, ses élèves, son fils Benoît et les deux religieuses s'affairaient autour de l'enfant inanimée, allongée sur la table.

Aubin choisit, dans le coffret spécial, une couronne de petite taille qu'il fixa sur la manivelle du trépan. Il fit écarter par Benoît les berges de la plaie, et la scie commença à tourner lentement sur la boîte crânienne où le trait de fracture était bien visible. La rondelle d'os se détacha avec un bruit sec de branche cassée qui résonna dans le silence de la salle. Le saignement fut immédiat et des caillots noirâtres s'évacuèrent en abondance. La fillette éclata en sanglots. Dans la salle d'attente, tous se levèrent et la mère tomba en pleurant dans les bras de son mari. Sœur Bénédicte, avec tout l'élan de sa jeunesse, alla les rassurer et leur faire prendre patience.

Près de la fillette, Aubin expliquait que la situation n'était pas sauvée pour autant, car les hémorragies du cerveau pouvaient reprendre au bout d'un moment, dans une autre localisation.

De fait, peu après, l'opérée retomba dans le coma. Il n'y avait pourtant plus de caillots visibles au niveau de la plaie.

Aubin, le front couvert de sueur, décida de réopérer. On installa l'enfant sur l'autre côté. Il incisa le cuir chevelu, décolla la peau et mit l'os à nu. Le trépan tourna encore, et une nouvelle rondelle d'os fut décollée. Mais cette fois, il n'y avait pas de caillots à évacuer. Après une seconde d'hésitation, il recommença dans la région occipitale, sans plus de succès. L'enfant respirait de plus en plus mal. Il la regardait avec un tel air de désespoir que sœur Eugénie, d'une voix dont la douceur même était inhabituelle, lui murmura :

— Si le Seigneur ne veut pas qu'elle soit sauvée, je crains bien que vous ne puissiez rien contre sa volonté !

Aubin lui rétorqua brusquement.

— Elle saigne bien de quelque part, puisque sa vie s'en va ainsi.

Son trépan à la main, il avait un air pitoyable, et les jeunes gens qui le regardaient priaient le Ciel pour qu'il trouve une solution... Hélas, la fillette eut un spasme, et elle arrêta de respirer. Aubin bataillait depuis deux heures. Il se laissa tomber sur son tabouret, et chercha son fils du regard. Benoît vint s'agenouiller devant lui et lui enleva la grosse manivelle des mains.

— Père, vous avez fait tout ce qu'il fallait. Le premier trou a failli la guérir, mais elle devait saigner aussi au milieu du cerveau, et là nous n'y pouvons rien.

— Je n'ai pas ouvert devant, l'hémorragie était peut-être là ?

— Père, trois trépanations, c'est beaucoup déjà.

— J'ai vu Férou en faire huit !

— A-t-il sauvé son malade ?

— Non !

Un long silence suivit que personne n'osait rompre.

Soudain la porte s'ouvrit brutalement et le père apparut. C'était un homme de vingt-cinq ans environ, solidement bâti, avec de longs cheveux bruns et raides. Son visage était déformé par un bec de lièvre qui lui donnait un air satanique. Aubin se leva et vint vers lui.

— J'ai fait tout ce que j'ai pu...

L'homme regarda son enfant qui gisait sur la table, défigurée par le sang des plaies qui avait coulé sur son visage. Le cuir chevelu était béant... Sœur Eugénie, suivant son regard, se précipita vers la boîte à pansements. Elle prit une poignée de charpie et s'approcha avec une bande de toile, mais l'homme ne lui en laissa pas le temps. Bousculant tout le monde, il bondit en avant, arracha la fillette de la table et la prit contre lui.

Il fixa Aubin d'un œil exorbité par la haine et siffla :

— Assassin, vous me l'avez tuée ! Je vous tuerai !

Et avant que personne n'ait eu le temps de réagir, il se précipita vers l'extérieur, emportant la gamine ruisselante de sang, suivi des siens qui criaient leur haine au monde entier.

Le lendemain, quand Aubin arriva à l'hospice, il avait vieilli de dix ans. Il fit sa visite rapidement et sans enseigner comme il le faisait d'habitude.

— Il n'y aura pas de cours aujourd'hui, dit-il en arrivant au bout de la salle des femmes.

Et il s'en fut vers le couvent où mère Clotilde l'attendait.

Benoît et les deux étudiants descendirent vers le Cerf-à-Genoux où l'on commentait déjà l'événement. Le vieil Onésime ne quittait plus le grand fauteuil qu'il avait fait installer dans un angle de la salle. Il les appela pour leur offrir à boire. Son fils Oscar, qui, pratiquement, avait pris la succession du vieil homme, voyait d'un œil inquiet ces libéralités qui faisaient le bonheur de l'aubergiste.

— Que veux-tu mon fils, disait-il, ma seule joie maintenant, c'est de régaler mes amis, et mon petit-fils. Ne te fâche pas. Quand tu auras mon âge, tu verras comme c'est bon d'être entouré de jeunes.

Les garçons commentaient le drame de la veille, et même s'ils s'accordaient pour reconnaître que le maître avait fait tout ce qu'il fallait, ils comprenaient aussi la réaction des parents auxquels il était impossible d'expliquer ce qui s'était réellement passé.

Ce drame était vraiment superflu, dans l'atmosphère déjà exaspérée qui pesait sur la ville. L'actualité, dans ce haut lieu de l'information qu'était l'auberge, prenait un relief inusité. Chacun commentait les troubles de la capitale dont l'écho, atténué par la distance, arrivait quelque peu déformé.

Entre le récit des voyageurs et les comptes rendus des gazettes en retard de deux ou trois journées, il était difficile de se faire une idée précise. Mais chacun avait le sentiment que les événements de Paris étaient graves.

On avait suivi avec passion, depuis mai, la réunion des États Généraux, les incidents du vote par tête, la proclamation de l'Assemblée nationale, et maintenant c'étaient les émeutes, et disait-on, des massacres. Mais qui avait tiré en premier, à la Bastille ? Les soldats ou les émeutiers ? Il était question de milliers de morts. Ou de quelques centaines seulement. Allez savoir !

On parlait aussi de représailles, de complots, de bandes armées qui sillonnaient le pays, fuyant la capitale ou s'y rendant en renforts. La confusion était extrême.

Les routes, disait-on, étaient devenues dangereuses. On arrêtait les voitures, on volait les chevaux. Oscar avait fait garder les écuries, et chaque palefrenier au travail avait, à portée de main, une fourche, une faux ou un bâton. Quand le galop d'un cheval résonnait sous la voûte, tout le monde s'interrompait, prêt à se défendre ou à maîtriser l'agresseur.

L'ambiance était à la guerre.

CHAPITRE X

Ces périodes troublées eurent le mérite de rapprocher encore Aubin et Benoît. Le père et le fils restèrent seuls, tandis que les deux étudiants rentraient dans leurs familles. À Saint-Yé l'effervescence gagnait toutes les couches de la société. Même à l'hospice, la vie semblait suspendue aux événements politiques.

Si chaque journée continuait à apporter son contingent de malades à opérer en urgence, tous ceux qui pouvaient attendre retardaient le moment de venir consulter. En revanche, l'hospitalisation non médicale prenait une ampleur jamais égalée. Chaque matin une foule d'affamés et de sans-logis se pressaient aux portes de l'hospice, et on ne savait plus où les mettre. Ces malheureux, une fois nourris, refusaient de partir et devenaient, dans l'établissement lui-même, un véritable ferment d'agitation.

La seule consolation d'Aubin, c'était la présence de son fils. En le voyant marcher à ses côtés dans les salles de malades, il se souvenait avec émotion des temps anciens où, le dimanche, après la messe, il le promenait au milieu des religieuses qui gâtifiaient joyeusement. Ils allaient saluer la supérieure au couvent. Elle prenait l'enfant sur ses genoux et, sans le dire, cherchait sur le jeune visage, le souvenir d'un autre bambin qui venait dormir autrefois dans les plis de son manteau.

Mère Clo, comme il l'avait appelée spontanément, avait joué sans gêne le rôle de la grand-mère faussement austère, et il lui était arrivé souvent de prendre l'enfant par la main pour l'emmener dans ses promenades de méditation, comme sa tante avant elle. En marchant, elle lui inculquait des principes qui ne correspondaient pas toujours exactement à ceux de sa vie à l'auberge du Cerf-à-Genoux... Car c'était évidemment là qu'il avait reçu l'essentiel de son éducation !

Devenu adolescent, il n'avait jamais eu vraiment d'intimité avec son père. Aubin ne savait pas manifester son sentiment paternel. Il n'en avait pas connu d'exemple, et la mort d'Adeline avait brisé toute possibilité de créer la cellule familiale où une telle affectivité aurait pu s'épanouir. Renfermé et austère, le chirurgien ne s'était jamais laissé aller à s'exprimer ; et le gamin ne gardait de son enfance, que le souvenir d'un homme affectueux, mais distant et triste, uniquement préoccupé par son travail et ses malades.

Depuis quelques années leur relation évoluait. Benoît avait manifesté un tel intérêt pour le métier de son père, que les deux hommes avaient ébauché une espèce de dialogue, avec un comportement devenu presque fraternel. Mais ni l'un ni l'autre n'était bavard et l'enseignement passait plus par l'exemple que par le discours. Très adroit de ses mains, Benoît savait se mettre là où il fallait quand son père opérait, et sa main était toujours en bonne position pour tenir une érigne ou un écarteur. Il avait tant traîné aussi chez le maréchal-ferrant, le menuisier, ou le ferronnier, que les métiers manuels lui étaient devenus familiers. Ainsi la chirurgie lui était-elle apparue comme une simple forme d'artisanat. Le sang qui coulait ne l'impressionnait pas, et il avait acquis, au contact des religieuses, cet art ancestral de la parole qui rassure et console.

Insensiblement, chaque année, pendant les vacances, il en apprenait un peu plus et, depuis deux ans, se passionnait pour les livres d'anatomie de son père. Celui-ci lui avait même offert le *Traité des plaies par arcquebuse* d'Ambroise Paré, et le garçon s'amusait de la langue fleurie de celui qui était considéré comme le maître de la chirurgie moderne.

Souvent le père et le fils étaient allés aussi chez le vieil ami fossoyeur, pour répéter, nuitamment, une intervention, ou préciser un détail anatomique. Aubin avait pu vérifier avec une certaine fierté, que son rejeton résistait sans faiblir à l'odeur pestilentielle qui dominait ces séances de travail.

Depuis l'été précédent, en 1788, ils avaient commencé à se parler comme des adultes. À l'auberge, évidemment, en tête à tête le plus souvent, devant l'un des inimitables ragoûts que Léa leur préparait en cuisine, l'esprit libéré par le bon vin qu'Onésime leur faisait servir à partir de sa réserve personnelle.

Il faut dire que depuis l'arrêt du Conseil du Roi en date du 8 août, convoquant les États Généraux pour le 1er mai 1789, les esprits s'étaient échauffés. Dans chaque bailliage on avait dû non seulement élire des représentants, mais surtout rédiger des cahiers de doléances, qui avaient brusquement donné aux gens du peuple l'occasion de prendre leurs désirs pour des réalités.

Immédiatement sollicité, Aubin avait vite compris l'intérêt de ce mode de revendication. Mais il avait réalisé aussi qu'il était dans une situation trop ambiguë pour accepter de participer à l'agitation générale des esprits. Il ne manquait pas de beaux parleurs pour réclamer la justice fiscale et critiquer les trop grandes inégalités sociales. La richesse abusive des communautés religieuses étaient aussi une cible habituelle des orateurs de village. Aubin, qui connaissait les difficultés financières de l'hospice, ne pouvait se joindre à ce concert de critiques. Au début, il avait essayé de modérer les exaltés, qui noyaient la noblesse, les impôts, les évêques, les moines et les bonnes sœurs dans un salmigondis d'imprécations. Il avait dû y renoncer bientôt, tant ces gens étaient sourds à tout conseil de modération.

Ce recul était motivé aussi par le fait que les pires détracteurs des communautés religieuses étaient souvent des gens qu'il avait vus se comporter bien vilainement quand ils étaient hospitalisés. Ainsi avait-il décidé de ne pas participer aux revendications officielles, et de se cantonner dans son rôle de chirurgien au-dessus des querelles.

Se tenant volontairement en dehors de tout rôle officiel, Aubin ne manquait pas, pour autant, de suivre de près l'évolution des idées et d'en parler avec son fils. Il lui était même arrivé plusieurs fois, à Paris, chez les Orléans où il avait toujours ses entrées, d'avoir des discussions fort instructives avec les plus fertiles théoriciens des idées nouvelles. Il gardait avec soin, dans ses papiers, ces *Instructions pour les personnes chargées de ma procuration aux assemblées des bailliages relatives aux États Généraux* que Choderlos de Laclos avait rédigées. Ce militaire écrivain était originaire d'Amiens et quand Aubin y faisait ses études, il l'avait rencontré tout jeune homme. Depuis cette époque ils s'étaient retrouvés de temps à autre, et Aubin avait lu *Les Liaisons dangereuses* avec étonnement, car il n'imaginait pas que ce garçon d'apparence si discrète ait pu avoir un esprit si subtilement pervers. Et maintenant c'était au service de la politique qu'il avait mis ses talents dangereux !

Derrière l'abstentionnisme d'Aubin, il y avait aussi de la méfiance et du scepticisme à l'égard d'une agitation populaire qui lui semblait vaine et dangereuse.

— Tout cela n'est qu'une comédie, disait-il en privé. Le roi n'a qu'à claquer des doigts pour faire rentrer sous terre toute cette racaille. Il a le soutien du peuple silencieux, le vrai, et les régiments étrangers qui sont aux portes de Paris n'attendent que les ordres. Le jour où il en aura assez, il promettra quelques réformes, dissoudra cette assemblée qui se dit nationale, et l'autorité reviendra, aussi abusive que toujours.

Benoît avait l'enthousiasme de la jeunesse et comprenait mal ce langage désabusé. Pour son père, la notion de réforme dans l'ordre établi était la voie normale du progrès. C'est ce que les bons pères enseignaient, et ce qu'il avait lu dans Montesquieu et Rousseau.

— Il n'y a qu'un vrai problème, reconnaissait le chirurgien, c'est l'état des finances publiques. Et comme on peut le constater, personne ne semble s'y intéresser. On parle des droits de l'homme à la liberté, alors que, dans nos campagnes, les gens crèvent de faim, et qu'il n'y a plus un sou dans les caisses.

De fait, il semblait n'y avoir aucun rapport entre l'excitation politique parisienne, dont les gazettes se faisaient l'écho quotidien, et l'agitation paysanne dans laquelle ils vivaient. Ce qui confortait Aubin dans l'idée qu'un tel désordre ne pouvait durer.

— Plus nous tomberons bas, et plus la répression sera féroce, disait-il. Reste à savoir quelles seront les réformes qui résulteront de tout cela ! Peu de choses, je le crains.

Il avait été si frappé par la lourdeur de la vie officielle et les pesanteurs du système corporatif, qu'il ne croyait pas possible qu'un changement survienne simplement à cause d'une bande de braillards parisiens.

Les événements ne tardèrent pas à lui donner tort. La fameuse nuit du 4 août fit croire à la population en liesse que tous les impôts étaient à jamais abolis. Saint-Yé n'échappa pas à ce sursaut général, et une bande d'énergumènes grimpa au château pour concrétiser l'abolition des privilèges.

De la porte de l'hospice, Aubin et Benoît virent une foule de gueux grimper la route caillouteuse, armés de fourches et de faux, et les deux hommes purent constater à cette occasion qu'il y avait bien peu de têtes connues dans cette révolte paysanne. Les meneurs n'étaient pas du pays.

Par chance, la famille Malmort était à Paris, et il ne restait là que le vieux Martin, cloué au fauteuil par une violente crise de goutte. Il ne put défendre ses maîtres qu'en agitant sa canne et en vociférant des injures qui lui furent renvoyées sans ménagement. Les envahisseurs visitèrent le château de fond en comble, n'y firent guère de dégâts, mais trouvèrent l'armoire aux archives et firent passer par la fenêtre des trésors de documents qui auraient fait la joie de plusieurs générations d'historiens. Mais ils dérobèrent peu de choses : on vit un grand gaillard hilare emporter sur l'épaule une horloge ancienne, et un autre tirer derrière lui un coffre de fer où n'étaient conservés que des jouets d'enfant.

Aubin pensait que si l'autorité hésitait encore un peu pour se décider à sévir, le couvent risquait aussi d'avoir à en pâtir. Il s'en fut prévenir mère Clotilde de ce qu'il avait vu. Il craignait que le clergé ait à subir bientôt les mêmes avanies que la noblesse, et que la communauté de Saint-Yé, pourtant respectée par les gens du pays, ne soit pas épargnée par ces agitateurs venus d'on ne savait où.

La nuit même, la vieille religieuse, aidée par sœur Bénédicte, descendit ranger dans la cachette secrète de la chapelle quelques ciboires précieux et les derniers documents qui lui paraissaient importants, notamment les livres de comptes de l'hospice. Dérisoire précaution qui faisait disparaître les preuves d'une gestion rigoureuse que les censeurs n'imaginaient même pas.

Deux jours plus tard des énergumènes venaient profaner les autels et piller les greniers de l'hospice, réduisant les malades à une famine prochaine.

Benoît redoutait que son départ pour Paris à l'automne ne fût compromis, et le début de ses études de chirurgie retardé. L'ami de son père, Joseph Desault, l'attendait à l'hôpital de l'Hôtel-Dieu, et devait diriger ses études. Une pension pour étudiants avait été choisie, rue Gît-le-Cœur, et l'on discutait de budget, d'organisation, et de relations. Dès que ce serait possible aussi, il irait à Londres où John Hunter, pourtant au sommet de sa gloire, était prêt à l'accueillir. Le gentil Edward Jenner avait promis de lui montrer la médecine quotidienne dans la jolie campagne anglaise.

Son père lui recommandait de se tenir à l'égard des manifestations de rue où il n'y avait que des mauvais coups à prendre. En revanche, il trouverait chez les Orléans les relations puissantes qui sont indispensables à une carrière officielle.

Cet homme qui avait appris son métier grâce à un barbier ne sachant ni lire ni écrire, et qui avait fait des études obscures et dérisoires, rêvait pour son fils d'une pluie de diplômes et d'une vie couronnée d'honneurs. Et s'il lui arrivait souvent de se moquer d'un système périmé, il n'encourageait pas moins son rejeton à se plier sagement à tous ces impératifs désuets qui devaient le conduire au succès.

— Quand tu seras quelqu'un de puissant et respecté, aimait-il à lui dire, tu contribueras à corriger toutes les injustices de ce monde. Il faudra trouver les moyens de moderniser nos hôpitaux de campagne sans s'en remettre à des religieuses qui ne connaissent rien aux questions d'argent, et sans avoir besoin d'exiger des plus pauvres des impôts à juste titre impopulaires. Il faudra payer les médecins qui y travailleront et ne pas attendre d'eux qu'ils fassent l'aumône de leur temps à de pauvres gens qui ont le droit d'être soignés sans avoir à dire merci.

Aubin ne se rendait pas compte que son père était aussi progressiste quand il parlait de médecine alors qu'il paraissait réactionnaire en politique.

En octobre, il accompagna son fils à Paris pour l'inscrire à la Faculté. Sur place, il comprit que le roi avait perdu la partie. Il ne partageait pas les opinions qui se chuchotaient dans le clan du Palais-Royal et il ne croyait pas à l'abdication de Louis XVI en faveur du duc d'Orléans. Il eut le sentiment que les politiques de l'Assemblée avaient pris le dessus et que le désordre était établi pour longtemps.

Et quand on commença à s'en prendre pour de bon aux communautés religieuses, il eut peur et décida de rentrer à Saint-Yé avec son fils.

Ils trouvèrent une supérieure sereine et insensible à leurs craintes.

— Il ne peut rien nous arriver, disait-elle, puisque sans nous il n'y a pas de médecine hospitalière possible.

Même quand les ordres monastiques furent supprimés, à l'exception des soignants, elle resta convaincue que le bon sens finirait par triompher. Malheureusement, la suite devait vite lui donner tort. Dès la fin octobre, la nationalisation des biens du clergé fut annoncée, et cette fois, il ne fut fait aucune différence entre les communautés. À Saint-Yé, comme ailleurs. Les fermes qui approvisionnaient l'hospice ne lui appartiendraient plus et, selon toute vraisemblance, les subventions prévues se feraient attendre.

Chez les religieuses, la panique succéda à la confiance.

Chaque jour apportait son lot d'initiatives nouvelles, et la vie publique s'était déplacée vers la place du village. Plus de police, plus de paroisse, plus d'autorité consulaire, mais un perpétuel va-et-vient de personnalités diverses qui prenaient la parole à tout propos et venaient annoncer des jours meilleurs à des gens désœuvrés qui manquaient de tout.

Le 14 novembre était jour de marché. De toute la campagne les paysans montaient avec les produits de leur jardin, rares il est vrai en cette saison. Mais ils vendaient des volailles, des œufs, des pommes, du cidre, et venaient acheter les objets que les colporteurs étalaient sur leurs tréteaux. Les artisans aussi proposaient paniers, tissus et poteries.

Ce fut une journée qui devait laisser, dans les annales de Saint-Yé, un souvenir impérissable.

Deux jours plus tôt, l'Assemblée constituante avait décidé que chaque ville aurait une municipalité élue. Dès la nouvelle connue, il se trouva dans le village plusieurs groupes décidés à organiser des élections immédiates, chacun ayant la conviction d'être le candidat voué au succès.

Dès le matin, il y avait donc foule sur la place. La pluie, si habituelle en cette saison, avait miraculeusement cessé et le soleil donnait un petit air de fête à cette agitation électorale. Personne ne savait qui aurait le droit de voter, comment on voterait et qui entérinerait la volonté populaire, mais, en revanche, beaucoup pensaient savoir qui serait le maire. Malheureusement, ils n'avaient pas tous fait le même choix. Quand ils découvrirent que plusieurs équipes étaient en compétition, l'atmosphère se tendit.

La discussion laissa vite place aux invectives et, comme ceux qui voulaient apaiser les esprits par quelque proposition concrète étaient immédiatement suspectés de candidature, la confusion s'accentua d'heure en heure.

Aubin, arrivé tôt à l'hospice comme à son habitude, fit rapidement le tour de ses malades. Averti de ce qui se passait au village, il monta ensuite aux nouvelles, après avoir demandé qu'on prévînt Benoît quand il arriverait.

Le jeune homme avait le lourd sommeil de son âge et il lui arrivait de n'être pas trop matinal. De plus il rentrait de Paris, dépité par l'atmosphère qu'il y avait découverte, et, incertain de son avenir, il se sentait démobilisé. Il monta à l'hospice vers la fin de la matinée, et de là continua vers le village où le tohu-bohu était à son comble.

La place était noire de monde, et la foule se pressait au milieu des éventaires et des estrades improvisées. Dans un angle, un maquignon avait entravé quelques bestiaux à vendre, et leurs meuglements se mêlaient aux cris des vendeurs de légumes. Benoît rencontra dans la cohue un garçon de son âge, Brice, fils d'un ferronnier de l'auberge et qui travaillait avec son père. On aurait dû fêter, ce jour-là, le saint dont il portait le nom, et il confia à Benoît son émotion devant une telle foule.

— Je ne me savais pas si populaire, conclut-il en prenant son ami par le bras. Viens, je t'offre à boire.

Sur une charrette, un marchand de bière vantait la qualité de ses breuvages et ils se retrouvèrent une chope en main, appuyés à un mur à côté du maquignon déçu qui buvait comme eux. Il avait bien compris que l'ambiance n'était guère au commerce.

À l'autre extrémité de la place, Aubin écoutait un orateur décrire ses propres mérites avec une conviction émouvante. Il expliquait comment il transformerait le village en un lieu de prospérité idyllique. Il fut interrompu par un adversaire qui lui demanda comment il comptait résoudre le problème du manque de pain. C'était évidemment un sujet embarrassant et il se borna à répondre qu'il avait son idée, mais qu'il ne la dévoilerait que quand il serait élu. Sa réponse déclencha l'hilarité générale.

— Trêve de balivernes, hurla le nouveau venu, un petit propriétaire terrien nommé François D'Ambard. Depuis ce matin nous nous affrontons en vains discours, et il devient évident qu'aucun de nous n'est en mesure de réunir une majorité sur son nom. Et il ajouta en riant : Cette ville a trop d'hommes de qualité !

Un concert de ricanements lui répondit. Il les fit taire d'un geste de la main et continua :

— Il nous faut choisir quelqu'un qui ne s'est pas présenté, quelqu'un qui ne fait pas de politique, mais qui soit indiscutable. Et moi, j'ai une idée. Il laissa passer un bref instant, puis il cria : Je vous propose d'élire à la mairie Aubin de La Verle, notre chirurgien !

Un tonnerre d'applaudissements lui répondit, et Aubin, suffoqué, éclata de rire.

Benoît n'entendait pas ce qui se disait, mais il voyait son père rire, sans comprendre les raisons de sa joie. Il décida d'aller le rejoindre. Il remerciait Brice de son invitation quand il découvrit, marchant le long du mur à quelques dizaines de pas de lui, l'homme au bec de lièvre dont la fille s'était fracturé le crâne. Devant l'air inquiétant du personnage, son sang se glaça. Manifestement il se dirigeait vers l'angle où était son père. Saisi d'un mauvais pressentiment, il tira Brice par la manche.

— Viens avec moi, il y a des gens là-bas qui ne m'inspirent pas confiance.

Intrigué, Brice se précipita derrière son ami. Ils prirent la diagonale de la place pour rejoindre l'angle où Aubin se trouvait, mais ils butèrent sur les rangées d'éventaires qui, dans cette foule, formaient des barrages infranchissables. Contournant, sautant, bousculant, ils progressaient lentement. Benoît avait perdu de vue l'inquiétant personnage, mais il devinait sa progression plus facile le long des maisons. De fait il le découvrit marchant très vite vers le groupe où était son père.

Convaincu de ce qui se préparait, Benoît essaya de crier, mais il ne provoqua que l'étonnement de ses voisins, et ne parvint pas à couvrir le vacarme ambiant. Accélérant sa marche, il résolut de bousculer plus énergiquement les chalands qui se traînaient et s'attira des invectives qui ne l'inquiétèrent guère. Il avançait aussi vite que possible, distinguant maintenant très nettement l'homme qui, lui aussi, se pressait vers son père.

Il n'eut pas le temps d'arriver. Il poussa un hurlement. Aubin tourna la tête vers lui et leva le bras pour lui montrer qu'il l'avait vu. Ce geste lui fut fatal. Tourné vers son fils, il ne remarqua pas celui qui s'approchait de lui par derrière. Sous les yeux terrifiés de Benoît, le visage de son père se crispa brusquement, et son corps bascula en avant.

Quand Benoît parvint jusqu'à lui, ses voisins n'avaient pas encore compris ce qui s'était passé. Le chirurgien venait de tomber à côté d'eux, et ils lui tendaient la main pour l'aider à se relever. Mais Aubin, couché par terre, ne se relevait pas. Son fils se jeta à genoux près de lui, pendant que les spectateurs faisaient cercle.

— Père !

— Benoît, qu'est-il arrivé ? On m'a bousculé... Il porta la main à son flanc et la ramena ruisselante de sang : Qui m'a fait cela ?

— Je t'expliquerai, père, allonge-toi.

Quelques instants plus tard, une civière improvisée ramenait à l'hospice le chirurgien blessé qui souffrait en silence, incapable de comprendre ce qui s'était passé.

On l'installa dans sa salle d'opération et Benoît, aidé de sœur Eugénie, le déshabilla. Il avait, dans le flanc gauche, au niveau des basses côtes, une plaie large d'un bon pouce qui soufflait et crachait un jet de sang rouge à chaque mouvement respiratoire. Benoît était catastrophé. Son père lui avait appris le traitement immédiat d'une plaie du poumon, et il fallait faire vite.

— Père, la plèvre est ouverte et le poumon aussi. Il faut que je vous fasse une suture.

Aubin hocha la tête sans répondre. Il semblait garder toute son énergie pour ce souffle qui s'en allait.

Benoît demanda à sœur Bénédicte qui venait d'arriver, de soutenir le blessé pendant qu'il ouvrait le coffre d'instruments. Il sortit trois aiguilles courbes, et sur chacune il enfila un fil de soie cirée. Ses mains ne tremblaient pas.

— Je vais vous faire un peu mal, père. Serrez les dents.

Mais Aubin ne broncha pas quand les aiguilles franchirent les berges de la plaie, comme s'il était déjà insensible.

Benoît serra les trois nœuds et la plaie cessa de souffler. Sœur Eugénie posa immédiatement des compresses, un plumasseau et une large bande de toile qu'ils passèrent autour du thorax.

— Allongeons-le.

Dès qu'il passa à la position horizontale, Aubin suffoqua et son visage devint bleu. Vite, ils l'assirent de nouveau. Benoît ruisselait de sueur.

Son père se tourna vers lui.

— Ils voulaient faire de moi un maire, chuchota-t-il. Mais tu vois, je ne suis pas fait pour les honneurs.

Benoît ne comprit pas ce qu'il voulait dire et pensa qu'il commençait à délirer. La porte s'entrouvrit et la supérieure apparut, le visage décomposé. Elle se précipita vers la table et approcha son visage d'Aubin qui lui sourit tristement.

— Mon Dieu, souffla-t-elle.

Puis elle se pencha vers sœur Bénédicte et lui demanda, à voix basse, d'aller chercher le curé. La jeune religieuse acquiesça, après un instant de surprise, et s'en fut en courant. Mère Clotilde, en larmes, avait compris qu'elle avait un dernier service à rendre à cet homme qu'elle chérissait depuis tant d'années.

Maintenant il était assis, entre son fils et la religieuse. Son regard allait de l'un à l'autre, mais ses paupières avaient du mal à rester ouvertes. Sans bruit, Benoît pleurait, cherchant désespérément dans sa mémoire ce qu'il aurait fallu faire en pareil cas, convaincu qu'il oubliait quelque chose d'important, et persuadé qu'il laissait mourir son père faute d'avoir retenu ses leçons.

Soudain Aubin eut un sursaut et émit un énorme vomissement de sang. Deux hoquets se succédèrent encore, et sa tête retomba sans vie. Ils l'allongèrent.

Benoît éclata en sanglots dans les bras de la supérieure, tandis que sœur Eugénie s'affairait, en pleurant aussi, pour nettoyer le thorax du blessé.

Mère Clotilde, le visage ruisselant, s'approcha d'Aubin et détacha la chaîne qu'il portait sur sa poitrine. Puis elle la passa au cou de Benoît étonné.

— Garde bien cette médaille, je t'expliquerai un jour.

Derrière la porte, un brouhaha insolite s'amplifiait. Sœur Eugénie, exaspérée, décida d'aller faire taire ces importuns, mais dès que la porte fut ouverte, elle se trouva repoussée vers le mur par la foule qui envahit la salle. Le silence se fit un instant, puis un cri retentit :

— Il est mort !

Ces trois mots traversèrent le village comme un feu de broussailles et l'on vit la population entière converger vers l'hospice avec un murmure menaçant.

Le curé, arrivé trop tard derrière sœur Bénédicte, sortit dans la cour encombrée, s'arrêta sur le perron. Il sentit qu'il devait parler. Le silence se fit. En quelques mots, il résuma l'opinion générale. Il évoqua la sagesse du défunt et son dévouement qui l'avait conduit là où il se trouvait maintenant.

— Celui que vous aviez désigné a payé de sa vie l'honneur que vous lui faisiez. L'intolérance a frappé le plus dévoué d'entre nous. Je souhaite que justice se fasse, mais surtout que cet homme de bien reste dans les mémoires comme un modèle pour les générations à venir. Et nous prierons Dieu pour qu'Il lui accorde auprès de lui la place qu'il mérite.

Il baissa la tête, descendit les marches et s'en fut. Il laissait une foule bouleversée où chacun suspectait le clan du voisin d'être responsable. Personne n'avait rien vu, aucun soupçon véritable ne pouvait se porter sur personne.

Brice savait que Benoît aurait sans doute des choses à dire, mais il estimait qu'il n'avait pas à intervenir, convaincu qu'il ne faut jamais se mêler de ce qui ne vous regarde pas.

Benoît ne mit pas longtemps à comprendre le quiproquo qui avait fait de son père un héros. Et l'histoire de l'homme au bec de lièvre était tellement absurde, les motivations de cet assassin relevaient si gravement de la bêtise, qu'il n'eut pas le courage de détromper cette population qui avait fait pour la première fois son unité autour de la mémoire de son père. Il rangea dans un coin de sa mémoire l'image de l'homme infâme qui venait de briser une vie, et laissa résonner les cloches d'une gloire posthume qui, dans son cœur à lui, n'était pas usurpée.

DEUXIÈME PARTIE

Benoît

CHAPITRE PREMIER

Pierre-Joseph Desault était au faîte de sa gloire. Nommé depuis 1785 au poste envié de chirurgien à l'Hôtel-Dieu de Paris, il régnait en 1792 sur une troupe d'élèves venus des quatre coins du monde pour suivre l' « enseignement clinique » dont il était le précurseur, et qui devait donner à la médecine française, pour longtemps, une suprématie absolue.

Ce matin-là, il venait de terminer sa visite dans la salle Saint-Landry, et, suivi de ses étudiants, passait dans la galerie, quand il vit arriver la mère supérieure des Augustines, l'air agité. Elle était suivie d'un valet en livrée bleue qui tenait un pli à la main.

— Qu'y a-t-il, ma mère ? demanda le chirurgien de ce ton bourru qui lui était habituel.

— On vous demande d'urgence, monsieur, ce jeune homme vous apporte une lettre. C'est très pressé.

Les élèves s'étaient respectueusement arrêtés à quelques pas, et considéraient la scène avec curiosité, pendant que le chirurgien parcourait le message. Il replia la feuille de papier, et se tourna vers son assistant.

— Un de mes amis médecins m'appelle à l'aide, lui dit-il à voix basse. Il s'est produit un incident à la suite d'une saignée. Une plaie artérielle, je suppose. Je vais y aller tout de suite. Voulez-vous me remplacer un moment ? Je pense que ce ne sera pas très long. Puis, s'adressant à ses élèves, il ajouta à haute voix : Je dois m'absenter un instant, monsieur Plaignaud continuera la visite. Enfin, à un jeune homme aux cheveux noirs et bouclés qui se tenait à ses côtés, il donna cet ordre bref : Monsieur de La Verle, allez chercher ma sacoche d'instruments, et rejoignez-moi dans la voiture qui nous attend sur le parvis.

L'étudiant se précipita sans un mot.

Quelques instants plus tard, ils étaient tous deux assis dans une élégante berline qui traversa le Pont-au-Double à vive allure en direction du faubourg Saint-Germain.

Quand son père était mort, Benoît de La Verle avait dû annoncer la triste nouvelle aux médecins qui l'avaient bien connu, en particulier Penbroke, Hunter et Jenner en Angleterre, Desault à Paris. Ce dernier, qui le savait intéressé par la chirurgie, lui avait immédiatement offert de le prendre à l'Hôtel-Dieu, comme compagnon-chirurgien.

C'est ainsi que, depuis plus de deux ans, Benoît habitait dans les combles de l'hôpital et bénéficiait d'un enseignement privilégié. Il avait la passion de ce métier, et son maître Desault était un professeur d'une telle qualité, qu'il était difficile de ne pas suivre son exemple. Il était même prévu qu'à la fin de l'année, Benoît accéderait au grade supérieur, en récompense de son attitude exemplaire.

Dans la voiture, Desault lui expliqua qu'un de ses amis médecins s'était fait accompagner, la veille, par un vieux chirurgien, pour faire une saignée. L'opération s'était avérée laborieuse, et une hémorragie artérielle semblait s'être produite. Pendant toute la nuit, des pansements compressifs renouvelés n'avaient pu empêcher la constitution d'un énorme hématome, et la vitalité du bras semblait maintenant compromise.

La voiture tourna dans une cour pavée où les domestiques en livrée attendaient.

— Les Favreau-Duplessis, murmura Desault, sont d'anciens fermiers généraux. Ils habitent ici depuis peu.

C'était un hôtel neuf, aux lignes sobres et symétriques comme on les construisait alors. Ils grimpèrent les quatre marches du perron et pénétrèrent dans un vestibule de marbre où le maître de maison vint les accueillir. Habillé de façon quelque peu désuète, c'était un gentilhomme d'une politesse à laquelle on n'était plus accoutumé. Il se confondit en remerciements et les fit monter au premier étage, dans une vaste chambre où se trouvait la patiente. Les fenêtres étaient closes par d'épais rideaux, et les bougies diffusaient une lumière d'église. Des tentures sombres tapissaient les murs, et les gens chuchotaient en se déplaçant sans bruit autour d'un vaste lit à baldaquin où reposait une forme imposante.

Desault avait été immédiatement accaparé par ses deux confrères affolés. Ils lui racontaient à mi-voix, mais avec véhémence, les circonstances qui les avaient conduits à la situation regrettable où ils se trouvaient.

Benoît, habitué à aider son maître pour la chirurgie d'urgence, s'était dirigé vers le lit. Enfouie dans des draps de dentelles, une femme opulente, d'une cinquantaine d'années, mais dont le visage avait dû être très beau, le regardait avec anxiété. Ses cheveux gris dépassaient d'une coiffe blanche, et elle tenait devant sa bouche un mouchoir de fine batiste. Son bras droit était allongé sur le lit, le coude entortillé dans un pansement volumineux d'où émergeaient un avant-bras et une main marbrés de taches violacées.

D'un geste professionnel, Benoît posa ses doigts sur le poignet enflé, à la recherche d'un pouls qu'il ne trouva pas. Il se tourna vers son patron avec une grimace expressive. Desault lui fit un geste de la main qui voulait dire de ne pas perdre de temps. Benoît, qui avait compris, chercha autour de lui comment il allait pouvoir s'installer. Ce n'étaient que meubles marquetés et sièges recouverts de tissus précieux, bibelots fragiles et verreries instables. Il ne voyait pas où poser ses instruments sans risquer un malheur.

— Que vous faut-il ? demanda derrière lui une voix basse.

Il se retourna et vit la très jolie jeune femme qui venait de lui poser cette question. Âgée d'une trentaine d'années, elle était mince, de taille moyenne, avec une longue tresse de cheveux noirs qui retombait sur le plastron d'une robe de velours sombre. Ses traits fins et réguliers, ses yeux immenses, sa bouche aux lèvres bien dessinées rappelaient les tableaux de Watteau.

— Est-ce madame votre mère ? chuchota Benoît, mal à l'aise.

— Ma belle-mère. Je suis très inquiète pour son bras. Qu'en pensez-vous ?

— Il m'est difficile de vous répondre avant de l'avoir examinée, mais il faudrait que nous nous installions mieux.

— Vous avez besoin d'une table, je suppose ?

— De deux même, plutôt petites, mais bien stables. L'une pour poser le bras, l'autre pour les instruments.

— J'ai ce qu'il vous faut.

Elle sortit rapidement de la chambre, pendant que Desault s'approchait.

— D'après ce qu'ils m'ont raconté, chuchota-t-il à Benoît, le sang a jailli avec impétuosité, dès l'incision. Il n'y a pas de doute sur le diagnostic.

Tous deux se tournèrent vers le mur où une tache encore humide indiquait un nettoyage récent. Puis, s'approchant de la malade, Desault continua d'une voix inhabituellement douce :

— Bonjour, madame, nous allons essayer d'améliorer l'état de votre bras. Ne craignez rien.

Il avança sa main jusqu'au visage terrorisé de la grosse femme, et, de l'index, lui abaissa la paupière inférieure. Il fit constater à Benoît, qui approcha une bougie, la lividité de la conjonctive qui signait la gravité de l'anémie.

À ce moment-là, un remue-ménage se fit dans la pièce, et deux domestiques arrivèrent, portant chacun un guéridon qu'ils vinrent poser près d'eux. Le chirurgien les remercia et glissa le plus petit contre le lit pour y allonger le bras de la patiente. Benoît ouvrit le sac de cuir qui contenait son matériel et commença à ranger avec soin ses instruments et les pansements sur l'autre table.

Desault demanda à son collègue s'il voulait bien les aider. C'était un gros homme un peu rougeaud sanglé dans un habit de drap noir : il accepta avec empressement et se mit à la tête du lit. Benoît défit la chemise de la patiente, découvrant l'épaule. La palpant, il repéra les battements artériels sous la clavicule et à la face interne du bras. Il appliqua sur chacun de ces deux points une pelote de tissu serré qu'il pria le vieil homme de maintenir. Desault, qui avait retiré son habit et relevé les manches de sa chemise, précisa :

— Vous comprimerez si c'est nécessaire. Je vous le dirai.

L'autre hocha la tête d'un air important, tout pénétré de son rôle.

La jeune femme se plaça de l'autre côté du lit et se pencha vers la patiente dont elle baisa le front.

— Ne vous inquiétez pas, mère, ce ne sera sûrement pas long.

En même temps, elle lui prit la main et le bras dans un geste de tendresse qui pouvait devenir un solide maintien si cela s'avérait nécessaire.

Benoît vint s'intercaler entre le gros chirurgien et le bras, face à son maître qui réclama un tabouret et s'assit.

Le silence était total. Mais Desault hésitait encore.

— Voulez-vous tirer ce rideau ? demanda-t-il.

La lumière s'améliora, mais insuffisamment. On écarta encore les rideaux de la fenêtre voisine.

— C'est mieux, murmura-t-il.

D'un coup d'œil expressif, il appela son ami médecin qui vint au pied du lit et posa ses deux mains sur les jambes de la patiente.

Cette longue préparation était l'un des principes que le chirurgien enseignait à l'Hôtel-Dieu. « Le seul moyen d'aller vite, disait-il, c'est d'avoir tout préparé à l'avance, et de n'avoir plus ensuite aucune hésitation. » Benoît, habitué, avait rangé les instruments dans l'ordre strict qui était de règle et, immobile, les deux mains sous le coude de la patiente, il attendait.

Dès lors tout alla très vite. Avec une précision magistrale, Desault mena son opération presque sans un mot. Il semblait n'y avoir pas un seul geste de trop. Les mouvements étaient presque lents, mais chaque fois parfaits, comme ceux de ces équilibristes qui réalisent, au ralenti, des prouesses d'une incroyable facilité apparente.

D'un coup de ciseaux, il avait ouvert le pansement compressif de la nuit précédente. Le pli du coude était tuméfié, la peau soulevée, tendue, blanchâtre. La petite plaie de la saignée apparaissait nettement, occultée par un caillot de sang noir. Le bistouri traça une vive incision tandis que Benoît maintenait solidement le bras. La patiente poussa un cri immédiatement étouffé, tandis que sa belle-fille se penchait en lui murmurant des paroles d'apaisement. La lame franchit un tissu graisseux infiltré de sang et s'arrêta sur la nappe fibreuse nacrée qui recouvrait les vaisseaux. Une sonde métallique en forme de demi-tube fut glissée sous cette enveloppe, et le bistouri ainsi guidé traça une nouvelle incision.

Cette fois, l'avant-bras sous tension s'ouvrit comme un livre, libérant un énorme caillot sanguin qui se détacha de lui-même. Benoît maintenait solidement le bras que la patiente tentait instinctivement de retirer. Un fragment noirâtre restait collé dans le fond de la plaie, mais Desault n'y toucha pas. Avec une spatule non tranchante et de petits gestes vifs, il sépara l'artère des veines et du nerf qui l'entouraient. Bientôt elle apparut complètement isolée de son environnement, avec son fragile caillot toujours collé à sa surface, juste au-dessous de la bifurcation. Alors, sans lâcher le bras, Benoît écarta les berges de la plaie, tandis que l'opérateur passait sous le vaisseau une grosse aiguille courbe, entraînant un large fil ciré. La pointe de l'instrument était émoussée pour mieux glisser. Il recommença la même manœuvre un peu plus bas, et l'artère se trouva ainsi soulevée entre les deux liens.

Enfin, il approcha son index près du caillot et murmura :

— Allez-y.

Benoît, avec une fine compresse, frotta délicatement l'artère d'où, soudain, le sang jaillit avec violence. L'index du chirurgien s'appliqua aussitôt sur la plaie, brisant le jet artériel.

— Serrez les ligatures ! commanda-t-il.

Benoît noua les fils qui avaient été passés au-dessus et au-dessous de la blessure. Desault retira son doigt, l'artère ne saignait plus. Il passa deux ligatures supplémentaires, mais sans les nouer. Elles étaient là par sécurité, au cas où l'une des deux autres lâcherait. Il finit de nettoyer les caillots et vérifia une dernière fois l'étanchéité des ligatures. Il remplit ensuite toute la plaie de boulettes de charpie brute enduite de colophane huileuse. Puis il posa par-dessus deux plumasseaux circulaires, deux compresses carrées et deux circulaires encore, soutenues par un bandage à peine serré.

La malade, épuisée par la douleur, respirait avec difficulté. Sa belle-fille aida à mieux l'installer dans son lit. On posa son bras sur des coussins de plumes très souples, de manière que le coude fût plus bas que la main et l'épaule. On couvrit ensuite le membre de linges chauds pliés en double. L'évacuation des caillots avait levé la compression des autres vaisseaux du bras, et la main s'était recolorée.

— L'incision malencontreuse aurait été faite un demi-pouce plus haut, le bras était perdu, murmura Desault à l'intention de Benoît.

— C'est bien ce que j'ai vu, répondit le jeune homme. Quelle chance elle a eue !

Un valet apporta une cuvette avec un broc d'eau chaude et les deux opérateurs se lavèrent les mains. Puis, Benoît rinça et rangea les instruments pendant que son patron donnait les instructions pour la suite.

— Ce soir, bouillon clair et un doigt de vin sucré. Monsieur de La Verle, mon assistant, reviendra chaque soir pour changer le pansement et me tiendra au courant de l'évolution. Il vous apportera une potion préparée à l'hôpital qui améliorera l'état général de notre patiente. Elle reprendra une alimentation normale très progressivement.

Les deux praticiens « de ville », soulagés, semblaient s'être regonflés d'importance. M. Favreau-Duplessis, l'ancien fermier général, souriait, rassuré lui aussi.

Benoît ne parvenait pas à quitter des yeux la belle-fille de l'opérée, et son regard ne se baissait que lorsque à son tour elle tournait la tête vers lui. Il n'avait jamais vu de femme aussi belle. Il avait entendu les domestiques l'appeler Madame Clara.

La consultation touchait à sa fin. Copiant son maître, il s'inclina, et tous deux descendirent l'escalier de marbre, précédés par un valet qui leur ouvrit la porte d'entrée. La berline les attendait pour les ramener à l'hôpital. En chemin, Desault indiqua les soins qu'il souhaitait pour les jours à venir, puis, pour satisfaire la curiosité de son élève, il lui donna quelques éclaircissements sur ces gens inhabituels.

Il lui expliqua ce qu'étaient les fermiers généraux et comment ils avaient établi leur fortune. La belle Clara était d'origine italienne, et elle avait épousé le fils Favreau-Duplessis, accidentellement décédé depuis. Elle était considérée comme la fille de la maison.

— Elle est très jolie, n'est-ce pas ? conclut Desault.

— Oh, oui ! répondit Benoît, d'un ton qu'il eût préféré moins enthousiaste.

Cette intervention chirurgicale eut des conséquences qui marquèrent profondément la vie du jeune chirurgien. La visite quotidienne à l'hôtel particulier du faubourg Saint-Germain brisa le rythme austère de sa vie d'étudiant laborieux. À la même époque, il avait été nommé « gagnant-maîtrise », premier grade de la fonction hospitalière. Il était maintenant chargé de faire répéter chaque matin, aux compagnons, les leçons de la veille, si bien qu'il participait moins aux gardes et bénéficiait de loisirs nouveaux. Théoriquement, il aurait dû consacrer ce temps libre à ses études à la faculté, mais l'Assemblée nationale avait décidé de supprimer l'enseignement traditionnel, séquelle du corporatisme d'Ancien Régime, qui offensait les principes nouveaux d'égalité entre les individus.

Pour être médecin désormais, il suffisait de prétendre avoir suivi un enseignement d'une année à l'hôpital et de présenter un certificat de civisme ! Desault souriait de ces excès, mais il était globalement d'accord avec l'esprit des réformes et se disait persuadé que, de cette tornade, sortiraient les fondements nouveaux de la profession médicale. Ses élèves partageaient son enthousiasme.

Ce que Benoît avait eu plus de mal à admettre, c'étaient la constitution civile du clergé et les vexations que subissaient les religieuses. Les augustines avaient été les dernières à porter encore l'habit, et elles étaient « autorisées » à continuer à donner des soins. Mais pour combien de temps ?

À Saint-Yé, les sœurs de la Charité avaient déjà quitté l'hospice. Paradoxalement, les choses étaient allées plus vite que dans la capitale. Les terres du château avaient été vendues, de même que les fermes, les greniers mis à sac, les caisses vidées, et finalement les « révolutionnaires » avaient exigé que les religieuses abandonnent leur habit.

Le jour où un ivrogne s'en était pris à sœur Félicie sans que l'assistance rigolarde réagisse, la supérieure avait décidé de rapatrier sa communauté sur Paris. De toute façon, elles avaient déjà perdu leur autorité au profit des employés communaux qui dirigeaient tout « au nom du peuple ». Le maire, François D'Ambard, qui avait été élu au lendemain des obsèques d'Aubin de La Verle, laissait faire, de peur de perdre sa place.

Depuis le départ de la communauté, l'armée s'était installée. Elle avait réquisitionné la plus grande partie des locaux, et la chapelle était transformée en écurie à l'usage de la cavalerie. Saint-Yé était devenu un hôpital d'évacuation pour les armées du Nord et le village avait pris des allures de garnison.

Le triomphateur du lieu était le nouveau patron de l'auberge du Cerf-à-Genoux, Oscar Legrand, le sobriquet de son père étant devenu son nom propre. Son établissement, grâce à l'apport des militaires et à l'augmentation du trafic routier, avait doublé de volume. À l'entreprise de transport, rachetée au vieux Martin, il avait adjoint une fabrique de voitures et un commerce de chevaux. Surtout, il avait racheté la plupart des biens nationaux disponibles dans la région.

Au-dessus de la grande salle qui ne désemplissait plus, il avait transformé le premier étage du bâtiment principal en bureaux, et dirigeait tout son petit monde avec la même autorité que son père.

Mère Clotilde, la supérieure du couvent, avait quant à elle emménagé à Paris dans une maison située à deux pas de l'église Saint-Sulpice, rue des Canettes. Ce secteur était devenu une sorte de quartier général religieux clandestin. Congrégations, séminaires, librairies et magasins sacerdotaux s'étaient subitement banalisés, et si l'on ne voyait plus guère de soutanes dans les rues, beaucoup de passants avaient encore cette démarche compassée, acquise à l'ombre des cloîtres.

En attendant que la folie du moment se calme, et que ses fonctions lui soient rendues, elle avait abandonné l'habit sous la pression de ses filles et portait maintenant une simple robe noire avec une coiffe de grand-mère qui lui allait à merveille. Elle fêterait en octobre ses quatre-vingts ans, et c'était elle qui remontait le moral de la communauté. Sœur Bénédicte faisait chaque jour les courses dans le quartier, pour « sa tante paralysée et ses cousines ». Chacune des religieuses avait trouvé à se faire employer dans le voisinage, comme vendeuse, domestique ou infirmière à domicile.

Elles n'étaient pas malheureuses. Pour elles qui n'avaient jamais quitté le couvent, cette vie nouvelle, dont elles n'imaginaient pas les dangers, était un changement passionnant. De plus, la maison de la rue des Canettes était devenue une étape sûre pour de nombreux proscrits qui passaient par Paris, ou qui étaient en instance de départ. Cette agitation, avec ses allures de conspiration, les ravissait. Religieux et religieuses, nobles ou suspects, arrivaient à la nuit, racontaient leur histoire ou réclamaient des nouvelles des autres, et repartaient à l'aube.

Enchantée de ce rôle mystérieux, dénuée de toute peur, mère Clotilde restait la maîtresse femme qu'elle avait toujours été, et Benoît, à son contact, retrouvait ses racines. Avec elle, il parlait notamment de son père et apprenait à mieux connaître celui qui lui avait donné sa vocation chirurgicale.

À deux pas de là, l'académie de Vandeuil, ancienne Académie royale du Manège, formait les jeunes gens au maniement des armes. Benoît y apprenait, avec les autres jeunes du quartier, à manier le sabre et l'épée. On y pratiquait aussi l'art de la pique. Emblème de la Révolution, cet objet archaïque était devenu l'arme de tout le monde, et les élèves apprenaient à l'utiliser avec dextérité. Maniée à deux mains, frappant de la pointe ou du talon, elle pouvait faire des dégâts redoutables. Benoît, naturellement très adroit, était vite passé maître dans cet exercice.

En fait, ce qui dominait cette période de sa vie, c'était la joie de vivre. Logé et nourri à l'hôpital, il n'était guère touché par la dureté des temps. Il ne se souciait pas de la viande trop chère et du pain trop rare. Il n'était pas, chaque matin, en place de Grève, parmi la foule grondante des chômeurs affamés. Ce qu'il vivait, avec son enthousiasme juvénile, c'était la fête populaire, et l'immense espoir de renouveau qui animait encore les habitants de la capitale.

Chaque après-midi, il s'habillait en citadin pour aller à « la Ferme », comme disaient ses copains envieux, et il partait à pied, sa sacoche à la main, sur ces quais de Seine qu'il affectionnait tant.

La rive gauche se peuplait de maisons nouvelles et il y avait partout des chantiers de construction où il flânait, dans les odeurs d'oignons que faisaient griller les marchands ambulants. Quand il arrivait faubourg Saint-Germain, Clara Favreau-Duplessis l'attendait et l'accompagnait au premier étage. Le guéridon était prêt, recouvert de son drap blanc, et, sous le regard attentif des deux femmes, il refaisait le pansement. Il leur commentait les progrès constatés, avant de les noter chaque soir, scrupuleusement, dans son journal. Dès le troisième jour, était apparu ce « suintement odorant » qui annonce une suppuration prochaine. Établie au cinquième jour, elle avait détaché la charpie qui couvrait le fond de la plaie ; Benoît la remplaça par des bourdonnets imbibés d' « eau végéto-minérale ». Deux jours après, la ligature supérieure tomba sans que vienne une goutte de sang. La suppuration était alors « abondante et de bonne qualité ». L'engorgement du bras commençait à se dissiper, laissant plus de liberté aux mouvements de la main.

La patiente, rassurée, s'était revigorée. Dès le lendemain de l'intervention, il l'avait trouvée coiffée, pomponnée et souriante. Puis, de jour en jour, sa vraie nature s'était libérée, et Benoît avait découvert une personnalité enjouée, spirituelle et pleine de charme. Les deux femmes étaient liées par une complicité affectueuse évidente, et leurs éclats de rire mettaient le jeune homme en joie. Elles lui faisaient raconter sa vie à l'hôpital et s'étonnaient de le savoir au travail avec son patron dès six heures du matin. Elles étaient horrifiées par le récit de toutes ces autopsies qui constituaient le fondement de l'enseignement moderne. Elles avaient du mal à croire qu'un chirurgien aussi réputé que Desault fût encore obligé de coucher fréquemment à l'hôpital pour assurer les urgences.

Son travail terminé, Benoît avait droit à un chocolat chaud que la vieille dame de compagnie, qui répondait au doux nom d'Eudoxie, venait leur préparer avec des gestes quasi religieux. « Madame mère », comme disait Clara, n'avait qu'une faiblesse, la gourmandise, ce qui expliquait son embonpoint, et sans doute les lenteurs de la cicatrisation. Mais le jeune chirurgien n'avait aucune raison de s'en plaindre. D'abord cela le changeait agréablement de l'ordinaire hospitalier, et puis, plus ces soins dureraient, plus longtemps il aurait des raisons de venir dans cette maison où il n'était pas attiré seulement par la qualité des sucreries. La belle Italienne avait, pour lui, des regards où l'admiration se mêlait à des sentiments plus complexes. Il en avait parfois du mal à dormir !

Un jour, ce fut Eudoxie qui l'accueillit à la porte et l'assista dans son travail. Il prit son chocolat seul avec sa patiente qui ne souffla mot des raisons de l'absence de Clara. Celle-ci apparut enfin. Benoît se leva et resta bouche bée, figé d'admiration. La jeune femme, qui allait dîner en ville, était maquillée et parée comme jamais il ne l'avait vue. Coquette, elle virevolta devant lui.

— Cette robe vous plaît-elle ?

Il était trop ému pour exprimer le moindre avis. Elle enchaîna :

— Vous ne trouvez pas que c'est très ennuyeux d'aller dîner chez les autres ? Sans attendre de réponse, elle continua : Moi, la seule chose qui m'amuse, c'est de me faire belle. Les messieurs me font la cour pendant cinq minutes, puis reprennent leurs conversations sinistres sur l'avenir de la monarchie ou la loi du maximum. Leurs épouses me fusillent du regard, c'est très comique ; mais je suis sûre que vos amis sont beaucoup plus drôles que les miens ! Vous ne croyez pas ?

— Je ne sais pas... Peut-être... Oui...

Benoît se sentait stupide face à cette jeune coquette qui lui posait de si imprévisibles questions. Devant son mutisme, elle mit le comble à son embarras en ajoutant :

— Si vous voulez, un jour nous comparerons : je vous ferai inviter à l'un de mes dîners, et vous m'emmènerez à l'un des vôtres. Marché conclu ?

Elle lui tendit la main comme s'il s'agissait d'une négociation de maquignons. Il dut se faire violence pour s'avancer jusqu'à elle et répéter :

— Marché conclu.

Et comme elle n'avait pas bougé, il fit mine de « toper là » ; mais, arrêtant son geste, il lui prit la main et y posa ses lèvres.

— Enfin ! s'exclama-t-elle, enfin un geste amical ! On est distant dans votre profession ! Et, sans se préoccuper de la surprise du jeune garçon, elle se tourna vers la vieille dame : Je dois me sauver maintenant. Bonsoir mère, passez une bonne nuit, je ne rentrerai pas tard.

De ses lèvres elle lui effleura le front, et s'en fut dans un froissement d'étoffes précieuses, laissant Benoît interdit. Il ne tarda pas à prendre congé, lui aussi, et se retrouva sur les mauvais pavés du faubourg, léger comme un papillon. De tout ce qui s'était passé, il ne retenait que cette invitation à dîner qui lui donnait des ailes. Dans la rue, les femmes avaient des robes tricolores, les marchands ambulants jouaient à qui crierait le plus fort, la guerre était loin et le soleil annonçait un été chaud.

Il fallut vingt-cinq jours à la plaie de Mme Favreau-Duplessis pour parvenir à une cicatrisation complète. Et un jour de moins seulement pour que Benoît accède au lit de la belle Clara...

Dans cette époque de folie, la bonne société voyait chanceler les bases de sa vie et s'étourdissait dans une agitation mondaine effrénée. Les Parisiens se retrouvaient presque chaque soir, chez les uns ou les autres, pour dîner, jouer aux cartes ou commenter les événements du jour.

La première fois que Clara emmena Benoît dans l'une de ces soirées, ce fut à l'issue d'une longue lutte : timide par nature, conscient de son absence complète d'éducation mondaine, le jeune homme redoutait aussi d'étaler une liaison qu'il jugeait compromettante.

— Vous n'avez donc pas peur du qu'en-dira-t-on ? finit-il par demander.

Clara éclata de rire. Puis, assise devant lui, les yeux dans les yeux, elle lui expliqua posément qu'elle était veuve depuis cinq ans, qu'elle avait eu déjà plusieurs aventures sentimentales malheureuses, et qu'elle n'avait pas de raison d'en avoir honte. Aujourd'hui, un jeune chevalier servant, beau et séduisant, l'accompagnait, et il n'y avait rien là qui puisse choquer ses amis.

Benoît rougit sous le compliment, mais grinça intérieurement en pensant à ceux qui l'avaient précédé !

Perfide, la jeune femme ajouta :

— Les hommes que nous rencontrerons seront jaloux de toi, mais ils sont tous mariés à des mégères qui ne les quittent pas de l'œil. Quant à elles, elles seront ravies que mes regards soient suffisamment occupés pour ne pas se poser sur leur mari.

— C'est un rôle que vous voulez me faire jouer ?

— Ne te fâche pas, mon chéri. Tu es mon amant, et il me semble que cela nous rend aussi heureux l'un que l'autre. Mais ce n'est pas une raison pour dîner tous les soirs à la maison ! Nous allons nous amuser un peu. Le reste du monde n'a aucune importance.

Benoît était prêt à tout accepter pour continuer à tenir Clara dans ses bras. L'expérience lui prouva qu'il avait raison, car il découvrit un monde fascinant dont il ne soupçonnait pas même l'existence.

C'est ainsi que, pour sa première sortie, il alla dîner chez les Lavoisier.

— Tu connais Antoine Lavoisier ? avait demandé Clara.

— Non !

— Tu en as au moins entendu parler ?

— Non, je suis désolé...

— Ce n'est pas possible ! Mais c'est l'un des plus grands savants français !

Elle lui expliqua que c'était un homme d'une cinquantaine d'années qui depuis toujours s'intéressait à la science ; qu'il avait découvert les mécanismes de la respiration et mis en évidence un gaz appelé « oxygène ». Il faisait aussi fabriquer de la poudre à canon comme jamais on ne l'avait fait jusque-là.

— D'ailleurs, ajouta-t-elle, il est régisseur des Poudres et habite à l'Arsenal, où nous allons dîner.

— Mais comment le connaissez-vous ?

Il ne parvenait pas à la tutoyer, ce dont elle ne se privait pas pour sa part.

— Parce qu'il était aussi fermier général et ami de mon mari.
— Mais on ne peut pas être tout cela à la fois !
— Lui, oui ! Le roi a même voulu en faire son ministre des Finances l'année dernière. Il a refusé.
— Je n'ai pas ma place parmi des gens d'un tel niveau.
— Tais-toi ! Tu es jeune. Tu as toute la vie devant toi, et je sens que tu seras le plus grand chirurgien de tous les temps.

Le savant les accueillit avec un très aimable sourire. Il avait de grands yeux rêveurs et un front dégarni sous une perruque poudrée. Sa voix était douce et posée.

— Vous êtes donc chirurgien à l'Hôtel-Dieu, le Grand Hospice d'Humanité, comme on l'appelle maintenant... mon pauvre garçon !
— Pourquoi « pauvre garçon » ? demanda Benoît, intrigué.
— Mais parce que c'est un établissement sinistre. Et, se retournant vers les autres convives, il expliqua : Il y meurt un malade sur quatre. Alors qu'à l'hôpital d'Édimbourg, par exemple, c'est un sur vingt-cinq. Tous les malades sont mélangés, quoi qu'ils aient. La contagion est effrayante. Et le bruit ! Se retournant vers Benoît, il précisa : Mettez-vous un jour à côté d'une fenêtre donnant sur la rue de la Bûcherie. Imaginez que vous ayez la tête cassée du fait d'un accident, et appréciez le vacarme que font dans cette rue étroite les centaines de charrois qui y passent chaque jour. Ce doit être un enfer...
— Vous en parlez comme si vous y viviez...
— Le roi nous avait demandé un rapport sur cet établissement... J'en connais donc bien le côté abominable. Il fit un large sourire et s'excusa : Vous n'y pouvez rien, ni moi non plus. Espérons seulement que ceux qui ont le pouvoir maintenant se pencheront un jour sur ce problème ! Mais suis-je donc bavard ! Venez, je vais vous présenter à nos amis.

Clara s'était éclipsée au bras de Marie-Anne, la maîtresse de maison et sa meilleure amie. Elle embrassait chacune des invitées qu'elle semblait bien connaître. De son côté Benoît était présenté à Berthollet, chimiste de talent, Fourcroy, chimiste de grand renom également et ardent révolutionnaire, Condorcet, Laplace... Autant de noms déjà célèbres !

Il passa une soirée délicieuse. Quand son regard croisait celui de Clara, il sentait une grande bouffée de bonheur, et, le reste du temps, écoutait ces hommes d'une intelligence supérieure commenter avec passion les dramatiques événements politiques de juin de cette année 1792. Le roi, coiffé du bonnet phrygien, avait été obligé de boire à la santé de la nation... Qui avait intérêt à avilir la monarchie ?

Pendant le trajet du retour, il remercia Clara d'avoir su le convaincre de venir. Désormais il avait l'impression qu'il verrait la Révolution avec un regard nouveau. Son rôle de spectateur l'enchantait. Mais il ne savait pas que cette première semaine d'un mois d'août radieux était la dernière qu'il lui serait donné de vivre en paix avant longtemps.

CHAPITRE II

Ce soir-là, l'hôtel-Dieu était d'un calme inhabituel. Après sa dernière visite, Benoît monta dans sa chambre pour rêver de Clara. Il était de garde, et se sentait nostalgique. Il prit son cahier, fidèle confident des heures tristes, et écrivit :

« Ce 9 d'auguste 1792. Journée calme. Mais nous ne nous verrons pas ce soir. Qu'elle me manque ! Il paraît que la rue s'agite. Plaignaud est venu cet après-dîner visiter ses opérés, et il nous a dit que des attroupements armés occupent la ville et que certains parlent de prendre les Tuileries. »

Depuis les journées de juin, l'agitation était quotidienne et les bruits les plus fantaisistes couraient dans l'hôpital. Il est vrai qu'après le manifeste provocateur de Brunswick la situation s'était aggravée dans Paris. Quelle idée avait-il eue, cet Autrichien, de menacer de mort les Français qui toucheraient à un cheveu du roi ?... C'était de l'incitation à l'émeute. Partout, aussi, on parlait de complot. Chacun avait le sien. Les Chevaliers du Poignard étaient ceux dont on se méfiait le plus ; ils projetaient d'enlever le roi, disait-on...

C'était la même ambiance que celle des journées qui avaient précédé l'assassinat de son père, Benoît s'en souvenait bien. Il se coucha vaguement inquiet. Une émeute, cela représentait pour l'hôpital des convois de morts et de blessés... Il préféra n'y pas penser, et s'endormit.

Le tocsin le réveilla au milieu de la nuit. On n'entendait pourtant aucune canonnade. Le jeune homme ne bougea pas. Il savait qu'il n'avait aucune inquiétude à se faire : au premier blessé, la religieuse de garde viendrait frapper à sa porte. Ses vêtements étaient à portée de main et quelques secondes lui suffiraient pour être en bas.

Il avait eu raison de se reposer, car les premiers blessés n'arrivèrent que dans le courant de la matinée. Mais il y en eut tant et tant qu'il resta trois jours sans quitter le service de chirurgie !

Il ne vit rien de tout ce qui se passa au cours de ces journées dramatiques. La Commune insurrectionnelle, la prise des Tuileries, le massacre des Suisses, les ordres et contrordres du roi, sa fuite à l'Assemblée, le transfert de la famille royale à la prison du Temple, ce serait l'Histoire telle qu'il l'apprendrait plus tard. Cette journée du 10 août 1792 lui laisserait, avant tout, le souvenir d'une marée sanglante submergeant l'hôpital, avec des blessés arrivant par dizaines, dans un concert de hurlements, suivis d'une foule d'accompagnants qui réclamaient des soins.

Les manifestants étaient allés aux Tuileries, en famille, avec des amis, comme d'habitude. Ils allaient tirer les cheveux de l' « Autrichienne ». Ils ne savaient pas que les fédérés, venus de province et excités par les sections, voulaient renverser la monarchie. Ils avaient vu la Garde nationale fraterniser avec les manifestants. Rien ne leur laissait prévoir un affrontement sanglant. Et puis des coups de feu étaient partis de partout. Personne ne s'y attendait, sauf les meneurs, sans doute. Mais la foule, elle, n'y comprenait rien. Des gens tombaient, on les tirait en arrière, et on criait :

— Arrêtez, vous êtes fous !

Les gens couraient dans tous les sens.

— Il faut aller à l'hôpital, vite !

Desault, avec son calme et son autorité habituels, eut vite fait de comprendre le drame de cet afflux soudain. Il désigna à chacun de ceux qui étaient capables de donner des soins chirurgicaux sérieux, une pièce, une chambre, une salle de malades où se retirer avec des pansements et le minimum de matériel. Quant à lui, il ne quitta plus la cour d'entrée pour accueillir les arrivants et les répartir en fonction de la gravité de leurs blessures. Il devait aussi écarter les blessés légers qui pourraient revenir le lendemain.

Les hospitalisés valides avaient été obligés de quitter leur lit pour faire de la place. Tous ceux qui pouvaient se déplacer étaient transformés en brancardiers ou en guides. Les morts étaient transportés directement au dépositoire et, très vite, on dut les entasser en pile dans un coin de la cour.

Benoît était au fond de la salle Saint-Côme. On avait écarté les lits, approché une des grandes tables où les malades prenaient leur repas, et on y couchait les blessés un à un. Dans une grande bassine d'eau, il rinçait ses mains et ses instruments après chaque intervention. Un jeune étudiant, les manches relevées, était venu l'aider.

Les religieuses avaient apporté leurs réserves de charpie et, dans un autre coin de la salle, des femmes mettaient des draps en lambeaux car ces réserves menaçaient de s'épuiser.

Benoît travaillait avec acharnement et se désespérait devant son impuissance à soulager mieux ces pauvres gens qui hurlaient de douleur. Que pouvait-il faire ? Il lavait les plaies à grande eau et les pansait avec cette charpie et des bandages. Parfois un projectile était perceptible sous la peau : il appelait du renfort alors pour tenir le blessé, il incisait la peau et l'on applaudissait quand la balle tintait sur le carrelage. D'autres fois, le membre ne tenait plus que par un lambeau de chair. Un coup de scalpel achevait l'amputation et un pansement emballait le moignon.

Cependant il avait l'occasion d'exécuter de temps à autre un véritable geste chirurgical : immobiliser une fracture, fermer une plaie du thorax, ou lier une artère qui saignait en jet. C'est ainsi que, le premier soir, il vit arriver, soutenu par deux sans-culottes affolés, et envoyé en priorité par Desault, un blessé qui saignait à flots d'une plaie au bas-ventre. Il appuyait sur sa blessure à deux mains et, au moindre faux mouvement, une vague sanglante jaillissait entre ses doigts.

Benoît le fit allonger et ouvrit son pantalon. Il découvrit une vaste plaie au niveau des bourses avec un éclatement du testicule droit. La déchirure cutanée remontait jusqu'à l'aine où une grosse artère saignait en jet. D'un doigt il interrompit l'hémorragie, faisant rapidement le bilan des dégâts.

— Un coup de pique ? demanda-t-il.

— Non ! Je me suis empalé sur une grille, murmura le blessé en grimaçant de douleur.

La plaie ne paraissait pas pénétrer jusque dans le ventre, mais le testicule devait être sacrifié car son artère nourricière était sectionnée et la glande elle-même avait éclaté. Sans relâcher sa pression sur le vaisseau, il se pencha vers le visage du blessé.

— Il faut t'en enlever une, tu sais, elle est morte. Sinon...

— Sinon ?

— Tu vas continuer à saigner, et...

— J'ai compris. On peut vivre avec un seul couillon, n'est-ce pas ?

— Bien sûr, et avoir encore des enfants !

— J'en ai déjà six, ce serait pas le pire de plus en avoir !

Benoît rit malgré lui en regardant le blessé, un homme grassouillet d'une quarantaine d'années, au crâne déjà dégarni et au visage couperosé.

— Allez, ne perds pas de temps, citoyen, fais ton œuvre, j'ai trop mal.

Benoît fit signe à ses acolytes habituels qui vinrent tenir le blessé aux quatre membres. Mais l'autre s'écria :

— Qui c'est ces deux-là ? J'ai pas besoin qu'on me tienne, moi. Je saurai bien me tenir tout seul. Et à l'intention de Benoît, il ajouta : Vas-y, mon gars !

Il dénoua le foulard tricolore qu'il avait autour du cou et se le mit entre les dents, puis il ferma les yeux et se raidit comme une planche. Benoît, impressionné par ce courage, commença immédiatement l'intervention. Un fil fut passé autour de l'artère avec une aiguille courbée, et une ligature serrée solidement. Puis il libéra la glande éclatée et la sortit sans difficulté de la bourse ouverte. Une poignée de charpie, un plumasseau circulaire bien appuyé, l'intervention était terminée. L'homme, crispé, n'avait pas pu réprimer des sursauts involontaires, mais il n'avait pas été nécessaire de le tenir.

— Lève tes fesses. Tu as été courageux, dit le jeune chirurgien.

L'homme s'arc-bouta sur les pieds et décolla son postérieur de la table, si bien que le pansement put être fait rapidement en passant les bandages en X autour de la région inguinale.

— Voilà, mon brave, on va essayer de t'allonger quelque part.

La mine défaite, l'homme se redressa sur son séant et regarda le pansement.

— C'est bien, murmura-t-il.

Il était essoufflé et couvert de sueur.

Regardant Benoît droit dans les yeux, il ajouta :

— Si je comprends bien, tu m'as sauvé la vie...

Benoît sourit. Alors l'autre hocha la tête et conclut :

— Je m'en souviendrai.

Quatre costauds l'emmenèrent plus loin tandis qu'on le remplaçait par un autre blessé.

La terrible journée continua, et la nuit vint sans qu'on s'en aperçoive. Les opérés se succédaient et Benoît avait perdu le sens du temps. Ce qui le tourmentait, c'était le sort de tous ces blessés par balle, au thorax ou à l'abdomen, auxquels il ne faisait qu'un petit pansement sur l'orifice brûlé de poudre. Il savait que la plupart d'entre eux mourraient dans les heures ou les jours à venir sans que personne y puisse rien. Certains, au lieu de mourir, auraient la chance de développer une fistule, urinaire ou digestive, qu'on pourrait peut-être traiter par la suite, et on publierait l'observation dans ce *Journal de chirurgie* que le patron avait créé... Mais les autres ? Combien de temps tiendraient-ils ?

Le troisième jour, vers midi, Desault vint jusqu'à lui. Les deux hommes se regardèrent un instant, et le maître tendit la main à son élève, puis le serra dans ses bras.

— Citoyen La Verle, à dater de ce jour, tu es un chirurgien. Je t'ai vu à l'œuvre, et on m'a raconté ce que je n'ai pas vu. Personne n'aurait fait mieux. Va te reposer maintenant.

Ému, le jeune homme, qui ne tenait plus debout que par habitude, s'en fut sans un mot. Mais le patron le rattrapa.

— Un instant, j'ai une lettre à te remettre. On me l'a apportée hier soir, mais je n'ai pas eu le temps...

Benoît reprit le chemin de sa chambre avec cette lettre dont il avait reconnu l'écriture et qu'il ne voulait lire que dans la solitude.

Il n'y avait que quelques mots, mais ils lui suffisaient :

« Pauvre chéri ! Bon courage. Je t'aime. Clara. »

Il tomba sur son lit, la lettre contre ses lèvres et s'endormit comme un plomb.

Dans les jours qui suivirent, il vit à peine sa bien-aimée, tant il y avait encore à faire. La Camarde, besogneuse et obstinée, décimait les rangs des survivants. Une odeur pestilentielle régnait en permanence sur cette accumulation de souffrances, et les gémissements couvraient les bruits de la rue.

« N'a qu'une » se remit vite. Immédiatement affublé de ce sobriquet évocateur par ses compagnons d'infortune, il expliqua combien il avait honte de s'être blessé ainsi en franchissant une grille. La bataille était presque finie, les Suisses semblaient tous hors de combat, et il avait voulu rejoindre des patriotes qu'il connaissait. Prenant le plus court chemin, il avait été repéré au sommet de la grille, sans doute par un franc-tireur embusqué sur les toits, et il avait entendu une balle siffler à ses oreilles. Il avait alors rebroussé chemin au plus vite, son sabot avait glissé, et il s'était embroché. On connaissait la suite.

Se trouvant en bien meilleur état que les autres, il voulut rapidement rentrer chez lui. Les places étaient trop rares pour que quiconque ait envie de le retenir.

— Ma femme me fera les pansements, elle travaillait à l'hôpital dans sa jeunesse. Avec les gosses, elle a l'habitude.

Au moment du départ, il attendit Benoît dans la salle des blessés pour le saluer.

— Citoyen La Verle, tu es mon sauveur, et je ne l'oublierai jamais ! Je m'appelle Jean Moreau, artisan vitrier rue de l'Abbaye, à l'enseigne de *L'As de Carreau*...

Il regarda autour de lui pour vérifier l'apparition des sourires que provoquait habituellement cette plaisanterie, chez ceux qui l'avaient comprise. Satisfait, il reprit :

— Si un jour tu as besoin de moi, tu sauras où me trouver.

Il serra la main de son sauveur et se retourna. Puis il leva le bras et, d'une voix martiale, il cria à la cantonade :

— Salut, et fraternité !

On le vit partir en clopinant vers la grande porte, où une femme et une ribambelle d'enfants l'attendaient.

Pendant toute la semaine, les chirurgiens travaillèrent sans relâche. Il fallait refaire chaque jour les pansements et réopérer la plupart des blessés qui avaient survécu, débrider les plaies, exciser les nécroses, et amputer... La sinistre gangrène, si prompte à se développer dans l'atmophère corrompue de l'hôpital, engageait avec les médecins une tragique course de vitesse. Si le membre atteint n'était pas amputé, l'infection, parfois en quelques heures, emportait le blessé. C'est elle qui, sur les champs de bataille, faisait le silence dans les heures qui suivaient la fin des combats...

Des dizaines de jambes et de bras tombèrent ainsi. On célébra le 15 août, ci-devant fête de la Vierge, dans les salles d'opération où le travail fut incessant. Benoît aidait Desault ou ses assistants, et prit là ses premières grandes leçons sur une technique opératoire qu'il aurait, hélas, l'occasion de perfectionner pendant une grande partie de sa vie.

Un matin, une nouvelle stupéfiante traversa l'hôpital : Desault avait été arrêté ! Des « patriotes », c'est-à-dire des gens sans uniforme, comme il en traînait dans tout Paris depuis des mois, étaient venus se saisir du patron, dans son service, munis de documents d'origine incertaine, et l'avaient emmené pour rendre compte de crimes dont la nature était encore inconnue.

Bouleversé, Benoît décrivit longuement, dans son journal, la stupeur et l'émoi du petit peuple de l'Hôtel-Dieu. De tous côtés les protestations s'élevèrent et, lorsqu'on sut le motif de l'incarcération, l'étonnement fit place à la colère. On lui reprochait de n'avoir pas voulu soigner certains manifestants du 10 août, « écartant, pour des raisons politiques évidentes, des blessés qui auraient dû bénéficier de ses soins ».

Dès que ces informations furent connues, ce fut la consternation. Comment pouvait-on proférer de pareilles inepties contre lui, ce révolutionnaire d'une sincérité parfois choquante, qui avait converti aux réformes la plupart de ses élèves et excusait avec la plus grande indulgence tous les excès d'une époque chaotique ?

Médecins et malades, infirmières et employés de l'hôpital, toutes opinions confondues, firent entendre une protestation unanime. Chacun proposait, pour le sauver d'un sort qui risquait de lui être fatal, les solutions les plus extrêmes. Parmi les blessés, dont beaucoup avaient conscience de lui devoir la vie, certains proposaient même d'attaquer sa prison. Heureusement, d'autres esprits plus efficaces, mirent en œuvre des actions multiples qui finirent par émouvoir l'Assemblée. Devant les pétitions signées par l'ensemble du corps médical, et l'intervention bruyante des « héros du 10 août » sauvés par l'éminent praticien, Desault fut libéré.

Il rentra à l'hôpital sous les ovations, mais sans manifester la joie que tout le monde attendait. Parmi les sentiments multiples qui se bouculaient dans cette âme pourtant bien trempée, la tristesse et la déception dominaient. Il avait failli perdre la vie sous la pression de quelques inconscients qui n'avaient pas compris le rôle qu'il avait choisi de jouer pendant ces heures dramatiques où tant de vies étaient en jeu.

Il pressentait confusément que l'esprit réformateur qu'il faisait souffler sur son métier n'était probablement pas du goût de la profession, et qu'il serait désormais guetté, surveillé, et menacé par des envieux et des incapables.

Pendant des semaines, il porta sur son visage les marques de cet épisode cruel. Il finit par reprendre ses activités comme auparavant, mais les plus perspicaces de ses collaborateurs comprirent que la plaie ouverte ce matin d'août 1792 ne cicatriserait jamais plus.

Benoît, également, avait subi cet épisode avec une amertume qu'il dissimulait mal. Son âme juvénile n'acceptait pas l'injustice et, dans ce cas précis, elle était si caricaturale qu'il aurait tendance à considérer désormais les révolutionnaires avec une méfiance douloureuse.

Clara essaya de le calmer, sans conviction cependant, car elle savait les menaces qui planaient sur sa propre famille. Les fermiers généraux étaient la cible de nombreux orateurs agressifs, et il y avait là de quoi craindre l'avenir !

Les amants se consolaient vite, aussitôt qu'ils s'enlaçaient, au long de nuits sans sommeil où ils rattrapaient le temps perdu. Chacun d'eux vivait dans une telle sensation d'insécurité que le moment présent justifiait une intensité de sentiments jamais égalée ; et ils se quittaient chaque fois comme s'ils ne devaient plus se revoir.

Un des derniers jours de ce sombre mois d'août, en passant sous les arcades de l'ancien cloître de l'Hôtel-Dieu, Benoît aperçut sœur Bénédicte qui, manifestement, le cherchait. Dès qu'elle le vit, elle se précipita :

— Benoît, il faut venir tout de suite, mère Clotilde est au plus mal !

Le jeune chirurgien prévint vite ses collègues et leur demanda de l'excuser auprès du patron. Il se changea et rattrapa la jeune religieuse sur le parvis. Elle était pauvrement vêtue, mal chaussée et coiffée d'un fichu fatigué, à peine égayé par une cocarde dérisoire. Quelques mèches de cheveux roux donnaient une note de gaieté incongrue à son visage ravagé par l'anxiété. En chemin, elle raconta ce qui s'était passé dans la nuit.

Depuis quelques jours, l'atmosphère de la rue s'était brusquement alourdie. Les bruits de complots prenaient une intensité nouvelle. Les troupes prussiennes et autrichiennes approchaient de Paris et on enrôlait des volontaires à chaque coin de rue. Mais surtout, une rumeur s'était amplifiée. On parlait d'une menace d'insurrection venant des prisons où s'entassaient depuis le 10 août les aristocrates hâtivement arrêtés. Aidés par les prêtres réfractaires encore en liberté, disait-on, les prisonniers risquaient de se mutiner et d'attaquer les patriotes, au cœur même de la ville.

Depuis trois jours, des bandes armées traquaient les « conspirateurs » et fouillaient les maisons suspectes de receler quelque défroqué. Le quartier de Saint-Sulpice, à juste titre considéré comme un repaire de réfractaires, était la cible privilégiée des patriotes qui patrouillaient dans les rues à longueur de jour et de nuit.

Le soir précédent, ils s'en étaient pris à la maison de mère Clotilde où, justement, étaient cachés depuis trois jours des proscrits qui attendaient vainement le moment propice pour s'éclipser. Après avoir longuement tambouriné à la porte en menaçant de l'enfoncer, ils avaient fait irruption au premier étage où la vieille religieuse était assise dans le fauteuil qu'elle ne quittait plus. Sans aucune considération pour son âge, ils l'avaient invectivée, menacée, secouée, malgré les protestations des sœurs Bénédicte et Félicie qui avaient été brutalement repoussées. Furieux de ne trouver personne, ils étaient montés dans les étages et là, par malheur, leur quête avait été fructueuse. Benoît frissonna.

Arrivés rue des Canettes, les deux jeunes gens grimpèrent au premier étage, et ils entrèrent dans la chambre où la supérieure avait été couchée. Benoît découvrit, dans un lit de fer aux draps amidonnés, la pauvre petite chose qu'était devenue, en quelques heures, cette femme admirable qu'il avait connue pleine d'énergie, d'autorité et d'humour. Son visage, tout chiffonné sous la coiffe blanche, s'éclaira d'un mince sourire quand il entra, et ses longs doigts fragiles se resserrèrent sur la main du jeune garçon qui s'agenouilla près du lit.

— Ma mère Clo...

— Mon petit...

La voix paraissait brisée. Mais la présence de Benoît sembla rendre à la religieuse une vitalité nouvelle. Elle fit signe aux sœurs de sortir, d'un geste où se retrouvaient les vestiges d'une autorité encore bien présente.

— Il faut que je te parle. Le ton aussi avait repris toute son énergie : Ils sont venus hier soir, sœur Bénédicte a dû te le raconter. C'était affreux. Tant de grossièreté et de brutalité...

Son visage s'était ranimé, et des éclairs passaient dans son regard bleu. Elle continuait, par petites phrases hachées, obligée de s'interrompre pour reprendre son souffle.

— Le malheur a voulu qu'ils prennent deux prêtres... de Saint-Philippe-du-Roule... Ils attendaient de partir pour l'Angleterre...

Elle marqua un temps d'arrêt plus long, et Benoît sentit sa main se crisper.

— Il y avait aussi Thierry de Malmort...

— Malmort de Saint-Yé ?

Benoît avait sursauté. Il connaissait la réputation d'aristocrate irréductible du jeune comte qui était resté, seul de sa famille, dans le vieux château dévasté. S'il n'était pas étonnant qu'il ait fini par se faire arrêter, sa présence dans la maison de mère Clotilde était plus surprenante. L'explication ne tarda pas à venir :

— C'est lui qui passait les émigrés vers l'Angleterre.

— Et vous...

La vieille femme eut un sourire.

— Et moi j'organisais...

Benoît était ahuri. La petite voix continua :

— Hier, ils l'ont pris. Il faut le délivrer... Sinon ils le tueront.

Elle regarda le jeune homme avec une intensité qui l'impressionna.

— Benoît, je vais mourir... Ne proteste pas, je sais ce que je dis... Je ne pourrai plus m'occuper d'eux... Il faut que tu le fasses évader...

— Moi ? Mais je le connais à peine, et vous savez bien que j'apprécie peu ces gens-là.

— Tu dois le faire...

— Je dois le faire ? Mais pourquoi ?

La religieuse marqua un temps, ferma les yeux, et murmura :

— Parce que c'est ton cousin.

— Mon cousin ?

— Oui, vos pères étaient frères...

— Mon père ?

— Oui, mais il ne l'a jamais su.

— Et vous, comment le savez-vous ?

Elle leva les yeux vers le ciel.

— C'est une trop longue histoire... Mais je te le promets... Tu la connaîtras un jour.

— Un jour ?

— Sœur Bénédicte te dira comment faire pour savoir... Je n'ai plus la force... Va maintenant... Je suis fatiguée.

Il s'approcha pour lui baiser le front. La vieille religieuse posa sa main sur sa nuque pour le serrer un peu plus contre elle. Mais elle glissa ses doigts vers son cou, et il sentit qu'elle prenait la chaîne qu'elle lui avait donnée le jour de la mort de son père. Elle la suivit jusqu'à la médaille qu'elle fit sortir de la chemise.

— C'est la preuve, murmura-t-elle. Thierry a la même.

Épuisée, elle laissa retomber sa tête sur l'oreiller et sembla se concentrer sur sa respiration qui sifflait de plus en plus fort.

Sœur Bénédicte était entrée sur la pointe des pieds. Elle vint prendre Benoît par le bras. Ils sortirent ensemble et elle l'entraîna dans une sorte de salon pauvrement meublé.

— Voulez-vous boire un verre de ratafia ? C'est un voyageur qui nous l'a laissé. Vous verrez, c'est très bon.

Tout en parlant, elle ouvrit un coffret en cuir occupé par des verres de cristal et des petits flacons pleins de liquide ambré. Elle remplit un verre et le tendit au jeune homme qui la regardait comme si elle était un fantôme.

— Que m'a-t-elle dit ? J'ai rêvé, sœur Bénédicte, dites-moi que j'ai rêvé...

Calmement, la jeune religieuse lui raconta ce qu'elle savait. La naissance mystérieuse d'Aubin, l'existence de documents cachés dans la chapelle du couvent, et sa parenté certaine avec les Malmort... Elle n'en savait pas plus.

Puis, très vite, elle fit le récit de l'arrestation du jeune comte qui avait été emmené à la prison de l'Abbaye. En route, il avait tenté de s'évader et il avait été blessé d'un coup de pique à la cuisse. Elle les avait suivis de loin et avait vu le prisonnier perdant son sang en abondance, et entraîné par des soudars avinés.

Benoît avait l'impression de vivre l'aventure de quelqu'un d'autre. Il était chirurgien, en cours d'études, demain il allait passer des examens et consacrer sa vie à soigner ses semblables, et tout à coup on le plongeait dans cet univers démentiel d'où son propre patron, son père spirituel, venait à peine de s'échapper. Il devait essayer de sauver la vie d'un aristocrate coupable de ce qui était considéré pour le moment comme un crime gravissime, en vertu d'une parenté romanesque dont, à la vérité, il se moquait éperdument. Et maintenant il marchait dans la rue, à côté d'une religieuse déguisée en patriote, vers une prison où il risquait d'être enfermé à son tour !

Dans la rue de l'Abbaye, il y avait une agitation inhabituelle. Ils se mêlèrent à la foule bruyante qui attendait. Le bâtiment était sombre, flanqué de tourelles médiévales qui lui donnaient une allure sinistre. Soudain une charrette arriva, saluée par une clameur hostile ; le véhicule s'immobilisa devant la porte ouverte, et l'on vit descendre deux prêtres, bousculés par leurs geôliers. Ils avaient les mains liées dans le dos et se déplaçaient avec maladresse. Un troisième, vêtu seulement d'une chemise, refusa de descendre. C'était un long personnage maigre, dont le crâne portait encore la marque d'une tonsure où repoussaient les cheveux. Deux hommes montèrent et le saisirent avec brutalité en l'injuriant. Il tomba de la charrette et la foule en délire se jeta sur lui. En quelques instants, il fut massacré. Son corps fut tiré sur la chaussée jusqu'à une borne, et il disparut derrière un attroupement vociférant. Une minute plus tard, on vit surgir la tête du malheureux, fichée sur une pique, et elle vint se balancer en face des fenêtres de la prison où l'on distinguait des silhouettes qui disparurent aussitôt.

Sœur Bénédicte avait enfoui son visage contre l'épaule de Benoît qui regardait ce spectacle avec une horreur muette. Bientôt, il sentit monter une nausée qu'il réprima avec peine. Il s'éloigna en tenant par la main la jeune femme qui pleurait en silence.

Cette scène stupéfiante eut sur lui un effet fulgurant. Il fallait sauver Thierry de Malmort d'une mort certaine. Cette foule hurlante était capable de pénétrer dans la prison et de massacrer ceux qui s'y trouvaient sans autre forme de jugement.

Ils marchaient vite, comme s'ils se sauvaient, et Benoît cherchait comment s'y prendre pour pénétrer dans cette geôle terrifiante. Soudain, levant les yeux, il aperçut une enseigne peu banale. C'était une grande carte à jouer qui représentait un as de carreau. En dessous était écrit : « Artisan vitrier. »

— Moreau, murmura-t-il.

Puis, se retournant vers sœur Bénédicte :

— Je crois que j'ai trouvé quelqu'un qui peut nous aider. Retournez auprès de mère Clo...

— Non ! Je reste avec vous.

Elle avait un air si décidé qu'il n'insista pas. Le temps pressait. Il hésita un instant, puis se décida. Il heurta la porte du vitrier, et cria.

— Holà, vitrier, il y a quelqu'un ?

— C'est fermé, répondit une voix lointaine.

Mais Benoît avait reconnu l'accent inimitable de son patient. Il cria de nouveau :

— « N'a qu'une », ouvre-moi !

Par la fenêtre, une silhouette apparut.

— C'est toi, mon chirurgien ?

— Bien sûr !

— Crédié ! Attends, je descends.

Peu après le brave homme étreignait Benoît qui lui présenta sœur Bénédicte :

— Voici ma sœur, dit-il avec un coup d'œil en biais à la jeune fille qui faillit éclater de rire.

Le vitrier les entraîna au premier étage, où il logeait avec sa grouillante tribu. Il fallut embrasser les enfants et leur mère, grosse matrone au regard de velours et à la voix impérieuse. Puis prendre un verre de « goutte », et enfin s'asseoir à la table familiale. Les enfants chassés, Benoît put raconter son histoire. Il n'insista pas sur les causes de l'emprisonnement du jeune comte de Malmort, mais sur les liens de parenté, laissant entendre qu'il s'agissait d'une complexe histoire de bâtard sur laquelle il ne souhaitait pas s'étendre. Moreau écarta de la main la fin des explications pour bien faire comprendre que tout cela ne le regardait pas. En revanche, puisque Benoît avait besoin de lui, il avait frappé à la bonne porte.

— J'ai peut-être un moyen pour faire sortir votre homme. Mais ce n'est pas simple, tu l'imagines.

— Comment faut-il s'y prendre ?

— Il n'y a qu'une seule façon de faire : il faut un ordre officiel de transfert. Et pendant le déplacement, hop ! l'oiseau s'envole.

— Un ordre officiel ?

— Oui, je sais comment m'en procurer... seulement cela va coûter cher...

Benoît regarda sœur Bénédicte. C'est elle qui répondit.

— Ce n'est pas un problème. Combien ?

— Mille livres.

— Il vous les faut tout de suite ?

— Non, ta parole me suffit, citoyenne.

Le tutoiement officiel était difficile pour la religieuse. Elle se racla la gorge.

— Tu l'as, citoyen !

La jeune fille était stupéfiante d'autorité. S'il lui était donné un jour de diriger une communauté religieuse comme c'était prévu, elle n'aurait pas de mal à se faire obéir par ses sœurs.

Quelques instants plus tard, le plan était arrêté. Moreau connaissait un ancien geôlier qui avait volé à la prison des ordres de transfert en blanc. Il les vendait à des complices sûrs, mais n'apparaissait jamais. Une main entraînée remplissait le document et le tour était joué. Il suffisait d'aller à l'Abbaye, d'extraire le prisonnier, et de disparaître dans la nature. La confusion du moment était telle que, selon toute vraisemblance, personne ne se soucierait plus du sort du fugitif. Il fut convenu qu'on le cacherait ensuite dans la chambre de Benoît à l'Hôtel-Dieu où la police s'aventurait rarement. Dès qu'on saurait à quoi s'en tenir sur sa blessure, on le laisserait partir où bon lui semblerait. Ni vu ni connu !

— Dieu nous entende, murmura sœur Bénédicte.

CHAPITRE III

— Il faut attendre le soir, avait dit Moreau, quand la plupart des geôliers seront complètement saouls.

Ils étaient donc sortis à la nuit tombée, marchant en silence dans cette rue de l'Abbaye que les badauds avaient enfin désertée. Il ne restait qu'un groupe de fédérés marseillais assis par terre, qui sans doute coucheraient là, abrutis par l'alcool et l'odeur du sang.

La prison était encore plus sinistre ainsi, avec sa grande façade sombre à peine éclairée par les fenêtres du rez-de-chaussée. La porte était ouverte et, dans la salle du greffe, on distinguait une vingtaine de personnes autour de tables auxquelles étaient collées des chandelles. Certains bavardaient ou jouaient aux cartes, d'autres dormaient. Une forte odeur de vin et de fumée prenait à la gorge.

Les deux hommes entrèrent. Benoît n'avait pas voulu se déguiser et sa tenue austère tranchait sur le débraillé des geôliers. Comme Moreau, ils portaient tous le long pantalon de toile ou de velours sur des sabots de bois, et la courte carmagnole sur une ceinture rouge. Benoît était en habit noir, avec sa culotte serrée sous le genou sur des bas et des chaussures noires également. Ils avaient des coiffures disparates, des chapeaux cabossés, des bonnets phrygiens... Lui, avait conservé son tricorne orné d'une cocarde. Moreau entra devant lui. Il ôta son bonnet pour essuyer son crâne lisse d'un geste familier. Derrière lui, Benoît leva son chapeau. Ils formaient un curieux couple : le premier était petit et rondouillard ; l'autre plus grand d'une tête, avec ses cheveux bouclés taillés à la romaine, et ses yeux sombres qui scrutaient la salle d'un air sévère.

Moreau connaissait presque tous les gardiens depuis toujours, c'étaient des habitants du quartier. Mais il y avait là aussi des volontaires qu'il n'avait jamais vus...

— Citoyens, je vous salue, dit-il à la cantonade.

Puis il se dirigea vers le gardien chef, un vieil homme long et osseux, au visage anguleux comme un rocher.

— Salut, Albert, encore de service ?

— On est débordé, tu sais, on ne sait plus où les mettre...

— Qu'est-ce que vous allez faire de tout ce monde ?

Le chef leva les épaules en signe d'ignorance. Puis, découvrant Benoît, il demanda :

— Qui c'est celui-là ?

— Mon neveu, répondit le gros homme de sa voix joyeuse. Il est fonctionnaire de police au tribunal révolutionnaire, et il vient pour un transfert. Je l'ai accompagné.

Benoît s'avança.

— Salut, citoyen. Je viens chercher un détenu.

Sa voix était froide, impersonnelle. Il tendit le document qu'ils avaient falsifié quelques heures auparavant.

Le chef le lut en remuant les lèvres. Un autre personnage s'approcha. Il était grand et mince, élégant, coiffé d'un chapeau noir, et Benoît fut frappé par l'acuité de son regard. Le geôlier lui tendit la feuille et cria :

— Un peu de lumière, là-bas.

Un remue-ménage se fit à l'autre bout de la pièce, ils allumèrent une torche et un groupe d'hommes s'approcha. Benoît sentit sa gorge se serrer. Il avait espéré que leur manœuvre se ferait plus discrètement. Moreau lui chuchota à l'oreille :

— C'est le juge Maillard. Il est terrible...

Le jeune garçon avala difficilement sa salive, et il sentit ses genoux trembler.

Le juge s'approcha de la table et ouvrit le livre d'écrou. Du doigt, il suivit les colonnes. Personne ne parlait. La torche donnait à la scène une allure fantastique, avec la lumière oscillante, la fumée, et ces mines patibulaires, avinées, débraillées... Benoît commença à penser que cette histoire allait mal se terminer. Jusque-là, son optimisme juvénile avait écarté cette hypothèse, mais dans cette ambiance hostile, son moral baissait à vue d'œil.

— Malmort, où est-il ? demanda Maillard.

— Dans la chapelle, répondit une voix.

— Allez le chercher !

Benoît recommença à respirer. Mais il croisa le regard du juge et son angoisse reprit de plus belle. Il y avait tant de froide cruauté dans ces yeux gris, qu'il se sentit incapable de résister longtemps à un interrogatoire mené par un tel homme. Il fit mine de regarder attentivement le livre ouvert entre eux, sur la table encombrée de verres et de bouteilles vides qui témoignaient des libations qui se faisaient ici.

La porte du greffe s'ouvrit et tout le monde s'écarta devant le prisonnier qui arrivait, la tête baissée, s'appuyant sur une béquille improvisée. Il marchait difficilement, poussé par un gardien impatient :

— Allez, avance !

Maillard reprit la feuille de transfert et demanda :

— Thierry Malmort ?

Benoît vit se lever le visage de cet homme qu'il connaissait bien, et pour lequel il n'avait aucune sympathie. Il eut de la peine à le reconnaître, et l'état dans lequel il se trouvait le révolta. Les lèvres tuméfiées, un œil à moitié fermé, une joue blessée où le sang s'était coagulé, des vêtements en loques... Sa cuisse était serrée dans un bandage grossier, maculé de sang également.

— C'est moi, murmura-t-il.

— Tu es transféré à la Conciergerie.

Puis Maillard se retourna vers Benoît et, avec un sourire ambigu, il ajouta :

— Il est à toi.

Benoît et Moreau saisirent le prisonnier chacun par un bras, et sortirent tous les trois dans la rue sans se retourner. Des regards lourds pesaient sur leurs épaules.

— Nous allons prendre un fiacre un peu plus loin, décida Benoît d'une voix dont le calme l'étonna lui-même.

— Marchons, répondit Moreau.

Le trio s'éloigna lentement. Un peu plus loin, près de l'église, des fiacres attendaient. Quand ils y seraient, ils auraient réussi. Ils pressèrent le pas en silence. Ils s'approchaient des voitures, en contournant l'angle du dernier bâtiment, quand ils découvrirent, assis sur un banc, trois personnages qui discutaient à voix basse. Sans s'en préoccuper, ils continuèrent et Moreau ouvrit la porte de la première voiture. À ce moment une voix retentit :

— Mais c'est notre ci-devant comte ! Où l'emmenez-vous ?

Ils restèrent figés sur place. C'est Moreau qui répondit :

— C'est un transfert à la Conciergerie.

Benoît se retourna et vit les trois hommes se lever et s'avancer vers eux. La nuit était claire et leurs visages furent bientôt faciles à distinguer. Le plus proche avait une trogne d'ivrogne et ses yeux étaient injectés de sang. Il tenait debout grâce à la pique sur laquelle il s'appuyait. Le second, plus petit, avait une mine chafouine et un nez pointu qui semblait flairer le prisonnier. Quant au troisième, il vint vers Benoît avec un air soupçonneux.

— Mais je te connais toi...

Le jeune homme se tourna vers lui et crut défaillir. Il n'en croyait pas ses yeux : sous un feutre cabossé, il reconnaissait le visage, à jamais gravé dans sa mémoire, de l'assassin de son père. Les traits anguleux, les cheveux raides et sales, et cette cicatrice qui tirait la lèvre vers le haut. Il ne pouvait pas s'y tromper. Une vague glacée lui parcourut le corps. Il lâcha le bras de Malmort et fit face à l'homme qui le dévisageait. Moreau, qui sentait bien qu'il se passait quelque chose d'insolite, s'empressa de dire :

— C'est un fonctionnaire de police.

— Ah oui, grinça l'autre en avançant un peu plus.

Il approcha sa main vers la cravate de Benoît, et il allait la saisir, quand le jeune garçon eut une espèce de réflexe incontrôlé. Il fit un pas en avant et, des deux mains, le repoussa violemment en arrière. Surpris, l'autre recula jusqu'à la porte de l'immeuble qui se trouvait derrière lui et s'y cogna brutalement. Il resta là, mais lentement tira son sabre de la ceinture.

Benoît, s'adressant à Moreau qui tenait ouverte la porte du fiacre où Malmort était monté, laissa tomber d'une voix blanche :

— Partez devant, je vous rejoindrai plus tard, j'ai d'abord un compte à régler ici.

Il commença à marcher à pas lents vers l'homme qui souriait avec un rictus édenté et l'attendait, le sabre à la main, cherchant dans sa mémoire comment il connaissait ce garçon menaçant qui ne l'effrayait pas.

L'attitude de Benoît était si étonnante que les deux autres sans-culottes s'étaient approchés, oubliant le fiacre au profit de la bagarre qu'ils sentaient venir. Le cocher, ravi de s'écarter de ce lieu devenu dangereux, fouetta son cheval et s'écarta rapidement. Tandis que la voiture s'ébranlait, Benoît continuait à progresser. À deux mètres du bandit, il s'arrêta.

— Alors tu te souviens de moi, maintenant ? Tu as retrouvé ? Tu sais comment tu me connais ? lança-t-il d'une voix rauque.

L'autre restait muet, les muscles bandés, prêt à bondir. Benoît, qui entendait avec une certaine jouissance le fiacre s'éloigner, reprit :

— Je vais te rafraîchir la mémoire, fripouille !... Saint-Yé, fin 1789... Tu vois de quoi je parle ? Le chirurgien... tu te souviens ?

— Salaud... ricana l'autre. J'aurais dû te tuer aussi.

Tout en parlant, Benoît avait préparé son geste. Brutalement son bras se détendit vers le soudard qui se dandinait à sa droite, et il lui arracha sa pique des mains. L'ivrogne, surpris et déséquilibré, tomba en avant pendant que Benoît, comme il l'avait appris en salle d'armes, précipitait sa pointe vers son adversaire médusé. Alors, d'un mouvement qui en disait long sur son habitude des armes, l'homme fit dévier la pique d'un coup de sabre et s'écarta de la lame meurtrière. Celle-ci le pénétra tout de même au niveau de l'épaule et l'épingla à la porte comme un papillon. Il poussa un hurlement. En reculant, Benoît évita le coup de sabre que lui portait le petit chafouin et bouscula si fort l'autre sans-culotte que ce dernier, emporté par son élan, bascula sur le banc de pierre où il était assis auparavant. Deux adversaires au sol, le troisième cloué à la porte, c'était certes un succès, mais Benoît comprit qu'il serait de courte durée et abandonna le champ de bataille en prenant ses jambes à son cou.

Il partit dans la direction prise par le fiacre ; mais la voiture était trop loin pour qu'il puisse la rattraper. Derrière lui, il entendait des vociférations et le bruit des sabots qui frappaient le pavé. Il comprit qu'il ne devrait son salut qu'à la ruse, car les fédérés et tout le corps de garde de l'Abbaye, alertés par les cris du blessé, devaient maintenant lui courir après. Au premier croisement, il tourna à droite, convaincu de perdre ses poursuivants dans le dédale du quartier.

Il allait vite, car les rues étaient en pente vers les quais de Seine ; mais ses poumons commençaient à brûler. Les cris étaient proches. Il fit encore deux virages à angle aigu, l'un à droite, l'autre à gauche, et s'enfonça dans une ruelle sombre. Le destin sembla alors l'abandonner : c'était une impasse et, dans le fond, la palissade était trop haute pour qu'il puisse l'escalader aisément. Il essaya de grimper sur un tas de bûches, mais les morceaux de bois se dérobèrent et roulèrent à grand bruit sur le sol inégal. Terrorisé, Benoît se retourna, décidé à faire face à ses poursuivants, quand il vit une porte s'ouvrir, laissant le passage à un personnage corpulent qui, d'une main, tenait une lampe au-dessus de sa tête, et de l'autre braquait un pistolet.

— Mon Dieu, ne tire pas, citoyen, supplia Benoît. Je ne suis pas un malfaiteur. Je ne suis qu'un pauvre étudiant poursuivi par une bande d'énergumènes qui m'accusent de je ne sais quoi, et qui vont me tuer s'ils m'attrapent.

Les cris se rapprochaient.

— Sauve-moi, je t'en prie.

Le gros homme n'hésita qu'une seconde.

— Entre, et cache-toi là-haut, dit-il d'une voix sans réplique.

Benoît ne se le fit pas répéter. Il se glissa derrière son sauveur et monta jusqu'au premier palier où il s'arrêta, certain qu'on ne pouvait pas le découvrir, mais prêt à se défendre s'il le fallait.

L'homme à la lanterne fit alors une chose étonnante. Tendant son bras armé vers la palissade il fit feu ! Puis, calmement, il attendit. Un instant plus tard, la horde arriva, alertée par le bruit.

De sa cachette, Benoît voyait sans être vu. Il distingua bien l'homme au bec de lièvre qui se tenait l'épaule de sa main valide.

— Où est-il ? hurla-t-il.

— Il a sauté la palissade en escaladant le tas de bois. Je crains de l'avoir manqué, car il est vif ce chenapan !

— Et derrière, qu'y a-t-il ?

— Un entrepôt de bois, et au-delà ce sont les bords de la Seine.

— Allons-y ! Cernez le quartier ! Je le veux vivant !

Il allait partir, puis il se ravisa :

— Pourquoi as-tu tiré, citoyen ?

— J'ai entendu courir dans la rue. J'ai ouvert et je l'ai vu. Je lui ai crié d'arrêter. Il a continué, j'ai tiré. Et le gros homme se pencha vers son interlocuteur pour ajouter, d'un air complice : Tu comprends, cet entrepôt, il est à moi. Je n'aime pas qu'on s'y introduise sans ma permission... Si vous l'attrapez, dis-le-moi. Je suis secrétaire de la section du Louvre, tu me trouveras facilement. Je m'appelle Dupont, Henri Dupont. Va, ne perds pas de temps.

Apparemment convaincu, l'autre s'en fut en courant, et Benoît respira plus librement.

La porte refermée, l'homme remonta l'escalier et poussa Benoît vers le haut. Ils entrèrent dans une salle à manger où le dîner était à peine desservi. Deux femmes étaient debout derrière la table.

— Ma femme et ma fille Henriette, bougonna son hôte.

La mère, petite et rondelette, était vêtue d'une robe claire avec un fichu de dentelle, et d'une coiffe amidonnée. La fille n'avait pas dix-huit ans. Elle portait une robe blanche, et deux tresses blondes tombaient sur ses épaules. Ses yeux noisette, agrandis par la crainte, lui donnaient un air enfantin.

— Vous n'avez pas dîné, je pense...

Cette femme, malgré le caractère dramatique des événements, avait instantanément repris ses réflexes d'hôtesse et le recevait comme un ami de passage. Le mari s'assit en soufflant.

— Prends une chaise, petit ! Nous avons laissé de la tourte aux épinards et du lapin. Cela te convient ? Un peu de vin, pour te remettre de tes émotions ?

Il saisit un carafon et remplit le verre qu'Henriette avait posé devant lui.

Benoît leur savait gré de ne pas l'interroger immédiatement, tant il était essoufflé et encore angoissé. Sous la table, il sentait ses jambes trembler, et la sueur coulait le long de son dos.

Soudain le gros homme éclata de rire.

— Allez, buvons ! Et il leva son verre : À la République, cette folle !

Cette boutade détendit l'atmosphère. Benoît put enfin se laisser aller. Il mangea, but, raconta sa vie d'étudiant, parla de son père, de Desault... Mais pas de Malmort. Personne ne lui demanda pourquoi il était poursuivi. Son sauveur, quant à lui, était marchand de bois. Il exploitait un domaine près de Verneuil-sur-Avre, en Normandie.

— On m'appelle Dupont de l'Avre, dit-il en riant, pour me distinguer de mon ami Dupont de l'Eure, qui vend du fer. Son fils est magistrat et veut se lancer dans la politique... Grand bien lui fasse ! Moi aussi j'ai un fils, il s'occupe de mon affaire, et j'en suis heureux. Il est là-bas aujourd'hui, tu pourras donc dormir dans sa chambre.

Benoît avait sursauté.

— Mais je ne vais pas dormir ici, il faut que je m'en aille.

Sans un mot, Dupont ouvrit la fenêtre et lui montra, au bout de l'impasse, l'ombre du garde national qui avait été mis là en faction.

— Ils ne t'ont pas trouvé dans l'entrepôt et se disent qu'il te faudra bien sortir de quelque part, à un moment ou à un autre...

Benoît revint s'asseoir, atterré. D'un geste, le père envoya ses deux femmes au lit. L'heure était venue de s'expliquer. Alors, avec un maximum de sincérité, Benoît raconta tout. Mère Clotilde, Moreau, Malmort... Le gros homme donna la mesure de ses qualités. Lui aussi évoqua sa vie sans farder la vérité. Il dit son enthousiasme pour la Révolution, et ses inquiétudes devant les excès qui se commettaient en son nom. Dans sa section, il jouait un rôle actif, faisant semblant de soutenir les plus excessifs, dont la majorité, heureusement, étaient des velléitaires et faisaient plus de bruit que de mal. De son côté, il était bien avec tout le monde, grâce à son bois. Chaque jour ses chariots arrivaient de Normandie et livraient du bois dans toute la capitale. C'était le combustible le plus commode. Mais les gens manquaient d'argent et le marchand oubliait de réclamer le paiement des factures. Il avait ainsi tout un réseau d'obligés qui étaient prêts à lui rendre n'importe quel service.

— En fait je n'en demande pas, ajouta-t-il, mais j'espère traverser cette période le mieux possible. Chez moi, on mange et on boit, j'aide mes amis et, dans ma section, j'essaie de faire le mieux possible... Tout cela aura bien une fin, et la vie reprendra comme avant. Il but une longue rasade de vin et conclut : Les choses et les gens auront changé de nom, mais il faudra toujours du bois et des marchands pour le vendre...

Il se leva et monta à l'étage où se trouvait la chambre de son fils. Il y fit entrer Benoît et lui souhaita bonne nuit, en riant, car il pensait bien que le jeune garçon aurait du mal à dormir.

Benoît, au premier coup d'œil, aima cette chambre au mobilier de chêne clair, tapissée de toile de Jouy, avec son grand lit paysan ouvert sur une literie de lin. Il se laissa tomber sur un fauteuil, trop las pour faire l'effort de se coucher. Dans sa tête tourbillonnaient les événements de la journée, et la peur de l'avenir lui serrait la poitrine. Qu'allait-il devenir ? Pourrait-il retourner à l'hôpital ? L'emprisonnement de Desault lui revenait sans cesse en mémoire. S'il était pris, qui signerait une pétition en sa faveur ? Qui interviendrait pour lui ? Il pensa à Clara. Quand la reprendrait-il dans ses bras ?

Il entendit gratter à sa porte et vit la poignée s'abaisser doucement. Henriette passa la tête.

— Entrez, murmura-t-il.

Le vouvoiement revenait de lui-même.

— Je ne parviens pas à dormir, et j'ai bien entendu que vous ne vous étiez pas couché. Voulez-vous bavarder un peu ? Nous faisions ainsi, avec mon frère, l'été.

— Mais, vos parents...

— Ils n'entendent rien au-dessus. Nous avons vérifié depuis longtemps, vous pensez...

Au fond il était ravi de cette arrivée inattendue, car il ne se sentait vraiment pas en état de dormir, malgré l'heure avancée. La compagnie de la jeune fille le charmait, tant elle était spontanée et mignonne. Pourtant, elle n'était pas vraiment jolie, surtout s'il la comparait à Clara. Elle avait une longue chemise de nuit en coton, et un grand châle en cachait le décolleté. Ses cheveux dénoués tombaient sur ses épaules en vagues floues. Malgré la légèreté du vêtement, bien peu de formes féminines apparaissaient ; on était loin des déshabillés de Clara, où des rondeurs suggestives attiraient aussitôt le regard quand elle ramenait sur son épaule, dans un geste d'une grâce infinie, sa masse de cheveux noirs. Au contraire, Henriette avait des mouvements brusques, des petits rires juvéniles, une voix haut perchée et des expressions populaires. Benoît aurait voulu avoir une sœur comme elle et pouvoir bavarder ainsi, en toute liberté.

La jeune fille le questionna longuement sur son métier et lui fit raconter plein d'anecdotes qu'elle écoutait bouche bée, ses yeux noisette grands ouverts. Elle s'étonna de l'admiration que le jeune chirurgien avait pour son maître Desault.

— C'est un génie, insistait Benoît avec véhémence, mais en baissant le ton quand elle mettait le doigt sur ses lèvres en montrant le plafond. Avant lui la médecine s'apprenait dans les livres, dans des grimoires poussiéreux qu'on se transmettait de génération en génération. On ne citait qu'Hippocrate et Gallien. Et tout à coup, un maître nous réunit au chevet d'un malade et nous explique sa maladie. Il nous montre le ventre distendu, le battement des vaisseaux, les muscles atrophiés... Et si par malheur la mort survient, alors on va à la morgue vérifier les causes de la maladie, on voit le foie cirrhotique, on voit...

La jeune fille, la main devant la bouche, faisait une horrible grimace. Mais quand il s'arrêtait elle disait :

— Continuez, continuez...

Toute la nuit ils parlèrent ainsi, et quand les premières lueurs du jour apparurent derrière les volets, ils en furent tout étonnés. Il lui dit encore son angoisse pour les jours à venir, mais elle le rassura.

— Laissez faire mon père, c'est un homme merveilleux. Il a toujours la solution à tout. Ce qu'il vous dira sera bien.

Quand Dupont revint à la maison, le lendemain, Benoît n'était pas réveillé depuis très longtemps. Il avait dormi comme une masse. Le gros homme avait un air catastrophé. Un véritable massacre avait commencé dans les prisons. Les prêtres, notamment, étaient exécutés par dizaines. À l'Abbaye, à la Force, à Bicêtre, partout on tuait, à coups de sabre, de pique ou de massue...

— J'ai revu ton affreux voyou, il était ivre mort, et son sabre dégoulinait de sang. C'était immonde. Mais il m'a bien reconnu, et il ne te lâchera pas facilement !

— Vous pensez que je vais tout de même pouvoir partir ?

— Le pâté de maison est cerné par des gardes nationaux. Ils connaissent ton signalement et savent qui tu es. Ils te prennent pour un dangereux conspirateur. Ils savent que tu as fait évader un aristocrate dont l'action antirévolutionnaire est notoire...

— Et alors ?

Le verdict tomba comme un couperet :

— Il faut te sauver de Paris pour un temps, Benoît...

Le jeune homme n'en croyait pas ses oreilles.

— Mais j'ai un métier, des études à finir, je n'ai pas d'argent, il faut que je reste, que je travaille... La rage le prenait : Cette histoire est complètement folle ! Je ne peux pas partir, je ne veux pas !

Henri Dupont s'était assis, et attendait calmement que passe cette colère juvénile, les mains sur les genoux, avec un air placide que contredisait la vivacité de son regard. Il portait un habit de velours marron avec des bottes noires et il ressemblait à un voyageur qui attend une voiture. Dès qu'il parlait, son regard s'animait. Quand il eut assez entendu les vaines protestations de Benoît, il le fit taire et lui expliqua tranquillement ce qu'il avait fait dans la matinée, et ce qu'il proposait pour sortir de cette situation dangereuse.

Il était allé à l'Hôtel-Dieu et avait rencontré Desault. Ensemble, ils étaient montés dans la chambre où étaient cachés Malmort et Moreau. Le chirurgien avait examiné la blessure du fugitif et avait conclu qu'il n'échapperait à l'amputation qu'au prix de soins sérieux. Et encore, ce n'était pas certain... Il n'était évidemment pas question de les laisser à l'hôpital où, tôt ou tard, ils seraient découverts et dénoncés. L'homme au bec de lièvre ne tarderait pas à retrouver la trace de celui qui était le seul témoin de son crime, car il était vital pour lui de faire disparaître Benoît. Le prétexte politique était trop beau pour qu'il l'abandonnât. En conclusion, ils devaient partir, tous les trois !

— Tous les trois ?

— Moreau ne peut pas rester non plus. Il est complice !

— Mais sa femme, ses enfants ?

— Ne t'inquiète pas, j'en fais mon affaire.

Tout était organisé. Benoît n'avait plus qu'à se laisser conduire et à faire confiance à cet homme qu'il ne connaissait pas la veille, et qui, maintenant, tenait sa vie entre ses mains. Il lui expliqua ce qui allait se passer.

Le lendemain, avant le lever du jour, un chariot plein de bois quitterait l'entrepôt. À l'intérieur des piles de bûches, une cachette aurait été aménagée où Benoît s'installerait. La voiture irait à l'Hôtel-Dieu et y récupérerait les deux autres. De là, ils feraient route pour Saint-Yé où Oscar Legrand les prendrait en charge pour les faire conduire en Angleterre, selon la filière habituelle.

« Je vais devenir un émigré ! » pensa Benoît.

Cette évidence le consternait. Il avait un tel mépris pour tous ces gens qui avaient abandonné leur pays et conspiraient à l'étranger... Il allait désormais être assimilé à ce monde qui était si éloigné du sien... Mais comment faire autrement ? L'emprisonnement de Desault ne quittait pas sa mémoire.

Il passa le reste de la journée avec Henriette. La jeune fille faisait de son mieux pour lui changer les idées et déployait des trésors d'imagination pour l'amuser et lui faire oublier l'issue du lendemain. La qualité d'accueil de cette famille serait le dernier souvenir qu'il garderait de Paris, et il savait que dans sa vie d'exilé il aurait souvent l'occasion d'y penser avec gratitude.

Pendant une partie de la nuit, il écrivit des lettres qu'Henriette lui avait proposé de déposer après son départ. À mère Clotilde et à sœur Bénédicte, il racontait par le menu la catastrophe dans laquelle elles l'avaient plongé. Après tout, il n'y avait pas de raison qu'elles ne se sentent pas un peu responsables. À Clara, dont l'absence allait être particulièrement douloureuse, il proposait de venir le rejoindre, mais où ? À Desault enfin, il disait sa tristesse de quitter l'hôpital, et le remerciait de tout cc qu'il lui avait appris.

Quand il eut fini d'écrire, il se mit à pleurer. Était-il donc impossible d'avoir la paix ? Le visage posé sur ses bras croisés, il resta ainsi, écrasé de tristesse. Et il n'avait pas bougé quand Henri Dupont vint le réveiller pour le grand départ.

CHAPITRE IV

« Ce 15 septembre 1792. Le château de Firstwell est une immense bâtisse sombre hérissée de clochetons. À l'intérieur, c'est le royaume des moisissures... » Voilà ce qu'écrivait Benoît de La Verle après sa folle équipée.

Il était arrivé enfin, épuisé et amer.

Depuis leur départ de Paris, il n'avait pas eu le loisir d'écrire, et il n'avait pas envie de raconter ce voyage, tant il détestait cette période de sa vie. Il s'était retrouvé, presque d'une heure à l'autre, lancé sur les routes de France, en compagnie d'un jeune nobliau antipathique et d'un artisan verrier éberlué et tout aussi furieux que lui-même.

Il avait risqué sa vie pour une cause qui n'était pas la sienne, et pour sauver un homme qui ne lui était rien, en abandonnant son propre univers.

Ils avaient quitté l'hôpital, enfouis dans un charroi de bois, allongés tous les trois sous une bâche malodorante, les reins brisés par les cahots de la route. Ils étaient arrivés à Saint-Yé en pleine nuit, et Oscar les avaient cachés dans son grenier pour que Benoît puisse refaire le pansement de Thierry. La plaie était anfractueuse, infectée, et elle atteignait, dans la profondeur, les vaisseaux qui battaient au milieu des muscles déchirés. Avant qu'il quitte l'hôpital, Desault lui avait donné une sacoche de cuir contenant toute son instrumentation chirurgicale, et de quoi faire des pansements. Il lui avait expliqué aussi le risque évolutif de cette plaie, pour le cas où l'infection atteindrait le pédicule nourricier du membre. L'amputation serait alors la seule solution.

— Si vous n'aviez pas dû faire partie du voyage, Benoît, j'aurais amputé cette cuisse avant le départ. Mais avec un chirurgien à ses côtés, il peut garder sa jambe...

C'est ainsi qu'à chaque étape, accroupi dans un recoin de grange, à la lueur vacillante d'un fanal ou même d'une simple chandelle, Benoît avait dû exciser les tissus nécrosés, évacuer le pus stagnant dans les profondeurs de la chair, nettoyer, drainer, protéger... Et tout cela avec la rage au cœur.

Les rapports entre les deux hommes étaient ambigus. Le jeune comte était d'un naturel plutôt réservé, volontiers hautain, mais cachait sous son autorité maladroite une profonde timidité. Avec le temps, on découvrait une intelligence très vive et un sens de l'humour aigu. Il n'aimait guère avoir à être reconnaissant, et pourtant il savait tout ce que Benoît faisait pour lui. De son côté, le jeune chirurgien n'avait rien dit des révélations de mère Clotilde. Il était bougon et sévère, efficace et autoritaire lui aussi. Entre eux, tout restait à dire.

À Saint-Yé, pendant leur nuit d'étape, Benoît avait grimpé dans la colline par les sentiers de son enfance jusqu'au couvent transformé en caserne. La chapelle abritait les chevaux, et l'abside où étaient cachées les archives de sa famille servait de réserve à foin et de poste de garde. À la place de l'autel, il y avait une table où les soldats jouaient aux cartes. Il était reparti sans se faire voir.

Moreau, embarqué aussi bien malgré lui, avait décidé de ne pas les suivre plus loin. Oscar lui avait proposé de le garder chez lui sous un faux nom. Il trouverait à l'occuper à la fabrique de voitures. Il poserait les fenêtres. Il lui serait facile de faire prévenir sa femme et de surveiller ainsi son quartier, jusqu'à ce que le retour soit possible.

Les deux jeunes gens avaient donc continué leur chemin ensemble. À Calais, ils s'étaient embarqués avec un pêcheur habitué à la filière d'émigration et qui connaissait bien le comte de Malmort. En Angleterre où on les attendait, ils avaient pu gagner Firstwell, véritable quartier général des fugitifs français.

Le château appartenait au duc de Logenborough, dernier descendant d'une vieille famille écossaise, marié à une Française. Celle-ci, Lady Olympe, était la sœur de la comtesse de Maurecourt, enfuie avec toute sa famille dès 1790. Depuis, les émigrés de toute origine étaient venus se greffer autour de ce noyau dur de l'opposition monarchique. Thierry de Malmort était apparenté par sa mère au clan des Maurecourt, et son arrivée avait été saluée avec enthousiasme par ces gens qui, pour la plupart, lui devaient leur liberté.

Benoît pénétra dans un monde entièrement nouveau pour lui. Il n'avait aucune idée de ce qu'était cette noblesse dont on n'avait jamais autant parlé que depuis l'abolition des privilèges. Thierry, beau joueur, raconta leur épopée, sans minimiser le rôle de son sauveur. Dès le lendemain de leur arrivée, chacun savait qu'ils étaient nés tous deux à Saint-Yé, que Benoît était parti à Paris après la mort de son père, lâchement assassiné par les révolutionnaires, et qu'il était intervenu héroïquement à la suite d'un appel des religieuses. Benoît découvrit ainsi qu'elles avaient également joué un rôle qu'il ne soupçonnait pas à partir de leur retraite parisienne.

Cette communauté isolée appréciait l'arrivée d'un médecin dont la réputation était flatteuse. Thierry, sur ce sujet-là aussi, avait été généreux. Il avait couvert de louanges celui qui lui avait conservé sa jambe. De fait, la plaie évoluait favorablement, et la guérison n'était plus qu'une question de patience. Il suffisait d'un bon nettoyage quotidien, pour que les chairs se reconstituent sagement. Il ne resterait plus, dans quelques semaines, qu'une belle cicatrice pour témoigner de cet épisode glorieux.

À Firstwell, la vie ressemblait à celle de Versailles. Le duc de Logenborough jouait le rôle du monarque dans ce château à l'abandon depuis des décennies. Il l'avait rouvert pour héberger sa belle-sœur, et, ravi de cette abondance de têtes nouvelles, il avait pris là, lui aussi, ses quartiers d'été. Truculent et paillard, il était ravi de cette société à prédominance féminine, sur laquelle il régnait avec des attitudes débonnaires qui frisaient parfois la polissonnerie. Beaucoup d'hommes avaient rejoint l'armée des princes, et les dames s'ennuyaient ferme dans cette campagne humide et froide.

Le climat était d'ailleurs un sujet de conversation habituel pour la frileuse colonie française. Dès que les hôtes avaient le dos tourné, on disait que l'air de ce pays était si insalubre qu'il expliquait bien les traits du caractère anglais : leur absence de chaleur, leur côté taciturne et silencieux.

« Ils ouvrent plus volontiers leur bourse que leur âme », disait la comtesse de Maurecourt, qui n'avait jamais compris le choix de sa cadette.

Le vieux duc était un fort bel homme, encore vert. Sous le manteau, on ricanait de cette amabilité excessive qu'il avait pour les représentantes du beau sexe, surtout lorsqu'elles avaient un âge bien éloigné du sien. Les mères surveillaient leurs filles... et réciproquement. Il est vrai que la carence masculine se faisait sentir et qu'il n'aurait sans doute pas fallu insister beaucoup pour que les bonnes mœurs aient à en souffrir.

Dans cette ambiance, Thierry triomphait, et Benoît, pour la première fois, ressentit à son égard une admiration mêlée d'envie. Sa courtoisie, son humour, et son élégance naturelle faisaient merveille. Les deux jeunes gens avaient la même taille mais Benoît était plus râblé, et il avait hérité de son père une démarche paysanne, choquante ici. Il avait le geste rare, la parole brève, et son air attentif était peu souriant. L'autre riait facilement, maniait le compliment avec aisance, soulignant ses bons mots par des gestes expressifs de ses longues mains soignées. Bruns et bouclés tous les deux, ils avaient le même regard sombre, et pourtant paraissaient complètement dissemblables. Personne n'aurait imaginé qu'il puisse y avoir, entre eux, un lien de parenté aussi proche.

Dès son arrivée, Benoît avait été requis par le médecin anglais du village voisin pour saigner la mère de Lady Olympe menacée par l'apoplexie. C'était une forte comtesse beauceronne dont les terres à blé s'étendaient autrefois autour du village de Lardy que dominait son château. Veuve jeune, elle avait mené seule l'éducation de ses deux filles et leur avait permis de faire chacune un brillant mariage.

Elle avait émigré par solidarité familiale plus que par crainte, et le regrettait chaque jour. Elle se consolait en grignotant des gâteaux toute la journée, parce que, disait-elle, c'était « la seule chose mangeable dans ce pays ». Elle aimait le bon vin, et le duc, qui connaissait ses penchants et appréciait sa truculence terrienne, la conviait volontiers à goûter les bouteilles qu'il faisait venir d'Aquitaine. Les soirées dites « de dégustation » se terminaient fort tard dans la nuit par des chants bruyants où le folklore écossais se mesurait à celui de l'Île-de-France, le verre à la main. Chaque semaine, il y avait ainsi une de ces parties de *hard-drinking* qui faisaient jaser le beau monde. Mais, en Angleterre, c'était la mode, et les distractions n'étaient pas nombreuses.

Benoît s'était fait une amie de la vieille dame, et quand elle avait du mal à respirer, elle le faisait appeler pour qu'il la « mette en perce ». Il repartait chaque fois avec quelques écus d'or.

À la demande du médecin local, il avait aussi été plusieurs fois en ville saigner des Anglais apoplectiques, et sa réputation s'était si solidement établie que Thierry l'appelait « mon saigneur ».

— Vous, les chirurgiens, disait-il aussi, vous êtes de vrais " princes du sang " !

Entre les deux jeunes gens, la glace avait fini par fondre et des liens amicaux s'étaient noués. On les invitait toujours ensemble. Le château était si grand, que les émigrés s'y étaient organisés comme dans un village. Les familles avaient leurs gens, femmes de chambre, cuisiniers, gouvernantes, et même souvent un abbé comme précepteur pour leurs enfants. À côté des deux pôles principaux que représentaient les Logenborough et les Maurecourt, il y avait ainsi plusieurs groupes satellites qui vivaient en autonomie.

La duchesse, son éternel sourire aux lèvres, gérait tout ce petit monde avec intelligence et doigté. Elle répartissait les nouveaux arrivants dans les chambres encore libres et attribuait les célibataires à la « maison » qui leur conviendrait le mieux. Le soir, tout le monde se réunissait dans le grand salon du duc pour s'amuser. On faisait des bals, des parties de cartes, on organisait des jeux, et les femmes paradaient en perruques poudrées.

Par petits groupes, on commentait les événements de France et Benoît découvrait avec stupeur que ces gens semblaient ne rien comprendre à ce qui se passait dans leur pays. Pour eux, ce n'était qu'un épisode fâcheux, et « les loups finiraient bien par se manger entre eux ». À plusieurs reprises, on avait vu passer des émigrés aux idées avancées qui pensaient qu'on s'en tirerait avec une constitution à l'anglaise, une sorte de monarchie constitutionnelle. C'est tout juste s'ils ne s'étaient pas fait lapider.

Ils n'avaient tous qu'une certitude : ils reviendraient grâce à l'armée des princes, et l'on pendrait tous ces voyous haut et court. La fuite à Varennes n'était qu'un échec de plus à inscrire au passif d'un roi sur lequel il y avait déjà beaucoup à dire, et qui, de toute façon ne serait pas éternel. Les candidats à sa succession ne manquaient pas, et ils auraient une autre autorité !

Benoît écoutait et se taisait. Aux questions, il répondait qu'il n'avait guère quitté son hôpital pendant ces années de troubles, et qu'il en avait plus appris sur l'art de la chirurgie que sur la politique. Il se sentait aux antipodes de ce monde archaïque, mais sa présence aux côtés de Thierry était une preuve suffisante d'orthodoxie royaliste.

Thierry était trop intelligent pour n'avoir pas deviné les raisons de ce silence. Trop lié aussi par sa gratitude pour risquer une brouille avec ce garçon dont il appréciait les qualités d'homme, il n'abordait jamais ce sujet. Les filles paraissaient être leur seule préoccupation commune. Comme tous les garçons de leur âge, ils les jaugeaient et les évaluaient comme sur un marché, et prenaient entre eux des allures de maquignons.

Un jour, le destin s'en mêla. Au retour d'une promenade, un valet demanda à Benoît d'aller de toute urgence chez Mme de Maurecourt. Quand il arriva, la comtesse le mena immédiatement auprès d'une femme en pleurs.

— Madame d'Allouÿs est ma cousine, et sa fille vient d'avoir un accident. Le médecin anglais est venu et il a fait ce qu'il a pu, mais la pauvrette est à jamais estropiée. Voudriez-vous avoir l'obligeance de donner votre avis ?

La pauvrette en question était une ravissante jeune fille que Benoît avait déjà remarquée, bien qu'elle fût arrivée depuis peu. Elle était grande et mince, avec des cheveux dorés presque roux et des yeux d'un bleu éclatant. Vêtue d'une longue robe blanche à la mode anglaise, elle était assise dans un coin sombre de la chambre, le bras immobilisé dans un bandage énorme, et sanglotait.

La comtesse continua, d'une voix douce :

— Notre pauvre Hélène a fait une chute, et le médecin a dit qu'elle s'était fracturé la clavicule. Il lui a immobilisé le bras comme vous le voyez, mais il lui a dit qu'une déformation persisterait, et que c'était inévitable. Regardez son épaule, c'est abominable !

Il était indéniable que si l'épaule restait immobilisée ainsi, la déformation demeurerait. Et avec les décolletés à la mode, l'anomalie serait visible à jamais. La mère ne s'y était pas trompée.

Benoît connaissait bien les fractures de clavicule, car son maître Desault avait mis au point une technique de traitement rigoureuse dont le résultat était parfait.

— Dans deux siècles, personne n'aura encore trouvé mieux, avait dit un jour un visiteur étranger.

Le jeune chirurgien commença par faire évacuer l'assistance, au grand dam de la mère qui d'abord refusa. On rattrapa Benoît qui avait fait demi-tour et s'en allait, et on le laissa seul avec la jeune fille désespérée. Il dut la rassurer pour qu'elle sèche ses larmes et accepte de collaborer. Puis il fallut enlever le premier bandage qui avait été posé sur la robe, et enfin la faire mettre torse nu, ce qui n'alla pas non plus sans palabres. Après avoir encore menacé de s'en aller, Benoît obtint gain de cause. Mais il ne put s'empêcher de rougir quand la ravissante poitrine de la jeune fille fut mise à jour.

Malgré son émotion, il passa à l'examen soigneux de la fracture dont un fragment pointait sous la peau. L'os faisait un angle aigu qui saillait horriblement. Avec délicatesse, ses doigts suivaient les contours de la déformation, explorant les insertions des muscles dont la tension déplaçait les extrémités brisées. La passion de son métier avait repris le dessus et, tout en conduisant son examen, il expliquait à sa patiente comment il allait la soulager.

Il resta plus d'une heure avec la blessée ; mais, quand ce fut terminé, l'épaule avait repris une conformation normale. Grâce à un jeu savant de coussinets et de bandages, il avait détendu les muscles responsables de la déformation et l'os avait repris sa place. La position n'était guère confortable, mais la jeune fille ne souffrait plus. Il négocia le découpage d'une manche de la robe et la décence reprit ses droits. Les larmes avaient séché depuis longtemps quand Hélène se regarda dans une glace. Elle éclata de rire devant son allure, le bras décollé du corps et le thorax bardé de volumes inhabituels. Mais elle savait que le résultat à obtenir était à ce prix.

La famille revint dans la chambre et Mme d'Allouÿs n'en crut pas ses yeux ; sa fille riait, la clavicule avait repris sa place et le chirurgien, les mains dans les poches, semblait en visite. Elle lui sauta au cou, l'embrassant sur les deux joues, ce qui le remplit de confusion. Une fois de plus il rougit jusqu'aux oreilles.

Hélène et lui se revirent chaque matin. Il devait surveiller, après la nuit, le maintien en bonne position de ses coussinets et resserrer les bandages. De jour en jour, on sentait sous le doigt le cal osseux se former, et l'optimisme familial était à son comble.

Comme on peut le penser, l'histoire de ce succès thérapeutique circula de bouche à oreille, et le duc, le plus sérieusement du monde, demanda à Benoît s'il accepterait d'être attaché à sa maison. Le jeune homme répondit qu'il avait l'intention de n'être attaché à personne, et le vieil homme demeura interdit par l'impudence d'une telle réponse. Décidément la jeunesse de ce temps devenait incompréhensible.

Chacun s'accoutuma à voir, dans le parc, quand un rayon de soleil daignait faire son apparition, le pittoresque trio des Français :

l'homme à la béquille, la jeune fille entortillée dans ses bandages, et le sombre chirurgien qui ne les quittait pas des yeux. Au fil des jours, les deux garçons avaient ressenti, sans vouloir se l'avouer, une émotion grandissante pour cette Hélène qui jouait la coquette avec un art consommé.

Thierry, bien entendu, avait l'avantage du verbe. Il faisait rire et savait exploiter ce talent. Benoît avait une carte maîtresse : chaque matin, pour surveiller son traitement, il passait un long moment en tête à tête avec sa patiente. Les bandages resserrés, il en profitait pour bavarder seul avec elle. Elle aimait le faire parler de son métier, et de tout ce qu'il avait vu à Paris ces dernières années. À elle il osait dire ce qui changeait ou était, à ses yeux, irrémédiablement fini.

Ils évoquèrent même un jour la personnalité de Thierry, et Benoît fut surpris d'entendre un jugement qui était bien proche du sien. Il y avait chez le jeune comte une philosophie si désuète, et un attachement aux valeurs du passé si démodé, qu'Hélène elle-même en était choquée. Plus le temps passait et plus il se sentait proche de la jeune fille. Il en rêvait la nuit, et demeurait de longues heures à la décrire dans ce cahier qui était son seul confident.

Au bout d'un mois, la fracture fut considérée comme solide, et l'immobilisation put être enlevée. Sur la clavicule, un cal osseux de bonne qualité s'était formé, à peine visible et complètement indolore.

— Avec le temps il s'atténuera encore, avait promis Benoît.

Les visites du matin étaient donc terminées. Le dernier jour, Hélène célébra sa guérison en étrennant une robe neuve.

— On se sent mieux avec deux bras, murmura-t-elle en se regardant dans la glace.

— Il faut bien que l'un de nous deux se sente mieux, répondit Benoît.

La jeune fille se retourna vers lui.

— Que voulez-vous dire ?

— Que parfois le médecin est triste de voir sa malade guérie.

— Pourquoi ?

— Parce qu'elle n'a plus besoin de lui, et qu'il se sent congédié.

— Vous vous sentez congédié ?

— Je ne vous verrai plus qu'en public.

— Et vous en êtes attristé ? Que faut-il faire ? Voulez-vous que je me casse tout de suite autre chose ?

— Hélène, ne riez pas.

Il y eut un long silence. Benoît reprit la parole, tout surpris de ce qu'il osait dire :

— Hélène, je vous aime. Voulez-vous m'épouser ?

La jeune fille se laissa tomber dans le fauteuil qui faisait face à celui de Benoît. Celui-ci, les yeux fixés sur le tapis, continua :

— Pas immédiatement, bien sûr, mais dès que j'aurai fini mes études. Nous rentrerons en France, j'aurai une belle situation, sans doute un service à l'hôpital, et...

Il ne savait plus comme poursuivre.

— Benoît, vous ne parlez pas sérieusement ?

Il la regarda avec surprise.

— Le plus sérieusement du monde. Je ne parle jamais à la légère.

— Mais c'est impossible.

Il fronça les sourcils.

— Vous ne m'aimez pas ?

— Mais là n'est pas la question, Benoît... Ce mariage est impossible... Mes parents n'accepteraient pas...

— Pourquoi ?

Elle avait l'air suffoqué.

— Mais enfin Benoît, nous ne sommes pas... Je veux dire, vous n'êtes pas...

— Noble ?

Il avait crié ce mot comme une injure. Elle mit un temps à répondre.

— Je sais bien que tout cela est d'un autre temps, mais dans ma famille, les gens n'ont pas changé, Benoît.

— Comment, les gens n'ont pas changé ? Tout a changé, Hélène, et vous le savez.

— Oui, mais eux ne le savent pas...

Du menton, elle avait désigné la porte du salon derrière laquelle on entendait marcher. Mme d'Allouÿs entra, tout sourire. Elle s'exclama, en voyant sa fille débarrassée de son bandage.

— Mon Dieu, c'est fini ! Quel bonheur !

Benoît avait le visage blême et crispé par un mauvais sourire.

— N'est-ce pas, madame, quel bonheur !

Et il sortit d'un pas qu'il voulait digne.

— Quelle mouche le pique ? demanda-t-elle en se retournant vers Hélène.

— N'essayez pas de le comprendre, mère, vous n'êtes plus de la même époque que lui.

Et la jeune fille s'en fut en courant vers le jardin.

Benoît passa le reste de la journée au village. Il revint sur une solide jument grise qu'il avait marchandée comme Oscar lui avait appris à le faire. Le harnachement était presque neuf, et il l'avait eu en prime. Il alla saluer la duchesse tout étonnée de son départ. Il la remercia de son accueil. Ils se congratulèrent longuement et il promit de revenir l'embrasser quand il reviendrait. Elle comprenait qu'il n'ait pas envie de rentrer en France, et elle le félicita d'aller rendre visite à ce médecin de Berkeley qui avait été autrefois un ami de son père.

À Thierry qui s'en étonnait, il se décida à dire la vérité. En quelques mots, et il fit le récit de sa déception. Et il ajouta :

— Et ce qu'elle ne sait pas c'est que je suis presque aussi noble que toi, mon cher !

Thierry éclata de rire. Alors Benoît lui raconta la visite à mère Clotilde et ce qu'il avait appris de la naissance de son père.

— Nous serions donc cousins, mon « saigneur ». Et ton père serait l'aîné du mien. C'est donc à lui, puis à toi qu'aurait dû revenir le titre ! Il va falloir que je change l'orthographe de ton surnom, tu es mon « seigneur », maintenant ! Pourquoi n'as-tu rien dit à la donzelle ?

Benoît ne répondit rien. L'autre continua :

— Parce que tu veux être aimé pour toi-même, n'est-ce pas ! Et sans titre nobiliaire. C'est la vraie noblesse, qui t'intéresse, celle du cœur. Elle aurait dû le comprendre.

Benoît réalisa tout à coup que l'autre se moquait de lui. Il y avait dans son ton, cette note d'ironie et de dérision qui désarmait ses interlocuteurs. Il ne se sentait pas de taille à lutter sur ce terrain. Devant son silence, Thierry reprit :

— Ne te fâche pas Benoît, mais il faut que tu réfléchisses. Qui croirait les ragots d'une vieille religieuse ? Qui croirait ces racontars de château ? Dans toutes les familles il y a des légendes comme celles-ci. Les gens raisonnables ne peuvent y attacher foi.

— Mais toi, tu vas y croire !

Benoît avait crié. Il se précipita sur Thierry qui esquissa un geste de défense. Mais le jeune chirurgien était le plus fort. D'un geste rapide il lui déchira sa chemise et arracha la chaîne que le jeune homme portait au cou. Puis se reculant, il fit de même pour la sienne. Une médaille dans chaque main, il se rapprocha :

— Ta médaille, d'où vient-elle ?

— De mon père.

— Regarde la mienne, c'est la même. Elle me vient de mon père également. Il l'avait sur lui quand on l'a trouvé, sur les bords de La Verle.

Il lui jeta sa médaille sur les genoux.

— Ne t'inquiète pas, je n'ai pas l'intention de revendiquer quoi que ce soit. Trop de choses ont changé, et des titres j'en obtiendrai qui m'appartiendront et auront une autre valeur que ces... vestiges. Un jour on me parlera avec respect, on me consultera avec des égards, on viendra me voir opérer, sauver des vies... Et toi, pendant ce temps-là, au mieux, tu seras dans une vitrine. Et les enfants viendront regarder à quoi ressemblait un noble de l'ancien temps.

Le lendemain matin, le brouillard se levait à peine quand la jument de Benoît fit sonner ses fers dans la cour de l'écurie. Au pas, il fit une dernière fois le tour de ce château où il laissait, avec son cœur, un monde de fossiles. Arrivé devant la grande allée, il s'y engagea sans se retourner, et mit sa jument au trot, comme s'il voulait ne pas risquer de changer d'avis. Il ne vit pas la longue silhouette blanche qui le guettait derrière une fenêtre, ni les yeux pleins de larmes qui le regardaient partir.

CHAPITRE V

Benoît mit quatre jours pour atteindre Berkeley, sans se presser, en remontant le cours de la Tamise au pas lent de sa jument grise. Il avait besoin de cette pause après les turbulences de Firstwell, pour mettre de l'ordre dans ses sentiments. Il s'en voulait d'avoir ouvert son cœur aussi vite, sans s'être méfié des réactions d'un monde où il n'était qu'un invité, une variété de serviteur, comme l'abbé ou la dame de compagnie. Il avait un rôle utile, certes, dans cette société hiérarchisée, mais il n'en faisait pas partie.

Ce qui le blessait le plus, c'était l'attitude de Thierry. Il lui avait manifesté son amitié, ils avaient ri ensemble comme des gamins, et le dernier jour, en lui rappelant ce qui les séparait, il s'était cruellement moqué de lui. Cela, il ne le lui pardonnerait jamais !

Le caractère de Benoît se forgeait. Les traits qui allaient dominer sa vie se précisaient : le souci de bien faire, la conscience de son efficacité et de son honnêteté, avec aussi une certaine naïveté en face des autres. Jamais il ne supporterait qu'on se moque de lui avec cruauté. C'était injuste, car il avait lui-même trop de compassion pour être capable d'utiliser une telle arme.

Il avait un peu honte aussi d'avoir si vite oublié son amour pour Clara. Elle qui avait tenu la première place dans sa vie, et qui lui avait fait découvrir des émotions magiques, il l'avait rayée d'un seul coup, pour une gamine grandie trop vite.

Alors qu'il marchait sur ce chemin de halage, le long d'une rivière d'où montaient les derniers lambeaux de brume matinale, il ne pouvait penser aux petits matins du faubourg Saint-Germain sans frissonner. Ce corps alangui, abandonné, cette tendresse du regard derrière les longs cils noirs, cette douceur de la peau mate qui appelait sa main... Quelques mois d'éloignement, et ses serments avaient sombré pour un fruit encore vert.

Comme il regrettait d'avoir quitté Paris ! Pourquoi s'était-il embarqué si vite dans cette galère où rien ne justifiait sa présence ? La vieille religieuse avait fait jouer la corde du sentiment familial, et cette famille l'avait rejeté. Il se passionnait pour une révolution qui préparait une vie nouvelle, où tous les hommes auraient la même place, et il lui avait tourné le dos, comme s'il avait été important pour lui de retrouver des droits qui ne lui étaient même pas accordés.

Ce séjour en Angleterre ressemblait à un énorme malentendu. Il avait l'impression de vivre en pleine fiction. Par moments, il se disait que cela n'était qu'un mauvais rêve et qu'il allait se réveiller dans les bras de Clara.

En attendant, il était là. Cette rivière était anglaise, sa vie était anglaise, désormais, et il fallait s'en accommoder. Les nouvelles, arrivées de France ces dernières semaines, ne lui permettaient pas d'envisager un retour prochain. Les sections parisiennes continuaient à faire la loi dans la rue, le procès du roi avait débuté, et le peuple exaspéré mourait de faim... Il resterait loin de son pays le temps qu'il faudrait, et son séjour ici aurait des bons côtés, il en était certain. Il n'aurait pas que des chagrins d'amour...

Ainsi se dirigeait-il vers Berkeley, la ville où exerçait Edward Jenner. Il était heureux que les circonstances, si pénibles qu'elles aient été, lui donnent l'occasion de connaître cet homme dont son père lui avait tant parlé. Aubin lui avait raconté leur rencontre chez John Hunter où ils disséquaient ensemble. Benoît se souvenait surtout de l'histoire de ce géant dont le savant voulait absolument étudier le squelette, et qui le faisait suivre partout en attendant sa mort prochaine. Le cadavre avait fini par être volé, rapporté à Londres, et disséqué enfin... Benoît adorait que son père lui raconte ces anecdotes qui le faisaient trembler de peur...

Après leur séjour londonien, Aubin et Jenner avaient continué à correspondre. D'abord parce qu'ils étaient réunis dans l'admiration de leur maître Hunter qui les avait si profondément marqués, mais surtout parce qu'une amitié spontanée les avait liés dès le premier jour.

Pourtant ils n'avaient pas le même âge. À l'époque de leur rencontre, Aubin devait avoir plus de trente-cinq ans et Jenner, vingt et un seulement. Mais ils avaient découvert que leur jeunesse avait été assez comparable. Issu d'un milieu modeste, l'Anglais avait perdu son père alors qu'il n'était qu'un enfant, et son tuteur l'avait placé, dès l'âge de treize ans, chez un vieux chirurgien qui lui avait appris le métier. Il parlait de sa campagne natale avec émotion, et ne manifestait aucun attrait pour la grande ville. Surtout, Aubin avait décelé chez lui cette flamme qui fait les grands hommes et les belles réussites. Il avait toujours dit à son fils qu'il souhaitait le voir rendre visite à ce chercheur dont il aurait tant à apprendre.

Après la mort de son père, Benoît avait reçu une longue lettre de Jenner qui l'invitait à venir à Berkeley. « Vous trouverez facilement.

Ma maison s'appelle *Chaudry Cottage*. Elle est juste à côté de l'église. Je vous montrerai mon pays et vous verrez, il est presque aussi beau que votre Picardie. »

Benoît trouva la maison sans difficulté. Et c'est Jenner lui-même qui lui ouvrit la porte. Il le regarda un instant et s'écria :

— Mon Dieu, comme vous ressemblez à votre père ! Et il appela : Catherine, venez voir qui nous arrive. Le fils d'Aubin de La Verle dont je vous ai tant parlé.

Ils s'étaient mariés quatre ans auparavant et ils avaient un fils qui trottinait derrière sa mère. Elle accompagna Benoît jusqu'à sa chambre pendant que Jenner mettait la jument à l'écurie. Benoît était aux anges. Il retrouvait cette ambiance familiale qu'il avait découverte chez les Dupont de l'Avre, au début de sa folle équipée. Il était dans une vraie chambre, tapissée de tissu jaune clair à petites fleurs bleues, avec un lit recouvert d'un édredon également fleuri, une minuscule cheminée de fonte, des objets de toilette en faïence bleue, tout était frais et gai.

Jenner était un homme plutôt petit, au visage joufflu et aux lèvres sensuelles. Ses cheveux châtains bouclés étaient retenus en arrière par un catogan. Il portait une veste bleue cintrée sur une culotte claire avec des bottes de daim fauve. L'ensemble était élégant, et donnait une allure juvénile à ses quarante-quatre ans. Ce qui frappa le plus Benoît, dès ce premier jour, ce fut la vivacité d'esprit de cet homme, et l'immensité de ses connaissances. Il semblait s'intéresser à tout, et parlait des sujets les plus divers avec la même aisance, sans la moindre pédanterie.

Benoît fut surpris d'apprendre que son hôte avait abandonné la chirurgie pour la médecine de campagne. Il venait d'être nommé docteur, et exerçait à Berkeley. Par tous les temps, avec son cheval blanc qu'on reconnaissait de loin, il visitait ses patients dans la campagne, et semblait adorer ce métier. Conscient de la déception de son visiteur, il s'empressa de le rassurer.

— Vous verrez le nombre de choses que peuvent nous apprendre les malades. Et après une seconde de réflexion, il ajouta : L'exercice de la chirurgie est trop limité pour satisfaire entièrement un esprit curieux. Je n'ai pu me résoudre à passer ma vie dans un hôpital, à couper des jambes et ouvrir des abcès. Je n'ai jamais pu supporter de tailler dans les chairs sous les hurlements, avec des patients secoués de douleur dans les mains des valets qui les écrasent sur la table. Je ne pouvais plus !

Il continua à parler ainsi de sa vie, et Benoît tomba sous le charme. Au moment d'aller se coucher, il était prêt à se lancer derrière son hôte sur tous les chemins du Gloucestershire.

C'est ce qu'il fit dès le lendemain, et bientôt les silhouettes des deux cavaliers devinrent familières aux habitants du comté.

Ainsi Benoît passa-t-il les quinze mois les plus enrichissants de son existence.

Jamais il n'aurait pensé que ce séjour serait si long, et la vie en France était si houleuse que le moment de rentrer semblait s'éloigner chaque jour davantage. La nouvelle de l'exécution de Louis XVI, le 21 janvier 1793, était parvenue jusqu'à lui au lendemain de son arrivée, et bien qu'il n'ait jamais eu un grand attachement pour cet homme, il se demandait pourquoi on l'avait tué. En fait, depuis les journées terribles de septembre 1792, plus rien ne l'étonnait.

Pourtant, le nouveau régime politique obtenait des résultats surprenants. Les victoires se succédaient, au grand dam des émigrés : Valmy, Mayence, Francfort. On annexait les pays voisins, on tenait en échec les Vendéens, on pourchassait les monarchistes, et on guillotinait les révolutionnaires du premier jour. La guillotine, le Comité de salut public, Fouquier-Tinville, la Terreur... Tous ces mots le faisaient frémir. Les villes de province qui se révoltaient étaient écrasées dans le sang. Il y avait peut-être de l'excès dans les jugements péjoratifs portés depuis l'étranger, mais les plus modérés étaient en droit de se demander où conduiraient tous ces désordres !

Benoît n'avait aucune envie de retourner dans une telle fournaise. C'est bien ce que lui recommandait son ami Dupont de l'Avre, qui lui faisait parvenir ces alarmantes nouvelles. L'Angleterre venait d'entrer en guerre contre la France, les lettres se faisaient plus rares encore, et Clara n'écrivait plus.

Catherine et Edward Jenner formèrent désormais son unique univers. Il se dit qu'il ne quitterait peut-être plus jamais l'Angleterre.

Le médecin comprenait ce qui se passait dans la tête de son jeune disciple, et il fit de son mieux pour l'intéresser à son activité. Pendant leurs longues chevauchées dans la campagne, il lui apprenait à regarder autour de lui, à reconnaître les oiseaux, à repérer leurs nids, et il lui décrivait leur manière de vivre avec un talent fascinant. Ces observations ressemblaient à des contes de fées, et Benoît se demandait parfois quelle était la part de la poésie dans ces récits incroyables. Mais l'esprit scientifique de leur auteur n'était jamais pris en défaut.

C'est ainsi que Jenner, sous l'impulsion de leur maître John Hunter, s'était intéressé, vers 1788, à la vie de cet oiseau bizarre qu'est le coucou. Il avait démontré que la femelle pond dans le nid d'un couple d'oiseaux de race différente, pour faire couver son œuf par une autre mère. Et quand l'oisillon sort de la coquille, il jette hors du nid ses habitants naturels. Ce rapport avait été présenté à la société royale, mais nul ne l'avait cru.

Jenner riait :

— Ils m'ont demandé de leur faire un rapport sur un sujet plus sérieux !

Benoît, suspicieux, demanda :

— Mais l'histoire du coucou, est-elle vraie ?

— Évidemment, répondit l'autre. Je vous montrerai.

Rien n'échappait à sa sagacité sans cesse en éveil. Les hérissons, les vers de terre, les oiseaux migrateurs, les chouettes, semblaient n'avoir aucun secret pour lui.

À la veillée, on allumait un feu de charbon dans la cheminée de faïence du *living-room,* et Benoît éberlué découvrait chaque jour chez son hôte de nouveaux talents. Il jouait du violon, de la flûte, écrivait des poèmes, faisait de la peinture... Catherine, souriante et douce, le regardait avec amour et couvait avec sérénité leur deuxième enfant.

Un soir, un coursier vint frapper à leur porte. On demandait Jenner d'urgence à l'hôpital de Gloucester. Sans discuter, il dit à Benoît :

— Nous y allons !

Ils firent les seize *miles* au galop en un temps record. Une grosse infirmière-major, vêtue d'une robe noire recouverte d'un tablier blanc et portant une amusante coiffe blanche tuyautée, les attendait. C'était la première fois que Benoît pénétrait dans un hôpital anglais. Il ouvrait des yeux inquisiteurs. L'infirmière les conduisit dans une immense salle de malades où il n'y avait qu'un patient par lit. Au-dessus de chacun d'eux, un arc en fer maintenait un rideau noir qu'on pouvait tirer complètement.

Ils arrivèrent au chevet d'un homme d'une trentaine d'années dont le teint blafard était impressionnant. La gravité de son état était évidente. Il avait vomi, dans une cuvette posée à côté du lit, un liquide noirâtre du plus mauvais aloi. L'infirmière écarta le drap et montra le creux de l'aine où une hernie était manifestement étranglée. La peau était tendue sur une boursouflure violacée, et le doigt du médecin, à peine posé, arracha une grimace au patient. Ce dernier était arrivé quelques heures auparavant dans une charrette où il avait voyagé la journée entière.

— Trop tard pour essayer de la rentrer, vous ne croyez pas, Benoît ?

Le jeune homme acquiesça.

— Il faut l'opérer rapidement, qu'attendent les chirurgiens ? demanda Jenner.

— L'un est à Londres, l'autre s'est cassé la jambe, et le troisième est parti pour un accouchement.

Jenner sembla réfléchir un court instant, puis il prit la seule décision possible :

— Nous allons l'opérer immédiatement. Appelez des acolytes pour le tenir. Puis, se retournant vers Benoît, il ajouta : Avec vous pour m'aider, je ne suis pas inquiet. Nous allons y parvenir.

Benoît sourit et admira cet optimisme.

Effectivement, deux heures plus tard, l'obstacle était levé et l'intestin avait pu être réintégré sans perforation. Le jeune Français avait admiré l'adresse de l'opérateur. La technique était simple et connue de tous ; mais sa réalisation, dans ce concert de hurlements, sur un sujet dont on ne pouvait supprimer totalement les mouvements tant il était robuste, nécessitait une dextérité peu commune. Ce diable d'homme semblait capable de tout faire !

L'infirmière leur proposa de rester coucher à l'hôpital, mais Jenner n'aimait pas laisser seule sa femme qui approchait du terme. La nuit était belle, il décida de rentrer tranquillement à *Chaudry Cottage*.

En chemin, comme Benoît le félicitait, il lui répondit :

— C'est vrai qu'il faut un peu d'adresse ; mais beaucoup de gens, avec un minimum d'enseignement, seraient capables d'en faire autant. Regardez travailler un ébéniste, un orfèvre, un miniaturiste, ils font des choses beaucoup plus difficiles que nous. En chirurgie, on est trop limité. Voyez cet homme. Nous l'avons sauvé, c'est vrai, mais sa hernie est toujours là. Toute sa vie il devra porter un bandage, et rien ne dit que cet accident ne se reproduira pas. Pour le mettre à l'abri d'une récidive, il aurait fallu fermer sa hernie et lui sacrifier un testicule... Il n'aurait pas voulu, ni moi non plus. Non, je n'aime pas ce métier. Peut-être aurez-vous la chance de voir survenir des possibilités plus grandes, je vous le souhaite. Vous êtes jeune et la chirurgie fait des progrès tous les jours. Pour moi, c'est trop tard. Je trouve mes joies ailleurs. Il marqua un temps d'arrêt, puis, avec un petit sourire en coin, il reprit : Voulez-vous que je vous raconte mon grand dessein ? Promettez-moi de ne pas rire.

Benoît entendit, ce soir-là, la plus stupéfiante histoire qu'il aurait jamais imaginée. Et il comprit le jugement que son père avait porté autrefois sur ce jeune naturaliste égaré dans l'étude de l'anatomie chez Hunter. Le petit homme qui chevauchait contre sa botte était peut-être en passe de devenir l'un des plus grands bienfaiteurs de l'humanité.

Il s'agissait de la variole. Ce fléau, le *smallpox,* continuait inéluctablement ses ravages sur tous les continents, et avec la même agressivité. Jenner en parlait comme d'un ennemi personnel.

Un immense progrès thérapeutique avait déjà été réalisé, avec la technique de l'inoculation, introduite en Angleterre par Lady Montagu en 1721. Benoît raconta à Jenner, tout surpris, que son propre père avait servi d'agent inoculateur en 1735 à Saint-Yé. Soit un demi-siècle plus tôt. Mais l'expérience s'était arrêtée là, les autorités médicales de l'époque s'étant opposées à sa poursuite.

Benoît lui-même avait été inoculé par son père, en cachette ! Jenner connaissait bien le thème des détracteurs de la méthode, surtout les religieux, qui voyaient dans la maladie un châtiment du ciel, et critiquaient l'immoralité d'une méthode qui allait contre la volonté divine... Tout avait été dit sur ce sujet.

Il est certain que les adversaires de l'inoculation avaient des arguments valables. Inoculer à un individu sain une maladie qu'on espère bénigne, pour lui éviter d'en faire une plus grave, est risqué. Mais la preuve de l'efficacité de ce geste avait été faite par l'expérience, et ses accidents étaient bien inférieurs aux dangers réels de la maladie.

En Angleterre, l'inoculation s'était fortement développée malgré les opposants. C'est ainsi qu'à Londres, on avait ouvert en 1746 le Smallpox Hospital, destiné à traiter les nécessiteux, tandis que les gens plus aisés s'adressaient à des inoculateurs privés, qui faisaient ainsi fortune. On était parvenu à atténuer ainsi les risques de la maladie, sans empêcher pour autant les épidémies de continuer à ravager des populations entières.

Jenner était devenu, dans sa région, un inoculateur convaincu, mais son esprit en permanent éveil avait remarqué une bizarrerie qui l'avait fait réfléchir dans une autre direction. Certains habitants de sa région, des vachers pour la plupart, étaient naturellement protégés contre la variole, parce que, disaient-ils, ils avaient été atteints, auparavant, par une autre maladie, contractée au contact des vaches, le *cowpox*.

C'est là que le génie du médecin s'était manifesté.

— Rendez-vous compte, Benoît, si l'on parvenait à inoculer à tous les individus cette maladie bénigne de la vache qui est aussi sans danger pour l'homme, il n'y aurait plus jamais de petite vérole.

Le jeune homme était resté éberlué. Cette simple phrase contenait, en puissance, des idées si révolutionnaires, qu'il avait du mal à en croire ses oreilles. D'abord, transmettre volontairement la maladie d'une vache à un homme, c'était déjà difficilement acceptable ! Ensuite comment imaginer un traitement pour *tous* les individus ? Faire disparaître une telle calamité était un rêve hors de portée d'un humain normalement constitué. Comme s'il avait deviné les pensées de Benoît, Jenner continua :

— Mais entre l'idée et la réalisation, il y a un pas à franchir, et quel pas !

— Oui, pour passer de la présomption à la certitude...

Ils restèrent silencieux jusqu'à leur arrivée à Berkeley. Benoît monta dans sa chambre et il se mit à écrire fébrilement sur son cher cahier. Quand il posa sa plume, le jour était levé.

À partir de cette nuit mémorable, la variole ne quitta plus leur conversation. Sans cesse ils revenaient à ce sujet devenu une passion commune. Benoît partageait désormais le rêve de son initiateur. Parfois Jenner s'excusait :

— Quand j'arrive à une réunion, maintenant, mes amis m'accueillent en disant : « Tiens, le voilà, avec son *cowpox.* » Vous êtes le seul à ne pas vous moquer. Je vous en suis très reconnaissant.

En réalité, le jeune Français était fasciné par la nouveauté d'un raisonnement scientifique d'une telle modernité. Jamais il n'avait vu qui que ce soit travailler avec une si grande rigueur. Jenner notait tout, comparait, analysait, et confrontait sans cesse ses observations.

— Vous voyez, disait-il en montrant un gros cahier de cuir vert, j'ai là tous les cas de résistance à la variole que j'ai rencontrés. Ce sont tous des laitiers.

— Et personne n'avait remarqué cela avant vous ?

— Mais si ! Les inoculateurs savent que sur les laitiers ils n'obtiennent aucun résultat, mais ils ne se sont pas demandé pourquoi. Personne n'a cherché plus loin. Alors, vous pensez, de là à faire admettre l'idée d'inoculer la vaccine... Qui le fera ?

— Vous, j'en suis persuadé.

— Merci de votre confiance, Benoît, si je le fais un jour, je penserai à vous.

— Le lendemain je serai votre disciple, et vous en aurez des milliers comme moi.

— Rien n'est moins sûr... Même la preuve apportée, beaucoup n'accepteront pas. John Hunter me le disait encore dans sa dernière lettre. Cependant il m'encourageait à continuer.

Le grand maître londonien n'avait jamais cessé de suivre les travaux de son élève et de le pousser à aller de l'avant. Jenner avait pour lui une admiration et une reconnaissance infinies. Et quand la nouvelle de sa mort parvint jusqu'à eux, il manifesta un immense chagrin. Il savait depuis longtemps que John Hunter avait une insuffisance coronarienne dont il avait fait le diagnostic, et il disait souvent qu'il était à la merci d'une de ces colères qu'il était incapable de maîtriser. C'est ce qui lui était arrivé, le 16 octobre 1793. Les obsèques avaient eu lieu à Londres, et le grand homme avait été inhumé dans la crypte de Saint-Martin-in-the-Fields, près de Trafalgar Square.

— Nous irons nous y recueillir, avait promis Jenner.

Le travail les accaparait, et ils ne voyaient pas le temps passer. L'hiver 1793 fut rigoureux, et leur tâche harassante. Mais les deux hommes s'entendaient à merveille, et Benoît n'avait plus envie de partir, même si, certains soirs, le mal du pays le tenaillait.

Rien ne pouvait laisser prévoir une issue prochaine. D'après les rares nouvelles qui arrivaient de France jusqu'à Berkeley, la Terreur continuait de plus belle. Robespierre avait pris l'allure d'un dictateur sanguinaire. La guillotine ne ralentissait pas sa macabre besogne.

Une perte irremplaçable venait de discréditer définitivement ce régime : Lavoisier avait été exécuté !

— Le plus grand physisien de tous les temps, avait dit Jenner qui connaissait ses travaux.

Benoît lui avait raconté les soirées à l'Arsenal, avec tous ces gens extraordinaires qui, pourtant, croyaient à l'avenir des réformes. Condorcet aussi était mort en prison.

Enfin, à la fin de l'été, la lettre salvatrice d'Henri Dupont de l'Avre arriva. Tout était fini ! Robespierre et ses amis étaient montés à leur tour sur la sinistre machine qu'ils avaient tant fait travailler. Carnot demandait l'amnistie des Vendéens. Les denrées alimentaires sortaient de leurs cachettes, et l'on trouvait de nouveau de quoi se nourrir. Partout il y avait des bals, des fêtes populaires... La lettre se terminait par cette phrase que Benoît attendait depuis si longtemps : « Paris respire à nouveau, vous pouvez revenir ! »

Benoît pleura de joie dans les bras de Jenner, qui le poussa à rentrer en France le plus vite possible.

— Votre vie est là-bas. Partez vite, et ne nous oubliez pas.

Benoît lui fit promettre de le tenir au courant de ses travaux sur la vaccine. Ils jurèrent de s'écrire souvent. Catherine pleurait ; elle avait l'impression de perdre un petit frère, et pressentait confusément qu'elle ne le reverrait jamais.

La jument grise reprit la route du sud, en trottant plus vite qu'à l'arrivée. Mais, avant de rentrer en France, Benoît voulut revoir une dernière fois le château de Firstwell et ses habitants. Quand il s'approcha de la grande bâtisse, son cœur se serra.

Il retrouva tout le monde, ou presque. La vieille comtesse beauceronne était morte d'une apoplexie. Le vieux duc n'avait pas changé. Il était sur la pelouse et apprenait à deux jeunes filles à jouer au croquet. La duchesse arrivait, une liste à la main, et fronça les sourcils en voyant Benoît : son hôtel était plein ! Il la rassura, il ne faisait que passer. Alors elle le prit dans ses bras avec émotion, et lui offrit de prendre une tasse de thé.

Il regardait autour de lui, et voyait beaucoup de têtes nouvelles.

— Thierry n'est pas là ? demanda-t-il.

Elle s'exclama :

— Comment, vous ne savez pas ? Mais il s'est marié la semaine dernière. Ils sont partis en voyage de noces, en Italie. Devant son air intrigué, elle continua : C'est vrai, vous êtes parti sans nous donner votre adresse. Hélène aurait aimé vous inviter, mais elle n'a pas su où vous joindre. C'était une belle noce, vous savez. Tout le monde vous a beaucoup regretté.

CHAPITRE VI

Benoît était à Saint-Yé depuis une semaine, et il n'en finissait pas de ressasser les épisodes de ce voyage d'horreur. L'annonce du mariage d'Hélène et Thierry avait détruit sa joie de rentrer chez lui. Jamais il n'avait perçu un tel sentiment pour une femme, et il le lui avait dit. Il s'était mis à sa merci, et elle s'était moquée de lui. Quant à celui dont il avait cru se faire un ami, il l'avait trahi, sans se souvenir qu'il lui devait la vie. Cela dépassait les limites, et il avait quitté Firstwell avec la haine au cœur.

Arrivé à Portmouth, il n'avait pas trouvé de bateau pour la France. L'Angleterre était en guerre contre son pays, et il avait dû transiter par Rotterdam. Après une mer démontée, il eut à traverser des zones militaires dangereuses. Il avait fallu attendre sous une pluie diluvienne, parlementer, s'expliquer cent fois... et friser la catastrophe à tout moment.

Lorsque la malle-poste était entrée enfin dans la cour de l'auberge du Cerf-à-Genoux, sous un soleil imprévisible, il n'y croyait plus. Il se demandait quel drame allait encore surgir. Mais non ! La série noire était close. Il arrivait dans un havre de paix miraculeusement préservé. Oscar lui avait ouvert les bras et l'avait conduit à sa meilleure chambre.

— Tu es ici chez toi. Cette maison est la tienne et j'espère que tu y seras heureux !

Depuis la mort de son père, l'aubergiste avait pris cette autorité que le vieil homme monopolisait, l'adolescent angoissé était devenu un adulte serein et efficace. Entre la fabrique de voitures, les écuries, et l'auberge dont la taille avait doublé, il allait d'un pas tranquille, veillant à tout, ne s'en laissant jamais conter, accumulant une fortune qui l'étonnait lui-même. Il avait racheté les terres vendues au titre des biens nationaux sur la commune, mais ne se manifestait pas trop auprès des paysans, dont les récoltes étaient mauvaises. Le soir il lisait des livres sur l'agriculture, surtout depuis qu'il en avait parlé avec un agronome anglais appelé Arthur Young, qui, visitant la France, lui avait expliqué combien notre pays était en retard dans la pratique de l'assolement moderne. Oscar n'ignorait pas qu'un jour ces terres lui rapporteraient beaucoup d'argent, mais pour le moment il savait se montrer discret et prudent.

Il avait réussi à se maintenir en équilibre au milieu de la tempête sociale qui bouleversait le pays, et il ménageait chaque camp avec une égale facilité. Membre de la section patriotique locale, il avait été aussi l'âme de la filière d'émigration des Malmort. Il fournissait des chevaux aux voitures qui partaient pour l'Angleterre, mais il approvisionnait aussi l'armée. Il avait aidé les religieuses à fuir jusqu'à Paris, mais il était membre de la municipalité qui avait décidé d'annexer l'hôpital. Incidemment, il annonça aussi qu'il s'était marié.

— C'était le seul moyen d'échapper à la conscription. Malgré mon âge ils m'auraient bien enrôlé, les bougres ! Alors j'ai choisi Irène. C'est une bonne fille, une Picarde solide qui était venue travailler à l'auberge. Il y a longtemps que j'avais envie de faire des enfants et d'assurer ma succession. Par les temps qui courent, on ne sait jamais ce qui peut arriver.

Benoît hésitait entre le mépris et l'admiration devant un opportunisme aussi flagrant, et affiché avec autant d'impudeur. L'aubergiste sentit cette réticence dans le regard de son neveu.

— Tu sais, il ne faut pas se leurrer. Rien n'a été facile pendant ces années de folie. Ceux qui étaient adorés un jour étaient guillotinés le lendemain, sans qu'on sache trop pourquoi... Des médiocres, qui faisaient la pluie et le beau temps, passaient à la trappe, un beau matin... À Saint-Yé nous avons travaillé dur, la tête baissée, le sourire aux lèvres et la peur au ventre. On a vu passer les vainqueurs et les vaincus, c'étaient d'ailleurs souvent les mêmes, un jour oui, un jour non... Au début, je me suis dit qu'il fallait mettre de côté juste de quoi disparaître d'une heure à l'autre, si le malheur le voulait. Mais l'argent attire l'argent, et je ne pouvais pas le refuser. Je n'ai eu qu'un espoir, pendant tout ce temps, survivre. Tu me comprends Benoît ?

Benoît comprenait. Il savait, lui aussi, qu'il aurait sans doute à s'expliquer, un jour ou l'autre, sur les raisons de son départ. Et il répondrait qu'il avait voulu survivre, et rien de plus !

Irène était une belle fille, blonde aux yeux pâles, fortement charpentée, qui promenait avec fierté un ventre prometteur. Elle quittait peu la cuisine où elle régnait avec fermeté sur une armée de marmitons qui avaient rapidement appris à lui obéir. Fille aînée d'une famille paysanne de dix enfants, elle savait ce que travailler voulait dire et appréciait le sort heureux qui l'avait sortie de sa condition.

Elle était venue embrasser ce neveu de son mari qui semblait tomber du ciel, puis, discrètement, elle était retournée à ses fourneaux, laissant les deux hommes se raconter leur vie.

Après deux ans d'Angleterre, Benoît retrouvait avec émotion cette cuisine française qui lui avait tant manqué. Quand il montait se coucher, le ventre plein, la tête embrumée par le vin, il savait qu'il allait rêver de son enfance, et revoir son père marchant de son pas lourd dans les salles de malades.

Dès son arrivée, il avait envoyé des lettres pour Paris. À Clara, Dupont, sœur Bénédicte, Moreau... Mais les réponses ne venaient pas.

— N'y retourne pas, disait Oscar, c'est une ville en folie. On fait la fête dans les rues, les femmes sont dépoitraillées comme des catins, et les pauvres crèvent toujours autant de faim. Les règlements de compte ne sont pas finis, la « veuve » coupe encore des têtes, et personne ne peut dire de quoi demain sera fait. Ici il y a de quoi t'occuper. Tu pourrais m'aider à mener tout ce monde et, un jour, reprendre la direction de l'hôpital. L'armée n'y restera pas toujours.

— Mais je n'ai pas encore mon diplôme...

— Tu sais bien qu'il n'y a plus de diplômes, Benoît ! Depuis 1792, la Convention a décrété que tout cela ne servait à rien. Pour exercer la médecine, il faut un certificat de civisme et rien d'autre. Et ce papier n'est pas difficile à obtenir, crois-moi ! Ici tu seras heureux comme un roi... Enfin je veux dire, mieux qu'un roi. Avec la tête sur les épaules ! Tu te trouveras, comme moi, une bonne fille de chez nous qui te donnera de beaux enfants... Tiens, justement, Irène a une sœur...

Un soir, c'était le 1er octobre — Benoît avait du mal à dire le 10 vendémiaire —, la diligence de Paris arriva avec retard à cause des trombes d'eau qui s'étaient abattues sur la route. Il pleuvait encore à torrents et Oscar était sous le porche avec son neveu pour regarder descendre les voyageurs qui allaient se précipiter dans la salle en essayant d'éviter les flaques d'eau de la cour.

Soudain le jeune homme sentit sa gorge se serrer. Cet homme, qui s'extrayait difficilement de la voiture, cette silhouette massive... C'était Henri Dupont ! Et cet autre, Moreau ! Tous deux faisaient le dos rond sous la pluie pour aider les femmes qui venaient derrière eux. Paralysé par la surprise, Benoît voyait sortir de la voiture, sœur Bénédicte, la fille de Dupont, la femme de Moreau... Seule Clara n'était pas là !

Dans la salle de l'auberge, devant un feu de fagots qui faisait fumer les manteaux, Benoît crut qu'il allait étouffer dans les bras de ses amis tant ils le serraient. Il avait les larmes aux yeux. Oscar, qui avait su garder le secret de cette visite, très ému aussi, avait caché son trouble en allant chercher des bouteilles à la cave, et bientôt tout le monde se retrouva, le verre en main. Irène apporta une poule au pot spécialement préparée pour cet événement, et Benoît s'apprêta à vivre l'une des plus belles soirées de son existence.

Autour de la table, deux groupes se formèrent. D'un côté, Oscar et Dupont qui évoquaient à voix basse, par habitude, cette période dramatique qu'ils avaient traversée en frôlant chaque jour le précipice, écoutés avidement par Gabrielle Moreau qui n'avait survécu que grâce au marchand de bois : il lui avait trouvé un travail de blanchisseuse à domicile et ne lui faisait pas payer le combustible. En plus il avait fait venir, de Normandie, deux compagnons vitriers qui avaient su faire prospérer la boutique du mari. Celui-ci était resté longtemps caché à Saint-Yé sous un faux nom, et sa femme venait régulièrement le voir. Puis elle regagnait Paris avec des paniers pleins de victuailles pour sa maisonnée.

À l'autre bout de la table, Benoît était submergé par les récits de sœur Bénédicte et d'Henriette Dupont. Moreau, le sourire aux lèvres, regardait le jeune chirurgien avec admiration. Il ne lui avait jamais reproché de l'avoir entraîné dans cette aventure qui avait failli si mal tourner. Malgré tout, il avait fait connaissance des Dupont, de Saint-Yé, d'Oscar, de sœur Bénédicte et il pensait n'avoir jamais assez de temps, pour remercier celui auquel il devait déjà la vie.

Sœur Bénédicte et Henriette étaient devenues inséparables. La religieuse, qui avait eu tant de mal à quitter son habit, était devenue, grâce à son amie, une dame tout à fait présentable et presque à la mode. Elle travaillait à l'Hôtel-Dieu, qu'on appelait toujours le Grand Hospice d'Humanité. Seul, Desault connaissait son histoire. Henriette et elle avaient conduit mère Clotilde à sa dernière demeure. La vieille religieuse, traumatisée par les massacres de septembre 1792, s'était éteinte le lendemain du sauvetage de Thierry. Quand la police était venue l'arrêter, elle leur avait ainsi joué un dernier tour. Dans la nuit, elle avait réussi à remettre sa robe et sa coiffe, puis, épuisée sans doute, elle s'était endormie pour la dernière fois, toute habillée sur son lit, un chapelet dans les doigts. C'est ainsi qu'ils l'avaient trouvée. On disait que l'un des patriotes n'avait pu retenir ses larmes devant la sérénité de cette femme, et qu'il était tombé à genoux, au pied du lit, en lui demandant pardon. Les autres étaient repartis sur la pointe des pieds.

L'homme à la lèvre fendue avait traîné longtemps dans le quartier, car il suspectait le père Dupont de les avoir roulés. Mais le gros homme était trop futé pour lui, et ils s'étaient surveillés l'un l'autre jusqu'à ce que l'assassin disparaisse sans laisser de traces. Gabrielle Moreau aussi l'avait vu souvent rôder autour de sa maison. Il avait sans doute vu les voitures marquées « Dupont de l'Avre » qui lui livraient du bois... Que pouvait-il faire ? Depuis, personne, dans le quartier, ne savait ce qu'il était devenu.

Heureusement, après thermidor, l'ambiance de la rue s'était transformée. Même chez les petites gens qui n'étaient pas les cibles habituelles des bourreaux, la chute de Roberpierre avait été ressentie comme une immense libération. Tout le monde pensait que la vie allait enfin s'améliorer, que le pain serait moins cher, et que les boutiques se rempliraient à nouveau. Hélas, c'était pire qu'avant. Les trafiquants proposaient de tout à des prix inaccessibles. Les muscadins, partisans de l'Ancien Régime, molestaient parfois les patriotes avec des gourdins. La situation politique restait confuse.

À l'hôpital, également, la tourmente avait été ressentie douloureusement. Desault avait été arrêté une fois encore par la Commune, et il avait passé trois jours au Luxembourg. C'est Fourcroy qui l'avait fait libérer. Le patron avait encore plus mal supporté cette nouvelle incarcération, aussi injustifiée que la précédente, et il en était revenu brisé. Il n'était plus le même homme. Manoury, devenu son assistant, souffrait de voir son patron triste et amer. Même thermidor ne semblait pas l'avoir tellement réjoui. Il ne croyait pas à une véritable paix sociale. Il disait que la terreur pouvait resurgir à n'importe quel moment.

Un tout jeune chirurgien venait d'arriver de Lyon, un nommé Xavier Bichat. Desault lui avait offert de le loger chez lui pour l'aider à mettre de l'ordre dans ses papiers et reprendre la publication du *Journal de chirurgie* qui avait été suspendue en septembre 1792. Benoît était tout ému de savoir que ce journal, fondé par Desault, s'était interrompu le jour de son départ, et allait reparaître pour son retour.

Son retour... Était-il temps de regagner Paris ? Le père Dupont avait la réponse :

— Desault vous attend. Officiellement, vous rentrez de chez Jenner où vous avez été, en mission, étudier ses travaux sur la variole. Je lui ai dit ce que vous m'aviez écrit. C'est l'explication que tout le monde donnera. Et vous aurez à faire une communication sur ce sujet dès que possible.

Benoît était ravi d'un tel alibi.

— Je serais encore logé à l'hôpital ?

— Non, hélas, toutes les chambres sont occupées pour le moment. Il a regretté de n'avoir pas su plus tôt que vous reveniez. Il a déménagé et habite maintenant juste derrière l'hôpital, l'*Enclos de la Raison*, et il aurait eu la place de vous héberger, mais il a pris Bichat, il y a quelques semaines à peine. C'est d'ailleurs un garçon charmant que j'ai rencontré chez lui, un ancien élève de Petit, de Lyon, lui-même élève de Desault. Cet homme et ses élèves, c'est une grande famille.

Benoît ne savait pas encore à quel point il aurait à profiter des liens qui unissaient tant de praticiens au maître de l'Hôtel-Dieu. En matière de chirurgie, il était sûrement le plus grand révolutionnaire de ce temps ! De l'Europe entière on venait écouter ses cours et suivre ses visites. Si bien qu'une situation paradoxale était née de ce rayonnement international : sur les champs de bataille, les chirurgiens des deux camps avaient souvent été formés à l'Hôtel-Dieu !

Le père Dupont continuait :

— Si vous le voulez, au moins pour les premiers temps, j'ai pensé que le mieux serait que vous habitiez chez nous. Mon fils s'est marié en Normandie, et sa chambre est libre désormais. Vous y serez en sécurité. Si des gens vous voulaient du mal, vous savez que la sortie dérobée vers l'entrepôt peut être utile...

Benoît sourit en se souvenant de son départ de Paris dans le charroi de bois. La sortie de la maison par la cave, en pleine nuit... Tout cela était si loin !

— Monsieur, je ne sais comment vous remercier, vous avez tant fait pour moi déjà, et maintenant encore...

— Vous savez, mon petit Benoît, vous êtes entré dans ma vie un peu par effraction, ce fameux soir de septembre, et je pense que si Dieu vous a placé sous ma protection, il vaut mieux que je vous garde à portée de main. Qui sait ce que vous pourriez encore inventer !

Et il éclata de rire.

Henriette aussi riait, mais elle avait baissé les yeux. Benoît s'avisa que la jeune fille avait bien changé depuis leur nuit de bavardage. Elle était devenue presque jolie, avec des rondeurs nouvelles, des cheveux courts et plats, selon la mode du temps, et un simple bonnet, orné d'un voile d'organdi.

Clara avait-elle aussi coupé ses épaisses mèches sombres qui la drapaient du plus indécent des manteaux quand elle s'endormait ?

Huit jours plus tard, Benoît était devant l'hôtel du faubourg Saint-Germain. Tous les volets étaient fermés, et le jardin, autrefois si luxuriant, était à l'abandon. Dans la cour voisine, un vieux concierge balayait. Il lui demanda ce qu'étaient devenus les habitants.

— Oh ! Voilà bien longtemps qu'ils sont partis... Attendez voir...

L'homme avait soulevé son bonnet pour se gratter le crâne.

— C'était en juin dernier. Au début du mois. On avait encore tiré dans la rue. Ce jour-là ils ont arrêté le citoyen Clavière, qu'était quelque chose comme un ministre des impôts. Il venait souvent dîner chez Mme Clara, je veux dire la veuve Favreau-Duplessis... Le lendemain ils sont tous partis. C'est un Italien qui les a emmenés. Un bel homme. Fier, bien habillé. Mme Clara, je veux dire, la veuve... elle était à son bras...

Le vieux bavard se perdait avec bonheur dans ses souvenirs. Savait-il que son discours transperçait le cœur du jeune homme qui l'interrogeait ? Il en aurait dit volontiers plus encore, mais son interlocuteur était parti, le dos rond, conscient qu'une page de sa vie était définitivement tournée. Il lui semblait que sa jeunesse avait été perdue, quand la tornade l'avait emporté. Il était alors entré dans le monde douloureux des adultes.

Il avait été trahi, éconduit, raillé et, même à l'hôpital, sa place avait été prise. Son patron n'était plus le même, et il traitait le Lyonnais comme un fils. Mère Clo était morte, Saint-Yé la proie des spéculateurs ; l'hospice était devenu un immonde mouroir à soldats, et le couvent une prison. Lorsqu'il avait eu le courage de monter jusque là-haut, il avait trouvé le château fermé, des planches clouées sur toutes les fenêtres. Il était le bâtard d'une noblesse en ruine. Et sa maîtresse aussi l'avait abandonné.

À l'Hôtel-Dieu, personne ne savait trop quelle fonction lui donner, tant il y avait de monde, maintenant, autour du patron. Il commençait toujours à six heures du matin, et les rites étaient inchangés : les pansements, la visite, les consultations, les opérations, les autopsies à l'amphithéâtre, les cours, la foule des étudiants. Benoît n'avait plus sa place. Xavier Bichat était derrière le patron, avec son aspect souffreteux, ses cheveux pauvres, alors qu'il n'avait que vingt-trois ans, et cette façon agaçante de tout savoir. Une encyclopédie vivante. Et avec cela, discret, souriant, gentil... Benoît le haïssait.

Il ne trouvait de joies qu'avec ses amis. Il allait souvent souper chez les Moreau, et les enfants lui sautaient sur les genoux. Il y retrouvait sœur Bénédicte qui habitait le même immeuble. À l'hôpital, il la voyait de loin, et elle n'avait pas le temps de parler. Elle était dans le service des femmes. Tout le monde l'aimait ; mais personne ne savait qu'elle était une ancienne religieuse. Elle s'occupait aussi d'un vieux curé qui vivait, depuis trois ans, reclus dans une chambre, sous les toits. Il disait la messe chaque matin pour une poignée de fidèles et tous priaient pour le retour de la royauté.

Henriette aussi venait rue de l'Abbaye. Elle était marraine du petit dernier des Moreau. Le vitrier avait tenu à prouver, dès son retour de Saint-Yé, que son accident n'avait pas atteint sa virilité, contrairement aux racontars du quartier.

Le soir, Henriette et Benoît rentraient ensemble, discutant tout le long du chemin. Elle se montrait résolument optimiste et disait que les excès étaient finis. La Révolution allait porter ses fruits, il ne pouvait pas en être autrement. Lui pensait que le pays était ruiné, et qu'il faudrait encore bien des soubresauts pour que tout rentre dans l'ordre. Les événements semblaient bien lui donner raison. Les États-Unis et l'Angleterre venaient de signer un traité d'alliance pour bloquer les côtes françaises, Dugommier avait été tué à la bataille de la Montagne noire, la Vendée tenait toujours, et à Paris on continuait à régler des comptes avec la mise en accusation de Carrier, de Lebon... Elle lui rétorquait que Marceau avait pris Coblence, que Kléber était devant Mayence, et qu'on avait chassé les Anglais de la Guadeloupe. Et si la Convention se débarrassait encore des anciens agitateurs et des assassins, on y discutait aussi de la Constitution de 1793 qui serait bientôt mise en application.

Benoît se disait que les jeunes filles de maintenant avaient bien changé, et que si on n'y prenait pas garde, elles finiraient par faire de la politique. Déjà Henriette voulait s'inscrire à l'École normale d'instituteurs qui avait été créée par un décret de vendémiaire.

— Vendémiaire ?

— Oui, vendémiaire ! Octobre n'existe plus !

Elle voulait absolument que Benoît adopte le calendrier révolutionnaire, de peur qu'il se fasse remarquer dangereusement. Il fallait aussi s'appeler citoyen, citoyenne, et se tutoyer.

Deux ans avaient suffi pour que Benoît se sente presque un étranger dans son propre pays.

Enfin un événement nouveau survint. Les études de médecine allaient recommencer. La Convention avait décidé de créer trois écoles de santé, à Montpellier, Strasbourg, et Paris où elle s'installerait dans les anciens locaux de l'Académie de chirurgie. Ces écoles formeraient des « officiers de santé » pour soigner les soldats de la République. C'était encore Antoine Fourcroy, l'ami du pauvre Lavoisier, qui avait réussi à convaincre les conventionnels de la nécessité de recréer un enseignement officiel de la médecine pour lutter contre l'anarchie complète qui s'était installée.

Comme Fourcroy lui-même le disait, on assistait au triomphe du « brigandage de la médecine ». Depuis que les médecins avaient été requis en masse pour le service des armées, les empiriques de tous poils sévissaient dans les villes et les campagnes, manipulant des drogues dangereuses avec des résultats désastreux.

— Les citoyens ont droit à la santé, criait Cabanis, créons les moyens de la leur donner !

Alors on fit table rase des principes pédagogiques du passé. Fini le latin, adieu Hippocrate et Gallien. Fini ce « labyrinthe obscur où le médecin erre au hasard dans les sentiers où l'erreur et la vérité se confondent ». Desault résumait ainsi l'enseignement nouveau : « Peu lire, beaucoup voir, beaucoup faire. » Au grand dam des médecins rescapés de l'Ancien Régime, on décidait d'instruire les médecins comme on le faisait pour les chirurgiens autrefois. Quel scandale ! D'ailleurs, sur les douze professeurs nommés à Paris, huit étaient chirurgiens. Desault était parmi eux, professeur de clinique externe, c'est-à-dire des maladies chirurgicales, avec Manoury comme professeur-adjoint.

Dès la nouvelle connue, Benoît courut féliciter son patron. Il le trouva morose.

— Ce sera la résurrection du bavardage. N'y allez pas ! Vous en apprendrez plus, ici, en trois mois, que là-bas en trois ans.

Surpris, il fit part de son entretien au père Dupont qui resta longtemps songeur. Après le souper, il se décida à donner son opinion. Comme toujours, elle était marquée au coin du bon sens.

— Je comprends Desault. Il a lutté toute sa vie pour une réforme des études dont il est le modèle vivant. Il a méprisé la Faculté telle qu'il l'a connue, et il dénie toute valeur à la médecine actuelle. C'est son droit. Mais tout le monde ne peut pas devenir chirurgien. Moi, par exemple, j'en serais incapable. Alors que médecin...

— Ne rêvez pas, père, c'est trop tard pour vous y mettre.

— Je sais, ma fille, mais ne m'interrompez pas quand je parle. Voyez-vous, Benoît, si j'avais votre âge, je crois que je chercherais, par tous les moyens, à empocher un diplôme officiel.

— On dit qu'il n'y en aura pas. Trois ans d'études, sans obligation de présence, sans examens...

— Ils seront obligés de créer un titre quelconque. Et croyez-moi, il faut toujours chercher une consécration officielle. Je pense que c'est ce que votre père vous aurait conseillé. Un jour ou l'autre ce sera utile. Dans les sections, j'entends parler les gens. Ils conservent leur respect aux médecins d'autrefois, uniquement parce qu'ils sont docteurs. Et pourtant Dieu sait que leur ignorance est notoire. Mais ils ont fait des études. Il faut que vous fassiez des études. Surtout si elles ne sont pas contraignantes.

— On dit même que les étudiants seront payés.

— Vous pouvez toujours espérer...

La rentrée eut lieu le 1er pluviose an III. Dans sa tête Benoît pensait qu'on était le 20 janvier 1795, mais il ne le disait déjà plus. Bien qu'on ait parlé de choisir les étudiants au mérite, pour la première année on avait pris tous ceux qui s'étaient présentés avec un certificat de civisme, jusqu'à ce qu'on atteigne le chiffre de trois cents à Paris. Ils avaient été accueillis avec solennité.

— Élèves de la Patrie, avait dit le nouveau doyen, vous jurerez haine à la royauté et à l'anarchie, vous jurerez votre attachement à la République et à la Constitution de l'an III.

Les lieux, Benoît les connaissait bien car c'était ceux de l'École pratique d'anatomie de la ci-devant Académie royale de chirurgie où il avait appris à disséquer. On y avait adjoint le couvent des Cordeliers. Mais toutes les salles qui leur étaient attribuées étaient déjà occupées par des organismes divers : la section Marat, une fabrique de poudre, un entrepôt de distribution de vivres aux indigents, et par une foule de gens d'origines diverses qui ne refusaient pas de partir pourvu qu'on leur dise où aller.

Desault ne décolérait pas. Bichat, obéissant au patron, avait décidé de ne pas s'inscrire et se consacrait au *Journal de chirurgie* dont il préparait la reparution. Benoît racontait ses premières journées avec humour, décrivant la mine déconfite des provinciaux qui avaient fait des centaines de lieues à pied, pour découvrir l'encombrement des locaux, l'absence de toute organisation, l'anarchie de l'enseignement et la pénurie de cadavres à disséquer. Beaucoup s'en retournaient, une fois inscrits, sachant que, de toute manière, il leur suffirait de revenir dans trois ans, chercher le diplôme auquel ils auraient droit. L'école de la République était le siège d'un immense chahut.

Pour Benoît, cette gaieté fut de courte durée, et ce printemps 1795 devait être celui des grands chagrins. Ce fut d'abord Manoury qui tomba malade. Tout le monde aimait ce jeune assistant de vingt-neuf ans qui savait si bien intervenir auprès de son patron quand il était de mauvaise humeur. Une affection pulmonaire l'emporta en germinal de l'an III, à l'aube d'une carrière qui promettait d'être brillante.

À l'hôpital, Bichat le remplaça, et cette fois Benoît ne manifesta aucune jalousie. Il avait reconnu l'exceptionnelle qualité du Lyonnais, et tous deux avaient commencé à sympathiser, liés par leur commune admiration pour ce maître auquel ils devaient tout.

Quelques semaines plus tard, le désespoir acheva de les réunir quand Desault tomba malade et expira, en quelques heures, d'une affection que personne n'expliqua jamais. C'était comme si la foudre avait frappé l'Hôtel-Dieu. « À cinquante-sept ans, on ne meurt pas de cette façon ! » disait-on.

On était en prairial, les arbres étaient couverts de fleurs, et le cimetière Sainte-Marguerite paraissait décoré pour l'occasion. Corvisart, élève et admirateur de toujours, suivait la dépouille de son ami. Les larmes aux yeux, il murmura que certains devaient être en fête ce jour-là, mais qu'ils en seraient punis...

Il faisait allusion à une rumeur insistante selon laquelle il y aurait eu un lien entre ce décès incompréhensible et les visites que Desault avaient faites, les jours précédents, au Dauphin enfermé au Temple. Le chirurgien aurait clamé son indignation devant l'état dans lequel on maintenait ce pauvre garçon, dont on n'était d'ailleurs même pas sûr que ce fût encore le fils de Louis XVI. Avait-il trop parlé ? Était-ce un de ces ragots qui circulent si vite dans les grandes villes ? On ne le sut jamais. Ce qui est certain, c'est que la chirurgie avait perdu un des plus grands enseignants qui aient jamais existé, et Benoît, ce jour-là, se sentait une seconde fois orphelin.

Xavier Bichat était alors un frêle jeune homme au teint d'une grande pâleur, au visage émacié, aux cheveux rares et tristes. Sa tête paraissait trop grosse pour ses épaules étroites, mais Benoît avait été frappé, dès leur première rencontre, par l'intensité de son regard brûlant. Timide, ne parlant pas volontiers, il séduisait dès les premières minutes par la richesse de sa pensée, l'étendue de sa culture, et la chaleur des sentiments qu'il exprimait.

Il était le seul à connaître les liens qui unissaient Benoît et Desault. Le patron lui avait raconté comment il avait connu Aubin de La Verle, « un remarquable chirurgien assassiné dans des conditions mal élucidées ». Bichat était frappé par la similitude du destin de ces deux hommes, et il avait reporté sur Benoît un peu de l'affection dont la mort de Desault l'avait privé.

Par discrétion, il avait proposé à la veuve de son maître de quitter l'appartement de la rue de l'Enclos, mais elle avait refusé, tant que les travaux entrepris sur l'œuvre de son mari ne seraient pas terminés.

C'est donc là que Benoît venait, pour aider Bichat à ranger et classer la montagne de documents laissés par Desault. Depuis que le maître était arrivé à l'Hôtel-Dieu, en 1785, les étudiants avaient rédigé, sous sa surveillance, puis sous celle de ses assistants, les « observations » détaillées de tous les malades qui lui étaient confiés. Cet exercice était éminemment formateur, mais avait aussi l'avantage de laisser de passionnantes archives à exploiter, ce qu'il n'avait jamais eu le temps de faire. Bichat avait été chargé de cette tâche et, malgré la mort de son patron, il était décidé à la mener à bien.

Benoît aimait fouiller dans ces papiers où, de temps à autre, il retrouvait son écriture. Il s'arrêtait alors de ranger et relisait ces textes où sa jeunesse transparaissait à chaque page. À côté de lui, Bichat écrivait. Sa rapidité de rédaction était prodigieuse. Sans une rature et dans une langue parfaite, les feuillets se succédaient, sous l'œil admiratif de celui qui aurait dû être un condisciple, et se considérait déjà comme un élève.

C'est Pelletan qui avait été nommé au poste de Desault. Lourde succession pour un être plus intrigant que brillant. Tout le monde s'attendait à des éclats avec Bichat. Il n'y en eut pas. Seulement, un soir, au moment où Benoît allait partir, le Lyonnais lui annonça la nouvelle qui devait stupéfier le petit monde scientifique de l'époque.

— Quand j'aurai fini de mettre au propre l'œuvre du patron, j'abandonnerai la chirurgie.

— Que feras-tu ?

— De la médecine.

Benoît était muet de surprise. Il avait tellement entendu Desault vitupérer contre ces « bavards incompétents » qui répondaient « aux maux par des mots », qu'il ne pouvait imaginer le fils spirituel abandonnant ainsi le clan du père. La suite du discours l'étonna plus encore.

— Regarde tous ces papiers, il n'y a rien dedans. Seulement des constats d'échec. Et pourtant, ils proviennent du plus grand chirurgien de ce temps.

Benoît était scandalisé.

— Comment, des échecs ? Mais les observations que tu vas publier sont des succès. Tu deviens fou, Xavier !

— Des succès ? Quelques-uns, oui, mais combien d'échecs qui ne sont pas publiés ? Si quelqu'un avait un jour la terrible idée de compter les morts et les vivants qui sortent de notre hôpital, nous serions effrayés.

— Personne n'y peut rien !

— Benoît ! Voilà ce que, moi, je n'admets pas. Ne pas comprendre pourquoi nos malades meurent, et rester l'âme en paix parce que nous savons décrire leur mort mieux que les autres.

— Alors le patron ne servait à rien.

— Ce n'est pas ce que je veux dire, tu le sais bien, mais tu sais aussi qu'il opérait de moins en moins. « N'y touchez pas ! » disait-il. Tu t'en souviens !

Benoît regardait son ami avec une incompréhension si évidente que l'autre se fâcha. Il se leva et saisit la pile de feuillets qu'il venait de rédiger. Il la brandissait sous le nez de Benoît. Il récitait les titres, comme une litanie :

— Plaie à la tête guérie sans trépanation, neuf observations. Plaie du bas-ventre guérie sans opération, deux observations. Réflexions sur la commotion du cerveau à la suite de coups reçus à la tête, pas d'opération... Alors, que vous reste-t-il à opérer ? Je continue la liste : les pierres dans la vessie, on fait la même chose depuis l'Antiquité, les fractures, les polypes, les fistules lacrymales et salivaires... Crois-tu que cette chirurgie est à la mesure du savoir d'un homme qui passe dix heures par jour à décrire les maladies et leurs causes !

Benoît commençait à entrevoir ce que cet étonnant esprit voulait exprimer.

— Si la chirurgie est inefficace, la médecine ne sait rien, Xavier. Aucun médecin ne publie le moindre livre, ni la moindre observation intéressante...

— Je le sais bien. Les anciens ne sont pas encore débarrassés de leurs vieilles habitudes de bavardage, et les jeunes n'ont pas encore compris ce que devait être la médecine nouvelle. Il n'y en a que deux, aujourd'hui, qui commencent à émerger, Corvisart et Pinel.

— Tu dis cela parce qu'ils enseignent comme Desault...

— Oui. Mais ils réfléchissent aussi comme lui, alors ils vont finir par trouver un chemin nouveau.

— Tu es un visionnaire, Xavier.

Le jeune savant était plongé dans ses pensées et semblait rêver.

— Je veux comprendre comment une maladie se développe, comment réagissent les organes, et comment agissent les médicaments. Il s'énervait de nouveau : Enfin, Benoît, as-tu jamais prescrit une drogue quelconque en étant certain du résultat que tu allais obtenir, et surtout en sachant pourquoi tu devais obtenir ce résultat ? Non, bien sûr ! On continue à saigner les gens ! Pour quoi faire ? Il faut écrire un traité de la « Matière médicale » où seront élucidées toutes ces questions. Il faut arrêter de donner n'importe quoi à n'importe qui, dans n'importe quelle circonstance !

— Mais qui serait capable d'écrire un tel monument ?

— Moi ! Si Dieu me prête vie.

— Tu es croyant, toi ?

— Ne le dis à personne. Il éclata de rire. Son excitation était tombée : Allez, Benoît, je suis trop énervé pour continuer à travailler ce soir. Viens faire un tour. Nous verrons ce qui se joue au théâtre. Je reprendrai tout cela à mon retour.

En chemin, Benoît pensait à Edward Jenner qui lui avait tenu le même langage. Était-ce donc une absurdité de vouloir être chirurgien ? Profondément troublé, il revint à la charge.

— Mais quel avenir y a-t-il alors, pour les chirurgiens ?

— L'armée, Benoît, l'armée. La guerre, c'est le seul domaine où notre métier a progressé et peut encore progresser. Nous savons, mieux que quiconque, ce qu'il faut faire des plaies par balle et par arme blanche, des fractures et des luxations. L'amputation elle-même est parfaitement codifiée dans ses indications et ses modalités.

Benoît l'interrompit. Il avait eu tort de le relancer. Il avait envie de s'amuser et d'oublier les incertitudes de ce métier dont les bases semblaient s'effondrer. Pourtant, le printemps 1789 n'était pas si loin, quand son père lui décrivait le monde de ses vérités. L'avenir lui paraissait alors simple et facile : un métier à apprendre, des gestes à répéter, des études anatomiques à faire et, au bout de la route, une situation à Saint-Yé que personne ne lui disputerait.

En quelques années, les schémas classiques avaient disparu, et personne ne pouvait dire de quoi demain serait fait. Aubin avait vécu dans un monde où il fallait des siècles pour que les choses bougent, et encore, à peine. Benoît avait l'impression d'être debout sur le pont d'un bateau en pleine tempête. Tout chavirait autour de lui. Les idées, les hommes, la médecine, la politique, se renouvelaient à une telle vitesse que la pensée ne parvenait plus à suivre.

Et bien heureux encore, celui qui, dans cette tornade, parvenait à sauver sa misérable vie.

CHAPITRE VII

Benoît et Henriette se marièrent le 19 floréal an VI.

Dans son cahier, Benoît transgressa dangereusement l'obligation d'utiliser le calendrier révolutionnaire, en écrivant « 8 mai 1798 ». Mais personne d'autre que lui n'y avait accès. Pas plus qu'il ne lisait le journal que sa fiancée, suivant son exemple, tenait également depuis qu'il s'était installé rue de l'Entrepôt.

Selon lui, Henriette était superbe, ce jour-là, dans sa longue robe blanche à la romaine. Ses cheveux courts dépassaient à peine d'un chapeau de velours blanc assorti à sa ceinture. Elle portait à la taille un amusant petit sac brodé en forme de sabretache qu'on appelait une balantine et était chaussée d'escarpins vernis blancs. Enfin, son superbe tablier-fichu était en dentelle de Valenciennes.

Si l'on en croit Henriette, Benoît était d'une élégance admirable et elle trouvait qu'il était le plus beau des hommes. D'une taille supérieure à la moyenne, avec une stature un peu épaisse qu'il accentuait en copiant la lourde démarche de son maître Desault. Ses cheveux noirs étaient coupés courts, encadrant son front têtu ; les sourcils épais, souvent froncés sur des prunelles sombres qui lui donnaient un regard intense.

Pour le mariage, il avait choisi un habit gris croisé au petit collet noir, avec une cravate de soie blanche nouée sous le menton. Et pour satisfaire à la coutume, il avait coiffé un bonnet phrygien du plus beau rouge.

En cette belle matinée printanière, les deux jeunes gens montaient, main dans la main, le chemin du village en direction de la mairie de Saint-Yé, rebaptisé Grantier depuis quelques années. On disait même Grantier-le-Haut pour le village ancien, pelotonné autour du château et de l'hôpital « communal », et Grantier-le-Bas, pour l'agglomération nouvelle qui se construisait le long de la grand-route, autour de l'auberge du Grand-Cerf, comme on l'appelait désormais.

Deux autres cortèges rejoignirent le premier, si bien que trois couples arrivèrent ensemble sur la place de la Liberté où les arbres étaient décorés de banderoles tricolores. Là, une clique en uniforme jouait une marche militaire. Le maire, ceint d'une écharpe tricolore et coiffé d'un étonnant chapeau emplumé, les attendait, entouré de son conseil municipal, monté sur une estrade décorée de somptueuses cocardes.

De l'autre côté de la place, trônait le buste peu ressemblant d'Aubin de La Verle, premier élu de la commune ! Benoît ne passait jamais sur cette place sans avoir le cœur serré en regardant l'angle, là-bas, où il avait vu son père s'écrouler.

Aujourd'hui aussi la place était noire de monde, mais c'est lui et les autres fiancés qu'on acclamait comme s'ils étaient en train d'accomplir un exploit.

Derrière le maire, sur la façade de la mairie, un coq gaulois triomphant dominait la scène. Au pied de l'estrade une table était drapée de tricolore : c'était l'autel de la patrie où les nouveaux mariés et leurs parents signeraient le livre d'état civil. De chaque côté de l'estrade, des militaires blessés présentaient les armes comme ils le pouvaient. Ils étaient venus de l'hôpital tout proche, témoigner du courage des défenseurs de la patrie.

Au premier rang, trois jeunes filles du village, habillées de blanc, portaient chacune un bouquet fleuri et une couronne de lauriers. Les jeunes mariés reçurent la couronne, leur compagne le bouquet. Le spectacle était à la fois touchant et ridicule, les spectateurs hésitant entre l'émotion et le fou rire. Ce jour-là on avait rangé, au pied de l'estrade, trois autres jeunes filles « pauvres et vertueuses », qui recevraient chacune une bourse théoriquement destinée au trousseau de leur futur mariage. À voir leur visage, Benoît pensa qu'elles risquaient bien de conserver longtemps leur pile de draps immaculés !

Discours enflammés, chants patriotiques, échange des anneaux, distribution de dragées aux enfants, c'était une vraie fête.

Il n'était pas loin de midi, quand la farandole redescendit dans les rues du village en dansant, vers le festin que chaque famille avait préparé.

Oscar, arguant de la tradition familiale, avait exigé que la noce ait lieu à l'auberge, plutôt que chez la mariée comme c'était l'usage. Et son insistance avait été si touchante que la famille Dupont de l'Avre avait cédé de bon cœur. De Normandie étaient donc venus, dans deux grandes voitures spécialement louées pour l'occasion, une partie de la famille Dupont et des amies de collège d'Henriette.

Benoît fit la connaissance de son beau-frère Édouard. C'était un grand gaillard blond, à peu près du même âge que lui, déjà un peu rond, avec un regard d'une évidente douceur. Il présenta Germaine, sa femme enceinte, souriante, et si discrète que Benoît se demanda, après les noces, s'il avait seulement entendu le son de sa voix.

Des carabins aussi étaient venus de Paris, bien décidés, selon l'usage, à faire quelques blagues de mauvais goût. Mais le vin des tonneaux, mis en perce dès le début du repas, les plongea dans le coma avant l'heure choisie par les époux pour s'éclipser. Certes, des demoiselles poussèrent les hauts cris en découvrant une oreille dans leur aumônière, mais les choses n'allèrent pas plus loin.

Benoît regretta l'absence de Xavier Bichat. Il avait eu un malaise la veille du mariage, et avait été condamné au lit par Corvisart et Pinel, très inquiets devant la survenue d'une hémorragie pulmonaire. Heureusement ce n'était qu'une fausse alerte, et il devait être remis rapidement sur pieds.

Ce fut une belle noce, avec danses et chansons, cadeaux et charivari traditionnel. On vit même sœur Bénédicte danser ! Avant de quitter Paris, les fiancés étaient venus chez elle un soir, et, en grand secret, son vieux curé les avait mariés religieusement, devant la famille Moreau pleurant d'émotion. La jeune religieuse leur avait confié son espoir d'être autorisée, un jour prochain, à remettre son habit, car la lutte anticléricale se relâchait et la fin des persécutions semblait proche.

Ce jour de floréal, Benoît avait eu l'impression de franchir une étape inespérée. Il pénétrait dans un monde inconnu pour lui jusqu'alors, celui de la sécurité matérielle. Non pas qu'il y attachât une importance démesurée ; il avait vécu avec un père pauvre, et il n'en avait jamais vraiment souffert. Mais la peur de l'avenir, particulièrement incertain dans ces temps d'inflation galopante et d'instabilité politique, était le lot des habitants de la capitale. La veuve de son maître Desault, par exemple, s'était crue riche un moment. Mais, depuis ces dernières années, avec les mêmes rentes, elle ne vivait plus que d'expédients, aidée par le soutien discret de Bichat et des anciens amis de son mari.

Un soir, Henri Dupont avait dit à Benoît son désir de se retirer en Normandie et l'espoir qu'il avait, avant de partir, de marier sa fille à un homme auquel il pourrait faire confiance. La conversation avait tourné de telle sorte que Benoît s'était bientôt trouvé dans la quasi-obligation de lui dire : « Mais si vous le voulez, moi je veux bien l'épouser, Henriette... »

Les jours suivants, il avait bien compris que le vieux roublard précipitait seulement le cours d'événements déjà prévus de longue date. Et, au fond, il lui en savait gré. Henriette était un parti merveilleux, et il ne pouvait pas espérer une compagne plus à même de le rendre heureux. S'il n'avait jamais ressenti pour elle ce pincement au cœur que Clara et Hélène avaient suscité, était-ce si essentiel ?

À l'annonce de la décision prise, Henriette lui avait sauté au cou avec un élan émouvant. En sentant contre lui ce corps juvénile, une émotion sincère l'avait envahi, tandis qu'une paix profonde emplissait son esprit.

Le père Dupont, sans aucune fausse pudeur, avait clairement détaillé la situation financière de sa fille. Les forêts représentaient un capital solide, et l'exploitation du bois donnait des dividendes qui suivaient scrupuleusement le coût de la vie. Il pouvait donc assurer à Henriette un revenu respectable sa vie durant.

— J'ai bien compris qu'une carrière de chirurgien nécessite un long investissement, avait dit le vieil homme. La sérénité professionnelle tarde à venir et il faut savoir patienter. Désormais vous en aurez les moyens. Vous rendrez ma fille heureuse et vous vivrez confortablement en attendant la célébrité et la gloire dont elle profitera. Le marché est équitable.

À Paris, les jeunes mariés s'installèrent dans la maison que le père Dupont leur avait laissée. Les travaux d'aménagement des quais de Seine avaient permis de prolonger la rue jusqu'au fleuve en partageant en deux le terrain de l'entrepôt désaffecté, libérant ainsi deux magnifiques terrains à bâtir. Il était devenu trop difficile d'exploiter cette réserve de bois que les Parisiens pillaient à plaisir. De Normandie, les charrois livraient maintenant directement à des détaillants qui assuraient le service aux particuliers.

Au rez-de-chaussée, Benoît s'était aménagé un cabinet de travail. Au premier étage, Henriette avait rajeuni les locaux selon la mode du jour avec des meubles en bois blond et des tissus rayés. Au-dessus se trouvait leur chambre, communiquant avec celle des futurs enfants. Enfin, tout en haut, ils avaient tenu à garder une chambre pour inciter les parents Dupont à venir faire des séjours parisiens.

Ses trois années d'études de médecine terminées depuis la fin de 1797, Benoît espérait le rétablissement de la soutenance de thèse, que les professeurs appelaient de leurs vœux. Déjà, au printemps, ils avaient obtenu qu'on grave au fronton du bâtiment principal, l'appellation « École de médecine », et non « École de santé » comme l'avaient prescrit les conventionnels. Le titre de docteur serait bientôt remis en vigueur et Benoît se préparait à défendre un travail sur la variole qui résumerait son expérience anglaise et les espoirs de la vaccination. Ce choix avait beaucoup choqué, mais il avait tenu bon. N'était-ce pas la justification officielle de son départ de 1792 ?

De toute façon, on avait abandonné les sujets ésotériques d'autrefois, et surtout, il rédigea son texte en français et non en latin. Les étudiants tenaient à cette réforme qui scandalisait les anciens. Jusqu'en 1793, toutes les thèses avaient été écrites dans la langue de

Gallien, et les traditionalistes acceptaient mal que la médecine s'exprimât désormais dans le langage commun. Mais les jeunes avaient avec eux les réformateurs du Directoire, et ils se savaient dans le mouvement des temps nouveaux.

En revanche, bien des coutumes anciennes persistaient malgré la réforme des études. C'est ainsi que l'anatomie demeurait, pour sa plus grande part, l'apanage des enseignants privés qui suppléaient ainsi à l'insuffisance chronique de l'École, en arrondissant leurs fins de mois. Benoît, comme Bichat et bien d'autres, avait ouvert, rue de Bièvre, un « laboratoire » où il aidait ses jeunes collègues à disséquer, et à répéter les interventions élémentaires. Normalement, les hôpitaux auraient dû livrer à l'École les cadavres nécessaires à l'instruction des étudiants. Mais ils en faisaient eux-mêmes un usage pédagogique important et, surtout, les « garçons d'amphithéâtre » préféraient les livrer aux laboratoires privés qui les rémunéraient. Benoît avait trouvé ce système plus efficace que l'approvisionnement dans les cimetières qu'il pratiquait étant enfant avec son père.

Bichat de son côté était en affaire avec Allard, le fossoyeur du cimetière Sainte-Catherine, et il allait prendre livraison des corps, nuitamment, malgré l'interdiction de la police. Il racontait avec beaucoup d'humour qu'un soir, alors que leur voiture attendait dans la rue, ils avaient passé un à un, par-dessus le mur, le lot des cadavres à emporter. Malheureusement, quand ils eurent sauté à leur tour, la voiture avait disparu ! Il avait fallu obliger un pauvre cocher de fiacre terrorisé, à transporter la macabre cargaison jusqu'au laboratoire de la rue de Grès où Bichat officiait.

Tous les médecins de cette époque ont conservé un souvenir douloureux de ces journées de travail au fond des galetas mal aérés, dans une atmosphère pestilentielle à peine atténuée par la fumée de la pipe que chaque étudiant serrait solidement entre ses dents. L'odeur était encore aggravée par le poêle qui tirait mal, et dans lequel on se débarrassait des débris anatomiques. Les sujets en attente, et les pièces disséquées à faire disparaître, étaient stockés dans la cour, sous une bâche, au grand dam des voisins. La police, régulièrement alertée, venait faire des rapports indulgents qui se terminaient toujours en affirmant que les contrevenants promettaient d'interrompre ces actes illicites incessamment. Ce qui se produisait d'ailleurs dès le mois de juin, en raison de la chaleur qui rendait ces pratiques impossibles. Elles reprenaient dès l'automne, et les lenteurs de l'autorité publique leur permettaient d'attendre, sans s'émouvoir, la fin de l'année scolaire.

Benoît n'avait pas besoin du fruit de cet enseignement pour vivre. C'était seulement une source de notoriété. Il continuait à fréquenter l'Hôtel-Dieu où Pelletan l'accueillait bien volontiers ; mais il n'avait toujours pas pu y obtenir de fonctions officielles. Or la pratique hospitalière était devenue un titre d'honorabilité professionnelle, comme si le traitement des pauvres était un gage de qualité pour soigner les riches. Avec tous ses camarades, Benoît surveillait les hôpitaux parisiens en priant le Ciel qu'une place se libère, afin de poser sa candidature.

En attendant, une possibilité intéressante s'était présentée à lui au début de l'année 1798. Il y avait, rue de l'Abreuvoir, une de ces nombreuses maisons de santé où étaient logés des gens de toutes origines, en principe atteints d'une affection médicale. Ces établissements avaient permis jusqu'alors, pendant les périodes les plus dangereuses, de soustraire aux bourreaux des victimes qui avaient les moyens de s'offrir cette protection discrète. Certaines maisons faisaient même office de prisons médicales, sous contrat avec la justice, et en accord avec la police qui venait régulièrement surveiller les pensionnaires. Un tel système était la porte ouverte à tous les trafics, mais il avait sauvé bien des têtes !

Sous le Directoire, la vocation médicale de ces maisons de Santé avait repris le dessus, et Pinel, par exemple, les utilisait pour mettre à l'abri des individus qui, sans cela, auraient été condamnés à l'hospitalisation chez les aliénés, dont le sort était atroce, malgré les efforts réformateurs incessants de ce grand médecin.

Le propriétaire de l'établissement de la rue de l'Abreuvoir était vieux. Il cherchait quelqu'un pour le seconder, et peut-être lui succéder. Cela concordait avec un projet que Benoît ne savait comment réaliser. Il s'en était ouvert à son beau-père, qui l'avait encouragé, en lui promettant son soutien financier en cas de besoin, si bien que le jeune homme avait sauté sur l'occasion. Chaque matin il faisait donc la visite de ses pensionnaires, au nombre d'une vingtaine, et leur donnait ses soins. Certains avaient besoin de pansements, que Benoît renouvelait avec toute sa science de chirurgien ; d'autres sollicitaient quelques prescriptions, à faire exécuter par l'apothicaire qui tenait boutique dans la même rue. Surtout, il préparait son grand dessein.

Edward Jenner, son fidèle ami anglais, lui avait écrit, comme promis, après avoir fait sa première expérience d'inoculation de la vaccine, qui datait de mai 1796. Il avait transmis le pus d'une vachère nommée Sarah Nelmes à un jeune garçon appelé James Phipps. À ce dernier il avait inoculé la variole et il n'avait pas développé la maladie. Le génial Jenner venait de prouver que son intuition était bonne : la transmission de la vaccine à l'homme le protégeait contre la variole. On était passé d'une constatation banale, à une proposition thérapeutique qui visait à protéger l'humanité tout entière contre un de ses fléaux les plus graves. Tout cela, Benoît l'avait écrit dans sa thèse, dont un exemplaire avait été envoyé à son ami.

Il était maintenant résolu à créer, dans cette maison de santé, un centre de « vaccination ». Mais il restait tant d'obstacles techniques à franchir, qu'il lui faudrait encore faire preuve de patience et d'obstination. L'idée était lancée, et il suffisait de trouver les moyens de la faire progresser. La correspondance avec Jenner le tenait au courant des progrès réalisés en Angleterre et, de son côté, grâce notamment aux relations de sa belle-famille en Normandie, il espérait trouver, autour du cheptel local, la solution aux problèmes restant à résoudre.

Sur le plan pratique, Jenner utilisait une méthode dite « de bras à bras ». Elle consistait à trouver d'abord un individu atteint de la vaccine contractée au contact des vaches. Après, il fallait convaincre le personnage de se prêter à la suite de l'opération : transmettre, avec l'aide du médecin, sa maladie à des gens qu'il ne connaissait pas... Une fois la maladie transmise, on devait continuer, en la faisant passer, toujours « de bras à bras », dans une population renouvelée sans interruption. La rupture de la chaîne faisait repartir le problème à zéro. On avait bien essayé de conserver le pus sur un fil de coton lui-même enfermé dans un tube de verre scellé, mais cette technique imparfaite n'assurait pas un succès constant.

Il y avait plusieurs causes d'échec. Quand la vaccination avait lieu, comme ce fut le cas au Smallpox Hospital, dans un milieu saturé de variole, la transmission de la vaccine s'était traduite, un certain nombre de fois, par l'inoculation d'une véritable variole. Ailleurs, on avait obtenu des résultats tout aussi regrettables, quand un sujet intermédiaire était porteur d'une autre maladie transmissible. On avait inoculé ainsi, en plus de la vaccine, quelques syphilis fâcheuses !

Benoît suivait de près les progrès de son maître et ami, sans s'arrêter aux problèmes psychologiques provoqués par cette méthode nouvelle qui suscitait autant de détracteurs que de partisans passionnés. L'acharnement des opposants était motivé essentiellement par la crainte de voir disparaître la vieille technique de l'inoculation variolique, grâce à laquelle de nombreux praticiens continuaient à s'enrichir.

Jenner trouverait sûrement le moyen de faire triompher son idée, et Benoît serait là pour continuer à diffuser ce projet exaltant. Sa maison de santé deviendrait l'outil idéal pour y parvenir.

Un soir, Benoît reçut dans sa maison de santé de la rue de l'Abreuvoir, une missive apportée par un valet : « La citoyenne veuve Favreau-Duplessis prie le citoyen et la citoyenne de La Verle à souper... » Il crut défaillir. Clara était revenue, et elle le conviait ainsi, comme n'importe qui. À moins que ce fût par discrétion, à cause de son mariage. Depuis quand était-elle rentrée à Paris ? En tout cas elle n'était pas remariée. Cette pensée lui fit honte. Il n'allait pas retomber dans les bras de cette femme qui avait disparu sans se soucier de lui.

Fallait-il même se rendre à cette invitation ? Il en parla à Henriette qui sauta de joie à l'idée de faire la fête, ce qui lui arrivait rarement. Il n'osa pas lui dire la réalité des liens qui l'avaient uni à la belle Italienne.

Ils louèrent une voiture pour la soirée et arrivèrent faubourg Saint-Germain où se déployaient les fastes de la réception. Clara était en haut des marches dans l'entrée, vêtue d'une robe somptueuse, avec, sur les épaules, un châle brodé d'or. Elle accueillait ses invités au milieu d'une cour de personnages pittoresques qui formaient sûrement l'avant-garde de la mode. Benoît la regarda de loin, et il se demanda s'il l'aurait reconnue dans la rue tant elle avait changé. Il n'y avait pourtant pas plus de cinq ans qu'il l'avait quittée, et elle en paraissait dix de plus. Elle avait maigri, ses yeux paraissaient encore plus grands dans ce visage émacié dont le fard abondant masquait probablement la pâleur. Ses lèvres, quand elle ne souriait pas, tombaient en un rictus douloureux.

— Je suis heureuse, citoyen de La Verle, que vous franchissiez de nouveau le seuil de cette maison sans avoir personne à y soigner. Et que vous nous présentiez votre épouse dont on dit qu'elle est si jolie... Je vois qu'on ne m'a pas menti. Entrez, je vous en prie, je vous rejoindrai dans un moment. Gabriella ! appela-t-elle, conduisez notre chirurgien et son épouse jusqu'au buffet et présentez-les à nos amis.

Une ravissante jeune fille se précipita et les entraîna vers l'intérieur. Elle n'avait pas dix-huit ans et sa tenue était stupéfiante : outre ses cheveux violets et son visage poudré de blanc, sa robe de soie blanche était si fendue de partout qu'on aurait pu la croire faite de rubans.

Le jeune couple était resté muet. Ils se regardèrent avec un sourire complice et, se tenant par la main, suivirent l'étonnante beauté qui les entraînait.

Les salons étaient brillamment éclairés et une foule d'invités s'y pressait déjà. Ils appartenaient à cette société dont parlaient les gazettes en se gaussant, et les plus excentriques personnages de ce temps y étaient sûrement tous réunis. Benoît devait ressembler à un ethnologue tombé dans une civilisation inconnue.

Gabriella avait un délicieux accent italien dont elle savait se servir à merveille. Ses fautes de français avaient un charme tel que Benoît se demanda si elles n'avaient pas été savamment étudiées à l'avance. Elle les conduisit vers un groupe d'invités qui semblait figurer le centre de l'assemblée tant il y avait de monde autour d'eux. Effectivement, elle les présenta à tout ce qui avait un nom depuis la fin de la Terreur. Mme Tallien, née Thérésa Cabarrus, qu'on appelait Notre-Dame-de-Thermidor, Barras, membre du Directoire, et dont on disait qu'il était son amant, Ouvrard, banquier richissime, et d'autres noms qui défilèrent trop vite, Crémay, Coigny, Beauharnais... Benoît pensa qu'il lui faudrait beaucoup de temps pour trouver la place qui revenait à chacune de ces marionnettes agitées sur le devant de la scène politique du moment. Il remercia la jeune fille.

— Merci, Gabriella, mais je pense que tu dois être nécessaire à d'autres invités. Tu peux nous laisser, maintenant.

Elle fit une révérence.

— Si vous avez besoin de moi, vous me trouverez toujours près de tante Clara. À tout à l'heure.

Et elle s'en fut dans un tourbillon qui ne cachait rien de ses formes.

Henriette s'accrocha au bras de Benoît et murmura en riant :

— Mais où sommes-nous tombés ?

Benoît hochait la tête.

— Je crains, ma chère amie, que nous ne soyons tombés, comme tu dis, dans ce qu'on ose appeler la bonne société, sans doute par antiphrase !

Un verre à la main, ils s'installèrent dans l'embrasure d'une fenêtre pour mieux jouir du spectacle. Les robes, surtout, les fascinaient : la plupart étaient inspirées de l'antique, transparentes et ceinturées sous les seins, qui étaient ainsi soulevés comme offerts, à moitié nus, au regard du spectateur. Partout ce n'était que formes aperçues dans des entrebâillements de tulle et de soie.

Les perruques avaient aussi de quoi surprendre. Aucune, en effet, n'avait une couleur naturelle. Rose, violette, bleue pâle, toutes poudrées et de forme imprévisible. Certaines étaient gonflées comme des châteaux forts, d'autres ébouriffées comme des chiens fous.

Quant aux hommes, leur mise atteignait, pour certains, les sommets du délire. Les couleurs, la forme de leurs habits, et de leurs chevelures, leurs bijoux, leurs expressions, leurs cris, tout était fou !

Henriette et Benoît se poussaient du coude quand un spécimen particulièrement remarquable passait à leur portée. Ils avaient beaucoup de mal à ne pas éclater de rire à tout moment.

Des valets circulaient sans cesse, portant des plateaux couverts d'un amoncellement de mets raffinés. On remplissait leur verre chaque fois qu'ils buvaient une gorgée.

— Que peuvent penser ces serviteurs, devant une telle profusion ? Ce sont sûrement des gens du peuple, et dehors on meurt de faim, s'indignait Benoît.

— Ne dis rien, chuchota Henriette, il me semble que les gens qui sont ici font la pluie et le beau temps, et qui sait si un jour nous n'aurons pas besoin d'un peu plus de soleil... Et puis nous sommes invités par une si jolie femme...

Clara s'approchait d'eux.

— Votre bonheur fait plaisir à voir.

— Merci.

— Benoît... vous permettez que je l'appelle Benoît ?

Henriette répondit par un sourire approbateur.

— Benoît, je vais avoir besoin d'un conseil médical. J'ai vu dans votre regard que ma mine vous avait surpris... Ne protestez pas, vous n'êtes pas le seul ! À notre époque où il est de bon ton d'avoir la chair opulente, moi je maigris à vue d'œil. Peut-être pourriez-vous me conseiller, ou dire un mot à ma balance...

Son sourire était toujours aussi charmeur.

— Quand vous voudrez.

— Disons demain, en fin de matinée.

— J'y serai.

Clara était assise devant une fenêtre, à contre-jour, et Benoît, sur un canapé, lui faisait face. Elle lui raconta très vite ce qui s'était passé en septembre 1792, après son départ. D'abord l'indignation devant son mutisme, puis l'explication de cette escapade forcée. Enfin la douleur de l'absence.

Elle avait marqué un long silence, les yeux baissés, et Benoît avait senti son cœur s'accélérer lâchement. Il avait su se taire.

Elle avait parlé de lettres écrites avec des larmes, mais restées à Paris, faute d'adresse où les envoyer... La Terreur s'était intensifiée, et elle n'osait plus sortir. Quand son ami, le ministre Clavière avait été arrêté, elle n'avait songé qu'à fuir.

— Mon frère était arrivé de Rome depuis quelques jours, il m'a mise dans sa voiture, et nous avons fermé la maison. Je suis restée exilée en Italie jusqu'à ce que mon amie Thérésa m'appelle. Elle baissa le ton pour ajouter : Je craignais d'apprendre que tu étais mort... J'ai su que tu n'étais que marié. C'était tout de même moins grave.

Cette voix basse, un peu cassée, lui rappelait des souvenirs qui lui serraient la gorge. En quelques mots, lui aussi raconta son odyssée.

Un valet apporta des orangeades. Puis il reprit la parole :

— Veux-tu que nous parlions un peu de santé, maintenant ? Raconte-moi cette histoire d'amaigrissement.

Depuis quelques mois elle se sentait fatiguée ; elle n'avait plus envie de manger et maigrissait.. Son médecin italien lui avait prescrit du vin de quinquina, des mélanges d'herbes plus amères les unes que les autres, mais rien n'y faisait. Pourtant elle n'avait mal nulle part, sauf au ventre quelquefois.

Il lui proposa de l'examiner. Elle se récria, mais il insista.

— M'examiner, mais que veux-tu dire ?

— Palper ton ventre...

— Mais personne n'a jamais fait cela... Elle baissa les yeux. Et elle ajouta, un ton plus bas : Sauf toi, il y a si longtemps. Aurais-tu envie de recommencer ?

— Clara, tu viens de dire « il y a si longtemps ». Rien ne peut jamais recommencer. Même si je ne renie rien de ce qui s'est passé entre nous, le temps a passé, et rien ne sera plus jamais pareil. Moi aussi j'ai changé. Maintenant je suis un vrai médecin. Demain je vais passer ma thèse et je serai « docteur ». J'aurai un cabinet, une clientèle...

— Des enfants, plein d'enfants, et une notoriété à défendre...

— Je l'espère. Mais aujourd'hui, c'est le médecin qui est devant toi et veut savoir ce qui te fait maigrir.

— Soit. Laisse mon Benoît dans le salon, et dis au docteur de La Verle de me suivre dans ma chambre.

Bichat écoutait Benoît avec attention.

— Tu sais, Xavier, j'ai été horriblement impressionné. Elle est très maigre, mais son ventre est presque gros. Je l'ai palpé et j'ai eu l'impression qu'elle avait une énorme vessie. Je l'ai envoyée la vider. Cela n'a pas été sans mal, tu imagines. Elle est revenue s'allonger, rien n'avait changé. Alors j'ai fait comme Corvisart nous a montré. Tu sais, la percussion sur un doigt. Et je t'assure que le résultat a été net : elle a de l'eau dans le ventre, comme dans un ballon, une énorme poche d'eau.

— Si tu ne t'es pas trompé, Benoît, je crois savoir ce que c'est. J'ai vu déjà plusieurs fois, à l'autopsie, des kystes de l'ovaire qui contenaient plusieurs litres de liquide. Il y avait aussi, à l'intérieur, des sortes de végétations, comme des algues, qui se retrouvaient aussi sur les intestins, sur le foie... Ces femmes étaient mortes sans doute à cause de ces végétations qui étaient présentes également dans les poumons. Je crains qu'il ne s'agisse de cette maladie.

— Que peut-on faire ?

— Rien, je pense. Peut-être une ponction. Tu sais que tout ce que nous faisons au niveau du ventre se termine généralement mal... mais tu peux essayer.

— Tu m'aiderais ?

— Si tu le souhaites...

Les deux hommes se retrouvèrent un soir rue de Bièvre, dans le laboratoire d'anatomie de Benoît. Ils étaient seuls, éclairés par des chandelles. Malgré la fenêtre ouverte, l'odeur était à peine tenable. Ils avaient installé sur une table de dissection, le cadavre d'une jeune femme décédée récemment d'un accident. Elle avait été renversée par un cheval emballé qui l'avait projetée contre un mur.

Elle était morte à l'hôpital de la gendarmerie, et elle avait été livrée le matin même.

Benoît avait fait préparer une poche de baudruche faite avec du gros intestin de bœuf et, avec un clystère, il la gonfla d'eau. Ils ouvrirent l'abdomen de la jeune femme et y introduisirent leur poche de liquide. Ils s'y reprirent à plusieurs fois, jusqu'à ce que Benoît soit satisfait.

— Voilà, c'est exactement comme le ventre de Clara.

Chacun, à tour de rôle, posait une main sur le ventre de la morte, et tapotait avec un doigt de l'autre main. Le son n'était pas le même selon la position des doigts.

— Corvisart dit que c'est ainsi que les tonneliers mesurent le niveau du vin dans les tonneaux... Un médecin autrichien a décrit cette méthode d'examen, j'ai vu sa publication. Personne ne s'y est intéressé jusqu'ici. Il s'appelle Auenbrügger.

Bichat répétait le mouvement.

— J'ai dit à Corvisart qu'il devrait écrire un article sur ce sujet, mais il m'a répondu que tout le monde allait se moquer de lui. En fait, je crois qu'il veut d'abord en savoir plus sur la manière d'utiliser cette façon de faire... Il faudra lui demander s'il a essayé dans de pareils cas.

Benoît l'arrêta.

— Pour Clara, que faut-il faire ?

— Tu as pris des trocarts ?

Benoît sortit d'une boîte une grosse aiguille, et la lui tendit. Ils refermèrent le ventre par une suture grossière, et ils enfoncèrent l'instrument au-dessus de l'aine. L'eau jaillit par l'extrémité extérieure de l'aiguille. Ils la laissèrent s'écouler. Le silence de la nuit n'était troublé que par le bruit du petit jet qui tombait dans une bassine de fer. Tout spectateur aurait défailli devant le spectacle de ces deux hommes qui regardaient, les sourcils froncés, l'eau couler ainsi du ventre d'une morte.

Quand la source parut tarie, ils ouvrirent délicatement la suture abdominale pour regarder l'intérieur du ventre. La poche de baudruche était presque complètement dégonflée, et l'aiguille bien visible, traversant le ventre, restait fichée dans le kyste.

— Voilà ce qu'il faut faire, conclut Bichat.

Benoît hocha la tête. Sur son front coulaient de grosses gouttes de sueur.

Ils répétèrent plusieurs fois l'opération en changeant de trocarts et Benoît mit de côté celui qui convenait le mieux.

Clara fut enchantée de ce traitement. Elle retrouva la finesse de sa taille et se sentit beaucoup mieux. Elle cria partout que Benoît l'avait guérie, et donna une fête en son honneur. Bichat refusa de venir ; il avait trop de travail. Il allait publier un livre dont il ne voulait pas encore parler, mais qui devait révolutionner les idées médicales de ce temps. Moins studieux, Benoît était ravi.

Henriette, de son côté, commençait à se méfier de cet excès d'hommages rendus à son mari par des femmes dont le regard avait l'admiration un peu trouble. Elle savait qu'il devait se faire une clientèle, de préférence parmi les gens riches, mais elle se disait que leur couple risquait de payer cher cette popularité soudaine. D'autant plus qu'elle était enceinte, et qu'elle n'était pas sûre de rester assez séduisante pour lutter contre aussi forte partie...

Ses craintes n'étaient pas justifiées. Benoît était d'une fidélité d'autant plus réelle que ce monde frelaté ne pouvait en rien le séduire. Il est vrai que les femmes s'intéressaient à lui tout à coup, et beaucoup plus qu'il ne l'aurait pensé. Mais, heureusement pour Henriette, aucune ne lui plaisait. Il était appelé chaque jour dans une maison différente par des créatures évanescentes qui se mettaient nues devant lui avec une indécence qui le gênait. Il avait juré de s'enfermer dans son personnage de savant, et prescrivait des drogues compliquées, des applications émollientes, des baumes hors de prix.

Il riait en lui-même en pensant aux longues tirades de Bichat sur l'inutilité des médicaments prescrits par les médecins jusqu'alors. Confronté maintenant avec la pratique médicale quotidienne, Benoît pensait qu'il faudrait se servir encore longtemps de médicaments compliqués et anodins pour les malades en bonne santé !

Bientôt Clara rechuta. Benoît la prit dans la maison de santé de la rue de l'Abreuvoir qui devint alors une annexe du Tout-Paris. La jolie Gabriella restait nuit et jour à son chevet. Les ponctions devinrent de moins en moins efficaces, et Bichat, appelé en consultation, prédit ce qui allait se passer. Un jour la fièvre apparut. Vite inquiétante. Les vésicatoires n'y firent rien, ni même les saignées, et la situation empira de jour en jour.

La malade s'était prise d'affection pour Henriette, et la voulait sans cesse à son côté. Elle lui caressait la main, touchait son ventre, et pleurait sur les enfants qu'elle n'avait jamais eus. Benoît faisait renouveler les serviettes d'eau fraîche qu'on maintenait sur son front. Tantôt elle grelottait de froid, tantôt elle ruisselait de sueur. Par moments elle délirait. Un jour, elle appela Benoît « mon amour, mon unique amour... » Henriette regarda son mari avec étonnement et, devant la douleur de son visage, elle baissa les yeux, honteuse d'avoir eu une seconde d'inquiétude.

— À qui peut-elle penser en te regardant ? demanda-t-elle sans attendre de réponse.

Clara mourut au petit matin du 21 juillet, dans les bras de Gabriella. Elle avait passé ses dernières heures presque apaisée par une rémission trompeuse, sa main dans celle de Benoît qui pleurait doucement. Il ne pouvait oublier qu'elle avait été le premier grand amour de sa vie.

Sur son cahier il nota, après quelques jours de silence, que ce même 3 thermidor an VI, le général Bonaparte avait, paraît-il, écrasé les Mamelouks à la victoire des Pyramides... « Pour moi, concluait-il, la mort de Clara est une immense défaite ! »

CHAPITRE VIII

« Procès-verbal du concours de l'École de médecine, le 25 pluviose an VII, pour la désignation d'un chirurgien expectant à l'hôpital de la Liberté, en remplacement du citoyen Berroyer décédé.

« Ce 25 pluviose de l'an VII de la République française, à dix heures du matin, en présence de MM. Lefranc, Planchard, Claret, et Prantier, commissaires députés par le Directoire, en présence d'une députation de la municipalité du VIIe arrondissement de Paris, et d'un grand nombre d'élèves de l'École de médecine de Paris, il a été procédé, dans l'amphithéâtre de l'École, au concours affiché et arrêté le jour d'hier par le Conseil des hôpitaux ; en conséquence les examinateurs, au nombre de cinq, par lui nommés au scrutin individuel, ont rempli leur mission, ainsi qu'il suit.

« Les concurrents qui se sont présentés sont : MM. Bernard Farreau, âgé de 28 ans, N° 1. Pierre Salier, âgé de 36 ans, N° 2. Edme Deratier, âgé de 30 ans, N° 3 ; et Benoît Delaverle, âgé de 28 ans, N° 4.

« MM. Chaulier, Verbeau, Maugrée, Bressoit et Millon les ont interrogés. »

Benoît reposa la feuille sur la table et regarda cet homme à l'air sinistre qui l'avait convoqué à l'Hôtel de Ville. Il était maigre et sa peau grêlée avait une teinte jaunâtre. Ses cheveux gris, collés sur le crâne, faisaient un détour arrondi pour masquer une calvitie pourtant évidente et ses lunettes cachaient de gros yeux humides. Sa voix était doucereuse et le ton d'une politesse étudiée.

— Il s'agit bien du concours auquel tu dois te présenter dans quelques jours, citoyen Delaverle ?

— Certainement.

Il s'était précipité lorsque la place du malheureux Berroyer avait été libérée par un fâcheux accident. Il était le meilleur candidat, et tout le monde le savait. Seul Pierre Salier pouvait rivaliser, mais il était encore un peu trop jeune pour un tel poste. De plus, parmi les membres du jury, Maugrée et Millon étaient des élèves de Desault et ils connaissaient bien Benoît. Compte tenu de son expérience de la chirurgie, et de sa connaissance de l'anatomie qu'il enseignait quotidiennement, il était persuadé d'avoir toutes ses chances.

Ce matin-là, un fonctionnaire de la police était venu très courtoisement lui demander de bien vouloir le suivre à l'Hôtel de Ville où le citoyen commissaire Perrier souhaitait lui parler. Ce dernier, avec une amabilité cauteleuse, venait de l'accueillir et de lui donner à lire le projet de procès-verbal du concours.

— Citoyen Delaverle, si je t'ai demandé de venir jusqu'à moi, c'est pour solliciter de ta part un geste de civisme. Il va sans dire que cette conversation est strictement confidentielle, et, pourrait-on dire, même amicale. Tu seras en droit de refuser, bien entendu.

Benoît se demandait vraiment où l'autre voulait en venir.

— Parmi les candidats il y a un jeune homme qui s'appelle Edme Deratier. Il a été longtemps militaire, et ses états de service sont brillants. Son père est sénateur, et c'est un grand serviteur de la patrie.

L'homme enleva ses lunettes et les essuya longuement, les yeux baissés. Puis, relevant la tête, le regard voilé par des paupières à peine ouvertes, il déclara d'une voix encore plus douce :

— Nous souhaiterions que ce garçon soit reçu premier à ce concours.

Benoît sentit le sol vaciller, mais il se reprit vite :

— C'est le jury qui en décidera, je suppose. Après les épreuves.

— Justement, il serait plus simple, à notre avis, que la décision fût prise... avant les épreuves.

— Mais, encore une fois, c'est au jury d'en décider ! Pourquoi me dire cela, à moi ?

L'autre remit ses lunettes avant de répondre :

— Le candidat Bernard Farreau, lui, a décidé de ne pas se présenter.

— Nous ne sommes plus que trois, alors.

— Oui. Et s'il n'y avait plus que deux candidats la situation serait encore plus simple.

Benoît était suffoqué.

— Il faudrait que je démissionne ?

— C'est l'acte de civisme que je sollicite aujourd'hui de ta part. Et tu aurais intérêt à accepter, car nous saurions nous montrer reconnaissants, dans d'autres circonstances.

— Mais pourquoi moi ?

— Parce que toi, tu ne peux pas refuser.

Benoît se dressa.

— Que veux-tu dire ?

— Assieds-toi, citoyen Delaverle. Garde ton calme.

— Je n'ai pas de conseils à recevoir.

Benoît se fâchait. L'autre restait toujours aussi doucereux.

— Quand tu seras assis, je t'expliquerai pourquoi tu ne refuseras pas ce geste que nous... sollicitons.

Benoît se rassit, mais son regard lançait des éclairs. En face de lui, l'homme souriait. Il tapota le dossier qui était devant lui et murmura :

— Il serait très mauvais, pour ta carrière, citoyen Delaverle, qu'on vienne publiquement te demander des explications sur ce qui s'est passé le 2 septembre 1792. Il ouvrit le dossier, et continua en feuilletant les pages : Dans ce rapport de police, on parle de l'évasion du ci-devant comte de Malmort, et de la blessure d'un patriote, nommé... La Pointe. Cela te rappelle-t-il quelque chose, citoyen Delaverle ?

Benoît était muet de stupeur.

— À propos, poursuivit-il, Delaverle s'écrit bien en un seul mot ? Ici il me semble qu'il y a une erreur. À moins que ton nom ait changé ?

L'homme feuilletait le dossier, et persistait à parler sur ce ton patelin de plus en plus irritant.

— Tu sais, citoyen Delaverle, nous avons un nouveau ministre de la Police. Il s'appelle Fouché. Ce n'est pas un tendre, et nous avons des ordres... très stricts.

Benoît décida de ruser.

— Si je démissionne que va-t-il se passer ?

— Il y aura deux voix pour Salier et trois pour Deratier.

— Si je reste ?

— Il n'y aurait plus qu'une voix pour Deratier, et vous vous départageriez avec Salier à la seconde épreuve. Mais c'est Salier qui l'emporterait.

— Et pourquoi ?

— Parce que nous y veillerions.

Benoît resta bouche bée.

L'autre reprit :

— Tu vois, de toutes les façons, tu ne seras pas nommé à ce concours. Et si tu t'obstinais, tu aurais beaucoup d'ennuis. Alors qu'au contraire si...

Benoît ne le laissa pas finir. Il se leva si brusquement que sa chaise tomba en arrière. Il cria :

— Jamais je ne céderai à vos manigances, tu entends, jamais !

Il tourna les talons et partit à grands pas. Mais derrière lui, il entendit la petite voix doucereuse qui disait :

— Réfléchis, citoyen, réfléchis...

Le jour du concours, il y avait beaucoup de spectateurs devant la porte de l'amphithéâtre. Benoît repéra vite les deux individus patibulaires habillés de noir qui se tenaient le long du mur et ne le quittaient pas du regard. Il alla se planter devant Edme Deratier. C'était un petit homme rond, déjà presque chauve, dont le regard fuyant évita Benoît qui avait d'intenses démangeaisons dans les poings. Il était au bord de faire un scandale. Mais Bichat, qui le connaissait bien, le lui avait formellement déconseillé.

— Tout le monde se méfiera de toi ensuite, et même si tu es dans ton droit, tu en pâtiras plus encore...

La veille, Benoît était passé voir Maugrée et Millon, les membres du jury qu'il connaissait, et ces derniers l'avaient assuré de leur soutien. Il n'avait pas osé leur demander pour qui ils voteraient s'il s'abstenait de venir : ils avaient un tel air de candeur...

Le président du jury était Maugrée. Il vint faire l'appel des candidats et donner à chacun son sujet. Lorsque ce fut son tour, Benoît se dirigea sans hésiter, comme les autres, vers la salle où avait lieu l'épreuve. Il vit les deux observateurs se lever et disparaître rapidement en lui jetant un coup d'œil mauvais.

Benoît était fier de son courage, mais terriblement inquiet pour l'avenir. Il lui semblait pourtant que l'affaire de 1792 était loin, d'autant que le pouvoir avait changé de main depuis cette époque. La police, il est vrai, avait pris ces dernières années une importance croissante et nul ne savait ce qui pouvait arriver. Ce Fouché avait une réputation inquiétante.

Benoît n'avait pas voulu discuter de cette affaire avec Henriette pour ne pas l'inquiéter. Seul Bichat était au courant, et il lui avait bien conseillé la modération. Mais le jeune Picard n'était pas de ceux qui s'inclinent facilement.

Dans l'amphithéâtre, il y avait trois cadavres installés sur les tables de dissection. Le premier était pour Salier, qui devait pratiquer une amputation de la cuisse droite. Le second, pour Deratier : on lui avait fait une grande plaie de l'épaule qu'il fallait suturer et appareiller. Et le dernier, pour Benoît. Il comprit immédiatement que le sujet qui lui avait été réservé n'était pas le plus simple : on avait tiré sur le cadavre un coup de feu à bout portant qui avait fracassé la mâchoire.

Chacun se mit au travail, surveillé par les membres du jury qui allaient et venaient autour des tables. Trois jeunes étudiants devaient servir d'aides. Heureusement pour lui, depuis les fameuses journées d'août 1792, Benoît connaissait bien cette pratique des plaies par balle. De plus, il avait pratiqué cette chirurgie pendant les grandes insurrections parisiennes, et la dernière avait été celle de vendémiaire, quand le général Bonaparte avait fait tirer sur les manifestants. Il avait encore passé trois jours à opérer sans discontinuer, si bien que les principes enseignés par son maître Desault étaient parfaitement nets dans son esprit.

Sur son « blessé », il pratiqua immédiatement une trachéotomie, geste que bien peu d'opérateurs savaient exécuter à cette époque. Mais il l'avait tant de fois répété sur le cadavre qu'il ne lui fallut que quelques minutes pour introduire la canule d'argent dans la trachée. Les membres du jury s'étaient regroupés autour de lui et le regardaient officier avec le sourire, tant sa maestria était évidente. Puis il remit en place les fragments de la mâchoire qu'il immobilisa avec un bandage en forme de fronde. Il demanda enfin une aiguille pour suturer la lèvre, mais les membres du jury le dispensèrent de ce dernier geste.

Chaque candidat alla jeter un coup d'œil au travail de ses concurrents, tandis que le jury se retirait pour donner ses notes.

Contrairement à l'habitude, la délibération dura longtemps, et il faisait presque nuit quand le président revint, une feuille de papier à la main.

— Les citoyens Salier et Delaverle ont reçu chacun deux voix. Le citoyen Deratier, qui n'a eu qu'une voix, participera cependant à l'épreuve de dissection demain. Le résultat final sera évalué au cumul des voix des deux épreuves.

Il y eut un brouhaha de stupeur devant cette modification du système de notation. Quelqu'un fit remarquer que le mode de comptabilisation des voix était une coutume, et non une règle écrite. L'habitude voulait que ne se présentent à la deuxième épreuve que les deux candidats arrivés en tête, mais ce n'était pas obligatoire...

Les deux lauréats se félicitèrent joyeusement et se quittèrent sur un « à demain » plein d'allégresse. Deratier avait disparu.

Au moment où Benoît allait quitter l'École, il aperçut, sur le trottoir d'en face, quatre individus habillés de noir, et parmi eux les deux spectateurs à la mine inquiétante. Manifestement ils l'attendaient. Il recula vers l'amphithéâtre, le cœur battant, convaincu que sa situation s'était brusquement aggravée. Il avait saisi d'un coup ce qui allait se passer : on allait l'emmener à la police pour une raison quelconque, et il ne serait relâché (s'il l'était) qu'après le concours.

Il ne pouvait pas rester là jusqu'au lendemain. Un dernier groupe se dirigeait vers la sortie. C'était le professeur Millon et deux de ses élèves qui marchaient en discutant. Pris d'une inspiration subite, Benoît s'avança vers eux en boitant. Millon le vit arriver.

— Que se passe-t-il, citoyen Delaverle ?

— Je viens de me tordre la cheville, et je me suis fait un mal de chien.

— Est-ce que je peux faire quelque chose ?

Benoît les regarda tous les trois avec un air de détresse évidente.

— Si vous aviez la place de me prendre en voiture vous auriez pu me déposer sur votre chemin. Je crains de ne pouvoir bientôt plus marcher.

— Avec plaisir. Francis, fais approcher la voiture, elle doit être un peu plus bas, sur la place.

L'élève se précipita. Millon proposa d'examiner l'articulation, mais Benoît réussit à l'en dissuader.

Quelques instants plus tard, ils étaient tous dans la berline du chirurgien et roulaient vers la Seine. Benoît avait aperçu les quatre sbires partir en courant, sans doute vers leur propre voiture.

À peine avaient-ils disparu que Benoît eut une idée soudaine :

— Il faut que je descende ici, j'allais oublier. Merci, merci... Mille excuses... À demain !

Benoît sauta de la voiture en marche, et, se rappelant soudain son prétexte, il se mit à boiter en s'engageant dans une ruelle. La berline continua sa route, tandis que Benoît restait plaqué contre le mur. Quelques secondes plus tard, une voiture sombre passait à toute vitesse, avec l'un des hommes noirs sur le siège du cocher. Ils n'avaient pas vu Benoît descendre et, comme prévu, coursaient la voiture de Millon.

Le jeune homme resta un instant indécis. Une seule solution lui parut possible : aller chercher du secours rue de l'Abbaye. Sans s'arrêter chez les Moreau, il grimpa jusqu'à la chambre de sœur Bénédicte. Il n'y avait personne. Il alla frapper à la porte du curé qui l'avait marié. Silence encore. Il s'apprêtait à repartir quand il eut une idée. Il retourna frapper à la chambre où l'ecclésiastique était caché et il murmura :

— Sœur Bénédicte, c'est moi, Benoît. Ouvre !

La porte s'entrebâilla et le visage soupçonneux de la religieuse apparut.

— Entre vite, que fais-tu là, à cette heure ?

Benoît s'assit, épuisé, et raconta. La religieuse l'écoutait avec attention.

— Que vas-tu faire maintenant ?

Il y eut un long silence. Elle débarrassa la table où le vieux prêtre avait terminé le repas qu'elle lui avait préparé, et elle fit la vaisselle, en tournant souvent la tête vers Benoît. Le visage dans ses mains, il paraissait abattu.

— Il faut prévenir ta femme, mais il ne faut pas que ce soit toi qui y ailles.

Benoît se redressa.

— Tu as raison. Si tu veux bien, tu vas prendre un sac et quelques provisions et te rendre rue de l'Entrepôt. Si l'on t'arrête, tu es une parente et tu apportes à manger à la citoyenne Delaverle qui est souffrante. Quant à moi, tu ne sais pas où je suis, mais tu savais que je ne devais pas rentrer ce soir. Éventuellement, si tu veux, tu couches là-bas et moi ici. Tu reviens demain matin avec un fiacre. Je le prendrai pour retourner à l'École et finir le concours, s'ils me laissent entrer.

La jeune femme ne discuta pas. Elle souhaita bonne nuit au vieillard qui suivait la conversation avec tristesse, et tous les deux s'apprêtèrent à sortir.

Si les policiers devaient un jour visiter la chambre de sœur Bénédicte, il n'y aurait aucun doute sur la personnalité de l'occupante. Ils verraient des murs blancs et nus, avec un petit lit de fer, un coffre, une table et une chaise, un crucifix et rien de plus. C'était bien une chambre de bonne sœur ! Elle se couvrit de son grand manteau brun accroché derrière la porte, et d'une coiffe sombre. Dans le coffre, elle prit une miche de pain entamée et une pomme ; elle regarda bien s'il n'y avait pas autre chose à emporter et eut un petit sourire d'excuse en direction de Benoît. Sur le pas de la porte elle murmura :

— Dors vite, je serai là demain.

Elle s'en fut. Benoît se retrouva seul dans la chambre monacale, et la dernière phrase de la religieuse lui trottait dans la tête. Il s'aperçut qu'ils s'étaient tutoyés pour la première fois. Mais n'était-ce pas la mode du temps ?

Le lendemain, un fiacre s'arrêta devant la grande porte de l'École de médecine. Les étudiants commençaient à entrer dans l'amphithéâtre. Benoît jaillit de la voiture et bondit avant que les policiers qui bavardaient à quelques pas de là n'aient eu le temps de réagir. En passant devant Millon, il se remit à boiter ostensiblement.

— Bonjour monsieur, je vais beaucoup mieux. Merci pour hier soir...

Le vieux chirurgien regardait son jeune disciple avec surprise. Maugrée aussi eut l'air étonné. Manifestement ils ne s'attendaient pas à le voir !

Les sujets « opérés » la veille étaient toujours en place, recouverts de draps mouillés de camphre. L'odeur était intense... Benoît, dont le sujet était le plus éloigné, s'assit sur un tabouret et se retourna vers l'assistance devenue subitement silencieuse. Tout le monde le regardait. Ils étaient donc tous au courant du fait qu'il ne devait pas être là.

À ce moment, on vit le professeur Verbeau, dont la haute taille dominait, s'approcher du gros Deratier. Il se pencha vers le candidat et lui dit quelques mots à l'oreille. L'autre hocha le chef avec un air d'assentiment manifeste, et quitta la salle avec le plus de dignité possible. Le silence était total. La lourde porte se referma sur la silhouette ronde du malheureux, et, ô stupeur, la salle applaudit. Tout le monde se précipita vers Benoît abasourdi pour le féliciter. Même Pierre Salier, le dernier concurrent en lice.

Benoît se reprit vite.

— Ce n'est pas moi qu'il faut féliciter, c'est Pierre, puisqu'il va être reçu !

Salier s'étonna.

— Disséquons d'abord, après nous verrons.

— Pour moi, ce n'est pas la peine. Toi, tu vas faire ta dissection tranquillement. Moi, j'ai un autre projet dans l'immédiat.

Benoît se leva avec un sourire triste, fit un geste d'adieu et s'éloigna vers le fond de la salle d'un pas gaillard. En passant devant Millon qui le regardait marcher avec surprise, il se pencha vers lui et lui murmura :

— Vous voyez, monsieur, je vais beaucoup mieux.

Et il sortit par la porte des employés. Il connaissait si bien les lieux, et depuis si longtemps, qu'il aurait pu s'y diriger les yeux fermés. Il déboucha dans une petite cour où étaient livrés les sujets pour la dissection. Il y avait là une porte qui donnait sur les ruelles du quartier du Luxembourg où il s'engagea au pas de course. Il savait maintenant ce qu'il devait faire et, tout en vérifiant que les argousins ne le suivaient pas, il se dirigea vers le marché aux chevaux où sœur Bénédicte devait l'attendre.

Elle y était, avec le sac de voyage qu'Henriette avait préparé. Il posa sur ses épaules le grand manteau gris avec lequel il était revenu d'Angleterre quelques années auparavant, embrassa la jeune religieuse qui rougit, et la serra un instant contre lui.

— Comment te remercier, ma bonne sœur ?

Elle lui sourit sans répondre.

— Je te confie Henriette, et notre enfant quand il viendra. J'aimerais que ce soit l'ami Baudelocque qui s'occupe d'elle, tu le sais ; j'espère qu'il sera libre ce jour-là. Moi, Dieu seul sait où je serai...

Ils avaient tous les deux les larmes aux yeux.

— Va-t'en vite, Benoît, et ne crains rien, Henriette ne sera jamais seule.

Quelques minutes plus tard, son chapeau enfoncé sur les yeux, un solide hongre alezan entre les jambes, Benoît quittait Paris, une fois de plus, la rage au cœur, pour un destin incertain.

Lorsque Bénédicte était arrivée de l'Entrepôt, la veille au soir, elle avait vu très distinctement les policiers qui surveillaient le quartier. Le matin, il avait fallu qu'elle ruse pour leur échapper, et qu'elle revienne prendre le sac de voyage en passant par l'ancien entrepôt transformé en chantier. Dans le fiacre, ils avaient mis au point ce projet d'évasion. Il était plus sage de s'éloigner un moment.

Benoît n'était pas très inquiet sur les risques que lui faisait courir la résurgence de son passé ; mais il refusait de se laisser prendre par la police dont la vengeance risquait d'être douloureuse. Il partait en attendant que les choses se calment, et après on y verrait plus clair. Le père Dupont allait probablement revenir habiter avec sa fille, et l'on pouvait lui faire confiance pour débrouiller la situation. Mais tout cela allait demander du temps, et d'ici-là, il ne fallait pas qu'on puisse le trouver.

Il prit la route en pestant.

Il galopait dans le froid, à la merci de n'importe quel policier, d'un accident, d'un malandrin, alors que, derrière lui, il laissait une maison confortable, où la femme qu'il aimait portait son enfant. Il quittait Paris, une maison de santé prospère, une société savante, la Société d'Émulation, fondée par Bichat où il retrouvait ses condisciples, et où il se faisait un nom ; il laissait son laboratoire d'anatomie où les étudiants oubliaient parfois de l'appeler « citoyen », pour lui dire « monsieur »... Bref il possédait tout ce qui conduit au succès, et au lieu de poursuivre sa carrière, il fuyait comme un malfaiteur.

Pour la deuxième fois, il devenait un clandestin menacé, et risquait un coup de fusil à n'importe quel détour du chemin pour avoir sauvé de l'échafaud un nobliau qui, en remerciement, lui avait volé la femme qu'il aimait. L'alezan reçut un brutal coup d'éperons qu'il jugea parfaitement injustifié !

Depuis une heure, Oscar marchait de long en large, le front barré d'une ride profonde. Derrière les fenêtres de l'auberge, la pluie tombait maintenant à verse. Dans quel guêpier son neveu était-il encore allé se fourrer ?

— Tu as eu raison de quitter Paris, c'est certain. Tu ne peux pas non plus rester ici, c'est non moins évident. Une « mouche » te dénoncerait un jour ou l'autre.

Au bout d'un moment, il s'assit en face de Benoît. Il hésita encore un moment et se décida à parler.

— Voilà ce que je ferais à ta place.

Le jeune homme se sentait prêt à accepter n'importe quelle solution, pourvu qu'il puisse arrêter de fuir.

— Il faut t'engager dans l'armée.

Benoît eut un haut-le-cœur. Il avait à l'esprit ce qu'il en connaissait, l'hôpital militaire qu'était devenu Saint-Yé, un ramassis de gueux, de soudards ivrognes, et d'abrutis en guenilles. Malgré sa stupéfaction et son air dégoûté, Oscar persista :

— Tu as échappé à la conscription parce que tu faisais des études et grâce à ton beau-père qui avait le bras long. Ensuite tu t'es marié. Tu as eu raison. J'ai fait la même chose que toi, tu le sais. Mais maintenant, ton engagement volontaire te donnerait une petite couleur patriotique qui ferait bien dans le tableau. Tu reviendrais de campagne avec des galons, des médailles, un bel uniforme, et tu pourrais aller voir ces argousins qui te font du chantage pour leur tirer les oreilles. Qui t'en empêcherait ?

Pendant que le gros homme parlait, Benoît entendait les mots de Bichat, qui considérait qu'en dehors de l'armée il n'y avait rien à faire pour un chirurgien. Oscar continuait :

— Tu sais, les choses changent chez les militaires. Regarde ce petit général Bonaparte qui a bousculé les Autrichiens en Italie, et les Arabes en Égypte, il vient de rentrer à Paris. Il est très populaire, et je suis sûr qu'il va donner un nouvel essor à la guerre. Un peu de gloire fera oublier ton passé. Personne ne viendra chercher des noises à un soldat.

— Et ma carrière ?

— Tu la reprendras ensuite. De toute façon, pour le moment elle est interrompue, ta carrière ! Quelle autre solution as-tu ? Tu veux repartir en Angleterre ? Tu ne crois pas que ton image d'émigré est suffisante ? Veux-tu la renforcer encore ?

Devant ces évidences, Benoît commençait à faiblir. L'autre en profita :

— Je vais te dire autre chose. Je connais très bien un médecin militaire qui s'appelle Desgenettes.

— Moi aussi je le connais, il venait à la Société d'Émulation.

— Eh bien, sais-tu qu'il ne s'est pas engagé dans l'armée par goût des armes ? Qui se souvient qu'il était un ami de Bailly, de Lavoisier, de Condorcet... ? Pour ne pas les suivre à l'échafaud, lui, il a pris l'uniforme. Et aujourd'hui il est médecin chef de l'armée d'Égypte, au Caire. Qui oserait venir lui chercher des noises ?

— Et alors ?

— Le médecin chef de l'hôpital, là-haut, est un ami de Desgenettes. Je les ai reçus ici ensemble maintes fois, et je connais leurs liens. Ce sont deux ci-devant. Ils n'en parlent pas, mais moi je le sais.

Oscar s'était penché en avant et, sur un ton de conspirateur, dévoila son projet.

— Voici ce que je te propose. Le médecin chef Delaroche s'en ira, à l'aube, pour l'armée du Rhin. C'est nous qui avons préparé sa voiture. Il va chercher un convoi de blessés. Si tu le veux, il peut t'emmener, te donner un uniforme, et tu seras enrôlé là-bas.

— Comment sais-tu qu'il acceptera ?

Oscar eut un sourire finaud.

— Crois-tu que c'est la première fois ? Ils ont besoin d'hommes. Alors, ils ne sont pas trop regardants. En plus, toi tu seras le bienvenu, car des chirurgiens expérimentés, ils en demandent, je le sais. Il se tourna vers la grosse pendule qui marquait trois heures : Monte t'allonger un moment. Quand il sera temps, je viendrai te chercher. Tu me diras ce que tu auras décidé.

Benoît ne dormit pas. Il passa le reste de la nuit à écrire. Il faisait un peu son testament de la vie civile, pour Henriette. Tous ses espoirs de célébrité s'effondraient. Il n'était pas destiné à une vie normale, comme les autres. Ses origines incertaines lui collaient à la peau, et il se retrouvait une nouvelle fois jeté sur le chemin d'une aventure qu'il ne souhaitait pas. Son père avait tout fait pour lui donner une honorabilité sociale et le pousser vers cette chirurgie qui devait le mettre définitivement dans le clan des notables. Voilà qu'aujourd'hui il retournait dans le monde des proscrits, des fuyards, des marginaux.

Il demandait pardon à sa femme de n'être pas capable de lui apporter le bonheur et la paix. Il espérait que ce ne serait qu'une étape, et qu'ils reprendraient bientôt leur route ensemble, comme ils l'avaient rêvé. Il n'envisageait sincèrement cet épisode militaire que le temps d'acquérir cette honorabilité qui ferait taire ses détracteurs.

Qui aurait pu penser alors qu'il porterait l'uniforme pendant plus de quinze ans !

CHAPITRE IX

La pluie et la boue. Une immense colonne de dos courbés sous les rafales, des cheveux ruisselants et des chariots grinçants dérapant dans la gadoue. C'est par cette image que Benoît aurait pu résumer son univers en ce début d'année 1800.

Avec le 21e régiment d'infanterie de ligne, il était parti de Reims vers les Alpes. Ils étaient montés jusqu'au col du Grand-Saint-Bernard, ils avaient pataugé dans la neige, glissé sur la glace, et maintenant ils redescendaient vers l'Italie, sous une pluie obstinée.

« La vie militaire, écrivait-il à Henriette, c'est une marche à pied qui n'en finit pas. Personne ne sait où l'on va, ni pourquoi, comme si avancer sous la pluie était une fin en soi. »

Il ne savait pas qu'il participait à une manœuvre qui resterait célèbre dans les annales de la guerre. Bonaparte, furieux de son échec en Égypte, Premier Consul depuis son coup d'État du 18 Brumaire, avait besoin d'asseoir sa popularité par une grande victoire. Or la situation militaire de la France était catastrophique. L'ennemi menaçait partout nos frontières, et l'Angleterre était le maître d'œuvre de la coalition. À défaut d'atteindre les Anglais dans leur île, c'est l'Autriche qui allait payer.

Deux armées étaient parties pour la prendre en tenaille. L'une, par le sud, sous les ordres de Masséna en direction de la vallée du Pô, l'autre par le nord, avec Moreau qui devait repasser le Rhin. Mais le projet fou de Bonaparte était de venir frapper au centre du dispositif. Contre l'avis de tous, il avait décidé de faire traverser les Alpes à une armée de cinquante mille hommes, pour fondre sur les arrières de l'armée autrichienne dans le Piémont. L'effet de surprise devait jouer un rôle essentiel dans cette stratégie. Effectivement, personne n'aurait pu penser que quelqu'un aurait un jour l'idée démentielle de faire passer toute une armée par un col enneigé, sur des routes abominables, dans des montagnes désertes où l'absence de cantonnements rendrait insupportable la vie des hommes et des bêtes.

Et pourtant, Bonaparte, lui, était en train de réussir cette gageure.

La route en lacet descendait vers la plaine. Benoît, à pied avec quatre infirmiers, fermait la marche derrière l'une des deux lourdes voitures de l'ambulance. Dans les virages, il apercevait au travers du rideau de pluie la haute silhouette de Bergnot sur son cheval noir. Le chirurgien-major allait en tête, voûté sous les rafales.

Un village apparut dans le lointain, avec ses colonnes de fumée blanche qui firent rêver les hommes. Pour eux l'image du bonheur était là : l'âtre, avec sa chaleur et sa grosse marmite noire où mijotait la soupe du soir... Personne ne parlait, mais tous pensaient à la même chose. Pour la première fois depuis des mois, ils allaient peut-être dormir dans une grange, avec de la paille fraîche.

Quand l'ordre d'arrêter arriva jusqu'à l'ambulance, il n'y avait malheureusement plus de place à couvert. Il fallut, une fois de plus, monter les deux tentes qui sentaient le moisi à force de rester mouillées. La toile, alourdie par l'eau, était difficile à manier et les hommes juraient en pataugeant dans la cour d'une ferme aux murs de pierres grises. Mais ils étaient tout de même à l'abri d'un auvent et, par rapport aux jours précédents, le progrès était appréciable. Au matin, les toiles seraient peut-être un peu plus sèches.

Le soldat Masquelier était responsable des chevaux. C'était un immense gaillard d'à peine vingt ans, au regard enfoui dans des sourcils broussailleux, et qui n'adressait la parole qu'à ses bêtes. Il ne les quittait jamais des yeux, et semblait ne vivre que pour elles. Ce soir-là, il réussit à se faire ouvrir la porte de la ferme, et à entrer ses huit percherons à l'écurie. En quelques instants, les charrettes du paysan éberlué s'étaient retrouvées dehors, et les chevaux avaient pu prendre place dans la paille devant un picotin imprévu. Masquelier bouchonna les croupes fumantes, nettoya les fers, graissa les harnais jusqu'à une heure avancée de la nuit. Il en oublia de manger, puis s'endormit comme une masse, le long d'un mur, près de ses chevaux, avec le sentiment d'avoir retrouvé le paradis.

À l'aube, Benoît s'éveilla en sursaut. Son infirmier principal, Farisier, dont la voix grinçante était reconnaissable entre mille, poussait des hurlements. Il se précipita dehors. La pluie avait cessé, mais un épais brouillard noyait les silhouettes dans un flou mouillé. Les cris venaient d'un peu plus loin, là où étaient rangés les chariots. Il arriva en même temps que Bergnot. Le major n'avait pas pris le temps de se coiffer.

— Que se passe-t-il, Farisier ?

— Major, on nous a volé nos caisses de pansements.

L'arrière du chariot était vide. Huit caisses avaient disparu. C'était une catastrophe. L'approvisionnement était si mauvais dans les armées en campagne, que la préoccupation essentielle des responsables était de conserver leur matériel, dans l'impossibilité où ils étaient de le remplacer. Le chapardage entre les unités était la règle, sans compter les pillards qui revendaient au petit matin le produit des larcins nocturnes.

Il est probable qu'une ambulance démunie était responsable du vol, à moins qu'un rôdeur n'ait repéré le chariot mal gardé.

Le major enrageait. Le sergent, tout penaud, expliqua que l'homme de garde s'était sans doute endormi. Il l'avait retrouvé assommé sous le chariot dévalisé. L'infirmier hébété portait au crâne une plaie profonde où le sang s'était coagulé. Il ne comprenait rien à ce qui s'était passé.

— Lefort et Farisier, vous me le paierez ! grommela le major. Fouinard, essaie de te renseigner...

François Fouinard, dit La Fouine, le bien nommé, était un infirmier parisien formé à la Charité. Engagé volontaire en 1790, il représentait l'élément principal de l'ambulance, tant il était efficace et futé. Petit, noiraud, sec comme un cep de vigne et malin comme un singe, il connaissait toutes les ficelles du métier militaire, et rien ne l'étonnait jamais.

— Entendu, major, j'y vais.

Il s'était enfoncé dans le brouillard, pendant que le major hurlait les ordres pour lever le camp. Partout c'était le brouhaha du départ. Les hommes s'invectivaient au milieu des grincements de chariots et des hennissements de chevaux. Des bidons de lait et des miches de pain circulaient, tandis que les premières unités se mettaient en marche.

La Fouine rattrapa l'ambulance au moment où elle s'engageait sur la route. Le major et Benoît, chacun d'un côté, surveillaient la sortie de la cour, moment toujours dangereux pour les voitures.

— Major ! J'ai l'idée qu'on ne tardera pas à retrouver notre bien. Mais va falloir ruser...

— Explique-toi !

— Je vous en parlerai ce soir, quand j'aurai revu Fernande.

La vivandière était l'un des plus pittoresques personnages de l'armée. Solide comme un grenadier, avec des avant-bras comme des jambons, elle régnait sur la cantine où s'affairaient ses trois employés civils. Elle vendait de tout, mais essentiellement de l'eau-de-vie et du tabac. Elle n'ignorait rien de ce qui se passait dans le corps d'armée. La plupart des trafics passaient par son officine, et elle était en mesure de renseigner ceux qu'elle considérait comme ses amis. Efficace et discrète, elle dominait la pègre militaire avec une autorité indiscutée.

Depuis que la pluie s'était arrêtée, la route était devenue praticable, et, le soir, le cantonnement avait été établi dans une forêt. Les tentes à l'abri des arbres continuaient à sécher. Le major et Benoît discutaient près d'un feu de braises. La Fouine se glissa jusqu'à eux.

— Fernande m'a arrangé le coup. Les types qui ont volé les caisses ne savaient pas ce qu'elles contenaient.

— C'est écrit dessus...

— Oui major, mais ils ne savent pas lire.

Bergnot n'avait pas prévu cette réponse. La Fouine continua.

— Elle leur a fait dire qu'une ambulance était prête à les leur acheter. Ils sont d'accord.

Bergnot était scandalisé.

— Je ne vais tout de même pas racheter les caisses qu'on m'a volées, et qui ne m'appartiennent pas !

— J'ai pas dit que nous serions obligés de sortir la monnaie. On pourrait même s'arranger pour que ce soit eux qui paient...

L'infirmier faisait une grimace joyeuse. Il tourna un regard interrogatif vers Benoît qui acquiesça d'un signe de tête.

Le major était un homme d'ordre et de discipline. Issu de l'Ancien Régime et des écoles royales, son sens de l'honneur lui interdisait toute compromission. À la rigueur, il pouvait accepter que ses caisses lui soient rapportées, mais il ne voulait pas savoir par quel moyen.

— Je ne veux rien entendre de plus. Si demain les caisses ne sont pas revenues, j'irai me plaindre à l'état-major. C'est tout ce que je peux vous dire.

Il se leva et rentra dans la tente sans voir les sourires qui s'échangeaient derrière son dos. Autour du feu, les quatre conspirateurs se rapprochèrent. La Fouine commença à expliquer son plan à Benoît, Lefort et Farisier. Masquelier, qui était allé attacher ses chevaux, revint se chauffer.

— Tu viens avec nous ? On va récupérer les caisses cette nuit.

— Et mes chevaux ?

— Ils ne risquent rien tes chevaux. Je mettrai quelqu'un pour les garder jusqu'à notre retour.

— Si t'en mets deux, je viens.

— Que tu es méfiant !

Il montra Lefort d'un signe de tête.

— Si t'en avais mis deux, près de la charrette, les caisses seraient toujours là ! On n'aurait pas besoin d'aller les récupérer !

La Fouine éclata de rire et précisa son projet. Il y avait une clairière en haut du bois. Il ferait donner rendez-vous aux voleurs à minuit. L'église du village voisin avait encore une cloche, et on l'entendait très bien. Il irait seul, avec une bourse apparemment bien remplie. Mais avant de payer il demanderait à vérifier les caisses. Pendant les palabres, les autres s'approcheraient à pas de loup avec des gourdins et, au signal, il suffirait d'assommer les voleurs pour redescendre les caisses. On était cinq, mais on prendrait trois infirmiers de plus. Huit caisses, huit hommes.

À l'heure dite, la petite troupe grimpa dans la forêt. Ils se séparèrent pour contourner la clairière à bonne distance. Seul La Fouine marchait en chantonnant. La cloche commença à sonner quand il arriva en vue du lieu de rendez-vous. Il n'y avait personne. Et pas de caisses non plus. Il eut un frisson. Cela sentait le traquenard. Il se rapprocha d'un gros chêne que la foudre avait coupé en deux et s'assit sur le tronc abattu. Une chouette hululait.

Soudain un bras le saisit par-derrière.

— Où est l'argent ? prononça une voix gutturale.

— Où sont mes caisses ?

— L'argent d'abord.

— Dis-moi, au moins, où sont les caisses.

Un nouveau personnage s'approchait. Bientôt suivi d'un troisième. La Fouine commençait à craindre pour ses jours.

— Si tu ne donnes pas l'argent tout de suite, je te saigne comme un poulet.

Le plus grand, qui paraissait le chef, n'avait pas encore parlé. Il vint plus près.

— Les caisses sont dans la grange au bas de ce chemin. Alors, ou tu nous donnes l'argent et on s'en va, ou on le prend. D'autres que toi découvriront les caisses par hasard, puisque tu ne seras plus là pour dire où elles sont.

— Ce ne sont pas les conditions du marché.

— Les conditions, les voilà !

Et il sortit de sous son manteau une lame qui brilla un instant.

La Fouine éclata de rire. C'était le signal. Un rire tonitruant qui roulait en cascades. Les malandrins eurent un moment de stupeur, et ils n'entendirent pas Masquelier arriver derrière celui qui tenait La Fouine : quand le gourdin heurta sa tête, le bruit évoqua celui d'une cognée sur un tronc d'arbre.

D'un bond, le petit infirmier fut hors de portée de la lame qui le menaçait et hurla :

— À la garde !

Les deux voleurs valides détalèrent vers la forêt tandis que des silhouettes jaillissaient des fourrés. Benoît, comme les autres, fonça en avant. L'un des malandrins se jeta vers lui avec une telle fureur qu'il n'eut que le temps de s'écarter pour éviter la lame qu'il vit briller comme un éclair. Le revers de son habit s'ouvrit en deux. Il bondit derrière le fuyard, furieux d'avoir risqué sa vie pour un simple larcin. Lefort et deux autres infirmiers couraient avec lui, évitant les branches basses. Lefort fit un bond en avant et parvint au niveau de l'homme qu'il allait atteindre, lorsque celui-ci se retourna un pistolet à la main. Pressentant le drame absurde qui allait arriver, Benoît hurla, mais trop tard. Le coup partit. L'infirmier roula dans les feuilles et ne bougea plus.

Benoît arrêta sa poursuite pour se porter au secours du blessé. La poitrine avait été touchée et une tache de sang s'étalait sur le devant de sa chemise, tandis que ses yeux se révulsaient. En quelques instants il rendit le dernier souffle.

Les autres revinrent. Ils avaient deux prisonniers. Le meurtrier était en fuite, mais Masquelier et un autre couraient derrière lui. La Fouine conduisit la petite troupe vers le bas du bois. Ils trouvèrent la grange et, à l'intérieur, sous une mauvaise bâche, les caisses volées. Elles avaient été ouvertes avec rage, mais le contenu était intact. Dans un coin, une vieille charrette à bras avait sans doute servi à les apporter. Ils la chargèrent, avec le corps du jeune Lefort, et rentrèrent au camp.

Les prisonniers passèrent la nuit sous bonne garde, attachés à un arbre. Masquelier et son compagnon revinrent bredouilles. Au matin, le commissaire du gouvernement était là. C'était un homme petit et maigre, sanglé dans un habit bleu immaculé. Sa ceinture tricolore et son chapeau à plume lui donnaient un air officiel. Il fit écarter les spectateurs et interrogea les prisonniers. Il marchait de long en large devant eux, les mains derrière le dos, posant ses questions sans les regarder. Puis il fit demi-tour et interpella Bergnot :

— Ce sont des récidivistes. Ils ont déjà été pris une fois. Aujourd'hui ce sera la dernière. Ils seront exécutés dans une heure. Mais il y en a un autre. Je le connais aussi, il ne perd rien pour attendre.

La Fouine, qui savait tout avant les autres, se pencha vers Benoît et chuchota :

— C'est un vrai bandit, nommé La Pointe. Il est facile à reconnaître, il a un bec-de-lièvre. Ils ne tarderont pas à le prendre.

Benoît sentit son sang se glacer. La lame de ce voyou avait même tranché le revers de son habit ! Une fois encore leurs destins s'étaient croisés. S'il l'avait attrapé, il aurait pu venger son père. Mais il avait bien failli y laisser la vie.

— Pour quelques caisses de charpie..., murmura-t-il.

Bergnot l'avait entendu.

— Ces quelques caisses de charpie, nous serons bien contents de les trouver, quand nos tentes seront pleines de blessés !

C'est bien ce qui arriva quelques jours plus tard, le 14 juin, dans le village de Marengo. Cette bataille était l'aboutissement d'un mouvement de troupes irrationnel et dangereux dont on dirait plus tard qu'il avait été génial.

Pendant ces jours troublés, Bergnot allait démontrer que s'il n'était pas un chirurgien passionné, il était en revanche un remarquable agent d'information. Plus souvent à l'état-major qu'à son ambulance, il rapportait plusieurs fois par jour des nouvelles de première main qu'il distillait à ses subordonnés avec des airs de conspirateur que Fouinard mimait joyeusement.

Le premier engagement avait eu lieu au sortir des montagnes, au niveau du Fort de Bard dont l'énergique défense avait surpris les stratèges. Bonaparte avait dû concentrer sur la rude bâtisse l'essentiel de son artillerie pendant qu'il faisait passer l'armée.

— Nous allons bientôt regretter ces canons, avait pronostiqué Bergnot. En face des Autrichiens, ils vont nous manquer !

Cela n'avait pas empêché Bonaparte de prendre Milan en trombe, et de bousculer les garnisons autrichiennes que le feld-maréchal Von Melas avait laissées derrière lui, pendant qu'il courait assiéger Gênes où Masséna s'était laissé enfermer.

Un matin, Bergnot arriva avec l'air sinistre.

— Masséna a capitulé ! C'est une catastrophe. Von Melas a les mains libres pour se retourner contre nous. Comme Desaix est parti vers le sud et Lapoype vers le nord, nous serons balayés. Et, sur un ton théâtral, il avait conclu : Nous combattrons à un contre dix, et sans artillerie. Delaverle, on ne regrettera pas d'avoir récupéré les caisses de pansements.

— Mais je regretterai Lefort, avait répliqué le jeune homme, les yeux baissés.

Le major était parti à grands pas en haussant les épaules. Dans l'ambulance, cette réflexion avait fait monter la popularité du jeune chirurgien à son plus haut niveau. Mais c'était aussi le début d'un long malentendu avec Bergnot, qui aurait un jour des conséquences dramatiques.

Le 13 au soir, l'ambulance avait été installée sur un petit plateau, juste derrière le village de Marengo, à l'orée d'un bois. Le lendemain, à l'aube, le bruit de la canonnade avait incité le major à proclamer la mise en ordre de bataille : les deux tentes montées bord à bord, avec un chariot de chaque côté. Les caisses de matériel et de pansements rangées comme à la parade, et le personnel au garde-à-vous, le tablier blanc serré sur les hanches.

Le combat se rapprochait. Bergnot, parti aux nouvelles, revint en courant.

— Von Melas attaque au centre, je l'avais prédit. Tenons-nous prêts.

Benoît comprenait mal le rôle qui lui était imparti.

— Ne devrions-nous pas être avec eux ?

— Dans la bataille ? s'étonna le major.

— C'est bien là que seront les blessés.

Bergnot sourit d'un air supérieur.

— Ne t'inquiète pas, mon garçon, ils vont arriver !

— Pourvu qu'ils puissent encore marcher, persifla le jeune homme.

Le major le toisa méchamment et s'éloigna.
La voix grinçante de Farisier les fit sursauter.
— Voilà les premiers blessés !
Il désignait du doigt dans le vallon un groupe de soldats qui refluaient vers eux. Effectivement, plusieurs d'entre eux semblaient soutenus par leurs camarades.
— Allons-y !
Benoît ne pouvait attendre plus longtemps. Avec Farisier et La Fouine, il descendit en courant vers le groupe où ils purent prendre en charge trois blessés légers. Un seul, la jambe ensanglantée, avait du mal à marcher. Les deux autres n'avaient que des blessures bénignes, mais ils étaient jeunes et choqués par ce douloureux contact avec l'ennemi. Les accompagnateurs repartirent au combat, à regret.
— Dépêchez-vous, leur cria Bergnot, vous ne devez pas quitter la ligne...
Il ne perdait jamais une occasion de critiquer ceux qui conduisaient les blessés jusqu'à l'ambulance. Et Benoît pensait que, si les infirmiers avaient été plus près du champ de bataille, ce type d'évacuation n'aurait pas été nécessaire.
Bergnot s'avança :
— Faites-les entrer dans ma tente.
Benoît, frustré, murmura à La Fouine ·
— On va en chercher d'autres ?
— Je te suis, tu es le chef !
Les deux jeunes gens coururent vers le village où l'on se battait. Quelques instants plus tard, ils remontaient avec un fantassin qu'ils avaient trouvé dans la première rue, écroulé contre un mur, la jambe broyée.
Ils l'installèrent sur la table et, d'un coup de couteau, Benoît fendit le pantalon jusqu'à l'aine. Le pied et la chaussure étaient écrasés, et la cheville n'était qu'une plaie qui montait jusqu'au mollet. Le tibia était fracturé juste au-dessous du genou. L'homme n'avait guère plus de vingt ans. Assis, le visage tordu de douleur, il jeta un bref coup d'œil à ce spectacle affreux, et se laissa retomber en arrière avec désespoir. Il tourna vers Benoît un visage lamentable.
— Tu vas me couper la jambe ?
— On ne peut rien faire d'autre.
— J'ai si mal !
— Je sais, tu seras soulagé ensuite.
— Je ne veux pas que vous coupiez ma jambe.
Le pauvre garçon regardait autour de lui à la recherche d'une âme compatissante, quelqu'un qui le comprendrait et qui proposerait autre chose.
Benoît lui tendit une bouteille d'eau-de-vie.
— Tiens, bois un grand coup.

Il prit la bouteille et but au goulot une longue rasade qui le fit tousser. Une grimace crispa ses traits. Puis il se reprit.

— Vous n'avez pas une chique ?

Farisier sortit de sa poche un gros morceau de tabac qu'il lui tendit. L'autre en déchira un fragment avec les dents et commença à mâcher, les yeux fermés, en s'allongeant en arrière.

— Tenez-moi bien, murmura-t-il.

Benoît saisit le garrot qui lui apporta La Fouine et le posa à mi-cuisse. Il serra très fort, arrachant un gémissement au blessé que Masquelier tenait par les épaules. Puis, il ouvrit le coffret aux instruments. Il choisit un long couteau large d'un pouce, et vérifia le fil de la lame.

Tout alla très vite. Masquelier se coucha presque sur le thorax du blessé pendant que deux autres infimiers tenaient l'un la cuisse, l'autre la jambe blessée. Benoît, comme il l'avait fait cent fois déjà à l'École et à l'Hôtel-Dieu, posa avec précision sa lame sur la cuisse, juste au-dessous du garrot, et la fit glisser d'un mouvement rapide qui trancha les muscles jusqu'à l'os, évitant seulement l'artère fémorale et le nerf sciatique. Avant de les sectionner, il chargea les vaisseaux sur des ligatures dont il laissa pendre les fils. Puis il saisit la scie. Le blessé ne bougeait plus, évanoui sans doute. Le bruit de l'os crissant sous le va-et-vient de la lame était le seul bruit qu'on entendait. Pourtant, au loin, la fusillade se rapprochait. Mais personne n'y prêtait attention. Tous fixaient l'acier en mouvement et la fente qui sectionnait l'os avec une poudre blanche qui jaillissait à chaque mouvement. Un craquement retentit. La jambe se sépara de la cuisse. Farisier recula avec son fardeau dérisoire et le jeta dans un grand bac placé dans un coin de la tente.

Quelques instants plus tard, un pansement emmaillotait le moignon de cuisse. Le soldat avait repris connaissance, mais ses yeux, troublés par l'alcool, regardaient dans le vide.

— Mettons-le dans le chariot, murmura La Fouine, il sera prêt pour le départ.

Benoît, faussement à l'aise, sortit de la tente. Le village était couvert de fumée. Des maisons devaient brûler. Soudain il aperçut, couchés en contrebas du talus, une dizaine d'hommes dont les membres en loques attendaient ses soins. Ils étaient arrivés là pendant l'opération. Bergnot se montra les mains ensanglantées.

— Allons, Laverle, ne lambine pas !

Pendant deux heures, le macabre ballet continua. Benoît ne sortait plus. Il pansait, coupait, extirpait des balles. Il se souvenait du 10 août 92 et et du 15 fructidor quand il avait dû, à l'Hôtel-Dieu, rester ainsi à sa table pendant deux jours d'affilée. Il ressentait ce calme qui le prenait alors, comme s'il était devenu une mécanique. Toute sa vie était dans ses mains. Sa pensée ne semblait plus exister et il se bornait à considérer presque avec étonnement ses doigts agiles et qui semblaient animés d'une vie propre.

Alors qu'on venait d'enlever un blessé de la table, il entendit dehors des cris insolites. Il se hâta, en s'essuyant les mains sur son tablier. Des soldats blessés et des infirmiers criaient de joie et encourageaient un groupe de fantassins qui grimpaient la colline en courant, entraînant avec eux un officier autrichien qu'ils avaient fait prisonnier. Ils arrivaient aux abords du bois, et n'étaient plus qu'à une vingtaine de pas de l'ambulance quand une explosion fulgurante retentit. Un boulet avait frappé de plein fouet un arbre qui s'était pulvérisé sous le choc. Les éclats de bois, projetés comme des armes meurtrières, avaient criblé les hommes les plus proches, provoquant une véritable hécatombe.

L'un s'écroula, la tête éclatée comme une noix. Les autres basculèrent dans la pente, mais ils paraissaient moins atteints : ils commencèrent à se relever en jurant, tandis que Benoît et ses infirmiers se précipitaient pour les aider. Seul l'officier autrichien restait au sol, recroquevillé, les mains crispées sur son genou.

Benoît alla vers lui et essaya de l'aider à se redresser, mais l'autre jura en allemand. Son genou était fracassé, et sa jambe formait, avec la cuisse, un angle impressionnant.

— Farisier, apporte-moi des attelles. Fouinard, viens m'aider.

Le petit infirmier avait bien compris ce qu'il fallait faire. Il vint prendre l'Autrichien aux épaules pendant que Benoît saisissait le pied du côté blessé. Fermement, le chirurgien tira dans l'axe du membre. Un craquement sinistre retentit et l'homme poussa un hurlement. Mais le genou était de nouveau dans une position satisfaisante. Les longues plaques de bois furent en un instant fixées autour de la jambe par les liens circulaires. L'Autrichien, qui souffrait beaucoup moins depuis la réduction, tenait fermement sa cuisse et surveillait l'appareillage. À peine âgé d'une quarantaine d'années, il avait un long visage aux traits racés et une fine moustache blonde. Il ne disait plus un mot.

Une des fantassins qui l'avaient fait prisonnier s'approcha. Il avait une longue estafilade au front et son pantalon déchiré laissait voir une plaie de la cuisse qui ne devait pas être grave puisqu'il marchait.

— Dis donc, citoyen, tu soignes les ennemis avant les Français maintenant ?

Benoît, surpris, leva les yeux un instant et reprit son travail.

— Je soigne en premier celui qui en a le plus besoin. Entre dans la tente, on va te faire ton pansement.

Mais l'autre ne l'entendait pas de cette oreille. Il continua à invectiver le jeune homme sur un ton odieux, prenant à témoin les autres blessés qui ricanaient, un peu gênés. Sans un mot, Benoît termina son immobilisation comme s'il n'entendait pas, puis il se leva et se dirigea vers la tente.

— Venez tous par ici...

Le fantassin, furieux du peu de cas qu'on faisait de lui, attrapa Benoît par la manche et le tira brutalement vers lui.

— Tu pourrais répondre quand on te parle ! Sale feignant...

Il n'eut pas le temps de finir sa phrase. Le poing de Benoît fut plus rapide que sa pensée. Frappé au menton, l'homme lâcha prise, recula sous le choc, et s'écroula de tout son long.

Resté à terre, la main sur le visage, il regardait Benoît avec haine.

— Je m'appelle Ménanteau, et tu entendras parler de moi, fumier de planqué !

Benoît rentra dans la tente et entreprit d'ouvrir une nouvelle caisse de charpie pour un blessé qui l'attendait, l'épaule ensanglantée. Farisier vint l'aider.

— Il faut se presser, les choses se gâtent dehors. Les Autrichiens arrivent...

Soudain une trompette se fit entendre dans le lointain, suivie rapidement par une autre, plus près.

— La retraite !

Ce cri sortit de toutes les bouches en même temps. Ce fut immédiatement un brouhaha indescriptible. Comme par enchantement, la plupart des blessés qui attendaient dehors s'éparpillèrent dans les bois, mêlés aux soldats qui refluaient maintenant en grand nombre.

Bergnot surgit de sa tente, s'essuyant les mains sur son tablier. Selon son habitude il se mit à hurler :

— Allez, rangez tout, dépêchez-vous ! Masquelier, attelle les chevaux, Farisier, fais plier les tentes.

En un clin d'œil les vastes toiles disparurent, enroulées dans des cordes. Les infirmiers avaient répété cent fois ce geste à l'exercice. Benoît se retrouva à l'air libre, tournant ses bandes autour de l'épaule du blessé qui s'impatientait.

Bergnot le regardait d'un air sévère.

— Laverle, ce n'est plus le moment de peaufiner. Aide tes hommes à charger ton chariot.

Benoît fixa son bandage et se redressa. Autour de lui le matériel disparaissait. Mais un peu plus loin, sur le talus, les opérés et les blessés impotents gémissaient. Personne ne semblait se soucier de leur sort.

— Et ceux-là, qu'est-ce qu'on en fait ?

— Que veux-tu que nous en fassions ? répondit Bergnot, étonné.

— On ne va pas les laisser là.

— Emporte-les sur ton dos !

— Mais on peut les prendre dans les chariots à la place des caisses.

— Et on soignera les autres blessés avec quoi ? J'en ai déjà pris six dans ma voiture, c'est suffisant.

Bergnot avait un ton méprisant. Benoît le regardait avec incompréhension et dégoût. Et cela se voyait.

Masquelier attelait les chevaux à la seconde voiture, tandis que la première s'ébranlait.

— Masquelier, cria Bergnot, laisse-les se débrouiller maintenant, et viens ici.

Le géant regarda ses quatre percherons avec l'air désolé. Il n'aimait pas laisser une partie de son troupeau en arrière. Il partit en courant après un dernier coup d'œil à Farisier qui tentait de désembourber son véhicule.

Benoît essayait de faire lever les blessés encore capables de marcher, sans voir le regard suppliant des autres. Laisser les blessés à l'ennemi, c'était les condamner à mort. À quelques pas de là, l'Autrichien, assis sur le talus, la jambe allongée, bien immobilisée dans ses attelles, surveillait la scène sans un mot. Autour d'eux, les projectiles commençaient à tomber. Des balles ricochaient dans les branches, arrachant des feuilles et des brindilles. Les infirmiers hurlaient pour arracher leur voiture à la boue.

Farisier, que la peur commençait à tenailler, s'énervait. Il fit claquer son fouet avec frénésie, frappant les chevaux à tour de bras. La lourde guimbarde frémit sous les coups de reins des percherons qui dérapaient sur le sol gras. Les hommes poussaient en cadence. Mais eux aussi n'avaient guère de prise dans la terre meuble et gluante. Benoît descendait pour les aider, quand il s'aperçut, avec horreur, que l'énorme carcasse de bois penchait sur le côté, tandis que les chevaux tiraient dans une mauvaise direction. Elle oscilla une seconde, comme si elle hésitait, et il la vit s'abattre dans un fracas d'enfer. Le timon se cassa net, au milieu des chevaux entremêlés qui battaient l'air de leurs sabots. Les caisses passèrent au travers de la toile déchirée et roulèrent sur la pente.

Bergnot, alerté par le bruit, revenait au galop, hurlant des injures.

— Farisier tu me le payeras, je te le promets. Allez, bande d'abrutis, laissez tout, et sauvez-vous de là !

Toute la bande partit dans le bois au milieu des fantassins qui se repliaient à la recherche d'un point d'appui pour arrêter l'offensive. Farisier et Benoît couraient côte à côte sur le chemin défoncé, évitant les ornières pleines d'eau. Un peu plus loin, au milieu de la route, Masquelier, semblait les attendre.

— Mes chevaux ?

Benoît s'arrêta.

— Ils sont restés là-bas. Mais ils n'ont rien de cassé, ne t'inquiète pas !

Une pensée soudaine traversa son esprit. Il saisit le bras de Farisier.

— Où est Fouinard ?

Ils regardèrent autour d'eux avec anxiété.

— Il était du côté où la voiture est tombée...

Benoît réalisa immédiatement ce qui avait pu se passer. L'infirmier devait être coincé sous la voiture, embourbé, étouffé, mais peut-être encore vivant.

— On y retourne !

Suivis de Masquelier qui espérait aussi récupérer ses chevaux, ils repartirent à contre-courant, bousculant les hommes qui fuyaient et les regardaient avec étonnement repartir dans le mauvais sens.

Quand ils arrivèrent à la lisière du bois, c'était le silence. Il y avait toujours l'officier autrichien, qui les regardait avec surprise, et les six blessés abandonnés dont le regard s'était soudain animé.

Les trois hommes se précipitèrent vers le chariot éventré, couché dans la pente. Trois des chevaux étaient debout, entravés dans leurs harnais emmêlés, et le quatrième paraissait mal en point. Masquelier, bouleversé, entreprit de les dégager en les calmant de la voix, et en prenant garde aux coups de sabot. Benoît et Farisier commencèrent à dégager la toile et les caisses, puis ils se mirent à genoux, pour regarder sous la voiture. Le spectacle redouté leur sauta aux yeux. La Fouine était là, coincé sous la ridelle qui lui écrasait la poitrine. Son visage boursouflé, violacé, était immobile, mais il respirait encore, faiblement.

— Allez, cria Benoît, il faut le sortir de là. Masquelier, viens ici, et mets-toi de l'autre côté.

Accroupis sous la carcasse de bois, ils essayèrent de se lever ensemble en redressant le chariot, tandis que Farisier tirait, sans résultat, sur les épaules du blessé. Ils poussaient, le visage crispé, tous les muscles bandés dans un effort surhumain. Ils n'obtenaient que de vagues grincements. Farisier parlait doucement au blessé :

— T'inquiète pas, mon gars, on va y arriver.

La Fouine secoua négativement la tête.

Galvanisé par cette réponse, Farisier se précipita sous le chariot.

— Il m'a répondu, il entend ! Allez bordel, il faut y arriver !

À trois maintenant, ils poussaient de toutes leurs forces, sans beaucoup plus d'effet, quand, tout à coup, le chariot commença à se relever comme par enchantement.

Ouvrant les yeux, Benoît vit qu'ils étaient entourés de soldats dont ils ne voyaient que les bottes, arc-boutés dans la boue. Des ordres en allemand dirigeaient leurs efforts. En quelques instants, sous la poussée de ce renfort imprévu, la carcasse de bois fut redressée sur ses roues, et La Fouine libéré. Benoît s'empressa d'ouvrir la vareuse et la chemise. Plusieurs côtes étaient cassées, et la peau du thorax portait la marque profonde de la ridelle qui l'écrasait. Au-dessus, tout était boursouflé, tuméfié, violet. Mais il respirait. Et rien d'autre ne semblait cassé.

— Tu vas t'en tirer, ne crains rien, je te le promets...

Benoît se mit debout. Une vingtaine d'Autrichiens les entouraient. L'officier blessé faisait l'objet d'une déférence manifeste. Avec un sourire, il prit la parole :

— Monsieur le chirurgien français, votre fabuliste, Jean de la Fontaine, a dit : « Un bienfait n'est jamais perdu. » Je vous en donne la preuve aujourd'hui : vous et vos amis êtes libres.

L'accent germanique était teinté d'une indiscutable saveur aristocratique, et la langue parfaite.

— Vous nous aviez bien caché votre connaissance du français, répondit Benoît, je vous félicite de votre discrétion.

— Je connais beaucoup d'autres choses que vous ignorez, monsieur... Laverle, je crois.

Benoît ne résista pas à manifester une pointe de vanité.

— Benoît de La Verle, monsieur...

— Colonel baron Rudolf von Kindendorf. Vous voudrez bien, à l'occasion présenter mes devoirs à votre médecin inspecteur, monsieur Nicolas-René du Friche des Genettes, qui est mon ami.

— Votre ami ?

— Oui ! Nous avons voyagé ensemble autrefois, en Italie. Il étudiait la tradition médicale de l'université de Padoue, et moi je perfectionnais mes connaissances d'architecture militaire. Il est bien dommage que nous soyons dans deux camps adverses... C'est la vie ! Il eut une petite moue désabusée, et reprit : De toute façon, pour moi, cette guerre est finie. Mais pour vous, elle continue.

Il s'interrompit pour dire quelques mots en allemand au sous-officier qui se tenait respectueusement à ses côtés, et qui s'inclina en claquant des talons. Puis il s'adressa de nouveau à Benoît :

— Je vous donne une demi-heure avant de reprendre l'offensive. Mes hommes vont vous escorter jusqu'à vos lignes. Évitez seulement qu'on leur tire dessus. Désignant le chariot remis sur pieds, il ajouta : Votre... carrosse est encore en état de rouler. Il vous reste trois chevaux. Embarquez vos blessés, et allez-vous-en. Que Dieu vous protège. Puis il conclut avec un sourire : Nous nous reverrons peut-être un jour, qui sait ? À Paris ou à Vienne ! Cette guerre ne durera pas toujours.

L'accueil des soldats français fut délirant. Chacun voulait les féliciter. La Fouine avait rouvert les yeux. Son thorax commençait à respirer de nouveau librement, et, malgré l'œdème, son visage souriait.

Il n'en fut pas de même de la part de Bergnot. Le major ne leur pardonnait pas d'avoir abandonné tout le matériel, et d'avoir désobéi en retournant en arrière, même s'ils avaient sauvé les blessés. Il se comportait comme si ces hommes étaient déjà perdus et n'avaient plus aucune importance, y compris son infirmier !

Quant au commissaire du gouvernement, sur l'heure il convoqua Benoît et l'interrogea longuement sur ses liens avec ce colonel autrichien. Il était déjà au courant de l'histoire du soldat Ménanteau, qui s'était plaint, et l'avait accusé d'intelligence avec l'ennemi. Pourquoi avait-il bénéficié de cette mesure de clémence ? L'interrogatoire fut interrompu par une rumeur qui s'élevait à l'extérieur de la tente :

— Desaix arrive, voilà les renforts, on contre-attaque...

De fait on entendit sonner la charge. L'offensive changeait de camp ! Le commissaire tourna les talons.

Benoît, écœuré par l'attitude de ses supérieurs, privé de son ambulance, demanda à rester au milieu des fantassins pendant l'attaque. Bergnot accepta, souhaitant que ce jeune indiscipliné reçoive, au combat, la leçon qu'il méritait.

Équipé d'une trousse de secours, accompagné par Farisier et Masquelier qui lui vouaient désormais une admiration sans borne, le jeune homme partit en courant dans la mêlée. L'artillerie de Desaix avait fait des ravages dans les lignes ennemies, et les blessés autrichiens couvraient les collines, mélangés aux Français qui étaient tombés lors de la première attaque. Sous le feu, les trois hommes pansèrent, réconfortèrent, calmèrent les éclopés qui les remerciaient avec émotion. Jamais ils n'avaient vu un chirurgien courir sous la mitraille, sans souci du danger, pour les soulager.

Farisier, vieil habitué des champs de bataille, apprit à Masquelier comment confectionner des brancards improvisés avec des fusils et des vareuses. Et bon nombre de blessés, confiés à des brancardiers de fortune, retournèrent ainsi à l'arrière pour se faire soigner.

En quelques heures le village de Marengo était repris, l'armée de Von Melas bousculée, détruite, anéantie. Le soir même, le feld-maréchal signait l'armistice, et le Piémont tombait entre les mains des Français. Cet épisode militaire était terminé, les pourparlers de paix commenceraient quelques semaines plus tard.

La bataille était gagnée, mais Benoît et ses acolytes continuaient à panser, immobiliser, et regrouper les victimes de l'attaque, pour qu'ils puissent être évacués vers les hôpitaux de Milan, où le gros du service de santé les attendait. Ils avaient retrouvé les caisses de pansements et de charpie éventrées lors de l'accident du chariot, et cette réserve leur avait permis de soigner encore de nombreux soldats.

À la tombée de la nuit, ils s'arrêtèrent, épuisés, au milieu de tous leurs patients regroupés autour d'un grand feu où brûlaient les débris du chariot et des caisses. Un colonel de dragons arriva, à la tête d'un détachement. Il reconnut Benoît qu'il avait remarqué à plusieurs reprises sur le champ de bataille. Des voitures vinrent ramasser les blessés pour les conduire dans les hôpitaux organisés à l'arrière.

Benoît fut appelé au quartier général. Il y régnait malgré la victoire une atmosphère de tristesse imprévue. Desaix avait été tué. Le colonel qui avait fait ramasser les blessés, sortit de la tente où se tenait Bonaparte.

— Citoyen Delaverle, par ordre du général Bonaparte, tu es nommé chirurgien-major, et tu recevras un « sabre d'honneur ».

Benoît ne savait pas qu'il entrait, ce jour-là, dans le corps si convoité des légionnaires marqués d'un ruban rouge.

CHAPITRE X

Le 1er mars 1816, fut publiée la nomination du baron Benoît de La Verle aux fonctions de professeur de chirurgie au Val-de-Grâce. Joli cadeau pour son quarante-cinquième anniversaire !

Il fut le premier surpris par cette décision, car le nouveau Conseil de santé, mis en place par Louis XVIII, n'avait pas de raison de lui être particulièrement favorable. Chacun savait qu'il avait été créé pour éliminer Percy, Larrey et Desgenettes, les trois grands hommes du service de santé, dont la fidélité à l'Empereur avait été un peu trop voyante lors des Cent-Jours.

Comme eux, dans l'enthousiasme retrouvé, Benoît avait repris l'uniforme, avec tous ses amis de l'ambulance démobilisée. À Waterloo il avait été blessé, et il n'avait regagné Paris qu'après la Restauration, demeurant plusieurs mois encore à l'hôpital de Namur pour s'occuper des derniers blessés, jusqu'à ce qu'ils fussent rapatriés.

Depuis son retour, il était resté au calme, rue de l'Entrepôt, avec sa femme et son fils, attendant que ses plaies physiques et morales cicatrisent. Jamais il n'avait eu le temps de vivre ainsi, au milieu des siens. Henriette avait pris du poids. C'était maintenant une dame ronde toujours aussi douce, et pleine de tendresse pour ses deux hommes qui refaisaient connaissance. Clément avait quinze ans et il ressemblait à sa mère. Il avait des cheveux blonds et des yeux noisette, était bon élève mais n'appréciait guère les sports violents. Gourmand et casanier, il passait son temps à la maison, et ne sortait jamais sans un livre de poèmes dans sa poche. Quand il rentrait du lycée, il s'asseyait à côté de sa mère et lui prenait la main. Il regardait avec étonnement ce père qui n'avait été, jusque-là, qu'une sorte de mythe guerrier.

De retour à la maison, Benoît était heureux. Il ressentait d'un coup une grande fatigue, après ces années de chevauchées à travers l'Europe qui se terminaient si tragiquement. Il avait besoin d'une sorte de délai de réflexion. À quarante-cinq ans, il avait encore toute une vie devant lui, et il ne savait pas trop comment s'orienter. Cette promotion royale imprévue venait de lui montrer son nouveau chemin. Le destin, une fois de plus, avait choisi à sa place.

Au Val-de-Grâce, il se présenta à son maître Desgenettes, qu'il connaissait bien, et qui avait été maintenu professeur et médecin-chef. Le gros homme était un peu amer :

— Ce sont les seuls titres qui me restent...

— En ces temps troublés, ce n'est pas si mal.

— C'est vrai. Mais après avoir été médecin-chef des armées, je vais me sentir un peu à l'étroit !

Ils rirent ensemble, heureux au fond de s'en tirer à si bon compte. Tant de leurs amis devaient, à l'heure actuelle, se débattre avec le Conseil de guerre et les services de Fouché, trop zélé ministre de la Police.

En sortant de chez Desgenettes, Benoît tomba dans les bras d'un nouveau promu comme lui, François Broussais. Ils s'étaient connus sur les champs de bataille, et le bouillant Breton était ravi d'avoir enfin une tribune à sa mesure pour proclamer ses théories médicales. Il savait qu'il allait bousculer les idées du temps et il s'en réjouissait à l'avance. Malgré ses opinions libérales, il venait d'échapper au naufrage, et n'attribuait qu'à ses mérites cette promotion inattendue.

Benoît fit la connaissance de ses élèves. Bien que ce fût son premier poste d'enseignement officiel, il avait l'habitude déjà d'éduquer les plus jeunes. La règle voulait, en effet, depuis le début des guerres révolutionnaires, que les anciens instruisent les nouveaux venus, dès que les troupes étaient au repos.

Après la disparition des facultés, on avait vu arriver sous l'uniforme, un contingent de médecins pratiquement sans formation, et le résultat avait été catastrophique. Percy, le premier chirurgien des années napoléoniennes, parlait de ces jeunes recrues avec mépris. Il les appelait des « chirurgiens de pacotille ».

Au hasard des étapes, on organisait des hôpitaux de fortune dans les bâtiments qui s'y prêtaient le mieux : églises, collèges, châteaux... Et là, on soignait, et on enseignait aussi. Il faut dire que la matière médicale ne manquait pas. Le typhus et le choléra faisaient des ravages, toutes les blessures suppuraient, et la gangrène emportait les rescapés.

Quand, après les batailles, les troupes étaient au repos, on avait le temps d'appliquer, ici aussi, cette méthode anatomo-clinique qui faisait la gloire de l'enseignement médical parisien. Les soldats malades étaient examinés avec soin et, si l'issue fatale survenait, l'autopsie immédiatement pratiquée permettait de vérifier l'existence des lésions présumées. L'absence totale de moyens thérapeutiques efficaces donnait à cette pratique une allure apocalyptique. Les malades avaient l'impression que les médecins attendaient parfois avec impatience le moment de vérifier leurs hypothèses. On cherchait moins à les sauver, qu'à comprendre pourquoi ils mouraient.

À cette époque, Broussais pensait déjà que toutes ces affections qui décimaient les armées avaient une cause digestive commune. Et pour lui, le seul traitement efficace était le jeûne. Tous ces hommes dans la force de l'âge, terrassés par la maladie, étaient condamnés, en plus, à la famine. Les plus débrouillards s'alimentaient en cachette, et ceux qui guérissaient ainsi étaient, pour leur thérapeute, la preuve vivante du bien-fondé de ses théories.

Les élèves du Val-de-Grâce étaient très impressionnés par la personnalité de leurs professeurs. L'épopée impériale avait beau s'être abîmée dans la défaite, il en restait un souvenir mythique. Ceux qui avaient participé à l'aventure en conservaient une auréole que les jeunes, en particulier, respectaient ouvertement.

Tous savaient que le major général de La Verle avait été à Marengo, Austerlitz et Iéna, qu'il avait été fait officier de la Légion d'honneur après Wagram et baron à Lutzen. Il devait ces distinctions à des faits d'armes que les infirmiers militaires du Val racontaient volontiers, après la visite, lorsque la haute stature du chirurgien s'éloignait dans les couloirs vers la salle des cours.

Benoît n'en tirait pas vanité. Beaucoup de ses collègues du corps de santé avaient payé de leur vie une bravoure qui ressemblait souvent à de la témérité. Mais c'était dans l'ordre des choses. Et le sujet de ses premiers cours fut, justement, cette modification de la place des chirurgiens au combat. Sous l'Ancien Régime, les hôpitaux étaient regroupés à l'arrière du champ de bataille et les ambulances attendaient l'arrêt du feu pour aller ramasser les blessés. Si le terrain ou les conditions climatiques étaient difficiles, il fallait des heures, voire des jours, avant que les soins puissent être apportés à ceux qui étaient restés à terre. Il en résultait une terrible mortalité.

À partir des campagnes de la Révolution, on avait essayé de faire avancer les ambulances plus près de la ligne de feu. Mais c'étaient des chariots à quatre ou six chevaux, peu maniables, et mal adaptés à la rapidité de mouvement qui caractérisait la guerre moderne. Plus tard, Percy avait imaginé un moyen plus rapide de faire parvenir les chirurgiens en première ligne, en les dotant d'un véhicule léger, semblable à un affût de canon, sur lequel ils pouvaient s'installer à califourchon. Ces *wurst* (saucisse) eurent un certain succès, mais on revint rapidement à des moyens plus classiques, c'est-à-dire à de petites charrettes légères, à deux chevaux, qui pouvaient circuler dans la ligne de feu.

Cette nouvelle technique de transport était en réalité le résultat d'une pensée médicale nouvelle que les faits avaient rapidement confirmée. Dominique Larrey, excellent chirurgien et élève aussi de

Desault, avait compris que les plaies de guerre tiraient l'essentiel de leur gravité des souillures qui les accompagnaient. Si les plaies du thorax, du cou et de l'abdomen conservaient, quoi qu'on fît, leur pronostic catastrophique, en revanche, au niveau des membres, un changement d'attitude pouvait être bénéfique. Plus vite ces plaies étaient nettoyées et même suturées, plus on éliminait de chairs contuses et d'os brisés, et mieux elles guérissaient. Surtout la redoutable gangrène, qui tuait en quelques heures, n'apparaissait pas. Ou moins.

D'où la nécessité d'avoir des chirurgiens compétents pour ramasser les blessés, et les traiter immédiatement, fût-ce sous le feu de l'ennemi.

Benoît ajoutait que des principes humanitaires nouveaux, à cette occasion, s'étaient fait jour. Jusque-là, même si Ambroise Paré, deux siècles plus tôt, le dénonçait déjà, les blessés ennemis n'étaient guère respectés par l'autre camp. Non seulement on ne les soignait pas, mais généralement ils étaient dépouillés de leur équipement avant d'être achevés. Soigner tous les blessés de la même manière, quel que fût leur uniforme, était une idée récente dans son application, et dans ses conséquences. C'est ainsi qu'au cours des dernières campagnes napoléoniennes, les artilleurs des deux camps avaient tendance à écarter leur tir quand une ambulance circulait sur le terrain.

Le risque n'en était pas moins sérieux, Benoît pouvait en témoigner. Il avait dû, plusieurs fois, défendre sa tente les armes à la main, et son infirmier Farisier avait été tué à ses côtés par un parti de uhlans.

Cette tactique médicale de la guerre moderne avait eu aussi des implications dans la technique chirurgicale. Et c'est Dominique Larrey qui en avait été une fois de plus le précurseur. Soigner sous la mitraille impliquait d'aller vite. La fracture ouverte d'un membre n'avait qu'un seul traitement : l'amputation. Mais c'était une intervention relativement longue à cause de l'os qu'il fallait scier, sur un sujet qui se débattait malgré l'aide d'assistants musclés. Larrey contourna cet obstacle en mettant au point un geste chirurgical autrement rapide, la désarticulation. Le couteau passait dans l'articulation, et la scie n'était plus nécessaire. L'habileté du maître était telle qu'une intervention de ce type durait parfois moins d'une minute. Et ses élèves devaient être capables d'en faire autant.

Benoît avait de la peine à se remémorer sans émotion ces scènes incroyables, vécues encore quelques mois plus tôt. Dans le crépitement des fusils, à l'abri du remblai, le long d'une route ou d'un chemin creux, le blessé allongé par terre, imbibé d'eau-de-vie, la pipe ou la chique entre les dents, solidement maintenu par ses camarades, et le chirurgien en uniforme, le couteau à amputation en main, la trousse ouverte à ses pieds... Sa vie durant il se souviendrait de ces hurlements.

Les étudiants étaient fascinés par ce professeur qui donnait à la chirurgie un tel ton épique. C'était leur métier qu'il leur expliquait là. Ils allaient devoir acquérir cette maîtrise et cette dextérité. Il est évident que de tels gestes impliquaient un enseignement minutieux, une grande connaissance anatomique, beaucoup de travail... et des nerfs solides.

Tous se sentaient prêts.

Benoît ne tarda pas à savoir pourquoi il avait été nommé à ce poste. Le jour où Jean-François Coste, président du Conseil de santé, vint en inspection au Val-de-Grâce, il était accompagné d'un groupe de dignitaires de la cour. Parmi eux se trouvait Thierry de Malmort.

Toujours très élégant, il avait pourtant un visage fatigué, des traits bouffis et une taille alourdie. Il s'approcha avec le sourire.

— Alors, mon « saigneur », es-tu content de ton sort ?

— Faut-il te remercier ?

— Non. Mais j'ai tout de même l'impression d'avoir payé une partie de ma dette. Il sembla réfléchir un moment, puis ajouta : Je remercie Dieu de n'avoir jamais voulu que nous soyons face à face sur un champ de bataille. Cette situation m'aurait paru du plus mauvais goût. Surtout si j'avais encore eu besoin de tes soins ! Mais, revenu à Paris, j'ai fait de mon mieux pour sauver... ta carrière.

Benoît eut un rire crispé. Il n'osa pas lui demander des nouvelles de sa famille. Il sut que tout le monde était rentré depuis peu, et qu'il avait été nommé gentilhomme de la chambre du roi. Il avait fait une belle guerre et portait le grand cordon de Saint-Louis.

Aucun des deux ne proposa à l'autre de se revoir. Mais Paris était une trop petite ville pour qu'ils ne sachent pas l'un et l'autre que les occasions ne manqueraient pas !

Benoît avait réussi à conserver ses parts dans la maison de santé de la rue de l'Abreuvoir et il y recevait beaucoup de gens de la bonne société. Des malades mentaux, des fils de famille qu'il fallait mettre à l'abri quelque temps, des « politiques » aussi, qui s'abritaient ainsi de la justice du nouveau régime, en attendant que l'agitation s'apaise. Il avait regroupé là ses fidèles. Sœur Bénédicte faisait office d'infirmière principale. Elle n'avait guère envie de reprendre le voile. Elle restait proche de la communauté qui s'était réinstallée rue Saint-Sulpice, mais elle n'avait pas accepté encore de fonction officielle.

La Fouine et Masquelier aussi avaient suivi leur major. Après quinze ans de vie commune, ils lui avaient demandé de ne pas le quitter. L'un s'occupait des malades, l'autre des chevaux. Tout était en ordre.

Avec l'aide de Jenner, Benoît avait repris aussi sa campagne de prévention contre la variole et, malgré l'opposition des éléments les plus conservateurs de la Faculté, il pratiquait la « vaccination » antivariolique.

Enfin sa clientèle privée se développait et, chaque après-midi, dans son joli cabriolet vert, il parcourait les rues des beaux quartiers parisiens.

C'est ainsi qu'il fut appelé, un soir, dans cet hôtel du faubourg Saint-Germain où il avait passé de si merveilleux moments, quinze ans plus tôt. Gabriella, la nièce de sa chère Clara, l'y accueillit. Plus belle que jamais, elle avait trente-cinq ans, et son éclat de femme faite dépassait encore celui de son adolescence. Elle avait la même chevelure luxuriante que sa tante, mais un visage plus fin, et des yeux immenses et sombres.

Elle avait épousé le comte Grazziani, un vieux Romain immensément riche, allié à la famille Borghèse, et donc très proche des Bonaparte. On sentait bien, dans cette maison, que le respect pour Louis XVIII n'était qu'une apparence. Le comte avait fait une chute et souffrait du dos. Ce n'était rien de très grave, mais quelques semaines de repos seraient tout de même nécessaires... Sous surveillance chirurgicale attentive, bien entendu.

La belle Italienne s'ennuyait dans ce rôle de garde-malade qui lui convenait mal. Le chirurgien devint à nouveau un habitué de la belle maison.

Il rentrait tard rue de l'Entrepôt où, pourtant, il était attendu dans une atmosphère de véritable ferveur familiale. De plus, Henriette était de nouveau enceinte ! Elle avait tardé à lui annoncer la nouvelle tant elle avait peur de lui causer un souci supplémentaire. Mais Benoît fut ravi : ce symptôme de jeunesse le remplissait de fierté. Il se rapprocha des siens, et jura de leur consacrer plus de temps.

Malheureusement, le comte Grazziani eut un accident cérébral brutal et rendit l'âme prématurément. La jeune veuve inconsolable n'avait que Benoît pour atténuer son chagrin ; il se consacra à cette mission, avec une conscience professionnelle qu'il se reprochait même parfois.

Le baron de La Verle était devenu, en quelques mois, un grand bourgeois parisien. Il enseignait avec autorité à de nombreux élèves qui suivaient avec respect sa visite au Val-de-Grâce et venaient le voir opérer. Il avait une maison de santé prospère et une riche clientèle de ville. Il finissait ses soirées au théâtre ou dans quelque café à la mode, gagnait beaucoup d'argent, sa maîtresse était jeune et belle, sa femme lui promettait un enfant et son fils Clément manifestait le désir de faire ses études de médecine. Le baron de La Verle était un homme heureux.

C'est le moment que choisit Hélène d'Allouÿs, comtesse de Malmort, pour réapparaître. Dès qu'il la vit, Benoît sut qu'il n'était pas guéri de son amour d'antan. Il est vrai qu'elle avait su embellir en vieillissant. Elle était toujours aussi longue et mince, l'abondance de ses cheveux blonds, presque roux, la dispensait de perruque et ses yeux pervenche avaient un éclat changeant qui fascinait. Pourtant elle ne devait pas être loin de son quarantième anniversaire.

C'est au médecin qu'elle venait faire appel. Elle se souvenait de son talent, et tout Paris chantait ses louanges. Elle avait un fils que la médecine avait condamné, et elle implorait son aide, celle d'un ami.

Benoît se rendit au chevet du jeune Cédric, et ne put, dans son for intérieur, que confirmer le pronostic de ses confrères. Âgé de dix-neuf ans, l'enfant en paraissait à peine quinze. Tout effort lui était impossible, et le seul fait de parler lui bleuissait les lèvres. Ses chevilles, depuis quelques jours, s'étaient soudainement enflées, ce qui avait justifié l'affolement de sa mère. Benoît se souvenait d'un cas semblable dont il avait fait l'autopsie. Il s'agissait d'une déformation cardiaque complexe avec calcification des valvules et une atteinte pulmonaire diffuse.

— A-t-il eu des maladies articulaires ?

— Souvent, quand il était plus jeune. Mais plus du tout depuis des années.

Benoît avait entendu Corvisart parler de ces maladies articulaires et cardiaques associées, dont la cause était inconnue. Mais pour la mère angoissée, la question qu'il avait posée prouvait qu'il avait une arrière-pensée, et Hélène sentit naître en elle un fol espoir.

Il n'osa pas la décevoir immédiatement. Était-ce par simple souci d'humanité, ou parce qu'il avait envie de la revoir ? À vrai dire, il était autant séduit par le fils que par la mère. Cédric était un miracle de finesse et de sensibilité. Il avait bien compris ce qui allait lui arriver, et il en parlait avec sérénité, cherchant toujours à rassurer sa mère qui, quant à elle, refusait l'évidence. Entre eux, la complicité atteignait un niveau d'intelligence que Benoît ne soupçonnait pas. Comme on était loin des relations entre Henriette et Clément qui ne parlaient que de cuisine et riaient comme des enfants.

Cédric et sa mère étaient d'autant plus proches, que Thierry de Malmort n'était jamais là. Il vivait à la cour et chez ses maîtresses. Il jouait gros jeu et trouvait les fonds dont il avait besoin dans un trafic d'influence qui était la plaie de ce régime. De temps à autre, il emmenait Hélène dans quelque réception officielle où on la regardait avec curiosité. Il avait une belle femme, et il fallait qu'on le sache. Mais même ces soirs-là, il la raccompagnait et ressortait ensuite.

À l'Hôtel-Dieu, Dupuytren avait succédé à Pelletan, pour la chaire de clinique chirurgicale. On disait même que le jeune loup avait poussé son patron dehors de manière fort peu élégante. Benoît n'avait rien à reprocher à celui qui avait pris la place laissée vacante par la mort de Desault ; mais il le trouvait si médiocre, comparé à son prédécesseur, qu'il ne parvenait pas à le plaindre. De plus Dupuytren était son ami, et il était prêt à tout lui pardonner.

Il est vrai, cependant, que l'homme n'était pas facile. Hautain, arrogant, méprisant, il dirigeait son service d'une main d'acier mais sa réputation dépassait celle de tous les chirurgiens de son temps. Brillant comme Desault, futé comme Corvisart, travailleur comme Bichat, il était doué d'une sûreté manuelle éblouissante. Son seul défaut était ce caractère exécrable dont tout le monde se plaignait. Pourtant ses quelques amis l'aimaient, et savaient pourquoi.

Dans l'intimité, il était d'une grande cordialité, et ce qui passait au-dehors pour de la froideur n'était pour ses proches que pudeur et timidité. Il vivait dans une perpétuelle angoisse de mal faire, et c'était sans doute la raison pour laquelle il écrivait si peu. Tous ses élèves le pressaient de publier ses innombrables observations, mais il ne pouvait s'y résoudre, attendant toujours de les améliorer encore.

Benoît venait souvent le voir opérer dans l'amphithéâtre de l'Hôtel-Dieu où il avait tant travaillé lui-même. Le maître arrivait, sans un regard pour l'assistance, toujours nombreuse. Il troquait son habit noir pour une vieille redingote tachée, et commençait à opérer, éblouissant de rigueur et d'habileté.

Tout Paris l'admirait, mais sans perdre une occasion de le critiquer. On se gaussait de son mariage raté avec la fille de Boyer, le chirurgien de la Charité. On racontait qu'il s'était décommandé au dernier moment, sans donner la moindre explication. Personne ne savait que c'était la jeune fille elle-même qui lui avait demandé de rompre discrètement ce projet arrangé par son père. Elle s'était liée déjà, en cachette, à un autre homme qu'elle désirait épouser. Le silence de Dupuytren témoignait de son élégance de cœur, et il subit la haine du clan Boyer sans broncher.

Avec Benoît, son aîné de quelques années, il était en confiance, et ils allaient souvent voir des malades ensemble. Il accepta donc volontiers de venir examiner le jeune Cédric de Malmort, et malheureusement il confirma le pronostic des autres médecins. À sa connaissance, il n'y avait aucune thérapeutique efficace, et il lui semblait difficile que ce cœur épuisé puisse tenir encore longtemps. Il conseilla en dernier recours de demander l'avis de Laennec, leur collègue médecin de Necker, mais sans se faire d'illusions. Les deux patrons se haïssaient mais chacun respectait les qualités professionnelles de l'autre.

Benoît ne connaissait par ce Breton dont on parlait beaucoup. Il venait d'inventer un instrument nouveau qu'il appelait « stéthoscope » avec lequel il écoutait, comme on ne l'avait jamais fait jusqu'alors, les bruits du cœur et des poumons. Il en tirait, disait-on, des renseignements de valeur inégalable.

Il vint avec empressement. Il était petit et malingre, mais son visage émacié rayonnait d'intelligence. Avec beaucoup de patience et d'attention, il interrogea Cédric longuement, puis il sortit de sa poche un tuyau de bois en deux morceaux. Il les vissa ensemble et posa une extrémité du tube ainsi formé sur la poitrine du malade, tandis qu'à l'autre bout il appuyait son oreille. Longtemps il écouta, déplaçant son instrument sur toutes les faces du maigre thorax.

— À mon avis, c'est la valve mitrale qui est en cause, finit-il par conclure. Elle est à la fois trop étroite et incontinente... Les poumons sont engorgés d'œdème.

Hélène et Benoît se regardaient.

— Que faut-il faire, docteur ? demanda-t-elle en raccompagnant le praticien.

— L'économiser, madame.

1817 fut une année dramatique. Pourtant, tout semblait bien commencer puisque le 16 janvier, Henriette donna le jour à une petite fille superbe qu'on prénomma Catherine. L'accouchement eut lieu sans aucune difficulté, rue de l'Entrepôt, et c'est Hudclot lui-même qui était venu officier. Il était chef de service à la maternité de Port-Royal, où il avait succédé à Baudelocque, mort en 1810.

C'était un praticien remarquable, adepte des méthodes anatomo-cliniques les plus modernes. Il connaissait mieux que personne cette fameuse fièvre puerpérale qui tuait tant d'accouchées et, dans sa maternité, l'examen post-mortem était aussi systématique que dans les autres hôpitaux.

Quand les douleurs commencèrent, Benoît envoya Masquelier le chercher. Sans perdre un instant le jeune praticien quitta l'amphithéâtre, laissant ses assistants terminer l'autopsie en cours, et il grimpa dans le cabriolet de Benoît qui descendit vers la Seine au galop.

L'accouchement fut long et difficile, mais l'enfant n'en souffrit pas. La famille assemblée accueillit la nouvelle venue avec enthousiasme. C'était naturellement le plus joli bébé du monde.

Tout paraissait aller pour le mieux, Henriette était souriante et sa fille resplendissait de santé, quand, au troisième jour, la fièvre s'alluma. La pauvre jeune femme commença à délirer et à trembler. Malgré tous les traitements, elle mourut épuisée, à l'aube du quatrième jour. Benoît, impuissant, comprit tout ce que son père avait dû endurer.

« Perdre sa mère et sa femme, de la même manière, c'est trop pour une seule vie », pensait-il avec rage.

Les parents Dupont de l'Avre s'installèrent de nouveau rue de l'Entrepôt, pour s'occuper de Clément et du bébé, tandis que Benoît, malgré son chagrin, reprenait ses activités.

Le vieux père Dupont lui fit un petit discours émouvant :

— Mon cher Benoît, j'avais envie de te demander si tu trouvais bien raisonnable d'avoir voulu faire un nouvel enfant, seize ans après le premier. Mais quand je vois cette jolie petite fille, je te comprends, et je ne parviens pas à t'en vouloir. Pourtant Dieu sait combien j'aimais Henriette, et comme j'étais heureux de la savoir avec un homme aussi courageux que toi. Maintenant il va nous falloir à tous beaucoup d'énergie. Mais ne t'inquiète pas, nous t'aiderons.

L'Hôtel Grazziani était proche de celui des Malmort et Benoît allait à pied de l'un à l'autre. Gabriella était une maîtresse peu exigeante. Elle savait qu'il ne fallait pas officialiser une liaison que son amant souhaitait discrète. Le deuil légal écoulé, elle avait repris sa vie parisienne, et les soupirants ne lui manquaient pas.

— Tu vois, disait-elle à Benoît, grâce à toi, je n'ai nulle envie de céder à l'un de ces messieurs. Je vis adulée et couverte de cadeaux. Si tu me laissais, je n'aurais que l'embarras du choix. Mais je préfère rester dans tes bras, même si je danse dans ceux des autres.

De son côté, lorsqu'il quittait sa belle Italienne, Benoît se sentait mieux armé pour résister à son penchant naturel pour Hélène de Malmort. L'œil froid, il conservait vis-à-vis d'elle toutes les apparences de la déférence et du respect, ignorant les regards qui auraient normalement dû le faire fondre. C'était, pensait-il, la juste punition de l'affront qu'elle lui avait fait subir, autrefois, à Firstwell.

Hélas, le destin encore précipita les événements : le pauvre Cédric rendit l'âme au début de l'hiver. Il s'éteignit comme une chandelle, entre sa mère et ce chirurgien dont la présence avait été pour lui le meilleur des réconforts.

On eut toutes les peines du monde à retrouver Thierry de Malmort pour lui annoncer la mort de son fils. Il arriva faubourg Saint-Germain au petit matin, dans un état d'ébriété si avancée qu'il avait du mal à se tenir debout. Masquelier, choqué, raconta qu'il l'avait trouvé dans un bouge du Palais-Royal, comme il ne croyait pas qu'il pût en exister.

Benoît n'avait plus de raison avouable pour rendre à nouveau visite à Hélène. Pourtant il revint, et elle comprit que si elle voulait, elle ne le perdrait jamais plus. Quant à lui, s'il avait manqué de courage pour rompre avec cette femme, c'est qu'il la sentait sur le point d'accepter ce qu'il lui avait offert, vingt ans plus tôt, dans les brouillards du Yorkshire. Et il en était profondément heureux.

Thierry ne s'intéressait pas à la vie de son épouse. La mort de leur fils les avait encore davantage éloignés. Mais un jour qu'il passait faubourg Saint-Germain, elle demanda à lui parler.

— Ne te fais aucune illusion, lui déclara-t-il d'emblée. Je n'accepterai jamais de séparation officielle. Je ne t'empêche pas de mener la vie que tu souhaites, mais chez les Malmort on ne sépare pas ce que Dieu a uni. Même si notre union n'est plus ce qu'elle a été, je ne te laisserai jamais partir...

Hélène baissa les yeux, puis, d'une voix calme et posée, elle répondit :

— Thierry, je suis enceinte.

Quand son regard croisa à nouveau celui de son mari, elle y lut une expression de panique. En un instant, il avait compris tout le problème posé par cette nouvelle inattendue. Faire passer l'enfant, c'était hors de question. Reconnaître son infortune, c'était encore plus impossible. Sa décision fut vite prise.

— Un enfant Malmort est parti, un autre vient. C'est la voix de Dieu qui a parlé, ce me semble. Je le reconnaîtrai, bien évidemment.

Après une seconde d'hésitation, il reprit, un ton plus bas :

— Pour mon information personnelle, est-ce que je peux savoir qui est l'heureux père ?

— Benoît de La Verle.

Il hocha la tête longuement avant de répondre :

— Celui-là, on peut dire qu'il a de la suite dans les idées. Quelle vengeance ! De plus, si l'on en croit les ragots de bonne femme, cet enfant n'aura même pas volé son nom ! Le destin a de curieux caprices.

Hélène, en l'écoutant, venait enfin de comprendre les allusions perfides que son mari laissait parfois échapper devant elle quand ils parlaient de Benoît. Elle découvrait aussi l'origine de ces médailles identiques que portaient les deux hommes.

La vie lui ménageait de bien déconcertantes surprises !

CHAPITRE XI

C'est vers le Val-de-Grâce qu'étaient dirigés, à partir de tous les hôpitaux militaires de France, les soldats justiciables d'un traitement spécialisé. Plusieurs fois par semaine, des convois arrivaient et les patients étaient répartis dans les différents services.

Un matin de 1822, le cabriolet de Benoît pénétra dans la cour pendant qu'une grosse berline se vidait de ses voyageurs. Pauvres bougres aux uniformes dépareillés, boiteux, infirmes, rebus d'une société qui avait connu la défaite.

— Masquelier ! appela Benoît.

— Oui, major ?

— Regarde dans ce groupe là-bas, près de la porte des admissions...

— Vingt dieux ! grommela le géant.

— Ne bouge pas !

— J'ai pourtant bien envie d'aller le chercher par les oreilles.

— Ce n'est pas le moment. Va donc plutôt m'appeler le planton, qui garde la grand-porte.

L'homme arriva bientôt, et Benoît le fit monter dans le cabriolet à côté de lui.

— Comment t'appelles-tu ?

— Soldat Berteil, major.

— Bien. Berteil, regarde dans ce groupe, là-bas, près des admissions. Il y a un homme plus grand que les autres, le troisième. Il a une cicatrice sur la lèvre. Tu le vois ?

— Oui, major.

— Tu vas aller prévenir le sous-officier d'administration qui fait les entrées que je veux tout savoir sur lui, dès ce matin. Et discrètement. Tu as compris ?

— Bien compris, major. J'y vais.

Le soldat sauta du cabriolet et entra dans les bureaux, fier d'avoir à remplir une mission secrète pour un professeur.

Quelques heures plus tard, un sous-officier était devant Benoît une fiche à la main.

« Mallet, Auguste. Originaire de Fécamp, grenadier au quatorzième régiment d'infanterie de ligne. Blessé à Champaubert. Évacué de l'hôpital militaire de Reims pour traitement d'une plaie de la bouche... »

Benoît sourit.

— Il doit bien y avoir quelqu'un du quatorzième de ligne, dans la maison.

— Sur deux mille hommes, c'est probable.

— N'alerte pas la sécurité. Leurs enquêtes n'aboutissent jamais à rien, et avec cet individu, j'ai un compte personnel à régler. Par simple précaution, je voudrais qu'un gars du quatorzième te dise s'il connaît ce gaillard. Ensuite je m'en occuperai.

Dès le lendemain, un fantassin amputé d'une jambe parut devant Benoît.

— Faltuit, Albert. Grenadier au quatorzième de ligne, à vos ordres, major.

— Bonjour Faltuit. Merci d'être venu. Pourquoi es-tu ici toi ?

— J'ai mon moignon qui suppure. Faut qu'on me le retouche.

C'était l'une des causes les plus fréquentes de la chirurgie chronique des plaies de guerre.

— Alors, tu as vu l'individu qui se fait appeler Mallet Auguste ?

— Oui, major. Je l'ai vu. Ce n'est pas Mallet Auguste, que je connaissais bien et qui a été tué à côté de moi, quand le boulet m'a emporté la jambe. Lui, c'est la tête qu'il a eu d'emportée.

— Et celui-là ?

— Je le connais aussi. C'était un trafiquant, un détrousseur de cadavres, une pourriture, major. Il a dû trouver le corps de mon copain, et lui prendre ses papiers. C'est de l'héroïsme à peu de frais, major !

— Merci, mon garçon. Ne dis rien à personne. Ton copain sera vengé. Et pour ton moignon, viens me voir, je m'occuperai personnellement de toi. Tu ne resteras pas longtemps ici, je te le promets.

L'homme s'en fut sur ses béquilles, ravi.

Quelques jours plus tard, Benoît était prêt pour sa vengeance. Il en savait un peu plus sur le terrible La Pointe. Il était hospitalisé pour un cancer de la bouche, maladie habituelle des fumeurs de pipe. Il prétendait que c'était la suite d'une blessure de guerre. D'après le sous-major qui s'en occupait, la lésion n'était plus enlevable, et l'évolution serait fatale. Mais nul ne pouvait dire en combien de temps.

Un intermédiaire avait alléché le brigand par une histoire de trafic de vêtements militaires. Et rendez-vous avait été pris pour le soir même, près d'une petite porte du parc, habituellement condamnée.

Il faisait nuit noire. Enveloppé dans un grand manteau, le chapeau enfoncé jusqu'aux yeux, Benoît était méconnaissable. Masquelier était caché à proximité. La porte pivota sans bruit sur des gonds fraîchement huilés.

— C'est toi, La Pointe ? murmura Benoît.

— Oui, répondit l'autre, interloqué. Qui es-tu ?

Benoît sortit de sous son manteau un pistolet qu'il mit sous le nez du bandit. En même temps, Masquelier avançait avec une lanterne. L'homme reconnut son interlocuteur, et jura entre ses dents. Benoît eut son premier moment de satisfaction.

— Te voilà mal parti, hein, fripouille.

— Ne me tuez pas. Je vous en supplie...

L'homme s'était mis à trembler. Et Benoît se retenait pour ne pas le frapper.

— Je ne pensais pas vous trouver ici, major...

— Je m'en doute.

— Laissez-moi partir. Je vous propose un marché.

— Tu as tué mon père, un de mes infirmiers, et combien d'autres encore sans doute, et tu veux marchander ?

— Tout se marchande. Je vous achète ma vie, très cher.

— Ta vie ne vaut plus rien. Une pression sur cette gâchette et tu n'existes plus. La société est débarrassée d'un excrément.

— Personne ne résiste à une coffre plein d'écus d'or. Tout le butin d'un voleur, en échange de sa vie.

Benoît sentit la main de Masquelier qui lui serrait le bras.

— Où est-il, ce butin ?

— Comment je saurais...

Le pistolet vint à frôler son front, et Benoît arma le chien. Masquelier sortit de sous son manteau une baïonnette qui avait beaucoup servi. Les yeux de l'homme allaient d'une arme à l'autre.

— Au cimetière de Dammartin-sur-Tigeaux, près de Brie-Comte-Robert, au pied de la grande croix, sous les fleurs...

— Je ne te crois pas. Et ton marché ne m'intéresse pas.

Benoît avait approché de nouveau son arme du front de son interlocuteur qui suait à grosses gouttes.

— Il faut me croire, je sais bien que si je vous mens, vous me retrouverez. Et puis, on ne ment pas devant la mort...

— Et pourquoi accepterais-je ce marché ?

— Parce que vous n'êtes pas un assassin. Vous êtes un homme d'honneur, comme votre père.

Si l'homme n'avait pas été un roublard professionnel, on aurait pu le croire sincère. Benoît sentit même monter en lui une vague pitié qu'il repoussa aussitôt.

— Tu te trompes, voyou. Tu vas mourir, je te le jure.

L'autre sentit que les choses tournaient mal.

— Pitié, major, je n'ai pas menti.

— Moi non plus je ne mens pas. Tu vas mourir.

L'homme vit l'index de Benoît blanchir sur la gâchette. Quelques secondes encore et la balle allait lui faire éclater la tête.

Le déclic du chien sur la cartouche vide fit un bruit dérisoire. L'homme avait reculé contre le mur et s'était écroulé, les deux mains sur son front. Surpris d'être encore vivant, il écarta les mains et regarda Benoît dont le visage était transformé par un vilain rictus.

— Tu ne t'en tireras pas si facilement, La Pointe. Une balle dans la tête, c'est la mort de trop de héros. Tu ne vaux pas cela. Je vais te dire comment tu vas mourir. Cette bouche qui a tellement menti, trompé, calomnié sans doute, elle va pourrir. Tu étoufferas en avalant ton propre sang, les geôliers eux-mêmes s'écarteront de toi tellement tu sentiras mauvais...

— Les geôliers ?

— Oui, parce que demain la sécurité t'arrêtera pour usurpation d'identité, et tu passeras en jugement pour tous tes méfaits. Je viendrai témoigner pour que la condamnation à mort te soit épargnée, et que tu aies le temps de te décomposer dans le plus sombre des cachots.

Benoît était dans un état de rage proche de la folie. Masquelier le prit par le bras, et l'entraîna vers la voiture. Ils laissèrent le voyou effondré dans la boue, le visage tordu de terreur.

Ils partirent au galop.

Arrivés rue de l'Entrepôt, Benoît descendit.

— Merci Masquelier. Avant de rentrer les chevaux, passe à la police. Préviens-les que La Pointe va venir chercher son trésor au pied de la croix à Dammartin. Qu'ils se méfient, il est dangereux.

Trois jours plus tard, en arrivant au Val, Benoît fut convoqué dans le bureau du directeur administratif. Le commissaire de police était là. Il raconta qu'il avait été prévenu de la présence possible de La Pointe au cimetière de Dammartin, et qu'il avait fait placer des factionnaires. La Pointe était arrivé à la nuit tombée, et il avait été interpellé. Il avait fait feu sur les agents qui avaient riposté et l'avaient tué. C'était un sujet dangereux, recherché par toutes les polices. Sa mort évitait un procès dont l'issue ne faisait aucun doute.

— Le plus fort, conclut le commissaire, c'est qu'on n'a pas trouvé de trésor. Il n'y avait rien au pied de la croix. Et pourtant on a cherché. Il est sans doute dans une tombe. On n'a pas pu les ouvrir toutes. On le trouvera un jour...

Quand il fut parti, le directeur retint Benoît. Il avait l'air gêné.

— Cette histoire a fait du bruit, major. Au ministère, on n'aime pas ce genre de scandale.

— Que voulez-vous dire ?

— Avec les événements actuels...

Il faisait allusion à l'agitation étudiante qui durait depuis l'été. Il lui tendit une lettre officielle. Elle était datée du 21 novembre et annonçait la fermeture de la Faculté. C'était l'aboutissement de six années de troubles larvés. En effet, dès 1816, le roi avait aboli par décret tous les concours de médecine, les professeurs étant désignés désormais par l'administration. C'était un retour aux mœurs du passé que personne n'avait accepté. Ni les étudiants, ni le corps enseignant. L'arbitraire à l'état d'institution était insupportable.

Le nouveau système, après six ans, en était arrivé au point de rupture. Des émeutes venaient d'éclater, et le pouvoir avait choisi l'épreuve de force. Onze professeurs avaient été licenciés. La fermeture de la Faculté allait-elle calmer les agités ? Benoît en doutait. Pour un moment peut-être... Le calme revenu, le pouvoir pourrait se permettre de nommer de nouveaux professeurs à la solde du régime. Mais combien de temps cela pourrait-il durer ?

— Ici nous ne relevons pas de la Faculté !

— Major, est-ce que je peux vous faire une confidence ?

— Allez-y.

— Vos cours ne plaisent guère en haut lieu.

— Pourquoi ?

— Vous critiquez trop le service de santé de l'ancien régime, au profit des réformes apportées par des gens comme Percy et Larrey, qui ne sont guère en odeur de sainteté pour le moment... Pour tout vous dire, c'est un nommé Bergnot, major général en retraite, qui a été chargé d'une enquête sur votre enseignement, et il n'a pas été tendre.

Benoît sourit en se souvenant de Marengo, et de la colère du vieux chirurgien devant l'ambulance renversée. Il n'admettait pas non plus le principe des amputations qu'il n'était pas capable d'exécuter convenablement. Comme tout cela était loin, et ces reproches dérisoires !

— De plus, continuait le directeur, je crois savoir que vous étiez très protégé à la cour, ces dernières années...

— Et alors ?

— Peut-être l'êtes-vous moins...

Thierry de Malmort était donc intervenu. Dans le mauvais sens cette fois. Benoît pouvait-il le lui reprocher ?

Rue de l'Entrepôt, Benoît trouva une lettre qui le fit sourire. Elle émanait du maire de Saint-Yé. L'armée avait décidé d'abandonner l'hôpital, qui était ainsi rendu à la municipalité. Le conseil avait voté une résolution par laquelle la place de chirurgien-chef était proposée au baron de La Verle. Les émoluments proposés étaient conséquents... Un petit mot d'Oscar accompagnait la lettre officielle où il le pressait d'accepter.

Benoît demanda conseil à son maître et ami Dominique Larrey. De cinq ans son aîné, ils s'étaient connus à l'Hôtel-Dieu du temps de Desault. Puis il avait été son supérieur hiérarchique dans toutes les campagnes de l'Empire et lui avait enseigné beaucoup de sa légendaire technique chirurgicale. L'ancien chirurgien-chef des armées avait évité de justesse le conseil de guerre, après Waterloo, grâce à l'intervention du comte Chabrol de Volvic, qu'il avait connu en Égypte. Il avait tout de même perdu l'essentiel de ses fonctions. Il ne conservait que le titre de chirurgien en chef de la Garde royale, et son service à l'hôpital du Gros-Caillou. Puis, après quelques années de purgatoire, il avait été nommé à l'Académie royale de médecine nouvellement recréée.

Il hésita longuement avant de répondre à son disciple. Finalement, devant l'instabilité politique du moment et le durcissement de la réaction, il lui déclara qu'à sa place il partirait. La création d'un hôpital moderne était une tâche exaltante qui valait mieux que la bataille quotidienne avec le bureaucratisme pointilleux d'un monde rancunier et injuste dont il souffrait, lui-même, quotidiennement.

Benoît avait eu spontanément cette première idée, mais tant de liens l'attachaient à Paris ! Hélène, Gabriella, les études de Clément, la clinique, le Val-de-Grâce...

En quelques semaines tous ces obstacles tombèrent un à un. Les événements semblèrent se liguer pour lui faire quitter la capitale.

Le plus spectaculaire fut la mort accidentelle de Thierry. Ivre probablement, il fut renversé par une voiture près du Palais-Royal et tué sur le coup. On lui fit des obsèques grandioses, à Saint-Louis-des-Invalides. Hélène, en grand deuil, était d'une beauté stupéfiante. Elle marchait derrière un corbillard couvert de fleurs, accompagnée de son jeune fils, prénommé Charles en l'honneur du comte d'Artois, lequel devait bientôt remplacer son frère malade sous le nom de Charles X. Derrière elle, voûté par le chagrin, Geoffroy de Malmort, le père de Thierry, paraissait centenaire. « Il avait un an de moins que mon père, calculait Benoît, donc soixante-dix ans. » Il s'appuyait sur sa fille Estelle, qui ne s'était jamais mariée et vivait avec lui. En passant, elle avait lancé à Benoît, un coup d'œil mauvais qui l'avait surpris. Ils ne s'étaient pas revus depuis si longtemps... Serait-elle au courant de ce qui s'était passé ces dernières années ? Probablement ! Elle ne pouvait pas ignorer ce qu'était la vie de son frère.

Comme il marchait lentement dans la foule, Benoît sentit une main se poser sur son épaule. C'était un élégant personnage, richement vêtu, dont le visage aristocratique était souriant. Il avait une fine moustache qui raviva la mémoire de l'ancien chirurgien de Marengo : le comte Kindendorf !

— Je savais bien, major, que nous nous retrouverions un jour. Évidemment aux obsèques de ce pauvre Malmort, c'était inévitable. Je m'y attendais. Je l'espérais, même.

Il avait toujours son discret accent germanique raffiné. Il marchait avec une canne à pommeau d'argent, tout en parlant.

— Il est normal que tous ces gens l'accompagnent à sa dernière demeure. Il a tant fait pour eux, au moment de l'émigration.

— Je suis bien placé pour le savoir.

— Je sais, il m'avait tout raconté. Il vous avait en haute estime.

Benoît ne savait que dire. Le comte s'en aperçut et n'insista pas.

— La vie est très compliquée parfois. Je rentre demain à Vienne. Venez me voir. Il y a de grands chirurgiens chez nous ; je vous les ferai rencontrer. J'aimerais vous témoigner la reconnaissance que je vous dois. Je sais que si je marche aujourd'hui, c'est bien grâce à vous, n'est-ce pas ?... Alors, à bientôt ?

— À bientôt, oui, pourquoi pas ?

Benoît aurait aimé connaître Vienne.

Au retour des obsèques, il passa chez Gabriella qui l'attendait. Il la sentait distraite, depuis quelque temps. Elle avait émis le désir d'avoir avec lui une conversation sérieuse, et il se doutait de ce qu'elle allait lui dire.

Elle était au courant de sa liaison avec Hélène et ne lui avait fait aucun reproche. La mort du comte la fit réfléchir et hâta une décision qu'elle hésitait à prendre. Elle lui confessa qu'elle avait décidé de se remarier. Avec le neveu de feu son époux. Il était encore plus riche que son oncle, mais beaucoup plus jeune. Benoît en éprouva du chagrin, mais pouvait-il se plaindre ? De son côté, ses sentiments pour Hélène commençaient à dominer son cœur, et il n'avait plus, pour sa belle Italienne, tout l'élan d'autrefois.

Ils se séparèrent bons amis, et se jurèrent la plus tendre fidélité. Elle partit pour Rome où les noces seraient célébrées par Sa Sainteté le pape Pie VII.

Quelques jours plus tard, Clément demanda à lui parler sérieusement.

« Ils se sont donné le mot », pensa Benoît.

Le jeune garçon annonça à son père, avec une certaine gêne, qu'il n'irait pas jusqu'au doctorat en médecine. La loi de ventose an XI avait créé les « officiers de santé », et il en serait un. Trois ans suffisaient pour empocher le diplôme qu'il irait exploiter en Normandie près de Verneuil-sur-Avre, dans la patrie de sa mère, auprès de l'oncle Édouard qui l'emmènerait à la chasse. Les Dupont rêvaient de retourner sur leurs terres, et avaient souscrit à ce projet. Il demandait à son père de l'accepter aussi, faute de quoi il se passerait de sa bénédiction. Benoît ne s'était jamais senti en harmonie avec ce gros fils trop blond à son goût. S'il pouvait trouver son bonheur à la campagne, pourquoi pas ! Le voisinage de la famille Dupont le mettait, de toute façon, à l'abri du besoin. Alors pourquoi s'y opposer ?

Le père essaya mollement de démontrer les risques de cette situation de sous-médecin, de lui expliquer ce qu'il aurait pu attendre d'une place d'interne des hôpitaux, titre qui devenait d'année en année plus prestigieux. Clément l'écouta poliment, mais manifestement sa décision était prise. Benoît n'insista pas. Toute la famille fit ses préparatifs pour quitter la rue de l'Entrepôt.

La plus triste était Catherine. Elle adorait son père qui le lui rendait bien. Elle n'avait que quatre ans, et il lui était difficile de la garder avec lui. Il la prit sur ses genoux et lui jura que cette séparation serait de courte durée. Dès qu'elle serait un peu plus grande, il la reprendrait avec lui. Il regarda longuement ce petit minois au regard déjà obstiné, ces longs cheveux bouclés d'un brun presque noir, avec, par endroits, des reflets roux. Elle ne pleura pas. Mais elle lui murmura à l'oreille :

— C'est vous que j'aime, père... ne m'oubliez pas.

Benoît avait les larmes aux yeux quand la grosse berline quitta la rue de l'Entrepôt. Lui aussi jura qu'il ne resterait pas longtemps séparé de sa fille.

Au Val-de-Grâce, il eut la joie de donner sa démission avant qu'on ne la lui demande. Ce qui lui permit de partir la tête haute, avec revue des troupes, vin d'honneur, et discours patriotique.

La maison de santé de la rue de l'Abreuvoir trouva acquéreur à un prix inespéré, le résultat de la vente devant s'investir naturellement dans une maison à Saint-Yé. Sœur Bénédicte était prête à reprendre le voile si le couvent rouvrait ses portes. Ce que Benoît promit d'obtenir. Masquelier et Farisier étaient ravis de faire leurs bagages. Ils trouvaient que la vie à Paris devenait insupportable, avec tous ces encombrements qui rendaient la circulation impossible. D'autant qu'à Saint-Yé, il y avait Oscar et son auberge, ce qui n'était pas un mince attrait !

Moreau serait volontiers venu aussi mais, à soixante-huit ans, il n'avait pas très envie de quitter Paris encore une fois. Il se proposa pour garder la rue de l'Entrepôt en attendant qu'un enfant ait envie de revenir s'installer dans la capitale. Benoît fut enchanté de cette solution.

Restait Hélène. Le jeune Charles n'avait pas été trop affecté par la mort de ce « père » qui le regardait à peine. En revanche il s'était beaucoup attaché à celui qu'il appelait « mon oncle ». Hélène avait encouragé Benoît, dès le premier jour, à accepter la proposition du conseil municipal de Saint-Yé. Il en avait été très surpris. Mais l'explication de cet enthousiasme imprévu était vite venue.

— Sors de ce système vicié par la politique. Tu ne vas pas te mettre à genoux devant ces gens-là, comme ce pauvre Larrey qui n'a plus de quoi vivre, et qui semble oublier le grand homme qu'il a été.

Benoît comprenait mal cette insistance.

— Il va falloir nous séparer...

— Mais non, répliqua Hélène avec vivacité. Nous nous marierons et nous reprendrons le château des Malmort. Charles a déjà le titre, il est normal qu'il récupère les terres un jour...

Pouvait-on refuser un tel programme quand tout se liguait pour en faciliter l'application ? Benoît accepta.

Il proposa que le voyage fût entrepris dès que les aménagements matériels seraient réalisés. Mais Oscar intervint en offrant un hébergement temporaire dans une aile de l'auberge, pour que Benoît puisse surveiller lui-même les travaux indispensables, tant à l'hôpital qu'au château. Le vieil homme sentait les années passer, et, pour lui, il n'y avait pas de temps à perdre.

Stupéfait par la tournure que prenaient les événements, Benoît découvrit que tout le monde avait décidé, sans lui demander son avis, qu'au 1er janvier 1823 on fêterait l'année nouvelle à l'auberge du Grand-Cerf. Et rien ne semblait pouvoir les empêcher de réaliser leur projet. Une fois de plus, il s'inclina.

C'est ainsi que le 31 décembre au soir ils se retrouvèrent tous à Saint-Yé, dans la grande salle décorée pour la fête. C'est le moment que Masquelier choisit pour demander à Benoît une entrevue. Il avait à lui parler d'une chose importante. Il l'attendrait à l'écurie, c'était son domaine.

Benoît s'y rendit avant le souper. Le géant était superbe dans son bel habit de cocher.

— Voilà, major. Pour toutes ces transformations que vous voulez faire, il va falloir beaucoup d'argent...

— Nous ferons avec ce que nous avons, Masquelier. Au fil des années et des rentrées, nous améliorerons.

— À mon sens, il vaudrait mieux faire le plus possible du premier coup.

— Certes, mais je n'ai pas la fortune...

— Moi je l'ai, major.

— Comment, tu l'as ?

Benoît le regardait avec surprise. Le géant écarta la paille contre le mur et prit une cassette d'acier en mauvais état, qu'il déposa aux pieds de Benoît.

— Elle est à vous.

Benoît se baissa et l'ouvrit. Elle était plein d'or ! En une fraction de seconde il comprit.

— La Pointe ! Tu es passé avant lui !

Masquelier écarta les bras comme pour dire : « Qu'est-ce qu'on y peut ! » Benoît était scandalisé.

— Mais cet or ne nous appartient pas !

— À qui appartient-il ? À ceux qu'il a volés. Rendez-le aux pauvres et faites-leur un bel hôpital.

Benoît mit quelques instants à faire taire ses scrupules. Mais le raisonnement était logique, et cet argent était vraiment le bienvenu. Dès le 2 janvier les entrepreneurs et les architectes étaient convoqués, et l'on commençait à parler de plans et de devis.

Mais à Paris, Estelle de Malmort jura que les choses ne seraient pas aussi simples. Saint-Yé était son fief. Elle se devait d'en être la maîtresse. Elle saurait faire respecter son idée de la hiérarchie.

CHAPITRE XII

Vingt ans plus tard, le 15 février 1846, Benoît de La Verle mourut dans sa maison de Saint-Yé. S'il avait pu choisir sa fin, c'est sans doute celle qu'il aurait voulue. Il venait de fêter ses soixante-quatorze ans avec toute sa famille, entouré par les gens qui comptaient pour lui. Les libations avaient été grandioses.

Dans la nuit, une attaque avait eu raison de sa solide constitution. Il avait quitté le monde, en pleine joie, emporté comme un de ces bouchons de champagne qui avaient sauté toute la soirée.

On avait beaucoup parlé politique, ce soir-là, et il s'était énervé. Certes, il aurait mieux valu éviter ce sujet, mais c'était difficile à cette époque où tant d'opinions s'affrontaient.

À vingt ans, il avait été un fervent adepte des idées révolutionnaires, mais les excès de la Terreur l'avaient écœuré. Le premier homme politique qu'il avait admiré, c'était l'Empereur, parce qu'il avait su remettre de l'ordre dans le pays. La politique impériale était celle qu'il attendait : la grandeur d'une France forte, protégée par des frontières naturelles. C'était ce que tout le monde souhaitait. Mais il avait commencé à perdre son enthousiasme quand les trônes d'Europe devinrent des annexes du Louvre. La famille du grand homme ne lui paraissait pas mériter tant d'honneurs. La libération des peuples et l'élimination des tyrans, ces thèmes favoris de la pensée révolutionnaire étaient devenus, avec les ambitions de « l'ogre », une fable risible. Mais, après Waterloo, la Restauration avait montré rapidement ses faiblesses. La prévarication, l'injustice, le fait du prince étaient réapparus, plus provoquants que jamais.

Alors, Benoît s'était enfermé dans sa campagne picarde, tout près de ses racines, et il avait passé là deux décennies à observer de loin, avec un certain dégoût, un monde politique qui ne l'intéressait plus.

La chirurgie était devenue son seul horizon.

Derrière son corbillard croûlant sous les fleurs, marchait une foule innombrable. Au premier rang, toute une famille pleurait. Il avait été le trait d'union entre tous ces gens si disparates, de cœur et d'esprit, qui n'avaient en commun que l'amour qu'ils lui portaient, et qu'il leur rendait bien.

Ils étaient tous venus pour son anniversaire, Hélène leur ayant écrit combien elle craignait que ce ne fût le dernier. Le vieux chirurgien, depuis des semaines, ne quittait plus sa chambre-bureau. Perclus de rhumatismes, souffrant au moindre mouvement, il allait de sa table à son lit. Inactif par obligation, il mangeait trop, était sujet à des somnolences fréquentes, et se plaignait de maux de tête. Il se souvenait en détail de toute sa vie, mais il oubliait le nom du jardinier. Son ami François Magendie, qui avait été chef de service de médecine à l'Hôtel-Dieu et professeur de physiologie au Collège de France était à la retraite à Saunois, pas très loin de Saint-Yé. Il était venu, en voisin et il avait dit à Hélène combien il redoutait un accident artériel. « Le pire, ce serait qu'il fasse des épisodes neurologiques successifs, et qu'il vive diminué... »

Le Seigneur l'avait épargné, et Hélène, malgré son chagrin, remerciait le Ciel de l'avoir fait partir ainsi, pendant son sommeil, en le dispensant de cette cérémonie des adieux qui s'étire parfois en longueur et que tout le monde redoute.

À côté d'elle marchaient les enfants. Groupe mal assorti, réuni par des liens affectifs complexes.

Clément, le plus âgé, avait quarante-cinq ans. Né avec le siècle, il avait peu connu son guerrier de père. Malgré ses médiocres études, il était devenu « officier de santé » en Normandie, médecin de campagne heureux. À cheval par tous les temps, il soignait une clientèle qui l'adorait, pour des honoraires de misère dont il n'avait pas besoin. Qui aurait pu prévoir que ce gros garçon blond et timide vivrait en plein air, chassant et pêchant comme un paysan ? Son oncle Édouard, réaliste, l'avait intéressé tôt à ses affaires, et lui versait des revenus confortables. En cela il respectait les volontés du père Dupont, mort en 1820, et que son épouse, inconsolable, avait suivi dans la tombe quelques mois plus tard.

À son bras marchait sa femme Marthe. Petite et ronde, avec un nez pointu, elle était soucieuse de son rang, et regardait avec étonnement cette foule éplorée. Elle ne croyait pas son beau-père si célèbre.

Leur fils Damien avait vingt-quatre ans et c'était celui qui pleurait le plus. Il avait quitté Verneuil à dix-huit ans pour faire ses études de médecine à Paris, et s'était révélé très vite le vrai successeur de son grand-père. Il passait toutes ses vacances à Saint-Yé, et avait trouvé là son véritable maître à penser. Le jeune homme et le vieillard marchaient ensemble, le soir, dans la roseraie, à l'heure où les fleurs embaument, et ils devisaient comme si leur différence d'âge n'avait pas existé. « Il avait tant de choses encore à m'apprendre », pleurait Damien.

Près de lui, marchait Catherine, sa ravissante tante, de cinq ans à peine son aînée. Ils avaient vécu ensemble, comme frère et sœur, et s'adoraient. À Verneuil, elle avait été élevée dans le culte de sa mère, morte à sa naissance, et elle se sentait responsable de cette fin prématurée. Personne ne l'avait dissuadée d'une culpabilité dont elle devait conserver le poids toute sa vie. Elle était venue à Saint-Yé après avoir quitté le couvent de Rouen, car elle voulait à tout prix vivre avec son père. Malheureusement, elle s'entendait mal avec Hélène qui, à ses yeux, faisait figure d'usurpatrice.

Derrière Catherine, venait Charles de Malmort, le fils illégitime d'Hélène et de Benoît. Il avait vingt-six ans, terminait ses études de chirurgie, et se mourait d'amour pour Catherine dont il ne se savait pas le frère.

Hélène avait gardé le secret, car la vérité aurait écarté son fils d'un titre auquel elle tenait pour lui. Estelle de Malmort, la sœur de Thierry, qui connaissait la vie dissolue de son frère, avait des doutes sur la légitimité de cet enfant et guettait le moment de la révélation. Machiavélique, elle faisait tout pour rapprocher Charles et Catherine, goûtant avec délices les réactions gênées d'Hélène qu'elle haïssait de toutes ses forces.

Le baron de La Verle avait peu écrit pendant ces années picardes. Accaparé par ses fonctions multiples, de chirurgien et de bâtisseur, il rentrait épuisé chaque soir, et trouvait chez lui une atmosphère familiale qu'il n'avait jamais connue auparavant. Il y avait entre Hélène et lui une telle communauté de pensée, et un tel amour, qu'il n'avait plus jamais eu le temps ni l'envie de s'isoler pour confier à son journal des commentaires sur une vie qui s'en passait très bien.

En revanche, l'impotence venue, cet homme hyperactif trouva un véritable exutoire à son besoin d'action dans une écriture frénétique. En six mois, il raconta trente ans de sa vie. Brutalement, il avait tout son temps pour réfléchir et commenter une époque dont il n'avait pas voulu être un acteur. De loin, il avait vu les ultras exercer leur puissance abusive, jusqu'à ce que les journées de 1830 les écartent. La monarchie de Juillet lui avait fait des propositions alléchantes, et ses amis, évincés en 1822, revenaient sur le devant de la scène. Mais lui, avait refusé. Il avait suffisamment souffert des retournements de la politique, pour ne plus vouloir entrer dans ce jeu qu'il méprisait. Il n'aimait pas plus les bourgeois au pouvoir que ceux dont ils avaient pris les places. Il était à Saint-Yé, et savait qu'il n'en bougerait plus.

Pourtant, tout n'y était pas rose. Son retour n'était pas du goût de tout le monde, et il ne mit pas longtemps à s'en apercevoir. Là aussi la politique avait créé ses clivages et, comme partout, les intérêts en jeu n'étaient pas minces.

L'armée avait été là pendant près de trente ans. Pour le village, son départ était une catastrophe économique. Il fallait donc relancer l'activité de l'hôpital au plus vite, mais personne n'avait la même opinion sur la meilleure façon de le faire. Les libéraux, comme Aubin, voulaient développer la région, mais dans l'ordre et le calme. Ils refusaient autant le conservatisme du pouvoir royal que les excès des mouvements ouvriers. D'après eux, un mal générait l'autre, et ils appelaient de leurs vœux un pouvoir fort mais moderne, capable de maintenir la paix sociale, et de permettre le développement économique d'un pays que les guerres avaient épuisé.

Estelle de Malmort faisait tout pour empêcher les projets de Benoît. Regroupés autour d'elle, les catholiques bigots, le clergé, et tous ceux qui avaient souffert des excès révolutionnaires, réclamaient un retour pur et simple au passé, avec un hospice dépendant exclusivement du couvent et du château. Intelligente et adroite, elle avait occupé rapidement une place sociale prépondérante, négligeant Hélène et son fils, avec lesquels, cependant, elle entretenait des relations parfaitement courtoises en apparence.

L'affrontement entre les deux femmes avait débuté dès qu'il avait été question de retourner à Saint-Yé. Le vieux Geoffroy de Malmort était décédé peu de temps après son fils, libérant ainsi sa fille qui ne l'avait jamais quitté. Estelle avait immédiatement réclamé la propriété du château. Pourtant il n'était pas question de revenir sur la vente des biens nationaux, elle le savait bien. Cette question était trop épineuse, pour que Louis XVIII n'ait pas aussitôt garanti les nouveaux propriétaires. Mais, avec le milliard d'indemnité qui leur avait été alloué, les émigrés pouvaient prétendre au rachat de certaines de leurs propriétés. C'est ce qu'avait fait Estelle auprès de la famille Legrand. Bien conseillé par Benoît, Oscar avait accepté, et il s'était même montré particulièrement élégant en vendant le château pour un prix symbolique. Moyennant quoi, il conservait les terres qu'il avait magistralement remises en valeur, selon les techniques anglaises les plus récentes.

Benoît avait agi avec beaucoup de finesse aussi en proposant à Estelle de lui racheter l'orangerie et les communs du château, qui n'avaient plus de raison d'être, dès lors que la vocation agricole de la grande bâtisse avait disparu. Cette vente apporterait un peu d'argent frais à la vieille dame pour réaliser ses travaux d'installation. Ensuite il avait, très officiellement, recédé la moitié des bâtiments à Hélène. Ainsi les apparences demeuraient-elles sauves.

La présence hostile de l'irascible Estelle avait créé, en effet, une situation cocasse. Hélène était l'officielle comtesse de Malmort. Mais elle ne pouvait conserver son titre qu'en restant veuve. Le mariage avec Benoît était donc exclu, si elle voulait garder le pas sur sa belle-sœur. Pour les convenances, elle ne pouvait pas non plus étaler au grand jour une liaison qui n'était, au demeurant, un secret pour personne.

Afin de maintenir cette fiction, Hélène s'était décidée pour l'artifice immobilier qui avait beaucoup fait rire Benoît, mais qu'il avait finalement accepté de bon cœur. Le bâtiment qui jouait autrefois le rôle d'annexe agricole, avec orangerie, étables, granges, remises, logements des fermiers, etc., s'élevait sur deux étages, dans un angle de la cour du château. Il avait été décidé de le transformer en deux maisons séparées. L'une, pour Hélène, s'ouvrirait par un perron assez fastueux, dans la cour même du château. L'autre, pour Benoît, aurait son entrée sur la rue du village. Les deux habitations paraîtraient ainsi parfaitement séparées, mais, appuyées dos à dos, elles communiqueraient de l'intérieur par des portes dissimulées sous des tentures. D'un côté Charles et sa mère, de l'autre Benoît, Catherine et Damien.

Les deux maisons furent rapidement reconstruites, et l'ensemble, qu'on appelait l' « Orangerie », avait fière allure. Chaque maison logeait sa propre domesticité sous les combles, et avait sa remise et son écurie pour les attelages. Des deux côtés on pouvait recevoir, en invitant évidemment les habitants de la maison voisine. Ceux-ci, selon les circonstances, venaient discrètement par la porte de communication ou, quand il le fallait, attelaient la voiture pour contourner le bâtiment, et arrivaient en bel équipage.

Cet arrangement qu'elle n'avait pas prévu, irritait profondément la pauvre Estelle à laquelle sa bonne éducation imposait le silence. Elle venait dîner dans l'une et l'autre maison, sans jamais poser de question. Elle recevait aussi dans l'aile du château qu'elle s'était fait aménager, en conviant, séparément, la comtesse Hélène et le baron Benoît. Ils venaient chacun à son tour, et se saluaient le plus cérémonieusement du monde, comme s'ils ne s'étaient pas quittés cinq minutes auparavant.

Pour l'hôpital, l'opposition d'Estelle se manifestait aussi en sous-main. Mais là, Benoît n'était pas disposé à laisser quiconque décider à sa place. Il avait pour lui la municipalité, bien qu'Estelle y fasse un travail de sape dont il percevait parfois les échos. Le vieil Oscar et son fils Omer le soutenaient. La mère supérieure de la communauté religieuse reconstituée était évidemment de son côté, puisque c'était l'inévitable mère Bénédicte qui occupait ce poste. La pauvre avait eu du mal à remettre la coiffe, après trente années de vie laïque, et elle savait que, pour elle, la vie au couvent ne serait jamais plus comme avant. À l'hôpital, elle avait pris le poste de directrice, sans même qu'il lui soit offert, écartant d'un revers de main la candidature d'un conseiller municipal royaliste qui, n'y connaissant pas grand-chose, n'osa se rebeller.

Il faut dire que, depuis la Restauration, le prestige des congrégations religieuses était à son apogée, et qu'il ne faisait pas bon s'y opposer. Surtout depuis 1824, quand Charles X, le roi bigot, était monté sur le trône, concrétisant définitivement la revanche des victimes de la Constitution civile du clergé.

Le plan architectural de Benoît était d'un extrême modernisme pour l'époque. D'abord le couvent serait indépendant, ne communiquant avec les locaux hospitaliers que par une simple porte. Là, on distinguerait aussi deux établissements bien distincts : l'hospice et l'hôpital.

Le premier, géré intégralement par la communauté religieuse, sans l'intervention des médecins ni de la municipalité, n'aurait qu'un rôle de bienfaisance. Il appartiendrait aux sœurs de pourvoir au fonctionnement de cet établissement de charité, avec l'aide du diocèse et des généreux donateurs. La municipalité pourrait y participer si elle le désirait, mais sans obligation.

L'hôpital, en revanche, selon la loi de vendémiaire an V, était un établissement communal, où les religieuses joueraient un rôle défini par contrat. La supérieure, directrice-économe, était responsable de sa gestion devant une commission administrative présidée par le maire et composée de notables. Le baron de La Verle, nommé médecin-chef et chef des services de chirurgie, était membre de droit de la commission. Il recrutait le chef de service de médecine, et le médecin responsable de la maternité et des enfants assistés. Tous ces services étaient séparés, avec pour chacun une infirmière principale, en principe une religieuse, et du personnel civil embauché par la directrice selon les besoins.

Le maire, à cette époque, était nommé par le préfet, qui nommait également trois membres de la commission. Ainsi avait-il désigné un magistrat, juge au tribunal d'instance d'Amiens, qui vint jeter la perturbation parmi les honorables personnalités locales. Il était, en effet, d'un anticléricalisme discret mais obstiné. Fils de conventionnel, il n'acceptait qu'à regret le retour des religieuses dans des établissements qu'il aurait voulu essentiellement laïcs.

Ce faisant, il représentait une partie non négligeable de l'opinion qui reprochait aux sœurs soignantes de s'occuper parfois plus de la morale religieuse des patients, que de leurs maladies. En particulier les filles mères, les prostituées, et les femmes suspectées d'avoir voulu avorter redoutaient les soignantes en cornette qui allaient parfois jusqu'à leur refuser les soins. Certains se plaignaient aussi que ces bonnes âmes aient plus souvent recours à l'extrême-onction qu'à des remèdes qui auraient été capables de repousser l'issue fatale. Les mauvais esprits trouvaient que l'existence du paradis était une éventualité trop incertaine pour qu'on manifestât une précipitation aussi excessive, même avec la bénédiction du curé.

Les cléricaux répondaient que ce n'était là que calomnies et médisances. Au contraire, on connaissait trop bien, disaient-ils, le souvenir qu'avaient laissé les soignants laïcs, quand ils avaient remplacé les religieuses à partir de 1792. Incompétence, vénalité, absence de dévouement et de sollicitude étaient les moindres reproches qu'on leur faisait. De plus, ils demandaient des gages sans commune mesure avec ceux qui étaient prévus pour les religieuses. Si des laïcs devaient être embauchés, ils le seraient à la demande, et par la directrice-économe qui saurait faire son choix et écarter les mauvais sujets.

Les finances étaient un autre sujet d'affrontement au sein de la commission. Tout ce que l'Ancien Régime consacrait aux hôpitaux avait sombré dans la tempête révolutionnaire. Ne devait-on pas voir disparaître, dans un régime idéal, la misère et les maladies ? Donc les hôpitaux ! Personne, sauf le magistrat d'Amiens, n'envisageait la restitution des fermes qui avaient été vendues au titre des biens nationaux. Elles avaient été payées ; il n'y avait plus à en parler ! En revanche, chacun demandait à l'autre d'y aller de son obole. La commune, le préfet, le diocèse, les notables, tous se renvoyaient la balle.

Benoît, excédé, fit taire les querelleurs en proposant les solutions qui étaient mises en pratique, déjà, dans d'autres établissements : l'apothicairerie serait confiée à un pharmacien diplômé, et on vendrait des médicaments à la clientèle extérieure. L'apothicaire local crierait au scandale, mais il n'avait aucun moyen légal de s'y opposer. D'autre part, on construirait des chambres particulières pour attirer une clientèle payante. Les riches propriétaires terriens seraient favorables à un établissement moderne qui leur garantirait une qualité de soins qu'ils ne pouvaient espérer nulle part ailleurs. Enfin il faudrait favoriser les dons privés. En particulier, l'hôpital avait désormais le droit de percevoir des héritages, et c'était encore la qualité des soins et de l'accueil qui motiverait les dons. Tout ce qui serait reçu de cette façon serait transformé en rentes garanties par l'État, et l'hôpital assurerait ainsi ses revenus. D'autres ressources encore étaient possibles, notamment la création d'un mont-de-piété. Son imagination n'était jamais sans ressources.

Bref, ce que voulait Benoît, c'était construire son hôpital en mettant fin aux tergiversations de ces gens bien intentionnés, mais dont les affrontements ne faisaient que retarder le début des travaux. Une fois l'établissement en marche, on verrait comment pourvoir à son fonctionnement. Il ne voulait dire à personne qu'il possédait, dans une certaine cassette, de quoi offrir à l'hôpital une rente confortable pour bien des années.

Les gros travaux avaient commencé en 1825, et Grantier-le-Haut s'était doté d'un établissement hospitalier qui faisait des envieux dans toute la région. Parmi les innovations, ce dont Benoît était le plus fier, c'était sa salle d'opération. Peu de services parisiens possédaient, comme lui, un bel hémicycle, avec des gradins pour les spectateurs, et une grande verrière exposée au nord pour offrir la meilleure lumière. Dans les établissements d'alors, l'éclairage des mains de l'opérateur était, en effet, absolument déplorable. Les bougies coulaient dans la plaie, brûlaient les cheveux des chirurgiens, et la fumée les faisait tousser. C'était une source supplémentaire de hurlements qui se mêlaient à ceux du malade. La solution choisie par Benoît était la meilleure, et elle le resterait pendant longtemps.

Pour les salles d'hospitalisation, ce qui avait étonné le plus les entrepreneurs, c'étaient les portes et les fenêtres que Benoît avait exigées. Il gardait trop le souvenir des pestilences de l'Hôtel-Dieu pour ne pas avoir voulu, avant tout, aérer ces salles où les miasmes devaient pouvoir s'évacuer aisément. Il voulait que tout fût propre et clair, facile à entretenir et à taille humaine. Les infirmières avaient, à l'extrémité de chaque salle, une petite pièce vitrée d'où elles pouvaient surveiller leurs malades. Au milieu, un poêle volumineux chauffait tout le volume de la salle.

L'inauguration eut lieu le 1er mars 1831, pour le centenaire de la naissance d'Aubin. Son buste fut transféré dans la cour d'honneur, au milieu d'un parterre de fleurs. De toute la région on vint visiter ces locaux révolutionnaires. Le préfet fit un discours pour célébrer l'esprit d'entreprise des Grantierois qui avaient su se hisser au premier rang des communes du département. Seul Omer pleurait. Octave, son père, venait de mourir et si tout cela avait pu se faire, c'était en grande partie grâce à son efficace diplomatie. Le vieil homme aurait été heureux d'être là. Juste avant sa mort, il avait convoqué le notaire et, avec l'accord de son fils, il avait légué à l'hôpital toutes les terres qui jouxtaient les bâtiments hospitaliers, pour y faire des jardins potagers que les hospitalisés eux-mêmes pourraient exploiter. On l'avait beaucoup remercié de sa générosité. Peut-être attendait-on plus encore. En tout cas, il avait été le seul à faire un tel geste.

Des années après, lorsque Benoît égrenait ses souvenirs sur son grand cahier, il mesurait le chemin parcouru depuis ce jour d'octobre 1822 où il était arrivé à Saint-Yé avec Hélène. Il lui avait fait visiter avec émotion les locaux dévastés par trente ans de présence militaire. Les portes arrachées avaient servi de tables, les cloisons étaient souillées de graffitis dans toutes les langues, les fenêtres étaient sans carreaux, et les carrelages brisés par les chevaux. Des anneaux avaient été scellés aux murs de la chapelle, et les bas-flancs accrochés entre les piliers se balançaient dans le vent qui faisait voler la poussière.

Il était tard, les derniers rayons du soleil essayaient d'insuffler un peu de gaieté à ces lieux profanés, au travers des baies romanes dont les vitraux avaient disparu. Du pied, Benoît avait écarté la paille qui recouvrait encore le sol. Il était parvenu ainsi jusqu'aux dalles en arc de cercle qui marquaient autrefois l'arrière de l'autel. Mère Bénédicte était venue les rejoindre, munie d'une barre de fer. Il avait soulevé avec peine la grosse pierre carrée cimentée par le temps. Le trésor était là. Des livres, beaucoup de livres et de cahiers. Deux ciboires, une croix dorée enrichie de quelques pierres précieuses. Une cassette avec quelques louis, et des papiers...

Plus qu'un trésor, c'était un siècle d'histoire qui était là, confié par des mains pieuses à la garde du sol sacré.

Rentrés à l'auberge, enfermés tous les trois dans la chambre où Omer leur avait fait allumer un grand feu, ils avaient passé une partie de la nuit, plongés dans le passé. Autour d'eux rôdaient des ombres qui avaient nom Lucie, Clotilde, Marguerite de Malmort, Martin, Polyte, Hertius et tant d'autres. Hélène avait découvert la personnalité fascinante des ancêtres de son fils, et peut-être l'explication de cet enthousiasme qui l'avait poussé vers la chirurgie, alors qu'il ne se savait pas une telle hérédité.

Benoît avait fait apporter, dans la chambre, une malle qui ne le quittait jamais. Elle lui avait été offerte le 6 juillet 1809, près du village de Wagram, par Joachim Murat, roi de Naples. Le célèbre cavalier avait délivré le chirurgien-major, alors que sa tente avait été pillée et qu'il défendait ses blessés les armes à la main. Le soir de la bataille, le maréchal lui avait offert sa propre malle pour remplacer celle qu'on lui avait volée.

Depuis, elle ne contenait plus que les vieux papiers auxquels il tenait, et il y avait rangé solennellement le trésor de la chapelle.

— J'espère qu'un jour, avait-il murmuré d'une voix hésitante, on pourra publier l'histoire de ce vieux marin qui a donné naissance à une dynastie de « saigneurs ». Mais combien seront-ils encore, derrière moi, qui essaieront de soulager leurs semblables avec ces gestes simples de travailleurs manuels ?

Lorsqu'il pensait à sa descendance, Benoît de La Verle était plus inquiet qu'il ne voulait le laisser paraître. Ces trois jeunes qui grandissaient à ses côtés avaient des personnalités contrastées qui s'affrontaient souvent. De plus, ce penchant qu'il avait senti naître chez Charles pour Catherine, le terrorisait. Elle était plus âgée que lui, et normalement il n'aurait dû y avoir entre eux que des relations fraternelles, même s'ils se croyaient sans liens de sang.

Il faut dire que la jeune fille était un peu coquette, et que l'admiration de ce garçon d'une indéniable beauté et d'un grand nom la flattait agréablement. Ce sentiment évident rendait Damien jaloux. Elle était « sa » tante, presque sa sœur. Charles n'avait aucun droit sur elle. Mais le jeune Malmort était aussi l'aîné des deux garçons et il le faisait sentir. Rien ne pouvait l'empêcher de faire sa cour à Catherine, et le « petit » n'avait rien à dire !

Les deux garçons en étaient venus aux mains quelquefois. Mais dans des affrontements sans gravité, et qui s'étaient terminés en éclats de rire. Malgré les horions échangés.

Ce qu'il aurait fallu, c'est que Catherine se marie. Mais elle n'en manifestait nullement l'intention. Bien au contraire, elle avait confié à mère Bénédicte son désir de consacrer sa vie au service des malheureux. Dès l'ouverture de l'hospice, elle s'était proposée pour y travailler.

— Si l'on acceptait les femmes dans les facultés, j'aurais été chirurgien, se plaisait-elle à dire. Je n'ai pas assez de foi pour être religieuse, j'apprendrai donc le métier d'infirmière.

En France, l'enseignement des soignantes était pauvre encore. Il n'y avait pas d'écoles, même dans les grandes villes, et les infirmières n'étaient guère plus qu'une variété de domestique. Benoît accepta qu'elle aille servir chez les pauvres en attendant qu'elle trouve un mari, mais le plus tôt serait le mieux.

Seulement le temps passait, et le seul homme qui semblait ne pas lui être indifférent, c'était Charles. Hélène ne pouvait pas se résoudre à avouer son inconduite passée. Elle ne parviendrait jamais à dire à son fils qu'il n'était pas comte de Malmort. De plus, le jeune homme s'entichait de noblesse, faisait partie des clubs les plus fermés, et se prétendait légitimiste. C'est à Catherine qu'il aurait fallu qu'elle parle en secret. Mais la jeune fille ne l'aimait pas. La confidence était malaisée.

Benoît aurait dû se charger de cette délicate mission, mais il redoutait qu'une telle révélation ait des conséquences dramatiques dans l'âme idéaliste de la jeune fille qui mettait son père sur un piédestal.

Pendant les derniers mois de sa vie, Benoît, poussé par un pressentiment, multipliait les conversations avec les trois enfants. Ensemble ou séparément, il les gardait près de lui chaque fois qu'il le pouvait. Mais il restait séparé d'eux par une barrière de respect difficile à franchir.

Parti de rien, presque sans argent, il était parvenu au sommet de la hiérarchie sociale, et si des hommes comme Dupuytren avaient acquis une célébrité professionnelle supérieure à la sienne, ils n'avaient pas ses états de service, et le mot gloire ne signifiait rien pour eux. Conscient de son prestige, il ne savait pas se mettre vraiment à la portée de ses enfants.

Il avait été aussi un enseignant brillant, et il était certainement plus doué pour expliquer une maladie compliquée que pour susciter la confidence.

Si, au moins, les deux aînés avaient avoué leur amour, il aurait été plus facile d'en discuter. Mais rien ! Jamais rien ! Sur ce thème, ils étaient aussi muets l'un que l'autre. Et, entre eux, ce devait être probablement le même silence ! Avaient-ils une prémonition ? Avaient-ils senti la réticence des parents ?

Benoît leur confiait volontiers ses réflexions de vieux chirurgien au soir de sa vie, puisque tous trois s'intéressaient à ce métier. Et il en parlait si souvent qu'une idée lui vint un jour, qui pouvait tout concilier : leur goût pour la chirurgie et cette rupture qu'il fallait provoquer dans les sentiments aberrants qui unissaient les deux aînés.

La veille du dîner d'anniversaire, ils les avaient tous réunis devant un feu de bois dans cette chambre-bureau qu'il ne quittait presque plus. Il était fier de ces beaux jeunes gens au tempérament volontaire auxquels il transmettait la philosophie de son art. Catherine était grande et brune, avec un visage un peu rond où brillaient les yeux bleus de sa mère. Son regard, habituellement doux et un peu absent, lançait parfois des éclairs, laissant entrevoir, entre ses paupières soudain plissées, une âme de feu.

Damien était un solide gaillard, aux cheveux noirs et drus coupés court. De son éducation normande, il avait conservé cette retenue, cette modestie apparente, qui cachaient les bouillonnements de sa pensée. Il était de la race des conquérants, mais il savait attendre son heure. Sous ses traits encore enfantins, les muscles se contractaient souvent, et son grand-père sentait que celui-là ne serait pas un adulte facile à manier plus tard.

Charles se tenait un peu à l'écart, comme ces romantiques qui étaient à la mode. Depuis son plus jeune âge on lui répétait qu'il était beau, et c'était vrai. Ses vêtements étaient toujours de la dernière élégance, et sa longue silhouette prenait des poses. Ses cheveux noirs lui tombaient sur la nuque en vagues soignées, son regard sombre se cachait derrière de longs cils soyeux... Mais sous ces dehors de dandy, l'esprit était agressif et obstiné. Il avait fait des études brillantes et ses maîtres d'internat vantaient son sérieux et son courage.

Qu'Hélène eût soixante-dix ans, Benoît ne pouvait le croire tant elle lui paraissait n'avoir pas changé ! À peine ridée, l'œil vif, l'esprit rapide, elle régnait sur ces jeunes avec des allures de reine. Même Catherine, au fond, l'admirait. Ce soir-là, elle brodait, sans lunettes, en surveillant sa cour.

— Charles, que penses-tu de Mérinier ? demanda Benoît.

C'était le chirurgien qui avait été nommé à titre intérimaire pour le remplacer à Saint-Yé. Tous le monde savait que Charles avait envie de ce poste, et l'on attendait qu'il se décide pour le lui donner officiellement.

— C'est un bon chirurgien... Peut-être un peu timide.

— Tu trouves qu'il opère peu. C'est cela ?

Le jeune homme hésitait, sentant son interlocuteur prêt à mordre.

— Disons qu'il manque de... de jeunesse, peut-être.

Mérinier avait cinquante ans. Il avait commencé une carrière militaire et s'était retrouvé demi-solde en 1815. Picard de naissance, il était revenu au pays, et Benoît, qui l'avait connu au Val-de-Grâce, l'avait engagé comme assistant. Maintenant il le remplaçait.

— Vois-tu, commença le vieil homme, nous suivons tous la même évolution. Mon propre père racontait que son maître Hunter, chez qui il travaillait à Londres, lui recommandait d'opérer le moins possible. Et tous les chirurgiens censés, lorsqu'ils arrivent en fin de carrière, ont derrière eux tant d'échecs, qu'ils deviennent d'une immense prudence.

Il retrouvait sa véhémence habituelle, et Hélène le surveillait avec un peu d'inquiétude.

— Si nous exceptons les fractures que nous pouvons traiter, et les plaies graves des membres où nous savons maintenant que l'amputation ou la désarticulation sont indispensables, que sommes-nous capables d'opérer ? Rien ! Quels progrès avons-nous faits depuis Ambroise Paré ? Aucun.

Les jeunes se regardaient en souriant.

— Ne souriez pas ! Si nous avons progressé, c'est en connaissances. Là notre bagage s'est augmenté de façon gigantesque, c'est vrai. Depuis Desault, nous avons appris à enseigner et le monde entier applique maintenant notre méthode anatomo-clinique. Nous connaissons de mieux en mieux les maladies dont meurent nos patients, mais le paradoxe, c'est que nous ne savons jamais pourquoi ils guérissent.

— Il faudrait inventer une autopsie qu'on ferait sur les vivants, murmura Catherine, avec un air angélique.

— Exactement, confirma son père en riant. Il continua : Prenez le cas de Broussais. Dieu ait son âme. Vous savez qu'il fut pour moi un ami charmant. Mais il est indéniable qu'il a fait à la médecine plus de mal que tous les charlatans du siècle précédent. Même Dupuytren, qui est mort trop jeune, mais qui restera le plus grand chirurgien de ce siècle, s'y est laissé prendre. Le jeûne, les sangsues, les saignées, seul traitement de la « phlegmatie ». Quelle blague ! Il a tué plus de patients que le choléra.

Hélène fronçait les sourcils. Quand il se lançait ainsi sur l'un de ses sujets favoris, elle ne pouvait plus l'arrêter.

— En réalité, tout cela prouve que nous ne savons pas comment faire pour que nos opérés ne meurent pas. Nous avons beau être de plus en plus adroits, et de plus en plus savants, quoi que nous leur fassions, à quelques exceptions près, ils meurent. Pourtant mon ami Boyer, le chirurgien de la Charité disait, en 1828 : « La chirurgie a fait, de nos jours, les plus grands progrès et semble avoir atteint le plus grand degré de perfection. » Seulement, nos malades meurent dès que l'on dépasse une certaine limite que la nature semble avoir définie, sans nous dire pourquoi.

— Mais on va progresser encore...

Charles était intervenu, de sa voix toujours douce et posée.

— Il faut l'espérer. Mais, honnêtement, je n'y crois pas trop. Tenez, je vais vous donner un exemple d'espoir déçu. C'était il y a longtemps... Je rencontre mon maître Dominique Larrey. Il sortait d'une séance de l'Académie royale de médecine. Il était tout énervé. « Je viens d'entendre quelque chose d'extraordinaire, me dit-il avec ce ton emphatique qu'il aimait prendre. Figure-toi qu'un Anglais qui s'appelle Hickman, retiens bien ce nom, a découvert un gaz qui supprime la douleur. Il prétend que les interventions chirurgicales pourront se faire, désormais, sur des patients en léthargie... » Pauvre Larrey, j'étais à son enterrement il y a trois ans. Son enthousiasme a dû être bien déçu. Plus personne n'a jamais entendu parler de cet Hickman. Vous voyez, j'avais retenu le nom ! Supprimer la douleur, quelle utopie !

Damien intervint.

— À l'Hôtel-Dieu on raconte que d'autres expériences du même type ont été entreprises en Amérique.

— Dans quelle ville ?

— Boston.

Le vieux Benoît en était arrivé là où il voulait. Lui aussi connaissait cette expérience d'un dénommé Wells, qui, d'ailleurs, avait été un échec. Il saisit la balle au bond.

— Tu vois, Damien, si j'avais ton âge, demain je partirais pour Boston. C'est peut-être là-bas que les choses importantes vont se passer. Il faut voyager quand on est jeune, et chercher à comprendre la mentalité des autres. Jenner m'a autant appris que Desault. L'Angleterre a été pour moi une découverte extraordinaire. Il s'interrompit un instant, et posa sa main sur le bras d'Hélène : Et j'y ai rencontré celle à qui je dois tant.

La vieille dame eut pour lui un sourire de jeune fille. Catherine détourna les yeux, et Benoît s'en aperçut. Il reprit.

— Tu vois Catherine, toi, tu t'intéresses au métier d'infirmière. On dit que les meilleures écoles sont à Londres. Nous y avons des amis, et là-bas, ce sont les jeunes filles de bonne famille qui font ce métier. Pourquoi n'irais-tu pas ?

Charles intervint à son tour, mais d'une voix étranglée, car il était sans doute le premier à avoir saisi l'idée du vieil homme.

— Et moi, où devrais-je aller ?

Hélène aussi venait de comprendre ce qui était en train de se passer.

— Toi, tu veux en savoir plus en matière d'accouchement. En France, cette spécialité reste réservée à ceux qui n'ont pas le courage d'être chirurgien. À ta place, j'irais à Vienne. D'abord parce que nous y avons un excellent ami, le comte Kindendorf, qui connaissait bien ton père, et qui m'a fait jurer d'aller le voir. C'est un peu tard pour moi, mais il m'a encore écrit le mois dernier en me vantant la richesse de la vie viennoise. Tu sais que c'est sans doute la plus belle ville d'Europe... après Paris, bien sûr !

Tout le monde sourit à ce chauvinisme à la mode. Mais le message était passé. Damien, qui ne suspectait pas un instant les arrières-pensées de son grand-père, réagit le premier.

— Moi, je trouve cette idée merveilleuse. Qu'en penses-tu Charles ?

— Pourquoi pas ? L'idée d'aller à Vienne est séduisante.

Catherine, un peu agacée par cet enthousiasme, ne voulut pas être en reste.

— Il y a longtemps que je rêvais de connaître l'Angleterre.

Damien se leva, toujours prêt à décider de tout.

— Voilà ce que je vous propose : nous partons tous les trois pendant un an. On se retrouve tous ici dans douze mois, pour fêter les soixante-quinze ans de notre baron bien-aimé. Et nous lui raconterons ce qui se passe dans le monde !

— Marché conclu, approuva Benoît, ce soir je vous écrirai vos lettres de recommandation, et vous verrez que ces voyages, vous ne les regretterez pas !

Le lendemain c'était la fête, et le surlendemain le deuil. Après les obsèques, Hélène effondrée annonça qu'elle irait se reposer rue Saint-Sulpice chez les sœurs de la Charité. Les trois jeunes respectèrent les décisions qui avaient été prises, sentant bien qu'il s'agissait là d'une sorte de testament, et ils se donnèrent rendez-vous un an plus tard. Pour la messe anniversaire.

TROISIÈME PARTIE

Damien

CHAPITRE PREMIER

Il est difficile d'imaginer l'état d'émotion dans lequel se trouvait le jeune Damien de La Verle, ce matin du 16 octobre 1846. Arrivé aux États-Unis depuis quelques semaines, il s'était immédiatement présenté à l'hôpital de Boston avec une lettre d'introduction de son grand-père. Maintenant, il attendait devant la porte de l'amphithéâtre où le professeur Warren s'apprêtait à réaliser une expérience de chirurgie sans douleur par un procédé chimique.

Une dizaine d'étudiants, arrivés tôt pour être certains d'occuper les meilleures places, bavardaient à voix basse. Parmi eux, un gros garçon se faisait remarquer. Il racontait qu'il était déjà venu ici, deux ans plus tôt, pour assister à une expérience identique, et qu'il s'était porté volontaire pour se faire arracher une dent sans douleur. Damien s'approcha de lui. Le faciès vultueux du garçon trahissait un alcoolisme précoce, et le jeune Français se demanda quel crédit on pouvait apporter aux dires d'un personnage aussi vulgaire.

— On m'a fait souffler dans un tuyau, disait-il, et j'ai cru étouffer tant l'odeur était forte. J'ai soufflé plus fort encore, et ma tête s'est mise à tourner. J'avais mal au cœur, c'était affreux. Tout est devenu confus et, soudain, j'ai ressenti une affreuse douleur dans la bouche. Je me suis dressé en hurlant. Le dentiste était en face de moi, ma dent au bout d'une pince. Dans la salle, tout le monde criait, riait, sifflait. Un vacarme incroyable. Ma bouche saignait, c'était horrible. Je me suis sauvé en courant.

Un personnage sentencieux, vêtu d'un habit sombre, donna la conclusion de ce récit :

— Comment peut-on imaginer qu'un procédé chimique supprime la douleur, au point qu'on puisse enlever une dent sans que le patient ne sente rien ? C'est impossible !

Les commentaires allaient bon train, mais Damien comprenait encore difficilement l'argot de ces gens de toutes conditions. Il parlait anglais depuis trop peu de temps pour suivre aisément les conversations.

Un employé vint ouvrir les portes, et le groupe de spectateurs s'engouffra dans l'imposante salle d'opération. C'était une vaste pièce circulaire, éclairée par une verrière, et garnie de gradins. Damien parvint à s'asseoir au premier rang. Autour de lui, les autres s'installaient, subitement devenus silencieux. Le fauteuil qui occupait le centre de la salle avait beau être vide, cet environnement austère et l'idée de ce qui allait se passer impressionnaient.

Bientôt le bruit reprit, tandis que la salle se remplissait. Il y avait là essentiellement des étudiants, et quelques médecins plus âgés. Manifestement, on parlait surtout de l'échec de l'expérience précédente, et les commentaires étaient unanimes : « Cela ne pouvait pas marcher. »

Damien, lui, était certain qu'il allait assister à un événement historique. Pourtant, ses amis s'étaient bien moqués de lui, quand il avait annoncé son départ pour l'Amérique dans le but de connaître les travaux modernes sur la suppression de la douleur. Avant de partir, il était allé rendre visite au célèbre professeur François Magendie, le dernier médecin à avoir examiné son grand-père Benoît. Le vieil homme avait grimacé, et s'était même un peu fâché, en évoquant des expériences du même type qui avaient été tentées, déjà, en Angleterre.

— Les gaz, disait-il, ont des effets perturbants sur le cerveau, c'est indéniable. Mais de là à supprimer la douleur au point de permettre une opération, il y a un monde. À mon avis, l'utilisation de ces procédés a même un côté franchement immoral, et, personnellement, je les réprouve entièrement.

La condamnation avait été sans appel...

Soudain le silence se fit dans la salle devenue comble. Le professeur John Warren venait d'entrer. C'était un homme d'une bonne soixantaine d'années, grand et mince, d'une sobre élégance. Il déposa sa redingote noire sur une chaise et enfila un autre vêtement, usagé et qui ne devait servir qu'aux opérations. Pendant ce temps, d'autres personnes entraient dans la salle. C'étaient les assistants. Puis une infirmière arriva, tenant par le bras un jeune homme visiblement terrorisé. Le professeur Warren l'accompagna jusqu'au fauteuil et le fit asseoir en lui parlant. On n'entendait pas ce qu'il lui disait, mais il était souriant et semblait essayer de le rassurer.

Le professeur s'adressa ensuite à l'auditoire. Il s'exprimait lentement, dans un langage clair que Damien comprenait parfaitement. Il expliqua qu'il s'agissait d'une tumeur cervicale qu'il fallait enlever avant qu'elle évolue vers la fistulisation. Il précisa que l'intervention se déroulerait en utilisant une technique nouvelle, présentée ici pour la première fois. Il s'agissait de faire inhaler au patient un gaz qui lui ferait perdre toute sensation douloureuse.

L'exposé était terminé, quand on vit arriver, essoufflé, le personnage le plus attendu, le dentiste William Morton. L'homme était jeune, avec un visage sombre, caché derrière une courte barbe noire. Il s'excusa de son retard et montra à Warren l'appareil qui allait lui permettre d'endormir le patient, et qui n'avait été terminé que le matin même. C'était une sorte de flacon de verre qui contenait un liquide incolore, et dont l'ouverture était obstruée par une double canalisation de bois. Le chirurgien était visiblement pressé de tenter l'expérience, et il invita Morton à se mettre à l'ouvrage.

Cette fois, le silence fut total. Le dentiste dit quelques mots au patient qui le fixait d'un œil terrorisé, et il le fit s'appuyer confortablement contre l'oreiller qui avait été posé sur le haut du fauteuil. Il lui mit la canule dans la bouche, et lui recommanda de respirer lentement.

Le malade obéit avec docilité. On le vit accomplir ses premiers mouvements respiratoires et, presque aussitôt, il se mit à tousser et à se débattre.

— Continuez, continuez, disait Morton, qui le tenait solidement. Respirez lentement, n'ayez pas peur...

Le souffle du jeune homme se régularisa et devint plus ample. Quelques secondes après, sa tête roula sur le côté.

Le dentiste se tourna vers Warren.

— C'est prêt, monsieur.

Le chirurgien s'approcha, prit dans sa main le menton du patient et vérifia qu'il n'avait aucune réaction. Il lui tourna le visage vers la droite, exposant la tumeur que tout le monde pouvait voir.

Il saisit alors le bistouri que son assistant lui tendait et, d'un geste rapide, sans une hésitation, il incisa la peau. Le patient n'eut pas la moindre réaction. L'assistance ne respirait plus.

La main du chirurgien disséquait la tumeur, épongeait le saignement, parcourait la zone opératoire avec une précision magique. Les muscles s'écartèrent, libérant une petite masse de chair que la main de l'opérateur attira délicatement vers l'extérieur. En quelques minutes, tout fut terminé. Encore une ligature sur un vaisseau, des bandes collantes sur la peau, un coussinet de coton, un bandage, et Warren s'écarta. Le patient avait juste remué la tête pendant le pansement, en prononçant des paroles incohérentes. Morton regardait autour de lui avec un sourire satisfait. Les spectateurs semblaient sortir de leur stupeur, mais ils attendaient encore, fascinés par ce malade endormi qui respirait avec calme, et s'agitait à peine.

Au bout de quelques instants, on le vit se redresser. Il porta la main à son cou, ouvrit les yeux, regarda autour de lui avec surprise, et murmura :

— C'est fini ?

Toute la salle applaudit. Warren avait perdu son impassibilité habituelle. Manifestement, il ne parvenait pas à y croire. Il s'approcha de Morton et lui serra la main longuement, tandis que les spectateurs manifestaient leur joie.

— Ce n'est donc pas une supercherie, murmura-t-il.

Damien était incapable de bouger. Il venait d'assister à un miracle. Depuis son entrée à l'hôpital de l'Hôtel-Dieu, il avait vu les malades hurler de douleur pendant qu'on réduisait leurs fractures ou leurs luxations. Les interventions se déroulaient dans un concert de cris et de gémissements ; chaque passage de l'aiguille faisait sursauter. Les plus courageux serraient les dents sur un bouchon, le manche d'un couteau ou une chique. Aujourd'hui, tout cela était fini. Les maîtres pourraient expliquer à leurs élèves les gestes à exécuter, les leur faire répéter au besoin, dans le calme et le silence.

C'était le plus surprenant. Durant tout le temps opératoire, il n'y avait pas eu le moindre bruit. On n'avait entendu que la voix du chirurgien, demandant une ligature ou une aiguille.

Après la tumeur du cou, deux patients encore furent opérés par le même procédé. Avec le même résultat. S'il n'avait pas vu, de ses yeux, l'expérience se reproduire ainsi, trois fois de suite, Damien n'y aurait pas cru. Quand il rentra à son auberge, il raconta ce qu'il venait de voir, et les clients éclatèrent de rire.

Un petit bonhomme tapa sur le ventre de son voisin, une montagne de muscles, et se mit en garde. L'autre, surpris, leva la main comme s'il allait taper.

— Attends, Jeff, ne cogne pas tout de suite. Juste le temps de prendre un peu de gaz, et après tu feras ce que tu voudras !

Tout le monde s'esclaffa.

— Moi, hurla son voisin, je connais mieux que le gaz. Anna ! Une pinte de bière !

Personne ne croyait à son histoire. Ils en avaient tellement vus, des charlatans, des arracheurs de dents, criant sur les tréteaux des foires en promettant le geste indolore. Des magnétiseurs, des hypnotiseurs, il y en avait tous les jours, sur les marchés. Certains même faisaient respirer des gaz ! Ils parcouraient les campagnes, dans leurs chariots brinquebalants, proposant aux fermiers crédules leurs liqueurs magiques. Chacun d'eux promettait de supprimer la douleur. Mais qui donc y était parvenu seulement une fois ?

— De quel gaz s'agit-il ? avait demandé Warren.

Morton avait été très réticent pour répondre à cette question. Il voulait protéger ses « droits » sur l'invention. Il avait fallu que le chirurgien se fâche pour apprendre qu'il ne s'agissait que d'éther sulfurique. Deux ans auparavant, Wells, le premier, avait utilisé du protoxyde d'azote, et il aurait probablement obtenu le même résultat que Morton s'il avait su mieux doser le débit de son produit. Car c'était là, la véritable innovation. Le récipient de verre récemment fabriqué était muni d'un robinet qui lui permettait de moduler la quantité d'éther respirée par le patient.

Pour la petite histoire, Damien avait appris que Morton et Wells avaient été associés autrefois, et que Morton avait assisté à l'échec de son ami. Spectateur attentif, il avait compris sans doute que si la méthode était bonne, il fallait en perfectionner la technique d'utilisation. Le résultat était là !

Pendant les semaines qui suivirent, Damien vécut les premiers développements de cette technique appelée désormais « anesthésie ». Chaque matin, il quittait son auberge pour le Massachusetts General Hospital, où il allait suivre l'enseignement de Warren. Grand voyageur, celui-ci était passé à Paris quelques années auparavant, et il connaissait bien Dupuytren. Venir de l'Hôtel-Dieu ouvrait toutes les portes, tant la France occupait alors une place prépondérante dans le monde médical.

À la vérité, Damien ne fut pas émerveillé outre mesure par les chirurgiens américains. Ce qu'il avait vu faire à Paris lui paraissait franchement meilleur. En revanche, il admirait leur attitude à l'égard de leurs patients. Une grande douceur et un profond respect, ce qui le changeait des coups de gueule habituels des patrons parisiens. Il en était de même chez les étudiants, dont les manières étaient plus policées. Du moins à l'hôpital car, les soirs de fête, l'alcool faisait des ravages. Le lendemain matin, chacun était au travail, attentif et déférent. Les bâtiments paraissaient neufs, soignés, bien tenus, avec des infirmières laïques en uniforme impeccable.

Les étudiants américains l'avaient accueilli avec chaleur et il avait très vite été invité dans leurs familles. Certains habitaient de splendides maisons sur les bords de la Charles River, ou sur Beacon Hill. On lui fit visiter Faneuil Hall, où se réunissaient les opposants à l'Angleterre en 1775, et la maison de Paul Revere, le héros français. Damien était un peu étonné de cet engouement pour des monuments et des faits historiques qui n'avaient pas un siècle !

Ce séjour lui donna le goût de l'aventure, et il décida de rentrer par l'Angleterre. Après ces mois de pratique, il maîtrisait parfaitement la langue, et il ne savait pas s'il aurait de nouveau l'occasion de faire un tel voyage. De plus, sur le plan chirurgical, il restait un peu sur sa faim. Il avait envie d'apprendre des techniques chirurgicales nouvelles. Or, il y avait, en Grande-Bretagne, des maîtres dont il avait beaucoup entendu parler à Boston, et qu'il voulait voir travailler de près.

Il s'embarqua donc le 10 décembre 1846 sur un navire anglais qui appareillait pour Glasgow. De là, il comptait aller visiter Édimbourg, et enfin Londres où sa chère tante Catherine devait l'attendre. Ensuite ils rentreraient probablement ensemble pour retrouver Charles, en février, à Saint-Yé, comme ils en étaient convenus.

Pendant la traversée, qui dura quatorze jours, il écrivit beaucoup. Il n'en avait guère eu le loisir jusqu'ici. Alors il rattrapait le temps perdu... en découvrant le bonheur d'écrire. Le reste du temps, il marchait sur le pont, emmitouflé dans son grand manteau de drap épais et coiffé de son haut-de-forme gris solidement enfoncé. Il rêvait à la vie qui l'attendait. Puis, quand le froid le faisait frissonner, il redescendait dans sa cabine éclairée par un minuscule hublot de cuivre, et il couvrait, de sa fine écriture serrée, des pages et des pages où défilaient des pensées tumultueuses et romantiques.

Il s'amusa à raconter par le détail les suites de cette journée mémorable du 16 octobre 1846, qu'il était si heureux d'avoir vécue. Il avait assisté aux tâtonnements d'un Warren tout étonné de pouvoir opérer en paix, et de n'avoir plus à se presser. Il l'avait vu exécuter l'ablation d'un kyste de l'ovaire, chez une femme jeune qui étouffait sous la pression de cette énorme tumeur. Tout le monde savait qu'une telle intervention avait été réalisée déjà avec succès en 1809 par un chirurgien d'Alabama qui s'appelait Mac Dowell. Depuis, d'autres s'y étaient risqués, mais leurs patientes n'avaient pas survécu. Avec l'anesthésie, l'intervention se déroula d'une manière étonnamment simple. Une simple ligature à la base de l'énorme poche et la patiente fut débarrassée. Hélas, trois jours plus tard, elle mourut. Damien se souvint de son grand-père. Il lui avait raconté qu'il avait traité, lui aussi, un tel kyste, pour une de ses amies qui s'appelait Clara, et qui était morte. Il ne l'avait pas opérée ; il avait seulement ponctionné le kyste, mais l'infection était survenue tout de même.

Damien rapporta également une conférence, entendue à Boston et qui l'avait beaucoup amusé. Elle avait été faite par un professeur d'anatomie qui s'appelait Holmes. Il avait parlé de la fièvre puerpérale. C'était un sujet qui intéressait particulièrement le jeune Français car deux femmes de sa propre famille, dont sa grand-mère, en étaient mortes. Le conférencier disait que les médecins eux-mêmes véhiculaient les miasmes responsables de cette maladie mortelle, et que le seul fait de se laver les mains avec de l'eau de Javel, avant d'examiner une femme en accouchement, permettrait d'éviter une telle issue.

Le jeune Français n'avait pas été très convaincu par ce texte qui ne semblait reposer sur aucune hypothèse scientifique. Mais, ce qui l'avait frappé, c'était la référence à l'eau de Javel. Il savait que ce produit avait été inventé par un chimiste français nommé Bertholet, et qu'il avait appelé ainsi son produit en souvenir des lavandières du quai de Javel, qui faisaient blanchir leur linge au bord de la Seine. Mais Damien comprenait mal que ce produit malodorant puisse protéger de la fièvre puerpérale... Son grand-père avait dîné avec ce même Bertholet pendant la Révolution !

La traversée se fit sans encombre, et Damien, un peu étourdi, posa son sac à terre, un beau matin de décembre 1846, sur le quai de Glasgow, capitale industrielle de l'Écosse, dont le nom, en langue celte, signifie « le beau lieu vert » ! Le port et l'énorme agglomération urbaine n'avaient rien de vert, et les premiers paquebots à vapeur, construits ici, dans l'estuaire de la Clyde, dégageaient une épouvantable fumée noire.

La diligence le conduisit rapidement à Édimbourg qui s'avéra, au contraire, un véritable joyau d'architecture. Il découvrit avec émerveillement le Palais Royal, perché sur le site abrupt de Castel Rock, puis Carlton Hill et Arthur's Seat. Toutes ces collines superbement ornées de constructions élégantes le remplirent de joie. « Comme c'est beau, pensait-il, un pays qui a vingt siècles d'histoire ! »

Le lendemain de son arrivée, il alla se présenter, avec une lettre d'introduction de Warren, à James Syme, au Royal Hospital, et il y fut accueilli avec un vif intérêt. On savait déjà ce qui s'était passé à Boston, et Damien fut prié de raconter en détail la célèbre séance opératoire du 16 octobre.

Le patron était un petit homme austère, au visage triste et laid. Considéré comme le premier chirurgien du Royaume, on disait de lui qu'il ne gâchait jamais un mot, ni une goutte d'encre ni une goutte de sang ! Malgré sa mine renfrognée, l'homme était, en réalité, très respectueux des règles de l'hospitalité, et il invita immédiatement son jeune collègue dans sa superbe demeure. C'était une maison blanche construite dans un parc ombragé, proche des portes de la ville. Damien y fit la connaissance d'Agnès, la ravissante fille du chirurgien. Elle avait à peine dix-sept ans, et son regard sombre fixait le jeune Français avec une attention intense. Très brune, ses cheveux coiffés en larges bandeaux encadraient un front têtu. Elle lui offrit, avec la permission de son père, de lui faire visiter la ville, le dimanche suivant. Damien accepta avec empressement.

À l'hôpital, il vit de nombreuses techniques nouvelles, en particulier des résections articulaires destinées à éviter les amputations. Ce qui l'étonna le plus, c'était la vélocité de James Syme dont l'adresse était prodigieuse. Celui-ci commençait à utiliser l'éther, comme son concurrent londonien Robert Liston qu'il exécrait. Mais il était si pressé qu'il n'attendait pas les effets de l'anesthésie, et le patient s'endormait généralement quand l'intervention était terminée !

Comme prévu, Damien visita la ville avec la jeune Agnès, dans la voiture paternelle, sous l'œil sévère d'un vieux cocher qui ne les perdait pas de vue. Elle semblait d'une étonnante maturité et ils parlèrent beaucoup de chirurgie, sujet qui la passionnait beaucoup plus que les vieilles pierres.

Le temps passait trop vite, et Damien devait continuer son voyage. Ils se quittèrent excellents amis, et jurèrent de se revoir.

« La prochaine fois, c'est vous qui viendrez à Paris, avec votre père. »

Elle promit.

Elle devait tenir sa promesse, dix ans plus tard, mais avec un autre homme, son mari, qui serait plus célèbre encore que son père.

D'Édimbourg à Londres, Damien utilisa, pour la première fois de sa vie, un moyen de transport nouveau, le chemin de fer à vapeur. Son voisin de compartiment était un ingénieur, et il lui expliqua que ce train se déplaçait, selon les mesures françaises, à plus de cinquante kilomètres à l'heure ! Le jeune Français n'avait aucune idée de ce que cela pouvait représenter, mais il était indéniable que ce train allait plus vite qu'un cheval au galop, et sans fatigue apparente. Il stoppait de temps à autre, dans une petite ville, et l'on remplissait d'eau le réservoir de la machine qui semblait reprendre son souffle.

Partis le matin, ils arrivèrent le soir même à Londres. C'était stupéfiant !

Un fiacre le conduisit à l'adresse de sa chère Catherine, près d'Exing Court, dans un quartier sombre et brumeux. Elle louait un appartement dans une rue où toutes les maisons se ressemblaient, avec une petite cour en contrebas. À l'intérieur, les pièces étaient minuscules. Mais les meubles de bois vernis brillaient sur les murs tendus de tissu clair ; dans la cheminée de fonte, des morceaux de charbon rougeoyaient joyeusement.

Catherine avait encore embelli et son visage avait pris, avec la maturité, une expression à la fois triste et déterminée. Elle expliqua à Damien qu'elle l'attendait avec impatience, car elle se préparait à partir, mais pas pour la France. Elle avait décidé de rester en Angleterre, et elle était attendue à Birmingham, dans une école d'infirmières des diaconesses. Elle avait fait une première année d'études à Londres, mais les stages pratiques étaient trop difficiles à effectuer du fait des réticences de l'administration et des mœurs hospitalières.

— Ici, une infirmière est obligatoirement une femme de mauvaise vie, racontait-elle. Alors, on ne recrute que celles qui ont déjà un enfant ! Elles doivent habiter sur place, et leurs conditions de logement sont exécrables. En revanche, à Birmingham, il y a un hôpital qui appartient aux religieuses, et les élèves-infirmières y ont leur place.

Damien était surpris par ce discours imprévu et le ton déterminé de sa tante.

— Mais, notre rendez-vous de Saint-Yé ? Et la messe anniversaire de grand-père ?

— Tu prieras pour moi. Je sais que d'où il est, il me pardonnera.

— Il faudra aussi aller chez le notaire...

— Tu m'y représenteras. Je t'ai fait préparer une procuration pour que tu signes à ma place. Si j'ai bien compris ce qu'Hélène m'a écrit, mon père me lègue la maison de Saint-Yé, et une rente pour l'entretenir. Comme je n'ai pas besoin d'argent, ici, pour le moment, ce notaire s'occupera de garder ce qui me revient. Ton père te laisse sa part, et tu vas donc hériter de la maison de la rue de l'Entrepôt. C'est très bien.

— Si tu ne rentres pas, tu ne reverras pas Charles...

— Et alors ? Est-il indispensable que nous nous revoyons ?

— Il m'avait paru très attaché à toi...

— Je l'ai cru, moi aussi, mais il ne m'a écrit d'Autriche que pour me vanter la vie mondaine de Vienne. J'ai bien compris que je m'étais fait des illusions sur ses sentiments...

— Et toi, quels sont tes sentiments à son égard ?

La jeune femme se retourna vers la fenêtre sans répondre. Damien la prit par les épaules, et il vit son visage baigné de larmes.

— Catherine, pourquoi t'en vas-tu ?

— Je m'en vais car je ne veux plus revoir ce garçon qui se moque de moi. Il s'est amusé, autrefois, à me faire une cour sans équivoque, tu en as été le témoin. Et puis plus rien. Une année de silence. Je ne l'intéresse plus. Il est trop fier de sa noblesse. Il n'a que faire d'une petite provinciale orpheline et sœur d'un officier de santé. Je n'ai aucune envie de retourner à Saint-Yé pour le voir me narguer encore. Je n'ai plus l'âge.

— Comment vas-tu vivre ici ?

— J'ai rencontré une jeune femme qui a les mêmes aspirations que moi. Elle s'appelle Florence Nightingale. Comme moi, elle veut consacrer sa vie au soulagement de ceux qui souffrent, et c'est elle qui m'a indiqué cette école. Ensuite je verrai...

Damien comprenait mal. Lui non plus ne parvenait pas à imaginer une femme de la bonne société dans cette vie hospitalière si vulgaire et repoussante. Cette fuite lui paraissait inadmissible. Il grinça :

— Tu devrais te faire religieuse...

Catherine, visiblement, s'attendait à cette réflexion. Elle répondit sans se fâcher :

— Sûrement pas. Je ne m'en sens pas la vocation. Il n'est pas nécessaire d'avoir une coiffe de nonne pour soigner son prochain.

— Ne fais pas cela, Catherine, donne-toi un peu de temps pour réfléchir !

— C'est tout réfléchi. Elle ouvrit la porte d'un placard et lui montra deux sacs de voyage : J'attendais ton arrivée pour m'en aller.

Tout est prêt. J'ai même un service à te demander. S'il te plaît, ne donne mon adresse à personne. Surtout pas à Charles.

Le ton était ferme, la voix autoritaire, le regard assuré, tout cela manifestement était prévu de longue date, et Catherine avait bien préparé son discours. Si elle avait mal contrôlé l'émotion d'un instant, elle s'était vite reprise, et n'avait aucunement l'intention de céder à quelque pression que ce fût.

Ils se quittèrent avec émotion, en se promettant de s'écrire souvent.

— Mais pas maintenant, précisa Catherine, j'ai besoin de faire le silence dans ma tête, et d'oublier un peu ma famille. Je sais que je ferai œuvre utile, et c'est l'essentiel. D'où qu'elle me regarde, ma pauvre mère sera contente de moi...

À la dernière minute il avait donc fallu qu'elle avoue sa motivation secrète, la culpabilité. Elle s'était toujours rendue responsable de la mort de sa mère, et son frère Clément ne l'en avait jamais dissuadée. Il avait tellement souffert de cette disparition prématurée, qu'il n'avait jamais pu pardonner à ce bébé superflu d'être venu au monde. Damien comprenait son père, mais il ne supportait pas l'absurdité de ce raisonnement, malheureusement si répandu. Comment pouvait-on reprocher sa naissance à un enfant ?

Catherine monta, dès le lendemain, dans la diligence pour le Nord. Elle refusait de prendre le train. Pour elle c'était dangereux, sale, et la promiscuité devait y être intolérable. Damien lui fit remarquer que tout cela ne valait pas ce qu'elle trouverait dans les hôpitaux. Elle lui sourit et répliqua d'une voix angélique :

— Tu ne m'auras pas, mon petit. J'irai dans les hôpitaux, si horribles soient-ils, et j'y ferai le bien. Parce que je sais que ma vie est là, et nulle part ailleurs.

Damien regarda partir avec tristesse la grosse voiture surchargée de bagages. C'était tout un pan de sa jeunesse qui disparaissait avec cette grande jeune femme qu'il avait aimée comme une sœur. Il avait été élevé avec elle en Normandie, et tous deux étaient partis ensemble pour retrouver son grand-père Benoît à Saint-Yé. Ils étaient ensemble le dernier soir de sa vie, et ils avaient marché côte à côte, derrière le cortège funèbre. Elle s'en allait vers un destin incertain, en abandonnant tout ce qui avait fait les certitudes de leur vie commune jusque-là.

Il retourna vers Exing Court, l'amertume au cœur. Il s'était fait une joie de passer ces quelques jours dans les hôpitaux londoniens, et de visiter la ville avec Catherine. Il se sentait soudain fatigué, et n'avait plus qu'une envie : retrouver Saint-Yé.

CHAPITRE II

Grantier-le-Bas semblait avoir subi un cataclysme. En face de l'auberge du Grand-Cerf, de l'autre côté de la route, le chantier du chemin de fer bouleversait le paysage. On construisait une gare, un centre de triage, et une usine de fabrication de voitures. Omer Legrand, avec ce sens familial du commerce qui se transmettait si bien de génération en génération, avait compris que ce nouveau moyen de transport, qui triomphait en Angleterre, se développerait aussi en France et qu'il ferait sa fortune.

La ville avait une position stratégique, entre Senlis et Amiens, où les terrains étaient occupés par une urbanisation importante et résidentielle. Ici, les terres agricoles appartenaient à la famille de l'aubergiste depuis la Révolution, et il avait su se montrer conciliant avec la Compagnie. Il avait accepté de vendre les parcelles nécessaires à un prix raisonnable, à condition d'avoir la concession du buffet de la gare et un contrat pour la fabrication des voitures.

Il est vrai que ce nouveau moyen de transport consistait à mettre, tout simplement, des diligences sur des rails. On fabriquait, à Grantier-le-Bas, des voitures à cheval depuis un siècle, on construirait aussi bien des véhicules ferroviaires. Ainsi, le descendant d'Onésime était-il entré de plain-pied dans le modernisme du siècle, en comprenant, avant les autres, l'essor que devait avoir ce mode de déplacement moderne.

De plus, une gare est un centre important pour le commerce. Les voyageurs et les marchandises doivent arriver jusqu'au train. Il y aurait de beaux jours encore pour l'auberge et pour les chevaux.

C'est ce spectacle insolite que découvrit Damien en revenant d'Angleterre en ce début de février 1847. Le village de Grantier-le-Haut n'avait pas changé, dominé par la lourde silhouette du château, et les bâtiments modernes de l'hôpital-hospice de Saint-Yé. Mais en bas, c'était la fourmilière. Partout, des hangars sortaient de terre, des voitures circulaient, chargées de rails, au milieu d'une armée de manœuvres qui semblaient vouloir bousculer le paysage. Le jeune homme fut tiré de sa contemplation par l'aubergiste qui vint le serrer dans ses bras.

Omer Legrand avait une cinquantaine d'années. Sa longue carcasse ne démentait pas le patronyme que son grand-père avait adopté au siècle précédent. Complètement chauve, son crâne luisant se repérait de loin. Ses épais sourcils noirs, ses pommettes saillantes trahissaient ses racines lointaines.

Il regardait avec affection ce garçon qu'il connaissait depuis l'enfance, le dernier rejeton de cette famille de La Verle qui était si liée à la sienne.

— Qùe je suis heureux de te voir, Damien, c'est le Ciel qui t'envoie.

— Tu sais bien que nous devons nous retrouver tous ici pour la messe anniversaire...

— ... de la mort de ton grand-père. Oui, je n'ai pas oublié. Mais à un jour près, ton arrivée peut changer bien des choses.

— Explique-toi !

— Mère Bénédicte est au plus mal ! Et elle refuse d'être hospitalisée pour rester au couvent. Nous redoutons le pire, Damien. Monte vite !

La vieille religieuse faisait peine à voir. Amaigrie, les traits tirés par la douleur, les lèvres sèches et craquelées, elle gisait, sur son lit de misère, dans sa petite chambre aux volets entrebâillés. Son regard s'anima lorsque Damien s'avança vers elle ; mais ses yeux, enfoncés dans des orbites immenses, brûlaient de fièvre. Deux religieuses étaient près d'elle.

— Damien, mon petit, chuchota-t-elle.

— Ma mère...

— Que Dieu est bon de me permettre de te voir une dernière fois, avant de Le rejoindre...

Ému aux larmes, il lui prit la main et la porta à ses lèvres. Il ne comprenait pas ce qui se passait.

— Que vous est-il donc arrivé ?

C'est une religieuse qui répondit. Petite et ronde, avec un visage rose et doux, mais une voix autoritaire qui permettait de deviner qu'elle était la supérieure désignée.

— Notre mère est fatiguée depuis quelques mois déjà, et les remèdes n'y font rien. Elle va beaucoup plus mal depuis quatre jours. Elle ne garde plus rien, vous voyez...

Elle montrait une bassine où un liquide noirâtre prouvait des vomissements récents. L'autre religieuse partit en silence vider le récipient. Damien s'approcha du lit et posa sa main sur le ventre de la malade. La petite sœur continuait :

— Depuis quatre jours, son ventre a gonflé et elle n'a plus... Elle ne peut plus...

— Oui je comprends, interrompit Damien.

D'un geste délicat, il souleva le drap et dénuda le ventre de la malade qui ferma les yeux.

— Excusez-moi, ma mère, il faut que je vois ce qui se passe...

— Oui, mon fils...

L'abdomen était distendu, la peau marbrée. Damien commença à palper. Puis il percuta délicatement toute la surface abdominale. Ses doigts rendaient une sonorité qui prouvait la distension gazeuse des intestins. Sous la peau apparaissaient parfois comme des frémissements. Longuement il palpa le côté gauche du ventre, au-dessous de l'ombilic. Puis il remit le drap en place. Les trois femmes le regardaient avec anxiété.

Après un instant de silence, il sembla se décider :

— Il faut vous opérer, ma mère.

— M'opérer ? Jamais ! Le Seigneur m'attend. J'irai Le retrouver quand Il aura décidé que le moment est venu. Que Sa volonté soit faite.

— Écoutez-moi ma mère. Nous sommes bien d'accord. Quand le temps sera venu, ni moi ni personne ne pourra rien y faire. Mais nous n'en sommes pas là. Votre intestin est bouché. On le sent très bien en examinant votre ventre.

Et tout en parlant, il posa sa main sur la zone douloureuse. La religieuse fit une grimace.

— C'est là que se trouve l'obstacle. Il suffit de libérer votre intestin au-dessus de ce qui l'obstrue, et vous vivrez. Jusqu'à ce que le moment soit venu de mourir. Mais aujourd'hui vous souffrez un martyre inutile et qui n'apporte rien à personne. Et le pire, ma mère, c'est que vous ne mourrez pas avant des jours et des jours de souffrance. Je suis sûr que cette fin, le Seigneur ne l'a pas voulue pour vous...

Elle essaya de parler, mais il lui posa un doigt sur les lèvres.

— La preuve en est que je suis là. Il m'a conduit jusqu'à vous pour vous aider. Parce que, justement, votre heure n'est pas venue.

La vieille femme tourna les yeux vers la petite religieuse.

— Il a raison, sainte mère. Il est la main du Seigneur, vous n'avez pas le droit de le repousser.

Elle referma les yeux, et ses mains firent un geste de résignation.

— Ne perdons plus de temps, décida Damien, je vais demander un brancard pour qu'on vous descende à l'hôpital.

Elle sursauta.

— Ah ! non ! Je ne bougerai pas de ce lit. Je ne veux pas me donner en spectacle. Si tu dois m'opérer, fais-le ici. Je refuse de quitter cette chambre.

— Ma mère...

— N'insiste pas, cette fois ma décision est irrévocable.

Elle avait repris ce ton de commandement que ses proches connaissaient bien. Ce n'était pas la peine de lutter.

— Soit! murmura Damien. Nous ferons ce qu'il faut ici. Et, s'adressant aux religieuses, il décida d'une voix sans réplique : Vous faites déplacer le lit pour qu'il soit au milieu de la pièce, je veux deux tables et des draps blancs, et une autre infirmière.

Il entraîna la petite religieuse hors de la chambre.

— Je voudrais que vous alliez à l'apothicairerie et que vous me rameniez un flacon d'éther sulfurique. Vous prendrez aussi des pansements en abondance. De mon côté, je vais voir Mérinier, il m'aidera.

Le chirurgien de l'hôpital accueillit Damien avec chaleur. Mais le jeune homme écourta les effusions et raconta sa visite au couvent. Mérinier était mal à l'aise.

— J'ai entendu dire qu'elle était souffrante, mais les religieuses ont refusé de me laisser entrer. Je croyais que la supérieure se mourait... de sa belle mort. Mais vous voulez l'opérer, à son âge?

Damien s'expliqua.

— Manifestement, elle a une tumeur du colon gauche. Il suffit d'inciser au-dessus de l'obstacle et de lui faire un anus contre nature. Elle mourra plus tard, en douceur. Si nous la laissons ainsi, l'agonie sera atroce.

Le vieux chirurgien n'était pas un opérateur virtuose. Rompu aux techniques de la chirurgie de guerre, il immobilisait les fractures comme personne, mais il n'avait pas l'âme d'un novateur. En revanche, il faisait pleine confiance à ce jeune homme qui avait été formé aux meilleures écoles, et qui rentrait d'Amérique. Et puis, n'était-il pas le petit-fils de son maître de La Verle?

— Vous pensez qu'elle va supporter une intervention comme celle-ci?

Damien lui parla de l'anesthésie générale. Son interlocuteur était incrédule.

Ils prirent les trousses à instruments et remontèrent ensemble vers le couvent. Tout en marchant, Damien lui raconta ce qu'il avait vu à Boston, et comment, à Londres, Liston avait adopté la technique de Morton.

— Vous vous mettrez à la tête de la patiente, et vous lui maintiendrez un linge imbibé d'éther sur le visage. Si la respiration se ralentit trop, vous enlèverez le linge et vous la laisserez reprendre son souffle. Si, au contraire, elle s'agite, vous remettrez du liquide sur le linge. Vous verrez, en lui maintenant la tête bien en arrière, elle respirera mieux. De toute façon ce ne sera pas long : l'intervention par elle-même n'est pas compliquée.

Le vieil homme n'en menait pas large. Il aurait donné beaucoup pour être ailleurs ce jour-là. Mais son jeune collègue avait une telle autorité, et semblait si bien connaître son sujet qu'il n'osait pas émettre la moindre objection.

La chambre avait été préparée. Mère Bénédicte était recoiffée, et on lui avait passé une chemise propre. Elle paraissait rajeunie. Damien fit ouvrir largement la fenêtre pour laisser entrer la lumière. Il enleva la veste de son habit et remonta ses manches. C'est ainsi que travaillait Liston. Mais le regard de Mérinier montrait combien il jugeait cette tenue peu convenable. Sur le champ de bataille, passe encore. Mais ici, dans une chambre de religieuse... Ces jeunes avaient toutes les audaces.

Penché sur le visage de la religieuse, Damien lui expliquait comment elle serait « endormie ». Et il fut surpris de voir sa réaction. Elle lui sourit et secoua la tête, comme pour dire : « Arrête de plaisanter, tu veux me rassurer, mais je sais bien que tout cela n'existe pas... »

— Surtout n'ayez pas peur, ma mère, vous aurez la sensation d'étouffer, mais cela ne durera qu'un instant.

Mérinier regardait le petit flacon d'éther et le linge plié, avec une incrédulité tout aussi flagrante que celle de la religieuse.

Damien enleva l'oreiller de mère Bénédicte, pour qu'elle soit mieux allongée, et fit signe à Mérinier de commencer. Les trois religieuses entouraient le lit avec, dans le regard, un mélange de curiosité et de terreur. La plus vieille se signa, les autres l'imitèrent. Courageusement, la malade respirait fort. Quand elle s'agita, Damien lui mit les mains sur les épaules et la calma de la voix :

— Respirez ma mère, ne vous inquiétez pas, respirez, je vous en prie.

Les mains de Mérinier tremblaient.

— Remettez un peu d'éther, il n'y en a pas suffisamment.

Puis les mouvements s'atténuèrent et les bras de la vieille femme retombèrent, inertes.

Tout se passa alors très vite. Damien découvrit le ventre distendu, et prit un bistouri. Il incisa le flanc gauche, juste au-dessus de l'endroit où il avait palpé la tumeur. Les tissus étaient d'une telle sécheresse que la plaie saignait à peine. Bientôt apparut l'intestin, tendu comme une baudruche.

— Ma sœur, approchez une bassine.

D'un geste vif, il incisa le colon, qui laissa filer un grand souffle de gaz fétides. En même temps, un flot de liquide noirâtre et malodorant s'échappait de la plaie. Le ventre se dégonflait à vue d'œil. Mérinier était fasciné. La malade n'avait pas bougé.

— Attention, elle ne respire plus !

Damien avait écarté le linge. La religieuse avait un teint blafard. Elle paraissait morte. Il lui prit le pouls.

— Ne vous inquiétez pas, elle est vivante...

De fait, après quelques longues secondes, elle remua. L'une des religieuses s'écarta et tomba à genoux sur le prie-Dieu qui était dans un coin de la pièce. Elle fondit en sanglots.

— Il faut faire le pansement, ordonna Damien.

Les coussinets furent installés autour de la plaie qui ne cessait de se vider. Il fallut changer de bassine.

— Ces liquides sont très corrosifs pour la peau, expliqua le jeune homme, il faudra changer souvent le pansement et le maintenir bien propre.

Mère Bénédicte se réveillait. Elle toussait fort et se frottait les yeux, irrités par l'éther. Elle vit Damien qui lui souriait, puis la sœur qui tenait la bassine contre son ventre.

— C'est fini, ma mère. Vous allez vous sentir beaucoup mieux.

Elle regardait ce spectacle étonnant comme s'il s'agissait de quelqu'un d'autre. Puis se retournant vers le jeune homme, elle secoua la tête :

— Comment peux-tu faire des choses pareilles !

Charles de Malmort et sa mère arrivèrent quatre jours plus tard, le 14 février, veille de la messe anniversaire.

En une année, Hélène avait vieilli de dix ans. Elle qui avait toujours voulu briller parmi les plus belles, et qui, quelques mois plus tôt, était encore si soucieuse de ses apparences, ressemblait maintenant à une très vieille femme. Et elle montrait qu'elle en était consciente :

— Que veux-tu, mon pauvre Damien, je n'ai plus aucune raison de vivre. Personne n'a plus besoin de moi, et je n'ai que mes souvenirs.

Néanmoins, l'arrivée dans cette ville où elle avait passé tant de moments heureux sembla la ragaillardir. Elle monta voir mère Bénédicte qui s'était parfaitement remise de son intervention, mais qui ne quittait plus la chambre. Gênée par une infirmité qui risquait d'être malodorante, elle gardait près d'elle la jeune religieuse qui lui faisait ses soins, et la pièce embaumait la lavande. Une vasque était pleine de fleurs séchées, et elle y passait souvent la main. Ces senteurs d'un autre climat la réjouissaient et Omer, qui faisait venir de nombreux produits méditerranéens, lui avait promis de renouveler sa provision autant qu'elle voudrait.

Les deux vieilles dames s'embrassèrent avec émotion.

— J'ai bien cru que mon séjour sur cette terre était terminé. Maintenant que Damien m'a procuré un sursis, je m'en réjouis. Je suis heureuse de vous retrouver, et de voir revenir les enfants.

Dehors, le brouillard noyait la vallée, et un petit soleil timide semblait vouloir participer à la fête. On entendait les ouvriers fixer les rails sur les traverses, et les locomotives, qui arrivaient jusque-là, sifflaient joyeusement.

— Comme notre Benoît serait étonné s'il voyait tout cela... En un an, que de changements !

Charles et Damien se retrouvèrent à l'hôpital où Mérinier les attendait. Ils se congratulèrent sur le résultat de l'intervention, mais personne n'avait parlé encore d'anesthésie.

Le jeune Malmort avait changé. Il était encore plus beau. Mince, le geste élégant, il était vêtu avec un raffinement très parisien. Il avait renouvelé sa garde-robe avant de se rendre au rendez-vous de Saint-Yé. Il portait une courte redingote d'un gris sombre, cintrée à la taille, avec un collet de velours noir, et un pantalon à sous-pied gris plus clair, sur des souliers vernis. Une chemise de linon brodé, et une haute cravate noire complétaient son image de dandy. Il posa sur une chaise un chapeau de taupé noir qui devait venir de chez Gélot.

Damien se regarda dans la glace. Avec son frac noir démodé, ses bottes craquelées et son pantalon rayé, il pensa qu'il avait l'air d'un paysan endimanché.

Il avait mille questions à poser sur Vienne et l'Autriche. Charles s'empressa de répondre.

— Vienne est une ville merveilleuse, et Kindendorf m'a introduit dans la meilleure société. C'est un seigneur ! Personne ne peut dire son âge, mais il a l'air d'un jeune homme. Même son genou raide semble accentuer son élégance.

— Tu es allé à l'hôpital ?

— Bien sûr. À l'hôpital général de Vienne, qui dépend de l'université. Kindendorf m'a présenté au chef de service d'obstétrique, Johann Klein, qui m'a aussitôt adopté.

— C'est une université moderne ?

— Oui, et ils pratiquent la méthode anatomo-clinique comme à Paris. Autopsie systématique, études anatomiques poussées, etc. Et, en accouchement, ce sont des maîtres.

Damien l'écoutait, à vrai dire, d'une oreille distraite. Il pensait à Catherine, et se demandait quand le sujet serait abordé. Le plus tard serait le mieux... Charles s'adressait surtout à Mérinier, plein d'admiration pour les connaissances de celui qui, dans l'esprit de tous, demeurait le seigneur de ces lieux. Soudain l'attention de Damien fut mise en éveil. Son ami racontait des choses qu'il avait déjà entendues...

— Ce Semmelweis est une sorte de juif moldave qui parle avec un fort accent, et que personne ne peut supporter tant il est désagréable. C'est un fils d'épicier qui n'a même pas de reconnaissance pour le professeur Klein, qui lui a donné sa situation. Figurez-vous que cet illuminé prétend que la fièvre puerpérale est provoquée par les médecins eux-mêmes. Ce ne serait pas, d'après lui, une maladie autonome, mais la conséquence, pour les parturientes, d'une inoculation par des « particules de cadavre » ! Il suffirait de se laver les mains pour sauver les jeunes mères. Vous vous rendez compte !

Damien se souvenait de cette conférence de Holmes, à Boston. Ne tenait-il pas le même discours ?

— Et avec quoi faut-il se laver les mains ? demanda-t-il innocemment.

— Une solution chlorée.

— De l'eau de Javel, par exemple.

— Exactement. C'est insensé !

Damien n'en dit pas plus. Le ton de Charles était si méprisant qu'il n'osa pas lui parler d'Holmes.

À son tour il raconta ce qu'il avait vu à Boston, et son enthousiasme pour l'anesthésie. Là encore il fut frappé du scepticisme de son interlocuteur. Pourtant, Mérinier le soutint par son récit admiratif. L'intervention sur mère Bénédicte l'avait beaucoup impressionné, et il ne s'en était pas encore vraiment remis !

— Tout cela c'est bon pour faire un geste rapide, mais la douleur est inhérente à la chirurgie, affirmait Charles, et tu verras qu'on découvrira bientôt que cette méthode a plus d'inconvénients que d'avantages, j'en suis convaincu. En tout cas, pour l'accouchement, on n'en est pas là !

— Tu te trompes, j'ai rapporté d'Angleterre un journal paru le 19 janvier 1847, le jour de mon embarquement, où il est question d'un obstétricien d'Édimbourg appelé James Simpson, qui a fait un accouchement sans aucune douleur, grâce à l'éther.

— Crois-moi Damien, il faut attendre avant de s'enthousiasmer. Combien d'aventures folles ont émaillé déjà l'histoire de notre métier ! Souviens-toi de Mesmer qui faisait courir le monde entier avec ses expériences de magnétisme. Qu'en reste-t-il aujourd'hui ? Tout cela tombera aux oubliettes en quelques années, peut-être même en quelques mois.

La suite du discours de Charles l'étonna plus encore, et il découvrit là un aspect de la dialectique médicale qu'il ne soupçonnait pas.

— Ce qu'il faut bien comprendre c'est que, bien souvent, ces idées soi-disant nouvelles ne sont que des élucubrations à visée subversive. À Vienne, c'est dans les milieux politiques les plus agités que se recrutent les défenseurs de Semmelweis...

— Parce qu'il en a ?

— Évidemment, mais comme par hasard ce sont les révolutionnaires qui lui emboîtent le pas. Ce n'est plus de la médecine, mon pauvre Damien, mais de la politique. Et la pire, celle qui n'ose pas dire son nom. Puis il ajouta, avec un petit rictus inquiétant : Quoi qu'il en soit, le même Moldave passera bientôt à la trappe. Son contrat se termine dans deux ans, et je suis bien certain que Klein ne le lui renouvellera pas ! Tu verras qu'on n'entendra plus parler ni de lui ni de ses théories fumeuses. Quant à l'anesthésie, il en sera sans doute de même bientôt, je suis prêt à prendre des paris.

Les deux garçons laissèrent Mérinier qui logeait à l'hôpital, et descendirent ensemble vers l'auberge où Omer leur avait gardé des chambres. Hélène était hébergée par les sœurs, au couvent. Ils dînèrent en tête à tête dans la salle envahie par la faune pittoresque du chemin de fer, mélangée aux voyageurs des diligences. Omer avait embauché un maître d'hôtel qui recevait la clientèle, et les serveurs portaient une veste blanche. Lui, n'apparaissait que pour saluer les convives de marque, et leur offrir la « prune » du patron.

De l'autre côté de la route, sur le chantier, il avait créé une auberge d'une catégorie inférieure, où les ouvriers venaient dépenser leur paye au son d'un piano mécanique. L'alcool atténuait l'isolement de ces hommes qui marchaient avec les progrès de la voie, et s'abrutissaient chaque soir pour oublier leurs douze heures de travail.

Il était tard, et les deux chirurgiens avaient, eux aussi, abondamment dégusté l'alcool du patron, lequel leur avait laissé la bouteille sur la table. Damien savait que le moment était venu de passer au sujet difficile. Après un silence, Charles, les yeux dans son verre, prononça la phrase attendue :

— Et Catherine, elle n'est pas arrivée ?

Damien se râcla la gorge.

— Elle ne viendra pas. Je l'ai vue à Londres, elle partait pour une école d'infirmières, je ne sais où.

— Mais enfin, nous étions convenus de nous retrouver ici...

— Elle a pensé que ce n'était pas nécessaire.

Charles avait posé son verre. Son visage s'était soudainement défait.

— Moi qui voulais la demander en mariage !

— Tu lui en avais parlé ?

— Non. J'attendais ce retour au pays. J'ai beaucoup réfléchi pendant mon séjour viennois. Les femmes y sont belles, mais trop germaniques à mon goût. Aucune ne m'a paru arriver à la cheville de Catherine. Elle est si élégante d'esprit, originale, raffinée, vive... Là-bas elles sont encore engoncées dans une éducation d'un autre temps. Son regard prit alors un air lamentable : Damien, j'aime Catherine. Elle est tout pour moi, tu comprends. Et ce n'est pas d'hier. Souviens-toi, quand nous étions gosses, tu ne voulais jamais me laisser seul avec elle. Tu m'as assez agacé à cette époque, et tu le savais ! Il n'y a pas d'autre femme pour moi. C'est elle que j'épouserai, je te le jure !

— Mais pourquoi est-ce à moi que tu racontes tout cela aujourd'hui ? C'est à elle qu'il fallait le dire !

— Je n'osais pas. J'aurais voulu qu'elle m'encourage, qu'elle ait un geste vers moi, un mot qui me donne de l'espoir... Mais rien ! Elle n'a jamais rien dit.

— Et toi, quand tu lui écrivais, tu lui parlais des belles Viennoises...

— Pour qu'elle soit un peu jalouse, et qu'elle me le dise.

Damien hésitait, puis il se jeta à l'eau.

— Comme vous vous ressemblez, Catherine et toi ! Elle aussi attendait un geste, un encouragement, un signe. Elle aussi n'aime que toi. Elle est partie par dépit, pour ne pas te voir lui parler des autres femmes que tu as connues.

Le regard de Charles était pitoyable. Soudain ses traits se durcirent. Ses yeux où l'alcool mettait un léger voile devinrent d'un noir plus intense. Il se leva et, les mains sur la table, il se pencha vers Damien.

— Toi, tu savais que je l'aimais et qu'elle m'aimait. Alors pourquoi n'as-tu rien dit ? Pourquoi l'as-tu laissée partir ? Pourquoi ?

Et il frappa la table du plat de la main sans voir les verres qu'il avait renversés. Était-il ivre ? Ou l'alcool jouait-il seulement un rôle libérateur ? Damien entendit un discours qui lui fit mal.

— Je vais te dire pourquoi tu n'as rien dit. C'est parce que tu ne voulais pas de ce mariage, pas plus que ton baron de grand-père, pas plus que ma mère ! Chacun avait ses raisons, mais se gardait bien de les exprimer. Le baron ne voulait pas d'un noble fauché. La comtesse, ma mère, ne voulait pas de notre noblesse d'Empire aux relents de poudre à canon. La Verle est une rivière qui coule au pied du château de Malmort, et que tu le veuilles ou non, tous tes succès n'y changeront rien. Sa colère montait sans que Damien ne dise un mot : Ton grand-père a eu beau coucher avec ma mère, tu ne seras jamais qu'un petit besogneux et ta noblesse fera sourire !

Brusquement il se retourna et partit sans se retourner d'un pas mal assuré.

Damien ne bougea pas. Il avait envie de pleurer. En quelques jours il avait perdu Catherine, qui était plus qu'une sœur, et Charles qu'il considérait comme un frère. Mère Bénédicte allait mourir, Hélène ne tarderait guère à la suivre, et il allait se retrouver seul. Son père lui semblait d'un autre monde, presque d'une autre famille. En Normandie, les Dupont de l'Avre formaient un clan dont il ne faisait pas partie. Il se sentait abandonné, au moment où il fallait affronter la vie.

Le lendemain, tout le monde se retrouva à la messe. L'église était pleine. Le curé exalta les vertus du défunt avec une sincérité touchante, et bien des gens eurent les larmes aux yeux. En sortant, Hélène prit Charles et Damien chacun par un bras, et descendit les marches de l'église entre les deux garçons. Elle se tenait très droite, fière de leur beauté, un peu inquiète aussi de cette froideur qu'elle avait sentie entre eux. Ils montèrent tous les trois dans la même voiture qui redescendit vers l'auberge où Omer offrait une collation. Elle n'avait posé aucune question concernant l'absence de Catherine. Comme s'il avait été naturel qu'elle ne fût pas là.

Bientôt la salle se remplit, et chacun vint présenter ses respects à la veuve. Charles entraîna Damien à l'écart.

— Excuse-moi pour mon emportement d'hier soir. J'avais trop bu, et je ne savais plus ce que je disais. Il m'est arrivé de penser que tout le monde cherchait à empêcher mon mariage avec Catherine, c'est vrai. Mais au fond, je me sens le seul vrai responsable, et c'est bien le plus dur à supporter.

Ses grands yeux sombres s'étaient voilés de larmes. Damien, la gorge serrée, ne savait que répondre. Charles poursuivit :

— Je ne prendrai pas le poste de Saint-Yé. Du moins pas encore. Je continuerai à voyager quelque temps. Dès que Catherine se manifestera, tu me le feras savoir, et j'irai lui dire mon amour. Nous nous marierons dès que possible, et tu seras notre témoin. Ensuite seulement, je déciderai de mon avenir.

Il s'éloigna d'un pas.

— Je pars maintenant. Dis à ma mère que j'irai l'embrasser à Paris. Par elle, tu sauras toujours où me trouver. À bientôt.

CHAPITRE III

Le retour de Damien à Paris fut marqué par une cuisante déception. Sa place de chef de clinique à l'Hôtel-Dieu ne lui avait pas été gardée... Un autre avait été nommé à sa place ! Un an d'absence, et on l'avait oublié. Pourtant son maître Philibert-Joseph Roux avait été, au Val-de-Grâce, un élève du baron de La Verle... Presque un ami !

En 1835, il avait succédé à Dupuytren à la chaire de l'Hôtel-Dieu, où Damien avait été externe puis interne. Lorsque Benoît de La Verle était mort, Roux, qui avait dix ans de moins, était venu aux obsèques. Il avait affectueusement promis à son élève de le considérer désormais comme un fils, et Damien avait cru que sa place de chef de clinique allait de soi.

Cette fonction avait été créée en 1823 pour prendre en charge l'enseignement des étudiants dans les services de « clinique ». Le succès de l'enseignement « au lit du malade » avait nécessité, en effet, des structures nouvelles. On ne pouvait plus se borner, comme au temps de Desault, à instruire la meute des élèves, chaque jour attroupés derrière le patron, par la seule voix du maître. Il fallait les scinder en petits groupes, pour leur permettre d'accéder plus facilement à l'enseignement de ces gestes maintenant indispensables à connaître, qu'étaient l'auscultation, la percussion, la palpation...

Les internes qui n'étaient pas décidés à concourir quittaient l'hôpital au bout de leurs quatre années de stage. Pour les autres, le « clinicat » était la première étape obligatoire du cursus vers le « Bureau central » qui nommait les médecins et chirurgiens des hôpitaux, futurs chefs de service. Enfin, après l'agrégation, le titre envié de « professeur à la Faculté » venait couronner la carrière des plus chanceux.

On comprend le dépit de Damien qui butait ainsi au premier pas. En vérité, l'explication était simple. Son maître Roux n'était déjà plus très jeune, et il venait de tomber malade. En son absence, l'administration avait nommé, au poste « réservé » à Damien, un autre candidat politiquement très appuyé.

À son retour, le vieux maître fut désolé d'une telle fausse manœuvre. Il répara vite cette injustice en confiant Damien à un autre de ses élèves, auquel il avait fait obtenir la direction du service de chirurgie de l'hôpital Sainte-Marthe, Hippolyte de Saint-Véran. C'était un homme austère, cousin du marquis de Saint-Véran, grand chambellan de Louis-Philippe. Cette parenté n'était pas pour rien dans une ascension que ses collègues avaient trouvée un peu rapide.

Le nouveau patron accueillit Damien fraîchement. Il avait un long visage triste et hautain, un crâne dégarni que compensaient d'énormes favoris poivre et sel. Il ne pouvait pas refuser l'élève imposé par son propre patron, mais il n'appréciait guère cette méthode, pourtant très habituelle. Il ne s'agissait que d'une situation transitoire, car Roux s'était engagé à reprendre Damien dès que ce serait possible. Les deux hommes savaient donc que leur association serait de courte durée, et ils devaient se résigner à se supporter.

Damien crut se faire valoir en racontant à son nouveau patron le voyage qu'il venait de faire à Boston et en Angleterre. Saint-Véran l'écouta sans un mot. Le jeune homme, se laissant aller à son enthousiasme naturel, parla d'anesthésie, mais aussi de Holmes et de Semmelweis, insistant sur les conclusions similaires des deux hommes, qui, pourtant, ne se connaissaient pas.

Quelle ne fut pas sa surprise, quand il entendit Saint-Véran lui répondre dans les mêmes termes que Charles et sur un ton méprisant et sentencieux.

— Mon jeune ami, à vous entendre, on penserait que si certains de nos patients ont le malheur de décéder, c'est de notre faute, parce que nous ne nous lavons pas les mains ! Vous rendez-vous compte de la responsabilité que vous voulez faire supporter à l'ensemble du corps médical ? Vous qui êtes un élève de l'Hôtel-Dieu, vous sous-entendez que Desault, Bichat, Dupuytren, votre grand-père, notre maître Roux sont de grands criminels !

— Mais aucun d'entre eux ne savait jusqu'ici...

— Nous ne vous avons pas attendu pour réfléchir sur les causes de l'infection, monsieur de La Verle. La fièvre puerpérale est une maladie autonome qui décime nos jeunes mères, personne n'y peut rien. Et s'il suffisait de se laver les mains pour leur sauver la vie, croyez-moi, nous le saurions.

La mine de Damien révélait une telle surprise, que le patron adoucit le ton.

— Quoi qu'il en soit, mon cher, je ne vous interdis pas de vous laver, autant que vous voudrez, avec cette solution chlorée que vous préconisez, si la peau de vos mains y résiste... Nous verrons vos résultats. Mais de grâce, évitez d'imposer vos lubies autrichiennes à des gens qui, quoi que vous en pensiez, font parfaitement leur métier.

Quant à l'anesthésie, certains, à Paris, en font l'expérimentation, je le sais. Nous attendrons, si vous le voulez bien, qu'ils publient leurs résultats. Il sembla réfléchir un moment et ajouta : Mais je vais vous dire ce que je pressens. Ces gaz ont des effets multiples, et l'endormissement qu'ils provoquent n'est qu'une de leurs conséquences. Attendez un peu et vous verrez surgir des complications que le zèle des novateurs aura masquées quelque temps ! Ce ne sera ni la première ni la dernière fois qu'on assistera à un tel phénomène ! Il prit enfin son ton le plus supérieur pour affirmer, comme Boyer l'avait fait vingt ans auparavant : Nous sommes arrivés à un tel point de perfection technique dans notre métier, qu'il me paraît difficile de progresser encore, si ce n'est sur des points de détail. Je ne peux pas croire qu'une découverte importante soit susceptible d'améliorer ma pratique... À moins que vous ne soyez capable de me prouver le contraire ! fit-il avec perfidie.

Damien fit une dernière tentative.

— On m'a dit qu'à l'Académie, M. Malgaigne...

— À publié ses cinq premiers essais. C'est vrai. Dont un échec et un demi-succès. Il me semble que nous pouvons attendre un peu, avant de jouer les moutons de Panurge. Après une seconde de réflexion, il donna sa conclusion, et elle était sans appel : En tout cas, ici, nous attendrons. Vous opérerez sans éther. Un vrai tempérament chirurgical ne doit pas avoir besoin de... Comment dites-vous ? Ah, oui ! d' « anesthésie » !

Et il ricana longuement.

Ici commença le calvaire de Damien.

Longtemps après, il devait parler de cette époque avec une infinie tristesse. Alors qu'il entrait dans sa vie professionnelle avec toute l'énergie d'un enthousiasme juvénile et le courage qu'il fallait pour travailler jour et nuit, son premier patron le cantonnait dans une pratique chirurgicale qui lui semblait d'un autre âge.

Il essaya de se laver les mains avec ostentation, mais ses résultats ne différèrent pas de ceux des autres chirurgiens. Chaque fois qu'une suppuration grave survenait sur un de ses patients, le patron ricanait, suivi par les « courtisans » qui l'accompagnaient.

Troublé, Damien écrivit à Semmelweis. Il le félicitait de ses travaux, lui demandait les références de ses publications, et le questionnait sur la parenté de la fièvre puerpérale et des infections post-opératoires. L'Autrichien lui répondit une longue lettre embrouillée, sur un ton polémique d'une étonnante agressivité. D'après lui, un fait était indiscutable : « la source organique putride ». Les particules de cadavre, invisibles et uniquement discernables à l'odeur, inoculées à un organisme sain, y provoquaient des lésions mortelles. Une preuve formelle lui en avait été donnée par la mort de son ami, le professeur Kolletschka, décédé à la suite d'une piqûre survenue au cours d'une autopsie, et dont les lésions étaient les mêmes que celles des femmes mortes en suites de couches. Semmelweis citait les professeurs viennois qui soutenaient sa thèse, Hébra, et surtout le célèbre Rokitansky. Quant aux autres, ceux qui manifestaient leur réticence à le suivre, il les traitait de rétrogrades et de réactionnaires...

Les excès verbaux de cette lettre étaient tels que Damien renonça à en faire état. Quant aux publications, l'Autrichien était muet sur ce point... Et pour cause : on devait raconter, plus tard, qu'il n'osait pas écrire dans les journaux, tant son allemand était maladroit en comparaison de la prose élégante des grands maîtres de cette époque.

Damien renonça à soutenir une théorie qu'il ne parvenait pas à étayer. Il évita, désormais, d'aller faire des autopsies quand il devait opérer, ou alors il se lavait abondamment les mains à l'eau de Javel. Mais sans conviction, car ses résultats ne l'incitaient guère à persévérer. Pourtant, sans vraiment savoir pourquoi, il croyait aux affirmations du petit juif de Vienne, mais il était bien le seul dans ce camp !

Alors il se désintéressa un peu de l'hôpital Sainte-Marthe. Il y continua son service avec rigueur et ponctualité, mais il passa de plus en plus de temps à l'Hôtel-Dieu où il avait gardé une chambre. Et, lorsqu'il était libre, il venait assister aux interventions de son maître Roux. C'est ainsi qu'il apprit à réparer les malformations du palais, à traiter les anévrismes artériels par ligatures, et ce, sous anesthésie générale. Le patron était de ceux qui avaient compris l'intérêt d'une technique qu'il fallait apprendre à contrôler pour en tirer le meilleur parti.

L'éther, à l'évidence, était dangereux et les patients qui restaient endormis trop longtemps faisaient des accidents respiratoires parfois mortels. Certains chirurgiens préféraient le chloroforme, d'autres le protoxyde d'azote, et, au cours de l'année 1847, les publications sur ce sujet se multiplièrent, forçant les retardataires à suivre le mouvement.

Chez les opérés, ce fut l'enthousiasme. On avait supprimé la douleur, la chirurgie n'était plus redoutée ! C'était aller un peu vite en besogne, et les accidents vinrent rapidement tempérer les audacieux, et conforter les récalcitrants.

C'est ainsi que Damien vit les jeunes patrons se lancer dans les premières opérations abdominables, en particulier, comme à Boston, sur les kystes de l'ovaire. Mais si l'ablation ne posait pas de problème technique, la mortalité demeurait prohibitive. Dans les trois ou quatre jours après l'intervention, la mort frappait près de la moitié des opérées.

Si le confort opératoire était amélioré, les résultats étaient si meurtriers que les malades fuirent à nouveau les services de la chirurgie. Finalement, les gains de l'anesthésie furent le plus appréciable chez les accidentés, et l'on n'entendit plus, dans les salles d'urgence, les hurlements de douleur qui accompagnaient, jusque-là, les réductions de fractures ou de luxations. « Les anesthésies courtes sont les moins dangereuses », concluait-on dès cette époque.

Damien utilisa cet avantage un certain matin du printemps 1847. Il allait terminer son service, et midi sonnait au clocher de Saint-Séverin, lorsqu'un fiacre entra au galop dans la cour de l'hôpital Sainte-Marthe. Un accident avait eu lieu rue des Feuillantines, à deux pas de là. Une jeune fille avait été renversée et traînée sous une charrette qu'un cheval emballé avait propulsée contre une autre voiture. Le cocher du fiacre, visiblement impressionné, était certain que sa passagère était morte, ou du moins que l'issue fatale n'allait pas tarder.

De fait, la pauvre fille était dans un état lamentable. Les vêtements en loques, le visage couvert de sang, les mains à vif, et une jambe cassée, elle respirait à peine, plongée dans un coma fort inquiétant.

Deux religieuses entreprirent de la déshabiller avec l'aide de Damien qui cherchait à évaluer l'importance des lésions. Saint-Véran, alerté, vint jeter un coup d'œil avant de quitter l'hôpital. Il était habillé de gris clair, toujours très élégant, son chapeau taupé et ses gants blancs à la main. Il ajusta son lorgnon et, restant à distance pour ne pas se souiller, il observa un instant l'angoissant spectacle. La jambe, surtout, était dans un triste état. Elle faisait, avec l'axe de la cuisse, un angle qui ne laissait aucun doute sur la gravité de la fracture, et la peau du mollet était lacérée. Les muscles blessés saignaient dans les déchirures des bas brodés.

Saint-Véran fit la grimace.

— Voilà une amputation à faire, mon pauvre La Verle. Le plus tôt sera le mieux. Je vous autorise à utiliser l'éther si la demoiselle reprend connaissance. Mais, à mon avis, vous n'en aurez pas besoin...

Il salua l'équipe de garde d'un geste plein de commisération et s'en fut vers sa voiture qui, comme chaque jour, l'attendait à cette heure-là.

Damien aimait ce travail en liberté qui commençait avec le départ du patron. L'hôpital lui appartenait. Il avait à ses côtés un jeune interne de première année, avide d'apprendre, et respectueux de son aîné, malgré leur faible différence d'âge. Ils formaient ensemble une équipe efficace et sympathique.

Les religieuses lavaient à grande eau les plaies de l'accidentée, et les dégâts devenaient moins impressionnants. Elle commençait à se réveiller, et gémissait doucement. La jambe paraissait moins abîmée qu'ils l'avaient cru à l'arrivée. Les plaies étaient nombreuses, étendues, mais superficielles et ne communiquaient pas forcément avec le foyer de fracture.

Damien saisit la jambe, mais la jeune fille poussa un cri qui prouva qu'elle avait bien récupéré ses sens. Il fallait donc utiliser l'anesthésie.

L'interne alla chercher le flacon d'éther, tandis que Damien essayait de calmer la jeune fille par des paroles rassurantes. Elle secouait la tête.

— Laissez-moi, disait-elle, laissez-moi, j'ai trop mal...

— Ce que nous allons faire vous soulagera, mademoiselle, n'ayez pas peur...

Elle ouvrit les yeux et fixa Damien. Puis, se dressant légèrement, elle regarda sa jambe, et se laissa retomber en arrière.

— Mon Dieu, ma jambe... Regardant Damien à nouveau, elle demanda : Vous n'allez pas la couper, n'est-ce pas ?

La jeune chirurgien n'osait pas répondre. Elle répéta sa question. Il murmura :

— Je vais faire tout ce qui sera en mon pouvoir pour conserver votre jambe, mademoiselle, je vous le promets. Mais il faut que je vous endorme quelques minutes. Soyez calme, et tout ira bien.

Normalement, l'amputation de ce membre déchiqueté ne se discutait pas. Le risque d'une gangrène mortelle ne pouvait pas être pris. Mais, avant de se décider, Damien voulait voir, une fois les os remis en place, l'importance réelle des dégâts. La patiente anesthésiée, il choisirait : le traitement de la fracture ou l'amputation. Mais il ne tint pas à lui donner toutes ces explications. Il fallait faire vite.

Une éponge imbibée d'éther appliquée sur la bouche et le nez, la jeune fille commença à se débattre et à tousser. Damien maudissait son patron de n'avoir pas voulu encore acquérir l'un de ces masques dont il existait maintenant de nombreux modèles, et qui permettaient une anesthésie plus facile. « Attendons de savoir quel est le meilleur, disait-il, nous avons le temps ! »

Mais la jeune fille finit de se débattre, et se relâcha enfin. Damien confia l'éponge à l'interne pour s'occuper de la jambe. Il la remit délicatement dans le bon axe, en sentant les fragments osseux qui se déplaçaient sous ses mains. Mais un chevauchement important persistait.

— Tenez la cuisse. Je vais tirer sur la jambe.

Les deux religieuses, habituées à ce genre de manœuvre, se mirent de chaque côté de la patiente pour la maintenir avec fermeté. Damien accentuait progressivement sa traction en variant l'orientation du pied. Soudain un ressaut brutal vint traduire le retour en place des deux fragments. La jambe, tout à coup, avait repris une forme normale. La plus jeune des deux religieuses fit une grimace, comme si elle avait ressenti une douleur.

Damien sourit. L'interne, admiratif, s'exclama :

— Bravo, tu l'as eue !

— Tu connais la phrase célèbre d'Ambroise Paré : « On cognoist l'os y estre mis, quand entrant dans sa boîte, il fait un bruit sonnant clocq. »

Le vieux maître, qui était seul, au XVIe siècle, à écrire ses traités en français, avait un langage imagé qui faisait la joie des étudiants.

Damien entreprit de laver avec de l'eau tiède la jambe débarrassée des lambeaux de bas. La peau était très abîmée, mais les plaies semblaient superficielles.

— Je crois qu'on peut éviter l'amputation, murmura-t-il, comme pour lui-même.

— Comme ce serait bien, dit la jeune religieuse qui le regardait avec une admiration non dissimulée.

— Taisez-vous, ma sœur, intervint la plus âgée qui avait surpris le regard osé de sa cadette.

Damien ne voyait rien de ce manège, trop occupé à prendre une décision qu'il savait contraire aux directives de son patron. Il hésita encore un instant, puis se décida.

— Tenez-la bien encore un moment, je vais chercher une attelle.

Il fouilla dans une grande armoire qui semblait receler tout l'attirail d'un tortionnaire, tant il y avait de chaînes, de cordes et de poulies. Il en sortit une longue planche plus large à une extrémité, et il la fit glisser sous sa patiente. Avec une sangle, il la lui fixa à la taille. L'extrémité étroite allait jusqu'au-delà du pied. Il y fixa une autre sangle qu'il fit passer autour de la cheville, et la mit en traction. Ainsi la fracture était-elle étirée entre la cheville et la ceinture par les lanières dont on pouvait régler la position.

L'interne suivait cette installation avec un intérêt tel qu'il avait relâché sa surveillance. La jeune fille commença à s'agiter.

— Elle se réveille, je remets de l'éther ?

— Non, ce n'est plus nécessaire, elle ne va plus souffrir autant maintenant que sa fracture est immobilisée.

De fait, la blessée se redressa sur les coudes, et regarda sa jambe. À peine émergée des vapeurs d'éther, elle comprenait mal ce qui s'était passé. Damien, sans perdre de temps, continuait à appareiller la fracture.

— Je vais chercher le cérat, décréta la religieuse.

— Non, ma sœur, ce n'est pas la peine. Je ne vais pas mettre d'onguent, donnez-moi de l'eau de Javel.

— De l'eau de Javel ? Ce n'est pas ce que fait le patron !

La vieille religieuse était à Sainte-Marthe depuis des années, et elle vouait à Saint-Véran une admiration et un dévouement sans bornes.

Désobéir lui paraissait au-dessus de ses forces. L'attitude du jeune assistant la scandalisait. Elle savait, comme tout le monde dans le service, qu'il prétendait prévenir l'infection par ce liquide malodorant, et voilà maintenant qu'il voulait l'utiliser dans les plaies... Que dirait le patron ?

Damien mouilla de la charpie avec le liquide verdâtre et l'étala sur les pertes de substances cutanées. Puis il installa par-dessus des plumasseaux bien épais. Enfin, avec des bandages, il solidarisa le pansement et l'attelle de bois, fixant ainsi solidement le foyer de fracture. Quand ce fut terminé, il attira la religieuse à l'écart.

— Ma sœur, n'ayez aucune inquiétude. Demain matin, j'irai voir le patron et je lui expliquerai ce que j'ai fait. Vous pourrez ensuite faire votre rapport tout à votre aise.

Sœur Éléonore était infirmière principale et elle accueillait la première, chaque matin, le patron dans son bureau. Elle lui enlevait la veste de son habit, lui passait la vieille redingote noire qu'il gardait pour l'hôpital, et lui nouait son tablier. Elle profitait de ce moment privilégié pour l'informer de ce qui s'était passé dans le service depuis la veille. Cette prérogative lui donnait, auprès du personnel, religieux et laïc, une autorité incontestée.

Lorsqu'elle entendit Damien frapper à la porte du bureau, quelques minutes à peine après l'arrivée du professeur de Saint-Véran, elle ressentit cette intrusion comme une entorse de plus au rite traditionnel, et sa haine envers ce garçon s'accentua encore.

D'une politesse irréprochable, Damien salua la religieuse et son patron, puis entra immédiatement dans le vif du sujet. Il expliqua qu'il n'avait pas amputé cette jambe car, une fois nettoyées, les lésions étaient apparues moindres que prévues. Saint-Véran, rusé, devina ce qui s'était passé, et reprit le contrôle de la conversation.

— Vous vous étiez passé les mains à l'eau de Javel, je suppose ?

— Oui monsieur, je le fais toujours.

— Et vous pensez ainsi faire échapper cette jeune fille à la gangrène ?

— Je l'espère.

Le patron avait parlé jusque-là sans regarder Damien. Il lui tournait le dos pendant que la religieuse lui fixait la pointe du tablier au bouton de son gilet. Il laissa passer un instant, puis se retourna vers son élève et marcha vers lui.

— Écoutez-moi bien, La Verle. Vous vous occuperez seul de cette blessée. Vous avez pris la responsabilité de la traiter à votre manière. Continuez. Mais je vous préviens, si jamais la gangrène s'en mêle, et si le malheur veut que nous perdions cette patiente, vous quitterez l'hôpital. C'est bien entendu ?

Damien avait la gorge sèche.

— Oui, monsieur.

— Allez commencer la visite, je vous rejoins.

Le jeune homme s'en fut d'un pas mécanique, laissant la religieuse raconter qu'elle avait tout fait pour éviter une désobéissance aussi caractérisée.

Dans le couloir, un homme marchait de long en large, attendant visiblement de parler au chef de service. Il avait une quarantaine d'années, des cheveux et une barbe noirs sur un visage carré, barré par des lunettes cerclées de fer.

Quelques instants plus tard, alors que Damien était près d'un malade, le patron vint le retrouver.

— M. Maréchal, le père de votre opérée, est devant la porte. Il veut des nouvelles de sa fille. Allez lui en donner.

— Bien, monsieur.

Damien quitta la salle et s'approcha du visiteur dont le visage traduisait une anxiété profonde.

— Docteur de La Verle ?

— Oui.

— Je viens de parler avec le professeur de Saint-Véran, et il m'a dit ce qui s'était passé hier.

Il y avait eu, dans sa voix, comme un sanglot. Son émotion lui imposait de faire un effort pour se contrôler. Après une seconde, il continua :

— Je dois dire que je n'ai pas aimé ce qu'il m'a dit. Je comprends que vous ayez essayé de conserver la jambe de ma fille. Et je vous en remercie. Il baissa la tête, semblant hésiter, puis il se décida : S'il fallait en arriver là, si vous deviez lui couper la jambe, je vous autorise à le faire sans me demander mon avis. Mais si elle peut échapper à cette solution extrême, grâce à vos soins, je vous en serai reconnaissant... ma vie durant !

Sans pouvoir parler davantage, il se détourna et partit à grands pas.

Ému, Damien le regarda s'en aller. Dans le couloir arrivait la jeune religieuse qui était de garde la veille.

— Bonjour, sœur Jeanne, avez-vous vu notre blessée, ce matin ?

— Oui, elle va très bien, elle vous réclame.

— Dites-lui que je viendrai la voir en début d'après-midi pour lui refaire son pansement. Vous voudrez bien m'aider ?

— Avec plaisir, docteur de La Verle.

Elle était consciente de l'opposition qui s'était déclarée entre le patron et sa supérieure contre le jeune chirurgien, et, solidarité de l'âge oblige, elle avait pris parti, sans le dire, pour lui et la jeune blessée.

C'est ainsi qu'à partir de ce jour, chaque après-midi, ils se retrouvèrent au chevet de Thérèse Maréchal qui attendait ce moment avec un mélange de crainte et d'impatience. La crainte de souffrir, car les soins étaient douloureux, et l'impatience de savoir si les progrès de la cicatrisation persistaient. Elle n'avait jamais su l'enjeu de cette évolution. Elle pensait, dès le premier jour, que sa jambe était sauvée, et elle avait raison. Mais elle ignorait l'angoisse de son opérateur et les risques qu'il avait pris en tentant ce sauvetage.

Thérèse était étudiante et voulait devenir professeur, comme son père. Elles étaient très peu de filles à l'École normale dans un domaine qui restait, comme tant d'autres, quasi exclusivement masculin. Mais l'enseignement était sa seule vocation. Quand elle en parlait, ses yeux noisette brillaient d'un éclat inhabituel. En fait, elle avait un esprit curieux et s'intéressait à mille choses. À l'hôpital, elle connaissait toutes les religieuses et savait les moindres potins de cette grande famille qu'est un service de chirurgie. Sœur Jeanne venait bavarder avec elle dès qu'elle en avait le temps, et elles riaient ensemble comme des petites filles.

Damien évitait de s'attarder trop, pour ne pas faire jaser. Chaque jour il déroulait les bandes, vérifiait la traction des sangles et l'état de la peau aux points de fixation. Il enlevait la charpie et en remettait aux endroits ouverts. Il avait remarqué que l'eau de Javel irritait certaines zones cutanées et il avait augmenté la dilution. Les plaies restaient propres. Sa technique triomphait, mais le patron semblait n'y attacher aucune importance. Jamais il n'allait jusqu'au lit de la jeune fille, et il faisait comme si elle n'existait pas. Damien aurait tant aimé recevoir un compliment. Il devait se contenter des sourires de sa patiente, et, heureusement, elle n'en était pas avare.

M. Maréchal venait souvent s'enquérir de l'état de la cicatrisation. C'était un homme intelligent, il avait parfaitement compris ce qui opposait le maître et l'élève. S'il n'était pas compétent pour porter un jugement sur le bien-fondé des méthodes chirurgicales en général, dans le cas particulier de sa fille, il savait que c'était grâce à l'entêtement de ce jeune garçon qu'elle avait conservé sa jambe, et il ne cherchait pas plus loin. Mais il s'était fait une opinion sur le conservatisme des vieux patrons.

Un soir, il invita Damien à dîner. Ils allèrent ensemble, en célibataires, au café Procope où le petit monde universitaire avait coutume de se retrouver. Il raconta à son jeune invité qu'il vivait seul avec sa fille depuis la mort de son épouse. Elle était sa joie de vivre, et il l'aiderait à faire une carrière qui s'annonçait brillante. De son côté, il travaillait à la Sorbonne et à Normale Supérieure où il enseignait les lettres contemporaines. Il collaborait aussi à quelques journaux, sous des pseudonymes, et Damien comprit vite qu'il n'était guère favorable au gouvernement de Louis-Philippe.

— Nous sommes dans la même situation qu'en 1789, disait-il. Les récoltes ont été catastrophiques, les pommes de terre sont malades, et les gens vont mourir de faim cet hiver. Le chômage augmente, les chantiers de chemin de fer s'arrêtent faute de crédit, les ouvriers commencent à s'impatienter, et ils ont raison. La marmite approche de l'ébullition. Ils vont faire sauter le couvercle si cette bande d'incapables ne réagit pas.

Damien ne suivait la politique que de loin. Ses études le passionnaient et lui prenaient tout son temps. Il n'aimait pas se mêler aux groupes d'étudiants qui refaisaient le monde autour des bouteilles d'absinthe. Devant la multitude des factions qui s'affrontaient, il n'avait guère de position très argumentée, et ses idées reflétaient bien celles de l'opinion publique en général : mécontentement certes, mais crainte du désordre.

Maréchal, lui, était un républicain, et un vrai. Il n'allait pas tarder à le faire savoir haut et fort.

Charles de Malmort était légitimiste et préparait aussi la chute des Orléans. Il rêvait d'une restauration de la branche aînée des Bourbons et militait dans ce but. Il fréquentait l'hôpital de la Charité où il travaillait le matin, mais il n'exerçait pas au-dehors. Il habitait l'hôtel des Malmort, dans le faubourg Saint-Germain, avec sa tante Estelle qui aigrissait doucement dans sa méchanceté. Il allait voir régulièrement sa mère, retirée au couvent de la rue Saint-Sulpice, et qui, au contraire, n'était que douceur. Sereine, elle vivait au milieu de ses souvenirs, aidait les religieuses dans leurs bonnes œuvres, et remerciait le Ciel de lui conserver une santé intacte depuis bientôt trois quarts de siècle. Elle lisait, brodait, recevait ses vieilles amies ; mais leur nombre diminuait, petit à petit, et elle ne sortait plus que pour les enterrements.

— Quand te marieras-tu ? demandait-elle à son fils. J'aurais des petits-enfants et tu me les confierais. Cela me changerait de la compagnie de ces vieilles bigotes qui sont tout mon univers.

Charles n'osait pas lui dire qu'il était l'homme d'un seul amour, et qu'il attendait des nouvelles de celle qu'il aimait pour aller la retrouver et l'épouser.

CHAPITRE IV

Damien, Thérèse et Auguste Maréchal descendirent de leur wagon de première classe du Paris-Rouen-Le Havre en gare de Verneuil-sur-Avre, le samedi matin 20 septembre 1847. On allait présenter la fiancée à la famille La Verle.

Clément les attendait à la gare avec son cabriolet jaune paille, dont les superbes chevaux bais témoignaient de sa réussite sociale. Sa haute taille et son embonpoint encore accentué lui donnaient une prestance royale. Ses favoris poivre et sel complétaient sa ressemblance avec le roi des Français. Ils partirent au trot sur la route de Mortagne, traversant le bocage verdoyant, vers Linville où se trouvait la maison natale des Dupont de l'Avre.

C'était une petite gentilhommière aux murs à colombages et au toit d'ardoises, posée sur une prairie qui descendait en pente douce jusqu'à la rivière. Sur l'autre rive, commençaient les bois que Clément exploitait avec l'oncle Édouard. Marthe de La Verle vint les accueillir sur le vaste perron.

Le cidre doux était servi sous la tonnelle, et l'éclat d'un chaud soleil d'arrière-saison mit les cœurs en joie. Au déjeuner on avait invité tous les Dupont du voisinage, et chacun venait voir ce qu'était devenu « le petit ». On disait aussi « le Parisien » tant il s'était peu intégré à la vie locale, au contraire de son père qui, pour avoir été élevé à Paris, était devenu plus normand que les natifs du pays. Il était conseiller municipal de Linville, et serait maire, à coup sûr, quand le titulaire actuel de cette fonction aurait renoncé.

Parmi les invités, il y avait l'homme célèbre du lieu, le vieux Jacques-Charles Dupont, plus connu sous le nom de Dupont de l'Eure, ancien garde des Sceaux, et député de la circonscription depuis 1812 ! Âgé de quatre-vingts ans, il avait encore le verbe vif, et son œil se fit charmeur pour saluer la fiancée. Il fut vite accaparé par Auguste Maréchal, et on les vit longtemps discuter avec passion. Leur accord était évident !

Marthe avait fait honneur à sa réputation de grande cuisinière, et la crème fraîche avait coulé à flot sur des volailles élevées à la ferme voisine et des poissons pêchés dans l'Avre la nuit précédente.

Le soleil déclinait derrière les collines quand les invités s'en furent, après de multiples baisers aux « promis ». Clément entraîna son fils dans une courte promenade autour de la maison, pendant que Marthe présidait à l'organisation du souper, et que les Maréchal prenaient possession de leurs chambres.

Damien avait trouvé son père fatigué. Quand il ne jouait pas son rôle de maître de maison jovial, ses traits s'affaissaient, et sa bouche dessinait une moue triste.

— Ce métier m'épuise, expliqua-t-il. Il y a vingt ans, quand je me suis installé, j'étais le sauveur. Avant moi, les malades n'avaient recours qu'aux colporteurs de drogues miracles, et aux bateleurs de marché. Mon arrivée ici a été ressentie comme un miracle. Et c'est vrai que j'en ai sauvé des gens de ce pays ! On me respectait et on m'appelait pour les cas graves. Maintenant mes paysans sont devenus riches et exigeants. À tout propos, ils me demandent d'appeler le « vrai » médecin d'Évreux.

Ils marchaient le long d'un pâturage, dans un chemin bordé de ronciers où les sombres mûres sauvages mettaient leur note odorante et colorée. Clément s'arrêtait souvent de parler pour reprendre son souffle.

— Combien de fois me suis-je souvenu des paroles de mon père, qui me reprochait de ne pas aller jusqu'au doctorat ! Mais à cette époque, un officier de santé était bien suffisant ici... Et puis, il y avait tant de verbiage inutile dans les études... Je crois que maintenant c'est différent. Si c'était à refaire, je serais médecin. Il s'arrêta et mit sa main sur l'épaule de son fils : Tu ne sais pas le pire. Ceux qui me discutent le plus, font confiance, dans mon dos, aux pires des charlatans.

— Je pensais qu'avec la loi de Ventôse, ils avaient disparu, ceux-là.

— C'était en 1803 ! On croyait qu'il suffisait de faire une loi, pour que seuls, les diplômés puissent exercer la médecine ! Quelle blague ! Des illégaux, il y en a plein le bocage.

— Et la justice ?

— J'ai porté plainte ! Le tribunal a dit qu'il ne fallait pas décourager les bonnes volontés, et qu'un homme qui se dévoue pour la santé de ses contemporains, surtout s'il n'est pas médecin, doit être encouragé plutôt que blâmé ! Quand les choses vont vraiment mal, ils reviennent me chercher. Ils me disent qu'ils ont eu tort, qu'ils n'y croyaient pas. Mais publiquement ils se taisent. Les hommes n'aiment pas avouer qu'ils se sont conduits comme des imbéciles...

— Pourquoi ne cesses-tu pas ce métier ? Tu n'en as pas besoin pour vivre !

Le gros homme marchait la tête basse.

— Parce qu'il n'y a personne d'autre ici. J'ai demandé un successeur ; mais la tâche est trop dure, il n'y a pas de volontaire. En attendant, il faut bien continuer. Imagine que je décide de ne plus travailler. Si on vient me chercher la nuit pour un accouchement difficile, que dois-je faire ? Rester dans mon lit ? Et si cela se passe mal ? Tu crois que je pourrais encore marcher la tête haute ?

— Reviens à Paris.

— Non, ma vie est ici. Mais ils me tueront. Tu sais, parfois j'ai mal dans la poitrine...

Il serrait son gilet à pleine main, avec une grimace douloureuse. Mais il continuait :

— Un jour, je ferai une grosse crise et tout sera fini. On dira « il est mort à la tâche », et ils me regretteront !

Damien éclata de rire.

— Allons, tu ne crois pas que tu dramatises ? Tu ne mourras pas ainsi. Un jour, tu éclateras après avoir mangé une ventrée de morilles à la crème.

Clément se détendit.

— À propos de morilles, Marthe en a préparées pour ce soir. Rentrons.

Depuis février 1847, un projet de loi avait été déposé sur le bureau de l'Assemblée, visant à faire disparaître l'officiat de santé. Mais, pour beaucoup d'hommes politiques, ces médecins réputés « pauvres et simples » convenaient aux gens de la campagne, pauvres et simples également. Quant aux médecins titrés, ils trouvaient commode aussi d'avoir, en première ligne, ces sous-fifres qui couraient la campagne à leur place. Au total, si peu satisfaisante que fût cette situation, elle convenait à trop de gens pour qu'on veuille la changer. Et puis, de discussion en discussion, les orateurs avaient là un joli sujet pour pérorer tout à leur aise. Et ils ne s'en privaient pas.

Pendant le retour, malgré l'inconfort des wagons de bois qui brinquebalaient bruyamment sur les irrégularités des rails, Auguste Maréchal, un peu éméché, n'arrêta pas de discourir. Il exprimait, avec sa véhémence habituelle, ses critiques sur un système politique qu'il jugeait dépassé, et ses inquiétudes pour l'avenir. Thérèse et Damien se tenaient par la main, écoutant poliment l'incorrigible bavard. Heureusement, ils étaient seuls dans leur compartiment.

— Tout cela ne peut pas durer, il y a trop de mécontents partout. Je me souviens d'un article de Mme de Girardin dans *La Presse* du mois dernier. Elle concluait : « Nous sommes à la veille de grands événements, tout cela ne peut finir que par une révolution. »

— Pourtant, répliquait Damien, mon patron, qui est très proche de la cour, vous le savez, prétend qu'il n'y a qu'une agitation de surface, et que le peuple, au fond, est heureux ainsi et n'aspire qu'à la paix.

— Je reconnais que la politique extérieure de la France est actuellement appréciée de tous. C'est indéniable. Mais Guizot se leurre sur ce qui se passe dans la population. Il gouverne depuis trop longtemps, il est coupé de l'opinion publique.

Damien et Thérèse échangeaient de longs regards chargés de tendresse. Auguste Maréchal avait enlevé ses lunettes et il ne voyait le jeune couple que dans un brouillard. En revanche, ce qui était très clair pour lui, c'était la vision qu'il avait de l'avenir proche.

— Ils n'entendent pas le grondement de cette classe ouvrière ; elle n'existait pas autrefois, et vit dans des conditions misérables. Les employeurs, eux, le savent. Mais ce sont ces bourgeois industriels qui trafiquent dans les antichambres du pouvoir, et s'enrichissent en silence. Ils n'ont pas intérêt à attirer l'attention sur ceux qui travaillent pour eux quinze heures par jour. Vous connaissez les rapports du vieux Villermé...

— Oui, c'était un ami de mon grand-père, ils s'étaient connus à la Société d'Émulation créée par Bichat. Il m'a raconté ses enquêtes sur le travail des enfants. C'était un homme remarquable. Quand il était chirurgien, il avait décrit aussi une opération sur les os du pied.

— Ses études sur la condition ouvrière sont accablantes. Vous devriez les lire. Cela ne pourra pas continuer ainsi, Damien, soyez-en convaincu ! On ne peut pas payer un homme deux francs, une femme un franc, et un petit enfant dix sous pour une journée harassante, c'est inhumain ! Lisez Proudhon, Louis Blanc, Cabet...

— Oh ! ceux-là, si on les écoutait... Ils se critiquent tellement entre eux, qui faut-il croire ?

— C'est vrai qu'aujourd'hui ils sont trop passionnés pour s'entendre. Mais un jour ils se mettront d'accord pour tout casser, et ce jour-là, ce sera trop tard pour se plaindre.

Il s'énervait. L'apathie générale le mettait hors de lui. Il aspirait à un régime républicain qui apporterait une immense réforme sociale. Mais, dans le fond de son cœur, sans trop oser le dire, il redoutait les drames qui le mettraient au pouvoir.

— Même des médecins sont scandalisés par l'état des ouvriers. Tenez, prenez Raspail, qui les soigne gratuitement...

— Raspail ! Parlons-en. C'est un danger public cet homme-là. Il n'est même pas médecin, mais il donne des consultations et publie des livres sur le traitement des maladies. Il a des lubies. Un jour il soigne tout le monde au camphre, une autre fois c'est du « fil en six ». Je ne sais pas ce qu'il vaut en politique, mais en médecine, c'est une catastrophe !

Déçu, Auguste Maréchal se tut un moment. Damien se reprochait sa vivacité. Mais pour une fois qu'il connaissait vraiment un homme politique...

Il relança la conversation.

— Vous écrivez toujours dans *Le National* ?

— Oui, mais sous un pseudonyme, Spartacus.

Il boudait toujours. Damien fit encore un effort.

— Vous avez lu l'*Histoire des girondins*, de Lamartine ?

— Bien sûr, c'est une œuvre essentielle. C'est un auteur qui devient de plus en plus républicain, vous savez. Vous verrez, nous y arriverons.

Tandis que les jeunes gens contemplaient le paysage qui défilait à près de cinquante kilomètres à l'heure, Auguste Maréchal reprit son plaidoyer pour cette république que réclamaient à grands cris Ledru-Rollin, Blanqui, Louis Blanc. Il raconta l'histoire des sociétés secrètes qui se multipliaient dans Paris, les étudiants qui voulaient former une véritable armée révolutionnaire, la Garde nationale qui tournait casaque, George Sand qui prônait l'union libre... Et la campagne des banquets qui commençait...

Il faisait nuit quand ils arrivèrent gare Saint-Lazare.

— Je suis ravi de connaître vos parents, Damien. Nous n'avons pas les mêmes idées, mais ce sont de braves gens, et je crois que Thérèse leur a plu.

À qui n'aurait-elle pas plu ? Elle n'était que douceur et intelligence. Elle avait pris des couleurs et son léger hâle allait bien avec ses yeux noisette. Des escarbilles piquetaient de noir sa capeline blanche et la mousseline qu'elle avait nouée sous son menton. Damien brûlait de l'épouser ; mais il fallait attendre. Le mariage serait célébré dès qu'il aurait une fonction officielle convenablement rétribuée.

Le concours pour le poste de chirurgien de seconde classe précédait celui de chirurgien des hôpitaux. C'était l'étape obligatoire. Damien s'y préparait.

Les épreuves devaient avoir lieu dans les premières semaines de janvier. Mais le plus important, c'était le tirage du jury. Quand on connaissait les patrons désignés par le sort, on savait, à peu de choses près, qui serait nommé. La chance voulut que Saint-Véran fût tiré, et tout le monde félicita Damien.

Au début tout se passa bien. Les candidats étaient de bon niveau mais Damien, malgré son jeune âge, avait toutes ses chances. Bien qu'il fût rare d'être nommé la première fois, il avait bon espoir. La dernière épreuve était déterminante. Chacun devait réaliser une intervention sur le cadavre devant les membres du jury. L'atmosphère était tendue. Les pronostiqueurs mettaient Damien dans le peloton de tête, et il commençait à y croire.

L'annonce des résultats lui fit l'effet d'une douche froide. Il était recalé. En soi, cet échec n'avait guère d'importance, puisqu'il avait trois années pour présenter ce concours. Mais tirer son propre patron, celui chez lequel on travaille, et qui n'a pas d'autre candidat, c'est une chance qui se retrouve rarement deux fois ! Que s'était-il passé ?

Le lendemain matin, Saint-Véran le fit appeler. Damien assista à la séance du tablier avec sœur Éléonore, et le patron attendit que la religieuse fût partie. Celle-ci, comme par hasard, avait de multiples questions à poser, plus inutiles les unes que les autres. Enfin elle s'en fut, non sans décocher, par en dessous, un sourire ironique à sa victime. Une fois la porte refermée, Saint-Véran entama le texte qu'il avait manifestement préparé avec soin.

— Mon cher La Verle, je suis désolé, mais je n'ai rien pu faire. Pourtant vous avez bien concouru, c'est vrai. Mais les autres aussi, il faut le reconnaître. Bref il a été difficile de vous départager. Moi, je vous ai soutenu, cela va de soi. Mais on m'a fait des objections...

— C'est-à-dire ?

Damien était crispé, et sa voix avait eu une intonation métallique qu'il ne se connaissait pas.

— D'abord votre âge. Votre nomination n'est pas une urgence. Et puis... Il faisait une drôle de grimace en secouant la tête : On m'a dit que vous étiez fiancé à la fille Maréchal. C'est vrai ?

— Oui. Mais cela n'a rien à voir avec le concours.

— Dans une partic aussi serrée, vous savez, tout entre en ligne de compte. Or, voyez-vous, le père de cette jeune fille est un homme dangereux. Il est connu dans l'Université comme un agitateur, un révolutionnaire notoire. Et les membres du jury se sont demandé si vous n'aviez pas les mêmes idées que lui.

— Enfin, monsieur, vous savez bien que je ne fais pas de politique...

— C'est ce que j'ai dit. Du moins pour autant que je sache... Mais si cet homme vous promet sa fille... on est en droit de se demander...

Damien avait la nausée. Il remercia son patron de lui avoir donné ces informations, et se retira. À l'évidence c'était lui, Saint-Véran, qui avait motivé cet échec. Il ne lui avait sûrement pas pardonné l'histoire de la fracture de jambe. Les opinions politiques du père Maréchal arrivaient à point nommé pour justifier son attitude, mais la haine de cet homme venait de plus loin.

Son maître Roux le consola et lui promit de s'occuper personnellement de son cas dans les concours à venir. Mais, depuis l'histoire du clinicat manqué, Damien se méfiait des promesses du vieil homme dont la santé continuait de décliner.

Les dents serrées, il reprit son travail. Il se lavait les mains moins ostensiblement, et ne participait plus jamais à aucune discussion politique.

— Ce n'est pas très glorieux, disait-il à Thérèse, mais c'est vrai qu'il faut que je passe ce concours. Quand je serai au Bureau central je me vengerai, je te le jure. Mais il faut y arriver.

Les événements se chargèrent de faire tourner la roue. Comme l'avait prévu Auguste Maréchal, l'explosion eut lieu en février 1848. Aux cris de « Vive la Réforme », les ouvriers renversèrent un régime qui s'avéra complètement vermoulu. La famille royale prit le chemin de l'exil comme elle en avait l'habitude, et un gouvernement provisoire fut proclamé. Lamartine, Ledru-Rollin, Arago, Louis Blanc, d'autres encore, et Dupont de l'Eure à la présidence ! La République était installée !

À l'hôpital, le lendemain de sa proclamation, la visite commença comme à l'accoutumée. Saint-Véran était impassible. Mais, arrivés dans le couloir, ils butèrent sur l'équipe de médecine, avec, à sa tête, Antoine Verdier, le patron, qui ne pouvait pas supporter Saint-Véran. Il en profita.

— Alors, cher ami, les nouvelles ne sont pas bonnes.

— Régime de transition, rétorqua Saint-Véran, très à l'aise. Il se dévoreront entre eux avant peu. Il ne nous reste plus qu'à attendre Thermidor...

Le raccourci était intéressant !

Mais Verdier aussi avait de la répartie :

— Pourvu que d'ici là, la Terreur ne soit pas trop douloureuse pour les ci-devant. Vous avez entendu ce qu'ils crient : « Guillotine, guillotine... »

Damien attendait ce moment. D'une petite voix anodine, il intervint :

— Non, je ne pense pas qu'il y aura des drames. Dupont de l'Eure est un excellent ami de ma famille, je le connais depuis toujours, ce n'est pas un homme à instituer la Terreur. Nous en parlions il y a quelques semaines, lors de mes fiançailles, et je peux vous assurer que c'est un homme qui saura maintenir l'ordre.

Tout le monde s'était tourné vers lui. On connaissait l'histoire de son échec au concours, et l'explication qui en avait été donnée. Aujourd'hui, Auguste Maréchal était dans les coulisses du pouvoir, on le savait aussi ! Le temps de la vengeance n'était-il pas venu ?

Damien tourna la tête vers son patron et lui fit un large sourire. L'autre eut un rictus gêné.

— Reprenons la visite, articula-t-il avec difficulté.

Verdier fit un clin d'œil à Damien et lui tapa sur l'épaule au passage.

Maréchal débordait d'activité. On lui avait offert une chronique au *Siècle*. Chaque jour il trempait sa plume dans le vinaigre pour stigmatiser les séquelles d'une gestion sociale déplorable et vanter les conquêtes des temps nouveaux : le suffrage universel, le droit au travail, l'enseignement gratuit... L'euphorie était à son comble.

Damien, pour la première fois de sa vie, se passionnait pour la politique. Quand il dînait chez les Maréchal, il rencontrait parfois les acteurs de cette époque haute en couleur. Mais il continuait aussi à préparer ses concours. Une nouvelle session était prévue pour octobre. Le tirage du jury lui était défavorable puisqu'il n'y connaissait personne. Mais le père Roux veillait au grain, et il rassura son jeune élève :

— C'est un jury que je tiens dans le creux de la main. Soyez confiant ! Et il ajouta, avec un petit sourire en coin : Et puis, on sait qui vous êtes !

Damien n'avait, a priori, aucun espoir raisonnable. De plus ses épreuves furent plutôt médiocres. Malgré cela, le 23 octobre 1848, Damien de La Verle était nommé chirurgien de seconde classe à l'Hôtel-Dieu de Paris ! À la proclamation des résultats, il n'en croyait pas ses oreilles.

Auguste Maréchal le félicita et lui murmura :

— Moi, je le savais avant les épreuves !

Paradoxalement, Damien était déçu. Ce régime pur et dur qui parlait du droit des travailleurs avec des sanglots dans la voix, serait-il aussi corrompu que les autres ? Faudrait-il faire sa cour pour grimper les échelons ?

Heureusement, son amertume fut de courte durée. Damien quitta l'hôpital Sainte-Marthe sans regret, et les adieux à M. de Saint-Véran ne firent pleurer personne. Les apparences furent sauves. Damien fut reçu dans le bureau du patron devant les médecins du service, et l'on sabra le champagne. À vrai dire, tout le monde était ravi de cette séparation, et la satisfaction générale n'était pas feinte ! Même sœur Éléonore y alla de sa petite phrase.

— J'ai prié le Seigneur, mon cher fils, pour que vos mérites soient récompensés.

« Le Seigneur a dû mal interpréter vos prières », pensa Damien avec un sourire angélique.

Mais il était écrit que cette année 1848 n'avait pas fini de bouleverser la vie de Damien. Le 5 décembre, son père mourut d'une crise cardiaque au chevet d'une de ses patientes, lors d'un accouchement difficile.

On était venu le chercher dans la nuit, et il était parti, à peine habillé, dans la charrette du paysan. Il avait dû grimper jusqu'à la ferme, dans le vent froid, et sa vieille douleur lui avait serré la poitrine, sans qu'il s'en soucie. Arrivé dans la grande salle il avait trouvé les vieilles de la famille, rangées en rond devant la cheminée. Dans la chambre où la parturiente gémissait, la sage-femme l'attendait. Le travail durait depuis des heures, et la tête n'avançait plus. Il fallait y mettre les fers.

Clément besogna un long moment. Il avait horreur de ces manœuvres brutales et dangereuses pour l'enfant. Combien en avait-il vu, dans les campagnes, des gamins arriérés qui portaient, au front, la marque de ces accouchements acrobatiques !

Alors qu'il assurait sa prise avec l'angoisse habituelle, il éprouva dans sa poitrine une douleur plus vive encore qui devint vite insupportable. Mais l'enfant venait. Crispé sur le manche des « cuillères », il sentit qu'il n'avait plus la force de tirer.

— Aidez-moi, demanda-t-il à la sage-femme.

— Mais je ne sais pas faire, docteur, ce n'est pas à moi...

Clément s'affaissa sur les genoux. Il murmura :

— Tirez, je vous en prie, tirez-le...

La grosse femme s'approcha, prit les forceps des mains du médecin sans en changer la position et, lentement, réussit à sortir l'enfant.

— Le voilà. Mon Dieu qu'il est gros, on comprend qu'il ait eu du mal à passer. Regardez, docteur, comme il est beau.

Le cordon n'était pas encore coupé. Elle se tourna vers le médecin, lui montrant le bébé qui commençait à brailler.

Mais Clément ne le vit pas. Il était mort.

Il y avait foule, au petit cimetière de Linville pour les obsèques de celui qui avait été tant aimé et décrié à la fois. C'est la sage-femme, en larmes, qui raconta à Damien la mort de son père. Le paysan aussi, dont il avait mis le fils au monde, vint lui dire sa reconnaissance et sa tristesse. Ces gens s'exprimaient avec des mots simples, en patois le plus souvent. Mais, parmi eux, combien avaient la conscience vraiment tranquille ?

Après l'enterrement, tout le monde se retrouva à la maison, où une collation avait été préparée par Marthe, infatigable, dans sa longue robe noire, les yeux rougis par les pleurs. Le vieil Édouard disait que ce n'était pas juste de partir si jeune. C'était son tour, pas celui de Clément.

Dupont de l'Eure aussi était venu, avec son secrétaire, M. Poubelle. Il n'était resté que cent jours à la présidence du gouvernement provisoire. Il avait remis ses pouvoirs à l'Assemblée nouvellement élue, et Cavaignac lui avait succédé. Comme il l'annonçait depuis si longtemps, le vieux député était rentré en Normandie pour ne plus en repartir. Mais il ne pouvait s'empêcher de faire campagne pour l'élection du président de la République, qui devait avoir lieu dans quelques jours.

Damien trouvait étonnant de voir la politique s'infiltrer partout, même à l'enterrement de son propre père.

Près du lit, il avait trouvé les journaux que son père avait lus, avant de se coucher, pour son dernier soir. Damien les emporterait comme des reliques. C'étaient des numéros du *Courrier de l'Eure*. On y parlait du vieux Dupont et on critiquait sévèrement les mesures prises par son gouvernement. En particulier l'abolition de l'esclavage qui ruinait les colons, et la suppression de la prison pour dettes, au mépris du droit des créanciers... On y appelait à voter pour Louis-Napoléon Bonaparte. Ailleurs, on lisait : « Il est temps de prendre votre retraite, monsieur Dupont ! »

Et M. Dupont était là, au milieu de ses fervents admirateurs et amis. Ces derniers chuchotaient : « Il faut voter pour Cavaignac, l'autre est un aventurier. » Mais Cavaignac avait du sang sur les mains, il avait fait tirer sur la foule en juin et, dans les villes, personne ne l'avait oublié !

Damien resta quelques jours avec sa mère. Le notaire vint rendre visite à la famille pour parler de choses sérieuses. Heureusement tout était simple. Le défunt avait clairement exprimé ses volontés, et des dispositions avaient été prises depuis longtemps.

Le grand-père avait laissé la maison de Saint-Yé à Catherine et celle de Paris à Clément en demandant qu'elle devienne un jour la propriété de Damien. Le grand-père Dupont avait réservé aussi à son petit-fils le terrain de l'entrepôt, espérant qu'il y ferait construire un jour une belle maison.

Les revenus de la forêt permettraient à la famille de vivre confortablement. Le jour venu, la succession d'Édouard ne poserait pas non plus de problème car il ne s'était jamais marié.

Personne n'osait parler de Catherine, dont on n'avait aucune nouvelle. Elle n'avait pas pu être prévenue de la mort de son frère. Elle était comme une maladie honteuse pour la famille. Les gens jasaient. Une telle révolte, à cette époque, c'était impensable.

Damien était particulièrement triste car il savait pourquoi Catherine avait renié sa famille. Mais Clément n'y était pour rien. De toute façon, lui, il avait pardonné, Damien en avait la certitude.

L'élection de Louis-Napoléon fut triomphale. Les électeurs, par un vote massif, avait montré leur goût pour l'autorité, et peut-être pour un certain espoir de voir briller de nouveau la gloire de leur pays. On avait oublié les massacres des campagnes napoléoniennes, et on ne se souvenait que du prestige de l'Empereur.

Charles de Malmort était enchanté.

— Badinguet ne tiendra pas longtemps. Même Thiers ne se cache pas pour le dire. Le prochain président sera le comte de Chambord. Les Bourbons règneront de nouveau, mais sur une République. Ce sera le régime politique le plus accompli qu'on puisse rêver.

Les orléanistes pensaient comme lui, mais c'est le comte de Paris qu'ils voyaient à l'Élysée. Ces choix inconciliables allaient plonger les royalistes des deux bords dans une inefficacité définitive, et leur pouvoir, d'année en année, irait s'amenuisant.

Auguste Maréchal était circonspect. Il n'aimait pas Napoléon, encore moins Cavaignac. Il avait voté pour Lamartine, sans grand espoir. Le poète n'avait réuni, sur son nom, que quelques milliers de voix. Une honte ! Finalement c'était la fraction la plus modérée, et la moins « républicaine » qui se retrouvait au pouvoir. On avait eu peur des « partageux ». Le neveu de l'Empereur les rassurait.

Damien n'était pas mécontent de ce résultat. À son avis, les hommes du gouvernement s'étaient montrés si divisés et utopiques, qu'il fallait quelqu'un d'énergique pour mettre de l'ordre dans le pays. Le grand-père était resté toute sa vie bonapartiste, et le petit-fils était encore imprégné de cette ferveur. Quand on lui parlait de l'Ogre, des campagnes malheureuses, et de l'écrasement final de la France, Damien répondait que l'Empereur avait été entraîné dans unc aventure fatale par l'Angleterre, qui avait toujours refusé les frontières conquises par les soldats de l'an II.

— N'oubliez pas que les Français de cettc époque n'auraient jamais accepté de rendre la rivc gauche du Rhin. La France a trop souffert de ne pas avoir une frontière naturelle pour fermer cette route traditionnelle de toutes les invasions. Napoléon n'a rien fait d'autre que de chercher à garder ce que la Révolution lui avait confié. Et il a échoué de peu !

Les historiens confirmaient qu'en 1815, l'Angleterre était au bord de l'abandon. Épuisée financièrement, elle brûlait à Waterloo ses dernières cartouches. Il aurait suffi qu'un sursaut de courage dresse les Français une dernière fois contre l'ennemi héréditaire, pour que notre pays parvienne enfin à la sécurité qu'il attendait depuis dix siècles.

Ces prises de position firent classer Damien parmi les bonapartistes authentiques et, dès les premières fêtes données aux Tuileries, le baron et la baronne de La Verle y furent conviés. Les jeunes mariés étaient grisés par ces fastes qu'ils n'avaient jamais connus et, lorsqu'ils furent présentés au futur empereur, ils eurent la certitude que, cette fois, le grand destin qu'ils attendaient allait leur être offert.

CHAPITRE V

Noël 1854. La famille La Verle se préparait à la fête dans la vieille maison de la rue de l'Entrepôt. Thérèse et Damien s'y étaient installés dès leur mariage, cinq ans plus tôt ; ils y avaient eu deux enfants. Ils aimaient cette bâtisse désuète, isolée dans un quartier condamné par les modernisations d'Haussmann, et qui n'était séparée du quai de la Seine que par le terrain où le vieux père Dupont entreposait, autrefois, ses réserves de bois.

Ils avaient retrouvé sur place, les « enfants » Moreau, qui gardaient la maison depuis que le grand-père Benoît avait quitté Paris pour s'installer à Saint-Yé, en 1822. Le vieux Moreau, dit « N'a qu'une », depuis son opération par Benoît de La Verle en 1792, avait voué à son chirurgien, une fidélité qui n'avait jamais faibli. Il était mort en 1840, quelques années avant son grand ami. Son dernier fils, Jules, né en 1795 après l' « opération », était resté dans les lieux. Ouvrier vitrier, il s'était marié avec Hortense, une grosse picarde rencontrée à Saint-Yé, et ils avaient eu deux enfants, Clémence et Félicien. Comme leurs parents avant eux, ils habitaient le rez-de-chaussée et, à l'arrivée de Damien, ils étaient devenus les indispensables domestiques de la maison. Lui s'occupait du cheval et de la voiture, elle de la cuisine et de l'entretien. Il se chargeait aussi des petits travaux et elle, aidée par sa fille, gardait les enfants.

Édouard de La Verle était né là en 1849. Le vieil oncle de Normandie, Édouard Dupont de l'Avre, était venu à Paris pour le baptême de son filleul. Puis Élodie était née, en 1853. Elle avait les mêmes yeux noisette que sa mère, et toute la maisonnée venait l'admirer.

Entre-temps, Damien avait été nommé chirurgien des hôpitaux. Ses excellentes relations avec les Tuileries n'y étaient certes pas pour rien, et les étudiants avaient sifflé la proclamation du résultat. Ils étaient, en majorité, républicains et n'admettaient pas que le pouvoir impérial qu'ils haïssaient, intervienne dans les concours, même à bon escient. Damien était amer, car lorsqu'il avait échoué à l'assistanat en raison de ses relations républicaines, personne n'avait protesté !

Mais, au fond, peu lui importait. Il lui fallait gravir les échelons, et rien d'autre ne comptait vraiment. Cette ascension était indispensable à l'accomplissement de sa vocation, et rien ne pourrait l'empêcher. Surtout pas les états d'âme de ces gamins irresponsables et perturbés par des idées politiques irréalistes.

Son maître Roux était mort au début de l'année et Damien, fidèlement, continuait à travailler à son œuvre posthume en rédigeant les derniers chapitres de *Quarante Années de pratique chirurgicale*. Il réglait ainsi ses dernières dettes avec le vieil homme qui n'avait pourtant pas toujours eu l'efficacité souhaitable. Mais enfin, c'était la coutume !

Il assurait l'intérim à l'Hôtel-Dieu en attendant l'arrivée du successeur de Roux, Jobert de Lamballe, dont il serait le chirurgien en second. Quand un autre service se libérerait, il serait pour lui. En fait, tout le monde savait que Damien aurait prochainement le service de l'hôpital Sainte-Marthe, que Saint-Véran allait quitter pour La Charité.

Damien serait enfin un « patron » à part entière. À certains moments, il n'osait y croire. Il avait tant espéré cette promotion qui lui permettrait enfin de s'exprimer sans entraves ! Il se demandait si mère Éléonore accepterait de rester avec lui... Il y avait du règlement de compte dans l'air !

L'après-midi du 24 décembre, Thérèse décorait l'arbre de Noël avec Édouard, sans faire de bruit pour ne pas réveiller Élodie, quand Jules vint annoncer qu'un fonctionnaire des Affaires étrangères apportait un pli urgent pour Monsieur. C'était une enveloppe scellée de cire rouge, et couverte de tampons illisibles.

— On dirait une lettre de Turquie...

Mais l'écriture fit soudain bondir le cœur de Damien.

— Mon Dieu, Thérèse, je crois que c'est de Catherine.

Il brisa les sceaux, déplia la feuille couverte d'une écriture serrée, et il lut à haute voix :

« *Mon Damien,*

Ne me prends pas pour une ingrate. Ce long silence m'a punie autant que vous. Mais qu'auriez-vous dit si je vous avais demandé l'autorisation de partir en Turquie soigner les blessés de la guerre ?

Et ne crois pas que je me sois désintéressée de vous tous. Quelqu'un m'écrivait, presque chaque semaine, pour me donner des nouvelles de la famille. Avec vous, j'ai pleuré la mort de mon pauvre frère, et avec vous aussi, j'ai fêté, de loin, la naissance d'Édouard et d'Élodie. Je brûle de les connaître ainsi que l'heureuse maman, dont on me dit qu'elle est si jolie !

Je reviendrai à Paris, c'est promis, quand cette guerre affreuse sera finie.

Mais c'est à cause des combats que je t'écris aujourd'hui. Je suis à Scutari, sur la côte dalmate, à l'hôpital militaire. Je suis arrivée là, il y a quelques semaines seulement, avec un contingent d'infirmières anglaises dirigé par mon amie Florence Nightingale. Nous sommes dans un état de dénuement extrême. Les blessés et les malades sont innombrables, dans des locaux immondes, sans literie, sans matériel de cuisine, sans médicaments, sans pansements, sans médecins, ou presque...

Damien, tu as des relations, il faut que tu viennes à notre secours. Je sais que l'armée française est mieux équipée que la nôtre, et il faudrait que tu essaies d'user de ton influence pour que nous recevions un peu d'aide à Scutari. Des volontaires, médecins et infirmières, pourraient convoyer du matériel de première nécessité. Nous manquons de tout, et les hommes meurent, ici, dans des conditions inhumaines... »

Pendant que Damien lisait, Auguste Maréchal arriva, les bras chargés de cadeaux. Il prit connaissance de la lettre, et s'assit catastrophé.

— Que sommes-nous allés faire dans cette galère ! s'écria-t-il. C'est une opération de prestige, destinée à renforcer nos liens diplomatiques avec l'Angleterre, mais chacun sait bien qu'elle retournera sa veste à la première occasion. En attendant, on se bat pour défendre les musulmans contre les catholiques russes, sous prétexte de mieux garder les Lieux saints dont tout le monde se moque éperdument.

Maréchal était libre-penseur. Il parlait peu de ce sujet sensible, mais il sortait de ses gonds quand les questions religieuses prenaient un tour trop absurde.

— Mourir pour Omer Pacha ! C'est un comble.

Les troupes françaises et anglaises, alliées pour la première fois depuis Waterloo, avaient gagné la sanglante bataille de l'Alma, et venaient de mettre le siège devant Sébastopol. La chute de cette place forte, au cœur de la mer Noire, signerait la défaite de Nicolas Ier, et la fin des ambitions du tsar sur l'empire ottoman. L'Europe ne voulait pas de l'emprise russe sur la Turquie ; mais Sébastopol tenait bon !

Comme tout cela paraissait loin, vu de Paris !

Tous les opposants au régime stigmatisaient cette campagne meurtrière dont le bénéfice, en cas de victoire, n'était pas évident. En cas de défaite, ce serait une catastrophe, économique et politique. Seul Adolphe Thiers, qu'on ne pouvait pas soupçonner de sympathie pour le pouvoir en place, disait, en privé, que Napoléon III avait eu raison d'entrer dans ce conflit.

Damien maugréait.

— En attendant, cette folle de Catherine est allée se perdre dans ce bout du monde...

Soudain une idée lui traversa l'esprit. Il fit appeler Jules.

— Peux-tu porter cette lettre à M. de Malmort ? À cette heure, il est sans doute chez lui. Tu attendras la réponse.

Ce n'est pas une réponse que Jules rapporta, mais le comte de Malmort lui-même. Charles était bouleversé.

— Tu te rends compte de ce courage. Cette fille est extraordinaire, je le savais bien. Damien, tu as compris ce que je vais faire ?

— Tu pars ?

— Dès que j'aurai réussi à réunir un peu de matériel. Tu sais que les chemins de fer ont été réquisitionnés pour approvisionner les troupes. Je connais les gens du ministère, et je vais me faire intégrer dans l'armée pour aller en mission à Scutari. Ils n'ont pas tellement de volontaires. Dans quelques jours je serai parti.

— On dit que les cheminots manquent d'enthousiasme pour ce genre de transports, intervint Maréchal.

Charles le regarda avec un peu de mépris. La noblesse française, légitimiste ou orléaniste, avait été récupérée par l'empereur, et les républicains étaient réduits au silence, ou croupissaient en prison comme Auguste Blanqui. Maréchal continuait à enseigner, mais il n'écrivait plus dans les journaux. Il rongeait son frein, et la police le surveillait.

Le jeune comte respectait le beau-père de Damien, et il évita de répondre. Mais il savait qu'effectivement, les cheminots, acquis aux idées « socialistes » de Saint-Simon, pensaient que le chemin de fer devait être un trait d'union pacifique entre les peuples, et non un moyen de guerre. Les transports vers la Crimée devinrent une source d'agitation dangereuse, et la police dut intervenir à plusieurs reprises. Moyennant quoi, jamais troupes et matériel n'avaient été transportés aussi rapidement sur le lieu des combats.

Quelques jours plus tard, Charles, muni d'un ordre de mission du ministère de la Guerre, dirigeait l'embarquement d'un convoi de matériel sanitaire qui partait de la gare de l'Est à destination de Scutari.

Damien et Thérèse étaient venus l'embrasser. Ils aimaient l'atmosphère bruyante de ces cathédrales des temps modernes. On avait construit une immense verrière pour abriter les voyageurs, et les locomotives crachaient des jets de vapeur stridents avec des volutes de fumée blanche, dans un vacarme répercuté par la sonorité des armatures de fer. Partout des gens couraient.

Sur une voie spéciale, surveillée par des gendarmes, on chargeait des caisses de médicaments, de vivres et de vêtements, avec du matériel en tout genre.
Au moment de partir, Charles vint les retrouver.
— Damien, occupe-toi un peu de ma mère. Elle est furieuse que je m'en aille. Je n'ai pas osé lui dire que je vais retrouver Catherine. Calme-la si tu peux, tu t'es toujours bien entendu avec elle. Mieux que moi ! Et puis elle est bien vieille. Essaie de me la garder vivante...

Ce dernier vœu de Charles ne fut pas exaucé. Damien avait toujours rendu de fréquentes visites à Hélène de Malmort, et il la trouvait un peu plus affaiblie chaque fois. Le départ de son fils semblait l'avoir achevée.
— Tu vois Damien, des trois ancêtres, je vais m'en aller la seconde. Estelle de Malmort résistera seule. L'espoir d'aller à mon enterrement l'aura gardée en vie ! La pauvre mère Bénédicte est partie sur la pointe des pieds, et elle m'avait fait promettre de rester la dernière. Le Seigneur ne l'aura pas voulu !
La compagne de son grand-père gardait, dans ces derniers moments de sa vie, une lucidité et un humour admirables. Damien aurait aimé inventer un élixir de longue vie pour garder éternellement cette vieille dame qu'il aimait, et qui restait son dernier lien avec un passé auquel il restait viscéralement attaché.
Elle s'éteignit quelques jours après le départ de son fils. Selon ses dernières volontés, personne ne fut prévenu, et elle fut enterrée au cimetière du Père-Lachaise, accompagnée seulement de ses amies religieuses qui entouraient Thérèse et Damien.
Une voiture ramena tout le monde au couvent de la rue Saint-Sulpice, et la supérieure demanda au cocher d'attendre quelques instants avant de repartir avec Thérèse et Damien. Hélène laissait aux religieuses la plupart de ses affaires personnelles, mais Damien devait emporter ce qu'elle lui destinait.
Deux hommes d'entretien déposèrent dans la voiture une malle de cuir patinée qui portait, bizarrement, les armes de la ville de Naples.

Dans le salon de la rue de l'Entrepôt, la grosse Hortense avait allumé le feu de bois. Les grands rideaux de brocart rouge étaient tirés et l'ambiance avait la douceur des jours d'hiver. Les enfants étaient en promenade avec Clémence. Ils reviendraient dans un moment, les joues chaudes et l'œil pétillant.
La clé de la malle, ouvragée, représentait une abeille. Le mécanisme joua silencieusement, comme s'il avait servi récemment. Le couvercle levé, Damien découvrit un manteau bleu barbeau à double

cape, comme ceux que portaient les chirurgiens de l'armée impériale. À l'intérieur du col une inscription était brodée : « Médecin inspecteur général baron Benoît de La Verle. » Sous le manteau, il y avait une enveloppe blanche sur laquelle était marqué, de la grande écriture penchée d'Hélène de Malmort : « *Pour Damien, à n'ouvrir qu'après ma mort.* »

Il s'assit devant le feu, remonta la mèche de la lampe à pétrole et lut, d'une voix un peu étranglée :

« *Cher Damien,*

Je t'ai aimé comme le fils que j'aurais voulu avoir, et comme j'aimais mon cher Benoît. Dieu m'a repris Cédric avant qu'il devienne un homme, puis Charles est venu troubler encore ma triste vie de recluse mondaine. Hélas, pour punir mon amour coupable, le ciel a voulu qu'il tombe amoureux de Catherine.

Catherine et Charles, c'est vrai qu'ils auraient pu faire un beau couple ! Dommage qu'ils aient eu le même père, Benoît de La Verle ! »

Damien laissa tomber la lettre, et enfouit son visage dans ses mains. Voilà pourquoi il y avait tant d'hostilité autour des deux jeunes gens. Et pourquoi, à la veille de sa mort, le vieux Benoît avait voulu les séparer par ce long voyage à l'étranger. Comme on comprenait maintenant l'angoisse qu'il avait dû ressentir !

Thérèse ramassa la lettre et en termina la lecture.

— Elle dit que tu feras ce que tu voudras. Elle te laisse décider de leur dire la vérité, si tu le juges nécessaire. Mais elle aurait préféré que son fils continue à se croire un vrai Malmort, et qu'on ne ternisse la mémoire, ni de Thierry, ni de Benoît.

— Quelle responsabilité ! Pourquoi est-ce à moi qu'ils font un tel cadeau ?

Damien se leva, et marcha de long en large devant la cheminée où les bûches de chêne rougeoyaient.

— Grâce à ce silence absurde, ils sont ensemble maintenant, les deux tourtereaux. Et ils ne savent rien ! Que pouvons-nous faire ?

— Laisser aller le destin, murmura Thérèse sans lever les yeux.

À Scutari, l'arrivée du convoi était attendue avec impatience. Un câble du ministère de la Guerre avait prévenu les autorités anglaises, et le directeur de l'hôpital se précipita pour réceptionner les caisses que débarquaient les volontaires. Charles se présenta, et lui expliqua qu'il était à sa disposition, en tant que chirurgien, et comme représentant de la France, pour l'aider selon les besoins.

Tout en parlant, le jeune homme fouillait du regard les bâtiments qui entouraient la cour, espérant voir surgir d'une minute à l'autre celle qui avait justifié ce long voyage. Mais elle ne venait pas. Il se décida à reprendre sa conversation avec le directeur :

— Vous savez sans doute que c'est à la suite d'une lettre de Catherine de La Verle et de Florence Nightingale, que le gouvernement français a décidé de vous venir en aide...

Le directeur le regarda avec surprise.

— Non, je ne savais pas. Je vais les faire prévenir de votre arrivée.

Le ton de l'homme s'était altéré. Comme s'il était chagriné d'apprendre un tel parrainage.

— Elles habitent dans une maison un peu retirée derrière l'hôpital, j'envoie quelqu'un.

— Je vous remercie, j'ai hâte de les voir.

Le directeur s'écarta sans un mot de plus, et alla donner des ordres à un soldat qui partit en courant. Charles se recula sur une petite butte qui lui permit de mieux voir l'ensemble immense des bâtiments hospitaliers bâtis en lisière d'une ville blanche où les clochers d'église alternaient avec les minarets.

Sa haute silhouette, qui se détachait sur un fond de soleil couchant, avait fière allure. Il portait le dernier-né des uniformes du corps de santé, avec la capote courte en drap bleu foncé, le collet et les parements en velours cramoisi, et le petit képi souple rouge et bleu, orné d'une fausse jugulaire en galon d'or. La courte épée à la ceinture, le baudrier cramoisi, les épaulettes dorées complétaient la tenue. À cette époque, pour sacrifier à la mode, il portait les cheveux courts et une mâle moustache noire.

Il vit arriver de loin les deux infirmières drapées dans leur longue cape blanche. Elles bavardaient en marchant, et aucune des deux ne regardaient vers lui. Il sentait son cœur battre la chamade. Avant que Catherine ne l'aperçoive, il eut tout le temps de détailler ce visage tant aimé, et sa gorge se serra devant la transformation qu'il découvrait. Les traits étaient tirés, les yeux plus enfoncés dans des orbites creusées par la fatigue, et deux rides profondes encadraient une bouche douloureuse. Seul le regard bleu avait encore cette douceur qui depuis toujours le charmait.

Soudain elle regarda dans sa direction. Elle le fixa un instant, incrédule, puis le sourire d'autrefois vint dérider son visage tourmenté. Elle dit un mot à sa compagne qui, elle aussi, se tourna vers Charles, et sourit. Il descendit vers elles, d'abord lentement, puis plus vite, tandis qu'elle aussi accélérait le pas, et ils se jetèrent dans les bras l'un de l'autre. Jamais de leur vie ils n'avaient eu un tel geste de spontanéité, et ils s'étreignaient comme s'il fallait rattraper au plus vite tout ce temps perdu. Ils ne prononcèrent pas un mot avant un long moment.

Florence Nightingale, surprise, s'était pudiquement détournée devant cette rencontre imprévue, et s'en fut bavarder avec le directeur qui faisait l'inventaire des richesses inscrites sur le couvercle des caisses de bois. Elle avait, à cette époque, trente-quatre ans, le même âge que la reine Victoria. Sa taille élancée, son visage aux traits réguliers sous les bandeaux de cheveux châtain, et un port de tête altier lui conféraient une autorité indiscutée. Ses yeux bruns à l'éclat intense avaient une façon de fixer ses interlocuteurs qui décourageait la réplique.

Catherine fit les présentations, en insistant sur le fait qu'elle connaissait Charles depuis l'enfance, et qu'ils avaient été élevés comme frère et sœur.

Florence Nightingale eut un sourire un peu énigmatique, et proposa de lui faire visiter les locaux de l'hôpital avant d'aller dîner. Le directeur, l'air agacé, s'excusa de ne pas les accompagner, mais il devait veiller à mettre le matériel arrivé en sûreté. Il s'éloigna rapidement. Catherine attendit qu'il soit assez loin pour expliquer son attitude.

— Notre arrivée ici a été très mal perçue par le personnel et les médecins. Pour eux, un hôpital militaire en temps de guerre est nécessairement un mouroir. Ils ne comprennent pas notre insistance à vouloir améliorer les conditions de vie de ces pauvres garçons. C'est tout juste s'ils ne trouvent pas injuste que nous nous acharnions à les empêcher de mourir !

Ils arrivèrent devant le premier bâtiment et Florence poussa la lourde porte. Le spectacle était hallucinant. C'était une grande salle, haute comme une église, dont le plafond reposait sur des arcs en plein cintre. Des lampes à pétrole suspendues à de longues cordes laissaient tomber une lumière parcimonieuse. Par terre, à peine séparés du sol par des nattes tressées, reposaient des centaines d'hommes allongés le long des murs. L'odeur âcre, de pourriture et d'urine, prenait à la gorge. Des gémissements étouffés donnaient un fond sonore à la mesure de ce sinistre tableau. Dans un tel milieu, la mort devait moissonner à son aise...

Ils traversèrent la salle, et Charles fut frappé de voir une onde de sourires les accompagner. Ces hommes amaigris, aux yeux brûlants de fièvre, regardaient passer ces deux femmes, comme si elles représentaient leur ultime espoir. Certains levaient la main vers elles comme des naufragés...

Les chirurgiens de cette époque étaient habitués aux pires spectacles, mais l'immensité de ces locaux et la misère qui les habitait n'étaient pas imaginables. Charles se retrouva à l'air libre avec soulagement.

Des chambres avaient été préparées pour les nouveaux venus dans les bâtiments administratifs. Charles fut convié à dîner par Florence et Catherine dans la maison qui avait été aménagée pour les infirmières et les religieuses. Elles étaient une dizaine de sœurs catholiques, huit anglicanes appelées sœurs de la Merci, six infirmières laïques de la Saint John's House, et quatorze autres, venues de différents hôpitaux. Charles fut présenté aussi à un couple d'Anglais, Mr. et Mrs. Bracebridge, qui avaient organisé le voyage. Les religieuses portaient l'habit et la coiffe de leur ordre, tandis que les laïques arboraient un sinistre uniforme gris. Le décor était, dans l'ensemble, d'une grande pauvreté, mais l'ambiance était paradoxalement joyeuse. Ces filles, qui côtoyaient chaque jour les pires détresses physiques et morales, étaient capables de rire et de plaisanter. Charles les regardait avec un tel étonnement que Catherine s'en aperçut.

— Cette gaieté leur permet de survivre ! Tu n'imagines pas quelle force de caractère il faut pour remplir les tâches auxquelles elles se condamnent !

— Elles sont volontaires ?

— Toutes ! Nous sommes arrivées ici, venant de Londres, au début de novembre dernier, après huit jours de traversée abominable, malades comme des bêtes, sous une pluie battante. Nous n'étions plus qu'un troupeau lamentable. Une véritable descente aux enfers. Dès l'arrivée, elles se sont mises au travail, comme après une promenade. Moi, je croyais n'avoir plus que quelques heures à vivre !

Florence l'écoutait avec un sourire plein de tendresse. Une religieuse, plus âgée que les autres, apporta sur la table une énorme soupière fumante. Elle dit une prière rapide, resta un instant recueillie, laissant à chacun le temps d'évoquer Dieu à sa manière, puis elle s'assit, donnant le signal du brouhaha. Les conversations s'entrecroisaient en français et en anglais, avec des maladresses linguistiques qui faisaient rire. Charles, impressionné, restait silencieux. Son regard croisait souvent celui de Catherine, et son cœur se serrait devant le visage émacié de la jeune femme. Elle mangeait à peine, malgré les exhortations de ses voisines.

Quand les assiettes furent vides, toutes les filles débarrassèrent la table. Charles s'apprêtait à se lever, mais Florence lui demanda de rester un instant, et Mr. Bracebridge prit, sur une étagère, une cave à liqueur de voyage en acajou. Il offrit au jeune homme un minuscule verre de brandy avec des gestes d'officiant. Il en proposa un à Florence, qui refusa. Catherine tombait de fatigue. Elle vint embrasser Charles.

— Excuse-moi, nous sommes levées depuis l'aube, et je n'en peux plus. Demain nous nous consacrerons plus de temps.

Charles aurait voulu l'accompagner, mais la situation n'était guère propice aux conversations intimes... Il la regarda partir avec regret. Florence semblait attendre ce moment pour parler enfin de choses sérieuses.

La passion de cette Anglaise pour son métier d'infirmière était stupéfiante, et c'était la seule chose dont elle avait envie de parler.

Depuis son plus jeune âge, elle avait décidé que c'était sa vocation, et malgré l'opposition formelle d'une famille rigoriste, elle avait réussi à mettre son projet à exécution. Mais, dans son idée, il fallait transformer cette profession, jusque-là réservée à la lie de la société féminine, en une sorte d'apostolat laïc, destiné à prendre le relais des congrégations religieuses. Le dévouement et la vocation des religieuses étaient certes admirables, mais les exigences de ce métier en pleine évolution dépassaient trop visiblement leurs compétences.

Elle avait institué en Angleterre un véritable enseignement moderne des soins aux malades, donnant la priorité à l'hygiène, à la qualité de l'alimentation, et au soutien moral. C'était une conception si révolutionnaire que son application n'alla pas sans grincements. Mais la réputation de la jeune femme s'était vite étendue, et l'excellence des résultats qu'elle obtenait était telle que les médecins et les administratifs n'osaient pas trop s'opposer à elle.

À Scutari, il lui avait fallu user de toute son autorité pour obtenir que les locaux fussent aérés et nettoyés, les soldats changés de vêtements, et nourris convenablement. L'énergie indomptable de ses compagnes avait bouleversé les habitudes de tout le corps de santé local, car les infirmiers militaires, habitués à un fatalisme nonchalant, ne pouvaient plus qualifier d'impossibles les tâches rebutantes que ces petites jeunes filles de famille exécutaient avec enthousiasme et efficacité.

Florence veillait à tout, passait son temps, jour et nuit, au chevet des plus gravement atteints, sillonnait les salles immenses une lampe à la main pour apporter à chacun le réconfort d'un mot, d'un geste ou d'un remède.

— Combien avez-vous de blessés ici ? demanda Charles.

— Très peu, par rapport au nombre des malades. Sur les onze mille hommes hospitalisés, la plupart sont atteints de scorbut et de dysenterie. Ils meurent plus de la faim et du choléra que de leurs blessures. Le directeur de cet immense charnier n'a pas compris que je veuille dépenser une fortune en faisant acheter à Constantinople des milliers de chemises et de caleçons. Mes filles passent plus de temps à faire la lessive qu'à refaire des pansements.

Ils se séparèrent à une heure avancée de la nuit, et Charles s'en alla vers sa chambre, tandis que l'infatigable *lady with the lamp* retournait faire une dernière ronde dans cet univers de désespoir qu'elle avait juré de transformer. Lui non plus n'avait jamais imaginé qu'il puisse être si important d'apporter à ces hommes le réconfort d'une présence féminine. Aider à écrire une lettre ou à raser une barbe, remonter un oreiller, donner du linge propre, cela représentait, pour Florence, une activité essentielle que les infirmiers de métier devaient regarder avec étonnement, on l'imagine.

Le lendemain matin, après une nuit d'insomnie, Charles retrouva

Florence au magasin où le médecin-chef inventoriait le contenu des caisses avec un médecin français, le major Vergereau, qui faisait partie du convoi. Catherine n'était pas là.

— Elle est épuisée, expliqua Florence. Je préfère qu'elle se repose pour être capable de vous faire meilleure figure. Vous la verrez pour le déjeuner.

— C'est vrai qu'elle avait mauvaise mine hier soir !

— Je crains qu'elle ne tombe vraiment malade, si elle n'accepte pas de se reposer. Mais elle prend son travail tellement à cœur qu'elle pense toujours n'en avoir pas assez fait.

Charles était angoissé. Il y avait tant de contagions possibles dans cet univers méphitique. Il posa sa main sur l'avant-bras de la jeune femme.

— Craignez-vous quelque chose de particulier ?

Florence Nightingale était visiblement inquiète et finit par répondre :

— Nous avons beaucoup de cas de choléra en ce moment... Et personne ne sait vraiment comment lutter contre cette épidémie qui se développe insidieusement.

Une lueur de terreur passa dans le regard du jeune chirurgien. Le choléra avait fait cent cinquante mille morts en France pendant l'année 1854, et l'épidémie sévissait avec prédilection dans les concentrations humaines en mouvement. La maladie qui décimait les armées... Personne n'avait la moindre idée de la cause de ce fléau, et les théories les plus fantaisistes s'affrontaient dans les cénacles. On ne savait même pas si les malades étaient contagieux ! À cette époque, la théorie de l'empoisonnement de l'air par des nuages toxiques l'emportait. À Scutari, on tentait de purifier l'atmosphère par des fumigations de toute sorte. Le soir, on allumait des feux de paille avec du soufre et des herbes aromatiques...

— Utilisez-vous d'autres moyens de préservation ? demanda Charles.

— Les infusions de quinquina... sans conviction...

La *Gazette Médicale*, durant l'épidémie française de l'année précédente, avait publié tous les moyens imaginés jusque-là pour prévenir la maladie, mais, malheureusement, avait aussi démontré leur inefficacité. Le quinquina, qui avait commencé à faire ses preuves dans les fièvres tropicales, conservait pour le choléra, une réputation bénéfique, hélas ! usurpée. Les plus honnêtes osaient affirmer que la recette miracle n'existait pas. Tout le monde cherchait...

Catherine ne fut pas en état de se lever pour le déjeuner et, le soir, il fallut se rendre à l'évidence : elle était atteinte. Charles et Vergereau furent conduits par Florence dans le dortoir où la jeune femme était restée couchée toute la journée, épuisée par une diarrhée incessante et des sueurs qui trempaient ses draps. Son visage avait pris ce teint plombé, cyanique, que les médecins connaissaient bien.

Le major Vergereau avait été, au Val-de-Grâce, un élève de Broussais et, pendant l'épidémie de 1831 il avait suivi l'enseignement du célèbre professeur, alors au sommet de sa gloire. Il se pencha vers Charles, et lui demanda, à voix basse, s'il ne pensait pas qu'il faudrait se procurer des sangsues. Le jeune chirurgien, formé aux idées nouvelles, était un opposant farouche aux théories du Val-de-Grâce, et il lança à son confrère un coup d'œil scandalisé qui réduisit l'autre au silence. Il s'approcha de la jeune fille et tenta de la faire boire. Elle parvint à avaler quelques gouttes d'infusion, mais des nausées la forcèrent à s'allonger de nouveau.

— Laissez-nous, demanda Charles, je vais m'en occuper.

Florence Nightingale caressa la joue de Catherine. Puis, s'adressant au jeune homme, elle chuchota :

— Je vais vous envoyer une petite infirmière qui parle français pour vous aider. Si vous avez besoin de moi, elle saura où me trouver.

Elle s'en fut, entraînant le major qui lui expliquait avec véhémence ce qu'il aurait fait s'il avait eu la responsabilité de ce traitement.

Alors commença, pour les jeunes gens, un douloureux tête-à-tête amoureux, comme ils n'auraient jamais pu l'imaginer. Catherine s'accrochait à la vie. Charles essayait de lui faire boire de la potion de laudanum et du sirop de gomme ; mais il savait la vanité de ces petits moyens. Seul un miracle pouvait la sauver.

Silencieuse, presque anonyme, une petite diaconesse aidait Catherine, changeait ses draps, et inlassablement la réinstallait dans ses oreillers. Charles s'écartait, par pudeur, puis revenait s'asseoir à côté de cette femme qu'il aimait depuis si longtemps, et que le destin ne semblait lui avoir rendue que pour mieux la lui reprendre. Il lui humectait les lèvres, renonçant à lui faire avaler ce qu'elle vomissait au prix d'efforts épuisants.

Dans la nuit, elle sembla bénéficier d'une accalmie. Il appuya sa tête contre la poitrine qui respirait lentement, et sentit la main de la jeune femme se poser sur sa nuque. Ce fut un instant d'intense bonheur. Épuisé, il ferma les yeux pour s'assoupir. Tout paraissait miraculeusement calme.

Une crampe le réveilla. Soudain il se dressa, et la main de Catherine, qui était restée sur son cou, retomba lourdement sur le drap. Elle ne respirait plus. Pendant ce moment d'inattention, il l'avait laissée s'échapper. Il reposa son visage contre cette main déjà froide, et se mit à pleurer.

Florence le trouva ainsi. Doucement, elle l'entraîna vers le réfectoire et lui fit une tasse de thé. Tout commentaire était superflu.

Il vit le jour se lever sur cet univers de grisaille qui lui inspirait maintenant une horreur physique. Qu'allait-il faire ? Retourner à Paris ? Il n'en avait pas le courage. Rester à Scutari ? Cette idée lui donnait la nausée.

Il s'assit devant la fenêtre et entreprit d'écrire une longue lettre désespérée à Thérèse et Damien.

CHAPITRE VI

Il y a, dans la vie d'un chirurgien, des dates qui le marquent à jamais. La nomination à l'internat, la première garde, le premier coup de bistouri, la première publication... Dans ce calendrier du souvenir, Damien de La Verle mettait à l'honneur, évidemment, ce 16 octobre 1846 où il avait vu William Morton donner, en public, la première anesthésie générale. L'atmosphère de cette salle d'opération, l'enthousiasme et l'émotion du chirurgien, resteraient gravés dans sa mémoire.

Et pourtant, il allait devoir, vingt ans plus tard, modifier cette chronologie de l'émotion, et placer en tête des plus importants événements de sa vie professionnelle, une autre date, celle du 14 avril 1867. Ce jour-là marquerait, il l'avait compris, le début d'une époque nouvelle et la véritable naissance de la chirurgie moderne.

Comme tous les chirurgiens raisonnables, Damien avait été obligé de refréner ses ardeurs opératoires, en raison de la mortalité prohibitive que ses gestes entraînaient. Il avait constaté que, quoi qu'il fasse, la moitié environ de ses patients mourraient, alors qu'il n'était pas évident qu'autant seraient morts s'il s'était abstenu de les opérer. Ce constat affligeant ne gênait pas tous ses collègues avec la même intensité. Beaucoup parmi eux, gonflés d'importance, niaient ces résultats lamentables. Ils inversaient la proposition, en affirmant qu'ils parvenaient, grâce à leur habileté, à sauver d'une mort certaine plus d'un malade sur deux, ce qui, vu ainsi, était effectivement un résultat plus gratifiant.

Dans son service à Sainte-Marthe, le jeune chirurgien des hôpitaux, enfin libéré de toute tutelle, avait essayé de prôner l'usage salvateur de l'eau de Javel. Mais l'absence de résultat bénéfique avait été, dans l'ensemble, si évident, qu'il avait renoncé à créer une ambiance conflictuelle permanente dans un milieu où il devait exercer chaque jour un métier déjà assez difficile, sans qu'il fût nécessaire d'y ajouter des affrontements dont l'utilité n'était pas démontrée. Les idées de Semmelweiss n'étaient peut-être pas aussi géniales qu'il l'avait cru, et l'absence complète de retentissement scientifique, de ce qui aurait dû être une véritable révolution, paraissait bien en apporter la preuve irréfutable. Les idées du Hongrois étaient peut-être applicables en obstétrique, et non en chirurgie. Et ce qui était vrai à Vienne, ne l'était peut-être pas à Paris...

Cette prudente retenue opératoire n'avait pas limité, bien au contraire, la brillante carrière de Damien. Grâce à ses relations, il bénéficiait d'une clientèle abondante et riche, d'une réputation d'homme du monde agréable, et il n'y avait pas une cérémonie officielle où il ne fut invité avec sa ravissante épouse que les années semblaient embellir encore. Pour eux deux, c'était la réussite sur tous les plans. Dans ce milieu difficile, il était le chirurgien auquel on faisait confiance.

Le jeune couple avait entrepris de faire construire, sur le terrain de l'entrepôt, un hôtel particulier qui dominerait le quai de Seine dans un alignement qui avait été dessiné par le préfet de Paris, le baron Haussmann qu'ils connaissaient bien. En attendant l'aboutissement des travaux, toute la famille continuait à habiter en paix dans la vieille maison avec les Moreau, toujours aussi dévoués. Ils entendaient chaque matin les ouvriers arriver sur le chantier que Thérèse surveillait avec attention.

Édouard avait commencé ses études de médecine, Élodie étudiait la musique au conservatoire. Damien était heureux de sa vie.

Il y avait tout de même une ombre au tableau. Les relations avec le comte de Malmort. Après la mort de Catherine, Charles, éperdu de douleur, avait continué la guerre en Crimée avec une témérité suicidaire. Mais la mort n'avait pas voulu de lui et il s'était simplement couvert de gloire, en particulier pendant la prise de Sébastopol. Opérant ses blessés sous le feu de l'ennemi, et utilisant l'éther pour la première fois sur un champ de bataille, il avait étonné le corps de santé militaire, et l'empereur l'avait fait chevalier de la Légion d'honneur, dès son retour à Paris, en 1857.

Déjà à cette époque, les retrouvailles avec Damien n'avaient pas été très chaleureuses. Charles reprochait à la terre entière de n'avoir retrouvé la femme de sa vie que pour la mettre en terre, et il remâchait sans cesse son chagrin et sa haine. Damien s'était bien gardé de lui confier les secrets de sa naissance, d'autant que le jeune comte appartenait aux milieux royalistes militants, et qu'une telle nouvelle l'aurait un peu plus abattu encore.

Resté dans l'armée, Charles était reparti, dès 1859, pour la guerre d'Italie, et il avait été bouleversé par les massacres de Magenta et de Solferino. La guerre moderne devenait de plus en plus meurtrière et les équipements sanitaires n'étaient plus à la mesure de telles hécatombes. Il avait rencontré là-bas, un banquier suisse, Henri Dunant, égaré dans la bataille, et qui avait découvert lui aussi, par hasard, l'horreur des combats. Ils avaient décidé, ensemble, et plus tard, à Londres, avec Florence Nightingale, de lutter pour une humanisation des relations internationales en ce qui concerne les blessés de guerre, aboutissant, par leur action obstinée, à la signature de la Convention de Genève, le 22 août 1864.

Puis Charles s'était marié. Presque à la sauvette, loin de tous, à Londres, avec Mary Barker, une jeune protestante anglaise admiratrice de Florence Nightingale et de son combat humanitaire.

Les présentations à la famille avaient eu lieu plusieurs mois après le mariage, à l'occasion d'un passage du jeune couple à Paris, lorsqu'ils étaient venus, avec Henri Dunant et le duc de Fezensac, défendre le projet de neutralisation de la Société de secours aux blessés militaires qu'ils avaient créée ensemble.

Mary était plutôt petite, très rousse, l'œil bleu pétillant d'intelligence, mais le verbe vif et acéré. Elle avait paru étonnée que le couple parisien ne manifeste pas un enthousiasme plus évident devant la qualité de l'action de son mari. Thérèse et Damien n'avaient pourtant formulé aucune réserve, mais, faute d'avoir jamais été confrontés aux horreurs guerrières, ils répugnaient à s'exprimer sur un sujet qui leur était complètement inconnu.

Enfin, Mary était très critique vis-à-vis d'un certain nombre d'hommes au pouvoir, qui étaient des amis de Damien, et qu'elle jugeait trop sceptiques. Elle semblait lui reprocher de ne pas envisager volontiers une intervention auprès d'eux. Ce qui était vrai, mais sans pour autant qu'il y ait eu, de sa part, le moindre désaccord de principe. Seulement la protection des blessés de guerre n'était pas un sujet sur lequel Damien était préparé à intervenir. Il avait son propre combat à mener, et les engouements de Charles et Mary le laissaient un peu froid, il en convenait.

Les Malmort jugèrent l'attitude des Parisiens hostile, et ils en furent choqués. Comme ils avaient décidé de résider à Londres, où la famille de la jeune femme avait une maison, ils se séparèrent fraîchement, sur de molles promesses de se rendre visite bientôt.

Ainsi passèrent plusieurs mois de silence entre les deux couples. Au début de l'année 1866, Mary mit au monde une petite fille, et Damien décida de faire un geste de réconciliation en se rendant en visite à Londres. De plus, il avait très envie, à cette occasion, d'aller faire un petit tour en Écosse, où ils avaient désormais d'excellents amis.

Depuis son retour des États-Unis, presque vingt ans plus tôt, il avait conservé un contact épistolaire avec Agnès Syme, la fille du prestigieux chirurgien écossais. Déjà à cette époque, elle se passionnait pour tout ce qui touchait à la science en général, et à la chirurgie en particulier. Au début de cette correspondance, il est indéniable que les deux interlocuteurs avaient une attirance sentimentale l'un pour l'autre ; mais Thérèse était entrée dans la vie de Damien, et la romance écossaise s'était éteinte d'elle-même. Cependant ils avaient continué à correspondre, jusqu'au jour où Agnès avait raconté que son père venait de prendre un autre assistant. Elle parlait du nouveau venu avec une telle admiration que Damien et Thérèse avaient pu prévoir facilement ce qui allait se passer.

C'est ainsi qu'après un assez long silence, une nouvelle lettre vint annoncer le mariage d'Agnès avec Joseph Lister, un jeune chirurgien de vingt-huit ans, qui enseignait déjà au Collège royal de chirurgie. Les nouveaux époux devaient partir en voyage de noce sur le continent, visitant les capitales européennes, et prenant d'utiles contacts avec les grands chirurgiens de l'époque. Ils comptaient terminer leur périple à Paris, à la fin de l'été 1856, et logeraient rue de l'Entrepôt avant de rentrer en Écosse. Et il en fut ainsi.

Ils furent très heureux de se rencontrer tous les quatre et ils passèrent ensemble quelques jours agréables à visiter la capitale.

Agnès était un peu plus jeune que son mari, et elle conservait toujours, sous ses airs d'austérité anglicane, cette vivacité d'esprit et cette curiosité qui avaient séduit Damien dix ans plus tôt.

Le jeune marié, quant à lui, sut immédiatement réunir tous les suffrages. Ce grand gaillard aux larges épaules, et au doux visage encadré d'un collier de barbe blonde, était d'une gentillesse exquise. Il raconta avec humour que sa famille faisait partie de la secte des Quakers, où il avait vécu jusque-là dans la stricte observance des principes religieux les plus rigoureux. Son père était un savant renommé, grand spécialiste du microscope, qui avait admis difficilement que son fils choisisse la carrière médicale, dont le caractère scientifique ne lui paraissait pas encore très évident à l'époque. De plus, il avait fallu au jeune garçon beaucoup de patience pour faire admettre ce mariage avec une fille qui n'était pas de la même « famille » spirituelle. Finalement, le charme et le sérieux d'Agnès avaient eu raison de l'hostilité du vieil homme et elle avait su, avec beaucoup d'adresse, se faire admettre par une communauté uniquement vouée à Dieu et à la science.

Joseph Lister n'avait pas déçu son père. Avant même la fin de ses études, il avait déjà publié des travaux scientifiques remarquables, où l'usage du microscope tenait la première place. Il faut dire que les perfectionnements apportés par son père au système d'optique avaient enfin permis de faire passer cet appareil, pourtant connu depuis des décennies, du stade de divertissement mondain, à celui d'instrument de recherche.

Le séjour parisien des hôtes écossais avait paru trop court à tout le monde, et ils s'étaient séparés en jurant de se revoir bientôt. Mais la vie de chacun était trop prenante pour que de telles promesses puissent être facilement tenues.

Pour Damien, le projet de voyage demeurait d'autant plus d'actualité que, désormais, les deux hommes s'écrivaient souvent, échangeant des observations sur les problèmes de leur métier. Bien que Joseph fût, de cinq ans, le cadet de Damien, ce dernier avait senti, chez son jeune collègue, une telle maturité d'esprit que la différence d'âge s'était effacée spontanément. Une véritable harmonie de pensée était née entre eux, et Damien rêvait de revoir cet ami qui, malheureusement, vivait si loin.

En faveur de ce voyage, un autre personnage militait ardemment, Auguste Maréchal, qui se passionnait maintenant pour les problèmes de la chirurgie.

Ses idées de gauche l'avaient fait mettre prématurément au ban de l'Université, et il menait, depuis plusieurs années déjà, une existence de semi-retraité, dans son petit appartement de la rue des Feuillantines, au milieu de ses livres et de ses pamphlets politiques inutiles.

Dès qu'il avait dû quitter la Sorbonne, il s'était réjoui d'avoir enfin le temps de se consacrer à tout ce qu'il avait rêvé de faire depuis trente ans, sans en avoir eu le loisir. Et il avait commencé par réaliser un projet qui lui tenait à cœur, étudier en détail, avec l'accord de Damien, le contenu de la fameuse malle héritée de la comtesse de Malmort. Il l'avait emportée rue des Feuillantines, et il passait des journées entières à classer, étiqueter, déchiffrer ces papiers jaunis.

Il arrivait le soir, pour souper, rue de l'Entrepôt, émergeant à peine de ces témoignages du passé, et il racontait aux enfants, qui l'écoutaient avec passion, les histoires fantastiques d'Aubin, d'Hertius et du vieux père Polyte. Il était devenu, en quelques semaines, passionné d'histoire de la médecine, et il se promettait de consacrer beaucoup de temps encore à la recherche des vieux grimoires qui lui permettraient d'en savoir plus.

Il était resté aussi en correspondance avec des anciens élèves, de la Sorbonne ou de Normale Supérieure, éparpillés par les hasards des affectations dans toutes les régions de France. Et, à distance, il suivait les travaux de ceux qui avaient poursuivi une carrière scientifique. L'un d'eux l'avait beaucoup impressionné par ses qualités d'observation et son extrême gentillesse. Il s'appelait Louis Pasteur.

— On ressentait, chez lui, racontait-il, cette même flamme dévorante que chez Joseph Lister et, en même temps, une identique humilité. C'était aussi un excellent dessinateur, plein de finesse et d'humour. Je me suis même demandé, pendant un temps, s'il n'abandonnerait pas l'enseignement pour faire une carrière artistique. Mais non, il a été nommé professeur de physique à Strasbourg où il s'est marié, puis à Lille où il enseigne actuellement.

Maréchal disait que cet itinéraire provincial avait sûrement gêné une carrière scientifique qui se serait sans doute mieux développée dans un laboratoire à Paris, plutôt que dans ces villes où il ne se passait rien. Pourtant Pasteur avait continué à faire de multiples publications, en particulier en cristallographie, qui lui valaient déjà une flatteuse réputation internationale.

Ce qui avait le plus intéressé Maréchal, c'était les travaux que son élève avait faits à Lille, pour les producteurs de betteraves, et qu'il avait publiés en 1857. Le chimiste avait mis en évidence, dans les cuves de sucres avariés, une levure qui, d'après lui, devait être responsable de certaines fermentations fâcheuses. La destruction de cette levure par la chaleur avait évité que l'accident ne se reproduise.

Puis le temps avait passé. Auguste Maréchal avait entrepris d'écrire une histoire de la médecine, et on le voyait de plus en plus chez les libraires, fouiller les réserves de livres anciens. De temps à autre, il allait aussi voir Louis Pasteur, rentré à Paris, et dont il était très fier car il venait d'être nommé directeur des études scientifiques à l'École normale supérieure. Le chimiste pouvait maintenant, tout à son aise, continuer ses recherches, dans les multiples domaines qu'il affectionnait. Le vieux professeur riait, en racontant dans quelles conditions son élève travaillait. Son laboratoire était minuscule, sombre, encombré de caisses et d'instruments.

— Comment des idées aussi lumineuses peuvent-elles germer dans un bric-à-brac aussi sordide ? demandait-il.

Maréchal se passionnait pour ces histoires d'animalcules que certains scientifiques prétendaient faire naître dans des récipients vides, et dont Pasteur affirmait l'existence dans l'air. D'ailleurs il commençait même à dire que, selon lui, comme pour les levures dans le sucre, c'était ces « germes » qui devaient être responsables de certaines maladies putrides et contagieuses.

Damien et Maréchal firent parvenir ces publications à Lister qui, avec son ami Anderson, professeur de chimie à Glasgow, répéta, en laboratoire, les expériences de Pasteur, et ils confirmèrent ses conclusions.

Au cours de l'année 1865, Agnès, qui travaillait de plus en plus avec son mari, raconta au fil de la plume, comment Joseph passait des heures entières sur son cher microscope, étudiant la vie des particules de l'air, sur lesquelles il découvrait une véritable faune jusqu'alors inconnue. Lettre après lettre, la jeune femme donnait des précisions sur l'avancement de leurs idées. Si ces germes provoquaient des fermentations putrides, n'étaient-ils pas responsables aussi de cette suppuration qui envahissait les plaies, tuait les opérés, décimait les accouchées et générait cette pourriture d'hôpital réputée invincible ?

Maréchal, n'étant pas médecin, comprenait mal ces histoires de suppuration, et Damien essayait de lui expliquer ce qu'était sa pratique quotidienne dans la vie hospitalière. L'évolution normale d'une plaie vers la cicatrisation se faisait avec la production d'une sérosité d'aspect variable selon les cas, et qu'on appelait le pus. Le pus était dit « louable », quand il n'empêchait pas la cicatrisation ; mais, dans d'autres circonstances, et sans qu'il fût possible d'en savoir les raisons, l'évolution se faisait vers une destruction progressive des chairs et une diffusion mortelle de la suppuration dans tout l'organisme. Maréchal se rappelait parfaitement que la jambe de sa fille aurait dû être amputée car le chef de service de l'époque, Saint-Véran, craignait que la gangrène ne s'installât dans les plaies.

— En fait, expliquait Damien, pour Thérèse les dégâts étaient moindres qu'il n'y paraissait au premier coup d'œil, et surtout, l'os brisé n'avait pas été mis à nu. Ce n'était pas, à proprement parler, une fracture « ouverte ». C'est sur ce sujet que travaille notre ami Lister, car, aussi bien en Angleterre qu'en France, une fracture exposée à l'air évolue pratiquement toujours vers une suppuration qui empêche la formation du cal de consolidation. L'os se délite sous l'action du pus et, le plus souvent, le membre est perdu. Quand la diffusion purulente ne va pas plus loin...

— Voilà donc ce qui était arrivé à Polyte, confirmait Maréchal, d'un ton sentencieux, en évoquant le vieux maître-barbier.

— Exactement, répondit Damien qui avait lu aussi les mémoires de son aïeul. Mais dans son cas, la chance avait voulu que la fracture atteigne la rotule, un os qui n'est pas indispensable. Il avait un genou enraidi, mais il pouvait marcher. Ses souffrances venaient de la reproduction lente, mais permanente, de ce pus qui entraînait une carie osseuse progressive dans l'articulation.

Le vieil enseignant, qui voulait tout comprendre, avait parfois la nausée quand Damien entrait un peu trop dans les détails ! Mais ce sujet le passionnait trop pour qu'il l'avoue.

— Vous devriez aller en Écosse, voir les travaux de ces gens-là, conseillait-il à Damien, ils semblent avoir compris le rôle nocif de l'air au contact des plaies, et peut-être même ont-ils déjà trouvé un moyen de protection. Si vous découvriez, avec eux, une méthode pour lutter contre cette putréfaction, ce serait, pour vous, une voie vers le succès.

Cet argument ne pouvait laisser Damien insensible.

C'est ainsi qu'au printemps 1867, le baron de La Verle et sa femme Thérèse s'embarquèrent à Calais pour ce voyage au Royaume-Uni qu'ils espéraient depuis si longtemps.

Leur première visite fut pour Charles et Mary de Malmort à Chelsea. Ils habitaient dans un quartier neuf derrière le Royal Hospital, une maison de brique, néo-gothique, avec des colonnes, un porche couvert, et des *bow-windows* aux étages supérieurs. Mary, toujours aussi loquace, leur fit visiter tous les étages, depuis la cuisine au sous-sol jusqu'aux chambres d'enfants aménagées au niveau supérieur. Ils firent la connaissance de la jeune Mary-Estelle, gros bébé bavard, rose et joufflu, qui ressemblait à sa mère.

Dès le lendemain de son arrivée, Damien s'éclipsa pour aller rendre visite à Florence Nightingale, au St. Thomas's Hospital, où elle avait créé sa première école d'infirmière en 1861. Âgée alors de quarante-sept ans, celle que les soldats avaient surnommée, à Scutari, la « dame à la lanterne », avait une allure encore juvénile, avec sa taille mince et son air décidé, malgré une santé chancelante. Son regard intense fascina Damien. Ils parlèrent longtemps dans le petit bureau où elle recevait ordinairement ses élèves. Elle lui raconta comment Catherine s'était impliquée, avec une énergie folle, dans les soins aux blessés et la rénovation de ce métier d'infirmière qui lui tenait tant à cœur. Elle expliquait la mortalité dramatique des hôpitaux par l'absence d'hygiène et le développement des miasmes morbides qui stagnaient dans ces salles immenses jamais aérées, et dans les linges perpétuellement souillés qu'on ne pouvait nettoyer suffisamment, faute de rechange. Damien essaya de lui expliquer les travaux de Pasteur, mais Florence ne croyait pas aux théories modernes. Elle avait fait sa propre expérience, elle avait eu la preuve que l'hygiène améliorait le sort des alités, et peu lui importait les élucubrations des savants.

Elle lui dit aussi sa tristesse d'avoir laissé une amie qu'elle chérissait, dans le petit cimetière de Scutari au milieu des soldats anglais et français, avec deux autres infirmières mortes aussi du choléra. Ils avaient tous deux les larmes aux yeux en évoquant ces souvenirs.

La visite de Damien à Florence Nightingale fit découvrir à Mary l'existence de Catherine de La Verle dont son mari ne lui avait jamais parlé. Elle devina le rôle qu'elle avait joué dans sa vie sentimentale. Elle s'imagina même beaucoup plus qu'il n'y avait eu entre eux, et l'irascible Anglaise conçut alors, sans le dire, une intense jalousie rétrospective, qui se transforma en agressivité à l'égard de ses hôtes. L'atmosphère s'alourdit tellement que Damien proposa à Thérèse d'écourter leur séjour, et de partir pour l'Écosse plus rapidement que prévu.

Ils avaient la pénible impression d'avoir découvert le visage de la haine. Cette jeune femme, en quelques phrases, avait révélé un ressentiment qu'ils auraient été bien en peine de prévoir. Ils s'aperçurent qu'elle leur reprochait leur réussite sociale, alors que Charles s'était peut-être fourvoyé dans une œuvre humanitaire qu'il ne parvenait pas à faire éclore comme il l'aurait voulu, et dans laquelle, derrière Henri Dunant, il engouffrait toute sa fortune. Le Suisse avait fini par faire faillite et son déshonneur rejaillissait, pensait Mary, sur ceux qui avaient soutenu son action.

Et puis, pour accentuer sa hargne, il y avait aussi ce passé qui unissait Damien à son mari, et dans lequel elle décelait des zones d'ombre où elle n'avait pas sa place.

Thérèse, si sensible, percevait douloureusement cette jalousie agressive dont les motivations lui paraissaient puériles. Mais que pouvait-elle faire ?

Ce qui les étonnait le plus, c'est qu'une femme capable de tant de méchanceté, ait décidé de consacrer sa vie à une œuvre humanitaire d'une telle envergure. Haine et bienfaisance pouvaient-elles donc faire bon ménage ?

Quoi qu'il en fût, Damien était heureux d'avoir rencontré Florence Nightingale. C'était, pensait-il, une sainte femme laïque, qui n'avait pas fini de se battre contre l'immobilisme et les préjugés. Elle avait beau paraître convaincante quand elle expliquait que les infirmières devraient jouer un rôle capital dans le développement d'une médecine moderne, la société de cette époque n'était pas prête à laisser les femmes prendre une telle place.

Ils quittèrent Londres avec d'autant moins de regrets que ce changement de programme leur permit une petite escapade touristique supplémentaire. Au lieu de monter directement vers le nord, ils prirent à l'ouest la vallée de la Tamise vers Gloucester, sur les pas du grand-père Benoît, quelques décennies auparavant.

Damien fut très ému de se recueillir sur le tombeau d'Edward Jenner, dans le chœur de la cathédrale de Berkeley. Cette idée de pélerinage lui était venue depuis l'année précédente, quand la découverte de la vaccination était revenue dans l'actualité.

En chemin, Damien raconta à Thérèse toutes les vicissitudes d'une découverte géniale, et qui, pourtant, avait suscité, de tous temps, une agressivité imcompréhensible.

— Le fait qu'on apporte à l'homme un produit animal révulse certains esprits, expliquait-il. Et nous n'avons pas fini d'en entendre parler !

Thérèse, passionnée par tout ce qui touchait au domaine scientifique, connaissait déjà les critiques qui avaient été formulées quand on avait découvert la nécessité de revacciner au bout de quelques années, surtout en cas d'épidémie. Et puis il y avait ce problème de la syphilis qui se transmettait en même temps que la vaccine quand le malheur voulait qu'un donneur fût contaminé.

— On conçoit, disait-elle, l'horreur du public devant le risque de se faire inoculer une maladie redoutable en essayant de se prémunir contre une autre !

— Justement, un progrès a été fait dans ce domaine grâce à de courageux médecins qui viennent de créer, en France, un centre de vaccination d'origine animale. La vache étant réfractaire à la syphilis, il paraît moins dangereux de prélever directement le pus sur l'animal, plutôt que de passer par l'intermédiaire de l'homme.

— Alors il y aura un élevage de vaches malades ?

— Pire encore. Un élevage de vaches qui seront contaminées en fonction des besoins.

Les défenseurs des animaux allaient avoir là un beau sujet de réflexion. Faire reculer le fléau (on n'osait pas encore rêver à sa disparition) en contaminant de pauvres bêtes ?

Damien put constater que le chemin de fer s'était modernisé depuis son voyage de 1846. La reine Victoria elle-même l'utilisait, disait-on, pour se rendre à Windsor. Les wagons étaient moins bruyants, les sièges rembourrés étaient devenus plus confortables et surtout, avec les nouvelles locomotives Crampton, la vitesse s'était accrue de façon presque inquiétante.

La voiture de Lister les attendait à la gare de Glasgow. Agnès leur avait préparé une chambre délicieusement décorée, dans la jolie maison qu'ils habitaient depuis 1860, époque où Joseph avait été nommé titulaire de la chaire de chirurgie dans la capitale industrielle de l'Écosse.

Toute la soirée, les époux Lister racontèrent les études qu'ils faisaient depuis qu'ils avaient lu les travaux de Pasteur, et les expériences qu'ils avaient répétées avec succès. Agnès collaborait de très près à l'œuvre de son mari dont elle tenait les protocoles précis.

À partir de l'hypothèse selon laquelle l'air est contaminé par des germes responsables de la transformation putride des tissus humains, ils avaient décidé de chercher un produit plus toxique pour ces germes que pour la peau, et qu'ils pourraient utiliser en opérant. Leur choix s'était arrêté sur l'acide phénique. Ils l'employaient depuis plus d'un an avec des résultats prometteurs.

— Il faut, disait Joseph, que l'air qui environne la plaie chirurgicale soit imprégné d'acide phénique, ainsi que les mains et les instruments qui opèrent.

Damien imaginait mal comment on pouvait appliquer une telle technique, mais Joseph paraissait si sûr de lui qu'il n'avait aucune raison de douter.

— Vous n'imaginez pas, affirmait-il, le nombre de fractures ouvertes qui ont cicatrisé et consolidé ainsi, sans suppuration.

Damien était bouche bée.

— Et les amputations ?

— C'est la même chose. Autrefois, nous perdions environ un malade sur deux. Actuellement nous n'en perdons plus.... qu'un sur dix. Demain matin, je vais essayer une intervention que je n'ai jamais faite encore, et que je n'aurais jamais envisagée sans l'aide de l'acide phénique.

Les visiteurs étaient fascinés par la tranquille assurance de cet homme, si pénétré de sentiments religieux profonds, et qui avançait avec une assurance impressionnante vers des choix dont le risque se mesurait en nombre de vies humaines, et qui en était parfaitement conscient. Il baissa les yeux et continua, ému lui aussi par sa propre audace, et par la stupéfaction de ces gens qui, pourtant, semblaient lui faire confiance.

— Il y a quelques semaines, un jeune habitant des quartiers du port est venu me demander s'il ne serait pas possible de lui redresser une jambe cassée dans l'enfance. Incapable de marcher, et donc de travailler, il a vécu jusqu'ici chez ses parents qui subvenaient à ses besoins. Son père vient de mourir, et sa mère est âgée. Il ne peut pas se résoudre à la mendicité, et il sait que, si sa jambe était droite, il pourrait trouver du travail.

Lister laissa passer un moment avant de reprendre :

— Alors, demain je vais l'opérer.

Ce choix était ahurissant. Damien n'osait parler. Lister, conscient de ce que cette proposition avait d'impensable, continua :

— Je sais bien que l'enjeu est grave, et je l'ai expliqué à ce garçon. Inciser la peau sur un os sain, et trancher dans un cal osseux c'est risquer une infection...

— Risquer ? ne put s'empêcher de s'écrier Damien. Mais c'est à coup sûr que vous aurez une suppuration...

Lister posa sur lui son regard clair. Et, de sa voix posée, il affirma :

— Justement, j'espère qu'avec l'acide phénique, il n'y aura pas de pus... Mais je suis d'accord avec vous, ce n'est qu'un espoir, pas une certitude. Plus encore, j'ai dû prévenir ce garçon que si le pus s'y mettait je ne lui garantissais même pas la vie sauve.

— Et alors ?

— Il m'a répondu qu'il aimait mieux mourir tout de suite que de vivre infirme, et périr de faim...

Personne n'osait plus parler.

Le lendemain matin, les deux chirurgiens partirent ensemble dans le petit coupé attelé d'un vieil alezan essoufflé. Ils parlèrent peu pendant le trajet. Une pluie fine giflait la capote, et un brouillard humide recouvrait l'estuaire de la Clyde encombré de navires. L'hôpital était au cœur de la ville, dans un quartier sombre et enfumé. Ils laissèrent le cheval aux mains du gardien qui les salua respectueusement, et Lister entraîna Damien dans un dédale de couloirs où circulaient de nombreux malades dépenaillés.

— Une grande partie de notre population est très pauvre, expliquait-il en marchant. J'aurais préféré rester à Édimbourg ou aller à Londres, mais c'est ici qu'une place s'est libérée. En principe, je n'y resterai pas plus de dix ans. En 1870, j'essayerai d'avoir un meilleur lieu de travail, avec un laboratoire, un vrai.

Une religieuse l'attendait.

— Monsieur le professeur, le jeune Mac Inlow est déjà à l'amphithéâtre, et tout le monde vous y attend.

— Merci ma mère, nous y allons, avec le professeur de La Verle, mon ami de Paris.

La religieuse s'inclina avec respect. À cette époque, Paris était encore la capitale de la chirurgie, et la venue d'un représentant de cette ville dans ce modeste hôpital écossais était un honneur auquel la mère supérieure des diaconesses était très sensible.

Devant la porte de l'amphithéâtre, un groupe de médecins attendaient. Tout de noir vêtus, ils accueillirent le patron avec une réserve respectueuse plus accentuée encore que celle que manifestaient les étudiants parisiens.

Lister salua d'un mouvement de tête, et, après une seconde d'hésitation, il se décida à dire :

— Eh bien, messieurs, allons-y.

Ils entrèrent dans une grande salle mal éclairée par une verrière encrassée, où toutes les places étaient occupées par la foule des étudiants qui se levèrent à leur arrivée. D'un geste, Lister leur fit signe de s'asseoir, et ils se mirent à applaudir. Sans plus s'occuper d'eux, le chirurgien, suivi de ses assistants, s'approcha du lit où le jeune homme était allongé, et il lui parla à voix basse.

Damien en profita pour examiner les lieux. Presque circulaire, la pièce était occupée par des gradins séparés du centre par une barrière de fer. Près de la porte, un poêle à bois chauffé au rouge irradiait une chaleur à peine tolérable. Des tables supportaient des bassines de tailles diverses, et il régnait une odeur âcre qui prenait à la gorge. Mais personne ne semblait s'en soucier. Damien s'approcha d'une bassine et flaira le liquide dans lequel baignait un lot d'instruments de chirurgie. L'odeur le fit reculer. Il en déduisit que c'était l'acide phénique.

L'intervention allait commencer. Un assistant s'approcha du patient, portant un petit appareil avec un masque qui devait contenir le chloroforme utilisé pour l'anesthésie. Le rite habituel se déroula : petit discours du médecin, acceptation résignée du patient, puis, après quelques respirations profondes, agitation désordonnée vite maîtrisée par les médecins. Enfin le calme du sommeil.

Lister souleva le drap et Damien aperçut un membre inférieur dont la déformation était impressionnante : au-dessous du genou, la jambe partait en dehors et faisait, avec la cuisse, un angle de quarante degrés au moins ; le pied portait des callosités qui montraient que l'appui s'établissait sur le bord intérieur. Lister vérifia que Damien voyait bien, et il demanda qu'on approche les instruments. Il boutonna sa redingote jusqu'au cou, releva ses manches de veste et de chemise, et plongea ses mains dans une bassine que lui présentait une religieuse. Pendant ce temps, on approchait une machine que Damien n'avait pas remarquée encore, une sorte de grosse théière pleine d'eau en ébullition et prolongée par un flacon contenant un liquide incolore.

— *Carbolic spray*... expliqua Lister.

L'assistant se livra à un mystérieux réglage qui transforma la théière, après quelques crachotements, en une bruyante soufflerie qui vaporisa un nuage d'acide phénique. Posé sur un tabouret de bois, la tuyère fut placée de telle sorte que les mains du chirurgien et la jambe du patient se trouvèrent noyées dans le nuage humide.

— C'est bien, jugea Lister, nous pouvons opérer.

Il trempa un linge dans la bassine où il avait immergé ses mains, et entreprit d'humidifier largement le membre qu'il allait opérer. Ensuite, il prit dans une autre bassine un bistouri et incisa la jambe au-dessous du genou.

À partir de ce moment, le ballet des instruments se déroula avec la minutie habituelle, à la différence près que l'opérateur, à tout instant, replongeait ses mains dans la bassine d'acide phénique, où ses instruments baignaient en permanence. Et tout se passait dans le nuage de la tuyère que les assistants rechargeaient en eau chaude quand les crachotements semblaient s'essouffler. Un craquement sonore marqua le redressement de l'os, et Lister vérifia soigneusement que l'axe qu'il avait donné était le bon. Puis il referma la plaie, et immobilisa la jambe dans un jeu d'attelles matelassées, fixées en bonne position. Sur la plaie opératoire, Lister installa un pansement compliqué où des linges imbibés d'acide phénique étaient enveloppés d'un bandage imperméable.

Quand le chirurgien se redressa enfin, les yeux larmoyants, tous les spectateurs applaudirent longuement. Il les salua avec un sourire, fit signe à Damien, et ils sortirent comme des acteurs quittent une salle après un spectacle.

— Bravo ! murmura Damien.

— À la grâce de Dieu, répondit Lister en déboutonnant son col qui l'étranglait.

Il baissa ses manches sur des mains rougies par l'acide.

— Que pensez-vous de l'eau de Javel ? demanda Damien.

— J'ai essayé, mais le *spray* est encore plus insupportable. On s'est tous mis à pleurer avant même de commencer à opérer. En revanche, quand il y a une suppuration, c'est un bon moyen de nettoyage. À condition de veiller à faire une dilution pas trop concentrée.

En marchant, Damien lui raconta comment il avait sauvé la jambe de Thérèse avec ce liquide. Puis il lui demanda s'il avait entendu parler de Semmelweis et de Holmes. Devant sa réponse négative, il lui raconta ce que ces hommes avaient fait.

— Et qu'est-il advenu de leurs travaux ?

— Rien, je pense. Personne n'y a cru.

— C'était pourtant intéressant. Peut-être faudrait-il reprendre cette étude sur la fièvre puerpérale...

Les deux hommes qui devisaient ainsi sur les mérites de l'obscur gynécologue hongrois de Vienne ne se doutaient pas que ce génial précurseur venait de mourir, oublié de tous, dans un asile d'aliénés de la capitale autrichienne.

Pendant le reste de la journée, Damien accompagna Lister, et il put se conforter dans l'idée que l'Écossais avait mis au point une technique difficile, mais efficace. De nombreux opérés, guéris ou en bonne voie de guérison, étaient là pour le prouver. Lister les surveillait avec une attention de tous les instants, il changeait les pansements lui-même, avec un soin méticuleux, ct personne d'autre que lui n'avait le droit de toucher à ses patients.

— Les bons résultats sont à ce prix, affirmait-il.

Ce soir-là, Damien eut beaucoup de mal à s'endormir. Pour la première fois de sa vie, il voyait un raisonnement purement scientifique porter ses fruits dans la pratique quotidienne de la chirurgie.

— Comprends bien, expliquait-il à Thérèse, jusqu'à présent, nous vivions dans un ordre établi : la pourriture d'hôpital tuait plus de la moitié des blessés et des opérés. Rien ne semblait pouvoir jamais changer cet état de fait. Et puis voilà qu'à Lille un modeste chimiste français découvre que des êtres vivants invisibles peuvent se reproduire dans certaines conditions, et provoquer ce pus qui tue nos opérés. Partant de cette découverte, un chirurgien écossais décide de trouver un moyen pour tuer ces êtres indésirables avant qu'ils puissent contaminer les plaies opératoires. Il met au point un procédé nouveau, et les plaies guérissent. Les opérés ne meurent plus !

Assis sur le lit, Damien ne cessait de parler. Thérèse ne l'avait jamais vu ainsi.

— Rends-toi compte, continuait-il sans voir le regard ensommeillé de son épouse, nous allons peut-être pouvoir opérer de nouveau sans tuer les malades. Et pas seulement des jambes, comme Joseph, mais des ventres, des têtes, des thorax... La chirurgie ne sera plus cet angoissant pari où la vie se joue à pile ou face !

Thérèse dormait depuis longtemps quand son mari, au petit jour, tomba enfin de sommeil. Mais dès le réveil, il reprit son monologue comme s'il l'avait continué en dormant.

— Demain, je ferai la meilleure chirurgie de Paris. Je perfectionnerai le dispositif de Lister, j'inventerai des interventions nouvelles, je sauverai les mourants, je...

— Et te restera-t-il encore un petit peu de modestie ? demanda Thérèse qui ne se laissait pas impressionner facilement.

Ils rirent tous les deux, joyeux de se sentir à l'aube d'une époque nouvelle.

CHAPITRE VII

À leur retour d'Écosse, Damien et Thérèse eurent une grande joie. Leur fils Édouard venait d'être nommé interne des hôpitaux de Paris. À son premier concours, et il n'en était pas peu fier. On organisa un dîner pour célébrer l'événement et le jeune lauréat invita son condisciple Paul Berger, ami d'enfance, nommé au même concours, et auquel, disait-il, il devait son succès.

Ils s'étaient connus au lycée Saint-Louis où Berger était un brillant élève. Édouard avait été séduit par le sérieux de ce garçon, fils de pasteur alsacien, qui travaillait avec efficacité et méthode, sans oublier pour autant les joyeuses festivités juvéniles. Après le baccalauréat, Édouard s'était inscrit à la faculté de médecine sans hésiter.

— Chez moi, on est médecin de père en fils... disait-il.

— Moi, je devrais être pasteur, mais je n'en ai guère envie... Je ne sais pas où me diriger, avouait Paul.

Par habitude, ils se retrouvaient au Quartier latin en attendant la rentrée scolaire, et Édouard traîna son ami dans les amphithéâtres de la faculté de médecine. Paul fut séduit par une conférence de Denonvilliers, remarquable pédagogue, qui tenait son auditoire sous le charme d'une éloquence inégalée en ces lieux où la plupart des professeurs venaient lire leurs notes sans se soucier de l'assistance.

Brutalement, Paul se décida.

— Je m'inscris avec toi.

Et il se mit au travail avec sa détermination habituelle. En médecine, l'habitude veut que les étudiants se regroupent pour affronter ces matières nouvelles, pour lesquelles il vaut mieux être plusieurs à essayer de comprendre. Édouard avait, sur ses camarades, une supériorité indéniable, une sorte d'atavisme chirurgical. Tout naturellement il connaissait le vocabulaire usuel du corps médical, et les arcanes du cursus universitaire lui étaient déjà parfaitement familiers.

Ainsi les deux garçons se mirent-ils immédiatement au travail pour préparer l'externat, leur premier objectif. Alors que les autres étudiants s'empêtraient dans l'austérité hermétique des cours de la faculté, eux s'étaient attelés d'emblée à la préparation d'un concours qu'ils réussirent, évidemment, du premier coup.

Édouard savait qu'il devait ce facile succès au courage obstiné de son ami, qui l'avait entraîné dans son sillage studieux. Paul le remercia de lui avoir montré la bonne voie, et ils continuèrent. Avant même les résultats de l'externat, ils préparaient déjà l'internat, avec un ancien élève de Damien, Just Lucas-Championnière, un jeune chirurgien d'une exceptionnelle maturité. C'est ainsi que les deux compères se retrouvèrent, à vingt-deux ans, titulaires du titre le plus envié, et pleins d'une ambition à dévorer le monde.

Mais, au cours de cette période, Édouard avait découvert aussi, dans la famille Berger, des joies inconnues, celles des grandes familles. Le pasteur Eugène Berger s'était marié avec la fille d'un éditeur parisien, et ils avaient huit enfants. Édouard, qui travaillait souvent chez son ami, partageait fréquemment le dîner familial, et il appréciait l'atmosphère érudite de cette grande tablée où s'entrechoquaient les idées du temps. On parlait de tout, aucun sujet n'était interdit, et les parents ne semblaient avoir d'autre souci que l'éducation de leurs enfants.

Dans la maison La Verle, il faut le reconnaître, il n'en était pas vraiment ainsi. Damien ne s'intéressait qu'à la chirurgie, et sa femme organisait la vie de la maison autour de son grand homme, éperdue d'admiration devant celui qui devait accomplir sa haute destinée. Pour le moment, après un départ foudroyant, le chirurgien piaffait devant une agrégation qui lui était refusée.

À chaque repas, invariablement, la conversation roulait sur les concurrents plus heureux, les influences politiques passées ou à venir, les stratégies de couloir, les alliances électorales ou les appuis à rechercher. Le repas terminé, Damien rentrait dans son cabinet de travail où il mettait au point ses communications, et déchiffrait ses revues professionnelles, en particulier celles qui lui venaient de l'étranger. Il relisait ses fiches de malades, comparait ses résultats, cherchait de nouvelles idées.

Il faut dire qu'il vivait une époque d'une inégalable richesse. La méthode anatomo-clinique chère aux grands précurseurs de l'Hôtel-Dieu portait ses fruits et, grâce à l'anesthésie, les audaces chirurgicales les plus surprenantes occupaient la presse spécialisée. On publiait l'ablation de l'utérus, de l'estomac, du côlon... On inventait de nouveaux instruments, comme les pinces de Péan, de Terrier, de Kocher surtout, munies de petites dents qui s'accrochaient dans les tissus. On inventait le catgut, le premier fil à se résorber spontanément, et des médicaments révolutionnaires, la strychnine, l'aspirine et la trinitrine. On apprenait à prendre la pression artérielle, à injecter les médicaments avec une seringue, à mesurer la température rectale avec un thermomètre à mercure...

Le chef d'un service hospitalier se devait d'être au courant de tous ces progrès, d'autant que la chirurgie de ce temps recouvrait toutes les spécialités dont on commençait tout juste à parler. Damien opérait aussi bien des fractures de jambe que des cataractes, des malformations buccales ou anales, les adultes ou les enfants... Aucun domaine ne devait échapper à la connaissance d'un chirurgien des hôpitaux.

On imagine combien de temps il devait consacrer à ce travail harassant. Comme ses maîtres, il arrivait à l'hôpital à six heures du matin et y travaillait jusqu'à midi. Il se contentait d'une simple collation avant de courir l'après-midi chez ses patients privés ou dans la clinique qui abritait certains d'entre eux. Le soir il fallait sortir, se montrer, et parader dans les salons pour entretenir des relations mondaines avec ceux qui étaient censés détenir quelques parcelles de pouvoir.

Il n'avait guère de temps pour bavarder avec les enfants, et Édouard en souffrait. D'autant que sa sœur, qui avait hérité de la ténacité paternelle, étudiait la musique et le chant avec une passion qui l'occupait entièrement. Le garçon annonçait ses succès et on le félicitait, mais sans plus. C'est l'échec qui aurait été anormal. La réussite était devenue une religion familiale, et on se consacrait à son culte sans se préoccuper du reste.

Édouard se consolait chez son grand-père Maréchal. Le vieil homme, qui n'avait pas eu de fils, avait toujours épanché sur l'enfant l'excès de ses sentiments paternels, avec ce privilège des grands-parents qui ont le droit de négliger l'obligatoire au profit du superflu. Le jeune étudiant trouvait aussi, dans le petit appartement de la rue des Feuillantines qui croulait sous les livres, les bouffées de philosophie dont son esprit en pleine éclosion avait besoin. La pensée républicaine était restée si vive dans l'âme du militant d'autrefois, qu'Édouard trouvait là toute l'argumentation qui faisait de lui, auprès de ses amis, un débatteur politique redouté.

Paul Berger le tirait par la manche quand il serait volontiers resté à boire en refaisant un monde meilleur dans les estaminets enfumés du Quartier latin. À la table du pasteur aussi, ces sujets revenaient souvent, et la largesse d'esprit des protestants était frappante, en face des bigots rigoristes de l'environnement impérial.

En cette année 1867 où Édouard allait commencer sa carrière chirurgicale, ses relations avec son père s'étaient inexplicablement tendues. Damien ne comprenait pas pourquoi son rejeton prenait si volontiers le contre-pied des valeurs généralement admises. À tout instant le jeune interne le contredisait sur un ton faussement respectueux. Il ironisait sur ses relations avec le pouvoir, critiquait volontiers la clientèle aisée dont les exigences étaient parfois abusives, et manifestait une absence d'ambition difficilement compréhensible.

Damien ne se rendait pas compte que son fils avait tout simplement besoin de lui, et qu'il réclamait seulement un peu d'attention.

Les expériences de Lister séduisirent Édouard qui comprit mal que son père ne donnât pas, dès son retour, toute la publicité à une méthode qui, pourtant, l'enthousiasmait.

— Vous n'allez pas en parler à la Société de Chirurgie ? s'étonna le jeune garçon.

— Je connais leur réaction. Ils diront que c'est une lubie, la nouvelle élucubration d'un arriviste, ou je ne sais quoi. Ils ne sont pas prêts à changer leurs habitudes...

— Mais vous, père, vous êtes convaincu de l'intérêt de cette méthode ?

— Sans doute, et je vais la mettre en application.

— Sans en faire profiter ceux de vos collègues, qui seraient en mesure de l'apprécier ?

— Ce n'est pas ainsi que les choses doivent se passer, Édouard. Je vais d'abord mettre la technique au point dans mon service. Et je sais déjà que ce ne sera pas si simple. Ensuite, quand mon expérience sera suffisante, je pourrai la publier officiellement.

— Et y attacher votre nom...

Damien ne releva pas la perfidie de cette réflexion. Il continua, un peu agacé.

— Lister va publier ses propres résultats. Dans le courant de l'année son article paraîtra dans des revues spécialisées accessibles à tout le monde, et chacun en fera ce qu'il voudra. Ceux qui, comme moi, seront convaincus, essayeront de leur côté. Et puis, un jour, nous confronterons nos résultats, soit à la Société de Chirurgie, soit dans la presse

— Mais vous comptez bien être le premier...

Damien hésita une seconde, mais décida de rester calme.

— Si je suis le premier à mettre au point, ou à perfectionner la méthode de Lister, j'en serai fier. Je serai fier d'avoir fait progresser les moyens de soulager l'humanité souffrante !

Le ton ironique de l'emphase finale était trop acide pour que le jeune homme n'ait pas envie de répliquer, mais le père Maréchal, assis à côté de lui, posa sa main sur son avant-bras pour l'inciter à la modération.

— Ton père a raison, Édouard, il faut avoir vécu pour comprendre les réticences que doivent vaincre les manifestations du progrès. Souviens-toi de tout ce que je t'ai raconté sur les débuts du chemin de fer. Maintenant on trouve déjà qu'il n'y a pas assez de lignes, et que nous prenons du retard par rapport à d'autres pays comme l'Angleterre. Et pourtant, qu'a-t-il fallu entendre quand cette incongruité bruyante et fumante a fait son apparition...

Damien profita de cette interruption pour se calmer et clarifier son projet.

— Il faut d'abord que je fasse fabriquer un appareil à fumigation d'acide phénique. Ce ne sera déjà pas si facile. Quand je serai certain de son bon fonctionnement, il faudra convaincre les gens du service de l'intérêt d'une telle pratique, et notamment les internes, figure-toi, qui sont prompts à critiquer aussi bien l'immobilisme que le progrès. Les religieuses, les malades même... Et ensuite apprécier les résultats. Car il ne faut pas croire que la pourriture d'hôpital va disparaître ainsi, du jour au lendemain. Ce qu'il faut espérer de mieux, c'est une augmentation du nombre des guérisons. Et pour convaincre mes collègues, il faudra pouvoir dire : « Avant l'acide phénique, la moitié des amputés mouraient, depuis l'utilisation de cette nouvelle méthode je n'en ai perdu que... cinq sur trente, par exemple. »

Maréchal vint soutenir son gendre.

— Et tu n'imagines pas, mon garçon, ce que ton père devra entendre, même si ses résultats sont probants.

Le vieil homme était un excellent conteur et il avait conservé, de sa carrière d'enseignant, le goût des auditoires. Ce soir-là, il pensait qu'une diversion était nécessaire pour détendre une atmosphère dont la tension était dangereuse.

— Me permettez-vous de vous raconter une histoire de chirurgie qui va illustrer ces propos ? demanda-t-il avec son air le plus innocent.

— Oh ! oui, père, j'adore vos histoires, s'exclama Thérèse, trop contente de voir son petit monde se calmer un peu.

— Il y eut à Montpellier, au XIVe siècle, un chirurgien célèbre qui s'appelait Guy de Chauliac. C'était un partisan fervent de la cautérisation. Il traitait tout avec le fer rouge, par exemple les hernies. C'est ainsi qu'en chirurgie courante, il montra qu'il fallait brûler les vaisseaux qui saignent. Deux siècles plus tard, Ambroise Paré fit la preuve qu'il était beaucoup plus simple de ligaturer l'artère hémorragique. Et la lutte commença entre les tenants de ces deux méthodes. Elle continue encore. N'est-ce pas, Damien ?

— C'est vrai, les partisans de la cautérisation sont encore légion. Et tu verras, Édouard, dans toutes les salles d'opération il y a un fourneau où les fers sont portés au rouge. En revanche, votre premier patron, mon ami Péan, vitupère à longueur de journée contre ceux qui n'utilisent pas la pince qu'il a inventée, et qui, dit-il, est indispensable pour toute opération... À l'entendre, personne n'a jamais opéré avant lui !

Tout le monde sourit, et le père Maréchal en profita pour sonner la retraite. Le jeune Paul Berger était enchanté de sa soirée au milieu de ce monde médical qu'il connaissait mal.

Ce que les deux jeunes gens ne disaient pas, c'est la joie qu'ils éprouvaient à l'idée d'aller habiter en salle de garde, dans ce monde mythique qui sentait un peu le soufre, et qui les éloignerait définitivement de l'emprise familiale. Cette nomination à l'internat marquait vraiment le début d'une nouvelle vie.

L'appareil à fumigation d'acide phénique fut enfin livré dans le service de chirurgie de l'hôpital Sainte-Marthe. Damien le fit déballer et monter dans son bureau. Quand il fut certain de son bon fonctionnement, il organisa une réunion avec tous ceux qui seraient concernés par l'utilisation de cette méthode nouvelle.

Sœur Éléonore, l'infirmière principale, lui manifestait une subordination obséquieuse ; mais elle persistait à entretenir, il le savait parfaitement, le culte de son prédécesseur. Elle ne manquait jamais une occasion de décocher quelque réflexion perfide dès que son patron avait le dos tourné. Les autres infirmières étaient méfiantes par nature devant toute idée de progrès dès lors qu'elles auraient à changer leurs habitudes.

Quant aux trois internes, ils faisaient partie d'une caste imprévisible. Prompts à l'enthousiasme si une idée leur plaisait, ils pouvaient aussi bien devenir un foyer d'opposition irréductible s'ils avaient l'impression qu'on attentait si peu que ce fût à leurs prérogatives.

Ils entrèrent dans le bureau du patron, avec cette nonchalance qui était à la mode. Damien les regarda en se demandant si les précautions d'hygiène qu'il allait exiger d'eux avaient la moindre chance d'être acceptées, tant ce type de préoccupation leur était étranger. Leur aspect témoignait, au contraire, d'un certain goût pour une crasse ostentatoire, qui tendait à prouver leur absence de réticences face à des obligations répugnantes pour le commun des mortels. Leurs vêtements, élimés et empesés par le temps, étaient mal protégés par ce tablier de toile blanche, emblème de leur fonction qu'ils portaient avec la fierté d'un officier auquel on a remis ses premiers galons. La pointe triangulaire boutonnée au gilet, les cordons croisés dans le dos et noués sur le ventre, il se devait d'être d'une saleté repoussante. Porté à la fois pour les autopsies, les pansements et les opérations, il était décoré des souillures les plus immondes qu'on puisse imaginer. Plus il était sale, et plus son propriétaire témoignait ainsi de son enthousiasme au travail.

Ce tablier avait en plus une poche ventrale où l'interne entreposait ses trésors. Le stéthoscope évidemment, mais aussi la pipe et le tabac, un carnet de notes, et parfois aussi quelque trophée d'autopsie destiné aux plaisanteries traditionnelles. Ainsi, dans les nouveaux omnibus que d'énormes percherons traînaient dans les rues de Paris, favorisant la promiscuité des étudiants avec les bourgeois, beaucoup de femmes découvraient-elles avec surprise, dans leur sac à provisions, une oreille ou un orteil qu'elles n'avaient pas achetés !

Enfin, pour compléter la panoplie de l'interne, il faut parler de la calotte. Comme le tablier, elle témoignait du niveau hiérarchique. De l'interne au patron, sans exception, tout le monde la portait, en particulier dans les salles de malades où la courtoisie voulait pourtant qu'on se découvrît. Ils étaient chez eux, dans leur service, et cette coiffure dérisoire prenait une valeur symbolique que personne n'aurait osé discuter. En velours noir le plus souvent, parfois en toile, elle se devait d'être crasseuse à souhait et de ne jamais quitter le chef de son propriétaire, en quelque occasion que ce fût.

Ce matin-là, Damien se retrouva donc face à son aréopage. Ses trois internes, barbus, chevelus, la calotte enfoncée jusqu'aux yeux, attendaient avec intérêt de connaître l'objet de la convocation.

Le patron s'y prit de loin. Il leur raconta Semmelweis, Holmes, Pasteur et enfin Lister. Il devint lyrique en leur décrivant l'intervention à laquelle il avait assisté, et il appuya longuement sur le côté osé d'un tel geste opératoire. En fait, ils étaient moins surpris que prévu, car à leur âge, le risque mortel d'une opération paraissait tellement dans l'ordre des choses, et ils avaient vu tant d'échecs chirurgicaux déjà, qu'il leur paraissait normal qu'on tentât de nouvelles expérimentations, quelles qu'en fussent les conséquences.

Puis il fit fonctionner devant eux son appareil à acide phénique. L'âcre odeur se répandit dans la pièce, et le rire succéda à la surprise. Opérer dans un nuage, quelle idée ! Il fallait l'esprit tortueux d'un Britannique pour avoir mis au point une telle invention.

— Et il va nous falloir travailler ainsi ?

À ce moment arriva dans le bureau celui qui faisait fonction de chirurgien en second, Just Lucas-Championnière que Damien avait mis dans la confidence. Son enthousiasme fut communicatif. Comme c'était surtout lui qui faisait opérer les internes, son adhésion entraîna facilement celle des plus jeunes. Ils comprirent moins l'obligation de se laver les mains après les autopsies, et les infirmières, qui connaissaient le goût de leur patron pour l'eau de Javel, se regardèrent d'un air entendu. C'était, pensaient-elles, une nouvelle lubie qui passerait, comme les autres.

Mais cette fois Damien tint bon, et le rite antiseptique fut respecté. Les résultats commencèrent à s'améliorer, mais les habitudes étaient difficiles à changer. La pourriture d'hôpital continuait à sévir.

Une autre nouveauté fut instaurée, le drainage, comme Chassaignac l'avait publié. La mise en place, après chaque opération, d'un drain de caoutchouc dans la plaie, permettait l'évacuation du pus qui continuait à se former. L'auteur de cette nouveauté vint voir Damien opérer à Sainte-Marthe, et il poussa des hauts cris devant le pulvérisateur d'acide phénique, qui lui parut le comble de l'absurdité. Pour lui, hors du drainage, il n'y avait pas d'issue, et le reste était sans intérêt.

Dans Paris, on commenta avec humour les innovations de Damien, et Saint-Véran raconta à qui voulait l'entendre que cette obnubilation de son ancien élève ne datait pas d'hier. Il était bien placé, affirmait-il, pour savoir à quel point toutes ces manies étaient vaines.

— Mais l'ambition de ce garçon est telle, concluait-il fielleusement, qu'il est prêt à tout inventer pour se faire remarquer.

Finalement, le seul supporter convaincu de Damien fut Lucas-Championnière. Il étudia attentivement les articles que Lister faisait paraître, et, en 1869, il demanda à son patron l'autorisation d'aller à Glasgow voir opérer l'initiateur de la méthode. Damien accepta avec joie, et il lui fit une lettre de recommandation élogieuse.

Pendant ce temps, Édouard faisait ses premières armes chez Péan à l'hôpital Saint-Louis. L'homme était un Beauceron robuste, peu bavard, coléreux et obstiné. Fier de ses succès chirurgicaux, et de ses idées novatrices, il se présentait toujours comme le premier en tout. C'est lui qui avait enlevé un utérus pour la première fois, grâce aux pinces qu'il avait inventées, et il en était de même pour l'ovaire, le corps thyroïde, etc. Il semblait apprécier plus encore cette primauté, vraie ou fausse, que la qualité réelle de ses succès chirurgicaux, qui était pourtant indéniable.

Le premier jour à Saint-Louis, lorsqu'il eut terminé les formalités administratives, Édouard arriva dans le service et il apprit que le patron était en train d'opérer à l'amphithéâtre. Il monta jusqu'à la verrière d'où l'on dominait la scène. Il s'installa en silence au milieu des autres spectateurs, et prit sa première leçon de chirurgie. En bas, on s'affairait. Les garçons de salle avaient installé l'opéré, et un médecin s'était assis à sa tête avec le masque d'anesthésie. Bientôt apparut le patron, solidement planté, en habit sombre, ses immenses favoris soigneusement coiffés. Une religieuse vint lui nouer une serviette autour du cou, puis lui présenta une bassine où il plongea ses mains. Il s'approcha du malade endormi. D'un geste rapide il incisa, à la base du cou, la peau distendue par un goitre. Alternant le bistouri et les ciseaux, il disséquait la tumeur avec des mouvements d'une extrême finesse, disposant, autour de la masse qui semblait se libérer des muscles alentour, des pinces d'acier qui formaient comme une couronne scintillante.

Puis, sans qu'Édouard l'ait prévu, le goitre apparut dans les mains du chirurgien pour choir dans une cuvette qu'une religieuse tendait opportunément. Quelques ligatures, quelques points encore, et l'intervention fut terminée.

Le chirurgien semblait avoir officié comme un prêtre célèbre un rite bien établi. À bout d'instrument, sans y mettre les doigts, le corps dressé, muet et sûr de lui, au milieu d'un personnel parfaitement dressé.

Édouard eut un frisson. Il pressentait que l'homme serait un maître difficile. Il allait apprendre une rigueur opératoire qui était alors exceptionnelle, et passer des matinées éprouvantes dans le service.

Heureusement la salle de garde était là pour lui changer les idées. On n'y parlait travail qu'après les repas. Avec l'équipe de garde il s'attardait, le soir venu, un verre en main et la pipe entre les dents.

Le plus souvent, on vitupérait Badinguet et sa clique. Les étudiants étaient, dans l'ensemble, de tendance républicaine, et prêts à descendre dans la rue quand il le faudrait. Les épisodes glorieux de 1830 et 1848 où tant de jeunes s'étaient illustrés, leur laissaient un arrière-goût d'envie, et ils rêvaient de changer, à leur tour, ce régime qu'ils n'admettaient pas.

Pourtant Napoléon III avait atténué les rigueurs de sa politique, libéralisé un peu la presse, amélioré la condition ouvrière, et remporté des succès diplomatiques. L'empire colonial s'était développé, Ferdinand de Lesseps terminait le canal de Suez, et le commerce avec l'Orient donnait à Marseille un essor sans précédent.

Malgré tout, l'opposition républicaine se développait, et dans les salles de garde on répétait la phrase de Rochefort, publiée dans *La Lanterne :* « Comme bonapartiste, je préfère Napoléon II, c'est mon droit ! »

On discutait aussi du « Programme de Belleville », plate-forme républicaine pour les élections de 1869. On n'y parlait que de liberté pour la presse, les syndicats et les associations. Le suffrage universel, l'éducation laïque, et la justice sociale enthousiasmaient ces jeunes esprits échauffés.

La politique des nationalités menée par l'empereur avait été soutenue par la jeunesse qui applaudissait Garibaldi. En revanche, du côté prussien, l'unité allemande se faisait dans un climat tellement anti-français, que les étudiants manifestaient à l'égard des puissances d'outre-Rhin une agressivité patriotique fort dangereuse.

Bien qu'ils n'eussent pas suivi en détail l'affaire de la succession d'Espagne, et l'imbroglio diplomatique de la dépêche d'Ems, ils étaient mûrs, en 1870, pour en découdre avec le Prussien qui osait revendiquer, au nom de son « unité », les provinces germanophones, mais bien françaises, d'Alsace et de Lorraine. Et le 17 juillet, ils approuvèrent sans arrière-pensée la déclaration de guerre aux « pruscos ».

Personne n'imaginait alors quels bouleversements dramatiques ce conflit allait engendrer, ni l'enchaînement de barbarie qui allait ensanglanter l'Europe pendant plus d'un demi-siècle.

CHAPITRE VIII

Dans l'élan patriotique de juillet 1870, Paul Berger et Édouard décidèrent que leur place n'était pas à Paris, et ils s'engagèrent dans l'armée. En troisième année d'internat de chirurgie, ils avaient l'espoir de se voir confier un poste intéressant. Mais leur déception fut grande : administrativement, ils n'étaient pas encore docteurs et leur qualification chirurgicale n'était pas officiellement reconnue. Alors que dans la vie civile ils étaient habilités à faire des remplacements de chirurgien, arrivés à l'armée ils furent tout d'abord envoyés à l'École de santé militaire du Val-de-Grâce, pour y recevoir la formation d'infirmier, au même titre que les autres étudiants en médecine.

Ils se retrouvèrent donc, un beau matin, sous la direction d'un vieux médecin galonné originaire de l'Aveyron, pour étudier les bandages et les appareillages de fracture. D'abord choqués, ils s'en amusèrent vite, car jamais on ne leur avait expliqué avec autant de détails l'art du bandage renversé dans le pansement de jambe. Au bout d'une heure, le spectacle de tous ces garçons qui s'entortillaient les uns les autres dans une bruyante atmosphère de cour d'école, attira aux fenêtres les hospitalisés qui ne ménagèrent pas leurs quolibets. L'enseignant, débordé par cette jeunesse, se fâcha soudain, et mit tout le monde au garde-à-vous. Il put alors se lancer dans un discours moralisateur, d'où il ressortait qu'une telle absence de sérieux n'était pas de mise quand les ennemis de la France se pressaient déjà à ses portes.

De fait, dès la fin du mois de juillet, les armées du roi de Prusse et de ses alliés, grâce à l'efficacité des transports ferroviaires, avaient massé plus de cinq cent mille hommes à la frontière, alors que l'état-major du général Lebeuf, ministre de la Guerre, était loin d'avoir réuni un tel effectif.

Il fallait se hâter, et la formation des nouvelles recrues fut abrégée. Édouard et Paul, comme les autres internes, furent sortis du lot, et ils apprirent, dès le premier août, leur nomination au grade d'aide-major. Séparés par l'ordre alphabétique, les deux amis furent affectés, l'un à Metz, l'autre à Châlons. Chacun reçut son ordre de mission pour aller se présenter, dans les plus brefs délais, au médecin chef de son unité.

Les deux garçons travaillaient ensemble depuis le lycée, et c'était la première fois qu'ils s'éloignaient autant l'un de l'autre. Ils se serrèrent la main en essayant d'avoir l'air martial, espérant que l'épreuve serait de courte durée, et qu'ils se retrouveraient bientôt dans leurs chères salles de garde pour la dernière année d'internat.

Mais, en réalité, ils avaient l'angoisse au cœur, car ils se rendaient compte que le départ pour la guerre est un saut dans l'inconnu dont on n'est pas certain de revenir.

Édouard posa son sac sur le parvis de la cathédrale Saint-Étienne, et consulta de nouveau son ordre de mission : Ier bataillon du 26e régiment de gardes mobiles. Metz grouillait d'uniformes de toutes les couleurs, et le jeune médecin n'avait pas la moindre idée de l'endroit où se trouvait le casernement. « Tu vas à la cathédrale, tu ne peux pas la manquer, et là, tu demandes ton chemin », lui avait conseillé l'employé des chemins de fer lorsqu'il avait sauté du train dans un brouhaha indescriptible.

L'armée française avait subi ses premiers revers, et la ville avait été choisie comme lieu d'évacuation et de regroupement. Les rues étaient encombrées de multiples convois, et des détachements de toutes les armes encombraient les places.

Édouard mit la matinée pour retrouver le médecin principal de 2e classe Larissière auquel il devait se présenter. Après avoir fait le tour de la ville, c'est au palais de justice, transformé en hôpital, qu'il put enfin le rencontrer. C'était un homme de haute taille, au regard sévère. Entre une moustache cirée et une mouche impériale, ses lèvres minces laissaient passer, avec parcimonie, un verbe bref et cassant. Il toisa Édouard d'un œil inquisiteur, et le jeune homme eut honte de son uniforme chiffonné par une nuit de train.

— Allez vous présenter au sous-officier de semaine qui vous indiquera vos quartiers. Je vous attends à deux heures, devant la grande porte, pour faire la visite.

Sans un mot de plus, il tourna les talons et s'en fut, faisant sonner sur le carrelage les éperons de ses hautes bottes de cavalerie. Édouard ramassa son sac et partit dans la direction indiquée. Il traversa ainsi la superbe cour intérieure du XVIIIe siècle, ornée de bas-reliefs, et grimpa l'escalier monumental vers les étages supérieurs. Au fond d'un interminable couloir, il pénétra enfin dans les bureaux administratifs de l'hôpital improvisé. Manifestement il n'était pas attendu, et les sous-officiers présents vinrent, à tour de rôle, vérifier son ordre de mission, avant que l'un d'eux, après force conciliabules, se décide à le conduire vers une chambrette mansardée, vide de tout meuble.

— Laisse ton sac ici, on tâchera de te trouver un lit dans la journée.

Passé le premier moment de surprise, Édouard décida d'explorer les environs. L'étage semblait inoccupé et, dans une espèce de grenier dépotoir, il trouva une table de toilette, un broc et une bassine qui lui permirent de faire un brin de toilette. Puis, seconde préoccupation du militaire en déplacement, il chercha à se nourrir. Dans les sous-sols du bâtiment principal, des cuisines provisoires avaient été installées. Un marmiton lui servit un bol de soupe, avec un verre de vin et un quignon de pain.

Rassasié, il refit surface, et alla se promener sur la superbe esplanade qui surplombe la Moselle et d'où la vue s'étend jusqu'au mont Saint-Quentin.

À l'heure dite, alors que le carillon sonnait au clocher de la cathédrale toute proche, il vit arriver à grands pas le médecin-chef, suivi d'un petit groupe de médecins et d'infirmiers. Il leur emboîta le pas et pénétra derrière la petite troupe dans une immense salle du rez-de-chaussée où, sur quatre rangées, des lits de fer avaient été montés. Il y avait là environ deux cents hommes alités, et une vingtaine d'infirmiers, d'infirmières et de religieuses. L'infirmier principal marchait à côté du médecin-chef et tenait un énorme registre posé sur un écritoire portatif. Devant chaque lit la troupe faisait halte, l'infirmier lisait la fiche du soldat et annonçait le diagnostic. Le médecin-chef procédait à un examen rapide, puis prenait une décision. Prescriptions, médicales ou chirurgicales, se succédaient à une cadence accélérée. Les médecins du groupe recevaient leurs directives et opinaient sans commentaires.

— Ouvrard, vous referez ce pansement tous les jours, et vous me rendrez compte. Berthier, vous changerez cet appareil de Delbet qui ne tient rien. Ouvrard, ici le pansement émollient n'est plus de mise, je vous l'ai déjà dit. On peut passer au cérat.

Pour les fiévreux, l'infirmier notait les changements de thérapeutique :

— Il faut arrêter les purgatifs et le mettre à la tisane vineuse. Potion d'opium. Extrait de quinquina...

Les mots claquaient comme des coups de fouets. Il ne fallut pas une heure pour venir à bout de la salle. Ils s'arrêtèrent devant la grande paillasse où s'entassait le matériel à pansement. Les bassines de farines de lin et de cérat, avec la cuillère en bois pour enduire les plumasseaux, les ballots de charpie, les rouleaux de bande étaient alignés comme à la parade... Un peu plus loin, sur le petit poêle plein de braises, chauffaient en permanence les fers destinés à cautériser les plaies. Le médecin-chef parcourut le livre des prescriptions ; vérifiant qu'il n'y avait pas eu d'erreur de transmission, il corrigea quelques dosages, et enfin signa.

— La Verle avec moi. Les autres à votre travail.

Sans un mot de plus, il s'en fut au pas de charge vers le fond du bâtiment et Édouard dut se presser pour arriver à suivre ce diable d'homme dont l'énergie paraissait indomptable. Ils arrivèrent ainsi, l'un derrière l'autre, dans les pièces qui avaient été aménagées en salle d'opération. La salle principale avait dû abriter les locaux administratifs, car des bureaux étaient alignés le long des murs, poussés devant des classeurs de bois. Trois tables recouvertes de matelas servaient, à l'évidence, pour opérer. Sur chacune, un blessé était allongé. Celui du milieu était dressé sur les coudes et regardait arriver le chirurgien avec, dans les yeux, cette flamme de terreur qu'on retrouve chez tant d'opérés dans les minutes qui précèdent l'intervention.

— En quelle année de chirurgie êtes-vous, m'avez-vous dit ? demanda Larissière.

— J'ai fait trois années d'internat à l'hôpital Saint-Louis.

— Chez qui ?

— M. Péan.

— C'est bien, vous allez pouvoir m'aider, et quand j'aurai vu ce que vous savez faire, on décidera de vos fonctions.

Pendant qu'il parlait, un infirmier vêtu d'un sarrau qui avait dû être blanc, lui passait, sur son uniforme, un grand tablier de cuir maintenu sur les épaules par deux bretelles. Il releva les manches de sa veste et de sa chemise et s'approcha de la première table. Édouard subit le même équipement.

L'infirmier déballa le premier pansement. C'était une horrible plaie de l'épaule, d'où un pus fétide commença à s'écouler dès que l'infirmier eut décollé le dernier plumasseau d'un geste brutal qui arracha un hurlement au blessé. Larissière hésita un instant, puis il prit une pince dans la bassine que lui tendait l'infirmier et commença à explorer les anfractuosités béantes. Le blessé sursauta encore en hurlant, tentant d'échapper à cette torture insoutenable.

— La Verle, tenez-le, bordel !

Édouard s'approcha et saisit l'épaule d'une main ferme.

— Ne bougez pas, murmura-t-il au pauvre garçon affolé, ce ne sera pas long...

Larissière se redressa, et sa voix claqua de nouveau.

— Taisez-vous, La Verle, on ne vous a rien demandé !

Il se remit à l'ouvrage, extrayant de la plaie des morceaux d'os, essuyant le pus, sondant les recoins. On entendit tout à coup un contact métallique, et la pince ramena un éclat d'obus qui sonna dans la bassine. Puis un morceau d'os apparut, qui ne tenait plus que par un lambeau de muscle. Larissière posa sa pince, saisit le fragment entre deux doigts et, avec des ciseaux, coupa l'attache musculaire qui se rétracta en saignant.

— Cautère, aboya-t-il.

L'infirmier lui présenta le fer rouge maintenu dans un chiffon, et le chirurgien le posa sur la tranche musculaire. Le blessé poussa un cri de bête et sursauta si fort qu'Édouard ne parvint pas à l'immobiliser suffisamment. Le chirurgien hurla de colère. Ceux qui attendaient sur les deux tables voisines, suivaient la scène avec des regards horrifiés.

— Malard, finissez le pansement avec la farine de lin.

Larissière laissa sa victime aux mains de l'infirmier et, en s'essuyant les mains sur son tablier, il s'approcha du blessé suivant. Un autre infirmier se précipita pour déballer le pansement d'une jambe emmaillotée jusqu'au pied. La cheville était dans un tel état qu'il ne pouvait être question que d'une amputation.

— La Verle, vous allez le chloroformer.

Un infirmier tendit à Édouard un flacon et une grosse éponge. C'était un matériel d'anesthésie assez sommaire, mais c'était mieux qu'une opération à vif.

Pendant que l'opérateur vérifiait son matériel, Édouard commença à expliquer au blessé ce qu'il allait faire. C'était un gros garçon blond au visage fade. Il le regardait avec l'air de ne pas comprendre. Puis il se retourna vers son voisin et lui parla en allemand. L'autre, s'adressant à Édouard avec un lourd accent germanique, traduisit :

— Il ne comprend rien de ce que vous dites, il est de Haguenau. Vous ne pouvez pas lui parler en allemand ?

Larissière aboya de nouveau :

— La Verle vous perdez votre temps, endormez-le, bordel !

Ce juron semblait indispensable à l'expression de l'autorité du médecin-chef !

Édouard imbiba son éponge et l'appliqua sur le visage de l'Alsacien. Les infirmiers vinrent le retenir fortement, et le chirurgien, dans le même temps, se saisit de la jambe.

— Il ne dort pas encore, s'écria Édouard.

— Vous n'aviez qu'à vous presser un peu plus !

Et le couteau à amputation entra dans les chairs palpitantes de la cuisse, tandis que le blessé hurlait dans l'éponge. Les infirmiers, manifestement habitués à ce travail, étaient presque couchés sur le corps du soldat. Mais les hurlements eurent l'avantage de provoquer des inspirations si profondes que l'anesthésique pénétra rapidement jusqu'au cerveau ; alors les membres se relâchèrent comme la scie entamait le fémur.

Bientôt le craquement osseux annonça la fin de l'amputation, et la jambe tomba dans un large baquet prévu à cet usage. Aucune mesure n'ayant été prise pour éviter le saignement, les vaisseaux se vidaient par jets saccadés. L'opérateur se saisit, une fois encore, du fer rouge, et dans un grésillement de viande brûlée et une fumée épaisse, les muscles se consumèrent sous la brûlure. Bientôt la tranche de coupe ne fut plus qu'une surface noirâtre abandonnée aux mains des infirmiers qui s'empressèrent de l'emballer.

Le chirurgien, impassible, passa au blessé suivant.

L'après-midi se déroula dans ce concert de hurlements que l'opérateur semblait ne pas entendre et auquel il mêlait souvent ses puissants coups de gueule. Édouard, confiné dans un rôle muet, remuait des pensées amères. Qu'était-il venu faire chez ces bouchers ? Comme on était loin des gestes élégants de son maître Péan qui faisait alterner sur les vaisseaux ses pinces hémostatiques et les ligatures, qui ne mettait jamais les doigts dans une plaie et n'opérait qu'à bout d'instrument et de bras pour ne pas se souiller !

Quand le programme fut épuisé, le médecin-chef, sans fatigue apparente, retira son tablier de cuir et se lava enfin les mains avant de rabaisser ses manches de veste.

— Demain matin sept heures, grommela-t-il en partant à grands pas.

Édouard était un peu étourdi, comme après un orage ou un exercice physique intense. Il remonta dans sa chambre où avait été installé un lit de fer, comme ceux des malades, avec une table et une chaise. Il se laissa tomber sur le lit qui grinça, et essaya de mettre un peu d'ordre dans ses pensées. Durant plusieurs heures il n'avait pas desserré les dents, aux côtés de ce butor mal embouché auquel il allait devoir obéir, sans discuter, pendant Dieu seul savait combien de temps... Il avait envie de parler avec quelqu'un, d'échanger des réflexions, de donner son avis.

Comme la salle de garde lui manquait, avec ses après-dîners interminables, où chacun finissait, l'alcool aidant, par mettre son âme à nu ! Tous ces garçons, si différents les uns des autres, avaient en commun la passion de leur métier et une égale ambition de réussir leur vie. Édouard se souvenait de sa surprise devant l'érudition de certains, les connaissances politiques des autres, les talents cachés de ceux qui jouaient de la musique, écrivaient des vers, des chansons, ou dessinaient. Parmi les habitants de la salle de garde, il y avait des esthètes, des artistes, des savants, et des arrivistes qui avouaient leur goût pour l'argent ou les femmes. Qu'allait-il trouver ici, dans ce monde hiérarchisé, brutal, presque inhumain ?

Il ne descendit pas dîner. Comme tous les hommes de sa famille, il avait décidé de tenir son journal et, sur la première page du grand registre relié de toile noire apporté à cet effet, il écrivit : « Souvenirs d'Édouard de La Verle, chirurgien aide-major en détresse. 4 août 1870. Première journée. C'est l'horreur. Un patron maladroit, qui opère sans antiseptique, les mains dans la plaie, qui ne connaît rien à l'hémostase et méprise l'anesthésie. Que vais-je devenir ? »

Il s'endormit comme une masse.

La situation évolua plus vite que prévu. Le 4 août, les troupes de Mac-Mahon étaient battues à Wissembourg, puis, deux jours plus tard, à Froeschwiller et Reichshoffen. La troisième armée allemande mettait le siège devant Strasbourg le 9 août. En même temps, plus au nord, les première et deuxième armées allemandes bousculaient Bazaine à Forbach et amorçaient un mouvement tournant pour encercler Metz.

Édouard fut affecté à une ambulance mobile, sous les ordres d'un jeune chirurgien de première classe originaire de Nancy et formé au Val-de-Grâce. Il s'appelait Frantz Wéber et accueillit chaleureusement son jeune collègue.

— Nous sommes affectés à un régiment d'artillerie, et nous allons en voir de toutes les couleurs. Nos canons tirent moins loin que ceux des « pruscos ». Si on veut être efficaces, il faut s'approcher, alors on en prend plein la tête. Tu verras on ne chômera pas.

Le lendemain, bien avant l'aube, Édouard se retrouva dans un chariot d'ambulance, bringuebalé sur des chemins pierreux vers le village de Rezonville.

— Paris est par là, grommela un infirmier. Mais à mon avis on n'ira pas jusque-là.

Avec nostalgie ils entendirent sonner la Diane, là-bas, derrière eux, dans la ville où certains d'entre eux ne reviendraient pas.

Le baptême du feu eut lieu vers sept heures. Wéber, avec le calme d'un vieux routier, installa ses chariots dans une cour de ferme, et les infirmiers prirent des brancards. Des obus tombaient, à proximité.

— La Verle, tu restes ici pour recevoir la marchandise. Tu t'occupes des pansements et de l'appareillage des fractures. Je te signale que j'ai obtenu une seringue et de la morphine. Tu n'hésites pas à t'en servir. Je te laisse Nestor, il sait tout faire. Je reviens dès que possible.

Nestor était un gros homme d'une cinquantaine d'années, sous-officier infirmier de carrière, instructeur au Val, et qui avait fait l'Algérie, l'Italie, la Crimée et le Mexique. Resté seul avec Édouard, il commença à bourrer lentement sa pipe, tandis que le jeune chirurgien grimpait sur le muret de clôture pour inspecter les environs. La campagne était déjà couverte d'une légère brume de chaleur et le soleil montait sur les collines, là-bas, vers Metz.

— Comment s'installe-t-on ? demanda Édouard.

— Dans la grange, je vais aller voir les propriétaires.

— Les propriétaires ? Où sont-ils ?

— Terrés dans leur cave. Je les ai vus par le soupirail.

Nestor se leva, puis entra dans la maison. Un moment après il ressortit avec deux bouteilles de vin dans les bras, et le sourire aux lèvres.

— Ils sont d'accord pour qu'on s'installe dans la grange et m'ont donné de leur vin de Moselle. Paraît qu'il est fameux.

On se serait cru à un pique-nique, n'était le bruit insolite de la canonnade.

Ils déballaient leurs caisses de pansements, quand ils entendirent une voiture arrivant au galop. C'était un coupé léger, d'où sautèrent deux officiers.

— La Verle, c'est toi ? demanda le plus grand.

— Oui, répondit Édouard en s'approchant.

— C'est Wéber qui nous envoie, le capitaine Faucon est blessé, on te le laisse.

De l'arrière de la voiture, ils descendirent le blessé. C'était un artilleur, et sa vareuse était couverte de sang. Nestor aida à le porter dans la grange. Puis ils entendirent la voiture s'éloigner.

Une table avait été improvisée sur deux tréteaux. Ils allongèrent l'officier dont la pâleur était inquiétante. Délicatement, Édouard déboutonna la vareuse déchirée. Il découvrit vite l'orifice d'entrée de la balle, juste sous les côtes droites, en regard du foie. C'était un arrêt de mort.

L'homme n'avait pas trente ans. Il regarda Édouard dans les yeux et, dans un souffle, il murmura :

— Alors ?

Édouard, les sourcils froncés, ne répondit pas immédiatement. Il avala sa salive avec difficulté et articula :

— Rien de grave, je pense. La balle a dû passer sous les côtes. Est-elle encore dedans ? Il passa sa main derrière le blessé qui grimaçait, et sentit l'énorme plaie : Ah ! Non. Elle est sortie. C'est encore mieux. On va vous faire le pansement, et vous serez évacué dès que possible.

Édouard eut honte de son mensonge quand il réalisa à quel point l'autre avait été rassuré par son affirmation.

— Nestor, la charpie.

Le blessé légèrement tourné, Édouard vit la plaie postérieure béante, pleine de caillots. Il entendit la voix de Péan qui, dans sa mémoire, disait : « Quand une plaie a beaucoup saigné, la pression artérielle baisse et le saignement s'arrête. Mais l'accalmie est mauvais signe. La fin est proche. »

Ils parvinrent à sangler confortablement le capitaine, puis ils l'installèrent un peu plus loin sur un lit de paille.

— Ça va ? demanda Édouard.

— Mieux, merci.

— Je vais vous faire une piqûre qui vous soulagera.

— Non ce n'est pas la peine, protesta l'autre avec un éclat de crainte dans le regard. Je n'ai pas mal. Laissez-moi.

On n'utilisait pas depuis longtemps cette méthode qui consiste à injecter un médicament sous la peau avec une aiguille. Mais ce n'était pas la première fois qu'Édouard voyait refuser ce traitement avec terreur. Pourtant cela n'avait rien de très douloureux, surtout en comparaison de ce que les patients supportaient par ailleurs.

Il fut tiré de ses réflexions par un bruit de cavalcade, suivi d'une fusillade plus proche.

Dans la cour de la ferme venaient d'arriver deux mobiles en tenant un troisième sous les aisselles. Le blessé avait une plaie à la cuisse qui saignait abondamment. Nestor tapa sa pipe sur son talon et la rangea dans sa poche. Ce fut, ce jour-là, son dernier geste paisible. Dès ce moment, il n'arrêta plus, avec une technique irréprochable, de secourir, panser, immobiliser, réconforter... Il faisait tout à la perfection, et Édouard eut l'impression d'apprendre, en quelques heures, plus qu'en toute sa vie passée.

Durant trois heures, ils ne se reposèrent pas un instant. Les blessés se succédaient au fur et à mesure que la bataille se rapprochait. L'enclos de la ferme fut bientôt une véritable cour des miracles et il devint impossible de déplacer les hommes ensanglantés. Nestor et Édouard allaient se ravitailler en matériel dans la grange et s'agenouillaient sur place devant ceux qu'ils pansaient. Puis les obus commencèrent à tomber de plus en plus près. Le bâtiment central, touché de plein fouet, s'embrasa comme une torche.

Une demi-douzaine de soldats arrivèrent en courant, portant une mitrailleuse qu'ils entreprirent d'installer sur un angle du muret, là où il était le plus bas. D'autres vinrent les rejoindre et se mirent en position de tir. Les obus continuaient à martyriser le terrain autour de la ferme, enveloppée maintenant d'un nuage de fumée opaque que le vent dispersait parfois pour la rabattre aussitôt.

Wéber revint enfin. Édouard, obnubilé par le travail, avait décidé de ne pas se soucier du danger. Non qu'il n'eût pas peur mais, n'ayant aucun moyen de se protéger, il préférait agir comme s'il ne courait aucun risque. À cet âge, l'idée de la mort n'est pas, en soi, une source de crainte épouvantable.

Depuis un moment, l'artillerie semblait tirer derrière eux.

— L'infanterie n'est pas loin, expliqua Wéber, on va devoir se replier.

— Et ceux-là ? demanda Édouard en désignant les dizaines de blessés, pansés, appareillés, qui attendaient sur le sol.

— On les emmène. Nestor, cria-t-il, on décroche. Embarquez ceux qu'on peut transporter.

Rameutant les soldats valides, le médecin fit charger les chariots qui s'ébranlèrent vers l'arrière. Cependant, la fusillade se rapprochait toujours. Une seconde mitrailleuse fut mise en batterie, mais un obus l'extermina avec ses servants. Édouard roula sur le sol, balayé par le souffle de l'explosion. Il se releva, miraculeusement indemne, et se précipita. Les soldats étaient morts.

Il se retourna vers Wéber, juste à temps pour le voir porter ses mains à sa tête et s'écrouler. Édouard se jeta à ses côtés en criant. C'était trop tard, la tête éclatée comme une noix laissait échapper la matière cérébrale. Le jeune homme s'écarta, au bord de la nausée. Nestor arriva, courbé en deux.

— Baissez-vous, ils sont tout près. Il faut s'en aller. Allez, venez.

Abasourdi, Édouard le suivit, puis soudain se rappela :

— Le capitaine, dans la grange ?

— Oh ! il y a longtemps qu'il est mort celui-là. Venez vite ! Avec de la chance, on va peut-être s'en tirer.

Ils en réchappèrent. Mais le soir, la défaite de Rezonville s'ajoutait aux précédentes. On était le 16 août. Les jours suivants, Édouard resta à Metz où les blessés évacués étaient légion. On avait réquisitionné la manufacture des tabacs, le lycée, le séminaire, la préfecture, et même l'évêché. Durant ces journées d'horreur, Édouard, livré à lui-même, mais avec Nestor à ses côtés, opéra sans discontinuer, pratiquement jour et nuit. La mortalité était terrible, et chaque matin les sapeurs du génie venaient ramasser ceux qui n'avaient pas passé la nuit.

Édouard était épuisé. Nestor philosophait :

— Quand je pense qu'on a un médecin pour cinq cents hommes, et deux vétérinaires pour cinq cents chevaux, je me demande si cette guerre a vraiment été préparée comme il faut !

Le jeune homme, courbé sous la mitraille, ne se posait plus de questions. Il tranchait, cousait, pansait, immobilisait avec une lente frénésie obstinée. Gravelotte et Saint-Privat furent encore de sanglantes batailles, et les blessés arrivèrent par centaines, se déversant sur un service de santé submergé. Larissière avait abandonné le palais de justice où les équipements fonctionnaient assez bien, mais dont la saturation était évidente, pour créer ailleurs de nouvelles structures d'accueil : des maisons particulières offertes spontanément, des hôtels réquisitionnés, des wagons de chemin de fer dès que les lignes furent coupées par l'ennemi. Dans chaque nouveau centre sanitaire il installait une équipe, avec, quand c'était possible, un chirurgien et quelques infirmiers, professionnels ou improvisés.

Le 20 août, il fallut se rendre à l'évidence, Metz était encerclé. Chaque heure qui passait voyait se renforcer le dispositif de l'ennemi, et l'armée du Rhin restait prise dans la nasse, avec son chef, le maréchal Bazaine.

Pour Édouard, abruti de fatigue, ce fut plutôt une bonne nouvelle. Les batailles allaient cesser, et l'afflux de blessés s'interromprait enfin. Il pourrait s'occuper plus tranquillement de ceux auxquels il n'avait pu donner que des soins d'urgence, et régler les problèmes laissés en suspens.

Entre-temps, la Camarde aurait fait son œuvre, et ceux qui n'avaient été soignés que par humanité auraient laissé leur place. Ainsi pourrait-on installer plus rationnellement les locaux investis dans la panique, où la pagaille régnait en maître.

En fait on avait vu se développer l'efficacité des initiatives privées, et de nombreuses familles messines s'étaient mises au service des blessés, apportant aux ambulances improvisées le soutien de leurs équipements domestiques. Il était courant de rencontrer, dans la rue, des femmes de la bonne société transportant des bassines de soupe, des couvertures, du linge, ou des vivres. Combien d'infirmières improvisées vinrent ainsi apporter leur soutien moral à des hommes affolés par la gravité de leurs blessures, qui perdaient espoir et redoutaient une fin prochaine... Le clergé aussi se dévouait, distribuant à ceux qui le voulaient, et même aux autres, le secours de sacrements qui s'avéraient souvent ultimes.

Les deux armées s'installèrent dans une trêve tacite, troublée seulement par des tirs sporadiques destinés à affirmer leur vigilance, mais faisant peu de dégâts.

Un soir, Larissière entra dans la salle d'opération qu'Édouard n'avait pas quittée depuis une semaine, mangeant et sommeillant sur place pendant les pauses.

— C'est bien La Verle. Allez dormir. Je vous veux au rapport demain à midi. Disparaissez.

Le jeune homme remonta dans sa chambre, et tomba dans un sommeil comateux. Depuis son arrivée en Lorraine, il n'avait pas eu le temps de se demander ce qui se passait à Paris menacé d'encerclement par les armées prussiennes.

CHAPITRE IX

La déclaration de guerre avait bouleversé Thérèse et Damien. Le départ de leur fils les avait remplis de fierté, mais aussi de terreur. Les batailles étaient devenues si meurtrières !

Édouard était venu les embrasser avant le départ. Mais on avait peu parlé du conflit dont, il est vrai, il n'y avait pas grand-chose à dire. Damien, par tempérament, s'étonnait que les litiges qui paraissaient motiver les belligérants n'aient pu se régler par des moyens pacifiques. Le père Maréchal, toujours au fait des choses de la politique, avait beau expliquer que Bismarck avait besoin d'une victoire pour sceller l'unité allemande qu'il construisait au bénéfice de la Prusse, Damien trouvait que ce serait bien cher payé, s'il atteignait son but, au prix de milliers de morts.

Le jour des adieux, Damien venait d'obtenir son agrégation.

— À cinquante ans, il était temps ! disait-il avec humour.

C'est vrai qu'après un départ fulgurant et une nomination rapide au bureau central, il avait dû piaffer longtemps sur les marches de la faculté avant d'avoir le droit d'y enseigner.

Mais c'était chose faite, et la nomination au grade de professeur ne tarderait sans doute pas. Son fils l'avait félicité, avec toutefois une petite note d'ironie, comme chaque fois qu'étaient abordés les problèmes de carrière. Il ne manquait jamais de se moquer de ceux qui se servent du pouvoir en place pour faciliter leur ascension. Et il est indéniable que Damien, dont la clientèle privée était proche de la cour, et qui avait la réputation d'être un fidèle de ce régime, avait bénéficié de ce soutien officiel pour sa nomination. Ses collègues, poussés par le vieux Saint-Véran, dont la haine s'accentuait avec l'âge, ne lui pardonnaient pas ses prises de position choquantes en faveur de l'antiseptie. Chacun savait qu'il poursuivait, dans son service, des travaux inspirés des thèses de Lister, et que ses internes n'avaient pas le droit de faire des autopsies avant d'opérer. Les directives « révolutionnaires » de ce chef de service avaient le tort de mettre l'accent sur le mode de travail de tous les autres services, et le succès, s'il devait couronner ces expériences, serait perçu d'abord comme une injuste critique par l'ensemble du corps professoral.

Bref, selon l'habitude, on parla plus de Damien que de la guerre. Mais Thérèse, qui participait joyeusement à la conversation, cachait derrière cette désinvolture apparente, une angoisse que sa pudeur naturelle l'empêchait d'exprimer. Le père Maréchal pérorait aussi, mais sa perfidie habituelle sonnait faux. Il était sans doute le plus touché par le départ d'Édouard. Son petit-fils lui avait donné ses plus beaux moments de bonheur depuis qu'il avait quitté l'enseignement. Il était devenu son seul élève, celui auquel il avait transmis, au fil des soirées de bavardage, l'essentiel de sa philosophie de la vie.

Mais la bonne éducation voulait qu'on ne fît pas étalage publiquement de ses états d'âme, et Édouard ne fut pas le centre des préoccupations apparentes ce jour-là. Tout de même, sur le pas de la porte, Thérèse ne put retenir ses larmes. Damien serra son fils dans ses bras, ce qu'il n'avait pas fait depuis sa nomination à l'internat, et Maréchal se mit à essuyer fébrilement ses lunettes, comme si soudain sa vie dépendait de leur propreté.

Élodie n'était pas là pour les adieux. Elle était à Londres où elle travaillait le chant. Édouard était triste de n'avoir pu embrasser sa sœur. Mais tout s'était décidé si vite...

Damien suivit avec passion les premières nouvelles de la guerre, et l'annonce de nos défaites, si brutales et inattendues, lui serra le cœur.

Sur ces entrefaites, Charles de Malmort, se fit annoncer un matin à Sainte-Marthe. Damien faisait sa visite. Il laissa son assistant terminer, et entraîna son visiteur vers son bureau. Ils ne s'étaient pas revus depuis deux ans, à l'occasion du voyage vers l'Écosse pour retrouver Lister.

Charles avait l'air préoccupé.

— Damien, j'ai besoin de ton aide. Je te raconte vite de quoi il s'agit.

Depuis qu'ils étaient à Londres, Charles et Mary avaient continué de s'occuper de leur Société de secours aux blessés militaires, mais un peu plus mollement après qu'Henri Dunant, le fondateur, eut démissionné. Le Suisse s'était tellement impliqué dans son œuvre humanitaire, qu'il avait négligé ses propres affaires. Or il s'était lancé dans des histoires complexes en Algérie, investissant pour des compatriotes, puis abandonnant à elles-mêmes des exploitations qui avaient naturellement périclité. La faillite avait fait scandale, et il avait dû renoncer à un poste de dirigeant où l'honnêteté ne devait pas être discutée.

Tout cela expliquait qu'à Paris également la Société était un peu en sommeil. Tout le monde avait pu voir, à l'Exposition universelle de l'année précédente, le pavillon où était exposé le matériel de secours, mais, depuis cette manifestation de prestige, et en l'absence de tout conflit prévisible, rien n'avait été prévu pour la guerre qui venait de se déclarer.

Le comte de Flavigny avait pris la présidence de la branche française de la Société, et il s'était mis immédiatement à l'ouvrage, de telle sorte que les premières ambulances aux couleurs de la SSBM allaient prendre la route dans quelques jours pour le front.

— Comme tu le sais, continuait Charles, tous ceux qui font partie de l'organisation sont des bénévoles, et nous avons beaucoup de volontaires. Il nous faut aussi des patrons qui apportent leur prestige, et une autorité technique indiscutable. Voudrais-tu être de ceux-là ?

La question était claire et sans détour. Damien acceptait-il de partir à la guerre, à cinquante ans, dans les rangs d'une organisation balbutiante créée par un homme d'affaire failli ?

N'osant pas livrer le fond de sa pensée, il essaya d'en savoir davantage. Et ce que Charles lui raconta, en détail, lui parut tout de même plus sérieux. Il avait été réellement signé, en 1864, à Genève, une convention internationale, qui reconnaissait l'organisation des secours aux blessés, et qui mettait à l'abri des armes, ceux qui porteraient l'emblème de la Société, une croix rouge sur fond blanc. Sachant la notoire insuffisance du service de santé des armées dont son grand-père lui avait tant parlé, Damien reconnaissait que l'idée était séduisante, d'autant que la Prusse avait été, semble-t-il, l'un des pays le plus rapidement acquis à cette proposition. Quant à la France, c'est elle qui avait signé la première, avant la Suisse !

Cependant Charles devait avouer que, maintenant qu'on était au pied du mur, le bel enthousiasme théorique des bonnes âmes laissait la place au réalisme des militaires. « Voulez-vous dire que nous ne sommes pas capables de soigner nous-mêmes nos blessés ? », avait répondu un jeune officier d'état-major qui n'avait sans doute jamais mis les pieds sur un champ de bataille.

Le plus grave c'est que, jusque-là, les blessés restaient des soldats et qu'ils demeuraient donc sous l'autorité militaire. Personne n'avait le droit de les prendre en charge. Ces questions n'étaient qu'approximativement résolues, mais, disait Charles qui connaissait bien la question, « sur le terrain, l'utilité de la Société de secours sera si évidente que les règlements internationaux suivront, par obligation ».

Damien, qui n'avait jamais fait la guerre, était tenté d'ajouter un peu de gloire à son auréole. Il demanda quelques heures de réflexion, et rentra évoquer cette conversation avec Thérèse.

Celle-ci commença par répondre qu'elle s'imaginait mal avec son fils et son mari sur le même champ de bataille. Maréchal, toujours là, évita tout commentaire. Dans le fond de sa pensée, il se disait que suppléer à l'incurie des militaires était sûrement une bonne chose, mais de là à envoyer son gendre parader sous le feu de ces imbéciles sanguinaires, il y avait un pas qu'il n'était pas, personnellement, prêt à franchir.

Finalement, Damien prit seul sa décision.

Le 4 août au matin, sur les Champs-Élysées envahis par une foule immense, le médecin principal de La Verle, sanglé dans son uniforme tout neuf, montait à cheval, devant les deux premières ambulances de la SSBM aux côtés de son collègue, le professeur agrégé Léon Le Fort. Il portait une redingote bleu marine à boutons dorés avec un brassard blanc orné de la croix rouge. Un chapeau de feutre, bleu également, à fond plat et large bord, orné du même insigne. Avec sa moustache et sa mouche d'un noir de jais, il avait fière allure, et Thérèse, au bras de son père, le regardait de loin avec un légitime orgueil.

L'ambulance regroupait sept voitures, une trentaine de chevaux et près de cent personnes, médecins, chirurgiens, administratifs, infirmiers, avec deux prêtres conscients de porter la croix sur la poitrine comme l'avaient fait avant eux les frères hospitaliers de Saint-Jean de Jérusalem. Le ministre, dans sa calèche découverte, vint les passer en revue, sous les vivats des spectateurs, dont certains s'étaient installés dans les arbres et sur les becs de gaz de l'avenue. Derrière eux, la haute silhouette du palais de l'industrie, transformé en hôpital provisoire, dominait les jardins où des tentes avaient été dressées. Partout claquaient au vent les drapeaux à croix rouge qui devaient, pendant les combats, protéger les volontaires de la vindicte militaire.

Chacun savait que c'était la première fois au monde qu'une organisation internationale envoyait des bénévoles vers le théâtre des combats, armés seulement d'un emblème pacifique et de quelques boîtes de pansements.

La gare de Montmedy était dans une invraisemblable pagaille quand le train où l'ambulance avait été embarquée s'arrêta enfin. Damien comprenait mal comment il se trouvait là, alors qu'il était censé rejoindre l'armée d'Alsace, commandée par Mac-Mahon. Dans la nuit, le train avait été détourné vers le nord, car Strasbourg était bloqué, et Montmédy était devenu le terminus du voyage. Au-delà, la circulation ferroviaire était interrompue par la présence des troupes prussiennes. Il était impossible de savoir à quel niveau se trouvait la ligne de front, car elle était mouvante, et les nouvelles incertaines.

Damien prit conscience de l'improvisation qui, désormais, serait son lot. Il lui fallut plusieurs heures pour rassembler tout son monde.

À l'évidence cette ambulance était trop lourde à gérer par des bénévoles pleins de bonne volonté, mais dénués du moindre sens de l'organisation. Il y avait, en particulier, une douzaine de séminaristes, résignés à une obéissance de tous les instants, mais sans la moindre initiative. Ils étaient prêts à se faire tuer en remerciant le Seigneur, mais ils s'avéraient incapables de retrouver leur voiture de matériel si on ne leur disait pas où elle était.

Le convoi parvint enfin à se regrouper et à se mettre en route. Il fallait trouver la direction de Sedan où devait être rassemblée l'armée de Mac-Mahon. On leur avait déconseillé d'aller vers le sud car Bazaine, avec l'armée de Lorraine, était en voie d'encerclement dans Metz.

Ce qui étonnait le plus Damien, c'était la surprise générale devant les infirmiers à croix rouge. Manifestement, personne ne connaissait l'existence de la SSBM, et les militaires, qui auraient dû être au courant, se moquaient gentiment de ces civils incongrus qui se dirigeaient allégrement vers le feu sans aucune protection.

Au premier village où ils arrivèrent, ils furent accueillis à l'avant-poste par des soldats menaçants.

— Mais c'est des Suisses, s'exclama l'un d'eux. La Suisse est de notre côté ?

— Ce n'est pas le drapeau suisse, répondit l'autre, la croix est blanche...

— C'est l'inverse du drapeau suisse, expliqua Damien, nous faisons partie de la Société de secours aux blessés militaires.

— Ah ! bon. Mais où vous allez comme ça ?

Damien n'osa pas se lancer dans des explications. Il avait un sauf-conduit délivré par le ministère de la Guerre, et contresigné par le comte de Flavigny. Il le tendit au chef de poste. Celui-ci le regarda attentivement, mais comme il ne savait pas lire, il les laissa passer en leur conseillant tout de même de se méfier.

Ils reprirent leur chemin. Ils allaient lentement car, derrière les cavaliers et les voitures, venaient les infirmiers, à pied et sac au dos, qui n'avaient pas l'habitude de marcher au pas de charge. Arrivé en haut d'une colline, Damien s'arrêta pour regarder la colonne qui le suivait et n'en finissait pas de s'étirer. En avant, la campagne s'étendait à perte de vue sous un soleil de plomb mais, à quelques kilomètres, des fumées montaient d'un village. Damien n'avait pas osé dire à ses compagnons qu'il n'avait même pas une carte d'état-major de la région. Avant de partir, on lui avait donné celle des environs de Strasbourg, et il allait vers Sedan... On lui avait dit qu'il n'avait qu'à suivre la rivière dont la route s'écartait peu.

— On dirait qu'il y a du grabuge, là-bas. Hâtons-nous.

Ils accélérèrent le pas et se trouvèrent bientôt en vue d'un village d'où montait le bruit d'une fusillade. Damien sentit sa gorge se serrer.

Que fallait-il faire ? Pouvait-il risquer sans précaution la vie des gens qui l'entouraient ? Comme il était peu préparé à ce métier !

— Vous allez vous reposer ici, cria-t-il. Vérifiez votre matériel, et préparez-vous à intervenir ; je vais voir ce qui se passe.

Il partit au galop avec deux infirmiers qui s'étaient révélés plus débrouillards que les autres. Un drapeau à croix rouge de grande taille flottait au vent.

Ils arrivèrent ainsi aux portes de la petite ville d'Avioth, dominée par un clocher gothique étonnant. Les chevaux, mis au pas, faisaient sonner leurs fers dans les rues désertes. Soudain un groupe de soldats se précipita vers eux en poussant des cris de joie. Mais ils se figèrent à quelques mètres, le fusil braqué.

— Nous sommes des médecins. Ne tirez pas ! cria Damien.

Ils baissèrent leurs armes, puis avancèrent d'un air soupçonneux.

Damien sauta de son cheval et vint à leur rencontre, son drapeau à croix rouge bien en vue.

— Vous êtes français ? interrogea le sous-officier.

— Bien sûr, répondit Damien, en riant.

— Alors vous êtes avec nous ?

— Oui et non. Nous sommes des médecins...

Et il reprit ce texte qu'il commençait à connaître par cœur, en maudissant en silence ceux qui l'avaient envoyé sur un champ de bataille où chacun risquait de le prendre pour un adversaire.

Le sous-officier lui expliqua que leur colonne, vue de loin, avait été prise pour du renfort, et les Prussiens venaient de décamper après un accrochage sévère entre deux patrouilles. Damien eut un frisson rétrospectif en imaginant ce qui aurait pu arriver s'il s'était présenté de l'autre côté de la ville !

— Avez-vous des blessés ? demanda-t-il.

Devant la réponse affirmative, il envoya l'un de ses infirmiers pour faire avancer le reste de l'ambulance, et il s'enfonça dans la ville avec les lignards qui riaient de leur méprise.

L'accrochage avait commencé environ une heure avant, et les deux groupes d'une cinquantaine d'hommes chacun s'étaient généreusement criblés de balles. Une grange avait pris feu. Trois morts et une douzaine de blessés français avaient été regroupés sur la place du village, à l'ombre du porche de la basilique. Les habitants, rassurés par le silence des armes, sortaient des maisons et apportaient à boire. Des soldats, partis en reconnaissance avec l'aumônier, ramenèrent six blessés prussiens, sévèrement atteints et qui n'avaient pu être emmenés par leurs camarades. Ils étaient restés regroupés à l'abri d'un muret, prêts à faire encore le coup de feu. Rassurés par la soutane, ils s'étaient laissés emporter sur les civières. Le curé de la paroisse vint ouvrir la basilique, et une petite salle d'hôpital fut ainsi improvisée dans la fraîcheur des voûtes de pierre.

Damien dirigea les pansements, immobilisa les fractures et fit quelques injections de morphine. Le personnel soignant était plus nombreux que les blessés à soigner. Bientôt tout fut en ordre, et le spectacle de tous ces gens bavardant et buvant ensemble avait un petit côté irréel de kermesse villageoise. Parmi les Prussiens, l'un d'eux baragouinait le français, et traduisait aux autres l'explication de cet accueil imprévu. Malheureusement l'un d'eux, atteint au ventre, râlait déjà, et ses camarades n'osaient pas trop manifester leur joie de s'en être tirés, eux, à si bon compte.

Le lieutenant français commandant la patrouille avait été tué. Un sergent prit le commandement et proposa à Damien d'escorter l'ambulance jusqu'à Sedan, qui n'était plus qu'à une soixantaine de kilomètres. Il conseillait de ne plus trop tarder, de peur que les Prussiens ne reviennent avec du renfort. Toute la troupe s'ébranla, saluée par les habitants qui leur faisaient une haie d'honneur le long des rues.

Les blessés avaient été installés dans les voitures, sur des brancards de toile suspendus pour éviter le plus possible les cahots de la route. Les morts avaient été laissés à Avioth où le curé avait promis de les inhumer décemment.

Ils arrivèrent à Carignan à la nuit, et Damien proposa de faire une étape car ses troupes étaient épuisées. Le sergent préférait continuer pour retrouver son régiment. On se sépara donc en se souhaitant bonne chance, et les véhicules de l'ambulance purent s'installer dans la cour de l'auberge, heureusement vide.

Damien s'était vu offrir la plus belle chambre, et il monta se coucher, laissant l'installation de la petite troupe aux mains de son infirmier décidément fort efficace. Seul enfin, depuis le début de son épopée, il s'allongea pour réfléchir. Il était dans un état de profonde angoisse, car il commandait une unité parfaitement inadaptée à la situation. Trop lourde, trop lente à manœuvrer, avec des individus efficaces à l'arrêt, comme il l'avait vérifié la veille, mais incapables de se déplacer suffisamment vite pour ne pas se trouver, à un moment ou à un autre, en face d'une situation inextricable. Il fallait absolument se mettre dans la mouvance d'une formation militaire. Une ambulance de ce type était faite pour intervenir dans les combats, avec l'accord des belligérants, mais pas pour errer ainsi, sur les routes, à la merci de n'importe quel traquenard.

Pour le moment il fallait avancer, et le but c'était Sedan. Au matin, Damien commença par faire le tour des blessés, et plusieurs d'entre eux furent laissés au médecin local. Ne restèrent dans les voitures que ceux dont les soins étaient faciles et qui ne souffraient pas trop du transport.

Ils allaient partir quand un habitant de la ville arriva au galop.

Il avait rencontré, sur la route de Sedan, un parti de uhlans qui venaient vers Carignan.

Ce que Damien redoutait tant se produisait déjà. Fallait-il avancer quand même et parlementer ? Ou risquer de se faire prendre pour cible avant d'avoir pu se faire reconnaître. Les habitants conseillèrent de fuir vers la Belgique toute proche. La frontière n'était qu'à quelques kilomètres, et ils seraient en sécurité à Florenville. Les membres de l'ambulance n'avaient pas l'étoffe des héros. Ils voulaient bien se faire tuer en ramassant les blessés, mais l'idée de se faire massacrer sur la route, simplement parce que personne ne connaissait la signification de leur drapeau, leur paraissait vraiment trop absurde. Damien reconnut la justesse de leur raisonnement, et il mit immédiatement le cap au nord en pressant ses gens de marcher vite, ce qu'il n'eut pas besoin de répéter deux fois.

L'arrière-garde était largement pourvue de drapeaux à croix rouge, et on y avait ajouté, pour faire bonne mesure, des drapeaux blancs en quantité. De même pour l'avant-garde, qui partit vers la Belgique au galop.

En apercevant le poste de douane, Damien pensait qu'ils étaient sauvés quand des petits panaches de fumée blanche lui firent comprendre qu'on leur tirait dessus.

— Il faut continuer, cria-t-il aux autres.

Mais il pensait que se faire tuer par des douaniers français en convoyant des blessés serait vraiment le comble du ridicule.

Peu après, tout était expliqué et les braves gabelous furent enchantés d'avoir manqué leur cible ! Le reste de l'ambulance arriva bientôt mais, dans le lointain, un groupe de cavaliers suivait, et tout le monde avait compris que c'étaient les uhlans.

Damien décida que l'ambulance ne bougerait plus de ce refuge tant qu'il n'aurait pas reçu des ordres cohérents. À un médecin belge qui était venu voir cet étrange équipage, il demanda de prendre en charge les blessés prussiens, et il fit installer au mieux ses voitures et ses tentes.

Puis, accompagné de ses deux fidèles acolytes, il décida de rentrer en France. Il repassa la frontière sans problème et trouva Sedan en effervescence. La ville se préparait à recevoir l'armée de Mac-Mahon. Partie de Châlons pour tenter de délivrer le maréchal Bazaine enfermé dans Metz, l'armée du vainqueur de Sébastopol butait sur l'artillerie allemande qui l'empêchait de passer. Il obliquait donc vers le nord et serait à Sedan dans les prochains jours s'il ne parvenait pas à forcer le passage vers l'ouest.

La place de l'ambulance était bien là et Damien l'envoya chercher, pendant qu'il prenait contact avec les autorités médicales du lieu. Il fut accueilli à bras ouverts par un vieux chirurgien, chef de service à l'hôpital où les blessés commençaient à arriver, et qui savait que ses équipements, en hommes et en matériel, seraient rapidement débordés si l'échec de Mac-Mahon se confirmait.

— Que voulez-vous, disait le vieux praticien dont la culture semblait plus militaire que médicale, notre maréchal a appris la guerre dans les embuscades algériennes. À Sébastopol, comme plus tard à Magenta et à Solferino, il n'a jamais commandé en chef. Il ne s'est jamais trouvé en face d'une masse comme celle de cette armée prussienne qui se préparait à la guerre depuis des années. Il n'a pas ce qu'il faut pour gagner. C'est un brave, ce n'est pas un stratège !

Il avait raison.

Damien assista, dans la petite ville ardennoise, au spectacle lamentable d'une armée en retraite. Harcelées par une artillerie d'une puissance de feu nettement supérieure à la leur, les troupes avaient été décimées, sans jamais être en mesure de passer vraiment à l'attaque. La présence de l'empereur, venu apporter son soutien moral, n'avait rien pu y faire. Le courage s'était incliné devant la puissance meurtrière d'un équipement technique supérieur.

Sedan avait l'apparence d'une place forte, avec ses murailles et ses bastions. Elle était déjà envahie de soldats épuisés, égarés, qui avaient perdu leur unité, leurs équipements, parfois leurs armes. Des paysans du voisinage, terrorisés, arrivaient de partout pour s'abriter d'un ennemi dont la sauvagerie était légendaire. L'incendie et le massacre de Bazeilles allaient confirmer le bien-fondé de leurs craintes quelques jours plus tard.

Une fois l'ambulance installée dans la cour de l'hôpital, l'équipe se mit au travail, vite submergée par une marée humaine affamée et meurtrie. En salle d'opération, avec des installations vétustes qui paraissaient dater de l'Ancien Régime, Damien se retrouva à l'ouvrage. Heureusement, il avait emporté des flacons d'éther et de chloroforme. Mais ses réserves s'épuisèrent, et il fut forcé de revenir à des pratiques qu'il croyait révolues. La gnole, fournie en abondance, fit office d'anesthésique, et les hurlements reprirent, comme au temps de Dupuytren. Par chance pour les blessés, Damien avait connu cette époque, et il avait le geste rapide. Mais il avait honte de n'avoir aucun moyen antiseptique, que de l'eau et du savon, dont il faisait un usage généreux mais insuffisant, il le savait.

Des événements militaires, l'équipe chirurgicale ne sut rien. Le vieux chef de service accueillait les blessés et les mettait de côté pour les opérateurs qui ne sortaient jamais de leur salle.

Un matin alors qu'il opérait, Damien eut la visite d'Anger, chirurgien de l'empereur, qu'il connaissait bien. C'était un élève de Nélaton. Il était accablé. Il s'assit dans un coin de la salle et raconta son calvaire : Napoléon III était dans un état lamentable. En permanente rétention d'urines, il fallait le sonder plusieurs fois par jour et le bourrer de calmants pour qu'il arrive à conserver un semblant d'apparence. La veille, Mac-Mahon avait été blessé en inspectant les troupes au-dessus de la Givonne. Il avait reçu un éclat d'obus à la racine de la cuisse et on l'avait ramené d'urgence au quartier général.

— En réalité, il a eu plus de peur que de mal, continuait le chirurgien, mais il s'est cru mort. Il a d'ailleurs passé le commandement à Ducros qui aurait pu nous sortir de là, mais c'est Wimpffen qui a été nommé, et il a décidé qu'on resterait enfermés dans cette ville d'horreur !

Le chirurgien faisait peine à voir. Dans un souffle, il ajouta :

— Mon pauvre vieux, j'ai bien peur que nous ne sortions d'ici les pieds devant !

Damien n'avait aucune notion de stratégie, les villages dont on parlait lui étaient inconnus, et il n'avait même pas de carte pour les situer. Il vivait dans son univers chirurgical, isolé du reste du monde, et plus il opérait, plus il avait à intervenir. Il n'avait même plus le temps de se soucier des suites. Les blessés n'avaient plus de nom, ce n'étaient que jambes et bras coupés, chairs tranchées, sang répandu. Il se lavait les mains après chaque intervention, plus par hygiène personnelle que par souci d'antiseptie. Par moment, il se demandait si tout ce qui avait représenté son souci essentiel de ces dernières années n'était pas qu'un jeu de l'esprit.

Un officier d'administration, obsédé de registres, ne quittait pas l'hôpital. Il était partout, notant, s'excusant de déranger, vérifiant les noms, les unités, les diagnostics et tenant avec un soin admirable sa macabre comptabilité. Damien, épuisé, les nerfs à fleur de peau, l'apostropha un jour :

— Si vous abandonniez ces papiers pour consacrer votre énergie à soigner les blessés, nous aurions peut-être sauvé quelques vies de plus, vous ne croyez pas ?

L'homme se retourna, honteux, les yeux rougis de fatigue, prêt à pleurer.

— Vous avez raison. Moi aussi, j'aimerais mieux les soigner. Mais je ne saurais pas le faire, et puis il faut bien que quelqu'un écrive tout cela.

Pour Damien, une telle obligation n'avait rien d'évident, mais il sentit que le monde de l'administration avait des impératifs qui lui échappaient, et qu'il valait mieux qu'il restât à sa place sans chercher à comprendre.

Quelques jours plus tard, quand il put enfin sortir de sa salle d'opération, il se souvint du petit comptable et il le retrouva facilement. Il lui demanda s'il était possible de retrouver ses opérés. L'autre, sans rancune, lui fit voir ses comptes, et Damien découvrit avec horreur une mortalité qu'il n'aurait jamais pu imaginer. Il s'en doutait, et c'est la raison pour laquelle il avait posé cette question, car le spectacle de ce qui aurait dû être une salle d'hospitalisation était hallucinant. L'odeur de cette pourriture d'hôpital qu'il connaissait trop bien, et qu'il avait fait reculer à Sainte-Marthe grâce à l'acide phénique, était ici omniprésente. Les mouches bourdonnaient comme sur un charnier et, dans la pénombre, on discernait sans peine les morts qui voisinaient encore avec les moribonds. Des corvées de brancardiers n'arrêtaient pas, mais ils étaient trop peu nombreux pour suffire à cette tâche inhumaine.

Devant l'entrée du palais de justice, au milieu de la foule des soldats en loques, couverts de pansements, entassés à même le sol, une charrette attendait, et on y entassait les cadavres avant d'aller les vider dans une carrière désaffectée où on se bornait à les recouvrir de quelques pelletées de chaux vive. La crainte des épidémies imposait ces mesures, mais il aurait fallu faire plus vite. Déjà on parlait de typhus, de choléra, de peste même.

Un séminariste de l'ambulance, qui avait été affecté à ce travail, reconnut Damien et vint le saluer.

— Vous ne vous attendiez pas à faire ce métier, n'est-ce pas ? demanda le chirurgien.

— Non ! Toute la journée, je récite la prière des morts, et la nuit dernière, on m'avait envoyé me reposer un moment, je me suis aperçu que je marmonnais mes Pater en dormant.

Le pauvre garçon avait des grands yeux doux dans un visage encore enfantin.

— Le plus dur, continua-t-il, c'est d'être sûr que ceux qu'on emmène sont vraiment morts. Vous vous rendez compte, si l'un d'eux se réveillait là-bas, dans la carrière !

Damien frissonna, malgré la chaleur orageuse.

Le canon s'était tu depuis le matin. Était-ce la paix ? Un officier d'artillerie, l'air affairé, traversa la cour, tête basse, sans un regard pour le spectacle de fin du monde qui l'entourait. Derrière lui apparut une tête connue. C'était l'infirmier que Damien avait emmené plusieurs fois avec lui. Il était allé aux nouvelles. Apercevant son chef d'ambulance, il vint vers lui. Il avait sur le visage un drôle de sourire crispé.

— C'est fini, docteur.

— La guerre ?

— Non, hélas. La bataille seulement. L'empereur a capitulé. Il est prisonnier, et nous aussi !

— Mais nous ne sommes pas des soldats, on ne peut pas nous retenir prisonniers...

— Il va falloir le leur expliquer.

De toute façon, il n'était pas temps de se poser la question, tant il y avait encore de travail à faire. Damien rentra dans la grande salle au milieu de tous ces gens auxquels il aurait bien été incapable d'annoncer que leur sacrifice avait été vain.

Après coup, Damien apprit par Anger les circonstances de cette défaite. La reddition de l'empereur, le 1er septembre, et son départ en captivité, escorté par un escadron des hussards de la mort. Il se souviendrait longtemps des feux de joie que les Allemands avaient allumés autour de la ville, et de leurs chants qui mêlaient les hymnes guerriers aux airs des opérettes qu'on jouait à Paris quelques mois auparavant. Du côté français, on faisait des feux aussi, pour brûler les drapeaux.

Puis vint l'évacuation de la ville. Le petit homme de l'administration faisait toujours ses comptes.

— À mon avis, il y a plus de cent mille prisonniers, confia-t-il à Damien.

— Et les blessés, que va-t-on en faire ?

— Ils vont nous laisser les rapatrier, il y en a trop.

— Combien ? persifla Damien.

L'autre, sans percevoir le ton ironique de son interlocuteur, marmonnait des chiffres, les yeux fermés, le visage tourné vers le ciel, pour mieux se concentrer. Il finit par conclure :

— À mon avis, nous devons avoir plus de trois mille morts et quatorze ou quinze mille blessés. Mais...

— Il y a encore des blessés qui mourront. C'est gênant pour les comptes.

Damien eut honte de son agressivité envers ce comptable qui ne faisait de mal à personne.

L'armée fut parquée dans la presqu'île d'Iges, cernée par la Meuse, au nord de Sedan. Une commission d'officiers du corps de santé prussien inspecta les hôpitaux de la ville, et Damien vint à la rencontre d'un superbe Prussien dont il était bien incapable de dire le grade. Le monocle à l'œil, parlant un français impeccable, il se présenta en claquant des talons. Damien s'inclina, prenant garde à ne pas imiter les manières militaires.

— Baron Damien de La Verle. Je suis civil, chef de l'ambulance de la Société de secours aux blessés militaires.

— Ah ! c'est donc vous qui étiez à Avioth. J'ai interrogé des blessés qui arrivaient de Belgique. J'avais du mal à les croire. Il se redressa, et, avec ce ton emphatique que les Allemands vainqueurs utilisent si volontiers, il s'écria : Cette œuvre humanitaire est magnifique ! Je vous félicite. Puis, revenant aux basses contingences matérielles, il continua : Les blessés valides iront rejoindre les prisonniers. Les autres resteront ici, jusqu'à ce qu'ils deviennent valides ! Et il eut un rire satisfait devant l'énorme sous-entendu que comportait ce mot.

Reprenant son sérieux, il poursuivit son petit discours : Vous resterez ici aussi, pour achever votre travail, et peut-être même soignerez-vous quelques-uns de nos soldats. Nous avons aussi beaucoup de blessés... Ensuite, nous vous laisserons repartir avec vos blessés impotents, ceux qui ne risquent pas de reprendre les armes contre nous. Il se figea une dernière fois dans un garde-à-vous impeccable pour conclure : Je vous félicite, mon cher confrère, de votre belle œuvre humanitaire (il aimait ce mot dont la dernière syllabe sonnait comme un coup de clairon), et je vous salue.

Il claqua des talons, fit un demi-tour réglementaire et s'en fut en faisant sonner ses éperons. Jamais Damien ne s'était senti aussi humilié.

Le professeur Anger, libéré de ses fonctions par l'empereur, ne l'accompagna pas en captivité. Muni d'un passeport prussien, il regagna rapidement Paris et repartit quelques jours plus tard à la tête d'une ambulance ornée de la croix rouge.

CHAPITRE X

Adolphe Thiers signa l'armistice le 28 février 1871. Mais jusque-là, que de souffrances s'étaient accumulées ! La France était épuisée, exsangue, après une guerre courte mais meurtrière qui lui laissait au cœur la profonde amertume d'une défaite imméritée. L'Empire napoléonien avait sombré, et une république qui n'osait pas encore dire son nom venait de naître à Bordeaux, malgré la capitale qui lui refusait toute légitimité, et niait la capitulation.

La famille La Verle, dispersée comme beaucoup d'autres, subissait douloureusement cette situation.

Thérèse avait fui Paris en septembre, avant l'encerclement. Elle s'était réfugiée à Verneuil où Marthe l'avait accueillie chaleureusement. Élodie avait été obligée de demeurer en Angleterre et il était entendu qu'elle continuerait ses études de chant, jusqu'à ce que la situation s'apaise.

Damien, après Sedan, était resté sous le drapeau à croix rouge. Évacué avec ses blessés au début d'octobre, il n'avait pas pu rentrer dans Paris encerclé, et s'était retrouvé à Tours, protégé par l'armée du général Chanzy. Le conseil régional de la SSBM lui avait confié une ambulance beaucoup plus légère que la première, avec une cinquantaine d'hommes seulement, et quatre voitures. Il accomplit de nombreuses missions ponctuelles après les escarmouches qui se succédaient dans la région de Blois, Château-Renault, Vendôme, où patrouillaient les Prussiens. Dans ses rapports à la direction de la Société, il racontait ses aventures qui tenaient du roman. Plusieurs fois, il avait été pris par l'ennemi, malgré ses insignes, et emprisonné pour quelques heures puis relâché. On lui avait pillé ses fourgons, fusillé des blessés, volé ses chevaux. Il avait perdu beaucoup d'amis, de matériel, et toutes ses illusions.

Il avait fini par recevoir un éclat de schrapnel dans la cuisse à la veille de la capitulation. Il terminait la guerre dans un lit d'hôpital !

Et par-dessus toutes ses frayeurs, ses douleurs et ses rages, il traînait au cœur l'angoisse permanente de ne jamais revoir son fils. Pourtant il recevait clandestinement des nouvelles, et elles étaient bonnes. Mais quand on lui transmettait un message il se demandait ce qui avait pu arriver depuis...

Édouard avait fui Metz après la capitulation du 27 octobre, scandalisé par la lâcheté d'un commandement dont il ne comprenait pas les tortueuses manœuvres. Avec un groupe de Parisiens, il avait réussi à franchir les lignes prussiennes pour entrer dans la capitale. Il avait retrouvé un Paris assiégé et affamé, avec, malgré tout, la sensation apaisante d'être enfin rentré chez lui. Le vieux père Maréchal avait manqué faire une attaque quand il avait ouvert la porte à ce petit-fils qui était toute sa vie. Il avait passé des heures à lui raconter les moments exaltants qu'il avait vécus depuis la révolution du 4 septembre. Pour la deuxième fois de sa vie, il avait vu proclamer la République, et il espérait que les hommes de gauche ne la laisseraient pas échapper, comme vingt ans plus tôt.

— Cette fois, je crois que les Parisiens sont bien guéris de la famille Bonaparte, ricanait-il. Si tu les avais vu casser les « N » qui ornaient les grilles des Tuileries...

La joie du vieux républicain faisait plaisir à voir. Et il confirmait son petit-fils dans sa hargne pour Bazaine. Tout Paris avait été scandalisé par cette capitulation, et l'opinion publique était profondément revancharde, mettant tous ses espoirs dans l'action de Gambetta. Le jeune tribun s'était évadé de Paris en ballon, et, de Tours, il reconstituait une armée française qui saurait bouter l'ennemi hors du pays.

Édouard alla se présenter au Val-de-Grâce et raconta son histoire. L'officier d'administration l'accompagna dans le bureau du chef de service, professeur titulaire de la chaire de chirurgie du Val, Hippolyte Larrey. Âgé alors de soixante-deux ans, le fils du chirurgien du grand Empereur avait belle allure avec sa chevelure abondante et prématurément blanche.

— De La Verle ? Votre nom ne m'est pas inconnu...

Timide, Édouard n'aimait guère les allusions à sa famille. Il craignait toujours de paraître vantard. Mais là, il ne pouvait pas se défiler.

— Mon père est chef de service à Sainte-Marthe, et mon arrière-grand-père a servi dans l'armée impériale jusqu'en 1815.

— C'est bien ce qui me semblait... Et vous ?

Édouard, en quelques mots, raconta encore son évasion. Il fut chaudement félicité, et réintégré dans le service de santé des armées avec le grade de chirurgien de 1re classe, affecté à la Garde nationale. Jusqu'à nouvel ordre, il travaillerait au Val où il serait logé.

Il toucha un bel uniforme à ceinture rouge et aux épaulettes de velours cramoisi. Il coiffa la casquette à gourmette dorée, et décida de se laisser pousser un collier de barbe. Il se lançait dans Paris avec la fierté d'un enfant qui veut montrer son nouveau jouet.

Le premier soir, il se rendit rue de l'Entrepôt, où Jules Moreau lui ouvrit la porte et eut de la peine à le reconnaître. Toute la famille était là et l'accueillit avec des cris de joie. La grosse Hortense l'avait tenu sur ses genoux et l'aimait autant que ses propres enfants.

Clémence et Félicien étaient émus, comme leur mère, de retrouver « le petit ». Restés tous les deux célibataires, ils vivaient avec les parents. Clémence était infirmière bénévole, et Félicien, maître vitrier comme son père et son grand-père, s'était engagé aussi dans la Garde nationale. Il soupa avec eux, et les Moreau racontèrent les difficultés de la vie à Paris depuis le bouclage prussien, c'est-à-dire depuis le 19 septembre ! La nourriture se faisait rare, et il fallait des prodiges d'astuce pour trouver de quoi faire du feu. Ils avaient conservé, par chance, beaucoup de bois provenant des échafaudages de la construction, mais si cette situation devait durer, en auraient-ils assez pour passer l'hiver ? Ils économisaient.

Les liaisons avec la zone que les Prussiens n'occupaient pas encore devenaient chaque jour plus difficiles, au fur et à mesure que l'encerclement se faisait plus étanche. Félicien, malgré sa condition, faisait partie d'une loge maçonnique et, grâce aux « frères » qui se trouvaient des deux côtés, le courrier parvenait à quitter la capitale. Mais le danger de se faire prendre n'était pas mince.

C'est par cette voie que Damien apprit, avec soulagement, le retour d'Édouard et son affectation au Val-de-Grâce avec Hippolyte Larrey. Mais il n'était pas en mesure de faire passer les nouvelles dans l'autre sens, n'ayant, quant à lui, aucune relation chez les francs-maçons qui restaient d'une discrétion absolue.

D'ailleurs, les ballons-postes, cousus à la main par les couturières que M. et Mme Godard dirigeaient dans l'ancienne gare d'Orléans, provisoirement désaffectée, n'atterrissaient pas forcément là où on aurait voulu !

La capitulation ne surprit personne, mais la nouvelle ne fut pas accueillie partout de la même manière. Si l'ensemble de la province poussa un énorme soupir de soulagement, malgré les clauses infâmantes du traité, les Parisiens, eux, refusèrent cette issue. Ils avaient trop souffert pendant les cinq mois du siège, de la faim, du froid, et de la peur quotidienne, pour accepter l'inutilité de leur sacrifice. Les deux cent soixante bataillons de la Garde nationale n'acceptaient pas une défaite qu'ils mettaient sur le compte de la couardise des hommes politiques.

Lorsqu'on apprit que l'Assemblée, élue à Bordeaux, s'installait à Versailles, méprisant Paris, la haine contre Thiers, le massacreur des insurgés de 1848, fut à son comble. Et enfin, le 17 mars, quand un détachement de « Versaillais », mené par le général Lecomte, vint tenter de récupérer les canons glorieux que les Parisiens avaient installés sur les hauteurs de Montmartre, le signal de la guerre civile était donné.

Paris allait vivre deux mois de délire utopique et de folie meurtrière qui se termineraient dans l'horreur.

Devant la situation, le jeune chirurgien réagissait avec les sentiments de sa génération. Il se refusa à rejoindre sa famille. Pourtant, quelques jours après la capitulation, le blocus fut levé et il aurait été facile de quitter Paris. Félicien Moreau l'y poussait, mais le jeune homme avait de bonnes raisons de rester.

Il fit comprendre à Félicien qu'il ne pouvait se résoudre à laisser son grand-père Maréchal qu'il voyait chaque jour, et qui prendrait ce départ pour une trahison. De plus, par principe, il était en accord avec ceux qui refusaient une défaite aussi lamentable.

Ce qu'il ne dit pas, c'est qu'il avait rencontré une jeune infirmière bénévole, joyeuse et jolie, qu'il n'aurait laissée pour rien au monde.

Il faut dire que les derniers jours du blocus prussien avaient été particulièrement meurtriers, et les blessés occupaient maintenant de nombreux hôpitaux improvisés qui recrutaient toutes les bonnes volontés. Ariane avait dix-neuf ans. Orpheline, elle avait été élevée par une tante hors du commun, dans l'admiration des révolutionnaires et la haine des Bonaparte. Adorée des blessés auxquels elle ne pouvait guère apporter que son sourire, elle s'attacha tout de suite à Édouard dont les méthodes thérapeutiques l'avaient séduite.

Formé par son père et Péan au respect d'une hygiène qui n'était pas de mise à cette époque, il exigeait des infirmiers militaires, et des soldats eux-mêmes, une propreté dont ils comprenaient mal la nécessité. Ariane, que rien ne rebutait, aidait au nettoyage des chambrées, et emportait chez elle du linge à laver. Florence Nightingale ne l'aurait pas désavouée.

Un soir de pluie, Édouard lui proposa de la raccompagner sous l'abri de sa capote militaire qui était assez grande pour les protéger tous les deux. Troublés par cette promiscuité soudaine, ils marchèrent un long moment sans parler, prenant garde seulement à éviter les flaques d'eau.

— Je vais à une réunion publique à la mairie du Ve arrondissement. Vous venez avec moi ? demanda-t-elle soudain.

— Bien sûr, je ne suis pas de service ce soir.

C'est ainsi qu'ils entrèrent dans une salle enfumée par un grand poêle de faïence qui digérait mal le bois mouillé. Derrière une tribune improvisée, une femme discourait avec vigueur contre l'esclavage féminin, et définissait les actions à entreprendre pour aboutir à l'égalité des sexes. Des curieux, éméchés sans doute, riaient sous cape et faisaient des réflexions salaces, foudroyés du regard par leurs voisines courroucées. Ariane et Édouard s'amusaient.

Après la réunion, la pluie avait cessé, et ils marchèrent longtemps dans les rues sombres autour du Panthéon où on n'allumait plus les becs de gaz. Il lui tenait le bras pour sauter les ruisseaux ou éviter les tas de détritus qui encombraient la chaussée. Elle habitait dans l'île Saint-Louis, et ils frissonnèrent en passant la Seine balayée par un vent soudain glacial.

Il revint en courant jusqu'au Val, et son cœur bondissait de joie.

Tout ce qui allait se passer, dans les jours suivants, serait vu au travers du verre déformant d'un amour naissant, et les décisions que prendrait Édouard seraient dominées par des sentiments où la logique politique tiendrait bien peu de place.

Félicien était à ses côtés. Ces deux hommes, qui avaient à peu près le même âge, se jouèrent une comédie mensongère qui allait durer de longues semaines, sans qu'aucun d'eux osa jamais dire à l'autre la vérité.

Édouard manifestait un soutien inconditionnel aux décisions de la Commune, parce que c'était le seul moyen de rester à Paris aux côtés d'Ariane qui ne s'en irait jamais. Félicien tenait les mêmes discours parce qu'il s'était juré de protéger ce garçon qui appartenait à une famille vénérée. Il justifiait donc sa présence par des convictions politiques qui ne furent les siennes qu'au tout début de cette folle aventure.

Dans le quotidien, le dialogue entre les deux hommes s'équilibrait. Félicien était l'aîné et son sens pratique faisait merveille dans les cas difficiles. Édouard avait pour lui une intelligence aiguë, et, sur son ami, une autorité naturelle dont il abusa parfois. Avec Ariane, ils formèrent bientôt un trio inséparable, riant de tout, participant avec entrain aux réunions politiques des comités de vigilance qui se créèrent un peu partout dans la ville. Ils vivaient dans une kermesse quotidienne où tout ce qui, habituellement, met de l'ordre dans la vie, avait disparu.

Laissant le Val-de-Grâce, Hippolyte Larrey était parti se mettre au service du gouvernement régulier de Versailles, et il ne resta bientôt plus d'autorité militaire dans la grande bâtisse où, pourtant, les blessés recommencèrent à arriver par charrettes entières. La chambre d'Édouard devint un nid d'amour, et les tourtereaux vécurent là une idylle fougueuse comme s'ils avaient senti que le temps leur était compté.

Charles arriva dans la capitale après la capitulation. Il avait vu Damien à l'hôpitâl de Versailles avant de partir, et il lui avait promis de convaincre Édouard de quitter Paris. Il alla sonner rue de l'Entrepôt, mais la maison était close. Jules et Hortense étaient partis eux aussi pour la Normandie, emmenant Clémence. Félicien venait de temps à autre vérifier que tout allait bien dans la maison, mais il avait élu domicile, lui aussi, au Val-de-Grâce, où il jouait les brancardiers, quand il n'était pas de service avec son régiment. Charles eut l'idée d'aller s'enquérir d'Édouard au Val mais il ne le trouva pas. Il lui laissa une lettre circonstanciée, exprimant les désirs de Damien, et l'adjurant de quitter Paris où s'installait un pouvoir insurrectionnel dans une situation dont personne ne pouvait prévoir l'issue.

Édouard trouva la lettre en rentrant et la mit dans un tiroir avant d'enlacer Ariane qui roucoulait à ses côtés.

Le conseil de la SSBM s'était réuni après le désastre, et les délégués avaient négocié avec les Prussiens l'échange des blessés. Alors qu'il était envisagé de dissoudre les ambulances que l'armistice rendait inutiles, les troubles éclatèrent à Paris, et il fallut de nouveau faire face à une situation de belligérance, entre Français cette fois.

Au sein de la Société une scission s'opéra. Certains, avec Charles, rentrèrent à Versailles, d'autres, avec le comte de Beaufort, restèrent à Paris, et le blocus se referma sur eux.

À Versailles, Damien ne tenait plus en place. La lettre de Charles était restée sans réponse. Certes, la présence d'Édouard au Val-de-Grâce était une bonne nouvelle, mais il aurait préféré que son fils quittât la ville.

Quand il apprit que les fédérés parisiens avait tenté, le 3 avril, une sortie sur Versailles qui s'était soldée par un massacre, il prit peur. Bien que sa blessure fût mal fermée encore, il quitta l'hôpital et demanda audience à Hippolyte Larrey qui le reçut avec une grande cordialité. Le vieux professeur déplorait qu'Édouard ait refusé de le suivre, mais, d'un autre côté, il n'était pas mécontent d'avoir laissé au Val-de-Grâce des chirurgiens compétents pour s'occuper des blessés qui n'avaient pu être évacués. Puis il eut une idée.

— Vous connaissez bien Charles de Malmort, me semble-t-il.

— Certainement.

— Il est quelqu'un d'important dans cette Société de secours aux blessés militaires. Pourquoi n'enrôlerait-il pas votre fils ? Cet insigne le protégerait peut-être de la vindicte des deux camps. Si, comme j'ai des raisons de le penser, le président Thiers envoie l'armée pour réduire les fédérés, il est à craindre que la répression soit sanglante.

Damien s'en fut, fort troublé. Il chercha à joindre Charles mais ne le trouva pas. Il aurait dû, normalement, partir retrouver Thérèse en Normandie, mais il ne pouvait se résoudre à s'éloigner de Paris.

Le 5 avril, la Commune vota la loi des otages qui décrétait que tous ceux qui seraient convaincus d'intelligence avec Versailles seraient passés par les armes. Thiers, en réponse, ameuta l'opinion publique contre les « assassins » et dénonça l'arrestation de Mgr Darboy et du président de la Cour de cassation. Déjà, le général Lecomte, l'homme des canons de Montmartre, avait été exécuté, et tout portait à croire que les menaces des insurgés n'étaient pas vaines. Les Versaillais, on le savait, rendraient coup pour coup.

Dans les jours qui suivirent, les arrestations d'otages se multiplièrent, amplifiées par la presse officielle.

Les courriers de Félicien, temporairement interrompus, reprirent et confirmèrent qu'Édouard était toujours au Val-de-Grâce. Mais il n'y avait rien dans ses lettres concernant Ariane.

La vie de Paris était exaltante pour le jeune couple. L'évacuation des blessés militaires avait vidé une bonne partie de l'effectif du Val-de-Grâce, et les horaires de travail d'Édouard ne lui imposaient plus aucune obligation. Les amoureux passaient de longs moments à l'Hôtel de Ville où le Conseil de la Commune discutait avec acharnement des questions les plus diverses, comme si des troupes menaçantes n'avaient pas été aux portes de la capitale. Ils décidaient des horaires de travail, des organisations ouvrières, du mont-de-piété et des bureaux de bienfaisance. Ariane se passionnait pour les questions scolaires où le rôle de l'Église était attaqué avec des excès démagogiques qui semblaient relever d'une autre époque.

Le soir, ils allaient raconter leur journée au vieux père Maréchal, qui rageait de ne pas sortir de chez lui. Il habitait au troisième étage de son immeuble, et la remontée des escaliers lui était insupportable. Édouard, qui avait compris que son grand-père souffrait d'une insuffisance cardiaque sévère, l'incitait à rester chez lui. Il lui faisait, presque chaque jour, un compte rendu fidèle de ce qui s'était passé et le vieillard vivait, par l'intermédiaire de son petit-fils, les péripéties de « sa » révolution.

Un jour, ils entraînèrent Victorine, la tante d'Ariane, rue des Feuillantines, et ils se régalèrent devant le spectacle de ces deux révolutionnaires en chambre qui s'affrontaient sur l'opportunité des décisions prises à l'Hôtel de Ville.

Malheureusement, les combats s'intensifiaient aux portes de Paris, en particulier aux abords de Neuilly où l'artillerie de Mac-Mahon pilonnait les positions fédérées, solidement implantées à la porte Maillot. La SSBM avait installé des tentes à proximité des combats, aux Champs-Élysées, et les blessés y étaient conduits par une véritable noria de charrettes à croix rouge. À plusieurs reprises, Édouard avait prêté main forte à ses collègues, débordés par des afflux soudains, et certains blessés avaient été conduits ainsi jusqu'au Val où il s'en était occupé.

À la fin avril, la situation commença à se détériorer sérieusement. Les Versaillais approchèrent de près le fort d'Issy, que les renforts fédérés sauvèrent de justesse. À l'Hôtel de Ville certains parlèrent de trahison, et il se créa un Comité de salut public dont le nom réveilla, dans la population, les souvenirs sanglants de la Terreur. Les désertions se multiplièrent.

Thiers sentit que le fruit serait bientôt mûr. Il intensifia la pression militaire et les communiqués de victoire.

Damien espérait chaque jour qu'Édouard aurait la sagesse d'abandonner un camp voué à l'échec, mais il ne savait pas que son fils vivait si complètement détaché de la réalité. Il ne pouvait pas imaginer que le jeune couple se moquait de l'avenir et baignait dans une utopie béate, sans entendre le bruit du canon qui se rapprochait.

Malgré ses réticences, Damien reprit l'idée de Larrey et décida de demander l'aide de Charles. Mary était venue le rejoindre à Versailles avec leur fils, et ils habitaient l'Hôtel de France, rue des Réservoirs. Il se fit annoncer et rencontra la grosse dame qu'était devenue la comtesse de Malmort. Damien, après ses semaines d'hôpital, avait vieilli de dix ans, et il portait, sur son visage, les stigmates de l'angoisse dans laquelle il vivait. Mary se sentit pour la première fois en état de supériorité devant cet homme abattu qui venait, manifestement, en solliciteur.

Il expliqua ses craintes, et demanda à voir Charles. Mary le prit de haut, et lui expliqua que son mari, investi de hautes fonctions au sein de la Société de secours, était absent la plupart du temps et qu'elle était incapable de savoir quand il rentrerait. Dépité, Damien rentra chez lui et rédigea pour Charles une longue lettre où il exposait l'idée de Larrey. Il y avait assez de relations entre les membres de la Société dans les deux camps pour faire passer le message. Inclure Édouard dans les effectifs des ambulances ne poserait guère de problème. Encore fallait-il qu'un dirigeant en donnât l'ordre...

Damien ne reçut aucune réponse. Il ne savait pas que cette lettre était dans un tiroir, et que Mary allait « oublier » d'en parler à son mari.

Le dimanche 21 mai, Ariane, Édouard et Félicien décidèrent d'aller écouter le concert donné dans les jardins des Tuileries au profit des veuves et des orphelins de la Garde nationale. Il faisait un soleil printanier, et la foule avait des airs de fête, comme s'il suffisait de rire et de chanter pour écarter les dangers.

Sur le soir, une rumeur se répandit comme une traînée de poudre : les Versaillais avaient franchi la porte de Saint-Cloud et déferlaient sur l'ouest de Paris. Les défenseurs qui se précipitaient à leur rencontre étaient balayés. L'avance des troupes régulières paraissait impossible à stopper.

Félicien réagit rapidement. La seule sortie possible restait l'est de la capitale où campaient les Prussiens. Il connaissait des passages, repérés depuis longtemps, et il allait bientôt falloir se décider.

Les Versaillais avançaient le long de la Seine.

— Il faut se replier vers la Bastille, conseilla-t-il, c'est là que les fédérés tiendront le plus longtemps. Si nous sommes pris au Val, nous serons considérés comme des déserteurs. Dans le quartier Saint-Antoine je connais une fabrique où nous pourrons organiser un hôpital, car les blessés ne vont pas manquer.

Édouard bourra deux sacs de matériel, fit une provision d'éther et d'eau de Javel, et les trois compères s'enfoncèrent dans le Paris des barricades. Partout, les pavés s'entassaient en murailles infranchissables, surmontées du traditionnel échafaudage d'objets hétéroclites. Il fallait bien connaître les quartiers pour arriver à passer. Les gardes nationaux n'avaient jamais ressemblé à de vrais soldats, mais maintenant que le vieux Delescluze, chargé de la défense, avait aboli le « militarisme », les « combattants aux bras nus » s'en donnaient à cœur joie. De plus, si la nourriture manquait, l'alcool coulait à flots, et il y avait, dans les caves, de quoi tenir encore pendant des mois !

Les jeunes gens commencèrent tout de même à redescendre sur terre quand on se mit à fusiller les otages par fournées entières. Ils avaient toujours pensé que toutes ces menaces de mort n'étaient que des fanfaronnades, et que la sagesse allait reprendre le dessus. Beaucoup de gens, comme Maréchal, disaient que des négociations secrètes avaient lieu, très certainement. Et maintenant que la victoire du président Thiers était assurée, on allait sûrement arrêter le massacre.

Félicien, lui, savait qu'il n'en était rien. Des francs-maçons, mandatés par les loges parisiennes, avaient plaidé pour une solution pacifique, mais ils avaient dû se rendre à l'évidence : Thiers, ce bourgeois conservateur, voulait extirper définitivement le germe révolutionnaire de ce Paris qui s'était jeté trop facilement dans les bras de l'Internationale ouvrière dirigée de loin par ce Marx diabolique. Plus les fédérés feraient couler de sang, et plus la vengeance serait terrible. Et efficace.

Les trois fugitifs arrivèrent dans l'atelier de menuiserie. Ils repoussèrent les meubles contre les murs et dressèrent des paillasses. Dans une pièce du fond, Édouard organisa sa salle d'opération. Une table avec un matelas, des bassines, des guéridons recouverts de draps, il était prêt. Du fond de son sac, il tira son tablier d'interne qu'il traînait avec lui depuis l'hôpital Saint-Louis, et, avec le sourire, il se le boutonna au gilet et noua ses cordons. Ariane l'embrassa longuement, pendant que Félicien scrutait la rue.

Sur le soir, les premiers blessés arrivèrent. Félicien avait trouvé une charrette, avec un cheval qui avait échappé par miracle aux fourchettes parisiennes. Il faisait la navette entre le faubourg Saint-Antoine et la zone des combats qui se rapprochait. Sans le dire, il alla repérer aussi le passage prévu au travers des lignes prussiennes. Bismarck, en accord avec Thiers pour écraser cette révolution qui lui répugnait aussi, avait fait resserrer le dispositif pour fermer la nasse ; mais Félicien connaissait son terrain, il avait ses complicités, et il savait qu'il passerait. Restait à convaincre les jouvenceaux, le moment venu.

Damien, boitillant, décida de se joindre à une ambulance de la Croix-Rouge qui devait suivre les troupes dans la reconquête de la capitale. Comme il tenait assez bien à cheval, il prit une trousse d'urgence et s'intégra à une équipe.

Il passa la porte de Saint-Cloud, l'avenue de Versailles, et avança sur les quais de Seine où les combats avaient fait rage. Partout des cadavres abandonnés témoignaient de la férocité de la lutte. Arrivé Cours-la-Reine, il trouva les tentes que la SSBM avaient dressées depuis le début de la guerre. C'était à quelques pas de là qu'il était monté dans la première ambulance partie pour le front, moins d'un an auparavant. Comme tout cela lui paraissait loin.

Les tentes, sur lesquelles flottaient les croix rouges, étaient lacérées par les balles et les éclats d'obus. Une barricade de protection faite de caisses et de charrettes avait été élevée pour protéger, tant bien que mal, le personnel. À l'intérieur, c'était la cohue. Des blessés étaient couchés partout, sur le sol, entre les lits, dans les moindres recoins. Les médecins les enjambaient avec leurs boîtes à pansements, et les infirmières couraient, les bras chargés de bassines sanglantes. Au milieu de la tente, des gendarmes, le fusil en main, surveillaient des communards qui voisinaient avec des Versaillais. Le matin on avait dû les séparer car ils se battaient. D'un lit à l'autre, ils s'envoyaient des coups d'œil mauvais.

Damien scrutait les visages avec le secret espoir d'apercevoir Édouard au chevet de quelque lit. Il retrouva un chirurgien qu'il connaissait, et qui lui raconta l'enfer qu'ils avaient vécu au cours de ces dernières journées où ils étaient pris entre deux feux. Les balles traversaient les tentes. Un blessé avait été tué dans son lit. Plusieurs infirmiers étaient tombés aussi en portant secours.

Un peu plus loin, des bâtiments flambaient. On entendait au loin le bruit de la fusillade et les canons qui tonnaient. Félicien, dans sa dernière lettre, lui avait donné l'adresse de l'atelier du faubourg Saint-Antoine où il comptait se replier avec Édouard, s'il ne parvenait pas à le convaincre de fuir. Damien passa sur la rive gauche, mieux dégagée, et pressa le pas devant les Tuileries en flamme. Plus loin, derrière Notre-Dame, l'Hôtel de Ville brûlait également. Passant derrière l'Arsenal, il se retrouva soudain face à une barricade. Seul au milieu de la rue, il avança, en priant le ciel que ses croix rouges fussent bien visibles. Par sécurité, il lâcha la bride, et leva bien haut les bras au-dessus de sa tête pour montrer qu'il n'avait pas d'armes. Un gamin sauta jusqu'à lui, et prit son cheval par la bride. Il passèrent dans un dédale de jardins et de ruelles, et Damien se retrouva de l'autre côté, un peu étourdi.

Derrière la barricade, les défenseurs jouaient aux cartes, les fusils posés à côté d'eux. Des femmes tricotaient en bavardant. Un vieux médecin de la Garde nationale vint jusqu'à lui. Il avait une trogne enluminée, et son uniforme était taché de sang. Damien lui demanda où en étaient les combats du côté de la Bastille. L'autre l'entraîna dans le bistrot voisin où des tonneaux avaient été mis en perce.

— À mon avis ils doivent y être, mais ils ne passeront pas facilement. C'est comme ici, ils n'auront pas assez de recul pour installer leurs canons et il faudra qu'ils avancent à pied ! Ça va barder !

Le gros homme se rendait-il compte que son uniforme médical risquait de ne pas lui être d'un grand secours, quand les lignards auraient conquis sa barricade ?

Damien remonta à cheval et partit en direction du faubourg.

Dans l'atelier, les blessés, maintenant, s'amoncelaient. Édouard opérait sans relâche. Assise à la tête de l'opéré, Ariane tenait le masque à éther, et le chirurgien, le bistouri en main, dirigeait l'anesthésie.

— Assez, laisse-le respirer un peu... Le voilà qui s'agite de nouveau, mets un peu d'éther dans ton flacon... Là, c'est suffisant.

Dehors, les barricades résistaient à de furieuses fusillades. les canons, inutilisables dans ces rues, avaient été reculés, et tout le quartier était arrosé par des obus qui tombaient au hasard sur une population en armes mais impuissante à se protéger. Des pans de murs s'écroulaient, des flammes commençaient à s'élever des maisons éventrées.

Félicien s'approcha de la table d'opération.

— Il faut se replier plus loin, Édouard, cette position ne va plus être tenable.

Le chirurgien regarda autour de lui les blessés qui attendaient ses soins.

— Encore un moment, il faut que je finisse.

— Mais tu ne finiras jamais. Viens. Ariane, dites-lui...

La jeune fille n'aurait jamais osé donner un ordre de ce genre. Félicien reprit.

— Édouard, il y aura d'autres blessés un peu plus en arrière. Mais tu ne risqueras pas...

Il ne put terminer sa phrase. Une explosion secoua la maison et un nuage leur obscurcit la vue. Félicien avait été projeté contre une porte qui s'effondra sous son poids. Étourdi, il se releva sans comprendre. Quand le nuage de poussière se dégagea, il découvrit avec horreur que la maison avait perdu son premier étage. Le toit s'était effondré sur le rez-de-chaussée.

Il se précipita dans les décombres en criant. Partout c'étaient des hurlements. Parmi eux, il reconnut la voix d'Ariane qui l'appelait. Il lui répondit et s'attaqua avec rage aux poutres enchevêtrées. Il progressait difficilement mais, après une demi-heure d'efforts, il aperçut la jeune fille accroupie dans l'angle de la pièce qui avait été la salle d'opération.

Édouard était à moitié enseveli sous les gravats, mais il respirait. Poussant, tirant, s'arc-boutant, Félicien parvint à le dégager suffisamment pour qu'on puisse le tirer vers le jardin. Là un petit appentis avait miraculeusement résisté. Le chirurgien était sans connaissance, mais apparemment il n'avait rien de cassé. Ariane saignait d'une estafilade au front, sans gravité.

— Et l'opéré ? demanda-t-elle.

— Il va bien, répondit Félicien au hasard. Occupez-vous d'Édouard, je reviens.

Il sortit dans la rue, bien décidé à évacuer son petit monde, mais il découvrit avec consternation son cheval abattu entre les brancards de la charrette. La pauvre bête, les deux antérieurs brisés, essayait maladroitement de se relever, en hennissant de douleur. Un garde national, le pistolet à la main s'approchait ; Félicien lui prit l'arme et acheva le pauvre animal d'une balle dans l'oreille.

Il fallait maintenant trouver un autre cheval. Félicien s'en voulait d'avoir tant attendu. Mais pouvait-il faire autrement, avec ces gosses entêtés ?

Damien, avec prudence, avançait dans les décombres. À tout moment, il le savait, un obus pouvait mettre fin à ses recherches. Il n'avait qu'une idée en tête, trouver cet atelier perdu dans le faubourg. Ceux à qui il demandait son chemin n'étaient pas toujours capables de lui répondre, ou ne connaissaient pas le quartier. Enfin un gamin lui proposa de le conduire. Quelques centaines de mètres plus loin, il s'arrêta et tendit le doigt vers le fond de la rue. Il leva vers le cavalier un visage effaré, en murmurant :

— C'était là...

Damien enfonça ses éperons dans le ventre de sa monture qui bondit en avant, et, oubliant sa cuisse douloureuse, il sauta à terre en appelant son fils. Au-delà du pan du mur, le spectacle était apocalyptique : les blessés gémissaient sous les gravats, certains avaient été tués, d'autres essayaient de ramper vers l'extérieur. Damien continuait de crier, ne sachant où diriger ses pas. Soudain il crut entendre une voix lointaine qui criait :

— Il est ici, il est ici...

Les obstacles qui le séparaient du fond de la salle effondrée paraissaient infranchissables. Il pensa à contourner le bâtiment par l'extérieur. Faisant demi-tour, il buta sur Félicien.

— Mon Dieu, monsieur de La Verle, enfin vous voilà. C'est à vous le cheval qui est dehors ?

— Oui.

— Alors nous sommes sauvés. Venez vite.

Ils arrivèrent dans le jardin et trouvèrent Ariane et Édouard. Damien se jeta à genoux près de son fils et entreprit vite de l'examiner.

— Qu'est-il arrivé ?

Félicien, en deux mots, expliqua l'explosion, pendant que Damien palpait les membres un à un. Ils étaient intacts. Le ventre était souple. En palpant le thorax, il fit la grimace. Des côtes étaient cassées, et son examen fit venir aux lèvres d'Édouard une mousse rosée. À la tête aussi il y avait une fracture. Damien regarda sa main pleine de sang. Il revint vers le ventre et palpa attentivement le bassin. Là aussi il y avait une mobilité anormale. Il leva vers Félicien des yeux pleins de larmes. L'autre comprit.

— On va tout de même essayer de l'emmener, j'ai une charrette, là dehors.

Damien réfléchissait.

— À mon avis, si on le transporte, c'est fichu. Sa seule chance c'est de ne pas bouger. Les jeunes ont des ressources infinies.

— Monsieur, demanda Ariane avec une toute petite voix, il ne va pas mourir, n'est-ce pas ?

Damien qui ne l'avait pas encore regardée, découvrit un visage d'ange où de grosses larmes coulaient. Elle était à genoux, et ses deux mains tenaient le visage de son fils. D'un coup il comprit pourquoi il n'avait pas réussi à lui faire quitter Paris.

Dehors, les obus ne tombaient plus, mais la fusillade se rapprochait. On entendait des hurlements, des vociférations. Félicien et Damien échangèrent un regard. Le chirurgien se redressa et sortit de sa poche des brassards à croix rouge.

— Mettez ça, dit-il à Félicien. Vous aussi, mademoiselle. On ne sait jamais. Et, regardant Édouard, il ajouta : À lui aussi on peut en mettre un.

Félicien sortit de sa ceinture un énorme pistolet et le cacha dans les gravats. Il jeta au loin sa casquette de garde national. Quelques minutes passèrent. Damien surveillait la respiration d'Édouard en écoutant les bruits de la rue. Les voix devenaient plus proches.

Bientôt on entendit des cris dans la grande salle effondrée. Damien, les dents serrées, tournait le dos à l'entrée du jardinet. Félicien, assis dans les décombres, la tête baissée, faisait le mort. Ariane pleurait.

Soudain un lignard sauta au milieu d'eux, le fusil braqué. Puis il s'arrêta interdit.

— Qui êtes-vous ? brailla-t-il, après une seconde d'hésitation.

Damien, calmement, se releva.

— Professeur La Verle, chirurgien de la Société de secours aux blessés militaires.

— C'est des militaires, ça ? demanda-t-il en désignant Ariane et Édouard du bout de son fusil.

— Ça, c'est un chirurgien aussi, et c'est mon fils.

— C'est un fumier de fédé, oui. Et toi aussi sûrement...

Damien continua à parler sur un ton d'une étrange douceur.

— La France a signé la convention de Genève, et la Commune également...

Ce mot eut, sur le soldat, un effet imprévu. Il hurla :

— La Commune, bande de salauds...

Et il brandit son fusil vers le blessé. Ariane poussa un cri.

— Non ! Assassin !

L'homme releva le fusil vers elle. Il avait les yeux exorbités, et Damien comprit, en une fraction de seconde, ce qui allait se passer. Il bondit sur la jeune fille, s'interposa, et reçut la décharge au milieu du dos.

Il s'effondra sur Ariane qui bascula en arrière et s'assomma sur le sol. Dans le même temps Félicien avait récupéré son pistolet de sous les gravats. Il tira sur le lignard qui s'effondra, la tête éclatée.

Quelques instants plus tard, Félicien conduisait sa charrette ornée d'un superbe drapeau blanc à croix rouge vers le bois de Vincennes. Derrière lui, ses trois passagers inanimés et ensanglantés reposaient sur un lit de paille.

CHAPITRE XI

À ceux qui lui disaient qu'il avait eu de la chance de s'en sortir vivant, Damien ne répondait pas. Vivre avec les deux jambes paralysées, et avoir perdu son fils unique dans cette bataille absurde, était-ce une chance ?

Il refuserait désormais de parler de cet épisode dramatique dont la honte marquerait à jamais l'histoire de son pays. Pourtant, le souvenir de ces journées d'horreur continuerait à le hanter, sa vie durant.

Quand il avait repris connaissance, il était à l'hôpital de Saint-Yé ! Félicien était resté très discret sur ce voyage nocturne au travers des lignes prussiennes. Ce brave serviteur avait pensé que c'était moins dangereux que de revenir vers Versailles où la haine aveugle faisait des ravages. Et il avait eu raison. Ici, la famille La Verle était chez elle.

Les obsèques d'Édouard s'étaient déroulées dans la plus grande discrétion. Le malheureux garçon avait rejoint Aubin et Benoît dans le caveau familial qui voisinait avec celui des Malmort. Celui des Legrand, de l'autre côté de l'allée, était le plus beau, un vrai château. Un peu plus loin encore, il y avait d'autres tombes qui portaient des noms connus : Hippolyte, Hertius, Nicolas...

Thérèse n'avait pu être prévenue à temps. De son lit, Damien avait suivi son fils par la pensée, sur ce chemin du cimetière qu'il connaissait trop bien. Il avait pleuré en entendant le glas, car la cloche sonnait aussi la fin de sa propre vie.

La balle qui l'avait frappé s'était écrasée dans la colonne vertébrale, détruisant la moelle épinière. Et Damien avait trop vu de blessés de ce type pour ne pas savoir qu'ils vivaient rarement plus de quelques mois. Le chirurgien qui dirigeait Saint-Yé proposa immédiatement une intervention pour enlever le projectile. Par dégoût de la vie, Damien refusa. Il souhaitait mourir, et c'est ce qui le sauva. L'opération était inutile, et elle l'aurait tué sans doute. La balle était bien, là où elle s'était logée, et il restait assez de nerfs vivants pour que son infirmité devienne supportable.

Dans les premières semaines, pourtant, la situation se détériora. Damien était persuadé qu'il allait bientôt partir retrouver son fils, et il se laissait doucement glisser vers la tombe.

Félicien, toujours lui, refusait de laisser mourir le père après le fils, et il retourna dans le Paris pacifié. Là, il s'adressa à l'un des élèves de Damien qu'il avait vu souvent venir travailler à la maison avant la guerre, Just Lucas-Championnière.

Le jeune chirurgien avait fait une guerre brillante dans l'ambulance internationale que dirigeait Ulysse Trélat, avec un autre praticien prestigieux, Félix Terrier. Il n'hésita pas une seconde à venir au chevet de son maître. Avec un admirable talent et la ténacité qui serait l'une des caractéristiques les plus marquantes de sa carrière, il mit en application les méthodes qu'il était allé apprendre, lui aussi, chez Lister.

Damien avait dans le dos une très vilaine plaie, et des escarres s'étaient ouvertes au niveau des fesses et des talons. Just fit disparaître tous les produits de l'antique pharmacopée et se contenta d'alterner les solutions iodées, l'alcool camphré et l'eau de Javel en utilisant des pansements fermés comme à Glasgow. Il était heureux de n'avoir qu'un patient à traiter, et de pouvoir le faire selon des principes modernes, avec des religieuses dociles, et personne autour de lui pour discuter ses idées. Ce qui n'avait encore jamais été le cas à Paris, où les patrons en place se moquaient de ses lubies listériennes.

Par chance, la vessie de Damien se remit à fonctionner spontanément, sans que des manœuvres de sondage viennent y porter l'infection qui tuait la majorité des paraplégiques de cette époque. On le remit debout, et ses pauvres jambes paralysées furent immobilisées dans des appareils compliqués et inefficaces. Mais l'énergie de son élève communiqua à Damien un sursaut de courage, et il reprit de nouveau le goût de vivre.

Il faut dire qu'un autre personnage était entré en ligne de compte dans cette lutte, c'était Ariane. La jeune fille s'était retrouvée obligée de rester à Saint-Yé quand Félicien rapporta les terribles nouvelles de la répression dans la capitale. On disait que quarante mille personnes avaient été fusillées, emprisonnées ou étaient en instance de déportation. Il valait mieux ne pas se faire remarquer pour le moment. De plus, sa présence était d'autant moins nécessaire à Paris, que sa tante Victorine s'était prise d'affection pour le vieux père Maréchal, et que ces deux révolutionnaires impénitents vivaient maintenant ensemble, rue des Feuillantines, protégés de la vindicte populaire par leur âge et leur aspect respectable.

Thérèse avait adopté sans une seconde d'hésitation celle que son fils avait aimée, et qui était la dernière à l'avoir vu vivant. Personne ne reprocha à la jeune fille d'avoir incité Édouard à rester à Paris. Chacun avait bien conscience que cette aventure s'était déroulée dans une ambiance de folie, et Damien connaissait assez son fils pour comprendre la part de rébellion juvénile qu'il y avait eu dans son attitude. Et puis, Ariane était si jolie.

Celle-ci trouva, chez les parents d'Édouard, l'accueil qu'ils auraient fait à une fiancée. Ils la considérèrent comme leur fille, et, quand Élodie rentra de Londres, elle pleura son frère dans les bras de celle qui l'avait aimé.

Cette attitude s'accentua encore quand Ariane s'agenouilla un soir contre les genoux de Thérèse pour lui annoncer qu'elle était enceinte. Damien apprit la nouvelle le lendemain matin, et il pleura de joie. C'est à partir de ce jour qu'il commença à faire les progrès les plus spectaculaires et accepta l'idée qu'il finirait ses jours dans un fauteuil roulant.

Florian de La Verle naquit le 5 janvier 1872, jour de la saint Édouard.

— Dieu a voulu que notre fils préside à la naissance de son enfant, conclut Thérèse devant une coïncidence aussi miraculeuse.

Tout était prêt pour l'arrivée du bébé. La famille s'était installée dans l'« orangerie », comme disait les gens du pays, celle que Benoît avait fait reconstruire à partir des communs du château de Malmort, au temps où la terrible Estelle guettait les amours clandestines de la comtesse Hélène qu'elle détestait.

Charles était toujours propriétaire de la vieille bâtisse dont les tours s'effritaient. Il était venu rendre une visite de condoléances à Damien. Mais il avait été reçu si froidement qu'il s'en était étonné.

— Enfin Charles, je t'avais demandé d'intervenir pour Édouard. Il aurait pu être enrôlé *in extremis* dans une ambulance de la Croix-Rouge. Qui sait si cela ne lui aurait pas sauvé la vie.

— Tu ne m'as jamais rien demandé, rétorqua l'autre, surpris.

— Comment, je t'ai déposé une lettre, quand l'armée a commencé à investir Paris. Tu l'as oubliée ?

— Non, je ne l'ai jamais vue.

— Je l'ai remise en main propre à Mary.

— Elle ne me l'a pas transmise...

Un long silence clôtura cet échange brutal. Charles mesurait les conséquences lamentables de la haine inexpliquée que son épouse portait à la famille La Verle. En un instant, il avait compris ce qui aurait pu se passer si la protection de la Croix-Rouge avait pu être apportée à Édouard. Il ne pouvait pas non plus accabler Mary. Elle était sa femme.

Ils se séparèrent sans un mot. Charles ne remit plus les pieds à Saint-Yé. Damien et lui ne devaient plus jamais se revoir.

Les amis parisiens de Damien ne comprirent pas qu'il se terre ainsi dans sa province. Il avait, rue de l'Entrepôt, un hôtel particulier magnifique, et la Faculté lui avait donné, sans qu'il le réclame, le titre de professeur de pathologie chirurgicale. Bien qu'il eût démissionné de ses fonctions hospitalières, il pouvait se consacrer à l'enseignement, aller aux séances de la Société de chirurgie, et, qui sait, entrer à l'Académie, à l'Institut...

Il refusa de venir donner le spectacle de son infirmité. Il accepta le titre de professeur, organisa avec ses agrégés, l'enseignement de sa discipline pour la première année, puis démissionna.

— Il faut laisser cette place à un autre, expliqua-t-il, il ne manque pas de candidats. Vous m'avez donné le titre. C'est très bien. Cette mesure m'a beaucoup touché, et je vous en remercie. Maintenant, si vous le voulez bien, j'aspire à la quiétude. Il me reste une tâche qui me suffira bien, l'éducation de mon petit-fils. N'ayez crainte, la dynastie n'est pas étcinte ! ajouta-t-il en souriant.

C'est vrai que Damien prit très au sérieux son rôle de grand-père. Lui si débordé de travail quand Édouard et Élodie étaient nés, avait enfin assez de temps pour regarder grandir un enfant. Et quel enfant ! Sa beauté stupéfiait l'entourage. C'était tout le portrait de son père, mais avec les yeux bleus de sa mère, et un charme à séduire la terre entière.

On s'était posé le problème de son nom de famille. En l'absence de mariage, il était difficile de lui donner le nom de son père qui n'était plus là pour le reconnaître. Damien proposa à la famille réunie, d'adopter officiellement Ariane. Elle s'appellerait La Verle, et, par conséquent, l'enfant aussi. Le jour du baptême, les gens s'interrogèrent sur ce tour de passe-passe ; mais la discrétion voulait qu'on ne posât pas de question.

Les années passèrent, dans la quiétude du village. Florian devint un garçonnet solide et musclé, plus encore que son père qui avait fait sa croissance dans les rues de Paris. Il était promis quant à lui à l'école communale, puis aux bons pères d'Amiens jusqu'au baccalauréat. Ensuite, s'il montrait des dispositions pour la médecine, ce dont personne ne doutait, il serait temps d'envisager le retour dans la capitale. Mais en attendant, la vie au grand air, loin des idées perturbatrices des milieux intellectuels parisiens, serait sûrement bénéfique à celui qui devait devenir l'héritier d'une tradition où Édouard, il faut bien le reconnaître, avait joué un rôle assez inhabituel.

En janvier 1873, alors qu'on s'apprêtait à fêter le premier anniversaire de Florian, le vieux père Maréchal rendit au ciel son âme compliquée, au grand désespoir de celle qui était devenue sa compagne fidèle et attentive. La famille La Verle hérita de la tante Victorine et de la bibliothèque du vieux républicain. Ainsi Damien se trouva-t-il propriétaire de la plus subversive collection de livres du canton ! Mais il retrouva aussi cette malle dont il avait hérité jadis, et qui contenait les archives de sa famille. Maréchal avait rangé, classé et annoté son contenu, si bien que la plongée dans le passé fut, pour le reclus de Saint-Yé, un exercice facile et passionnant.

À la lecture attentive des histoires médicales d'antan, Damien prit mieux conscience des progrès gigantesques qui avaient été faits dans le domaine des idées, comparés à la médiocrité des résultats obtenus chez les patients. Quand il reprenait les descriptions des salles de malades au temps d'Aubin et du père Polyte, et qu'il les comparait à ce qu'il avait lu sur Scutari ou ce qu'il avait vu, en 1871, à Versailles, où était la différence ?

Bien plus, en comparant les chiffres publiés par le ministère de la Guerre sur le dernier conflit à ceux des guerres napoléoniennes, il s'avérait que Larrey avait de meilleurs résultats que ses disciples ! Malgré l'anesthésie, on mourait plus des suites d'une amputation en 1870 qu'en 1815.

— Et je me demande quand les statistiques s'amélioreront, disait Lucas-Championnière, qui ne parvenait pas à convaincre ses collègues du bien-fondé des théories de Lister.

Il lui fallut attendre 1874 pour faire la preuve de son efficacité. Nommé chirurgien des hôpitaux, il fit un intérim à Lariboisière, dans le service le plus sale de Paris. La qualité de ses résultats fut stupéfiante ; mais bien peu de ses collègues acceptèrent de le reconnaître.

Damien souriait en se souvenant de ses travaux à Sainte-Marthe que la guerre avaient interrompus. Lui non plus, personne ne le prenait au sérieux.

— Sauf moi, corrigea Just. Mais les choses changent doucement. Nous avons formé un groupe de « listériens » pour opérer ensemble. Avec Terrier, Nicaise et Perrier, nous travaillons dans une maison que nous avons louée. Notre salle d'opération est blanchie à la chaux, tout est propre et passé à l'acide phénique. Nous opérons avec le *spray*, et les pansements sont fermés avec de l'antiseptique.

— Et alors ?

— C'est parfait. Le taux de suppuration s'est effondré. Nous ne perdons pas plus d'un opéré sur dix.

C'était la victoire ! Encore fallait-il faire passer le message ! Et on était encore loin du compte.

Damien prit goût à cette vie de reclus volontaire. Pour la première fois de sa vie, il avait du temps, et il était bien décidé à s'en servir. C'est ainsi qu'il entreprit d'écrire un livre sur ses réflexions de chirurgien devant le progrès. En riant, et en attendant de trouver un titre définitif, il avait appelé son manuscrit : *Miracle de l'éther et du phénol.* Ces deux produits marquaient bien, à son avis, les plus fondamentales étapes de la chirurgie moderne, et il était persuadé qu'il serait difficile d'aller plus loin. Mais il restait à exploiter ce qui était acquis, et l'on était loin du but.

Une autre chose frappait son esprit. C'était l'internationalisation du progrès, et la facilité avec laquelle les gens voyageaient. Les savants parcouraient le monde et parlaient toutes les langues. C'est ainsi qu'il décida d'apprendre l'allemand. Il lui semblait que l'Angleterre devenait moins prolifique en idées, et que les chirurgiens allemands et viennois étaient en passe de les remplacer. Ils faisaient parler d'eux de plus en plus. On disait que la moitié des étudiants américains allaient faire leurs études à Vienne, Hambourg, Heidelberg ou Leipzig. Sans compter Bâle ou Genève, dont les professeurs commençaient aussi à se faire connaître.

Progressivement, il s'abonna aux revues spécialisées les plus représentatives, en français, anglais et allemand, et il proposa des analyses internationales au *Journal de chirurgie* dont il devint le correspondant régulier.

Il prit conscience ainsi de la facilité avec laquelle les idées de Lister se répandaient dans ces pays germaniques, alors même qu'en Angleterre il faisait l'objet de critiques amusées, comme aux États-Unis. En France, ceux qui suivaient les principes de ce que les détracteurs nommaient le « rite écossais » faisaient partie d'un cénacle restreint.

Damien s'amusait, en particulier, à la lecture des comptes rendus de l'Académie de médecine où Louis Pasteur avait été élu au début 1873. C'était une tribune à la mesure de celui qui allait révolutionner la pratique chirurgicale moderne, alors qu'il n'était même pas médecin. Il le regrettait d'ailleurs. Quel tollé il avait soulevé, le jour où il avait dit : « Si j'avais l'honneur d'être chirurgien, je n'opérerais qu'avec des instruments passés dans l'eau bouillante et des linges exposés à l'air chaud pendant vingt minutes. »

D'année en année, on allait voir le génie de cet homme s'épanouir au milieu d'un aréopage sclérosé, incapable de sortir des théories, des idées préconçues et des chimères qui encombraient l'esprit médical depuis Hippocrate. Dans son laboratoire minable de la rue d'Ulm, Pasteur faisait avancer ses recherches à petits pas et, chaque mardi, quand il prenait la parole dans cette ancienne chapelle de la Charité qui abritait l'Académie, il assénait des petites vérités indiscutables à des hommes qui n'avaient jamais tenu une cornue ou un tube à essai.

Aucun d'eux n'était capable d'imaginer que la bactériologie moderne était en train de prendre naissance devant leurs yeux, et qu'il allait falloir, dans les années à venir, repenser la vie quotidienne dans toutes les salles d'opération du monde si on voulait que les opérés continuent à vivre.

Les Allemands avaient compris, avant tous les autres, l'importance du laboratoire dans la vie universitaire, même pour des chirurgiens. Dans les articles que Damien lisait, il paraissait évident que les plus petits professeurs de médecine d'outre-Rhin étaient mieux équipés que celui qui était en train de devenir le maître à penser de toute une génération.

Élevé entre l'autopsie et le cours magistral, Damien avait du mal à concevoir la vie des étudiants de Vienne, pour lesquels la chirurgie expérimentale paraissait faire partie des activités quotidiennes. Dans les journaux américains aussi, on s'étonnait de cette tendance germanique nouvelle ; mais les plus jeunes, ceux qui étaient allés faire leurs études en Europe, mais pas en France, incitaient leurs aînés à réformer le cursus américain et à copier le système allemand.

Un jour, Damien découvrit dans une revue américaine la description d'un projet qui le laissa muet de surprise. À Baltimore, un homme d'affaire quaker nommé John Hopkins était mort en 1874, et il laissait à la ville une somme faramineuse : sept millions de dollars, pour créer une faculté de médecine comme il n'en avait jamais existé jusque-là. Il y aurait en effet, dans le même lieu géographique, une université et un hôpital où les élèves feraient l'ensemble de leurs études médicales. Les professeurs seraient employés là à plein temps, et se consacreraient exclusivement aux soins, à la recherche et à l'enseignement. Cette idée était révolutionnaire, et sa réalisation devait être confiée à un corps de professeurs particulièrement bien choisis qui, eux-mêmes, sélectionneraient les membres du corps enseignant parmi les meilleurs spécialistes mondiaux. Quant aux étudiants, ils seraient aussi choisis parmi ceux dont les connaissances générales étaient déjà du plus haut niveau. C'était la plus belle machine à former des savants qui ait jamais été conçue.

Damien rêvait. Comme il aurait aimé être jeune et recommencer sa vie étudiante dans de telles conditions, loin des coteries, des luttes d'influence et des concours truqués qu'il avait connus ! Et quand le petit Florian grimpait sur ses genoux, il lui caressait la tête en priant le Ciel qu'il connaisse un jour un tel système éducatif.

Damien tint la promesse qu'il s'était faite : il ne quitta plus Saint-Yé. Félicien, le fidèle, restait à ses côtés presque jour et nuit, attentif au son aigrelet de la sonnette qu'il plaçait toujours à portée de sa main. Il était ses jambes et sa jeunesse. Il n'y a qu'avec lui qu'il parlait d'Édouard, et de cette année sombre. Pourtant, comme tout cela était loin maintenant !

Un jour, Félicien pensa un instant que Damien n'avait plus sa tête. Ou qu'il n'avait pas bien compris ce qu'il avait entendu.

— Vous pourriez répéter ce que vous venez de me dire, demanda-t-il avec une mimique qui fit rire Damien.

— Je répète : la semaine prochaine, nous irons à Paris. Et je ne vois pas ce que cette idée a de si saugrenu que tu fasses une tête pareille.

— Mais enfin, Monsieur, voilà vingt ans que vous n'avez pas quitté cette maison...

— Justement cela commence à me paraître long.

— Mais c'est l'hiver, nous allons fêter Noël...

— Écoute, Félicien, tu commences à me fatiguer. Si tu ne veux plus rester à mon service, tu n'as qu'à le dire...

— Oh !

Le rire de Damien confirma que la dernière phrase n'était évidemment qu'une plaisanterie, mais l'idée d'aller à Paris, en était-elle une autre ?

Il n'en fut rien. Le 27 décembre 1892, Damien et Florian étaient assis côte à côte dans le grand amphithéâtre tout neuf de la Sorbonne pour le jubilée de Louis Pasteur. L'installation du paralytique n'avait pas été une mince affaire. Félicien avait dû déployer toute son ingéniosité pour le faire entrer avant que les portes soient ouvertes au public et introduire le fauteuil roulant jusqu'à la travée réservée aux invités personnels du maître. Florian, qui était un athlète, avait soulevé son grand-père comme une plume, et l'avait installé de telle sorte qu'il n'ait plus à se déranger. Le jeune homme était aux anges.

D'abord le décor était somptueux. Dans le cadre des grands travaux de rénovation de Paris, après les incendies de la Commune, cette construction passait pour l'une des plus belles. L'immense voûte hémisphérique était éclairée par une verrière ouverte à son sommet, et des piliers monumentaux délimitaient des loges latérales, hémisphériques également. Les plafonds, entre les arcs en plein cintre, avaient été décorés de scènes allégoriques.

— Qui a fait tout cela ? demanda Florian.

— L'architecte s'appelle Nénot, et le peintre Puvis de Chavannes.

Florian, si sensible à l'art, béait d'admiration. Mais ce n'était rien encore, les portes s'ouvrirent et tout ce que la France avait de grands hommes entra, comme dans une immense rétrospective théâtrale. Les académiciens, les ambassadeurs, les généraux, les polytechniciens voisinaient avec des messieurs en habits couverts de décoration. Peu de femmes, mais en grande toilette. Le spectacle était féerique.

À dix heures et demie, la musique de la Garde républicaine entama une marche triomphale, et toute la salle se leva.

— Je ne vois plus rien, gémit Damien, raconte-moi.
— C'est Pasteur qui arrive, avec quelqu'un à son bras.
— Je pense que c'est le président de la République.
— Sadi Carnot ?
— Qui veux-tu que ce soit ?

Le cortège, avec les présidents du Sénat et de la Chambre des députés, les ministres et les présidents des Académies, vint prendre place sur une estrade près de la petite table derrière laquelle Pasteur s'était assis.

Le premier à prendre la parole fut le ministre de l'Éducation publique, Charles Dupuy, suivi du président de l'Académie des sciences et d'orateurs que Damien ne reconnaissait pas. On remit une médaille à Pasteur, puis d'autres personnes intervinrent. Tout à coup Damien sursauta.

— Regarde, là, c'est Lister. Mon Dieu, il a fait le voyage !

Très ému, l'Écossais s'approcha pour dire son discours, mais la salle vit Pasteur se lever et les deux hommes s'étreignirent longuement. Un tonnerre d'applaudissements éclata, et Damien sortit son mouchoir pour s'essuyer les yeux. Que de chemin parcouru depuis Glasgow !

Enfin ce fut au tour de Pasteur. Il fit un geste d'impuissance et tendit une feuille de papier à un homme en habit qui vint à côté de lui.

— C'est son fils, expliqua Damien. C'était lui déjà, il y a cinq ans. Il a lu le discours de son père lors de l'inauguration de l'Institut qui lui a été offert par une souscription. Le pauvre homme a de plus en plus de mal à parler depuis qu'il a fait une attaque.

Ce fut superbe, comme d'habitude. Pasteur avait une plume élégante et ferme. Il savait dire les choses en peu de mots ; ce qui à l'heure qu'il était devenait une qualité supplémentaire !

La fête se termina par un grand brouhaha de félicitations et un attroupement autour du vieux savant. Nombreux aussi furent ceux qui reconnurent Damien et vinrent le saluer. Chacun savait qu'il ne sortait plus de Saint-Yé, mais on lisait ses articles.

— Je vous présente mon petit-fils Florian, disait-il à chacun, interne de première année, en chirurgie évidemment.

QUATRIÈME PARTIE

Florian

CHAPITRE PREMIER

— Les nouveaux internes chez le patron !

Le ton sur lequel cet ordre avait été formulé fit frémir Florian. La surveillante générale était une grosse dame au visage poilu, dont le voile empesé et posé bas sur le front avait une allure de hennin médiéval. Elle partit à grandes enjambées, balançant ses bras comme un soldat à la parade, les poings fermés. Surpris, les trois garçons se regardèrent et, sans un mot, lui emboîtèrent le pas.

Paul Berger, leur patron, avait eu la chance d'être nommé chirurgien des hôpitaux quatre ans seulement après la fin de son internat. Il n'avait pas usé son énergie dans des années de vaines épreuves et il avait la réputation de faire son métier avec enthousiasme, en cherchant à toujours se maintenir à la pointe du progrès. Sa jeunesse lui avait fait hériter d'un des plus anciens services chirurgicaux de Paris, à la Pitié, dont on annonçait, depuis des décennies, la destruction prochaine. Florian avait eu un haut-le-cœur en découvrant cet enchevêtrement hétéroclite de bâtiments vétustes. Les fenêtres vermoulues avaient des carreaux opaques qui laissaient passer un jour parcimonieux dans des couloirs interminables et tortueux.

— Entrez, messieurs, je vous souhaite la bienvenue.

C'était un homme d'une quarantaine d'années, grand, beau, avec une chevelure brune, abondante et coiffée la raie au milieu. En parlant, il passait ses doigts sur ses moustaches parfaitement brossées, et son regard sombre scrutait les visages de ces trois jeunes hommes qui allaient partager sa vie pendant une année.

Florian était très ému en découvrant cet homme qui avait été le meilleur ami de son père, et qui, peut-être, lui avait ressemblé. C'est ainsi qu'il se le représentait, avec ses gestes vifs, sa parole aisée, et cet humour qui transparaissait au travers des propos les plus sérieux.

— Nous allons essayer de faire ensemble le meilleur travail possible. La bonne chirurgie n'a pas besoin de murs neufs, et je sais des hôpitaux modernes où les résultats sont loin d'approcher ceux que nous obtenons ici. Ils seraient sûrement encore meilleurs si nos patients étaient installés dans des salles vastes et claires, bien aérées et faciles à entretenir ; mais vous verrez qu'avec un peu de discipline, on parvient à pallier ces inconvénients auxquels nous ne pouvons rien changer.

Florian savait, par son grand-père, que Berger faisait partie du groupe des chirurgiens novateurs, disciples de Pasteur, qui mettaient en application les principes modernes d'antiseptie, dont se moquaient la plupart de leurs collègues. Avec Perrier, Nicaise et Lucas-Championnière, ils allaient opérer dans l'ancien appartement d'Hippolyte Trelat transformé en clinique privée, et ils avaient mis en application les principes de Lister avec un réel succès. Un autre novateur s'était joint à eux, Félix Terrier, méthodique et obstiné, qui les entraînait plus loin encore dans la lutte antimicrobienne.

— C'est par un combat de tous les instants, continuait le patron, que nous parviendrons ensemble à faire reculer encore davantage cette infection post-opératoire qui est la honte de notre chirurgie. Il faut d'abord bien comprendre que la suppuration n'est pas une fatalité. L'organisme humain est comme ces flacons de laboratoire de l'Institut Pasteur, une sorte de bouillon de culture fermé et sans microbe. La main du chirurgien ouvre le flacon et les microbes s'y précipitent. La pullulation microbienne va détruire les tissus et envahir l'ensemble du corps, entraînant la mort dans de nombreux cas. Pour éviter cette évolution, Lister nous a montré la voie : opérer dans un nuage antiseptique qui détruit tous les germes de l'air susceptibles de pénétrer dans la plaie. Malheureusement, l'acide phénique est nocif aussi pour les tissus, et la cicatrisation en est perturbée.

« Pasteur nous a démontré qu'il y a mieux à faire encore. N'opérer qu'avec des instruments où les germes auront été détruits à l'avance par la chaleur. Tout à l'heure, je vous montrerai les installations qui nous permettent d'obtenir ces résultats.

« Il faut que le chirurgien se soumette à des contraintes nouvelles, vous verrez, ce n'est pas simple ! Jusqu'à présent, on disséquait de la même manière sur un cadavre ou sur un opéré. Les gestes étaient identiques. Désormais, ils seront différents. Ou, plus exactement, vous devrez vous entraîner, au pavillon d'anatomie, à répéter les gestes que vous ferez en opérant sur le vivant.

Les trois jeunes gens étaient fascinés. Le patron comprit qu'il fallait détendre l'atmosphère.

— Ce petit préambule est destiné à vous faire comprendre la préoccupation dominante du service. Vous apprendrez la chirurgie traditionnelle, je vous enseignerai des opérations nouvelles, mais en plus, et à tous moments, vous verrez que nous vivons dans la hantise de l'infection, et que cette prévention est notre souci permanent. Il deviendra le vôtre aussi, j'en suis sûr. Vous êtes trois, et il y a trois salles de malades. La répartition est facile à faire. Vous permuterez tous les quatre mois. On commence à opérer à sept heures. Il sourit : Vous avez de la chance, mes maîtres arrivaient bien plus tôt. Mais, le matin, je passe d'abord par Neuilly, à la maison de santé où vous viendrez m'aider à tour de rôle. Puis, fronçant les sourcils, il conclut : La surveillante va vous montrer vos salles, et j'attends celui qui sera désigné par le sort pour la première intervention en salle d'opération dans un quart d'heure. Messieurs, bon courage !

Un mois passa. Florian avait appris à se laver longuement les mains avant d'opérer, et à enfiler un grand sarrau blanc sorti de l'autoclave de stérilisation. Pendant l'opération, le patron posait, sur chaque point de saignement, une pince de Péan qu'il remplaçait ensuite par une ligature de catgut. Les gestes étaient précis, toujours les mêmes, indéfiniment répétés. Dans la salle silencieuse, les infirmières attentives surveillaient l'opérateur, prêtes à intervenir au moindre mot. À la tête de l'opéré, un jeune externe tenait le masque à éther sous l'œil vigilant du patron qui lui donnait ses directives.

Ce matin-là, le rite s'était amorcé comme à l'ordinaire, et Florian avait préparé les instruments sur le champ stérile que l'infirmière avait installé à cet effet. On allait opérer une hernie droite. Florian s'approchait du côté gauche, en face de l'opérateur, quand Berger s'interposa.

— Non, aujourd'hui, c'est moi qui aide, et c'est vous qui opérez.

Florian eut la sensation précise de faire un arrêt cardiaque. Le jour de sa première opération devait arriver, il le savait, mais il aurait préféré être prévenu pour se préparer à cette idée !

— Vous avez répété l'intervention au pavillon d'anatomie ?

— Oui monsieur.

— Alors, allons-y !

Le jeune homme prit le bistouri et l'approcha de la grosseur qui déformait l'aine du patient. Mais la lame resta à distance de la peau, indécise. Soudain il ne savait plus où inciser. Une sorte de brouillard lui obscurcissait la mémoire. De plus, un tremblement nerveux survint, rendant impossible tout geste correct. Florian leva des yeux suppliants vers son maître qui le regardait en souriant.

— Reposez ce bistouri sur la table, voulez-vous.

Florian s'exécuta.

— D'abord, calmez-vous. Quels sont vos repères ?

Florian posa ses deux index sur les saillies osseuses qui délimitaient la zone opératoire et répondit :

— Voilà le trajet de l'arcade, l'incision commence à un travers de doigt au-dessus du pubis, et monte...

— Très bien. Je pose mes doigts entre ces deux points, et vous allez tracer votre ligne d'incision.

La froide technique avait débarrassé Florian de son angoisse. Il n'y avait plus ni malade ni corps humain. Simplement un carré de peau délimité par des champs de tissu blanc, et des repères anatomiques. Il allait répéter les gestes appris sur le cadavre, et se laisser conduire par les mains de celui qui savait. Il posa son index sur le dos du bistouri et appuya la lame sur le point marqué par le patron. Il ne tremblait plus. L'instrument s'enfonça dans la chair tendre, et dessina une ligne bien droite où le sang vint perler.

— Continuez à inciser le tissu graisseux jusqu'au muscle. Ensuite vous poserez vos pinces d'hémostase...

Une heure durant, les gestes se succédèrent, dictés par la voix calme du maître, exécutés par la main ferme de l'élève qui se savait en sécurité, sous la vigilance de l'aîné. Par moments, le patron prenait la pince et les ciseaux et exécutait un passage difficile.

— Vous avez compris ? demandait-il.

— Oui, monsieur.

— Alors, reprenez.

Les fils de soie passés dans l'alcool vinrent fermer la hernie, et, l'une après l'autre, les couches tissulaires furent rapprochées, reconstituant l'anatomie normale. La peau refermée, un tampon imbibé de liquide iodoformé à l'odeur pénétrante fut passé sur la ligne de suture. Berger s'obligea à rester vigilant jusqu'à ce que le pansement soit hermétiquement clos par un revêtement de taffetas gommé.

— C'est bien ! dit-il enfin. Puis, se retournant vers Florian, il eut, pour la première fois, une note de complicité avec lui : Vous vous en êtes bien tiré, Florian. Votre père aurait été content de vous. Après un bref sourire attendri, il reprit sur un ton de commandement : Allons faire la visite.

Les deux hommes abandonnèrent leur sarrau blanc et, l'un derrière l'autre, se dirigèrent vers les salles de malades où le rite matinal allait commencer.

C'était chaque fois le même branle-bas de combat. La surveillante arrivait avec le grand cahier où elle allait noter toutes les prescriptions. Surtout, tel un capitaine de vaisseau, elle précéderait du regard l'arrivée des médecins, en veillant à ce que les malades soient dans leur lit, les draps soigneusement tirés, le flacon d'urine bien en vue, le dossier médical accroché en bonne place. Les infirmières devançaient le cortège, mettant les choses en place au fur et à mesure, obéissant aux gestes impérieux de leur supérieure qui ne prononçait jamais un mot à ce moment-là. Les erreurs seraient commentées plus tard, après la visite, et les fautives se souviendraient longtemps de l'algarade qui leur serait servie.

Berger avait un double langage. Pour les malades, sa voix se faisait douce et apaisante, les propos rassurants. Pour ses collaborateurs, le verbe était sec, glacé, blessant parfois. Quand un appareillage de fracture laissait à désirer, gare à l'interne qui n'avait pas suffisamment pris en considération la réflexion de la veille.

— La Verle, si vous ne modifiez pas cette traction, cet homme ne marchera plus jamais.

Florian, qui rêvait encore à la hernie qu'il venait d'opérer, sursauta. C'était une fracture du fémur appareillée selon les directives de Hennequin, le spécialiste. Le patron, maintenant, montrait le déséquilibre entre le degré de traction des différents cordages et commentait l'erreur de l'interne. Ses collègues le regardaient avec un air narquois.

— La Verle, si demain vos poids ne sont pas mieux répartis, vous aurez de mes nouvelles. Arrangez-moi cela immédiatement.

Et, pendant que la visite se terminait, Florian, abandonné de tous, modifiait ses poulies, retendait ses cordages, sous les yeux terrorisés de l'accidenté paniqué par la réflexion du professeur. Il était tard quand il put enfin quitter le service pour aller déjeuner.

Son arrivée en salle de garde était attendue. Une cacophonie de fourchettes, de verres et d'assiettes entrechoquées salua son entrée. Il resta figé sur le pas de la porte pendant que le tohu-bohu continuait.

— Silence ! hurla l'interne qui présidait la table. Nous saluons l'arrivée de celui dont la générosité nous vaut de boire les alcools aujourd'hui. La Verle célèbre sa première hernie réalisée sous la houlette du grand Berger.

— Hourrah ! vociféra l'assistance qui entonna la célèbre chanson : « Oh mon Berger fidè-è-èle... »

Florian vint s'asseoir en souriant.

— Les nouvelles vont vite, murmura-t-il à l'intention de son voisin.

— Que veux-tu, mon vieux ? c'est le début de la célébrité. Alors, raconte, cette hernie ?

— Pas mal, répondit Florian, d'un air dégagé.

— Tu as sauvé la couille ?

— Oui !

— Bravo ! Buvons à ta santé !

Florian leva son verre, mais le cœur n'y était pas. Il se sentait mal dans cette ambiance bruyante et grivoise. La grossièreté élevée au stade d'institution le gênait.

L'arrivée de la nouvelle promotion avait donné lieu à une fête truculente, animée par la présence de quelques pierreuses recrutées pour l'occasion. Elles avaient improvisé une danse du ventre sur la table, habillées seulement de leur chapeau, et Florian avait eu du mal à réprimer la nausée que suscitait en lui la vulgarité d'un tel spectacle. La fête s'était terminée par une véritable bacchanale que ses collègues avaient joyeusement commentée le lendemain pendant le déjeuner. Florian, qui s'était éclipsé rapidement, comprenait mal que des médecins si bien placés pour connaître les ravages des maladies vénériennes acceptent de s'exposer ainsi à la contagion.

Élevé dans la haine des microbes, le jeune homme, pour rien au monde, n'aurait touché à l'une de ces créatures qui devaient être des sources de contamination redoutables.

Le vieux Damien riait de bon cœur quand son petit-fils lui racontait ces épisodes de la vie hospitalière. Il attendait avec impatience cette visite hebdomadaire qui restait sa dernière joie de vivre. D'une semaine à l'autre, il se répétait les récits du jeune interne qui lui rappelaient sa jeunesse.

Thérèse souriait aussi, mais sans parvenir à effacer la tristesse de son regard. Elle avait très mal supporté la mort d'Édouard et elle se reprochait sans cesse de n'avoir pas été capable de le garder près d'elle lors de ces événements dramatiques.

— Ne lâchez pas votre fils, disait-elle à Ariane, soyez son indispensable amie. Les garçons s'écartent si facilement. Et se rendant compte qu'elle risquait de faire de la peine à la jeune femme, elle corrigeait : Si j'avais été meilleure mère, il vous aurait arrachée à Paris, et vous seriez venus tous les deux vous réfugier près de moi...

Au début de l'année 1893, après le succès à l'internat, Florian avait dû prendre ses fonctions à l'hôpital et Ariane était venue à Paris avec lui. Ils avaient repris l'appartement du père Maréchal, rue des Feuillantines. Le dimanche, quand il n'était pas de garde, ils se levaient tôt pour aller prendre le train gare du Nord pour Saint-Yé, où une voiture d'Omer les conduisait chez Damien qui guettait leur arrivée.

Un jour, ils l'avaient trouvé vêtu de noir. Thérèse avait été enterrée la veille. Dans un petit mot placé sur la table de nuit, et écrit depuis longtemps, elle demandait que personne ne soit prévenu de sa mort. Elle voulait partir sur la pointe des pieds pour retrouver son fils, au petit cimetière du village où elle passait chaque matin depuis vingt ans, pour renouveler les fleurs.

Damien accepta ce nouveau deuil avec la sérénité des grands vieillards habitués à voir disparaître les gens qu'ils ont aimés. Félicien, le fidèle, restait à ses côtés ; c'était l'essentiel puisque, à lui tout seul, il représentait la moitié de sa vie.

— Tu es mes jambes, et une partie de ma tête, depuis que je perds la mémoire, lui disait-il souvent.

Quand la nuit tombait sur la plaine où la gare de triage allumait ses feux mouvants, il restait dans l'ombre et défendait qu'on allume.

— Laisse-moi dans le noir, il faut que je m'habitue. Et il ajoutait souvent : Raconte-moi quelque chose d'Édouard.

Et le vieux gardien des souvenirs, résigné, répétait pour la centième fois une histoire du temps de la Commune.

Quand Florian arrivait, c'était lui qui avait la vedette.

— Viens t'asseoir là ! Alors que s'est-il passé cette semaine ?

Le jeune homme lui décrivait les opérations qu'il avait vu faire par son patron, les nouveautés, les essais, les espoirs. Damien faisait ses réflexions, ajoutait un point d'histoire, et il semblait rajeunir en parlant. Félicien hocha la tête et disait à Ariane, en aparté :

— Quand on pense qu'il prétend n'avoir plus de mémoire. Je suis certain qu'il en sait plus que bien des jeunes !

Tout le monde s'amusa beaucoup quand Florian raconta une intervention étonnante. Berger avait refait le nez d'un blessé de guerre à partir d'un lambeau prélevé sur le bras. L'opéré avait été immobilisé avec la main sur la tête pour trois semaines, le temps que le greffon prenne racine sur la figure.

— C'est l'opération de Tagliacozi, le chirurgien de Bologne, avait expliqué Damien à l'assistance stupéfaite. Il a exposé cette technique il y a trois siècles quand les combats à l'arme blanche et la férocité des vainqueurs entraînaient souvent la perte de l'appendice nasal. C'est une classique, mais il faut reconnaître qu'avant les méthodes modernes d'asepsie, elle réussissait rarement.

Ainsi, chaque semaine c'était la fête. Ariane jouait les maîtresses de maison, préparait le repas, et l'on invitait Omer, le patron du Cerf-à-Genoux. L'auberge avait repris son nom d'antan, ce qui amusait les touristes. Un artiste avait peint, pour la salle du restaurant, une superbe scène dans un style médiéval suggestif. Le cerf était à genoux devant un saint Yé auréolé d'or, entouré par les chasseurs dépités qui avaient des têtes de révolutionnaires.

Le complexe ferroviaire créé par la Compagnie des chemins de fer avait pris, en cinquante ans, une envergure considérable et Omer en était le grand bénéficiaire. Il avait signé des contrats intéressants à l'époque où il était propriétaire des terrains, et ses affaires avaient été mises en société anonyme. Il avait su exploiter intelligemment l'essor industriel de cette fin de siècle, et il en faisait profiter son entourage. Une école et un stade portaient déjà son nom, et il espérait bien qu'après sa mort quelqu'un aurait l'idée de faire faire sa statue, ou au moins son buste, comme pour Aubin !

L'année suivante, Florian avait une place d'interne à l'hôpital Sainte-Marthe. Son nouveau patron s'appelait Leforestier, et c'était l'opposé de Berger. Le service n'avait d'intérêt que par la variété des hospitalisés, et la liberté d'opérer donnée aux internes. L'assistant, Vergeron, était un charmant garçon, excellent opérateur et bon enseignant. Les jeunes se battaient pour avoir cette place car c'était le meilleur service de Paris pour se faire la main.

La traditionnelle réception dans le bureau du patron n'enthousiasma guère les nouveaux arrivés, mais ils s'y attendaient. Leforestier était un gros sanguin, bedonnant, un peu chauve, avec des moustaches en croc. Sa voix était tonitruante et son accent auvergnat intensifiait encore le poids de ses phrases qui n'en finissaient pas. Il rêvait d'une carrière politique et devait se présenter aux prochaines élections. Nul ne doutait qu'il y serait élu.

— Messieurs, je n'insisterai que sur un impératif, mais il est suffisamment important pour que j'en fasse ici l'essentiel de ces quelques mots d'accueil. J'exige de vous tous une ponctualité exemplaire à toutes les activités du service, que ce soit la grande visite, qui a lieu tous les lundis matins à huit heures, ma consultation, le vendredi à dix heures, ou les interventions où vous serez désignés pour m'aider, le mercredi à huit heures. Le reste du temps vous vous organisez avec Vergeron, et vous assurez vos gardes avec la même ponctualité. Il s'arrêta un instant, mit ses pouces dans les emmanchures de son gilet, et reprit : Comprenez-moi bien. J'ai, à côté de ma vie hospitalière, une carrière publique qui m'oblige à être inattaquable sur tous les plans. Si un opéré meurt après une intervention, c'est dommage, mais c'est hélas la dure loi de la nature. S'il meurt faute d'avoir été opéré, ou pire encore, parce qu'il n'a pas été examiné à temps, c'est la catastrophe. Si on en parle dans les journaux, je risque ma situation politique. Mon service doit être irréprochable et vous devez l'être aussi. Si l'un de vous me manquait sur ce point, je lui casserais les reins. C'est bien compris ? Je n'y reviendrai pas. Sur ce, messieurs, je vous souhaite la bienvenue et vous engage à vous rendre dans les salles que Vergeron vous attribuera.

Les quatre internes tournèrent les talons sans un mot, étonnés par la menace qui avait été exprimée sans ménagement. Mais, en réalité, tout se passa bien, car l'activité chirurgicale de ce service était prodigieuse, et personne ne s'en plaignait. La préfecture de police évacuait vers Sainte-Marthe la majeure partie des urgences du centre de Paris, et notamment des Halles, quartier chaud par nature, et dont l'activité nocturne était en grand développement. Toute la nuit ce n'étaient qu'accidentés, blessés, et victimes de bagarres ou d'agressions. L'interne de garde ne se couchait jamais, mais il acquérait ainsi une expérience exceptionnelle.

Florian, comme certains de ses camarades, était devenu conférencier d'externat. Deux fois par semaine, dans une pièce réservée à cet effet près de la salle de garde de Sainte-Marthe, il recevait une quinzaine d'élèves qui se présenteraient au prochain concours. Cette pratique était essentielle par l'obligation faite au conférencier de préparer son enseignement, et de rester ainsi proche des activités universitaires. Pour les internes en exercice, c'était traditionnellement le premier pas vers les concours des hôpitaux.

C'est ainsi qu'il eut la surprise de découvrir, inscrit à sa conférence, le jeune Vincent Leforestier, fils de son propre patron. C'était un garçon doux et timide, blond au visage un peu fade, avec de grands yeux bruns qui paraissaient toujours près des larmes.

Un jour, le patron posa la question à laquelle Florian s'attendait.

— Alors La Verle, que pensez-vous de mon fils ?

— Bon candidat, monsieur. Il travaille et il sera nommé.

— Je vous l'ai envoyé pour ça. Vous vous demandez sans doute pourquoi c'est votre conférence que j'ai choisie pour lui, alors que d'autres internes ont plus d'expérience que vous. Eh bien, je vais vous le dire. Je trouve qu'il vous ressemble un peu. Je vous observe depuis que vous êtes chez moi, et vos manières, je dois le dire, ne sont pas celles des internes habituels. Comme mon fils a quelque répugnance également pour les gens qui exercent ce métier, j'ai voulu lui montrer qu'ils n'étaient pas tous sur le même modèle, et mon choix a été bon je pense, car il est ravi. Continuez ainsi, et je ne vous oublierai pas pour vos concours.

Il rit grassement, tapa sur l'épaule de Florian et s'en fut.

Ariane s'amusa de cette histoire quand son fils la lui raconta. Elle n'avait jamais essayé d'en faire quelqu'un de différent des autres, mais il faut reconnaître que ce garçon, élevé entre sa mère et un couple de vieillards, avait reçu une éducation plus raffinée que bien des enfants. Florian avait été un gamin calme et attentif, plus porté sur les livres que sur les jeux violents bien qu'il fût solidement charpenté. À Saint-Yé, il était allé quelquefois jouer avec les enfants des employés aux Chemins de fer qui représentaient maintenant l'essentiel de la jeunesse locale, et il n'avait guère apprécié leur brutalité et leur mauvaise éducation.

Très vite il s'était cantonné à des divertissements d'adulte. Le piano, le dessin, la lecture... La bibliothèque de son grand-père était une source infinie de découvertes ; de plus, le vieil homme lui offrait sans cesse des livres nouveaux. Il avait reçu ainsi les derniers Jules Verne qui le faisaient rêver. Il préférait de beaucoup s'amuser de la sorte plutôt que d'aller avec ces galopins qui ne pensaient qu'à se battre.

Florian était donc devenu un jeune homme cultivé qui savait réciter des vers et en écrivait à l'occasion. Le soir, dans le grand salon, il accompagnait sa mère au piano quand elle chantait les airs à la mode.

— Les mères vont se battre pour te présenter leur fille, disait Ariane en riant.

Leforestier invita ses internes à dîner dans son hôtel particulier de la rue de Varenne comme il le faisait pour chaque promotion, et

Florian se retrouva assis à côté de la fille de la maison, Marie-Ange, une petite créature fluette, pâle et boutonneuse qui, elle aussi, apprenait le piano. Elle était au Conservatoire, et Florian la félicita. Il lui parla de sa tante Élodie qui avait été lauréate en 1869 et s'était mariée à Londres avec un étudiant allemand devenu depuis le sous-directeur de l'opéra de Berlin, où elle habitait maintenant. La jeune fille avait pris des couleurs pendant que Florian évoquait cette carrière artistique qui serait peut-être la sienne. Ils parlèrent longuement de Mozart, et aussi de Verdi dont la célébrité s'affirmait.

Mme Leforestier les couvait des yeux, sans voir les regards de dépit de son fils Vincent. Florian était *son* conférencier, *son* ami, et il avait l'impression, ce soir-là, que toute la famille essayait de le lui voler.

Après le dîner, les hommes passèrent au fumoir et le jeune étudiant put se rapprocher de son idole qu'il voyait pour la première fois en privé. Ils bavardèrent un moment des perspectives de carrière, et ils se plaignirent ensemble des difficultés croissantes des examens et des concours. Vincent demanda à son conférencier s'il lui serait possible, à l'occasion, d'aller disséquer avec lui au Fer-à-Moulin, école d'anatomie des internes de Paris, pour se familiariser avec cette matière difficile. Florian répondit qu'à son avis les connaissances requises pour passer l'externat étaient surtout livresques, et qu'il serait temps d'apprendre la dissection plus tard. Cela dit, il accepterait volontiers d'aider le jeune homme s'il voulait s'initier, par avance, à cette technique un peu rebutante.

L'année suivante fut celle des succès. Vincent réussit brillamment son externat et Florian fut nommé prosecteur, c'est-à-dire enseignant officiel d'anatomie. Cette entrée à la Faculté était le premier pas vers l'agrégation et le bureau central. Ariane était fière de son fils.

Florian avait quitté Sainte-Marthe pour l'hôpital Bichat et il était entré dans le service de Félix Terrier, l'ami de Paul Berger. Il n'était pas mécontent, après avoir eu la bride sur le cou pendant une année, de retrouver la rigueur d'un patron qui était considéré comme un grand chef d'école, ce que Leforestier n'était certainement pas.

L'homme politique avait d'autres avantages, et en particulier des relations puissantes dans les milieux proches du gouvernement, ce qui, à l'occasion, pouvait servir ! Dans les Mémoires de Benoît, son aïeul, Florian avait lu des histoires de politique qui l'avaient horrifié. Damien, aussi, lui avait raconté comment, au même âge, il avait dû tenir compte du pouvoir en place pour réussir.

Il ménageait donc Leforestier avec lequel, du reste, il avait toujours été en excellents termes. Il avait été reçu plusieurs fois rue de Varenne, notamment pour fêter la nomination de Vincent. Le jeune lauréat était rouge de bonheur et, prenant Florian par le bras, il l'avait présenté à toute la famille conviée pour la circonstance.

— Voici Florian de La Verle, mon excellent maître, sans lequel je n'aurais sans doute jamais été externe.

Mme Leforestier et Marie-Ange les regardaient en souriant.

Florian protestait modestement, mais son orgueil était agréablement flatté par ce jeune homme qui, au fond, ne faisait que reconnaître ses mérites. Quand Vincent prit sa première place d'externe chez Terrier également, il se dit qu'il y aurait, dans ce nouveau service, au moins une personne qui chanterait ses louanges !

Félix Terrier n'avait rien de commun avec l'élégant Berger, son ami. Il était petit, ses cheveux déjà rares s'étalaient tristement sur les côtés de son front dégarni. Sa moustache et sa barbe étaient noires, et il ne se séparait jamais de son épais lorgnon qui lui donnait un regard triste et le faisait ressembler à Toulouse-Lautrec. Son service tout neuf était un modèle, et de nombreux étrangers venaient le visiter. Avec eux, le patron était souriant et disert. Il leur montrait avec un luxe de détails son étuve sèche qui stérilisait les instruments à 180° et l'autoclave où les blouses, les champs et les compresses passaient à 120°. Mais avec ses collaborateurs, il était dur, distant, volontiers acerbe, et il les jugeait avec une sévérité impitoyable.

En revanche, si l'atmosphère du service était parfois lourde, l'enseignement que recevaient les internes était d'une qualité exceptionnelle.

— Ce n'est pas de la pédagogie, disait Florian, c'est du dressage !

Et il savait de quoi il parlait. Après un an de liberté chez Leforestier, il avait pris de mauvaises habitudes que Terrier n'acceptait pas.

— Vous opérez vite, La Verle, mais brutalement. Si vous ne vous décidez pas à être plus précis et à dominer vos gestes, vous n'opérerez plus, je vous préviens.

Le patron exigeait de ses internes une stricte observance des règles établies par ses soins. Les habitudes prises ailleurs n'avaient pas à être mises en avant. La question n'était pas de savoir quel était le meilleur geste, il n'en acceptait qu'un, celui qu'il avait choisi.

Florian et Vincent, chacun à son niveau, subissaient douloureusement les tracasseries quotidiennes auxquelles leur fantaisie naturelle les exposait. Ils se consolaient pendant leurs gardes, qu'ils prenaient ensemble le plus souvent. Libérés par l'absence du patron, ils se moquaient ouvertement de ses manies et des exigences de l'infirmière-chef qui abusait volontiers de son autorité.

En salle de garde, les deux garçons faisaient un numéro plein d'humour où ils mimaient, avec beaucoup de talent le maître abusif et l'élève terrorisé. Leur calvaire matinal était ainsi contrebalancé par les moqueries du soir.

En réalité, si Florian souffrait, il reconnaissait à son patron une rigueur dont il sentait la nécessité ; et il savait que, sa vie durant, il se souviendrait des interventions qu'il aurait apprises à Bichat. Son année de Sainte-Marthe l'avait peut-être déniaisé, mais il n'en resterait que peu de traces. Du moins sur le plan chirurgical !

CHAPITRE II

Le drame qui allait bouleverser la vie de Florian commença comme une mauvaise plaisanterie.

Un samedi matin, Félix Terrier le fit appeler dans son bureau. Il avait son visage buté et une voix plus sèche encore qu'à l'ordinaire.

— La Verle, vous êtes un bon interne et j'apprécie votre travail. Mais vous devriez mieux choisir vos amitiés.

Florian le regarda avec une surprise amusée. Il était d'un naturel solitaire, il ne vivait pas en salle de garde dont il n'aimait pas les chahuts, et il n'y logeait que par obligation. Il habitait avec sa mère, rue des Feuillantines, où ils ne recevaient personne. À part Vincent Leforestier, qui était un disciple plus qu'un ami, il ne voyait pas qui aurait pu revendiquer ce titre.

— Monsieur, je ne vois pas...

— Je me doute que vous ne voyez pas !

Le patron, brusquement, changea de ton. Sa voix se fit paternelle, presque douce :

— Écoutez mon petit. Je connais votre vie, mon ami Paul Berger m'en a parlé. Je sais qui est votre grand-père, bien que je n'aie jamais eu l'occasion de le rencontrer, et j'ai connu votre père à la faculté. J'ai tendance à vous considérer comme quelqu'un... de bien. Il n'en est pas de même du jeune Leforestier qui est en train de vous faire une réputation détestable.

Florian ne voyait pas ce que Terrier voulait dire, et son air étonné en était la preuve.

— Enfin mon garçon, vous ne voyez pas que ce personnage est... je veux dire, n'est pas... Il était devenu tout rouge de colère. Il frappa du poing sur la table : Bon Dieu, La Verle, ouvrez les yeux. Tout le monde pense que vous couchez ensemble !

— Quoi ?

Florian s'était levé, outré.

— Mais oui, mon vieux ! Ce gosse est un pervers qui cherche à faire du mal à tout le monde, c'est évident. En apparence il est votre disciple respectueux et, par-derrière, il laisse entendre ce que vous imaginez. Regardez son comportement à mon égard. C'est du même ordre. Il est déférent à l'extrême, mais dans mon dos il dit pis que pendre de ma façon d'instruire mes élèves. Qu'en salle de garde les internes se moquent des patrons, c'est une tradition. Mais pas les externes ! Et pas comme ça !

Florian, abasourdi, ne parvenait plus à penser. Il écoutait la tornade verbale comme s'il s'agissait de quelqu'un d'autre.

— La Verle, si je vous ai fait venir ce matin, c'est que je veux vous tirer d'affaire. Leforestier est dans le service depuis bientôt six mois. Bien qu'il soit inscrit pour un an, il peut s'en aller au bout d'un semestre. Dites-lui de partir. Ce n'est pas la peine de faire état de notre conversation. Vous lui expliquerez que l'externe apprend mieux son métier en changeant de service plus souvent, qu'il se fera plus de patrons... que sais-je ? Il y a de multiples raisons pour justifier un départ honorable, et de son fait. Je serais désolé d'avoir à le mettre à la porte. C'est le fils d'un de mes collègues que, certes, je n'apprécie guère, mais contre lequel je ne souhaite pas me manifester officiellement. Il m'a demandé de prendre son fils, je l'ai fait. Mais rien n'oblige ce gamin malfaisant à rester ici un an !

Il avait parlé la tête basse. Il releva les yeux vers son interne qui, assommé, restait muet. Son visage se radoucit :

— Il y va de votre réputation, mon garçon. Vous n'avez pas de père pour vous tenir ce langage. C'est l'affection que j'ai pour vous qui me pousse à vous parler ainsi. Personnellement, je devrais me moquer de ce genre d'histoire. Si j'interviens, c'est que je sens poindre des difficultés que vous ne méritez pas. Et il y a urgence. Vous allez commencer une conférence d'internat, m'a-t-on dit. Si je peux vous donner un conseil, évitez de prendre ce jeune éphèbe. Ce sera le meilleur moyen de couper court aux cancanages.

Florian mit un long moment à se remettre du coup qu'il venait de recevoir. Son patron, manifestement, ne supportait pas les sarcasmes de Vincent. Mais qui les lui avait rapportés ? La salle de garde jouissait d'une immunité indiscutable, et l'humour y était la contrepartie naturelle des agressions que les internes subissaient dans leur métier difficile. Terrier avait-il une inimitié sévère à l'égard du père Leforestier ? Y avait-il entre eux quelque compte à régler ?

La seule hypothèse que le jeune garçon n'envisageait pas, c'est que son chef de service ait dit, tout simplement, la vérité.

Il arriva en retard pour sa visite, et s'arrêta sur le pas de la porte. Là-bas, Vincent qui ne l'avait pas vu, pérorait au milieu d'un groupe d'élèves qui l'écoutaient, rangés en cercle autour de lui. C'est vrai qu'il était d'une beauté exceptionnelle, et que ses gestes avaient une élégance rare. Ses yeux immenses, bordés de cils qui n'en finissaient plus, avaient quelque chose de féminin. Ses cheveux bouclés lui tombaient sur la nuque et lui faisaient comme une auréole qui jouait dans la lumière du matin autour de son visage imberbe. Florian essaya de l'imaginer avec une robe. Quelle jolie fille ce serait !

Ce garçon laissait-il vraiment entendre qu'ils formaient ensemble un couple d'invertis ? Sa gorge se serra. C'est vrai qu'il y avait entre eux une complicité intellectuelle manifeste, un goût commun pour les arts, la poésie, la musique... Mais rien de plus ! Jamais un geste équivoque n'avait laissé supposer que ce gamin pût avoir des aspirations contre nature.

Florian fit sa visite, chargea Vincent de prendre l'observation d'un entrant de la nuit et s'en fut à l'amphithéâtre faire une autopsie. Il n'opérait pas ce jour-là, et il décida de rentrer chez lui plus tôt, pour réfléchir.

Après une longue hésitation, il raconta à sa mère la scène que le patron lui avait faite. Ariane fut scandalisée. Elle avait eu l'occasion de rencontrer Vincent et n'avait jamais été effleurée par une telle idée. Manifestement Terrier devait satisfaire une vieille rancune à l'égard d'un collègue dont les opinions politiques, tout le monde le savait, n'étaient pas les siennes. Il y avait probablement entre eux un vieux contentieux que le patron de Bichat avait décidé de régler ainsi.

Mais que fallait-il faire ? On décida de demander l'avis du vieux sage, à Saint-Yé.

Le lendemain dimanche, au petit matin, la mère et le fils s'embarquèrent gare du Nord dans l'omnibus de Senlis. L'été commençait, la journée promettait d'être belle. Des brumes de chaleur montaient sur les forêts de Montmorency et de l'Isle-Adam que longeait la ligne du chemin de fer. Florian avait mis un costume de lin clair et un canotier tout neuf. Sa mère avait une longue robe fleurie serrée à la taille et un corsage lacé qui lui faisait une poitrine presque agressive. Une capeline de paille blanche ornée d'un bouquet champêtre était solidement arrimée sur son chignon orné d'épingles à têtes de couleur. Elle paraissait dix ans plus jeune que son âge, et Florian était fier d'avoir à son bras cette jeune femme sur laquelle les hommes se retournaient.

À l'Orangerie, le vieillard attendait derrière la fenêtre ouverte, et, de ses yeux plissés, surveillait la route pour être le premier à voir arriver le cabriolet qu'Omer avait envoyé à la gare. Son regard, d'une vivacité inchangée, restait le dernier signe d'une vie qui se retirait d'un corps épuisé. Malgré les trésors d'imagination de

Félicien, il ne mangeait plus que des laitages et quelques fruits. Et en quantités si infimes qu'on pouvait se demander comment il parvenait à survivre.

— Je me borne à attendre le dimanche suivant, répondait-il, avec un coup d'œil en coin, et de semaine en semaine, les années passent.

Florian et Félicien descendirent son fauteuil sur la terrasse, à l'abri de la tonnelle où la bignone commençait à fleurir, et Germaine, la cuisinière, servit une blanquette comme on n'en mangeait plus à Paris, avec un vin de Loire qui pétillait légèrement.

Quand il eut fini son clafoutis aux cerises, Florian décida d'aborder le problème qui l'obsédait. Longuement, il raconta la conversation avec Terrier. Le vieux Damien, les yeux à demi fermés, regardait au loin. Florian parla du redoutable Leforestier et de Vincent, en essayant d'être le plus objectif possible et de dépeindre la situation telle qu'elle était, pour que l'opinion du vieillard puisse s'exprimer utilement.

Mais celui-ci restait silencieux. Ariane intervint :

— Moi, j'ai rencontré plusieurs fois ce jeune homme, et je dois à la vérité de dire qu'il est très beau certes, et parfaitement bien élevé, mais je ne lui ai trouvé aucune attitude qui pourrait faire penser qu'il a des goûts... anormaux ! Ni surtout qu'il s'en vante !

Damien tourna lentement son visage vers elle, et il la regarda. Puis il baissa les yeux et sembla étudier attentivement ses mains dont il croisait et décroisait les longs doigts décharnés.

Plusieurs fois, il posa de nouveau son regard sur le couple émouvant que formaient, en face de lui, la mère et le fils qui guettaient son avis. Mais il ne disait rien. Quand il parla, ce fut d'abord pour demander que Germaine serve la bouteille de calvados qu'il avait reçue de Verneuil, pour son anniversaire.

Enfin il s'exprima, les yeux presque clos, la tête renversée en arrière.

— La situation ne me paraît pas très compliquée, pour le moment. Mon garçon, tu es entre deux forces contraires. Un jeune homme qui a peut-être pour toi des sentiments excessifs, et auquel tu apportes ton enseignement. Lui ne t'apporte que son admiration flatteuse. Mais tu te dois de ménager son père qui est un homme puissant. De l'autre côté, un patron dont tu ne peux mépriser l'importance. Il t'apprend ton métier et fera sans doute ta carrière. Entre les deux, tu n'as pas le choix. Lundi tu diras à ce garçon, sans te lancer dans des explications dont tu ne te sortirais pas, que, dans son intérêt, il doit quitter le service et chercher un autre conférencier. Un point, c'est tout. Et s'il insiste, tu te fâcheras avec brutalité. Un peu de grossièreté même, me paraîtrait bienvenue. Il faut qu'il s'en aille sans regret, persuadé qu'il t'avait mal jugé. Le vieil homme avait un visage dur et crispé. Il se détendit pour ajouter : Et souviens-toi bien que plus on parle, plus on dit de bêtises. Tu risques de regretter ce que tu lui auras dit qui n'était pas indispensable, et qu'il pourrait rapporter à son père. Enfin dans un dernier souffle, avec une voix devenue presque hésitante, et les yeux tournés vers la campagne, il conclut : Plus tes sentiments... amicaux, pour ce garçon, seront... heurtés par l'attitude que je te conseille, et plus... tu devras te dire qu'il est impératif... de te conduire ainsi.

Florian et sa mère ne répondirent rien. Le vieillard leur conseilla d'aller marcher un peu dans la campagne, pendant qu'il se reposerait. Ce déjeuner l'avait fatigué.

Le lundi matin, après la séance opératoire, Florian croisa Vincent qui quittait l'hôpital. Le jeune garçon se précipita vers lui, souriant, enjoué, pour lui demander comment s'était passé son dimanche.

Florian, les yeux rivés au sol, exécuta la sentence. En quelques phrases sèches qu'il se répétait depuis la veille, il eut l'impression de sabrer son interlocuteur interdit. Il vit à peine les larmes qui emplissaient les yeux sombres et roulaient sur le visage lisse, figé de stupeur. Il se retourna brusquement, et partit à grands pas vers la salle de garde où il se mêla, avec une fougue inhabituelle, aux traditionnelles conversations politiques qu'il évitait d'habitude.

L'après-midi, il rentra rue des Feuillantines, et prépara ses prochains cours d'anatomie avec une énergie fébrile. Sa mère, qui avait compris, évita de poser des questions. Mais sur le soir, un coursier vint apporter un message.

C'était un mot de Marie-Ange, la sœur de Vincent, qui prévenait Florian que son frère avait quitté la maison dans l'après-midi sans explications, et n'était pas rentré dîner, ce qui n'était pas dans sa manière. Il avait laissé une lettre. Elle ne savait pas ce que contenait cette missive, mais son père l'avait lue en rentrant, et était parti à son tour en vociférant contre Florian.

— Que vas-tu faire ? demanda Ariane.

Florian enfouit son visage dans ses mains sans répondre.

Le lendemain, mardi, Florian arriva très tôt à l'hôpital. Il fut surpris de voir, dans la cour, la voiture du patron. Le cocher, comme à son habitude, briquait les cuirs de l'attelage.

L'infirmière générale était dans le couloir.

— Monsieur de La Verle, le patron vous attend dans son bureau.

Le petit homme n'avait pas mis sa blouse. Il était assis tout raide, avec son éternel costume noir élimé. Il ne répondit pas au salut de son interne. Il le regardait sans un mot et paraissait réfléchir intensément, sans s'occuper de celui qui était là, debout devant lui, l'anxiété peinte sur le visage. Enfin il parla, mais avec une voix basse, comme s'il avait peur qu'on l'entende en dehors du bureau.

— Vincent Leforestier a été trouvé pendu à un arbre, dans la cour de l'École pratique du Fer-à-Moulin, ce matin, par le gardien. Hier soir son père était venu faire scandale chez moi, m'accusant d'avoir des internes qui salissaient son fils. Il était hors de lui. Et il ne savait pas encore que Vincent était mort... J'ai été prévenu le premier, car le gamin n'avait rien dans ses poches, qu'une lettre à mon intention. Il me demande pardon. Et à vous aussi.

Florian avait l'impression de vivre un cauchemar. « Ce n'est pas vrai, se disait-il, je vais me réveiller, tout ça est impossible... »

Terrier continua :

— Le plus sage pour vous est de disparaître aujourd'hui. Je connais bien Leforestier, c'est un forcené. Il est capable d'on ne sait quelle folie. Allez vous réfugier chez votre grand-père. Il est toujours en vie, n'est-ce pas ?

Florian, étranglé d'émotion, hocha la tête.

— Partez immédiatement, ne repassez pas chez vous, je ferai parvenir un message à madame votre mère. Nous reparlerons de tout cela dans quelques jours, quand la tempête se sera calmée. Je serai seul à savoir où vous êtes, et je garderai le secret. Allez-vous-en mon garçon, cette affaire est douloureuse... et bien regrettable.

Le ton était resté doux et presque confidentiel. Il se leva, prit son interne par l'épaule, dans un geste affectueux, et le poussa vers la porte.

Quand Florian entra dans la chambre de son grand-père il le trouva dans son fauteuil, devant la fenêtre. Il l'entendit murmurer :

— C'est toi, Florian ?

— Oui, grand-père.

— Entre, je t'attendais.

— Vous savez déjà ?

— Non ! Tu vas me raconter, mais je me doutais bien que les choses allaient mal tourner, et que tu devrais revenir.

Florian raconta brièvement, sans commentaires. Le vieillard n'en fit pas non plus. Ils restèrent silencieux. Dans la vallée, de l'autre côté de la grand-route, s'étendaient maintenant les installations ferroviaires à perte de vue. La campagne avait disparu sur plusieurs dizaines d'hectares, laissant la place à un spectacle devenu permanent. Les motrices poussaient les convois vers la butte de triage, et elles sifflaient pour s'annoncer. Les wagons redescendaient ensuite sur le faisceau, suivant leur destination, accompagnés par les cris qui prévenaient les « saboteurs » dont la tâche dangereuse consistait à éviter les tamponnements trop brutaux, en glissant opportunément une cale ou un sabot sous les roues.

Les deux hommes semblaient fascinés par ce grouillement de machines et de petits personnages, noirs comme des diablotins. En fait, ils réfléchissaient intensément, l'un et l'autre, à la suite qu'il fallait donner à cette histoire lamentable. C'est le grand-père qui reprit la parole le premier.

— Il faut que tu quittes Paris un moment. Je m'en expliquerai avec Terrier. C'est un bon petit, il me comprendra. Le mieux serait d'aller à Berlin, chez ta tante. Son mari est un brave garçon, ils habitent à l'Opéra, en plein centre de la ville, et tu apprendras l'allemand. C'est la langue scientifique de l'avenir. Dans six mois, l'affaire sera oubliée et tu reviendras.

Florian baissa la tête sans répondre. Que pouvait-il dire ? Il comprenait très bien ce qui avait pu se passer dans la tête de cet abruti de Leforestier. Il était facile de rejeter la responsabilité de ce drame sur un autre que son propre fils qui ne pouvait être qu'une victime.

À cause de ce délire, il allait devoir quitter tout ce qui lui était cher. Ce métier dont il aimait la rigoureuse technique, sa mère, cette ville où il avait ses habitudes, sa carrière... Comment serait-il accueilli à son retour ?

Son grand-père, comme pour lui répondre, chuchota :

— Tu ne perdras pas ton temps là-bas. Les pays germaniques sont à la pointe du progrès en chirurgie. Tu voyageras. Tu as toute ta vie devant toi. Les concours ne sont pas une urgence. Quand tu reviendras, tu en sauras plus que les autres, et tu les bousculeras un peu pour faire ta place. Va, n'aie pas peur : à notre époque, ceux qui ne bougent pas n'apprennent rien. Entre-temps, ici, la vérité se sera faite. Et personne n'osera te reprocher quoi que ce soit.

Il partit le lendemain matin.

Quelques jours plus tard, Ariane arriva à Saint-Yé. Félicien était allé la chercher pour l'aider à fermer l'appartement de la rue des Feuillantines. Le grand-père ne supporterait pas d'être abandonné de tous. Elle quittait Paris sans regrets. Cette ville qui lui avait déjà enlevé l'homme qu'elle aimait, la privait maintenant de son fils et lui faisait horreur.

CHAPITRE III

Florian descendit du train, rompu par un voyage qui lui avait paru durer un siècle. Ses deux sacs de voyage, bourrés de livres, lui meurtrissaient les mains, et il avançait lentement dans cette foule peuplée d'uniformes et dont la langue rocailleuse lui était antipathique. Il avait été élevé dans la haine des Prussiens et l'espoir d'une revanche, pas dans l'idée qu'il ferait, à Berlin, un stage dont la durée n'était même pas déterminée.

Au bas des marches, il aperçut sa tante Élodie dans une voiture découverte attelée à deux alezans. Un valet en livrée tenait la bride, et le cocher attendait debout près de la portière. Elle tendit le doigt dans sa direction et l'homme grimpa vers lui avec un sourire avenant.

Florian n'avait pas envie de sourire. Il fit cependant bonne figure à sa tante qu'il était heureux de revoir. Il la connaissait peu et n'en conservait que des souvenirs d'enfant émerveillé. Pour lui, elle était la célébrité qui chante dans toutes les capitales, reçoit des bouquets de fleurs, et côtoie tout ce qui porte un nom connu dans le monde artistique. Il découvrait ce jour-là, avec son regard d'adulte, une grosse dame emballée dans une robe à volants, et le visage caché par une capeline à voilette.

Il s'assit à côté d'elle pendant qu'elle l'interrogeait sur Saint-Yé, et sur son père qu'elle n'avait pas vu depuis plusieurs années. Florian reconnut avec délice cette voix qui le charmait déjà quand il n'était qu'un gamin, lors des passages de la diva à Paris. La voiture se dégagea des encombrements de la gare pour tourner dans une grande avenue bordée d'arbres qui longeait la Sprée. Ils croisèrent une de ces curieuses voitures à moteur, dont on commençait à parler aussi à Paris.

— C'est un modèle de mon ami Gottlieb Daimler, un homme de génie. Tu le verras sûrement à la maison.

Élodie faisait à son neveu les honneurs de sa ville d'adoption, avec ce ton sage et posé dont on se moquait déjà quand elle était à Saint-Yé.

— Voici la porte de Brandebourg, et, derrière, l'avenue *Unter den Linden* qui va jusqu'à l'Opéra où nous habitons. Linden signifie « tilleul », précisa-t-elle en montrant les arbres qui avaient été plantés là un siècle et demi plus tôt.

Ils arrivèrent à la place monumentale où l'université Humbold fait face à l'Opéra construit au XVIIIe siècle par Knobelsdorff, le célèbre architecte dont le talent se retrouvait en de multiples monuments de la ville. Ils contournèrent l'énorme bâtiment néo-classique et s'arrêtèrent devant une porte latérale où le mari d'Élodie et leurs deux fils vinrent les accueillir.

David et Nathan avaient dix et huit ans, et jouaient déjà du violon comme des petits prodiges. Heinrich Ebstein était un homme d'une cinquantaine d'années, long, maigre et un peu voûté, avec une barbe et des cheveux gris soigneusement coiffés. Derrière d'épaisses lunettes, son regard était doux, et il s'exprimait en souriant dans un français recherché, mais avec un fort accent tudesque. Florian savait qu'il était un musicologue éminent, qu'il avait visité le monde entier et qu'il parlait tout aussi couramment l'anglais, l'italien, l'espagnol, et le russe. Élodie l'avait rencontré à Londres, avant qu'il soit nommé à la direction de l'opéra de Berlin, et elle ne savait pas, alors, qu'elle aurait désormais à sa disposition cette salle de renommée mondiale. Elle y chantait Mozart, Verdi, Bellini... et Wagner. Surtout, elle dirigeait un cours de chant où ses vertus pédagogiques faisaient merveille.

— Dommage, tout de même, que nous ne soyons pas à Paris ! disait-elle parfois. Elle ajoutait avec sagesse : Je n'y aurais peut-être pas le même succès. Je plais aux Allemands, ce qui n'est pas un bon argument pour plaire aux Français.

Il est vrai que les deux nations entretenaient une politique extérieure où l'animosité dominait. Chaque pays cherchait à conforter ses alliances et consolider ses positions en vue d'un conflit qui ne devait pas manquer de survenir un jour ou l'autre.

À Paris, l'affaire Dreyfus venait d'éclater et exacerbait aussi les passions anti-allemandes. La droite, où Leforestier faisait entendre sa voix, soutenait les militaires et se rassemblait dans un antisémitisme militant. À gauche, les intellectuels, derrière Clemenceau, soutenaient le capitaine innocent.

— Ce Clemenceau est un médecin, je crois, demanda Heinrich.

— Oui, mais il ne fait pratiquement plus que de la politique. Déjà, en 1871, il avait été nommé maire de Montmartre.

— Moi qui ne connais rien d'autre que la musique, disait Élodie, j'admire ces gens dont l'esprit est universel.

— C'est comme le vieux Virchow, reprit Heinrich à l'intention de Florian. Il est un professeur de médecine admiré, et spécialisé dans les cellules qui forment le corps humain. Il a fondé un journal de renom international, je crois...

— C'est vrai, grand-père en faisait l'analyse pour les journaux français.

— Eh bien, tu ne le sais peut-être pas, mais il est aussi le créateur du réseau d'égouts de notre ville ! Pour un spécialiste du microscope, c'est peu banal ! De plus, il a été un homme politique engagé, un démocrate qui s'est opposé à Bismarck, ce qui dénote un courage certain !

— Et maintenant ?

— Je vous présenterai à lui. Il dirige toujours l'Institut de recherche qui a été fait pour lui.

— Comme pour Pasteur.

— Oui, l'Institut de votre savant a servi de modèle. On en a fait un aussi pour Robert Koch, un bactériologiste. Je crois qu'un autre a été construit également à New York par un industriel, Rockfeller... Pasteur vit-il toujours ?

— Oui, mais je crois qu'il est bien fatigué. Il s'est retiré près de Paris, à Villeneuve-l'Étang. Il a le même âge que grand-père...

— Comment va-t-il, votre grand-père ?

— J'ai été triste de le laisser... Il est vieux lui aussi... Mais, pour le moment, il va bien.

Damien de La Verle lâchait prise depuis le départ de son petit-fils. Il s'éteignit le 1er octobre 1895, trois jours après son ami Louis Pasteur. Ariane était à son chevet, profondément émue par la fin de cet homme qui avait donné à sa vie d'orpheline tout ce qu'elle avait eu d'heureux. Pourtant, elle lui avait pris son fils, et lui, sans rancune, lui avait donné un nom et une situation sociale qu'elle n'avait aucune raison d'espérer. Surtout il lui avait fait connaître les joies d'une famille et d'une maison. Elle s'était parfaitement intégrée à Saint-Yé où elle avait une foule d'amis. Elle était devenue sans conteste la fille de la maison La Verle.

Maintenant, plus rien ne la retenait là.

Après les obsèques, elle ferma l'Orangerie où ne restèrent que Félicien Moreau et Germaine, la cuisinière qu'il avait fini par épouser. Et elle prit le train pour Berlin.

Sur le quai, elle retrouva son fils qu'elle n'avait pas vu depuis trois mois. Elle le trouva forci, mais plus beau que jamais.

— C'est la bière qui me fait grossir, expliqua-t-il, elle est délicieuse et c'est la seule boisson des étudiants. Il arrive même qu'on en boive un peu trop.

Il s'était laissé pousser la moustache et avait pris ainsi un air martial qui lui convenait à merveille.

— Je suis fière de toi ! s'exclama Ariane en lui prenant le bras. Elle refusa de parler de Leforestier : Tout cela est sans intérêt. Nous en discuterons plus tard. J'aime mieux que tu me racontes d'abord ta vie ici.

Il lui décrivit l'accueil chaleureux qu'il avait reçu chez sa tante et son oncle Ebstein, et leur gentillesse. Il raconta qu'il assistait aux répétitions des chanteurs et des danseurs, et qu'il se promenait dans le monde fantastique des coulisses où s'amoncelaient les décors anciens. Élodie répétait *Lucia de Lamermoor,* le chef-d'œuvre de Donizetti, et les étudiants des beaux-arts venaient travailler sur la scène et peignaient un sinistre château écossais.

Il ne lui dit pas que, chaque nuit, il était hanté par l'image d'un jeune garçon plein de sourires qui se balançait au bout d'une corde...

— Tu apprends l'allemand ?

— Bien sûr, au laboratoire de Virchow. Oncle Heinrich m'a fait embaucher comme préparateur. Toute la journée je manipule des lames et des colorations pour les microscopes, et je m'initie à la photographie. Au début c'était difficile, parce que je ne comprenais rien ; mais j'ai fait des progrès rapidement, et je commence à m'exprimer un peu. Le soir, je vais avec les étudiants dans les tavernes où ils chantent en buvant de la bière. Ils sont très gais, tu sais...

Ariane, qui avait connu la guerre, ne disait rien. Elle avait du mal à ne pas laisser remonter à la surface de sa mémoire les souvenirs du siège de Paris.

Florian racontait avec enthousiasme la vie à l'Institut où de nombreux étudiants travaillaient. Rudolf Virchow avait alors soixante-quatorze ans, mais il venait encore au laboratoire diriger des recherches. Il avait été nommé en 1856 professeur d'anatomie pathologique à Berlin, et il enseignait encore.

— C'est une anatomie particulière ? demanda Ariane.

— C'est la description des organes « pathologiques », c'est-à-dire malades. Mais on les étudie jusque dans leurs cellules. Virchow a démontré que ce sont ces cellules qui sont atteintes dans les maladies, et non pas les humeurs, comme on le croyait avant lui.

— Et c'est si important ?

— C'est révolutionnaire ! Écoute-moi bien. Lorsqu'une maladie inconnue survient, une tumeur, par exemple, on peut prélever un minuscule fragment de cette tumeur et l'examiner au microscope. On appelle cette petite intervention sans danger une « biopsie ». En comparant avec des prélèvements qu'ils ont déjà étudiés sur des malades morts de tumeurs identiques, ils parviennent au diagnostic, et ils savent comment organiser le traitement.

L'enthousiasme de son fils réjouissait Ariane. Ce garçon était devenu sa seule joie de vivre, et elle avait beaucoup souffert de cette grotesque aventure parisienne où la bêtise le disputait à la calomnie la plus scandaleuse. Elle l'avait vu partir si triste, et elle avait reçu de lui des lettres tellement affligées au moment de la mort de son grand-père, qu'elle n'était pas sûre qu'il serait en mesure de supporter longtemps la vie dans une ville si éloignée et si différente de celle où il était accoutumé à vivre. C'est la raison pour laquelle elle s'était empressée de faire le voyage.

Elle paraissait l'écouter quand il lui racontait les découvertes qui avaient été faites dans son laboratoire, et qui concernaient les cancers du sang, les caillots qui naissent dans les veines et vont ensuite dans les poumons, Dieu seul sait pourquoi... Mais elle pensait à la vie qu'ils auraient ensemble, dans les temps à venir. Damien leur avait laissé assez d'argent pour vivre sans souci du lendemain, pour voyager et connaître le monde sans s'occuper des haines et des vengeances. Elle avait l'intention d'en profiter.

Le scandale Robert Koch éclata quelques jours après l'arrivée d'Ariane et ce fut, pour cette femme blessée par l'intolérance obtuse de la bonne société parisienne, l'occasion de se rendre compte à quel point la bêtise était universelle.

Un soir, Heinrich rentra tout excité du club où il rencontrait ses amis, et s'empressa de raconter à sa femme stupéfaite la nouvelle qu'il venait d'apprendre.

— Sais-tu ce qui arrive à Robert Koch ? Il se remarie avec une toute jeune actrice, et il quitte Berlin !

Élodie expliqua à Florian et Ariane que ce Koch était un savant de réputation internationale, âgé de cinquante-deux ans, qui avait divorcé quelques mois auparavant, ce qui déjà ne se faisait pas quand on avait une situation aussi en vue que la sienne. Elle raconta qu'il s'agissait, à l'origine, d'un petit médecin de Silésie qui s'était fait connaître en décrivant l'agent responsable de cette maladie du mouton qui faisait des ravages dans les troupeaux, le « charbon ». De là, il avait été nommé à l'Institut impérial d'hygiène de Berlin, et il semblait faire chaque jour une nouvelle découverte.

Florian se souvenait tout à coup qu'à Paris on parlait de cet homme qui avait mis en évidence dans les lésions tuberculeuses un bacille qui serait responsable de la maladie et de sa transmission contagieuse. Contrairement à ce que soutenaient les caciques de la médecine officielle. Déjà, on disait le « bacille de Koch ».

— Le microbe du choléra également, précisa Heinrich qui se passionnait pour les sciences médicales.

Florian eut un pincement au cœur. N'avait-il pas lu, dans les archives familiales, qu'une de ses grand-tantes était morte de cette maladie pendant la guerre de Crimée ?

— Ce grand homme, continuait Heinrich, a fait l'objet de toutes les sollicitudes de l'empereur, on lui a construit un Institut pour l'étude des maladies infectieuses, on lui a permis de recruter les meilleurs savants du pays... Et voilà comment il remercie !

— Mais il a le droit de vivre comme il l'entend ! s'exclama Florian.

— C'est vrai ! renchérirent les deux femmes.

Heinrich éclata de rire.

— Je suis bien de votre avis, et je plaisantais. Mais je pense à la bonne société berlinoise où la femme tient si peu de place. Quitter les honneurs et d'aussi hautes fonctions pour une histoire de...

— ... de cœur, mon ami, de cœur, interrompit Élodie. Je l'approuve entièrement. C'est beau comme un opéra, et je regrette personnellement que la vie ne soit pas plus souvent aussi imprévisible et romantique !

Heinrich prit un air faussement inquiet.

— Ma chérie, est-ce un message que vous voulez me faire passer ?

Élodie se précipita à son cou.

— Mon ami, loin de moi cette idée. Vous me rendez parfaitement heureuse. Elle se redressa et prit, elle aussi, un ton faussement sentencieux : Mais méfiez-vous, si ce n'était pas le cas, je n'hésiterais pas à débaucher un jeune ténor, voire même un baryton !

Toute la famille éclata de rire. Mais Florian restait perplexe sur cette histoire de Koch. Il mesurait l'importance qu'avaient prise, dans la vie scientifique allemande, ces hommes de laboratoire qui décryptaient la médecine comme Pasteur le faisait jadis à Paris. Il avait l'impression qu'ici la science prenait un essor sans commune mesure avec ce qui se passait dans son pays. Était-ce le début d'une ère nouvelle, comme le lui avait affirmé son grand-père ?

Le jeune Français finissait ainsi par oublier son drame parisien, et traversait une des périodes les plus heureuses de sa vie. Il occupait, chez Virchow, une place privilégiée et chacun venait l'aider à s'initier à ces techniques, si nouvelles pour lui. En néophyte éclairé, il se passionnait pour des résultats dont il ne comprenait pas toujours la portée, mais qui, à l'évidence, apportaient à la médecine de nouveaux éléments de réflexion.

Un matin de novembre 1895, un étudiant, originaire de Würzburg où il avait fait ses études, et qui travaillait au laboratoire de Virchow, arriva tout excité. Il avait passé quelques jours au chevet de son père souffrant et repris contact avec ses anciens condisciples, lesquels lui avaient raconté une histoire stupéfiante.

— Figurez-vous, s'exclama-t-il, qu'ils viennent d'inventer un nouveau type d'appareil photographique avec lequel on ne voit que les os.

On le regarda avec incrédulité. Florian qui pensait n'avoir pas bien compris, se fit préciser ce qu'il avait entendu. Mais l'autre continua.

— Tu te mets devant l'appareil. On fait une photo. On développe, et qu'est-ce qu'on voit ? Ton squelette.

La plus franche hilarité salua ces propos insensés. Chacun vint regarder de près si le pauvre garçon ne présentait pas d'autres stigmates de la folie, et, furieux, il se renferma dans un mutisme outragé.

Il fallut se rendre à l'évidence, quelques jours plus tard, quand la nouvelle fut publiée. C'était vrai. Et, dès le mois de décembre, l'auteur de cette découverte vint à Berlin faire une conférence pour la présenter. Il s'appelait Wilhelm Conrad Röntgen et enseignait à l'Institut de physique de Würzburg. Il raconta qu'en travaillant sur un courant à haute fréquence passant dans un tube de vide, il avait mis en évidence un rayonnement nouveau et inconnu qu'il avait donc nommé « X », et qui avait la propriété de traverser certains tissus en butant sur les corps de densité plus forte. Il montrait ainsi l'image de sa main, où l'on voyait distinctement les phalanges avec une bague, et une boîte de compas fermée, dont le contenu apparaissait sur la photographie. Et il concluait modestement qu'à son avis ce procédé devrait avoir un certain intérêt pour la médecine moderne !

Florian était allé à la conférence avec un jeune chirurgien de son âge, passionné comme lui, et qui lui proposa de venir à l'hôpital de la Charité où il travaillait. C'est ainsi que le jeune Français découvrit le monde hospitalo-universitaire berlinois dont le fonctionnement l'emplit de perplexité. Rien ne se passait comme à Paris. La hiérarchie n'avait pas les mêmes conséquences. En pratique, il lui sembla que chaque praticien hospitalier, quel que fût son niveau, n'était professionnellement en relation qu'avec un ou deux assistants plus jeunes dont il avait la responsabilité. Il n'y avait pas, comme en France, cette dualité entre la Faculté de médecine et son cursus, d'une part, et les hôpitaux d'autre part, où les internes et les externes étaient des employés, au même titre que les chirurgiens et les médecins du Bureau central.

C'est en essayant d'expliquer les différences avec les habitudes de son pays que Florian saisit la complexité d'un système que les Allemands eux-mêmes avaient du mal à comprendre.

Il vit opérer le patron de son ami, Ernest von Bergmann qui respectait une asepsie et une antisepsie rigoureuses, dont il avait été un des premiers promoteurs en Allemagne. Florian constata à cette occasion que les méthodes de Lister avaient été adoptées bien plus vite qu'en France, et en déduisit que le progrès marchait plus rapidement de ce côté-ci du Rhin, ce qui était l'exacte vérité.

Il en était, du reste, de même dans tous les domaines de la science et de l'industrie, ce qui allait poser bientôt des problèmes difficiles à la France.

Ces découvertes exaltantes poussaient Florian à se tourner de plus en plus vers la vie de laboratoire dont il pressentait l'importance croissante. Sans savoir comment il pourrait se servir à Paris des techniques qu'il apprenait.

Pendant ses loisirs il parcourait, avec sa mère, cette ville en pleine expansion. Les cinq milliards de francs-or que la France avait dû verser après la défaite de 1871 contribuaient à l'essor de modernisation des équipements, et partout dans les rues les chantiers bourdonnaient d'activité. Ils découvrirent ainsi avec étonnement le téléphone public. Aux carrefours, on installait de petites cabines avec un appareil mural. On décrochait un cornet qu'il fallait se mettre à l'oreille et l'on entendait une voix qui vous demandait quel correspondant vous désiriez. On parlait devant un autre cornet, fixé sur l'appareil. Les petits devaient se mettre sur la pointe des pieds, les grands se voûtaient.

— Ne parlez pas si fort ! disait l'opérateur.

Ariane et Florian riaient comme des enfants. Ils visitèrent les hauts lieux de la ville. Le château de Charlottenburg, les innombrables musées et les églises gothiques aux clochers surchargés de sculptures. Dans l'île des Musées, ils eurent une émotion particulière : Napoléon y était venu, après la victoire d'Iéna.

Quand la fatigue les prenait, ils s'asseyaient dans un de ces établissements où l'on peut se faire servir à toute heure, et ils grimaçaient en voyant ces montagnes de charcuteries fumées un peu trop odorantes, posées sur des lits de choucroute ou de pommes de terre. Florian avait entrepris de goûter chaque bière pour trouver la meilleure. Ariane commandait toujours de la Berliner Weisse, légère et acidulée, sucrée au sirop de framboise.

Dans ce pays où les hommes et les femmes sont rarement ensemble dans les lieux publics, ils formaient un couple sur lequel les gens se retournaient et ils en étaient fiers. Mais à force d'être toujours ainsi, bras dessus, bras dessous, ils progressaient peu en allemand. Heinrich proposa à Florian de lui faire prendre des leçons chez un professeur. Herr Weister était un enseignant à la retraite, vieux lettré charmant qui lui donnerait volontiers des cours privés. Florian accepta avec enthousiasme et se rendit presque chaque jour dans une vieille maison de la Friedrichstrasse pour s'initier avec un peu plus de sérieux à la langue de Goethe, tandis qu'Ariane allait aussi prendre des cours, mais à l'université.

Florian allait chez son professeur en sortant du laboratoire. Frau Weister le recevait. Beaucoup plus jeune que son mari, pimpante et colorée, elle était précédée d'une poitrine imposante et surmontée d'un impressionnant échafaudage capillaire.

Un soir, elle excusa le professeur souffrant qui avait dû être hospitalisé pour quelques jours. Elle annonça à Florian qu'en attendant le retour du maître, elle lui donnerait les leçons elle-même, s'il le voulait bien. Le jeune homme la remercia et s'assit à la petite table où était ouvert le livre de lecture habituel. Elle se posta derrière lui et lui demanda de commencer. Il se mit à lire et à traduire. Elle marchait derrière lui de long en large, corrigeant et faisant recommencer les passages difficiles. Parfois elle s'approchait plus près, et, se penchant, elle le reprenait en suivant du doigt une phrase compliquée. Florian n'osait lever les yeux tant il percevait, sans le regarder, le vertigineux décolleté qui s'ouvrait devant lui. Un parfum entêtant, de musc et de jasmin, montait de ces chairs abondantes et généreuses, si bien qu'à ces moments-là, le jeune garçon avait du mal à suivre les explications.

— Vous paraissez distrait, lui susurra-t-elle bientôt. Voulez-vous que nous nous interrompions un moment ? Et avant qu'il ait eu le temps de répondre, elle continua : Venez à côté de moi, nous allons faire de la conversation usuelle.

Florian se leva et elle le fit asseoir sur un canapé, en prononçant, de sa voix devenue câline, les phrases courantes de la vie quotidienne. Il essayait de répondre mais bafouillait, et elle éclatait de rire quand il se trompait. C'était un rire de tête, nerveux, excessif, et le jeune homme sentait bien le trouble qui s'installait entre eux.

Soudain elle se mit à parler très vite sans qu'il puisse comprendre, et elle lui prit doucement le visage entre ses mains qu'elle avait longues et soignées. Florian ferma les yeux et sentit sur ses lèvres une caresse infiniment douce, tandis que son corps basculait sur les coussins.

Il allait apprendre ainsi tout un vocabulaire nouveau qui n'était pas sans intérêt dans une éducation bien comprise, et la conscience professionnelle de cette éducatrice lui laisserait d'inoubliables souvenirs.

Personne ne se doutait, apparemment, de ces leçons très particulières. Le professeur resta hospitalisé plus longtemps que prévu. Si longtemps même que Florian finit par se demander s'il n'était pas tout simplement dans une des chambres du premier étage. Cette idée devint même gênante, d'autant que, passés le moment de surprise et l'extase de la découverte, la répétition systématique des exercices auxquels il était contraint à chaque leçon commençait à le lasser. De plus, il connaissait maintenant tout son vocabulaire sur le bout des doigts.

Comme il était difficile de briser brutalement et sans raison ces liens affectifs, il fallut trouver un prétexte. L'été approchait ; Ariane et Florian décidèrent de faire un grand voyage, et l'on dut interrompre cette pédagogie dont la valeur initiatrice demeurerait, quoi qu'il en fût, inégalable.

En réalité, Ariane savait ce qui se passait dans la vieille maison de la Friedrichstrasse. Il y a des signes qui ne trompent pas une mère avertie. De plus, Heinrich avait été mis au courant de la maladie bien réelle du professeur, et s'était d'abord étonné que les leçons puissent continuer comme auparavant. Connaissant la personnalité de l'épouse, il avait vite deviné quel enseignement elle devait donner, et ils étaient convenus, avec Ariane, de faire comme s'ils n'étaient au courant de rien. La jeune femme voyait sans mécontentement son rejeton prouver, par ses actes, combien il avait été calomnié à Paris. Mais sa satisfaction restait muette, par discrétion.

La famille passa quelques soirées à compulser les atlas, et un itinéraire fut choisi, dont le but était de conduire les voyageurs dans un grand tour germanique jusqu'à Vienne, en passant par Leipzig, et Munich. Partout où l'on pourrait joindre l'utile à l'agréable, visiter des monuments et des musées, tout en prenant connaissance des progrès de la médecine dans les plus célèbres universités d'Europe, grâce aux lettres de recommandation du vieux Virchow qui n'en avait pas été avare.

Ils firent l'acquisition d'une berline de voyage bien suspendue, avec une paire de bons chevaux, et Heinrich leur prêta Ludwig, son cocher, qui parlait à peu près le français et qui serait ainsi à la fois un guide et un interprète. Ravi de l'aubaine, le Berlinois serait aussi, éventuellement, un protecteur efficace, grâce à une paire de pistolets bien cachés sous son siège !

Ainsi, la mère et le fils prirent-ils la route un beau matin ensoleillé. Ils avaient l'impression que, pour la première fois de leur vie, ils allaient vivre ensemble une grande aventure, et ils en étaient, l'un et l'autre, ravis. Il était entendu que chacun écrirait ses souvenirs de son côté, et qu'au retour ils compareraient leurs textes.

Ils ne savaient pas que jamais ils ne reverraient la capitale prussienne ni la plupart de ces gens qui, sur les marches de l'Opéra, les saluaient de la main.

CHAPITRE IV

La première étape du voyage fut Leipzig où ils arrivèrent au soir du deuxième jour. Ariane visita la ville et alla se recueillir sur la tombe de Mendelssohn, pendant que Florian gagnait l'hôpital pour rendre visite au premier chirurgien auquel Virchow l'avait recommandé, Friedrich Tredelenbourg.

C'était un spécialiste de chirurgie gynécologique et le jeune Français fut stupéfait de le voir opérer sur une table dont le plateau basculait. Dès que l'anesthésie eut fait son effet, une infirmière tourna une manivelle et la patiente se retrouva bientôt la tête plus bas que les pieds. Le chirurgien incisa la paroi et Florian comprit que, dans cette position, les anses intestinales refluaient vers le diaphragme, libérant la zone opératoire où les gestes devenaient d'une facilité étonnante. Il nota ce point sur son carnet et, à la fin de la matinée, il avait appris ainsi de multiples détails pratiques encore inconnus en France.

Au quatrième jour, ils arrivèrent à Bayreuth pour un pèlerinage Liszt et Wagner. La date ne correspondait pas avec celle du festival que l'auteur de la *Tétralogie* avait créé en 1872, ils durent se contenter d'un concert dans le Festspielhaus et d'une visite à la villa *Wahnfried*, où le maître avait été enterré, à côté de Cosima, sous une simple dalle.

De là, ils obliquèrent vers l'ouest et descendirent, à travers la Suisse franconienne, vers Würzburg. C'était le début de ce que les touristes appellent la « route romantique » qui serpente au travers du Bade-Wurtemberg vers la Bavière, jusqu'à Munich. Au long des vallées pittoresques, ils évoquèrent le passé médiéval de ce pays si marqué dans sa culture par la chevalerie teutonique, en regrettant l'affrontement ancestral qui opposait, depuis le partage des conquêtes de Charlemagne, les deux ailes de l'Empire.

Munich devait être une étape plus longue que les autres. La ville était accueillante et le cocher souhaitait laisser souffler les chevaux quelques jours. Ariane aussi aspirait à un peu de repos, les derniers jours l'ayant fatiguée. Florian rendit visite à un autre chirurgien gynécologue, Albert Döderlein. Comme partout, la lettre d'introduction de Virchow fit merveille et ce patron fut spécialement fier de montrer au jeune Français son laboratoire. Émule de Pasteur, il maniait les bouillons de culture et le microscope avec aisance. Dans ses locaux vastes, clairs, ensoleillés parfois, ses élèves travaillaient sur la bactériologie gynécologique et découvraient des germes nouveaux. Quel service français était ainsi équipé ?

Quand Ariane se sentit reposée, ils partirent en excursion visiter les châteaux de Louis II, et ils retrouvèrent, dans les délires architecturaux du jeune prince, les souvenirs de Wagner, son ami. En écoutant les réflexions salaces de leur guide, la jeune femme guettait de l'œil les réactions de son fils, mais elle ne put jamais déceler le moindre argument qui puisse lui laisser soupçonner que les événements de Paris avaient une quelconque raison d'être. Sans avoir jamais été vraiment inquiète, elle se sentait rassurée chaque fois qu'une telle preuve lui était donnée.

Ils avaient envisagé d'aller jusqu'à Vienne, mais Ariane ne s'en sentit pas le courage. Florian regrettait de ne pas connaître le service de ce Théodor Billroth mort depuis depuis deux ans, et où tout ce qui pouvait être fait en chirurgie moderne l'avait été. En particulier en chirurgie digestive, le maître avait donné à ses élèves une formation qui en faisait la première école d'Europe.

— Tu y retourneras une autre fois..., disait Ariane.

Ils prirent la route de Bâle car on leur avait conseillé de descendre le Rhin en bateau, et ce projet leur avait paru séduisant. Par petites étapes, ils longèrent le lac de Constance, puis la haute vallée du Rhin jusqu'à cette capitale de la chimie qu'était devenue en quelques années la petite ville, ouverte aux portes de la Rhénanie. Les entreprises Ciba, Geigy, Sandoz y étaient nées dans la dernière décennie, et les hommes qui portaient certains de ces noms étaient les seuls peut-être à imaginer ce que serait l'essor de la pharmacologie moderne.

Ils trouvèrent une auberge charmante, en plein cœur de la cité, derrière la cathédrale, près de la Pfalz qui domine le Rhin de sa terrasse plantée de marronniers centenaires.

— Restons quelques jours ici encore, demanda Ariane, l'air y est si doux.

Florian comprenait mal la fatigue soudaine de sa mère qui, d'ordinaire, était la première à vouloir tout voir et visiter. Plusieurs fois, il avait essayé de l'interroger, pour savoir si quelque trouble inavoué ne s'ajoutait pas à cette lassitude que rien n'expliquait. Mais elle était restée si évasive qu'un doute se fit jour dans l'esprit du jeune homme.

— Veux-tu que je te fasse examiner par un médecin ou un chirurgien d'ici ?

À sa grande surprise, elle accepta. Florian se sentit glacé d'effroi. Sa mère pouvait-elle avoir une affection grave ? Il fit appel à un praticien dont la réputation était excellente, Ludwig-Georges Courvoisier. C'était un homme d'une cinquantaine d'années, d'allure jeune encore, et au regard rassurant derrière de petites lunettes cerclées d'or.

Florian les laissa, et alla faire les cent pas sur la terrasse où les promeneurs venaient regarder le trafic des bateaux sur le fleuve.

Un long moment passa et Courvoisier vint enfin le rejoindre, l'air sombre. Il semblait hésiter à parler.

— Il faut me dire ce qu'il en est, monsieur.

— Oui, je le pense. Vous devez savoir la vérité. J'ai d'ailleurs prévenu madame votre mère que je vous donnerais mon sentiment, à moins qu'elle ne s'y oppose. Elle a accepté. Il marqua encore un long silence avant de reprendre. Puis vint la phrase fatale : Madame de La Verle a un cancer du sein.

Florian s'assit sur le muret qui longe la terrasse. Sa tête tournait ; il dut s'agripper pour ne pas tomber. Après cet instant de panique, il releva les yeux sur le chirurgien qui le regardait tristement.

— Depuis longtemps ? demanda-t-il.

— Probablement.

— Pourquoi n'a-t-elle rien dit ?

— La pudeur, sûrement, et puis aussi une certaine crainte d'avoir besoin de chirurgie. Elle en a tant vu déjà, et elle vous a tellement entendus, vous, les hommes de sa famille, vous plaindre de vos échecs, qu'elle aurait sans doute préféré n'avoir jamais besoin des services de notre corporation. Vous la comprenez, je suppose.

— Bien sûr. Mais tout de même quand on opère tôt...

— Êtes-vous certain d'avoir envie de la faire opérer ?

Florian savait que le pourcentage de succès, dans cette maladie, était infime, et personne ne pouvait jurer que la chirurgie ne tuait pas plus vite que la maladie !

— Puis-je me permettre un conseil ?

Florian le regardait avec intensité.

— Si ma mère avait la même maladie que la vôtre, voilà ce que je ferais. Je prendrais le premier bateau pour l'Amérique, et j'irais voir Halsted, un chirurgien du John Hopkins Hospital de Baltimore. Il est le seul à publier des chiffres de guérison supérieurs aux autres. Il a dix ans de moins que moi. Je l'ai rencontré quand il a fait son tour d'Europe, il y a quelques années. De plus, je l'ai vu opérer. Il est d'une adresse prodigieuse, et sa technique d'exérèse du cancer du sein est unique. L'homme reprit son souffle : Je vous dis ce que je ferais, si c'était moi, mais vous pouvez demander un autre avis. Allez à Genève et voyez Jacques ou Auguste Reverdin, ce sont de grands chirurgiens, et des hommes sages. Vous leur direz ce que je vous ai conseillé, et vous verrez bien ce qu'ils vous répondront.

Florian connaissait la réputation des deux cousins genevois. Ils étaient venus souvent en France et publiaient dans les journaux médicaux français.

— Ou demandez à Kocher, à Berne, c'est aussi un homme qui connaît bien cette chirurgie. Mais moi, j'irais consulter Halstedt.

On imagine le retour de Florian dans la chambre de sa mère. Malgré les promesses qu'il s'était faites, il ne put résister au chagrin et ils pleurèrent tous deux longuement, enlacés. Il se reprit le premier.

— Allons, mère, les pleurs n'arrangent rien. Nous nous sommes toujours fait confiance, et je ne vais pas vous raconter des histoires sur ce sein que vous n'avez pas voulu me montrer, mais qui vous inquiétait assez pour que vous acceptiez de le montrer à un autre. Je ne vais pas vous mentir, mais il faut que vous sachiez que toutes les tumeurs du sein ne sont pas des cancers, et que tous les cancers n'ont pas la même évolution.

— Ne vous fatiguez pas, mon fils, je ne me ferai pas opérer. Ma décision est prise. Nous allons oublier cet épisode que je regrette, et continuer notre voyage comme si rien ne s'était passé. Si c'est un cancer, nous serons vite renseignés, et j'irai retrouver mon cher Édouard à Saint-Yé où il doit commencer à s'impatienter. Si par chance ce n'est pas cette maladie, vous devrez, mon cher fils, me supporter quelques années encore. De toute façon, nous ne dirons rien à personne et cette tumeur sera notre secret, d'accord ?

Florian ne pouvait pas l'entendre de cette oreille. Il mit au point une stratégie dialectique de grande envergure, d'où il ressortait que deux avis valent mieux qu'un, qu'il rêvait de connaître l'Amérique, et qu'elle en brûlait d'envie également. Bref, qu'une consultation à Baltimore valait la peine d'être tentée.

Le garçon eut gain de cause. Un mois plus tard la mère et le fils s'embarquaient sur un vapeur de la Transatlantique à destination du nouveau continent.

Pendant la traversée, Florian, malgré son air enjoué, fut pris d'une terrible angoisse. Il passa des nuits à arpenter sa cabine, et à écrire sur le cahier qu'il avait acheté la veille de l'embarquement.

Il s'abîmait dans cette angoisse que tous les chirurgiens ressentent devant l'indication opératoire d'un de leurs proches. Sa connaissance du métier ne l'incitait-elle pas à s'orienter vers une décision dont il n'envisageait que le succès ? Avait-il le droit de laisser ses sentiments prendre une place primordiale dans le choix d'une solution qui aurait dû n'être motivée que par une objectivité dont il se sentait incapable ?

Il conduisait sa mère vers celui qui était considéré comme le meilleur chirurgien de ce temps. N'était-ce pas la pousser implicitement vers une intervention dont le résultat demeurait imprévisible, même dans les meilleures mains ? Avait-il le droit de l'exposer à abréger brutalement cette vie si précieuse ? Mais s'il la détournait de ce geste peut-être salvateur, ne serait-ce pas un abus d'amour filial ? Dans le but de la garder près de lui, n'allait-il pas l'exposer à une mort prématurée ? Et en espérant la garder plus longtemps, ne lui faisait-il pas prendre le risque d'un accident opératoire ?

De son côté, Ariane envisageait l'avenir avec sérénité. Son fils la mettait dans les mains les plus autorisées, et, malgré son refus de traitement, elle était bien décidée à suivre les conseils que cet homme lui donnerait. Si la chirurgie la faisait trembler, elle n'ignorait pas ce que peut être la fin d'une femme atteinte de cette maladie. Dans les milieux éclairés, l'évolution du cancer du sein n'était pas un mystère, et peu de médecins adressaient leurs patientes aux chirurgiens, car ils savaient que, dans la plupart des cas, l'opération ajoutait une mutilation dégradante à une issue inéluctable.

Florian avait en tête les statistiques des meilleurs services. Ainsi, chez Billroth, à Vienne, dix-huit pour cent seulement des patientes étaient encore vivantes quatre ans après l'opération.

Cependant, il savait aussi que les femmes opérées avaient une fin moins affreuse que celles qui avaient conservé leur tumeur et voyaient leur poitrine dévorée par la suppuration avant de mourir, enfin, dans des douleurs que seule la morphine parvenait à calmer.

Chacun de son côté, la mère et le fils ne pensaient qu'à la maladie, mais ils n'en parlaient jamais. Sur le pont du bateau, ils riaient ensemble, et participaient volontiers aux jeux organisés par le commandant, à la table duquel ils dînaient souvent. Ils parlaient littérature et musique et se remémoraient avec émotion les étapes du magnifique voyage qu'ils avaient fait avec Ludwig, le cocher aux multiples talents. Désolé de devoir les quitter, il était reparti en chemin de fer pour Berlin, tandis que la voiture et les chevaux avaient été revendus avant le départ, avec bénéfice. Mille anecdotes leur revenaient en mémoire et ils s'amusaient à se les remémorer pendant que les passagers intrigués les regardaient en se demandant quel était donc ce couple si heureux...

Fière de son passé historique, Baltimore a conservé partout les traces de ses premiers colons. Une importante immigration allemande a également marqué la ville, et Florian comprit pourquoi les liens étaient si étroits entre les universités traditionnelles d'outre-Rhin, et les écoles modernes de cette partie du nouveau monde.

Ils louèrent une chambre dans un petit hôtel de Charles Street, près de Mount Vernon Place, cœur de la ville ancienne, et, dès le lendemain de leur arrivée, Florian prit le tramway pour le John Hopkins Hospital.

Il arriva sur un campus éblouissant de verdure et de fleurs, avec des bâtiments modernes, élégants, séparés les uns des autres par des allées soigneusement entretenues, où des étudiants allaient et venaient, l'air affairé, des livres sous le bras.

Au bureau d'accueil, Florian remit sa lettre pour le professeur W. S. Halsted, en expliquant maladroitement, dans un anglais scolaire, qu'il était chirurgien et qu'il accompagnait sa mère qui venait consulter. Son petit discours modifia manifestement le cours normal des formalités, mais il eut l'impression aussi, à voir l'air embarrassé de la jeune femme qui le recevait, que le patron était absent. La secrétaire, renonçant à se faire comprendre, le fit asseoir un moment et s'absenta. Quelques instants plus tard, elle revenait avec un jeune homme souriant, à peine plus âgé que Florian, qui se présenta, dans un français impeccable.

— Je m'appelle Harvey Cushing, et je suis assistant résident dans le service de chirurgie. Voulez-vous me suivre ?

C'était un garçon mince, élégant, au visage osseux, avec des pommettes saillantes et des yeux clairs enfoncés dans les orbites. Il parlait d'une voix douce et expliqua qu'il était là depuis le début de l'année seulement, mais qu'il se mettait à sa disposition pour l'aider à régler son problème.

Florian se présenta aussi, parla brièvement de ses études à Paris, et de son séjour chez Virchow à Berlin. Puis il évoqua son voyage en Allemagne, fâcheusement terminé à Bâle, chez Courvoisier qui l'avait adressé à Halsted. Effectivement, le patron était absent pour quelques jours et ne serait là que la semaine suivante. Mais ce délai n'était pas de trop pour organiser une consultation avec un homme dont l'accès était aussi difficile.

— Vous verrez, c'est un être étrange et imprévisible. Certains jours, il est souriant et aimable, plaisantant volontiers, alors que d'autres fois il est renfrogné, renfermé et d'une cruelle violence verbale. C'est un travailleur acharné qui passe des heures dans son laboratoire, et surtout un chirurgien hors pair. Ses interventions sont prodigieuses, et il met au point des techniques d'une incroyable rigueur.

Cushing confirma qu'à son avis la guérison du cancer du sein était, au Hopkins, de l'ordre d'un cas sur deux, ce qui était exceptionnel. Ce succès était le résultat d'une exérèse très large, comme aucun chirurgien n'en réalisait alors.

— Quelle mutilation ! gémit Florian.

— Peut-être, mais quand le malheur veut que la maladie se généralise, la poitrine reste saine. Ce qui fait dire au patron que le cancer est sans doute une maladie plus générale qu'on ne le croit habituellement. D'après lui, personne ne peut savoir, au moment de l'intervention, si la tumeur n'a pas déjà essaimé dans d'autres organes.

Ce langage était nouveau pour Florian qui pensait, comme la plupart des médecins depuis Virchow, que la tumeur ne laisse échapper des cellules malades qu'à un degré déjà relativement avancé de son évolution.

Pendant la semaine d'attente, Florian et Cushing se lièrent d'amitié. L'Américain lui fit visiter l'hôpital que le généreux donateur avait voulu couplé avec l'université. Mais cette dernière venait seulement d'ouvrir, en 1893, alors que l'hôpital avait été inauguré en 1889. Ce retard était dû à des difficultés financières de dernière heure, qui n'avaient été résolues que par l'intervention d'une femme étonnante, Mary Garett. Celle-ci avait négocié son apport, en échange de l'entrée des femmes au John Hopkins. On imagine les hésitations du conseil d'administration. Et puis le modernisme et la sagesse avaient pris le dessus. Les femmes et les hommes seraient admis sans discrimination. Pour tous, les conditions étaient les mêmes, trois langues et le niveau de la licence.

Florian était fasciné par cet univers inimaginable pour un Français. Il se prenait à rêver de faire ici un stage de longue durée, quand sa mère serait guérie. Cette pensée le fit frissonner.

Cushing l'emmena un matin pour écouter un cours de William Osler, le chef du service de médecine, qu'il admirait particulièrement. C'était un Canadien de moins de cinquante ans, qui s'exprimait dans un anglais simple et que Florian comprenait sans peine. Il parlait ce jour-là de cette pathologie cardiaque d'origine infectieuse qui l'avait fait connaître dans le monde entier, depuis la première description qu'il en avait faite, trois ans auparavant. Il ne se doutait pas qu'un siècle plus tard cette maladie porterait encore son nom.

Ils allèrent aussi en salle d'opération. C'était une vaste pièce, claire, avec une rambarde qui séparait l'opérateur des éventuels spectateurs. Mais Halsted n'admettait pas plus d'un ou deux visiteurs quand il opérait. Ce jour-là, un résident enlevait un goitre. L'atmosphère était celle d'une église ; on chuchotait à peine. Florian découvrit que les chirurgiens portaient des gants. Cushing lui raconta que le patron avait fait faire pour son infirmière principale, qui ne supportait pas les désinfectants pour les mains, une paire de gants chez Goodyear, le grand fabriquant de caoutchouc. Elle en avait été si satisfaite que des chirurgiens, dont la peau souffrait aussi, avaient suivi son exemple.

— Et maintenant, tout le monde en porte. On les fait stériliser, comme les blouses et les calottes, et plus personne n'a d'eczéma sur les mains. Cushing se pencha vers Florian et ajouta, d'une voix plus basse encore : Et le patron a épousé l'infirmière !

Halsted devait arriver le dimanche suivant et Cushing pensa que le mieux était d'hospitaliser Mme de La Verle, afin que le patron puisse la voir dès qu'il le souhaiterait, sans passer par le barrage des secrétaires. Ariane entra donc, le dimanche soir, dans la chambre qui lui avait été réservée, et passa la soirée avec son fils à faire des plans pour l'avenir, sans évoquer à aucun moment l'échéance qui l'attendait.

Le lundi, quand Florian la retrouva, elle lui parut radieuse.

— Je l'ai vu, dit-elle à son fils.

— Halsted ?

— Oui. Il est arrivé très tôt, avec ton ami Cushing. Il est resté à m'examiner pendant plus d'une heure. Il m'a palpée, auscultée, interrogée... Puis, il m'a dit : « Il faut vous opérer. »

— Et alors ?

— Alors j'ai demandé : « Quand ? » Et il m'a répondu : « Demain. »

Florian, suffoqué, ne savait quoi dire. Il embrassa sa mère et s'en fut, les larmes aux yeux.

Dans l'après-midi, il revit Cushing qui était déjà au courant. Ils bavardèrent longuement, et le jeune chirurgien expliqua à son collègue français comment se passait habituellement ce type d'intervention. Mais Florian ne voulait pas trop en entendre. Cushing n'insista pas et conclut :

— C'est un médecin résident qui donnera l'anesthésie, et c'est moi, probablement, qui aiderai le patron. Je vous raconterai.

Il valait mieux que Florian ne vienne qu'en fin de matinée car l'opération durerait trois ou quatre heures, et l'attente, dans la chambre, lui semblerait longue.

Le soir, en laissant sa mère, Florian eut l'impression qu'elle était détendue, souriante, intriguée plus qu'inquiète, comme si elle devait assister à un spectacle, sans se soucier d'en être la vedette. Elle lui fit ses recommandations pour le linge qu'il devait lui rapporter, et lui demanda d'aller lui acheter une eau de toilette qui lui manquait. Elle lui réclama aussi le livre de poésies qu'elle avait laissé à l'hôtel.

La porte fermée, elle se laissa tomber sur le lit, et le manège des angoisses commença à tourner dans sa tête.

Le lendemain matin, il alla faire ses emplettes. En plus de l'eau de toilette, il acheta des fleurs et des journaux, si bien qu'il entra dans la chambre les bras encombrés.

Il resta figé sur le pas de la porte. Harvey Cushing était assis sur le lit, le visage ravagé. En une fraction de seconde, Florian comprit ce qui s'était passé. Ses bras s'ouvrirent sans qu'il y prenne garde, et les paquets se répandirent sur le sol. Il fut pris de tremblements et n'entendit plus les paroles de son ami. Un voile passa devant ses yeux, et il perdit conscience.

Il reprit connaissance sur le lit où les infirmières l'avaient allongé. Une serviette mouillée lui rafraîchissait le front. Il lui fallut quelques instants pour réaliser ce qui venait d'arriver.

Cushing se pencha vers lui. Sa voix était rauque, comme si elle ne lui appartenait pas.

— Elle a fait une syncope, avant qu'on opère. Pourtant le résident a mis l'éther comme d'habitude, ce n'est pas un novice. Elle a bien respiré dans le masque. Elle était tendue, crispée, mais docile. Elle s'est à peine débattue. Sa respiration est devenue plus ample, et s'est arrêtée. Il a relevé le masque et lui a tapoté la joue, comme on fait dans ces cas-là. Sa pupille était à peine dilatée... Mais la respiration n'est pas revenue. Le patron était habillé, ganté, le bistouri à la main... Personne n'a rien pu faire. Je ne comprends pas ce qui s'est passé. Un arrêt cardiaque. Une mort subite. C'est terrible ! Le résident n'a commis aucune faute, je vous le jure...

Le pauvre garçon regardait autour de lui les infirmières, muettes, incapables de trouver les mots qu'il aurait fallu dire pour l'aider. Il prit la main de Florian. Celui-ci était dans une sorte d'état léthargique ; les yeux grands ouverts, il regardait dans le vague. Les phrases hachées que le pauvre Cushing prononçait comme s'il avait subi un interrogatoire tombaient dans le silence, et semblaient traverser son esprit sans s'y fixer. Sa pensée était vide, déshabitée.

— Je vous laisse un instant, murmura enfin le chirurgien. Reposez-vous. Que l'une d'entre vous reste avec lui. Je reviendrai plus tard.

Il revint, accompagné de Halsted, qui expliqua à nouveau ce qui s'était passé. Mais Florian aurait été incapable de répéter ce que le patron avait dit. Pourtant il s'exprimait dans un excellent français, mais les mots semblaient avoir perdu toute signification. Dans sa tête, une seule phrase, maintenant, se répétait sans cesse : « Ma mère est morte, je ne la reverrai plus. » Et il l'entendait sans parvenir à y croire.

Il passa la nuit au John Hopkins, anéanti par un calmant et, le lendemain matin seulement, il commença à réagir. Il demanda à la voir. On le conduisit à la morgue et il dut subir l'atroce épreuve du chariot recouvert d'un drap blanc. Elle avait un visage reposé, détendu, rajeuni. Il dut la toucher pour accepter l'idée qu'elle était vraiment morte. Elle n'avait aucun pansement. Il lui baisa le front et remit le drap sur ce visage qu'il avait tant aimé, et qui demeurerait, il le savait, son seul amour.

Rentré à l'hôtel, avec le sac où les infirmières avaient rangé les affaires personnelles de la défunte, il s'allongea sur le lit, et ses nerfs le lâchèrent à nouveau. Il se mit à pleurer comme un enfant, à prononcer des phrases incohérentes, à parler à sa mère comme si elle était là, à lui rappeler tous les moments qu'ils avaient passés ensemble et à lui demander de ne pas partir, de ne pas le laisser seul...

Ce sentiment de solitude, qui prenait naissance dans cette ville américaine où personne ne le connaissait, il savait qu'il ne le quitterait plus jamais. Il savait que sa vie durant il ne serait plus capable d'être autre chose qu'un solitaire, mais pas par goût, comme certains, non, par obligation, par abandon. Tout le monde, dans sa courte vie, l'avait abandonné : son père, le premier, son grand-père ensuite, et maintenant sa mère. Il ne pouvait se résoudre à imaginer sa vie d'orphelin. Et c'est sur lui qu'il pleurait dans cette chambre anonyme qui lui semblait représenter le modèle de celles qui l'hébergeraient désormais.

Il n'était pas si loin de la vérité.

CHAPITRE V

Ce soir de novembre 1912, le vent soufflait une pluie glacée sur les eaux noires de l'East River quand la grosse Ford stoppa devant le Rockfeller Institute. Marie-Geneviève sauta lestement, aidée par le valet galonné qui tenait avec difficulté un immense parapluie rouge. Elle grimpa les marches en courant, suivie par son père qui s'essoufflait, et avait bien du mal à empêcher son chapeau haut de forme de s'envoler.

La jeune fille entra dans la salle de réception brillamment éclairée, où déjà une foule élégante se pressait. Elle constata avec satisfaction que, comme d'habitude, les regards des hommes convergeaient vers elle. Avec ses dix-huit ans, son air faussement réservé et sa robe neuve, elle se savait en beauté et comptait bien en profiter. Elle adorait ces réceptions officielles où elle jouait à deviner la fonction de ces hommes seuls qui viennent là sur commande, et s'ennuient copieusement.

Devant elle, justement, il y avait un spécimen de cette race. Mais celui-là était d'une beauté insolite. Grand, large d'épaules, avec un habit noir d'une coupe parfaite et des chaussures de chevreau qui sentaient la grande maison. Des cheveux sombres à peine striés de gris, une fine moustache sur une bouche bien dessinée mais un peu amère, et des grands yeux tristes qui donnaient à son visage cette note de vulnérabilité que les femmes adorent.

— Une âme à consoler, se dit la jeune fille.

L'homme se dirigeait vers le buffet.

— Père, ne pourrait-on boire quelque chose ? Cette course m'a donné soif. Pas vous ?

Ils prirent la même direction que l'inconnu, mais un ami interpella son père à quelques pas du buffet, si bien que Marie-Geneviève se trouva seule à côté de l'homme qui demandait un verre d'eau. La voix était belle, mais surtout son accent trahissait l'origine française. C'est en français, qu'à son tour, elle demanda un verre d'orangeade. Le résultat escompté fut obtenu, il se retourna vers elle avec un air interrogatif.

Elle lui sourit, puis baissa modestement les yeux en murmurant :

— À l'étranger une jeune fille a le droit d'adresser la parole à un compatriote, même si elle ne lui a pas été présentée, n'est-ce pas ?

— Qu'à cela ne tienne, mademoiselle, les présentations seront vite faites. Je m'appelle Florian de La Verle, et je travaille ici, à l'Institut.

Les yeux bleu sombre de la jeune fille s'étaient arrondis de surprise. Elle ouvrit la bouche pour parler, mais n'émit aucun son. Florian s'inquiéta.

— Quelque chose ne va pas, mademoiselle ?

Elle but une gorgée d'orangeade avant de répondre.

— Tout va bien monsieur, je vous prie de pardonner ma surprise. Florian de La Verle, avez-vous dit ?

— C'est vrai. Nous nous connaissons déjà ?

— Non, mais... Vous permettez un instant, je voudrais que mon père vous connaisse. Elle fit les trois pas qui la séparaient de son père, et le tira par la manche : Père, excusez-moi, voulez-vous venir un instant ?

Le gros homme s'inclina devant ses interlocuteurs, et leur demanda pardon de les laisser un moment. Il se retourna vers sa fille qui l'attirait vers le buffet. C'était un homme d'une cinquantaine d'années, grand et un peu fort, mais très élégant aussi, avec une barbe pointue qui lui donnait un air désuet.

— Père, je vous présente Florian de La Verle. Et montrant son père à Florian elle continua : Le comte Charles-Henri de Malmort, consul général de France à New York. Et moi je suis Marie-Geneviève, sa fille adorée, qu'il appelle Mary-Gi.

Florian s'exclama :

— Mon Dieu, monsieur, seriez-vous le fils de Charles et de Mary ?

— Les amis de votre grand-père, oui. Il se reprit : Des amis qui se sont séparés il y a bien longtemps, quand une malheureuse guerre opposait les Français entre eux.

L'homme était souriant, et cette rencontre, manifestement, l'émouvait. Il prit un verre sur le buffet et continua à parler.

— Après les événements de 1870, mes parents sont retournés à Londres où ils sont morts tous les deux maintenant, Dieu ait leur âme. Moi j'étais revenu à Paris faire mes études, puis je suis entré dans la diplomatie et mes différents postes m'ont écarté de France, si bien que je ne suis jamais allé à Saint-Yé.

— Moi non plus, intervint Marie-Geneviève, et je le regrette. Et vous ?

— Moi j'y ai vécu toute mon enfance...

En les regardant, Florian se remémorait cette phrase qu'il avait lue dans un manuscrit de la grande malle : « Quoi que vous fassiez, nous serons toujours le château, et vous la rivière. » Il s'était maintes fois baigné dans cette eau claire de La Verle, en regardant le château en ruine en haut de la prairie, et en songeant aux liens compliqués qui unissaient les deux familles, mais que si peu de gens connaissaient.

— Comment êtes-vous arrivé à l'Institut ?

Florian hésitait à répondre, c'était une si longue histoire.

Après la mort de sa mère, il était resté prostré, incapable de prendre une décision. Elle avait été inhumée dans un caveau provisoire, en attendant que son rapatriement fût décidé. Chaque jour il allait au cimetière, et demeurait de longues heures, assis devant la dalle funéraire, ressassant les événements qui l'avaient conduit là.

De France était arrivé un gros paquet de lettres et de journaux expédiés par les soins de Félicien. Il avait découvert que l'affaire Dreyfus faisait rage, avec les articles antisémites écrits avec du vitriol dans *l'Éclair*, ou *la Libre Parole* de Drumont. Une lettre de Marie-Ange Leforestier l'avait bouleversé. La jeune fille lui parlait de la folie de son frère, qui n'avait jamais supporté l'autorité abusive de ce père à qui tout réussissait, et qui militait maintenant dans les rangs de l'Action française. Ils avaient appris, Dieu seul sait comment, qu'il s'était réfugié à Berlin chez sa tante Ebstein, et, dans l'esprit de son père, il était englobé dans cette haine des juifs qui se manifestait ouvertement dans la presse parisienne depuis la condamnation du capitaine félon. La pauvre fille lui demandait d'excuser son père qui avait perdu la raison depuis la mort de son fils, et qui proférait des menaces de mort à son égard, alors qu'elle savait, elle, à quel point il était innocent. Le ton de cette lettre était émouvant, mais dénotait une tendance délirante, avec une part d'amour irraisonné que Florian n'avait nulle envie d'affronter.

Après plusieurs semaines, il avait fini par reprendre ses esprits, mais, incapable de surmonter son désespoir, il s'était décidé à partir faire le voyage dont sa mère rêvait, autour du monde.

C'est ainsi que dix années d'errance l'avaient conduit aux quatre coins du globe. Il avait fait de la médecine, de la chirurgie, du trafic en Orient, cherchant l'aventure et peut-être la mort. Il n'avait rencontré que d'autres désespoirs incapables d'atténuer le sien. De loin en loin, il écrivait à sa tante de Berlin une lettre anodine où il ne disait rien.

Pourtant il lui arrivait parfois, au hasard des escales, de lire des nouvelles de France, et chaque fois qu'il découvrait des articles sur l'affaire Dreyfus, il avait la nausée. Jusqu'à ce jour de 1906, où la réhabilitation du capitaine par le gouvernement Waldeck-Rousseau lui avait donné soudain la sensation que son martyre, à lui aussi, était terminé. Bizarrement, et presque inconsciemment, il s'était identifié à cet homme sans reproche, victime du mensonge et de la bêtise humaine. Comme lui, il s'était senti banni et exilé, loin d'un pays qui se déhonorait par des décisions iniques.

Du jour au lendemain, il eut l'impression de se réveiller d'un long cauchemar. Il jeta au feu tout ce qu'il avait écrit pendant ces temps de démence, et décida de rentrer en France. Il retourna à Baltimore, et reprit une chambre dans ce petit hôtel où sa vie avait basculé. Il fallait faire des formalités de rapatriement du corps, et il se heurta à une administration pesante, lente et tatillonne.

Après quelques jours d'hésitation, attiré comme par un aimant, il retourna au John Hopkins hospital, et demanda si Harvey Cushing était toujours là. L'Américain, suffoqué, lui tomba dans les bras. Il avait peu vieilli, son visage émacié avait pris quelques rides, mais il avait toujours ce bon regard d'honnête homme qui, autrefois, avait séduit Florian et Ariane.

Ils passèrent ensemble une longue soirée, et Cushing lui raconta ce qui s'était passé après la mort de sa mère. À l'initiative d'Halsted, ils avaient mis au point des protocoles de surveillance pour les anesthésies, avec prises de la tension artérielle et du pouls, perfectionnement des masques, et adoption du modèle français d'Ombredanne. Surtout, le patron avait développé sa technique d'anesthésie locale qui ne faisait pas courir au patient ce risque de mort subite contre lequel on était impuissant.

— Anesthésie locale ?

Florian, depuis dix ans, avait perdu tout contact avec le progrès. Cushing adorait raconter les anecdotes qui émaillaient l'histoire des découvertes médicales. Il confessait d'ailleurs son espoir d'obtenir un jour, au moment de sa retraite, la possibilité d'enseigner cette matière dont personne ne s'occupait alors.

C'est ainsi qu'il conta, ce soir-là, l'incroyable histoire de l'entrée de la cocaïne dans le monde médical. Ce produit, connu depuis des siècles par les Indiens du Pérou, avait la propriété d'endormir la bouche de ceux qui mâchaient les feuilles de coca, tout en leur donnant une espèce d'euphorie passagère. Un médecin de Vienne, appelé Sigmund Freud, avait eu l'idée d'en faire absorber à des patients qui, sous l'emprise de cette drogue, libéraient ce qu'il appelait leur subconscient. À un jeune ophtalmologiste de ses amis, il avait conseillé d'étudier l'effet du produit sur l'œil, dans l'idée que cette insensibilité passagère pouvait permettre des interventions indolores. Et c'est ainsi que Karl Koller, âgé de vingt-six ans et complètement inconnu jusqu'alors, avait fait une communication sur ce sujet, à la Société allemande d'ophtalmologie, en septembre 1884.

Toujours à l'affût des idées nouvelles, Halsted s'était consacré à l'étude des propriétés de la cocaïne, et il n'avait pas été déçu du résultat : tous ses coéquipiers étaient devenus cocaïnomanes ! Lui-même avait sans doute abusé aussi de cette drogue, et peut-être même, ensuite, de la morphine... Cependant, on avait pu codifier l'usage du produit en l'injectant dans les tissus. Ainsi parvenait-on à réaliser des interventions chirurgicales majeures, et même l'ablation d'un sein, sans prendre des risques dont on connaissait la gravité !

Florian était fasciné par cette honnêteté du raisonnement américain. Les échecs étaient officialisés, disséqués, répertoriés et tout le monde se mettait au travail pour les éviter à l'avenir, ou en minimiser les conséquences. Mais ce sujet lui faisait mal. Il changea de conversation.

— Et vous, Harvey, qu'êtes-vous devenu, en dix ans ?

— J'ai fait un grand tour d'Europe, et je me suis spécialisé dans les tumeurs du tissu nerveux.

— Vous êtes satisfait ?

— Satisfait d'avoir un poste officiel au John Hopkins, oui, mais déçu de ma chirurgie. Il y a des jours où je me demande si l'on parviendra jamais à enlever les tumeurs du cerveau. Les nerfs conservent leur mystère, et je crains qu'il ne faille longtemps pour les comprendre. Ils gardèrent le silence un moment, et Cushing reprit : Qu'allez-vous faire maintenant ?

Florian ne savait pas. Revenir en France sans doute, pour terminer son internat et passer sa thèse. Faire une carrière de biologiste ? Y avait-il des laboratoires qui accepteraient de l'accueillir ? Ou bien, aller en Allemagnc. Mais on disait que la militarisation de ce pays, et son agressivité à l'égard de la France, rendaient de plus en plus difficile la vie de ses ressortissants.

Cushing avait une idée.

— Vous avez manifestement des dispositions pour faire de la recherche. Pourquoi n'iriez-vous pas à New York, voir votre compatriote Alexis Carrel ? Il travaille au Rockfeller Institute. Il vous donnerait sûrement d'utiles conseils. Il est très introduit dans la société scientifique américaine, et c'est un chercheur de qualité exceptionnelle. Lui aussi a quitté la France pour des raisons d'intolérance, et je suis certain qu'il vous recevrait très volontiers.

C'est ainsi que Florian avait rencontré, quelque temps plus tard, le chirurgien qui avait claqué la porte des hôpitaux lyonnais après deux échecs au Bureau central. « Ce n'est pas votre tour », lui avait-on dit. Alors il s'était expatrié. Il avait voulu démontrer qu'il est possible d'atteindre la célébrité sans être « chirurgien des hôpitaux ».

C'était un petit homme imberbe au crâne rasé dont le regard aigu brillait derrière un lorgnon cerclé d'acier. Il reçut Florian dans son laboratoire, au cinquième étage de l'Institut. L'œil au microscope, il posait ses questions, et Florian répondait à une silhouette penchée en avant, sanglée dans une blouse stricte boutonnée jusqu'au cou. Puis, il y eut un long silence.

— Avez-vous un programme de recherche ?

Florian hésita une fraction de seconde. Il avait envisagé de répondre qu'il s'intéressait aux tissus nerveux, mais l'homme l'impressionnait tellement qu'il n'avait pas osé ruser. Il répondit simplement.

— Non.

Il y eut encore un silence interminable. Enfin Carrel redressa la tête et se retourna vers Florian. De sa voix métallique il prononça la phrase qui allait transformer sa vie.

— Je vous prends à l'essai pour six mois, avec un salaire de préparateur. Au terme de ce délai, nous ferons le point, et nous parlerons de votre avenir.

— Et vous êtes avec lui depuis...

— Six ans !

— Étonnante histoire, murmura Marie-Geneviève, fascinée.

Ils étaient assis sur une banquette au fond de la salle de réception, et Florian lui avait raconté sa vie, en simplifiant un peu.

— Avez-vous une spécialité ? demanda encore la jeune fille.

— J'expérimente sur la cicatrisation du tissu nerveux, comme mon ami Cushing.

Il y eut un mouvement dans la salle.

— Les voilà !

Les applaudissements saluèrent l'arrivée du cortège.

— Que c'est triste d'être petite, pestait Marie-Geneviève. Que voyez-vous ?

— Alexis Carrel marche à côté du Président des États-Unis, et ils avancent vers la chaire qui a été dressée au fond de la salle.

— Je n'aurais jamais cru que Taft se déplacerait...

— Tout de même, c'est la première fois que les États-Unis reçoivent le prix Nobel de médecine.

— Mais c'est un Français qui l'a mérité !

— C'est vrai, soyons un peu chauvins !

Le Président prit la parole, et couvrit de louanges celui qui entrait dans la lignée des grands pionniers de la médecine, comme Harvey, Jenner, Koch, Pasteur...

Florian avait les larmes aux yeux.

Après les discours, un mouvement de foule se fit vers le lauréat. Tout le monde voulait le féliciter.

— Vous n'y allez pas ? demanda Marie-Geneviève.

— Non, il a horreur de la foule, et moi je l'ai déjà félicité, quand il a appris la nouvelle dans la presse !

— Il n'a pas encore reçu officiellement son prix ?

— Non. Il ira à Stockholm pour le 10 décembre, date anniversaire de la mort d'Alfred Nobel, le généreux donateur.

— C'était un savant aussi ?

— Oui, il a inventé mille choses sur les explosifs, et c'est avec les droits que rapportent ses brevets que le prix est alimenté.

La jeune fille continua à poser des questions, mais Florian commençait à se fatiguer. Au début il trouvait cette curiosité émouvante, et il pensait que c'était le signe d'une intelligence qui sait s'intéresser à tout, mais il se demandait maintenant si ce n'était pas simplement un goût immodéré pour le bavardage. Quand il eut encore expliqué que Carrel avait eu ce prix à cause de ses travaux sur les sutures artérielles expérimentales, les transpositions d'organes et les cultures de cellules, il allégua une impérieuse obligation de partir, et il ramena la jeune fille à son père.

Celui-ci, avec une extrême amabilité, fit promettre à Florian de leur rendre visite au consulat général où ils logeaient, et ils se quittèrent, comme s'ils avaient été des amis de toujours, ce qui, en un sens, n'était pas complètement faux.

La semaine suivante, un carton d'invitation arriva à l'Institut et Florian alla dîner au consulat. Il y rencontra quelques Français de passage, et ce fut un grand plaisir pour lui, qui vivait loin de son pays depuis quinze ans, de se retrouver dans une atmosphère typiquement parisienne, et d'entendre parler de tout ce qu'il pensait avoir oublié. La politique des alliances, le dépeçage de l'Afrique du Nord, le Maroc aux Français, la Tripolitaine aux Italiens, l'Égypte aux Anglais... Des noms aussi qui lui étaient inconnus : Combes, Maurras, Monet, Matisse. En revanche, il brillait sur le seul sujet qui l'intéressait alors, la musique. Il était capable d'expliquer comment Schönberg ou Debussy se séparaient de la musique tonale où il n'y avait plus rien à inventer. On le faisait parler de Meyerber, Gounod, Berlioz... sur tous ces gens à peine connus encore, il était intarissable. Il avait même eu l'occasion de rencontrer un Allemand, ami de sa tante, qui s'appelait Emil Berliner et qui avait fondé, aux États-Unis, la première société de disques, la Deutsche Grammophon. Et déjà, il était passé du rouleau au disque plat, et pouvait parler d'un début de collection.

Il fut apprécié... et réinvité !

Ainsi, au fil des soirées mondaines, il s'établit une relation ambiguë entre Marie-Geneviève et lui. Il avait quarante ans et elle dix-huit. Pour cette gamine qui avait perdu sa mère très jeune, et qui vivait dans l'ombre d'un diplomate si occupé, il jouait un peu les maîtres à penser. Elle lui demanda plusieurs fois de l'accompagner à des réceptions officielles. En retour, il l'emmena au concert et à l'opéra.

tant et si bien que l'idée qu'ils formaient un beau couple naquit dans quelques esprits. De fait, Marie-Geneviève trouvait qu'il ferait un mari fort présentable.

Quant à lui, il pensait qu'il aurait pu être son père, et l'idée de se marier avec cette petite fille exubérante ne lui était jamais venue à l'esprit. Jusqu'au jour où le consul l'entreprit sur ce sujet. C'était un soir après dîner, à l'heure où l'on allume les cigares. Malmort philosophait comme à son habitude sur les difficultés de l'existence, et, prenant Florian à parti, il s'étonna qu'il fût encore célibataire. Surpris, l'autre expliqua que sa vie était trop incertaine pour qu'il puisse songer à s'établir. Étranger dans ce pays où il ne pouvait s'installer comme médecin, assistant à l'Institut, avec un contrat qu'il fallait renouveler chaque année, il se voyait mal proposer à une femme de partager de telles incertitudes d'avenir.

— Cette situation a surtout l'air de vous convenir assez bien...

— C'est vrai, avoua Florian. J'ai la chance d'avoir des revenus personnels qui me mettent à l'abri du besoin, et je fais un métier qui me passionne aux côtés d'un homme de génie. Pourquoi changerais-je ?

Il avait une chambre à l'année dans un petit hôtel situé à l'angle de la 65e rue et de la 5e avenue, à deux pas de Central Park et à dix minutes à pied de l'Institut. Il ne possédait que quelques livres et ses vêtements, et pouvait partir du jour au lendemain avec un simple sac de voyage. Carrel l'avait fait admettre à l'Athlétic Club, où il faisait du sport et dînait presque chaque soir, quand il n'allait pas au spectacle. Il déjeunait à l'Institut d'un sandwich en travaillant.

— Une femme, mon cher, insistait Malmort, il faut avoir eu cela une fois dans sa vie. J'en connais qui ne demanderaient pas mieux que de vous aider à fonder un foyer...

Et il était parti d'un grand éclat de rire, suivi par les autres convives dont les épouses péroraient au salon. Sans insister, il avait appelé sa fille :

— Mary-Gi, *please*, voulez-vous nous servir un peu de fine, ma chérie ?

Florian l'avait regardée avec plus d'attention, en se posant honnêtement la question de savoir si ce ravissant petit bout de femme ne pourrait pas devenir Mme de La Verle, et il s'était répondu négativement, sans hésiter. Tant qu'il s'agissait d'un soir à l'Opéra, un dîner en ville, pourquoi pas, mais rien de plus, c'était l'évidence.

Mis sur la défensive par les réflexions du père, il espaça ses rencontres avec la fille, prétextant d'autres engagements, ou du travail à l'Institut. Jusqu'au jour où, seul au concert, il la rencontra au bras d'un jeune universitaire américain. Elle paraissait très éprise, et il ressentit un soulagement qu'il se garda bien de manifester. Il crut le danger écarté.

La conversation avec Malmort avait eu l'avantage de le faire réfléchir sur sa condition somme toute précaire pour un homme de quarante ans. Ne serait-il pas temps d'envisager une situation plus stable ? Naturellement, Florian dirigea d'abord ses regards vers la France. Il se procura plus souvent les journaux de Paris et s'intéressa à la vie politique de son pays. Mais il sentit la nausée le reprendre devant les assauts où s'affrontaient Poincaré et Clemenceau, les socialistes et les radicaux, les catholiques et les anticléricaux... Comme il était loin de toutes ces querelles qui lui paraissaient vides de sens !

À force de considérer son pays comme il le faisait, il eut une sorte de révélation. Dans sa tête, il était devenu américain. Pourquoi ne pas demander sa naturalisation ? Naïvement il en parla à Mary-Gi qui se méprit sur ses intentions. N'était-ce pas un moyen détourné de lui proposer une installation définitive à New York ?

Florian laissa mûrir cette idée et en parla aussi à Carrel. Celui-ci avait sur ce problème une position paradoxale. Très critique vis-à-vis de la France et de ses politiciens, il demeurait foncièrement attaché à son pays. Il y revenait chaque année, pour y passer les mois d'été, et il y avait acheté une propriété. S'il refusait pour lui-même toute idée de naturalisation, il ne découragea pas Florian dont il comprenait parfaitement les motivations... et les hésitations.

Les mois passèrent ainsi sans qu'il se décide. Mary-Gi sortait avec des chevaliers servants qui n'étaient jamais les mêmes, et Florian jouait les confidents. Elle le prenait par le bras et lui disait :

— Je vous parle comme à un grand frère.

Il l'écoutait et lui donnait son avis sur le dernier cavalier en date. Insensiblement, il devenait à nouveau l'intime de la maison, et fumait de plus en plus souvent les cigares du consul général.

Il était dans le salon du consulat le soir où, avant la presse, Malmort apporta la nouvelle de l'assassinat à Sarajevo de l'héritier d'Autriche, l'archiduc François-Ferdinand, et de son épouse.

— L'Europe va s'embraser, prophétisa le diplomate.

Florian n'aspirait qu'à la paix et rien ne comptait plus pour lui que ses animaux sur lesquels il transplantait des petits morceaux de nerf. Il était sur le point de publier une longue série de sutures nerveuses avec récupération de la motilité et de la sensibilité, et il était très fier des résultats obtenus.

Ce soir-là, il prit la décision de se faire naturaliser, et s'en ouvrit à Malmort qui le félicita de préférer la science à la guerre qui ne manquerait pas d'éclater. Mary-Gi, mise au courant, crut qu'elle avait réussi à le rendre suffisamment jaloux pour qu'il se déclare enfin, et lui sauta au cou en s'exclamant joyeusement :

— Moi aussi, je veux être américaine !

Discrètement Malmort s'éclipsa, laissant les mains libres à sa fille dont il partageait les espoirs matrimoniaux. Florian, toujours aussi naïf, tomba des nues quand Mary-Gi lui avoua son amour. La jeune fille s'était lovée contre lui sur le grand canapé, et roucoulait en dévidant l'écheveau de ses projets : les fiançailles, le mariage, la maison, les enfants...

Florian, terrorisé et stupéfait d'avoir déclenché un tel cataclysme, se demandait comment il parviendrait à sortir du quiproquo qu'il avait provoqué. Maladroitement, il prononça des phrases dilatoires et embarrassées qui jetèrent un froid. Mary-Gi se redressa, et lui fit face, toutes griffes dehors.

— Vous avez bien l'intention de m'épouser, Florian ?

Il la regarda un moment, cherchant à gagner du temps, mais son silence même était une réponse. Elle bondit sur ses pieds.

— Vous vous moquez de moi !

— Mary-Gi, je n'ai jamais rien fait de semblable.

— Mais que signifie cette scène alors ?

L'incongruité de cette question le laissa muet. Quelle scène avait-il faite ? Avant d'avoir compris ce qui lui arrivait, il reçut une gifle magistrale et vit la jeune fille, pleurant de rage, taper du pied et s'enfuir en courant.

Quelques jours plus tard, sa demande de naturalisation lui était refusée. Le consulat avait donné sur lui des renseignements défavorables. Il essaya d'en savoir plus. L'employé, embarrassé, lui répondit qu'on l'accusait d'avoir été impliqué, autrefois, à Paris, dans une mystérieuse affaire de mœurs... Lui-même n'en savait pas plus.

Alexis Carrel n'était pas à New York. Comme chaque année il était parti pour la France et Florian ne connaissait personne qui aurait pu l'aider. Il se ressaisit et décida qu'il valait mieux rester français, si la naturalisation impliquait un mariage avec cette forcenée. Le sort avait contrarié des projets auxquels, tout compte fait, il n'était pas si attaché.

Mais les événements se précipitaient en Europe et, lorsque la nouvelle de la déclaration de guerre de l'Allemagne parvint jusqu'à New York, Florian réalisa qu'il devait impérativement aller se ranger sous le drapeau de son pays.

Il quitta l'Amérique, avec regret, sans avoir revu ni Mary-Gi ni son père. Il avait conscience de voir s'ouvrir devant lui une nouvelle tranche de vie.

CHAPITRE VI

Florian arriva dans un Paris pris de panique. L'offensive allemande bousculait les armées franco-anglaises, et Von Kluck menaçait déjà la capitale. Les relations étaient coupées avec le nord, et il n'était pas envisageable de se rendre à Saint-Yé. La maison de la rue des Feuillantines et l'hôtel de la rue de l'Entrepôt étaient fermés. Il ne savait où aller. Autant s'engager sur-le-champ.

Il se décida donc à rejoindre le Val-de-Grâce. Il y connaissait un nom, Charles Dopter. Ils s'étaient rencontrés à Paris, pendant l'été 1890 au moment où, l'un comme l'autre, ils allaient choisir la carrière médicale. Charles, qui avait des problèmes financiers, avait opté pour l'École du service de santé des armées de Lyon, et ils ne s'étaient jamais revus depuis. Mais Florian avait vu passer des publications de son ami qui était devenu un bactériologiste éminent, et il savait qu'il était professeur au Val-de-Grâce.

Il le demanda à l'entrée de l'École et il eut la surprise de s'entendre répondre tout simplement :

— Porte au fond de la cour, troisième étage, le premier bureau à droite.

Il frappa à la porte et trouva son ami, le lorgnon sur le nez, devant une montagne de papiers. Ils hésitèrent un moment avant de se reconnaître, puis ce fut la joie des retrouvailles. Florian expliqua les raisons de son intrusion, et, surtout, de son arrivée tardive pour une incorporation dont il ignorait les formalités. L'autre se gratta le front longuement.

— Tu n'es ni ancien interne, puisque tu n'as pas fait tes quatre ans, ni médecin puisque tu n'as pas passé ta thèse. Tes états de service auprès de Carrel ne te seront d'aucune utilité en face de l'administration militaire. En plus, tu as quarante-deux ans !

— Il me semble que je devrais pouvoir me rendre utile, au moins comme infirmier.

— Effectivement, je ne vois pas d'autre solution, pour commencer, mais tu vas souffrir !

Florian fit un sourire qui semblait signifier qu'il n'était pas très inquiet.

— La seule chose que je puisse faire pour toi, conclut Dopter, c'est de te conduire à l'officier d'administration qui facilitera ton incorporation directement ici, et qui veillera à ce que tu gravisses rapidement les échelons de la hiérarchie. Si on peut te faire affecter à une ambulance, tu seras avec des chirurgiens qui sauront bien t'utiliser. Pour te faciliter les choses en cas de besoin, je vais te donner une lettre que tu remettras, au moment voulu, au médecin commandant l'unité sanitaire à laquelle tu te trouveras affecté.

Il n'y avait rien d'autre à faire, et Florian remercia son ami de l'aide précieuse qu'il lui apportait pour pénétrer dans cette administration militaire dont il imaginait les pesanteurs.

— De plus, ajouta Dopter, je vais te faire inscrire sur la liste des demandeurs de thèse. Tu as bien une publication à fournir ?

— Évidemment, j'en ai même beaucoup !

— Une seule suffira pour une thèse de temps de guerre. La soutenance ne sera qu'une formalité, et tu seras « médecin militaire ». De nombreux étudiants sont dans ton cas, et tu ne devrais pas tarder à être convoqué. Je vais m'en occuper.

C'est ainsi que, trois jours plus tard, Florian en uniforme de bidasse commençait à suivre la formation accélérée des infirmiers militaires, avec le grade de soldat de deuxième classe.

Florian se souviendrait longtemps de ces temps heureux du Val-de-Grâce, en comparaison de ce qu'il vécut dans les jours qui suivirent. Affecté à une ambulance divisionnaire de la 9e armée de Foch, son groupe descendit du train dans une gare dont on avait enlevé les pancartes. Harnaché comme un baudet, ruisselant sous la pluie, il marcha deux jours pour arriver dans les marais de Saint-Gond où la bataille faisait rage. Sans avoir eu le temps de s'acclimater, il se retrouva, en pleine gadoue, dans un univers apocalyptique où les artilleurs des deux camps échangeaient à longueur de journées une pluie d'obus et de shrapnels. Personne ne lui avait appris ce qu'il fallait faire quand le sifflement se rapproche, suivi d'une explosion qui soulève une montagne de boue.

Au début, par instinct, il se baissait à chaque miaulement, puis, devant l'inutilité de ce geste absurde, il décida que la mort, de toute façon, le prendrait quand elle en aurait envie, et il fit comme les autres, il marcha, la tête rentrée dans les épaules, et la casquette enfoncée jusqu'aux oreilles. Avec son coéquipier, un beauceron peu bavard, il manipula pendant trois jours le même brancard. Ils couraient dans un sens, ramassaient un blessé et revenaient le poser sur la route à côté des autres. Les voitures ambulances passaient les récupérer au pas lent de leurs percherons impassibles. Entre le brouillard, la pluie, et la fumée, ils ne voyaient rien du paysage. Ils avançaient jusqu'à ce qu'ils trouvent un corps effondré, et ils le ramassaient. Peu leur importaient l'uniforme et la nationalité. Dans cette bouillasse, ils se ressemblaient tous. La nuit, ils sommeillaient, adossés à un tronc d'arbre abattu, grelottant dans leurs uniformes perpétuellement humides.

Un matin, le vacarme avait cessé. L'ennemi reculait. On avait gagné la bataille. On les envoya au repos dans un hôpital installé à quelques kilomètres à l'arrière du front. Ils dormirent toute une nuit, dans une quiétude qu'ils devaient à l'avance des troupes françaises. La canonnade s'était éloignée.

La chambrée était chauffée par un poêle qui fumait comme une locomotive, et l'odeur du bois brûlé, mélangée à celle de ces hommes qui ne s'étaient pas lavés depuis une bonne semaine, donnait à l'atmosphère un fumet consistant. Florian était trop épuisé pour s'en formaliser, mais il décida d'essayer de changer d'affectation dans les plus brefs délais.

Avant même que le réveil ait sonné, il alla prendre une douche dans une baraque où l'on avait installé un thermosiphon de Barois, ingénieux système qui permettait aux premiers arrivés de se laver à l'eau chaude. La plupart des conscrits se bornèrent à se mouiller le visage dans une cuvette, avant de se rendre au rassemblement.

L'adjudant leur donna quartier libre jusqu'à midi. Il leur annonça aussi une revue de paquetage, et leur remontée au front après la soupe.

Florian en profita pour aller faire un tour dans l'hôpital proprement dit. C'était un ensemble de baraquements assez bien organisé, centré sur un pavillon qui abritait la chirurgie. Il s'y rendit immédiatement. Sa lettre de recommandation à la main, il demanda qui était le médecin-chef, et s'aperçut que sa tenue impeccable lui facilitait le passage. Il arriva au mess des officiers où un groupe de médecins en blouse blanche prenaient le café. Il claqua les talons et demanda le médecin-commandant Gorgeaud. Un gros homme au visage tanné tendit la main vers la lettre. Florian resta au garde-à-vous pendant que l'autre lisait, tout en suçotant sa pipe. Il avait une cinquantaine d'années, le crâne dégarni, des petits yeux vifs, et une barbe noire coupée au carré.

Quand il eut fini, il tendit la main à Florian.

— Vous avez bien fait de venir. Asseyez-vous, et prenez une tasse de café. Puis, à l'intention des autres officiers, il continua : Messieurs, voici une recrue peu banale. Ancien interne des hôpitaux de Paris, chirurgien qui a travaillé en Amérique, notamment chez Alexis Carrel, notre célèbre prix Nobel, les facéties de la vie militaire en ont fait un infirmier de seconde classe ! Il se mit à rire, puis reprit : Nous allons en faire un chirurgien à part entière ! Nous en manquons ! C'est notre ami, le professeur Dopter, qui nous le recommande.

Florian était aux anges. Le commandant lui présenta ses acolytes, deux médecins dont il ne saisit pas les noms, un pharmacien et un officier d'administration, qui accueillirent le nouveau venu avec cordialité, et s'éclipsèrent rapidement. Restés seuls, les deux hommes firent plus ample connaissance, et Florian découvrit le fonctionnement de cette unité sanitaire dont le rôle consistait à recevoir les blessés ramassés sur le champ de bataille, à tenter tous les traitements possibles dans l'immédiat, et à évacuer les hommes transportables.

— On garde ici ceux qui sont aux deux extrémités de la chaîne, disait le commandant. Les blessés légers qui pourront retourner au feu dans les trois jours, et les moribonds qui n'ont aucune chance de survivre à une nouvelle évacuation.

— C'est-à-dire ? demanda Florian.

— Les blessés du thorax, de l'abdomen, et les crâniens.

— Parce que, pour ceux-là, on ne peut rien faire ?

— Vous verrez comment nous sommes installés... Et vous comprendrez mieux. Venez, nous allons y aller.

Ils pénétrèrent dans une salle au plancher et aux murs de bois, avec une table d'opération sommaire qui trônait au milieu. Des cantines métalliques ouvertes laissaient voir des paquets de pansements, des boîtes d'instruments, des cuvettes, et tout le matériel hétéroclite pour l'appareillage des fractures. Dans un coin fumait l'inévitable poêle à bois sur lequel une énorme marmite d'eau bouillait, libérant une vapeur épaisse qui obscurcissait les vitres.

— Voilà notre domaine, mon cher. Vous opéreriez un ventre ici ?

Florian sourit sans répondre.

— En plus, nous n'en avons pas le temps. Quand ça barde, les blessés arrivent à une cadence que vous n'imaginez pas. On ne peut pas s'embarquer dans une intervention qui risquerait de durer des heures...

Florian pensait à tout ce qu'il avait lu sur la chirurgie des guerres napoléoniennes, et il se disait qu'en un siècle on n'avait guère progressé... Dans le lointain, la canonnade reprit.

— L'accalmie aura été de courte durée, grogna Gorgeaud. Je vais prévenir l'adjudant que je vous garde ici. Installez-vous, les infirmiers vont arriver.

Quelques minutes plus tard, une voiture attelée de quatre chevaux s'immobilisa devant la baraque. Florian fut étonné de la rapidité de ce transport. Il fallait normalement plusieurs heures pour arriver du front. Mais ces blessés n'avaient pas été récupérés sur le champ de bataille. Ils provenaient d'une voiture qui avait versé dans un fossé. L'un d'eux avait une fracture du fémur, et les deux autres présentaient des plaies provoquées par les caisses de munition tombées au moment de l'accident.

Pendant que les infirmiers sortaient le fracturé, Gorgeaud arriva, la pipe entre les dents. S'adressant à Florian, il expliqua.

— Voilà le cas où notre rôle est le plus simple : une injection de morphine, une attelle de Pouliquen sur la cuisse, un bon coup à boire, et il s'en ira avec le premier convoi pour l'arrière. Si on le mettait dans un appareil de traction, on l'aurait ici pour trois mois ! Le seul problème, c'est l'attelle. Il faudrait que les ambulances nous les rapportent. Elles ne le font jamais. Il nous en reste trois. Ensuite nous improviserons avec des planchettes, ou autre chose. Mais ce n'est jamais aussi bien.

Pendant qu'ils parlaient, les infirmiers avaient entrepris de panser les deux autres blessés. Ceux-là repartiraient au front un peu plus tard.

La pluie s'était remise à tomber. Fine, pénétrante, elle rendait gluant tout ce qu'elle touchait. La canonnade semblait se rapprocher. La brume noyait dans un halo de coton le contour des baraquements. Les infirmiers guettaient les ambulances.

Vers la fin de la matinée, elles furent là. Florian retrouvait ce qu'il avait vu les jours précédents. Ces pauvres garçons aux yeux étonnés qui semblaient ne pas comprendre ce qui leur arrivait. Certains criaient, la plupart grimaçaient en silence, dès qu'on les déplaçait. Au fur et à mesure qu'ils étaient descendus de la charrette, on les allongeait sur des lits de camp installés dans la première baraque qui précédait la salle de chirurgie. Gorgeaud, la pipe éteinte serrée entre les dents, suivait le travail de ses hommes. Les mains dans les poches, le ventre en avant, immobile, il dégageait une impression de sérénité rassurante. Dans ce visage souriant, seuls les yeux trahissaient une vie intense. Soudain il enleva sa pipe et, désignant un blessé dont la cuisse ruisselait de sang malgré le garrot qui avait été posé à l'avant, il prit sa première décision.

— Celui-ci à côté, immédiatement.

Puis, tournant les talons, il s'en fut vers la salle d'opération. Florian le suivit. Le gros homme accrocha sa capote à une patère et, s'adressant à un petit homme mince qui l'avait rejoint, il bougonna.

— On va commencer par cette cuisse. La Verle donnera l'éther. Après on verra.

Dès cet instant, tout alla très vite. Cet homme était un chef entraîné, et ses hommes lui obéissaient sans qu'il ait à parler. Un coup d'œil suffisait pour qu'ils ouvrent une boîte, apportent un pansement, un flacon d'alcool ou d'eau phéniquée.

Pendant que Florian appliquait le masque sur le visage du blessé en lui prodiguant des paroles rassurantes, il voyait le commandant se laver les mains au-dessus d'une cuvette. Un infirmier se tenait devant lui avec un broc d'eau. Puis il prit dans une grande boîte en fer une blouse qui devait être stérile. On la lui attacha dans le dos. Dans une autre boîte il prit une paire de gants de Chaput. C'était du gros caoutchouc rouge, un peu raide. Gorgeaud avait des petites mains aux doigts étonnamment mobiles, et ces gants étaient manifestement trop grands pour lui. Il maugréa. Les doigts écartés, il croisait les mains pour faire entrer les gants au plus loin. Il avait gardé sa casquette à quatre galons et sa pipe qui semblait ne jamais le quitter. Sa barbe dominait le champ opératoire.

Il s'approcha de la plaie que les infirmiers avaient dégagée en découpant la jambe du pantalon. C'était un éclat de shrapnel qui devait être en cause, car elle était anfractueuse, avec des bords brûlés et déchiquetés. Un infirmier y versa de l'eau phéniquée pendant qu'un autre, avec une longue pince, sortait des instruments et les rangeait sur une petite table recouverte d'un tissu blanc.

Dans un bol, un autre versait de l'eau bouillante prélevée dans la bouilloire qui fumait sur le poêle. Il y ajoutait des compresses qui serviraient à nettoyer les chairs souillées de débris multiples.

Avec des gestes rapides et d'une étonnante précision, le commandant découpait la peau mortifiée, extrayait des profondeurs sanguinolentes des fragments de vêtements et des éclats de métal qui tintaient dans la cuvette. Florian admirait la rapidité et l'efficacité de ce nettoyage chirurgical qui dénotait une très grande habitude. À un moment, l'opérateur prit un air inquiet. Il palpait, de l'index, la profondeur de la plaie.

— Il me semble qu'il y a encore un bout de ferraille là-dedans, mais je n'arrive pas à l'attraper, avec ces putains de gants trop grands...

Florian était assis à la tête du blessé, les deux mains sur le masque, et ne pouvait être d'aucune utilité. Le visage du commandant devenait tout rouge. Brutalement il se fâcha, se redressa et arracha ses gants qu'il jeta dans un coin de la salle. Il enleva sa pipe qu'il posa sur le coin de la table, à côté des instruments, et, à main nue cette fois, il revint vers la plaie. De la main gauche, passée sous la cuisse, il poussait vers le haut et faisait remonter ainsi le fond de la plaie. De la main droite armée du bistouri, il essayait de désenclaver l'éclat métallique qu'on entendait crisser sous l'acier de la lame.

Soudain il eut un geste incroyable que Florian n'aurait pas cru possible si on le lui avait raconté. Il sortit le bistouri de la plaie, se le cala entre les lèvres pendant que sa main nue replongeait dans la profondeur. Puis il reprit le bistouri, le remit dans la plaie et s'écria :

— Je l'ai !

Cette fois, il jeta l'instrument sur la table et replongea sa main qui ramena le fragment métallique récalcitrant. Il le lança à un infirmier.

— Mettez-lui de côté, ils adorent ce genre de souvenirs !

Puis, le plus naturellement du monde, il reprit sa pipe, se la ficha entre les dents et alla vers l'infirmier qui lui versa de l'eau sur les mains. Un autre lavait la plaie avec les compresses qui avaient trempé dans l'eau bouillie. Florian l'avait vu poser la première sur le dos de sa main pour en éprouver la chaleur, puis, satisfait, la plonger dans la plaie et nettoyer consciencieusement les caillots de sang qui s'y trouvaient encore.

La journée continua ainsi. Florian endormait, puis aidait aux pansements et au déplacement des blessés. Il retrouvait ses gestes d'interne, mais on était loin de la rigueur que lui avait apprise son maître Terrier. Quant à l'asepsie, elle n'avait ici qu'une valeur symbolique. Manifestement le commandant ne se pliait à cette technique que depuis peu de temps, car il avait été formé à une époque où ces précautions n'existaient pas.

Le premier soir, alors qu'il venait d'essuyer son bistouri sur son tablier d'un geste incontrôlé, il s'en excusa.

— Je sais bien que, de temps en temps, ma technique a quelques faiblesses, mais avant l'antisepsie nos résultats n'étaient pas si mauvais... Enfin, nous faisons de notre mieux pour suivre le progrès. Je ne le discute pas. Malheureusement notre autoclave est en panne, alors il faut tout faire bouillir ou flamber, ce n'est pas facile. Mais dans l'ensemble nous prenons des précautions efficaces, vous avez vu ?

Il quêtait une approbation. Florian qui, effectivement, avait « vu », opina du bonnet. Il ne pouvait pas lui dire qu'au laboratoire du Rockfeller Institute, on travaillait dans une asepsie absolue sur des cultures de cellules et des transpositions d'organes dont c'était la seule chance de succès. Les conditions, il est vrai, n'étaient pas les mêmes. De toute façon, malgré les erreurs qu'il avait vues, il était fasciné par cet homme dont l'adresse était prodigieuse, et qui, sûrement, aurait fait merveille en chirurgie expérimentale.

Depuis ses baraquements sanitaires, Florian comprenait mal la stratégie de l'état-major. Les bruits les plus divers circulaient. Au bout de quelques jours, les informations finirent par leur parvenir : l'avance allemande avait été stoppée sur la Marne, et Gallieni avait réussi à transporter, en une nuit, l'ensemble de son armée de Paris, grâce aux taxis qui en tireraient une célébrité éternelle.

Les Allemands avaient reculé, mais pas aussi loin qu'on aurait pu le souhaiter. Ils s'étaient enterrés dans des tranchées qui interdisaient le passage frontal. Les troupes françaises furent contraintes de creuser à leur tour, et un interminable tête-à-tête meurtrier allait commencer. De la mer du Nord à la frontière suisse, ce ne fut bientôt qu'une immense ligne de fortifications, sans cesse consolidées, et chaque jour remises en questions par des attaques des deux camps, qui laissaient sur le terrain une multitude de morts et de blessés.

Le médecin-commandant avait très vite compris qu'il pouvait laisser Florian en salle d'opération. Compétent et scrupuleux, il travaillait efficacement, car il n'avait pas été long à assimiler les techniques simplifiées et la chirurgie de guerre.

Malheureusement, lui, n'était qu'à moitié satisfait de son propre travail. Chaque soir, il allait faire un tour dans les baraquements, et les résultats de ses opérations étaient loin de susciter son enthousiasme ou sa fierté. Dès que l'afflux des blessés s'était fait sentir sur l'ensemble du front, les évacuations secondaires vers l'arrière s'étaient ralenties, faute de moyens de transports efficaces et rapides. Dans les installations provisoires où ils étaient entreposés, les opérés s'accumulaient, et ne recevaient sans doute pas les soins qui auraient permis d'éviter les complications traditionnelles. L'infection se développait, et la gangrène, vieux spectre des champs de bataille, recommençait à faire son apparition. C'était une désolation. Quand il fallut se résoudre à reprendre des opérés pour amputer des membres qui auraient pu être conservés, Florian dut se remettre douloureusement en question.

Anxieux de nature, il perdit toute paix de l'esprit. Comment faire pour mettre ses patients à l'abri de ces suites redoutables et de plus en plus souvent mortelles ?

La guerre se résumait pour lui à ce combat singulier qu'il menait quotidiennement contre l'ennemi héréditaire du chirurgien, l'infection ancestrale. La pourriture d'hôpital, qu'il croyait définitivement reléguée au rang des antiquités historiques, réapparaissait, plus active et dévastatrice que jamais.

Un matin de décembre, alors qu'une accalmie lui permettait d'aller visiter ses opérés, il vit arriver dans la cour une automobile conduite par des militaires emmitouflés. L'un d'eux, méconnaissable sous ses énormes lunettes, lui fit de grands gestes. Florian s'approcha, et quelle ne fut pas sa surprise de découvrir, sous ce déguisement, son maître Alexis Carrel. Ils n'étaient ni l'un ni l'autre enclins aux grandes effusions, mais ils mirent, dans leur poignée de main, toute la joie qu'ils éprouvaient à se revoir.

Gorgeaud, alerté, arriva, et manifesta sa joie de faire connaissance avec un savant dont la réputation… Carrel l'interrompit et, s'excusant du manque de temps, lui demanda de visiter ses installations. Il était mandaté par le ministre pour évaluer les conditions dans lesquelles les blessés étaient traités, afin d'envisager, éventuellement, les améliorations nécessaires en hommes ou en matériel. Une ambulance arrivait justement. Le médecin-commandant confia les visiteurs à Florian, et s'en fut accueillir la nouvelle livraison sanglante.

La visite fut rapide. Carrel posait des questions précises, et son coup d'œil infaillible lui permettait de déceler, en quelques minutes, les faiblesses d'un système qu'il commençait à bien connaître. Chemin faisant, il bavarda avec Florian sur lequel il savait pouvoir compter. Il lui fallut peu de temps pour se faire un opinion.

Ils revinrent prendre un café chaud au mess, vide à cette heure, et le savant put s'exprimer librement. Il raconta qu'en août 1914 il avait été affecté à un centre de triage à Lyon, avec le grade d'aide-major de deuxième classe, sans aucun moyen de jouer le moindre rôle efficace. D'anciens collègues lui avaient demandé de venir opérer, mais son supérieur hiérarchique, ayant appris cette désobéissance, l'avait sanctionné sévèrement. Écœuré, il avait fait intervenir quelques relations et il s'était retrouvé, trois jours plus tard, au cabinet du ministre, chargé d'inspecter les installations sanitaires de l'avant.

— Et alors, demanda Florian, quel est votre sentiment ?

Carrel hésita un instant avant de répondre. Puis, baissant la voix, il se laissa aller à cette rage que ses collaborateurs connaissaient bien.

— Désordre, anarchie, incompétence. Chacun travaille à sa manière. Certains sont admirables d'organisation et de méthode, comme Robert Proust, Cunéo, Ombredanne. D'autres, et ce sont les plus nombreux, n'ont à leur disposition que du matériel vétuste et inefficace, et opèrent comme au siècle dernier. La grangrène réapparaît, c'est insensé !

— Vous avez vu les désastres qui surviennent ici ?

— Mais comment pourrait-il en être autrement ? Vous êtes un exemple type. Je vous connais et je sais ce dont vous êtes capable. Mais comment faire, dans ces conditions ? Carrel se leva : Je suis bien content de savoir où vous êtes. Il n'est pas impossible que je vous fasse muter. Vous n'y voyez pas d'inconvénient ?

— Si c'est pour avoir de meilleures installations, monsieur, n'hésitez pas.

L'automobile disparut en pétaradant, laissant Florian ravi d'avoir enfin quelque chose à attendre. Pouvoir espérer se sortir de ce trou était une joie absolue.

L'ordre de mutation arriva à la fin de mars 1915. Florian n'y croyait plus. « Hôpital temporaire n° 21 », via Compiègne. Personne ne savait ce que pouvait être cette formation. Gorgeaud vit partir son assistant avec regret. Florian avait été nommé brigadier, puis brigadier-chef grâce à son patron, et il s'en allait avec une pointe d'émotion. Tous ces gens faisaient preuve d'un courage tranquille au quotidien, et ne se posaient pas de questions. Ils soignaient leurs semblables en sachant qu'à tout moment un obus pouvait les rayer des effectifs, mais ils en riaient.

Florian fit son paquetage et se retrouva sur les routes dévastées de ce pays si proche de sa Picardie natale. En croisant ces convois de toutes sortes, en voyant ces campagnes bouleversées, il se demandait avec angoisse ce qu'il en était de Saint-Yé dont il n'avait aucune nouvelle. Arrivé à Compiègne, il chercha des informations sur la destination inscrite sur son ordre de mission, mais personne ne semblait au courant. Même à l'hôpital de la ville, réquisitionné par l'armée, l'officier d'administration parut incapable de lui donner la moindre information.

Désemparé, Florian ne savait plus à quel saint se vouer, quand le hasard vint à son secours. Au centre de la ville, il reconnut l'automobile de Carrel stationnée devant un magasin. Une femme y entassait un matériel hétéroclite. Il se précipita, et lui demanda si elle savait où se trouvait le fameux Hôpital 21 que personne ne semblait connaître. Elle éclata de rire !

— J'y vais de ce pas. Je vous emmène ?

Florian n'osa pas lui dire que c'était la première fois qu'il montait dans un de ces engins modernes. En route, elle lui expliqua que le mutisme des militaires traduisait l'hostilité qui entourait cet hôpital inhabituel, créé pour Alexis Carrel avec l'aide des Américains, et qui, surtout, échappait à l'autorité de l'armée pour ne relever que du ministère. Le passager, crispé à son siège, l'écoutait à peine.

— Alors vous connaissez Carrel ? demanda Florian, quand il se fut habitué aux embardées du véhicule qui glissait dans la boue.

— Bien sûr, c'est mon mari !

Et la jeune femme, ravie de la tête ahurie de son invité, lui raconta très vite l'histoire de cet hôpital installé dans un ancien hôtel, le Rond-Royal, dont les souverains du siècle dernier avaient fait un rendez-vous de chasse. Carrel l'avait fait réquisitionner et, grâce aux fonds de la Rockefeller Foundation, il avait pu créer là un véritable laboratoire de recherche.

— De recherche ?

Florian imaginait mal des chercheurs en activité à quelques kilomètres d'une bataille qui faisait rage. Il était si habitué à l'atmosphère quasi monacale de l'Institut de New York, qu'il se demandait comment le patron supportait cette ambiance nouvelle. Mme Carrel avait un visage énergique, aux traits réguliers, et les cheveux enfermés dans un chapeau à larges bords. Son manteau noir, serré à la taille par une ceinture de cuir, lui donnait une allure martiale et sévère qui jurait avec un regard gris volontiers rieur. Elle parlait de son mari avec une familiarité marquée de respect.

Ils arrivèrent bientôt devant le superbe bâtiment qui avait dû être un hôtel de grand luxe, posé au centre d'une vaste clairière cachée dans une forêt séculaire. Près du perron, de nombreux véhicules militaires stationnaient. À côté des voitures à chevaux, il y avait aussi une ambulance automobile dont la haute silhouette guindée semblait narguer les militaires qui l'entouraient avec curiosité.

Ils grimpèrent les marches du perron et pénétrèrent dans un hall majestueux aux dorures élégantes. De chaque côté s'ouvraient de vastes salles où s'alignaient des lits de fer occupés par les blessés. Au premier étage, les chambres avaient été transformées en bureaux et en salles d'hospitalisation pour les officiers.

Le patron accueillit Florian avec un grand sourire. Selon son habitude, il était sanglé dans une blouse blanche boutonnée jusqu'au cou, et son visage rasé de près était lisse et brillant. Son crâne chauve était caché sous une calotte blanche.

Les effusions furent brèves et, pendant que Mme Carrel retournait s'occuper de ses acquisitions, les deux hommes se dirigèrent sans plus attendre vers le laboratoire où officiaient les membres d'une équipe cosmopolite. Si la plupart des médecins étaient français, les infirmières étaient en majorité américaines et canadiennes. Il y avait là, en particulier, la fidèle des fidèles, Miss Lilly, venue de New York retrouver son patron pour lequel elle se serait fait tuer sans hésitation. Le laboratoire était dirigé par un personnage singulier : Henry Dakin. Chimiste anglais d'une cinquantaine d'années, il avait été jugé trop vieux pour être enrôlé ; mais sa réputation était telle que Simon Flexner, le directeur du Rockefeller Institute, lui avait proposé d'aller en France travailler avec Carrel. L'autre, ravi de devenir ainsi un combattant malgré son âge, était arrivé à Compiègne quelques jours auparavant. Il dépassait ses collaborateurs d'une tête, et son énorme moustache rousse l'avait rapidement rendu célèbre.

Carrel expliqua à Florian qu'ils avaient décidé de rechercher ensemble le meilleur désinfectant possible, afin de lutter contre cette suppuration omniprésente qui décimait les blessés.

— Il faut mettre au point la plus efficace technique, et obliger tout le personnel médical militaire à l'appliquer. Sinon notre mortalité sera bientôt supérieure à celle des armées napoléoniennes. De nos jours, on ne sait plus opérer aussi vite que Larrey, et on se croit protégé par une antisepsie qui n'est le plus souvent qu'un leurre. Ce qui caractérisait la méthode de Lister, c'était aussi la rigueur avec laquelle il l'appliquait. Vous avez travaillé chez Terrier, et vous savez aussi combien cet homme était pointilleux. Ici, ils font n'importe quoi ! Il faut que cela change !

Florian était ému de retrouver l'énergie inchangée de son maître. Mais il se demandait si sa ténacité, pourtant légendaire, serait capable d'ébranler les habitudes traditionnelles d'un monde peu enclin à accepter le progrès. Surtout proposé par un civil !

Le patron entraîna son élève dans une salle du rez-de-chaussée et lui montra le fruit de ses recherches. Dans un lit, un blessé était étendu avec une bizarre installation. Sa jambe droite n'était qu'une plaie. Déchiquetée, sans doute par un éclat d'obus, elle était ouverte sur toute sa hauteur, et le tibia, heureusement intact, était dénudé sur une bonne partie de sa longueur. Mais les muscles mis à nu avaient une bonne couleur et les tissus paraissaient d'une parfaite vitalité. Carrel expliqua sa technique. Il avait fait fabriquer une sorte de peigne en tube de verre, et de chaque dent partait un petit tuyau de caoutchouc. À l'autre extrémité, une tubulure souple était branchée sur un flacon accroché au-dessus du lit, et un liquide rosé s'écoulait ainsi, goutte à goutte, dans les anfractuosités les plus reculées de la plaie.

— L'important, disait Carrel, c'est de se donner un peu de mal, pour que le liquide parvienne partout où le pus pourrait se former. Il faut surveiller, revenir, modifier les drains, remplacer les ballons vides... C'est beaucoup de travail, mais les résultats sont prometteurs.

— Quel est ce liquide ?

— Nous en avons essayé plusieurs. Celui-ci est de l'hypochlorite de soude. Assez proche de l'eau de Javel, mais moins toxique pour les tissus sains. Nous avons des cultures de microbes sur lesquels nous testons nos différents dosages. Et sur les plaies, nous mesurons avec une bonne précision la vitesse de cicatrisation. Dans quelques semaines nous serons en mesure, j'espère, de diffuser nos résultats.

Florian était ravi de retrouver cette ambiance de rigueur scientifique à laquelle il avait été habitué. Il fut affecté aux soins en salle, et découvrit avec étonnement des blessés souriants et heureux, bien nourris et efficacement soignés qui auraient volontiers fini la guerre sans bouger de ce havre de paix.

Pour Carrel, tout était source d'innovation. C'est ainsi qu'il préconisait le réchauffement des blessés, la perfusion de liquides purifiés, et même de sang ! Certes, depuis 1900 et les travaux du Viennois Landsteiner, on savait que les individus appartiennent à des « groupes sanguins » différents et parfois incompatibles, ce qui expliquait les échecs mortels de certaines tentatives de transfusion. Ainsi n'avait-on pas, jusqu'ici, envisagé d'utiliser cette technique trop dangereuse. Mais en testant le sang d'un blessé avec celui d'un éventuel « donneur », on pouvait prévoir, sans trop de risques d'erreur, la survenue ou non d'une intolérance. En cas de nécessité absolue, on cherchait, parmi les pensionnaires en bonne santé du Rond-Royal, un soldat dont le sang s'accordait avec celui d'un blessé hémorragique. Il suffisait alors d'allonger les deux hommes côte à côte et de les relier par une canule suffisamment courte pour que le sang n'àit pas le temps d'y coaguler. Ils devenaient en quelque sorte « frères de sang ».

Ainsi des amitiés se créaient-elle, dans cette ambiance magique où l'Amérique généreuse prenait une valeur mythique.

Pendant toute l'année 1916, la bataille fit rage, surtout autour de Verdun, point de passage choisi par l'armée allemande pour enfoncer les lignes françaises. Mais Pétain, désigné par Joffre, avait tenu bon, au prix de cinq cent mille tués.

Chaque attaque remplissait les ambulances et les hôpitaux d'une foule de blessés qu'on ne parvenait plus à évacuer. Les médecins travaillaient jusqu'à l'épuisement, et finissaient par manquer de pansements et de médicaments, tant les approvisionnements tardaient à arriver.

Au Rond-Royal, l'organisation de Carrel triomphait et, de tous les pays, des délégations venaient visiter ses installations et apprécier sa technique. Seul le service de santé français boudait cet intrus. La jalousie et l'hostilité se manifestaient ouvertement contre ce civil qui s'érigeait en novateur. À certaines époques, alors que le conflit était particulièrement meurtrier, les évacuations vers l'Hôpital 21 cessaient comme par hasard. Tous les équipements sanitaires étaient débordés, mais on feignait d'ignorer l'existence du Rond-Royal... À plusieurs reprises, Florian était parti sur le terrain, avec une ambulance et des brancardiers, pour rapporter des blessés. Une fois même, la voiture avait été criblée d'éclats, et toute l'équipe avait bien failli y rester.

Scandalisé par une attitude aussi révoltante, Carrel s'était rendu à Paris où le ministère continuait à le soutenir sans aucune réticence. Tous les rapports faisaient état de l'efficacité de cette méthode qu'on commençait à nommer Dakin-Carrel et, au plus haut niveau, l'État-Major l'encourageait à persévérer dans ses travaux et à les faire connaître à ses collègues.

C'était compter sans le conservatisme borné de certains membres du corps médical. Ces messieurs de l'Académie ne pouvaient admettre la valeur d'idées nouvelles émanant d'un homme qui n'était pas du sérail, fût-il un prix Nobel. À part Pozzi, et surtout Tuffier, l'ami de toujours, la plupart des patrons parisiens se gaussaient de ce qu'ils appelaient les théories illusoires de « l'Américain ».

Carrel répondit par la publication d'un ouvrage où il décrivait minutieusement les résultats obtenus au Rond-Royal. Dans la préface, il fustigeait sur un ton hautain les augures qui ne supportaient pas que ce travail, qu'ils auraient dû faire, ait été réalisé par lui.

La férocité des combats marqua une pause à la fin de 1916. Florian fut convoqué à Paris pour soutenir sa thèse. Il n'y croyait plus. Il fit un aller-retour dans la capitale et revint avec le grade de médecin-major de première classe. Il fêta ses deux galons en même temps que sa Légion d'honneur. Carrel, de son côté, croulait sous les distinctions émanant de tous les gouvernements alliés. Ce qui irritait encore plus les sommités médicales parisiennes.

Sur le terrain, la guerre s'enlisait. D'autres fronts avaient été ouverts en Orient, et Dakin y était parti pour faire face aux épidémies qui décimaient les troupes plus vite encore que les combats. Les diplomates américains commençaient à envisager une paix sans victoire, pour arrêter le massacre, alors qu'en France, des hommes comme Foch et Clemenceau ne pouvaient admettre que tant de sacrifices, tant de morts, tant d'efforts aient été vains, et qu'une négociation frileuse consacre finalement l'hégémonie allemande sur une Europe exsangue.

Le président Wilson proposait ses bons offices, alors que les alliés attendaient de lui une intervention armée. Carrel, bien conscient de la situation, retourna à Washington plaider la cause du vieux continent. Mais, fidèle à sa mission médicale, il entreprenait, dans le même temps, la mise au point d'un nouveau type d'hôpital mobile qui devait remplacer les installations désuètes d'un service de santé dépassé par l'ampleur des problèmes posés. Les armements modernes et le nombre jamais atteint des combattants engagés imposaient le choix de solutions nouvelles.

Carrel militait pour que les soins immédiats soient d'une qualité telle que les délais d'évacuation vers l'arrière n'entraînent plus ces désastres infectieux qui mutilaient les blessés. Ainsi était née l'idée d'un groupe chirurgical mobile et autonome qui pourrait s'installer au plus près de la ligne de feu, et la suivre éventuellement. L'« autochir » était né.

Le premier modèle de cette formation nouvelle fut monté au début de 1918. Florian s'émerveilla devant cet ensemble automobile qui correspondait très exactement à ce qu'il appelait de ses vœux. Une voiture pour la stérilisation, une autre avec un appareil de radiographie, la troisième avec un groupe électrogène et la pharmacie. Venaient ensuite trois autres véhicules pour le transport de l'équipe chirurgicale et les infirmières de la Croix-Rouge qui arrivaient de Paris.

Malheureusement c'est Woimant, l'ami de Carrel, qui fut nommé chirurgien de cette unité nouvelle, et Florian le vit partir avec la plus grande déception. Il commençait à s'ennuyer au Rond-Royal où l'activité s'était atténuée depuis que son animateur était rentré aux États-Unis. Mais il faisait partie des anciens, et on avait besoin de lui à l'Hôpital 21 au cas où...

Le drame arriva le 23 mars 1918. Au milieu de la nuit, alors que depuis deux jours l'offensive de Ludendorff secouait les lignes alliées, un avion allemand prit le Rond-Royal pour cible, malgré les immenses croix rouges qui le signalaient clairement. L'organisation d'Alexis Carrel était devenue un objectif militaire ! En quelques minutes, la moitié du bâtiment s'effondra. Les planchers s'écrasèrent les uns sur les autres, enfouissant dans un même tas de décombres, les hospitalisés et l'équipe de garde. Les secours s'organisèrent vite, et la plupart des véhicules, miraculeusement intacts, permirent d'évacuer les blessés vers l'arrière.

C'est à New York que Carrel apprit la catastrophe. Sur la liste de ceux pour lesquels la guerre était terminée, figurait Florian de La Verle.

CHAPITRE VII

Florian découvrit un visage de femme quand il reprit réellement conscience après son intervention chirurgicale. Depuis quelques jours déjà, la douleur lancinante qui lui vrillait les tempes l'avait éveillé, mais il n'avait pas été capable de comprendre ce qui lui était arrivé, ni d'interpréter les bruits.

Il lui fallut du temps pour s'intéresser de nouveau à son entourage, et c'est la jeune femme qui le soignait depuis plusieurs semaines sans qu'il l'ait su, qui l'amena à reprendre contact avec son environnement. Elle avait une voix ferme et basse où, parfois, des nuances de douceur apparaissaient, comme à regret. Il la regardait sans parler, incapable de comprendre pourquoi il souffrait tant, étonné aussi de découvrir à son chevet ce personnage en robe, aux traits féminins, qui portait, boutonné sur la poitrine, le tablier des médecins. Pendant plusieurs jours encore, il resta muet. Lentement, il réalisait qu'il était blessé et entouré de soins attentifs mais pénibles. Il était sans force.

Un matin, il vit cette femme habillée en médecin écarter ses draps sans aucune pudeur, et lui tapoter les articulations avec un marteau de caoutchouc. Méthodiquement, elle vérifiait chaque segment de ses membres, s'y reprenant à plusieurs fois pour comparer ses réflexes d'un côté à l'autre. Puis, avec une épingle, elle entreprit de lui piquer les bras et les jambes en guettant ses réactions. Florian découvrit alors que son côté gauche était moins sensible que le droit, et qu'il bougeait moins bien aussi.

Quand l'examen fut terminé, elle remonta les draps et les arrangea comme seule une femme est capable de le faire. Florian reconnut les gestes que faisait sa mère quand il était enfant, et une larme coula sur son visage. La jeune femme s'en aperçut.

— Monsieur de La Verle, commença-t-elle d'une voix plus douce qu'à l'habitude, vous me posez un problème difficile. Vous me paraissez conscient mais vous ne parlez pas. Votre hématome intra-crânien a été évacué sans qu'aucune lésion grave n'ait pu être mise en évidence. Il persiste un léger déficit moteur et sensitif de type hémiplégique, mais à gauche, donc vous devriez pouvoir parler. Et pourtant vous ne dites rien. Est-ce de l'hostilité ?

Florian secoua négativement la tête. Madeleine Schmitt eut un sourire satisfait.

— Eh bien, voilà, nous y sommes. Vous répondez. Il ne vous reste plus qu'à faire un petit effort de plus et à me dire... par exemple : « Bonjour madame et chère collègue. »

Son visage s'éclaira quand les lèvres de son blessé s'entrouvrirent pour prononcer ce premier mot qu'elle attendait depuis des semaines.

— Bonjour...

— Allez, un petit peu plus encore, sinon je vais croire que vous êtes de ceux qui n'admettent pas les femmes à l'internat...

Florian sourit en fermant les yeux et murmura :

— Je suis enchanté de faire votre connaissance... ma chère collègue.

— Bravo ! Mais c'est assez pour aujourd'hui, je reviendrai vous voir demain, et nous reprendrons cette intéressante conversation. Maintenant reposez-vous, vous l'avez bien mérité.

Il ferma les yeux et se rendormit.

Madeleine Schmitt était une grande femme aux traits réguliers, les cheveux blonds soigneusement tirés en un chignon austère. Son regard gris prenait des éclats métalliques quand elle affrontait ses confrères masculins qui supportaient mal son évidente supériorité. Surtout au Val-de-Grâce, territoire viril s'il en fut.

L'entrée des femmes dans le monde médical ne s'était pas faite sans peine, et les médecins eux-mêmes s'y étaient farouchement opposés. Il avait fallu que le préfet Poubelle, ancien chef de cabinet de Dupont de l'Eure, et Paul Bert, ministre de l'Intérieur, féministes tous deux, s'opposent à l'ensemble du gouvernement pour que les femmes obtiennent enfin le droit de faire des études de médecine. La première femme avait passé sa thèse en 1875, mais il fallut attendre dix ans encore pour que l'internat leur fût ouvert.

Deux Américaines, Mildred Edwards et Augusta Klumpke, d'origine russe, furent les premières nommées, au concours de 1885, et ce n'est qu'après 1901 que des Françaises purent enfin porter ce titre.

La guerre ayant décimé le monde médical, Madeleine Schmitt, nommée au concours en 1910, obtint de l'autorité militaire le droit d'exercer au Val-de-Grâce à partir du printemps 1918. C'était une élève de Joseph Déjerine, le grand neurologue qui avait épousé Augusta Klumpke.

En quelques semaines, Florian fit des progrès décisifs. Son hémiplégie régressait, et s'il marchait encore avec une canne, il parvenait désormais à obliger sa main gauche à effectuer la plupart des gestes usuels. Et s'il n'arrivait pas encore à boutonner sa veste, il savait que ce n'était plus qu'une question de jours.

Plusieurs fois, il avait eu la visite de son chirurgien. C'était un civil engagé dès le début des combats, Thierry de Martel, qui avait fait une guerre superbe. Parti comme aide-major dans un régiment d'infanterie, il lui était arrivé, un jour, d'enlever son brassard à croix rouge pour faire le coup de feu, et permettre à son unité de regagner une position perdue. Le général Nativelle lui avait dit qu'à la suite de cet exploit, il méritait la cour martiale, mais il lui avait donné la croix de guerre ! En 1918, il était venu à plusieurs reprises opérer au Val-de-Grâce des « crâniens » particulièrement difficiles, car il était sans conteste le premier spécialiste français de cette discipline où les succès étaient rares.

Madeleine Schmitt s'intéressait moins à Florian depuis que le neurochirurgien lui avait dit qu'il ne posait plus qu'un problème de réadaptation. Elle avait plus à faire avec les autres blessés qui ne cessaient d'arriver. Car la guerre n'en finissait plus. Clemenceau venait de prendre la direction du gouvernement, et avait prononcé sa phrase célèbre : « Politique intérieure, je fais la guerre. Politique étrangère, je fais la guerre. Je fais toujours la guerre. »

Sur le front, les offensives se succédaient. Les Américains, enfin débarqués, soutenaient les troupes alliées épuisées. Les Allemands étaient parvenus une fois encore jusqu'à la Marne, mais y restaient bloqués.

Sur Paris, les obus de la Grosse Bertha sapaient le moral d'une population à bout de forces et qui prêtait une oreille de plus en plus attentive aux propos pacifistes des socialistes. L'été enfin arriva avec ses nouvelles de victoire. Partout les Allemands reculaient. Foch était fait maréchal de France, Mangin conduisait l'offensive, et les pacifistes baissèrent le ton.

Au Val-de-Grâce, Florian, convalescent, avait repris un peu d'activité. Il participait à l'accueil des convois et souvent obtenait ainsi des nouvelles de l'Hôpital Carrel qui avait été réinstallé à Lagny, dans un château appartenant à la famille Menier. Mais le maître n'y restait pas. Il était partout, parcourant le front pour conseiller, exhorter, apporter du matériel moderne, vaincre les réticences.

Madeleine Schmitt et son patient se retrouvaient souvent le soir, pour bavarder. Elle fumait des petits cigares noirs, et avait banni de son apparence toute trace de féminité. Dans cet univers d'hommes meurtris, elle semblait croire qu'on n'appréciait que ses compétences médicales. Elle parlait comme les soldats, et discutait de la guerre avec cette même autorité qu'elle avait pour défendre ses hypothèses diagnostiques.

— Que ferez-vous, quand la paix sera revenue ? lui demanda Florian.

Elle demeura évasive. Sa famille était originaire d'Alsace-Lorraine et elle était parente de Florent Schmitt, le célèbre musicien et compositeur. Elle avait envie de revenir dans ce pays qu'il faudrait débarrasser d'un demi-siècle d'empreinte allemande, mais elle ne parlait pas la langue, et savait que ce serait un handicap difficile à surmonter.

Florian ressentait une impression bizarre en l'écoutant. Il admirait son érudition dont l'étendue lui paraissait chaque jour plus grande. Médecine, musique, politique, mais aussi littérature, théâtre, peinture, tout la passionnait. Mais elle n'était pas heureuse. Il y avait dans ses propos une amertume manifeste et inexpliquée.

Elle avait fait la connaissance, en 1916, d'un homme de lettres qui l'avait séduite : Guillaume Apollinaire, blessé à Verdun et opéré lui aussi d'un hématome intra-crânien. Elle avait rencontré, à son chevet, Cocteau, Picasso, Derain, Max Jacob, et bien d'autres. Apollinaire lui avait dédicacé son recueil de nouvelles *Le Poète assassiné*, avec un petit dessin où il s'était représenté le crâne bandé. Elle hésitait à quitter Paris et tous ces gens qui la fascinaient.

Jamais elle ne parlait d'elle. Florian avait l'impression que seuls les jeux de l'esprit l'intéressaient, et ce petit monde qu'elle allait retrouver parfois à Montparnasse. Y avait-elle aussi une liaison ?

Florian non plus ne savait pas ce qu'il ferait après la guerre. Retourner à New York ne le tentait pas. Carrel lui avait dit sa déception devant une société américaine qui changeait. Ce peuple de pionniers abandonnait sa rigueur et sa pureté ; l'ambiance n'était plus la même, à tel point qu'il se demandait lui-même s'il retournerait un jour à l'Institut.

Rester en France et obtenir un poste chirurgical ? Florian n'avait aucun titre qui le lui permettait. Il ne possédait que des états de service et des décorations. Capital insuffisant dans le monde des hôpitaux.

Et puis il y avait autre chose, qu'il ne voulait pas s'avouer. Il gardait, après ces années de chirurgie de guerre, le souvenir douloureux des angoisses post-opératoires, et le goût amer des échecs. Il enviait ses amis médecins qui dissertaient au lit des patients et prescrivaient telle ou telle drogue en accusant la maladie quand elle résistait. Ce n'était jamais de leur faute quand ils étaient inefficaces. Alors que le chirurgien se posait sans cesse les mêmes questions. Avait-il fait ce qu'il fallait ? N'aurait-il pas dû amputer cette jambe qui suppurait maintenant, ou avait-il eu raison de mutiler ce pauvre garçon qui déambulait, là-bas, entre deux béquilles ? Chaque fin d'intervention le laissait un peu plus angoissé que la veille.

Paradoxalement, il était presque rassuré par cette main gauche qui tardait à retrouver son agilité. Mais, dans son for intérieur, il se demandait parfois s'il faisait vraiment tout ce qu'il fallait pour la rééduquer.

Enfin novembre arriva. Les Allemands résistaient encore ; mais leur front, partout, fléchissait. Soudain on apprit que le Reich s'effondrait politiquement. À Berlin et à Munich, la République était proclamée. La défaite approchait, et les militaires se déchargeaient sur les civils du pénible devoir de signer bientôt la reddition. Le 9 novembre, une nouvelle traversa l'hôpital. Le Kaiser avait abdiqué et fuyait en Hollande. Cette fois, l'Allemagne s'écroulait pour de bon.

Le soir, Madeleine Schmitt arriva en pleurs. Guillaume Apollinaire était mort. La grippe espagnole avait emporté ce poète génial qui avait réussi à échapper à la fureur imbécile des hommes. La jeune femme eut du mal à participer à l'allégresse générale quand, deux jours plus tard, explosa la nouvelle de l'armistice. Alors qu'on dansait dans les rues, et que les troupes victorieuses défilaient sur les Champs-Élysées, elle suivait au Père-Lachaise le dernier voyage de son ami.

De là, abandonnant le Val-de-Grâce où elle jugea son travail terminé, elle prit une voiture pour retourner voir ce qui restait de sa famille à Strasbourg. Personne ne sut ce qu'elle était devenue.

Charles Dopter rentra d'Extrême-Orient le 15 novembre, et retrouva Florian avec surprise. Les deux hommes s'embrassèrent. Ils ne s'étaient rencontrés que deux fois, au cours de cette malheureuse guerre : le premier et le dernier jour. Mais ils étaient heureux de se voir vivants !

Quelques jours plus tard, Florian eut le plaisir d'être convié par Dopter à un dîner étonnant, avec Alexis Carrel et Harvey Cushing. Dès 1915, l'Américain s'était engagé auprès d'une ambulance américaine de Paris, puis il était retourné dans son pays, participer à la propagande pour l'entrée des États-Unis dans la guerre. En mai 1917, il était de nouveau sur le front, à la direction de l'hôpital de base n° 5. Il retrouvait le fils d'Ariane de La Verle avec émotion.

Un peu avant de passer à table, un autre médecin arriva sous l'uniforme militaire. Il s'appelait René Leriche, et Carrel le présenta aux autres convives comme étant son ancien élève d'externat et d'internat.

— Un futur chirurgien des hôpitaux de Lyon, conclut-il, avec une nuance d'ironie dans la voix.

— Dieu vous entende, monsieur, répondit le nouveau venu.

C'était un homme d'allure énergique, disert, au regard bleu, direct et dominateur, passionné de neurologie. Avec Cushing, l'échange fut immédiatement d'une exceptionnelle richesse, et Carrel, souriant, se bornait à relancer les deux bretteurs quand la conversation faiblissait.

Ce qui était étonnant, chez ces savants de haut niveau, c'est qu'aucun n'évoquait sa guerre ; pourtant ils en avaient vécu les aspects les plus terribles. Le cauchemar terminé, c'est la suite qui les intéressait. Qu'allait-on faire de l'expérience acquise ? Comment exploiter cette masse d'informations collectées durant ces quatre années sanglantes ?

Après le déjeuner, Florian, qui habitait toujours le Val, resta un moment avec Dopter. Celui-ci lui confia que la direction de l'école d'application lui avait été proposée, et qu'il allait avoir besoin d'aide. La guerre avait fait des coupes sombres dans les effectifs du corps de santé...

Florian avait laissé Paris en 1895, abandonnant derrière lui cette atmosphère de scandale qui lui serrait encore le cœur, presque vingt-cinq ans après. Et durant toute la guerre il n'avait pris qu'une seule permission à Paris, pour y passer sa thèse. Il était toujours resté dans la région des combats, allant rendre visite à des amis dans un autre poste, ou dans un hôpital voisin. La guerre avait été pour lui, un épisode de vie presque heureuse, et la mort une compagne quotidienne à laquelle il s'était habitué.

Saint-Yé, il le savait, avait été au centre des combats. Que restait-il de tout ce qu'il aimait là-bas ? Jusqu'ici, il avait des raisons de l'ignorer ; maintenant plus rien ne s'opposait à ce qu'il aille se rendre compte sur place, et il redoutait ce qu'il allait trouver. Comme il craignait l'accueil qui lui serait fait à Paris... Qu'en était-il de la famille Leforestier ? Marie-Ange devait être une grosse dame de plus de quarante ans ! Son père vivait-il toujours ? Et cette peste de Marie-Geneviève de Malmort, était-elle toujours aussi vitupérante et rancunière ?

Que resterait-il de sa fortune ? Avant de quitter la France, sa mère avait confié l'héritage du grand-père à Omer Legrand, qui l'avait placé, Dieu seul savait comment. Pendant leur voyage en Allemagne, ils avaient reçu l'argent dont ils avaient besoin par l'intermédiaire de la banque Rothschild, aux ramifications internationales. Qu'était-il advenu de ce capital ?

Il ne s'était jamais soucié des problèmes d'argent, car ses besoins étaient limités ; mais, dans l'incertitude de trouver un poste convenablement rémunéré, il commençait à se poser des questions.

Son métier, son argent, ses amis, sa famille, Paris, Berlin... Par où commencer ?

Pendant ces quatre années de guerre, Saint-Yé avait plusieurs fois changé de mains. L'importance des chemins de fer dans les transports de troupe expliquait le rôle stratégique de la station de triage que les bombardements avaient pris pour cible. Les environs avaient cruellement souffert aussi, on l'imagine !

Quand Florian descendit du train, dans la gare en ruines, il eut l'impression d'entrer dans une fourmilière. Partout les équipes travaillaient à la reconstruction des locaux et des installations dans un vacarme assourdissant. De l'autre côté de la route, on bâtissait aussi. L'auberge endommagée allait devenir un hôtel de plusieurs étages, et les anciens ateliers de constructions de wagons se transformaient en une moderne usine aux longs bâtiments symétriques couverts de verrières.

Omer Legrand était mort en 1915. Son fils Octave était installé dans une baraque provisoire, et il reçut Florian avec des larmes dans les yeux. Les deux hommes se connaissaient peu, mais ils savaient tout ce qui liait leurs familles depuis plusieurs générations.

Ils se racontèrent leur vie dans la tourmente. Le vieil Omer avait mal supporté les angoisses de cette guerre meurtrière. Quand il avait appris que son fils était blessé, il l'avait cru mort. Octave, amputé d'une jambe, était revenu avec une médaille et une paire de béquilles. Son père était mort de chagrin quelques semaines plus tard, et il avait repris les commandes des affaires avec autorité.

Très vite, il rassura Florian. Il ne devait se faire aucun souci : ses biens, judicieusement gérés, avaient prospéré, et le livre de compte qui les concernait était éloquent.

En revanche, l'orangerie et l'hôpital étaient en bien mauvais état. Les constructions réalisées après les guerres napoléoniennes étaient éventrées et l'incendie avait noirci ce qui était resté debout. Si les ruines du château paraissaient dans un état inchangé, l'orangerie et les communs aménagés s'étaient écroulés par place. Les meubles avaient été pillés, et il ne restait plus rien de la belle maison qu'il avait connue. Quant aux religieuses, elles avaient été évacuées dès 1914, et le couvent aux trois quarts détruit n'était pas près de les recevoir.

Les deux hommes déjeunèrent ensemble, et discutèrent longuement de l'avenir. Les dommages de guerre dont on parlait déjà, permettraient sûrement de tout remettre en état. « Le Boche payera », titrait *Le Matin*. Octave, qui briguait la mairie, se faisait fort de reconstruire l'hôpital vite et bien, à condition que Florian s'occupe des plans et des options techniques.

En écoutant cet homme, tout paraissait simple, et Florian se sentait à l'aise dans ce pays de son enfance. Il regrettait bien sûr que les paysages où il jouait autrefois fussent si bouleversés ; mais les gens étaient les mêmes et, ici, la famille de La Verle représentait un morceau d'histoire. Comme celle de son interlocuteur.

Octave avait une trentaine d'années. Célibataire, il s'occupait de ses multiples neveux et nièces. Il veillait à maintenir l'empire familial, en accord avec ses deux beaux-frères qui géraient chacun une partie de ce qu'il appelait « le groupe ». Ils étaient de ces gens qui allaient reconstruire le pays et en faire une puissance industrielle moderne. Florian en était convaincu ; il allait rentrer à Paris, rassuré.

Mais, avant de partir, il avait d'autres visites à faire. Félicien et Germaine Moreau étaient morts. Ils étaient au cimetière de Saint-Yé dans une petite tombe près du caveau de la famille La Verle, où Édouard reposait en paix, avec Ariane venue le rejoindre. Devant ce marbre, où étaient gravés tant de noms, Florian eut un peu honte. Pour la première fois de sa vie, il avait l'impression qu'il risquait d'être l'ultime descendant de la lignée. Il commençait à reconnaître que les femmes l'intéressaient peu, et que sa chasteté ne lui pesait pas. Les hommes ne l'attiraient pas plus, et même s'il revoyait souvent, en rêve, la fine silhouette de Vincent Leforestier, il ne ressentait rien d'autre que l'impression pénible d'avoir participé, autrefois, à un immense gâchis.

Le père Leforestier, lui aussi, avait quitté ce monde, et sa fille s'était mariée avec un officier qui lui avait fait deux enfants, avant de mourir au champ d'honneur.

De Berlin, Florian avait peu de nouvelles. Dès l'armistice il écrivit, mais la réponse fut longue à venir et quand elle arriva, elle était chargée de tristesse. Heinrich s'était laissé mourir de chagrin après la mort de son fils cadet, Nathan, tué au fort de Douaumont. David, médecin maintenant, était revenu moralement brisé par le massacre auquel il avait assisté, et par une défaite à laquelle il ne croyait pas. À trente-trois ans, il abandonnait toute carrière hospitalière pour s'installer en médecine générale dans un quartier populaire de Berlin. Élodie, dont l'écriture était celle d'une vieille femme, alors qu'elle n'avait guère plus de soixante-cinq ans, racontait sa lamentable histoire sur un ton désespéré. Privée de revenus, elle ne comptait plus que sur son fils pour subvenir à ses besoins. Elle aurait bien voulu rentrer en France, mais David haïssait ce pays qui l'avait vaincu, et supportait mal ce projet. Florian se promit de leur venir en aide dès que les relations internationales se seraient normalisées.

Charles Dopter lui proposa de rester en fonction au Val-de-Grâce, avec le grade de médecin-capitaine. La tâche demeurait lourde, et on avait besoin d'hommes compétents pour former les jeunes. Dix pour cent des médecins militaires avaient été tués, et il restait trois millions de blessés qui, pour beaucoup, nécessitaient encore des soins. Il fallait en outre les rapatrier des divers hôpitaux où ils étaient encore en traitement. Florian, après avoir longuement hésité, avait « rempilé » pour un an. Son espoir, et il l'avait dit à son ami, c'était de diriger un jour un laboratoire de recherche. Pourquoi pas sous l'uniforme ? Dopter n'avait pas dit non.

Cette situation d'attente permettait à Florian de gagner du temps et de reculer le moment de faire le choix « civil » qu'il redoutait.

Quelques semaines après sa nomination officielle, Dopter, l'ami fidèle, lui demanda de prendre en charge un service nouveau, celui de la transfusion sanguine. Il lui donnait une équipe, avec deux médecins aides-majors de deuxième classe, trois laborantins militaires et un sous-officier d'administration chargé du matériel.

C'était une petite équipe, mais Florian de La Verle, pour la première fois de sa vie, était patron. Si le local mis à sa disposition n'était pas gigantesque, pour un début il n'avait pas à se plaindre. Dès que son petit monde put être réuni, il présenta son programme, après un rapide rappel historique, qui, dans ce domaine nouveau, était indispensable à connaître.

Debout devant eux, dans son uniforme neuf couvert de médailles, il avait fière allure, et il percevait presque physiquement ce respect que les jeunes lui portaient. Il n'était pas un enseignant habituel. Il leur parlait d'une matière qui n'était pas encore livresque, et qui émanait d'une expérience acquise à la plus dure des écoles, celle du front. Il commença son cours par une citation.

— Des transfusions sanguines, on disait avant la guerre : « Une pratique thérapeutique dont les effets physiologiques ne sont encore connus que d'une manière très imparfaite, dont l'utilité n'est pas nettement démontrée, dont les indications ne sont pas posées d'une manière précise. » Et il aurait fallu ajouter : « dont la mise en application s'est soldée par un nombre impressionnant d'échecs mortels ». Pourquoi ?

C'est la question que s'étaient posé les chirurgiens militaires de tous les camps, et chacun avait cherché les bonnes réponses. Si de nombreuses solutions avaient été trouvées, il restait à faire un énorme travail de synthèse, et bien des points seraient encore à éclaircir.

Tout le monde savait, depuis les travaux du Viennois Landsteiner datés de 1900, que les individus pouvaient être classés en un certain nombre de groupes, à l'intérieur desquels la transfusion était possible. Chez Alexis Carrel, on avait mis au point la recherche préalable de la compatibilité qui permettait de préjuger de la bonne tolérance d'une transfusion « bras à bras ». Cependant, le médecin devait tout de même guetter la survenue éventuelle de signes d'intolérance. Tâche difficile chez un mourant. Tout semblait bien se passer puis, soudain, c'était le drame : des frissons, une température montant en flèche, et la mort, imparable. Parfois, tout allait bien. La mort reculait, le moribond se recolorait. Alors, il reprenait conscience et remerciait son sauveur.

— Peut-on imaginer la joie des premiers novateurs qui avaient osé appliquer cette méthode ?

Les membres de l'équipe buvaient ses paroles, tandis que, enhardi, Florian prenait goût au succès.

— Je vais vous raconter une extraordinaire histoire vécue quelques années avant la guerre, à New York. Un nouveau-né fit un jour une hémorragie grave. Son sang ne coagulait pas. Il saignait de partout, et sa fin était prochaine. Le médecin avait entendu dire qu'un chirurgien français qui travaillait au Rockefeller Institute tout proche, était un spécialiste des problèmes vasculaires. Vous avez deviné qu'il s'agissait de mon maître Alexis Carrel. En pleine nuit, on alla le quérir. Étonné, il accepta de venir, mais jamais encore il n'avait dû faire face à un tel cas. À tout hasard, il avait pris une boîte d'instruments. Sans hésiter, il se lança dans une folle entreprise. On mit le bébé à plat ventre, et il ouvrit la peau derrière le genou. Là se trouve la grosse veine poplitée. Puis on allongea le père auprès de son enfant, et sans anesthésie, car le temps manquait, Carrel lui ouvrit l'avant-bras. Vous imaginez la scène, dans la cuisine d'un appartement new-yorkais ! Il disséqua l'artère radiale, du poignet au coude, et il porta l'extrémité de ce long vaisseau jusqu'au genou de l'enfant. Avec cette habileté de dentellière qui l'a rendu si justement célèbre, il aboucha ensemble les deux vaisseaux. Il avait fait si vite que le sang n'avait pas eu le temps de coaguler dans l'artère. Peu après, la vie revenait dans le corps de l'enfant. Le sang du père lui apportait les globules qui allaient lui permettre de revivre, et les facteurs de coagulation qui lui manquaient.

Les auditeurs ne purent s'empêcher d'applaudir.

— On comprend que cet homme ait eu le prix Nobel ! conclut Florian. Mais il s'agissait d'un exploit. Maintenant nous devons entrer dans l'ère de la routine. Nous devons mettre au point les méthodes qui permettront à la transfusion sanguine de devenir le soutien indispensable des techniques modernes. Alors les chirurgiens seront vraiment devenus des « Princes du sang » !

Ainsi l'équipe du médecin-capitaine de La Verle se mit-elle au travail avec enthousiasme sur ce sujet qui passionnait le monde chirurgical. La tâche était immense dans sa multiplicité. Il fallait maîtriser les phénomènes de coagulation, choisir la meilleure façon de sélectionner les donneurs, déceler les incompatibilités, découvrir du matériel nouveau, des seringues, des canules... Partout dans le monde, les inventeurs testaient, répétaient, corrigeaient les expériences qui avaient commencé en 1916, dans ces hôpitaux en planches où des médecins innovaient sous le feu de l'ennemi.

Florian rendit visite à celui qui était en passe de devenir le premier spécialiste de la question, Émile Jeanbrau, professeur à la faculté de médecine de Montpellier, et qui préparait un rapport sur le sujet. C'était un homme au regard clair et souriant, mais qui semblait vivre dans ses pensées. Il parlait peu et répondait aux questions avec, souvent, un temps de retard, comme s'il revenait d'un voyage lointain. Florian apprit beaucoup dans son service où il tentait de faire la synthèse des techniques existantes.

Au retour de ce long séjour dans la cité de Rabelais, il s'arrêta à Lyon pour rencontrer un autre spécialiste, Victor Pauchet, qui collaborait avec le Montpelliérain.

Il passa encore quelques jours dans cette ville qu'il connaissait mal, et en profita pour aller rendre visite à René Leriche qui venait d'être nommé chirurgien des hôpitaux. Le Lyonnais restait méfiant à l'égard de ses collègues.

— On ne m'a promis que le cours de chirurgie expérimentale, avoua-t-il à Florian d'un ton amer. S'ils ne me donnent pas les moyens de travailler, je les laisse tomber. Comme l'a fait Carrel.

Le Parisien lui raconta ce que le Val-de-Grâce venait de lui offrir.

— Bravo, c'est un bon début ! Mais entre nous, avec l'expérience que vous avez acquise en Allemagne puis en Amérique, et ce que dit de vous Carrel, je m'étonne que Paris ne vous propose rien de mieux ! Avez-vous essayé l'Institut Pasteur ?

— Oui. Calmette me proposerait volontiers une place, mais il travaille sur le bacille de la tuberculose, dont il essaie de préparer une forme atténuée pour faire un vaccin... Ce n'est pas vraiment ma partie. La transfusion sanguine, au moins, c'est un sujet proche de la chirurgie. Et j'arriverai peut-être un jour ou l'autre à les intéresser aux problèmes de la cicatrisation nerveuse.

— La Verle, je vous promets que si un jour j'obtiens le laboratoire de mes rêves, je ferai appel à vous.

CHAPITRE VIII

René Leriche, fatigué d'attendre que Lyon reconnaisse ses mérites, s'expatria en Alsace. Devenu professeur de clinique chirurgicale à la faculté de Strasbourg, il proposait à Florian, le 1er octobre 1924, de devenir le chef de son laboratoire de chirurgie expérimentale. Le Parisien accepta avec enthousiasme.

— Ce qui m'intéresse, lui expliqua-t-il, et ce que nous allons étudier ensemble, ce sont les mécanismes physiologiques. Comment fonctionnent les nerfs, les vaisseaux, le cerveau, les os... Nous allons travailler comme vous le faisiez chez Carrel en Amérique. Et il ajouta, avec un clin d'œil : Avec notre génie latin en plus !

Strasbourg, redevenue française en 1918, était, pour le Lyonnais, un terrain neuf. Les Allemands y avaient créé des structures universitaires de premier plan, et il y avait là tout ce qu'un esprit créatif pouvait avoir envie de trouver. Des étudiants sérieux et travailleurs, des équipements modernes, et cet état d'esprit rationnel qui avait mis ce peuple au premier plan des nations conquérantes. Leriche trouvait là ce dont il avait besoin et le disait bien haut :

— N'oubliez pas que l'Amérique a pris modèle sur Vienne, Francfort, Berlin et Munich pour créer son mode d'enseignement. Il y a plus de laboratoires de recherche dans une université allemande qu'il y en a dans toute la France ! Chez nous, mon pauvre La Verle, les jeunes se sclérosent à concourir, alors que tout le monde sait que le résultat dépend uniquement du tirage au sort des membres du jury. On tire ses patrons, on est nommé. On ne les tire pas, c'est fichu. On ferait mieux de tirer les candidats au sort, statistiquement le résultat serait le même et on s'épuiserait moins à encenser nos bons maîtres.

De plus, la grande tradition médicale française reposait sur le discours, et les étrangers étaient stupéfaits d'apprendre qu'un chirurgien était nommé au plus haut grade, sans avoir jamais été jugé sur une intervention chirurgicale !

Léon Daudet avait publié, à la fin du siècle précédent, un pamphlet dévastateur appelé *Les Morticoles*. Il y décrivait un monde exclusivement médical, où les examens étaient remplacés par le rite du « lèchement de pieds ».

René Leriche était en avance sur son temps, et si la neurochirurgie restait son domaine de prédilection, ses fonctions à Strasbourg l'obligèrent à revenir à la chirurgie générale. La spécialisation lui étant désormais interdite, c'est à l'intérieur de cette chirurgie de tous les jours qu'il allait montrer son véritable esprit novateur, en mettant en application ses connaissances neurologiques.

Il préconisait des méthodes thérapeutiques qui n'intéressaient encore personne en France. Sur le système nerveux sympathique, sur les origines de la douleur, sur les maladies artérielles, ses doctrines se répandaient dans le monde entier, sans avoir le moindre écho dans son propre pays.

Collaborer à une telle œuvre enchantait Florian. Il avait pris une chambre dans un petit hôtel, de la fenêtre duquel il apercevait les péripatéticiennes qui œuvraient dans la célèbre rue de l'Hôpital. Ce spectacle lui répugnait un peu.

À peine installé dans son laboratoire, il retrouva une vieille connaissance : Madeleine Schmitt. Elle avait abandonné la neurologie pour une autre spécialité, la tuberculose. L'emprise de cette maladie était telle, que des médecins étaient conduits à s'y consacrer entièrement. La radiologie avait permis de classer mieux les lésions si bien décrites par Laennec, et la pratique complexe des méthodes thérapeutiques modernes justifiait cette spécialisation nouvelle.

L'ancienne interne des hôpitaux de Paris dirigeait là une annexe du service de médecine, située au fond de la grande cour intérieure, dans un des plus anciens bâtiments, datant du XVIᵉ siècle. Florian y arriva un matin, sans prévenir. Il entra dans la salle de consultation et s'assit sans bruit derrière un groupe d'étudiants. Son ancienne amie auscultait une patiente dont la maigreur était impressionnante. Elle portait une énorme balafre qui contournait son pauvre thorax, de la colonne vertébrale au sternum.

— Vous voyez, expliquait Madeleine, cette patiente a subi ce qu'on appelle un pneumothorax extrapleural. Lorsque nous ne parvenons pas à effondrer les cavernes pulmonaires par nos techniques de pneumothorax habituelles, on peut demander l'aide du chirurgien. Soit il enlève toutes les côtes au-dessus du poumon malade, c'est une thoracoplastie, soit il se limite à décrocher la plèvre, par l'intérieur, c'est le cas ici. Nous allons voir le résultat en scopie, à mon avis il est excellent.

Elle se leva, et se retourna vers la salle. Elle portait des lunettes noires, comme tous ceux qui utilisaient couramment la radioscopie, afin de n'avoir pas besoin de s'accommoder à la faible luminescence des écrans. Elle découvrit la présence de Florian, et resta un instant interdite.

— Allez-y sans moi, dit-elle aux étudiants, je m'absente un instant.

Elle retira ses lunettes, remonta une mèche de cheveux dans un mouvement d'une coquetterie inhabituelle, et s'approcha de lui, tandis que ses élèves passaient dans la pièce voisine avec la malade.

— Monsieur de La Verle, quelle surprise ! Et en blouse !

— Ma chère collègue, nous allons travailler ensemble.

— À Strasbourg ? Vous venez chez Leriche ?

— Bien deviné. Je dirige son laboratoire de chirurgie expérimentale.

— Quelle joie ! Je vais enfin connaître quelqu'un dans cette ville !

Ce jour-là, ils déjeunèrent ensemble. Ils ne s'étaient pas vus depuis six ans, et ils avaient beaucoup à se raconter. Florian calcula qu'elle devait avoir environ trente-six ans. Elle avait pris quelques rides au coin des yeux, mais conservait toujours son air décidé. Elle aimait son travail, mais souffrait de cette immersion totale dans un monde complètement germanisé.

— Heureusement que je parle l'allemand maintenant ! Sinon je ne pourrais pas exercer ici. Ce n'est pas toujours drôle... Pour vous c'est différent, le langage du microscope est international.

— Je parle allemand aussi, précisa Florian, mais je suis enchanté de trouver quelqu'un qui s'exprime en français sans accent !

Ce fut à peu près tout ce qu'elle avoua sur sa vie personnelle. Immédiatement, le métier reprit le dessus de la conversation. Elle gérait avec aisance ce monde de tuberculeux où toutes les classes de la société étaient réunies par les caprices du bacille de Koch.

Florian lui raconta les aventures amoureuses de ce savant volage qui avaient défrayé la chronique, trente ans plus tôt à Berlin. Ils en vinrent ainsi à parler de cette Allemagne qui déjà se relevait de la défaite. Le plan Dawes et les capitaux américains favorisaient une renaissance économique manifeste, la production industrielle reprenait son essor, et on entrait dans une ère de détente que l'Europe appréciait.

— Il faut continuer à se méfier, disait Madeleine qui restait une solide germanophobe, ces gens-là ne s'avouent jamais vaincus. Ils ont trop investi dans cette province où nous sommes pour y renoncer. Un jour ou l'autre, on les reverra franchir le Rhin !

Florian, plus optimisme, pensait qu'il fallait faciliter les liens amicaux avec les Allemands. Pour sa part, il projetait toujours de faire un voyage à Berlin, mais sa tante Élodie ne l'y incitait guère. David s'était marié avec une jeune infirmière, juive aussi, et ils avaient déjà une petite fille. Ils semblaient manifester à l'égard de la France une agressivité qui choquait la vieille femme. Elle avait repris ses leçons de chant, et devenait financièrement plus indépendante, d'autant que

Florian lui avait fait envoyer une part de l'héritage La Verle. Mais elle ne voulait pas s'éloigner de ses petits-enfants.

— Il faudra bien tout de même qu'on se revoit un jour, grinça Florian.

— Ne vous inquiétez pas, rétorqua Madeleine, un jour vous les verrez arriver, en uniforme ! Cet esprit caustique, elle le faisait triompher aussi quand elle parlait des milieux médicaux parisiens : Je n'aurais jamais pu travailler avec ces gens-là, fulminait-elle. Et encore moins avec les chirurgiens. Vous ne savez pas pourquoi j'ai décidé de devenir médecin ? Je vais vous le dire. Lorsque j'étais enfant, j'aurais dû être opérée d'urgence par le professeur Péan. Il est mort en 1898, Dieu ait son âme sanglante...

Florian fit une moue étonnée.

— Je sais bien que les chirurgiens vénèrent ses talents. Moi je l'ai connu de près. Et si beaucoup de vocations naissent de l'admiration que peuvent susciter certains praticiens, la mienne est née de l'horreur que cet homme m'a inspirée. Je me suis jurée d'être un médecin qui combattrait ces bouchers.

Florian éclata de rire. Mais elle était plus sérieuse que jamais.

— Je ne plaisante pas. Vous n'imaginez pas ce que pouvait être, pour une enfant qui attendait sur un lit, le spectacle de cet homme au plastron maculé de sang, pérorant au milieu des spectateurs, racontant avec emphase ses amputations, ses exérèses, et toutes les mutilations qui occupaient ses matinées. Les patients revenaient dans la salle d'hospitalisation avec le cliquetis des pinces accrochées au ventre. Il les avaient laissées en place, parce qu'il était incapable de les remplacer par une ligature. On ne les enlevait qu'un peu plus tard, après la mort du malade. Je me suis sauvée en courant. Je n'ai pas été opérée, et, vous voyez, je suis toujours vivante.

— Assez, implorait son interlocuteur, ne brisez pas nos idoles.

— Ne vous inquiétez pas, je n'en dirai pas plus sur les chirurgiens, je ne tiens pas à vous vexer. Mais reconnaissez que les médecins sont tout de même moins dangereux. Par chance, ils n'ont guère d'armes efficaces entre les mains. En revanche, leur façon de vivre entre eux est passionnante. Si un jour nous en avons le temps, je vous raconterai ce qu'on disait de Charcot, le grand Charcot, dans le service de celui qui lui a succédé, Joseph Déjerine, dont j'ai été l'interne !

— Moi aussi, Madeleine, j'ai vécu dans ce monde un peu spécial, mais que pouvons-nous y faire ? Il a ses rites, et il n'est pas près de changer !

Il l'avait appelée Madeleine. Elle fronça le sourcil et lui répondit sur un ton soudain plus sec :

— Monsieur de La Verle, je me suis toujours élevée devant ce que je trouve intolérable et je ne changerai pas. Ici je suis une salariée de l'hôpital, j'ai une fonction, je n'ai pas à concourir à quoi que ce soit. Si mon mérite est reconnu, je sais que mes possibilités de travail seront améliorées. C'est ainsi que je conçois ce métier. C'est tout !

Florian prit un air un peu narquois pour répondre :

— Vous avez sûrement raison, mademoiselle Schmitt !

Les années passèrent vite, tant ils étaient occupés l'un et l'autre. Florian partait souvent à Saint-Yé où « son » hôpital se construisait. Les choses étaient plus lentes qu'Octave l'aurait voulu, tant les tracasseries administratives étaient opiniâtres ; mais le résultat serait superbe. On l'avait construit à côté des ruines de l'hospice qui seraient transformées, un jour, en musée ou quelque chose d'approchant. Le bâtiment hospitalier avait la forme d'un peigne à quatre dents : le corps transversal comportait l'administration et les consultations ; les trois premiers corps accessoires représentaient chacun une unité d'hospitalisation : médecine, chirurgie, et obstétrique-pédiatrie ; le quatrième abritant les laboratoires et la radiologie. Le tout sur deux étages. Il y aurait deux cents lits... Chaque fois qu'il y allait, Florian rêvait de ce qu'il ferait de cet établissement, s'il en avait la direction comme ils en étaient convenus avec Octave.

Tout près, il faisait construire aussi une maison. Les environs du château avaient trop souffert pour qu'il lui semblât raisonnable de faire remettre debout l'orangerie que son grand-père avait habitée. Et puis, le voisinage avec la famille de Malmort ne l'enchantait guère. Ce n'était pas plus cher de faire du neuf, et Octave l'avait poussé à choisir cette solution.

Il ne restait jamais longtemps loin de Strasbourg. Il n'était vraiment heureux qu'au milieu de son équipe et, pour le moment, sa vie était là. Il voyageait dans sa Celtaquatre Renault toute rutilante de chromes, et c'est toujours joyeux qu'il reprenait le chemin du retour.

Il invitait à dîner « mademoiselle Schmitt » de temps à autre, mais irrégulièrement : dès qu'ils s'étaient vus deux fois de suite à quelques jours d'intervalle, soudain elle n'était plus disponible. Comme si elle avait voulu lui montrer qu'il n'avait aucune illusion à se faire. D'ailleurs il ne s'en faisait pas. Parfois ils allaient ensemble au concert, car la musique restait un de leurs grands points communs. Elle lui présenta ainsi Florent Schmitt quand il vint jouer à Strasbourg en 1929, et elle les invita à dîner ensemble. C'était quelques semaines après le krach de New York, et Madeleine, toujours pessimiste, annonçait des jours sombres pour l'Europe. Le musicien, qui voyageait beaucoup, confirma cette impression.

Chez Leriche, le travail continuait. On s'essayait à faire des artériographies, et on commentait l'opération faite par Petit-Dutaillis, à Paris, sur une hernie discale : la première sciatique avait été guérie ainsi... Ailleurs, on découvrait les hormones et leur action complexe.

Mais les nouveautés médicales n'occupaient plus le devant de la scène. La crise financière qui avait éclaté aux États-Unis, dominait l'actualité, et, si la France tenait bon, elle n'allait pas tarder à subir des troubles sociaux graves. La tranquillité de l'après-guerre était bien finie.

Les lettres d'Élodie se faisaient plus fréquentes. Elles reflétaient une angoisse grandissante devant la montée du nazisme, et une situation économique catastrophique.

Un matin de 1930, Florian était devant son microscope, quand on frappa à la porte du laboratoire. La femme de ménage, balai à la main, passa la tête.

— Monsieur de La Verle, il y a une dame qui vous demande...

Florian n'avait pas l'habitude de recevoir des visites.

— Eh bien ! Faites-la entrer !

La porte s'ouvrit, et il vit devant lui Élodie, sa vieille tante de Berlin, un bébé dans les bras, et une petite fille accrochée à sa main. Elle était là, immobile, dans des vêtements presque pauvres, le chapeau en bataille sur ses cheveux blancs mal coiffés. Sans un mot, immobile, elle pleurait. Le silence s'était installé dans la grande salle. Tout le monde regardait cette apparition émouvante et grotesque.

— Mon Dieu, qu'arrive-t-il ? s'exclama Florian en se précipitant vers elle.

Les larmes de la vieille femme redoublèrent. Une laborantine la débarrassa du bébé, une autre prit par la main la petite fille brune qui regardait tout le monde avec de grands yeux clairs, sans mot dire.

Florian la fit asseoir et, séchant ses larmes, elle se mit à raconter le drame. Dans leur quartier, depuis quelques temps, les inscriptions antisémites abondaient sur les murs et les vitrines juives. Des « chemises brunes », ces jeunes qui appartenaient à des organisations paramilitaires de formation récente, venaient le soir dans les rues brutaliser les habitants.

La veille au soir, alors que David était parti en visite, sa femme revenait de donner des soins, quand elle avait été prise à partie par un groupe de ces soudards éméchés. La rue s'était vidée comme par enchantement. Le malheur avait voulu que David arrivât mal à propos. Ce qui aurait pu n'être qu'un affrontement désagréable pour la jeune femme tourna au drame quand son mari prit sa défense. Solidement bâti, le médecin s'était débarrassé facilement de deux agresseurs, mais le troisième... Elle ne pouvait plus parler.

— Il a tiré ? murmura Florian.

Elle secoua la tête affirmativement, la bouche secouée de sanglots, les larmes ruisselant sur son visage ridé, dévasté par le chagrin. Elle avait emmené les enfants, de crainte qu'il leur arrivât la même chose qu'à leurs parents. Le reste de la famille devait s'occuper des obsèques...

Dans le laboratoire, tout le monde s'était rapproché, et personne n'osait plus parler. Une laborantine rompit le silence en demandant à la petite fille, qui devait avoir sept ou huit ans, si elle avait faim, ou soif. Elle la regarda un instant avant de répondre :

— *Was?*

L'autre reprit sa question en allemand, et l'on entendit cette toute petite voix répondre qu'ils n'avaient rien mangé depuis la veille... Comme pour confirmer ses dires, le bébé se mit à pleurer. Ces cris réveillèrent l'assistance pétrifiée par ce récit stupéfiant. On courut chercher du lait, du pain, un biberon. Chacun commentait, proposait, critiquait ; il fallait les loger, les emmener de là, coucher les enfants. Élodie paraissait épuisée. À soixante-dix-sept ans, quelle épreuve !

Florian pensait que le destin lui envoyait l'occasion de régler une dette ancienne.

Ces événements dramatiques étaient survenus au moment où les travaux de Saint-Yé tiraient à leur fin. La maison était terminée, et l'hôpital serait bientôt prêt. Il était temps de revenir aux sources. Élodie était enchantée à l'idée de rentrer au pays.

Il était écrit que les hommes de la famille La Verle passaient, dans cette Picardie, leur enfance et leur vieillesse. Florian avait cinquante-huit ans et le moment était venu, pour lui, d'organiser sa fin de vie.

Un problème, pourtant, le troublait. En France aussi l'antisémitisme renaissait. Et il craignait que les enfants Ebstein aient un jour à souffrir encore de leurs origines. Ils avaient été élevés sans religion. Le grand-père Heinrich était fier de sa race, mais il méprisait toute forme de rite, et il ne portait la kipa que lors des fêtes, pour faire plaisir à ses amis. En privé, il en riait. Élodie confirma que David et sa femme avaient les mêmes dispositions d'esprit.

Alors Florian eut une idée. Avant de quitter l'Alsace, il proposa d'adopter les deux enfants. Sa notoriété devait lui permettre cette formalité sans problème, et à Saint-Yé ils ne seraient pas des petits juifs orphelins qu'on montre du doigt.

Madeleine Schmitt le félicita pour cette initiative généreuse et prudente. Elle s'était beaucoup rapprochée de lui depuis qu'il avait charge d'âmes, et elle l'avait aidé plusieurs fois à gérer les problèmes difficiles que posaient les enfants. En particulier, c'était elle qui avait fait embaucher Josepha, l'Alsacienne bilingue qui s'occupait des petits.

Florian et Élodie se rendirent à la mairie de Strasbourg, au service de l'adoption. Ils s'étaient fait recommander à l'avance et furent reçus fort aimablement par le chef de service qui écouta posément celui qu'il appelait, par habitude, *Herr Professor,* semblant oublier le changement de régime qui avait eu lieu quelques années auparavant. Ce paisible fonctionnaire les laissa parler longuement avant de poser une question à laquelle ils ne s'attendaient pas.

— Vous êtes mariés ?

Élodie et Florian éclatèrent de rire. Ils expliquèrent leurs liens de parenté.

— Mais vous, *Herr Professor,* vous n'êtes pas célibataire ?

Soudain Florian comprit. La législation ne permettait l'adoption qu'aux couples légitimes. Personne n'y avait pensé.

Ils revinrent penauds. L'idée était bonne mais irréalisable.

Ils avaient compté sans Madeleine Schmitt. Quand elle sut ce qui s'était passé, elle fulmina contre cette règlementation d'un autre âge, et il fallut l'empêcher d'aller faire scandale à l'hôtel de ville. Alors elle tira Florian par la manche, et s'exclama :

— J'ai une idée.

— Nous vous écoutons...

— Marions-nous ! Un couple de médecins, ça leur suffira peut-être pour accepter l'adoption !

Florian s'assit.

— Mademoiselle Schmitt, ce n'est vraiment pas le moment de plaisanter.

Elle fronça les sourcils.

— Mais je ne plaisante pas, monsieur de La Verle. Allons publier les bans de ce pas. Dans une semaine, nous serons mariés, et la demande d'adoption suivra son cours. Vous pourrez emmener vos enfants !

En quelques semaines toutes les formalités furent expédiées. M. et Mme de La Verle s'étaient mariés, et avaient adopté deux enfants.

Le petit garçon avait cinq mois. Il avait été prénommé Guillaume, en l'honneur de l'empereur et en protestation devant cette montée d'un national-socialisme qui allait à l'encontre de la nature allemande. Mais la petite fille, elle, s'appelait Rachel. Par similitude sonore, on la baptisa Raphaëlle, prénom qu'elle accepta volontiers. Intelligente et fort raisonnable pour son âge, elle avait parfaitement compris la situation, et ce changement de nom l'amusait beaucoup.

Le départ vers Saint-Yé approchait. Leriche savait qu'il ne pourrait pas garder éternellement un chef de laboratoire de cette qualité. Ils se séparèrent en jurant de continuer à travailler à distance. Le téléphone était là !

Mlle Schmitt, après le mariage, avait repris ses activités sans rien changer à ses habitudes, et si certains riaient sous cape de cette union peu banale, ils admiraient le geste de cette femme que rien n'avait obligé. L'artifice du mariage blanc à visée administrative n'était pas commun à cette époque.

Un jour, pourtant, elle arriva dans le bureau de Florian, avec l'air préoccupé.

— Que direz-vous quand on vous demandera où est la mère de ces enfants ?

— Je dirai que nous sommes séparés. Ce qui est assez vrai. Non ?

Elle resta songeuse un moment. Puis elle reprit.

— À Saint-Yé, si j'ai bien compris, il y a un hôpital neuf.

— Oui.

— Avec un service de médecine.

— Évidemment.

— Et qui sera le chef de ce service ?

— La municipalité en décidera, je suppose...

— C'est-à-dire votre ami, M...

— Legrand, oui, Octave Legrand.

Par petites phrases, la conversation progressa. Florian, qui avait saisi le projet de son amie, ne voulait pas la brusquer. Il la laissait parler. Il fallait qu'elle aille jusqu'au bout de son raisonnement. Seule. Et elle y parvint, en lançant sa dernière question :

— Accepteriez-vous que nous partions ensemble pour Saint-Yé ? Ainsi les enfants arriveraient avec des parents normaux.

Florian eut un sourire dubitatif.

— Les apparences seraient sauves, reprit-elle, et c'est l'essentiel. Vous trouverez bien le moyen de me loger près d'eux dans toutes vos maisons. Et de me donner du travail.

Elle s'était attachée aux deux orphelins, et surtout à la petite fille dont l'esprit curieux l'avait séduite. Quant à Florian, il voyait d'un très bon œil la présence d'une femme efficace près de cette famille d'acquisition récente, et dont la gestion risquait de lui poser quelques problèmes, surtout s'il arrivait quoi que ce soit à la pauvre Élodie, choquée par cette lamentable aventure.

C'est ainsi que notre célibataire endurci débarqua, au printemps de 1931, dans une maison qui sentait bon la peinture fraîche, plantée dans un grand jardin au fond duquel on apercevait la silhouette élégante de l'hôpital.

Raphaëlle voulait visiter le village qu'elle était impatiente de connaître. Florian la prit par la main, et ils grimpèrent vers le château.

— De là-haut, tu vas voir tout le pays, viens.

Des rues pavées remplaçaient maintenant les chemins où il avait couru en sabots, et des réverbères électriques flambant neufs jalonnaient les trottoirs.

Ils s'arrêtèrent au sommet de la colline, au pied du château, et Florian s'assit, un peu essoufflé. De là il montra à la fillette ce paysage que la guerre et le modernisme avaient bouleversé. Il lui raconta que pendant la Révolution, on avait débaptisé le village, et qu'il s'était appelé Grantier-le-Haut et Grantier-le-Bas. Maintenant, ce n'était plus qu'une seule agglomération qui avait repris son nom ancien. On voyait très bien, en bas, l'hôtel et les usines ; puis, de l'autre côté de la route nationale, les installations ferroviaires également neuves avec des wagons de marchandises rangés sur d'innombrables voies qui dessinaient un lacis brillant et compliqué.

L'enfant était enchantée. Laissant son guide reprendre son souffle, elle grimpa sur le mur écroulé et s'immobilisa.

— Père, demanda-t-elle, qui est cette dame, dans la cour ?

Florian se dressa sur la pointe des pieds, et découvrit effectivement une femme en manteau de fourrure, immobile au milieu de la cour et qui regardait la haute tour. Elle se retourna vers eux. C'était Marie-Geneviève de Malmort.

Elle avait trente-sept ans, et son visage à peine maquillé était d'une rare beauté. Avec ses talons hauts elle gagnait quelques centimètres, et sa minceur la faisait paraître plus grande. Deux hommes sortirent du château et vinrent la rejoindre. Ils avaient des plans à la main, et devaient être architectes, ou entrepreneurs. Florian recula. Son attitude de voyeur le gênait. Il prit Raphaëlle par la main et ils redescendirent vers la maison où il laissa la petite fille.

Puis il se dirigea vers l'hôpital. La grande cour était encombrée de camions qui livraient le matériel. Des montagnes de caisses étaient rangées contre les murs et des employés déballaient des lits de fer qu'ils emportaient vers l'intérieur des bâtiments. Florian cherchait le jeune directeur administratif qui avait été chargé de l'installation, quand une limousine noire stoppa devant le portail. Marie-Geneviève en descendit et se dirigea vers Florian qui vint courtoisement à sa rencontre.

— Mon cher ami ! Quelle joie de vous revoir. Vous êtes toujours aussi élégant ! J'ai l'impression que nous nous sommes quittés hier, et c'était il y a dix-huit ans ! Quelle tornade s'est abattue sur notre pauvre pays !

Florian s'inclina avec un sourire. Il retrouvait ce ton volubile qui le charmait chez la jeune fille d'autrefois, mais qui avait fini par l'agacer. Elle avait toujours ce regard aigu et mobile, rieur et ironique, qui contredisait parfois le sérieux de ses propos. Indifférente au silence de Florian, elle continuait à parler, très à l'aise, comme si ses paroles avaient été un excellent écran derrière lequel se cachaient ses pensées.

— Alors, voilà cet hôpital dont on parle tant. J'aimerais le visiter...

Il leva la main pour l'inviter à y pénétrer, et il allait l'en prier, mais elle continua, après une imperceptible hésitation :

— ... un jour où j'aurai plus de temps. Je suis venu en coup de vent aujourd'hui pour faire faire un relevé du château, car nous voudrions faire réaménager ce qui en vaut encore la peine. Non pour y habiter bien sûr... Elle s'interrompit, pour reprendre aussitôt : Vous savez que je suis mariée ?

— Non !

— Mon Dieu, c'est vrai, vous viviez à Strasbourg ! Moi je sais tout de vous, et vous ne savez rien de moi !

Florian prit un air interrogatif.

— Vous ne connaissez pas ma source de renseignements ? Vous la découvrirez bientôt. Bref, j'ai épousé le colonel-comte de Marteuil. Vous savez, l'aide de camp du général Pétain. C'est dire que nous nous voyons peu. Le pauvre chéri, il suit son maître partout, et notre grand homme ne sait pas rester en place ! Elle s'interrompit une seconde, regardant autour d'elle, et poursuivit : Ne pourrions-nous pas marcher un peu dehors ? Ici, j'ai l'impression que nous risquons de nous faire écraser par une de ces caisses gigantesques qui nous tournent autour... Ce serait dommage de se faire écrabouiller ainsi, le jour de nos retrouvailles, vous ne trouvez pas ?

Sans attendre la réponse, elle le prit par le bras, et ils sortirent sur l'esplanade où des platanes minuscules, récemment plantés, étaient accrochés encore à leur tuteur.

Après quelques brèves secondes de silence, elle continua :

— J'ai appris que cet hôpital porterait le nom de votre ancêtre, Aubin de La Verle, et qu'il serait inauguré cette année pour célébrer le bicentenaire de sa naissance. Comme c'est émouvant ! Cet événement m'a donné l'idée de faire quelque chose, moi aussi, pour le pays de mes aïeux. Elle baissa le ton : Comme il n'est plus question que nous habitions ce trou, où j'espère pour vous que vous ne vivrez pas, je me suis dit qu'il fallait essayer d'utiliser ces ruines, avant que les paysans en aient volé toutes les pierres...

Elle rit, et il entendit dans sa mémoire ce rire qui l'avait charmé le soir où ils s'étaient rencontrés pour le prix Nobel d'Alexis Carrel.

— J'ai proposé à mon mari d'en faire un établissement pour les orphelins des victimes de la guerre. Ces pauvres hommes blessés, gazés, infirmes qui meurent tous les jours, laissent encore des enfants qu'il faut prendre en charge. Et il n'existe rien pour eux. C'est une bonne idée, n'est-ce pas ?

— Sûrement...

Florian était toujours mal à l'aise quand elle l'interrogeait. Il avait tellement l'habitude qu'elle fasse les questions et les réponses qu'il n'écoutait en général que d'une oreille, laissant voguer ses pensées en marge de ce babillage qui faisait comme un bruit de fond. D'ailleurs elle n'était pas dupe.

— Vous n'avez pas changé, on dirait toujours que vous rêvez ! Pourtant, mon idée devrait vous paraître drôle. L'orphelinat de Malmort, à côté de l'hôpital de La Verle. Amusant, non ? Et le jour où l'on inaugure l'hôpital, on pose la première pierre de l'orphelinat ! Les officiels ne se dérangeront qu'une fois !

Floriant ne voyait pas très bien où elle voulait en venir, en évoquant ainsi les origines de sa famille. Espérait-elle qu'il serait gêné qu'on rappelle qu'Aubin était un enfant trouvé ? Savait-elle qu'en réalité c'était un Malmort ?

Pendant qu'il se posait ces questions, elle avait déjà repris :

— Justement, à propos du château. Vous êtes propriétaire de la moitié des communs et de l'orangerie, n'est-ce pas ? Ceux que Benoît de La Verle avait aménagés. Nous, nous possédons l'autre moitié, celle d'Hélène de Malmort... Vous connaissez l'histoire, je suppose.

Il acquiesça d'un mouvement de tête.

— Pour l'orphelinat, ce serait bien que nous ayons l'ensemble de ces bâtiments. Vous n'en aurez aucun usage, et vous pourriez en faire une donation à l'œuvre. Elle sera sous le régime de la loi de 1901, à but non lucratif. Le ministère des Anciens Combattants payera les travaux.

— Vous avez mon accord.

— Je savais que je pouvais compter sur votre générosité. N'êtes-vous pas aussi un héros de cette guerre ?

Quelle dose de persiflage se cachait derrière cette phrase ? Sans souffler, elle ajouta :

— Une autre raison me pousse à faire cet orphelinat. Je suis la dernière descendante des Malmort. Après moi plus personne ne portera ce nom. Mes enfants s'appellent Marteuil. Je trouvais triste que mon nom ne reste attaché qu'à un tas de ruines. Si notre établissement se fait, Malmort sera imprimé sur du papier à en-tête officiel. Il le mérite, vous ne trouvez pas ? Pour vous ce n'est pas la même chose, vous avez une descendance...

Brusquement, elle ne parlait plus. Elle marchait, lentement, la main sous le bras de Florian. Si elle attendait qu'il parle, elle fut déçue. Il n'en avait aucune intention. Alors elle lança, avec une nuance d'ironie dans la voix.

— Aurais-je le plaisir d'être présentée à Mme de La Verle ? On la dit charmante, et vos enfants superbes...

Ils se regardèrent en silence. Que savait-elle ? Soudain, elle s'écarta. Elle regarda sa montre, un bijou précieux qu'elle avait au cou, et s'écria :

— Mon Dieu qu'il est tard ! Retournons vite à la voiture, mes architectes doivent être affamés, et Octave qui nous attend.

Ils marchèrent vite vers la grosse Delage qui attendait près du portail de l'hôpital, et où elle s'engouffra sur un : « A bientôt ! » qui manquait de conviction. La portière se ferma avec un bruit moelleux, et la limousine glissa sur la route qui descendait vers l'hôtel du Cerf-à-Genoux.

CHAPITRE IX

Alexis Carrel fut mis impérativement à la retraite par le Rockefeller Institute à l'âge de soixante-cinq ans. Si bien que le voyage qu'il fit vers la France, en juillet 1939, n'était pas seulement l'habituelle traversée estivale. Cette fois, il ne retournerait pas aux États-Unis à la fin de ses traditionnelles vacances en Bretagne. Chacun se demandait comment il occuperait sa retraite, et il aurait été bien en peine de répondre à cette question. Lui-même ne savait pas ce qu'il allait faire de cette énergie qui bouillait encore dans ce corps en pleine santé.

De passage à Paris, il réunit quelques amis, comme il le faisait chaque année. Ils sc retrouvèrent à la Tour d'Argent, ce temple de la gastronomie qu'il appréciait tant. Il avait invité Charles Dopter, qui était resté jusqu'en 1935 directeur du service de santé au ministère de la Guerre, Thierry de Martel, le neurochirurgien devenu médecin chef de l'Hôpital Américain de Neuilly, et Florian de La Verle.

Les quatre hommes étaient à peu de chose près du même âge. Ils avaient connu cruellement la dernière guerre, et, malheureusement, faisaient la même analyse de la situation politique de la France face à la pression allemande. Rien n'était prêt pour affronter Hitler si un jour il décidait d'attaquer.

Dopter baissa la voix pour donner son impression.

— J'ai quitté le ministère il y a quatre ans, mais je sais que rien de plus n'a été fait depuis mon départ. Si un conflit devait éclater, nous nous retrouverions dans l'exacte situation qui était la nôtre en 1918. La doctrine actuelle est simple : Pétain ayant été considéré comme le génie de cette guerre, tout ce qu'il a fait était bien, et il n'y a aucune raison de changer ce qui nous a donné la victoire. On ne se rend pas compte qu'un quart de siècle s'est écoulé, et qu'en face de nous ils sont à la pointe du progrès... À mon avis, il faut prier pour qu'il n'y ait pas de guerre, sinon...

Le Service de Santé des Armées se reposait sur ses lauriers. En 1914, la situation sanitaire des troupes était déplorable, mais on l'avait oublié. Par la suite, grâce en particulier à une campagne de vaccination contre le tétanos et la typhoïde, ces fléaux habituels des armées en campagne avaient disparu de nos rangs. Ce qui n'avait pas été le cas chez nos adversaires. Il avait fallu cette maudite épidémie de grippe en 1918 pour retrouver les drames d'autrefois. On s'était même demandé si ce n'était pas une forme de peste ! Hélas, ce n'était qu'un petit virus grippal qui avait fait des milliers de morts, à égalité dans les deux camps. Sur le plan chirurgical, le succès des « autochirs » avait été suffisant pour qu'on en reste là. Le parc automobile, notamment, n'avait pas été renouvelé, et si des progrès sensibles avaient été faits depuis vingt-cinq ans, surtout sur le plan matériel, l'armée s'en était peu souciée. Dans les hôpitaux civils, les appareils de radio étaient devenus performants, la stérilisation et l'équipement opératoire s'étaient améliorés, les drogues antibactériennes étaient plus efficaces, bref, l'armée aurait pu avoir à sa disposition des moyens modernes. Mais en avait-elle fait l'acquisition ? Certainement pas, répondait Dopter.

— Il y a des moments où je remercie le Ciel de n'avoir plus l'âge de porter l'uniforme ! concluait-il.

Carrel, les dents serrées, se disait qu'il n'était pas possible d'en rester là. Mais il avait été tant décrié pendant les quatre années de la Grande Guerre, qu'il ne s'illusionnait pas sur l'audience qu'il pourrait obtenir chez les gens au pouvoir !

Florian rentra à Saint-Yé au volant de sa Primaquatre-sport Renault, sans faire rendre à sa machine toute la puissance dont elle était capable. Ces conversations l'avaient perturbé. Il conduisait lentement, plongé dans ses pensées. Que ferait-il en cas de conflit ? Il avait soixante-sept ans, et il était le président du conseil d'administration de l'hôpital pour plusieurs années encore. En France, on n'avait pas la rigueur mathématique des Américains quand il s'agissait de la retraite. Les années de guerre et les enfants prolongeaient la durée de la vie active. Il était donc à la tête de son laboratoire pour longtemps... Son épouse en nom dirigeait le service de médecine qui s'était vite spécialisé en phtisiologie. Elle soignait des tuberculeux qui venaient de toute la région et même de Paris. Et était en relation avec les hôpitaux de Berck, où elle expédiait ses tuberculoses osseuses.

Les enfants leur donnaient toute satisfaction. Guillaume était un premier de classe paisible, chez les maristes de Senlis. Il disait qu'il serait médecin ; mais, pour le moment, il n'aimait que la musique. Raphaëlle était une brillante étudiante en sciences à Paris ; elle était jolie, musicienne aussi, et sérieuse. Un jeune agrégé de chimie la courtisait. Il s'appelait Samuel Bloch et son oncle était rabbin à

Nîmes. Lorsqu'elle l'avait présenté à Florian, il avait pu voir dans ses yeux une petite flamme joyeuse.

— Je ne l'ai pas fait exprès, s'excusa-t-elle.

— Tu lui as dit...

— Jamais.

— Et lui, il t'a présentée à sa famille ?

— Bien sûr.

— Et personne n'a critiqué le fait qu'il fréquente une *goy* ?

— Il paraît qu'ils ne sont pas sectaires. Ils auraient préféré une juive, mais il est fils unique, alors ce qu'il fera sera bien !

Toute la famille avait ri.

Mais, désormais, Florian ne riait plus. Si les Allemands arrivaient un jour, les juifs ne seraient pas à la fête... Jamais ils ne parlaient de l'Allemagne à la maison ; mais la jeune fille, sans le dire, suivait attentivement la situation de ce pays où ses parents avaient été tués par un racisme qui s'élevait maintenant au niveau d'une institution nationale.

Octave Legrand était peu à Saint-Yé. Il habitait Paris, et c'est de là qu'il dirigeait un empire industriel qui s'accroissait un peu plus chaque année. Il était l'amant en titre de Marie-Geneviève de Marteuil, mais tous deux ne venaient qu'en week-end. Elle prétendait suivre les équipements de l'orphelinat qui n'en finissaient plus. Elle logeait alors à l'hôtel, et ils se cachaient à peine. Le colonel-comte était toujours attaché au service du maréchal, et pour l'heure ils étaient en ambassade en Espagne, auprès du général Franco dont on cherchait hypocritement à gagner l'amitié et la neutralité en cas de conflit. Il nous devait bien ce remerciement après notre politique de non-intervention, quand il écrasait les républicains.

Jamais le descendant des hôteliers de Saint-Yé ne s'était entretenu avec Florian de sa liaison avec l'héritière des Malmort. D'ailleurs, de toute chose, il parlait peu. Leur relation demeurait amicale, mais distante. Ils se voyaient pour régler les problèmes de l'hôpital, car Octave restait le maire de la commune, régulièrement élu sur des listes apolitiques. Sa banque gérait intelligemment le capital de la famille La Verle, évitant que le contrecoup des crises successives de cette dernière décennie ne se fasse trop sentir. L'homme était riche et discret, influent et sans doute dénué de scrupules. Il était de cette génération où l'efficacité primait le sentiment. Sa nouvelle Delahaye blanche et ses cigares étaient connus dans la région. Sa boiterie lui donnait la dignité des héros.

Quant à Marie-Gy, comme tout le monde l'appelait, elle semblait immuable. Toujours aussi bavarde, élégante et belle, elle paradait à l'orphelinat comme si elle avait fait plus que d'offrir des ruines qui ne lui appartenaient même pas en propre... Elle n'oubliait jamais de venir faire un tour au laboratoire de Florian pour le saluer, mais en s'excusant ostensiblement de le déranger. Ne voulait-elle pas lui faire sentir le poids de sa position sociale ? Son mari et son amant étaient, chacun dans son domaine, d'une puissance politique non négligeable, et elle était trop astucieuse pour s'imaginer que Florian l'ignorait. Ses visites ne manquaient pas de le lui rappeler.

Madeleine ne pouvait pas la supporter. Elle l'appelait la « Pie voleuse », à la grande joie des enfants.

Florian n'aimait pas non plus ces visites. Dans les yeux de cette femme, il voyait passer parfois des éclairs de haine. Du moins c'est ainsi qu'il interprétait ces brefs regards glacés qui ne semblaient pas tenir compte des paroles aimables que prononçait une bouche souriante à l'excès.

Élodie vieillissait doucement, dans une quiétude feinte. Elle ne sortait plus de sa chambre, et vivait l'oreille collée à un appareil de T.S.F. que Florian lui avait offert, et sur lequel elle cherchait les stations étrangères pour mieux savoir la vérité. Elle était de ceux que l'Allemagne effrayait plus que les autres...

Arrivé à Saint-Yé dans la soirée, Florian monta voir Madeleine. Elle habitait un petit appartement autonome, au deuxième étage de la maison. Elle ne participait à la vie de la famille que si les enfants étaient là. Elle aussi partait souvent dans son petit coupé 202 Peugeot, pour de courts voyages à Paris, sans jamais dire ce qu'elle y faisait. Parfois, elle évoquait une pièce de théâtre ou un concert qu'elle était allée écouter. Le secret de sa vie privée était jalousement gardé, et ses relations avec Florian n'avaient jamais dépassé le stade d'une amitié pudique.

Ce soir-là, elle l'attendait dans son bureau-salon. Elle connaissait les participants au déjeuner de Paris, et elle était impatiente de savoir ce qui s'y était dit. Ils restèrent longtemps assis l'un en face de l'autre, sur fond de Mozart, un verre de cognac en main, à épiloguer sur cet avenir d'angoisse. Elle fumait toujours ces petits cigares noirs qui la faisaient tousser. Florian lui trouvait la mine fatiguée. Ses cheveux étaient devenus gris, et son visage osseux se ridait. Elle travaillait trop. Ils se quittèrent tard. Et elle resta plus tard encore, pour raconter cette conversation dans son journal...

La déclaration de guerre du 3 septembre 1939 retentit douloureusement dans la tête de tous ces gens qui se souvenaient du conflit précédent. Jusqu'à la dernière minute, ils avaient espéré l'inespérable.

À Saint-Yé, c'étaient les vacances. Guillaume jouait aux Indiens avec les fils de cheminots, tandis que Raphaëlle pianotait ou écrivait à son soupirant. Chaque jour de ce bel été, le facteur apportait une lettre, et en emportait une autre pour Nîmes. Soudain le rythme fut brisé. Des lettres continuaient à arriver ; mais la jeune fille ne savait plus où écrire. Le lieutenant Samuel Bloch avait rejoint son unité d'artillerie, à Paris, dès la mobilisation. Il était au Fort de Vincennes, et son régiment allait partir pour l'Est, destination inconnue.

À l'hôpital, tout avait changé brusquement. Les jeunes médecins, mobilisés eux aussi, étaient partis, laissant Florian et Madeleine seuls à la tête des services de chirurgie et de médecine. Ils s'étaient rapidement organisés, avec une ardeur quasi juvénile.

Quand on avait creusé les caves du nouveau bâtiment, on avait découvert un réseau de souterrains inconnus jusqu'alors, et qui faisaient communiquer l'ancien hôpital, le couvent et le château. C'était l'endroit idéal pour aménager les « abris » obligatoires. On se souvenait des bombardements de 1916 ! Ce labyrinthe solidement consolidé, des magasins y avaient été agencés pour stocker les réserves de vivres, de matériel et de médicaments. Les blessés pouvaient arriver, on était en état de soutenir un siège.

La gare de triage de Saint-Yé devint la plaque tournante des convois militaires, et les habitants qui n'avaient pas oublié non plus la guerre précédente, collèrent des bandes de papier gommé sur leurs vitres.

Les journaux du matin étaient attendus avec impatience. Ils affichaient un optimisme rassurant. Nos troupes étaient massées derrière l'infranchissable ligne Maginot, et la classe politique semblait croire que cette impossible guerre n'aurait pas lieu. Hitler avait mis la Pologne à genoux en trois semaines, ne se satisferait-il pas de cette conquête ? Jamais il n'oserait s'attaquer à la puissante alliance franco-anglaise. D'ailleurs, le calme du front ne donnait-il pas raison aux pacifistes ? Une intense activité diplomatique dominait l'actualité.

L'hiver 1939-1940 s'écoula ainsi. C'était vraiment la « drôle de guerre », selon le mot de Roland Dorgelès. Samuel avait été affecté à la 9e armée du général Corap, et il se trouvait quelque part sur la frontière belge, ses canons de 75 soigneusement camouflés. Il participait aux labours avec un vieux paysan qui avait énergiquement refusé d'évacuer sa ferme. « Pour moi, écrivait-il à Raphaëlle, c'est la guerre bucolique. » Plusieurs fois il était venu en permission, et il s'était arrêté à Saint-Yé avant d'aller embrasser sa mère à Nîmes.

À Paris, Florian rencontra de nouveau Alexis Carrel. Il était revenu précipitamment de Bretagne, et s'était mis à la disposition des autorités militaires. Il se savait trop compétent dans tous les domaines de la biologie médicale pour ne pas se croire utile ; mais il racontait avec plus de hargne que d'humour les longues attentes dans les antichambres ministérielles, et l'intérêt poli que suscitaient ses propositions.

— Pourtant, il y a tout à faire, maugréait-il. Rien n'est prévu pour assurer aux avant-postes des moyens de réanimation corrects. Ils n'ont pas d'oxygène, rien pour transfuser, pas de médicaments modernes. On sait bien que le sang ne voyage pas bien, et qu'il faut trouver des produits de remplacement à perfuser en urgence... Je leur ai proposé de mettre en route un travail sur ce problème. Je n'intéresse personne. Il va falloir que je retourne chercher de l'aide aux États-Unis...

Enfin, il obtint un rendez-vous avec Raoul Dautry, ministre de l'Armement.

— C'est le seul homme efficace de ce gouvernement, raconta-t-il. On va créer un laboratoire de recherche, et un hôpital mobile. Je vais aller voir les Américains. Ils vont nous aider.

Il retrouvait son enthousiasme, mais sans se faire trop d'illusions.

— Vous voyez, La Verle, concluait-il, le drame de ce pays, c'est qu'il ne veut pas entendre ce qui lui déplaît. Si vous dites publiquement que les Allemands sont mieux armés que nous, et que le jour où ils le voudront, ils nous balayeront comme les Polonais, pensez-vous que les gens répondent qu'il faut se mettre à l'ouvrage ? Non ! On vous menace du Conseil de guerre pour défaitisme.

Carrel n'eut pas le temps de mettre ses belles idées en application. L'offensive allemande se déclencha le 10 mai 1940. Paris mit trois jours à comprendre ce qui arrivait. À Saint-Yé, les nouvelles étaient confuses. Vues de la capitale, les opérations en Belgique et en Hollande avaient un caractère anecdotique, et l'on criait bien haut que nous étions en mesure de ramener rapidement les hordes germaniques sur leurs frontières.

Mais bientôt arrivèrent les premiers réfugiés qui donnaient un autre son de cloche. Rotterdam avait été rayée de la carte, l'armée *feldgrau* bousculait tout sur son passage, l'aviation écrasait les populations sous un déluge de bombes et de mitraille. C'était la déroute !

Josepha, l'Alsacienne, vint supplier Florian de la laisser partir. À l'idée d'être prise par les Allemands, comme elle se souvenait de ce qu'avait été l'occupation de son pays, elle perdait son sang-froid. La décision fut vite prise. Raphaëlle avait reçu une invitation de la famille Bloch à venir à Nîmes si la guerre s'intensifiait : Florian lui offrit la Primaquatre pour emmener Guillaume et Josepha. Elle refusa. Un infirmier qui avait aussi de la famille dans le Midi et un enfant à mettre à l'abri, se proposa. Le 17 mai, ils roulaient vers le sud sur des routes encombrées par les fuyards et les troupes qui montaient vers le front.

À Saint-Yé, Florian installa sur la route un poste de secours tandis que l'hôtel improvisait une cantine à ciel ouvert pour distribuer de la soupe et du café aux familles affamées. Des vieillards et des blessés épuisés étaient montés vers l'hôpital. Certains ne pouvaient pas continuer à fuir, d'autres repartaient avec un pansement propre ou un plâtre, et la musette garnie.

Tous les employés travaillèrent ainsi plusieurs jours d'affilée, presque sans repos. Raphaëlle faisait office d'infirmière, et quand les premiers uniformes en déroute apparurent, elle fut prise de panique. Aucune nouvelle de Samuel ne lui parvenait, et personne ne savait ce qu'il en était de l'armée du général Corap. Elle ne savait pas que les *Panzerdivisionen* de Guderian s'étaient lancées dans les Ardennes, pour couper la France en deux, et que son fiancé avait été repoussé vers le nord avec sa batterie décimée. Plus tard, elle apprendrait qu'il s'était replié sous un feu d'enfer, sauvant ses canons, et gagnant la croix de guerre.

La confusion dura plusieurs semaines. Les *stukas* vinrent mitrailler en hurlant la gare de triage ; les militaires, éparpillés en hordes dépenaillées, remplacèrent les civils, et l'hôpital de Saint-Yé devint une véritable cour des miracles. Florian avait repris du service en salle d'opération, et se rappelait les heures sombres de l'hiver 1914. Mais cette fois, il avait des installations modernes qui fonctionnaient bien, des donneurs de sang, des bouteilles à oxygène, la radio, et tout ce qui était nécessaire pour faire une chirurgie efficace.

Enfin les chars allemands apparurent et les uniformes vert-de-gris emplirent la ville. Pour Florian et les siens, il n'avait pas été question de partir. Ils s'étaient sentis mobilisés sur place, et lorsque des bruits de bottes retentirent dans le hall de l'hôpital Aubin de la Verle, il mit une blouse et un tablier propres, enfonça sa calotte de chirurgien jusqu'aux yeux, et marcha au-devant du vainqueur.

Un officier arriva bientôt et expliqua, en allemand, que tous les militaires hospitalisés devaient être considérés comme prisonniers. Florian fit mine de ne pas comprendre. L'autre, agacé, l'écarta d'un geste, et commanda de mettre des sentinelles à toutes les issues. Puis il s'en alla à grands pas.

Florian retrouva Madeleine et ils entreprirent de faire partir, avec des vêtements civils, tous les soldats transportables. Mais bien peu avaient des papiers en règle, et il y aurait des contrôles sur les routes. Il fallut attendre la nuit.

L'organisation allemande se mettait en place et, dès le troisième jour, l'hôtel du Cerf-à-Genoux était réquisitionné et transformé en *Kommandantur*.

Un matin, un soldat apporta une convocation pour le docteur

de La Verle. Le colonel Steiner avait une quarantaine d'années, et il parlait un français parfait. Il marchait de long en large dans ce qui avait été le bureau d'Octave Legrand.

— J'enseigne votre langue à l'université de Berlin, répondit-il à Florian qui le félicitait de s'exprimer avec autant d'aisance, et j'ai la mission de prendre en charge l'organisation de cette ville de grosse importance stratégique. La gare de triage, la route vers le nord, un hôpital, un grand hôtel, c'est exactement ce qu'il nous faut. À dater de ce jour, professeur de La Verle, vous voudrez bien considérer que vous êtes sous mes ordres. Devant l'air surpris de son interlocuteur, il se reprit : Je n'interviendrai pas sur les questions médicales, évidemment. Mais vous hébergerez des soldats allemands. Des médecins allemands viendront travailler ici, et vous devez comprendre que l'autorité militaire aura son mot à dire sur tout. Vous voudrez bien vous y conformer.

Florian avait un sourire ironique qui l'agaça. D'un geste brusque, il se rassit derrière son bureau et ouvrit un gros dossier. Il le consulta un moment puis, sur un ton très doucereux, il continua.

— Il va falloir que nous travaillions ensemble, *Herr Professor*, en toute honnêteté. Sinon je serai très méchant. Je sais être très méchant ! Il poursuivit de plus en plus mielleux : Pourquoi avez-vous fait semblant de ne pas comprendre l'officier qui a pris possession de votre hôpital ? Vous parlez l'allemand à la perfection, *Herr Professor*. Nous le savons. Voulez-vous quelques échantillons de nos informations...

Il feuilleta les fiches soigneusement rangées dans le dossier ouvert devant lui et distilla ses informations.

— Vous avez vécu une année à Berlin, en 1895. Vous aviez dû quitter Paris à la suite d'un scandale provoqué par votre... homosexualité.

Il avait levé les yeux pour prononcer ce dernier mot et en juger l'effet sur le visage de son interlocuteur. Florian s'était senti blêmir.

— Puis, vous êtes allé en Amérique. Vous parlez aussi l'anglais, à la perfection. Vous êtes revenu en France pour faire une guerre brillante, à l'hôpital du Rond-Royal à Compiègne, et vous avez été blessé. Ensuite, vous avez dirigé un laboratoire à Strasbourg... Vous voyez, nous savons tout sur votre vie aventureuse.

Il se leva et vint se planter devant Florian, les jambes écartées, les mains derrière le dos. Les deux hommes avaient la même taille.

— Ce portrait pourrait être celui d'un espion, n'est-ce pas ?

Florian, pâle, restait muet. L'autre, imperturbable, persistait.

— Vous n'êtes plus jeune, *Herr Professor*. Soixante-huit ans, c'est un âge où l'on commence à aspirer à la paix. Moi aussi, je suis un pacifique. J'ai la tâche d'organiser et de diriger cette région de grande importance stratégique pour notre armée. Si vous vous comportez comme je l'espère, nous travaillerons ensemble. Sinon, je vous enverrai soigner vos compatriotes dans un de nos camps, en Allemagne.

Il reprit sa marche. Puis, s'immobilisant de nouveau, il conclut l'entretien sur un ton qui avait perdu toute douceur.

— Je ne m'embarrasserai pas d'un ennemi dans mon dos. Si vous collaborez, ce sera très bien. Mais à la moindre incartade, je vous fais incarcérer. Sa voix se radoucit, et il prit Florian par le bras pour le raccompagner à la porte du bureau : Votre silence prouve que vous réfléchissez. C'est bien. Je vous crois suffisamment intelligent pour prendre le bon chemin. Je le saurai vite. Allez retrouver votre femme maintenant. Et dites-lui bien aussi que tout cela est valable pour elle également.

Florian se retrouva dans le couloir encombré d'uniformes, au milieu des soldats qui déroulaient des lignes téléphoniques et installaient des tables dans le hall. Il marchait d'un pas mécanique, se répétant cette conversation imprévue. Le ton et les propos de cet homme l'avaient profondément blessé.

Il grimpa vers l'hôpital en marmonnant des paroles assassines. Il se dirigea vers le bureau de Madeleine qui l'attendait avec anxiété, et il lui raconta l'essentiel de l'entretien.

Elle hocha longuement la tête et alluma un petit cigare avant de donner son opinion. Enfin, elle planta son regard bleu dans celui de Florian, et s'exprima en peu de mots.

— Eh bien, je pense que pour nous, l'armistice n'est pas signé ! Quoi qu'en ait dit, hier, le maréchal.

On était le 18 juin 1940. À Londres un général lisait un appel à la résistance, tandis qu'à Paris, le neurochirurgien de l'Hôpital Américain, Thierry de Martel, se tirait une balle dans la tête.

La vie s'organisa à Saint-Yé au milieu des troupes d'occupation omniprésentes. Ils avaient réquisitionné l'orphelinat pour en faire un casernement, et l'usine avait été remise en activité. On y réparait les wagons et les véhicules militaires endommagés. La gare de triage avait repris son activité, et les trains circulaient de nouveau.

La France était coupée en deux par la ligne de démarcation ; il fallait un laissez-passer pour aller en zone libre ou en revenir. Les denrées alimentaires commençaient à manquer et les cartes d'alimentation firent leur apparition.

En octobre, le gouvernement de Vichy publia ses premiers décrets sur le statut des juifs, et la consternation fut à son comble après l'entrevue d'Hitler et de Pétain à Montoire. Le communiqué final faisait état d'un « nouveau continent européen »...

Un matin de novembre, Florian faisait sa consultation, comme d'habitude, quand il vit entrer dans son bureau le père Vireux, un paysan qu'il connaissait bien, car ils avaient été en classe ensemble. Ils devisèrent un moment sur le bon vieux temps d'avant la Grande Guerre, et firent quelques réflexions amères sur l'occupation. Puis, on en vint au motif de la consultation. L'homme se plaignait des reins. Florian l'examina puis lui fit une ordonnance banale. L'autre remercia et demanda combien il devait, mais Florian écarta sa question d'un geste.

— On ne fait pas payer les amis...

— Je m'en doutais bien, reprit le père Vireux, alors je t'ai apporté un garenne. On n'a plus le droit de chasser, mais on a toujours des collets... Tiens, garde le sac, tu me le rendras, à l'occasion.

Florian était ravi. Il aimait ce genre de troc vieux comme le monde, et qui allait sans doute se développer plus encore si les affameurs restaient longtemps dans le pays.

À la fin de la matinée, il rapporta triomphalement son lapin à la maison et appela Madeleine pour lui proposer de venir, le soir, partager le civet avec Raphaëlle et la vieille Élodie. Mais, en sortant le gibier du sac, il découvrit une enveloppe cachée au fond. Elle était en gros papier marron et ne portait aucune inscription de destinataire. Il l'ouvrit avec un couteau de cuisine, et sursauta dès qu'il vit le texte qu'elle contenait. C'était l'écriture de Samuel !

Florian avait trop souvent remis à sa fille les lettres de son soupirant, pour ne pas reconnaître au premier coup d'œil sa fine calligraphie de bon élève.

— Raphaëlle ! cria-t-il, n'osant lire ce qui ne lui était sûrement pas destiné.

Madeleine s'était approchée et regardait avec intensité ce message qui paraissait venir de l'au-delà. Après l'offensive du mois de mai, les blindés de Guderian avait encerclé l'armée anglaise et les débris de l'armée française dans la poche de Dunkerque. Là, on savait qu'il y avait eu un véritable massacre et qu'une partie des troupes avait regagné l'Angleterre. Mais le nombre des disparus était considérable. Sans nouvelles de Samuel depuis tout ce temps, Raphaëlle ne pouvait se résigner à le croire mort, mais l'espoir s'amenuisait chaque jour.

Cette lettre apportait enfin la justification de ses espoirs. Les mains tremblantes, elle lut à haute voix les trois feuillets qui racontaient l'épopée du jeune officier. Il avait bien été pris dans la nasse de Dunkerque mais il avait réussi à se faire embarquer, et il s'était retrouvé à Londres, à peu près le seul rescapé de son unité. Là, il avait répondu à l'appel du général de Gaulle et il était maintenant capitaine dans l'armée de la France libre. Pendant ses loisirs, il avait aussi pris des contacts avec l'industrie pharmaceutique anglaise et il s'y était fait des amis qui seraient bien utiles après la victoire.

Il terminait par des propos d'un optimisme solide et, maintenant qu'il avait trouvé une filière pour faire circuler le courrier, il promettait de donner plus souvent de ses nouvelles.

Il n'y avait pas plus de signature que de destinataire, si bien que seule une personne qui connaissait l'écriture pouvait identifier l'auteur de la lettre. Mais il n'y avait pas non plus d'adresse pour répondre...

Ce soir-là, autour du civet, le monde de Saint-Yé avait changé. Puisque le père Vireux avait des liens avec Londres, par lui on pourrait probablement correspondre. Cette France libre dont on parlait à peine jusque-là existait donc bien, et on allait pouvoir, avec elle, continuer la lutte.

À Nîmes, Guillaume pleurait. Si gentille que fût la famille Bloch, il voulait rentrer à la maison, et Josepha, rassurée, était d'accord pour revenir. Il fut décidé que Raphaëlle irait les chercher, ce qui lui permettrait de faire mieux connaissance de cette famille, et de leur donner des nouvelles de leur fils.

Le retour se passa sans problème, mais la joie des retrouvailles fut assombrie par le décès de la vieille Élodie. À quatre-vingt-cinq ans, elle avait vécu trois guerres et perdu ses deux fils. Elle embrassa une dernière fois ses petits-enfants et s'éteignit, heureuse de les savoir réunis. Elle avait détruit tous ses papiers au nom d'Ebstein et fut inhumée sous son nom de jeune fille dans le grand caveau de la famille La Verle. Dans ses affaires, on trouva un paquet de lettres et de documents divers que Florian déposa pieusement dans la malle de cuir qui était cachée au grenier.

Le père Vireux avait cinq fils. Deux avaient disparu à Dunkerque, un était prisonnier en Allemagne, et les deux autres travaillaient la terre avec lui. Silencieux et sombres, ils marchaient sans lever les yeux, et de l'aube au crépuscule sillonnaient leurs terres à moitié immergées dans leurs barques à fond plat.

Quelques jours après la lettre de Londres, Florian rencontra le vieux paysan dans la cour de l'hôpital. Il livrait des légumes.

— Alors, ce dos, ça va mieux ? demanda le médecin.

— Il y a des jours oui, des jours non...

— Viens donc me voir, j'aurai bien quelque chose pour toi...

Quelques jours plus tard, les deux hommes discutaient à voix basse dans le bureau du praticien qui s'enquerrait des moyens de communication avec l'Angleterre. Le vieux paysan lui expliqua que ses deux fils aînés étaient à Londres et qu'ils avaient établi, avec leurs frères, les prémices d'un réseau de renseignements qui passait par l'intermédiaire de cousins habitant près de Boulogne-sur-Mer. La Résistance s'organisait donc. Florian fit savoir qu'il était prêt à y participer dans la mesure de ses moyens.

Le vieux déclara qu'il ferait passer le message, mais qu'il ne pouvait pas en dire plus.

— Moins on en sait...

Florian était enchanté de reprendre le combat.

Le colonel Steiner venait parfois à l'hôpital, à l'occasion des vérifications d'identité qu'il organisait régulièrement pour les hospitalisés. Il était obnubilé par les soldats français qui avaient abandonné l'uniforme au moment de la débâcle. Les rapports entre les deux hommes étaient courtois mais glacés. Chacun se méfiait de l'autre.

Marie-Gy réapparut au printemps 1941. Toujours aussi élégante et dans une voiture avec chauffeur. À cette époque, c'était la preuve d'une collaboration évidente avec l'occupant. Elle demanda une consultation à Florian qui la reçut à l'hôpital, dans son bureau. Elle se plaignit de problèmes trop vagues pour qu'il ne soit pas évident qu'il ne s'agissait là que d'un prétexte. Mais Florian attendait qu'elle dévoile son jeu. Elle raconta que son mari était à Vichy, au cabinet du maréchal, et qu'elle voyageait beaucoup car elle avait à faire à Paris. Mais elle avait manifestement une autre idée derrière la tête.

Le maréchal avait créé le Conseil national, destiné à regrouper des personnalités susceptibles d'éclairer le chef de l'État en différents domaines. Marie-Gy venait proposer à Florian d'en faire partie.

Évidemment il refusa, prétextant son travail à l'hôpital, et son manque de temps. Elle ne fut pas dupe.

— J'ai l'impression que nous ne sommes pas sur la même longueur d'ondes, minauda-t-elle.

Il la regarda sans répondre. Elle partit alors dans un long discours sur l'avenir de l'Europe et la place d'une France nouvelle débarrassée de son alliance fâcheuse avec l'Angleterre qui, de toute façon, ne tarderait pas à demander grâce. L'alliance avec l'Allemagne n'était-elle pas la seule solution ?

Florian n'avait aucun talent pour mentir ; en revanche, il avait le génie du silence. Il était capable de s'en tenir à de vagues hochements de tête pendant des heures. Mais cette tactique n'était pas du goût de sa bavarde interlocutrice.

— Mon cher ami, conclut-elle, nous sommes à une époque où la neutralité n'existe plus. Si vous n'êtes pas avec nous, vous serez jugé comme un ennemi. Le colonel Steiner ne sait pas encore dans quelle catégorie vous ranger. Il va falloir vous décider...

— J'ai choisi la médecine, madame, et personne ne pourra me faire dévier de cette voie...

— De nos jours, même la médecine doit avoir une orientation politique. Choisissez la bonne !

Dans la salle d'attente, le père Vireux semblait sommeiller. Il regarda partir la visiteuse sous ses paupières lourdes.

— Méfie-toi, dit-il au chirurgien dès qu'ils furent seuls dans le bureau, elle est redoutable. Elle loge à la *Kommandantur*, et elle n'est pas venue ici pour rien.

— Elle voulait en savoir plus sur mes opinions...

— Je n'aime pas ça ! Surtout que j'ai des nouvelles importantes. Un réseau de rapatriement vers l'Angleterre va s'organiser avec étape à Saint-Yé. L'hôpital permettrait de garder quelques jours, sous un prétexte médical quelconque, des gens en partance pour Londres.

Florian sourit. La traditionnelle filière des réfugiés se reconstituait à partir de Saint-Yé comme aux siècles précédents. Devrait-il l'utiliser lui-même ? Il ne le souhaitait pas, il n'avait plus l'âge. Vireux était d'avis qu'il serait utile de donner des gages d'allégeance à Steiner, pour endormir sa méfiance. Mais il reconnaissait que ce n'était pas facile...

Pourtant l'occasion se présenta quand un jeune officier du service de santé militaire allemand arriva à l'hôpital. Il voulait que des blessés opérés en Allemagne, et encore sous surveillance médicale, puissent reprendre du service à Saint-Yé. Florian accepta volontiers. Une salle leur serait réservée.

Quelques jours plus tard, un premier groupe de soldats arriva et le major allemand montra avec fierté leurs radiographies. La plupart avaient été opérés pour des fractures de jambe ou de cuisse par une méthode révolutionnaire. On avait enfoncé, au milieu du tibia ou du fémur, un clou volumineux qui servait de tuteur, et la fracture se consolidait ainsi, sans plâtre. Les soldats devaient même marcher, ce qui leur permettait de reprendre du service au bout de quelques semaines au lieu des quatre ou cinq mois habituels. Florian était médusé et admiratif.

L'Allemand en profita pour chanter les louanges du *Führer* dont l'autorité permettait de tels progrès. Florian pensa qu'il était de bonne politique de s'associer à ces termes laudatifs, et le jeune chirurgien proposa de venir opérer à Saint-Yé dans les temps à venir. Le Français fut bien obligé d'accepter, mais avec un enthousiasme un peu atténué. Il devait absolument essayer d'endormir la méfiance d'un occupant dont une vigilance excessive risquait, dans les temps prochains, de devenir gênante.

CHAPITRE X

L'annonce du débarquement anglo-américain de 1942 en Afrique du Nord et l'envahissement immédiat de la zone « libre » par l'armée allemande bouleversèrent l'opinion publique française.

Déjà, l'attaque allemande contre l'URSS, les déportations massives de juifs, la généralisation des combats en Orient, et l'entrée en guerre des États-Unis après Pearl Harbor, étaient autant d'événements qui avaient fait réfléchir les plus bornés. On ne pouvait plus croire que la guerre avait pris fin en juin 1940. Les Français étaient toujours engagés dans ce conflit, et chacun devait choisir son camp.

Chaque soir, on s'efforçait d'entendre la voix lointaine qui annonçait : « Les Français parlent aux Français. » Et l'on ne pouvait plus ignorer ce que la presse officielle cachait.

La nuit du 11 novembre, une explosion retentit dans la gare de triage, suivie de beaucoup d'autres. Des flammes d'apocalypse illuminèrent le ciel. C'était un train d'explosifs qui avait été piégé par les « terroristes ». Les dégâts furent considérables. L'armée boucla le secteur de Saint-Yé sans rien trouver. Sauf un mort : un garçon d'une vingtaine d'années que personne ne connaissait, et qui avait été trouvé à la porte de l'hôpital, à l'aube, comme s'il avait été déposé là dans l'espoir qu'il pourrait y être soigné. Il n'avait sur lui aucun papier d'identité. Florian, immédiatement convoqué, n'avait pu constater que le décès. La mort avait été provoquée par un éclat de métal qui avait perforé le thorax. C'était sans doute un des saboteurs qui n'avait pu s'écarter à temps.

Steiner fit procéder à une fouille minutieuse de l'hôpital, craignant que d'autres blessés n'y aient été cachés. Par chance, ils ne trouvèrent rien de suspect. Le colonel, furieux, n'avait qu'à moitié confiance dans les affirmations du chirurgien, et celui-ci en tira les conclusions qui s'imposaient.

Le soir même, avec Madeleine, ils décidaient d'aménager dans les souterrains une sorte d'hôpital clandestin, car, le jour où des blessés arriveraient encore vivants, ils se voyaient mal les laisser à la porte ou affronter l'irascible colonel.

Des vieux lits, du linge, une table d'opération réformée furent installés dans l'une des salles souterraines, et l'accès soigneusement camouflé par une lourde armoire innocemment posée contre un mur de la pharmacie. Il était temps que de telles mesures soient prises car le père Vireux annonça qu'il allait y avoir du nouveau.

Effectivement, quelques jours plus tard, un homme arriva à la tombée de la nuit, juste au moment où les Allemands changeaient l'équipe de garde. Florian finissait de mettre ses dossiers en ordre, quand la porte de son bureau s'ouvrit sans bruit. C'était Samuel !

Les deux hommes se connaissaient peu, mais ils se retrouvèrent comme s'ils s'étaient quittés la veille. Très civil, Florian invita le jeune homme à venir dîner chez lui. Il lui expliqua que ce serait, pour lui, la meilleure cache pour un soir. Il l'affubla d'une blouse médicale, d'une capote bleue, comme celle qu'il portait pour rentrer, et d'une calotte blanche. C'est ainsi qu'étaient habillés certains des médecins qui venaient parfois souper avec lui.

Devisant paisiblement, ils traversèrent la cour d'un pas tranquille en se dirigeant vers la maison et saluèrent les gardes de la main...

Raphaëlle crut rêver quand ils entrèrent dans la salle à manger. Ils ne s'étaient pas vus depuis presque trois ans déjà ! Ils restèrent à table jusqu'à une heure avancée de la nuit. Il leur parla des hommes de l'ombre qui entouraient de Gaulle : Pleven, Schumann, Bidault. Autant d'inconnus en France, mais qu'il côtoyait quotidiennement. Jean Moulin, aussi, qui coordonnait la Résistance française. Il leur annonça que le débarquement aurait lieu un jour prochain, grâce aux Américains, et qu'il fallait s'y préparer. Il était venu convoyer un parachutage d'armes et de matériel que les hommes de Vireux avaient réceptionné. Florian découvrait ainsi que le vieux paysan était un chef de réseau important, et que ses fils jouaient un rôle primordial dans l'organisation clandestine de tout le département.

— Il y a un colis pour vous aussi, confia-t-il à Florian sur le ton de la confidence. C'est un médicament nouveau, découvert par un homme extraordinaire qui s'appelle Alexander Fleming. Il fait céder les plus sévères infections. Une découverte encore plus importante pour la chirurgie que celles de Lister. Vous l'essayerez, mais n'en parlez pas. Pour le moment, il est réservé aux troupes. Il pourra vous être utile quand vous recevrez des blessés de l'armée secrète. Deux piqûres, et ils pourront repartir, vous verrez. Vireux vous apportera la boîte dès qu'il trouvera un moyen. Le nom est écrit dessus, « pénicilline ».

À l'aube, Samuel était reparti. Il s'était reposé à peine deux heures et, à voir le visage de Raphaëlle, le lendemain, il n'était pas sûr que les amoureux aient beaucoup dormi. Une camionnette de légumes devait l'acheminer vers la côte où un sous-marin viendrait le récupérer.

Le courage tranquille du jeune homme avait galvanisé les énergies, et même Guillaume rêvait de jouer un rôle dans cette guerre qui n'était pas de son âge. À onze ans, il ne pouvait que se taire, ce qu'il faisait très bien, mais il savait que le temps viendrait où il pourrait se rendre utile. Déjà, il sillonnait les environs avec ses copains, répertoriant les caches, les lieux d'embuscades, les chemins de traverse. À un âge où les enfants jouent aux Indiens, eux se préparaient à la vraie guerre.

Et ils avaient raison, car les événements se précipitèrent. La résistance et les maquis prenaient de l'importance. Plusieurs fois, Florian avait reçu en consultation des ouvriers agricoles dont les mains étaient un peu trop blanches. Il fallait les hospitaliser un jour ou deux, le temps que le sous-marin prévu soit annoncé. Un infirmier, familier des Vireux, transmettait les messages. Il y avait tant de mouvements dans cet hôpital que les Allemands ne pouvaient pas contrôler efficacement tous les malades de passage.

Pourtant un vieux médecin militaire prussien avait été nommé à Saint-Yé, et il était censé assurer la surveillance. Florian, soudain très amical, l'avait amadoué et il le noyait sous des exposés techniques auquel l'autre ne comprenait rien. Fort gourmand, le Germain appréciait les repas faits avec ce que les consultants apportaient et il était persuadé que tout était limpide.

Steiner, rassuré, relâchait sa surveillance. D'autant qu'il avait fait augmenter le nombre des soldats allemands habitant l'hôpital, ce qui lui paraissait la meilleure garantie possible. Avec eux aussi, Florian était d'une extrême gentillesse.

Un soir, Vireux arriva aux urgences, accompagnant un ouvrier qui marchait péniblement avec une béquille.

— Il est tombé d'un arbre, vite, le docteur de La Verle, réclamait le vieux paysan.

L'homme avait une cinquantaine d'années, et au premier coup d'œil Florian avait compris que les vêtements maculés de terre n'étaient qu'un déguisement. On conduisit le blessé à la salle de radio pendant que Vireux chuchotait son histoire. C'était un évadé, personnage important de la Résistance parisienne, arrêté en province. Il avait été blessé par balle au moment de l'attaque de son fourgon cellulaire, et il était resté sans soins pendant deux jours dans un fossé.

Florian développa lui-même le cliché. L'os était atteint, mais la fracture était partielle. La balle avait traversé l'articulation, laissant deux plaies qui auraient été sans gravité si un minimum de soins avait pu être assuré. Le séjour dans la boue était responsable d'une infection sévère. Le genou était rouge, chaud, douloureux, tendu par la suppuration.

— Il faut l'opérer immédiatement, décréta Florian.

À cette heure, il savait que son mentor allemand était parti dîner, et qu'il pouvait travailler en paix. Il donna lui-même l'anesthésie avec un produit nouveau qui s'injectait par voie veineuse, l'Évipan. Le sommeil était de courte durée mais profond. Très vite, il incisa l'articulation et un flot de pus s'en échappa. Il mit une lame de drainage dans la poche de l'abcès, immobilisa la jambe dans un plâtre fenêtré, et instilla un flacon de pénicilline dans la plaie. Une autre ampoule en injection intramusculaire compléta le traitement.

— Monsieur Vireux, ton ouvrier est réparé, ce n'est pas la peine de nous le laisser. Reprends-le chez toi, je viendrai le voir demain.

La charrette du paysan attendait dans la cour. À minuit l'homme avait quitté l'hôpital, avec la bénédiction de l'officier de garde, et un *ausweiss* à cause du couvre-feu.

Le lendemain la température était normalisée, et le pansement presque propre. Encore deux jours de pénicilline et il pourrait gagner l'Angleterre. L'homme était un libraire parisien dont la boutique servait de boîte aux lettres. Il avait été dénoncé, pensait-il, par un membre de son réseau qui avait dû trahir sous la torture... Florian frissonna.

Quelques jours plus tard, le résistant avait disparu et Vireux confirma qu'il était bien arrivé.

Une autre fois, un saboteur poursuivi par l'armée ne parvint pas jusqu'à l'hôpital. Il se cacha dans les marais, au risque de s'y noyer. Vireux, alerté, buta sur un cordon de police qui prêtait main-forte aux Allemands. Impossible d'arriver jusqu'au fuyard encerclé. Il s'en alla en bougonnant que « c'était bien fait pour ces salauds de terroristes ! », rentra au village et courut chez Florian qui déjeunait en famille.

— Il faudrait y aller par la rivière, proposa-t-il, essoufflé.

Guillaume bondit.

— Nous, nous pouvons y aller avec les copains, en passant par la grotte.

Il prit un morceau de pain dans sa poche et partit en courant. Il récupéra deux frères qui l'accompagnaient habituellement dans ces « excursions », et le trio fonça jusqu'à la rivière, en passant par une sorte de souterrain naturel que seuls connaissaient les gens du pays. Une heure plus tard, ils avaient retrouvé le résistant tapi dans un fourré, le revolver en main. Les gosses le conduisirent à une cache plus sûre, en lui promettant de venir le récupérer quand la surveillance se relâcherait. Chacun sortit de ses poches de quoi le nourrir quelque temps, et il se retrouva au sec, seul, et rassuré.

De fait, l'encerclement cessa bientôt, après que les chiens aient renoncé à s'avancer dans ce bourbier où ils ne sentaient rien que la pourriture et la vase. Guillaume y retourna la nuit suivante, et conduisit le fugitif jusque chez Vireux où il put se réconforter.

Les jours passèrent ainsi, avec ces petites missions, où chacun risquait sa vie presque sans s'en apercevoir. Guillaume allait à l'école communale de Saint-Yé, et Raphaëlle essayait de poursuivre ses études dans un Paris sans cesse perturbé par les alertes et les rafles. Quand elle revenait à Saint-Yé, elle aidait son père à l'hôpital.

Samuel n'avait plus donné de nouvelles depuis son passage, trois mois plus tôt. Un soir, la jeune fille resta plus longtemps que de coutume avec Florian, et son air énigmatique attira l'attention du chirurgien.

— Toi, tu as quelque chose à me dire, et tu n'oses pas. Vrai ?
— Vrai ! répondit-elle, laconique.
— Tu veux me faire jouer aux devinettes ?
— Non, tu ne trouveras pas.
— Alors, épargne-moi cette épreuve.
— D'accord. Voilà, je suis enceinte !
Florian se laissa tomber dans un fauteuil.
— Enceinte, mais comment...
— Comme tout le monde ! Seulement pour moi, une fois a suffi !
— Samuel ?
— Évidemment ! Qui veux-tu que ce soit ?

Florian avait l'apparence d'un chirurgien paisible. Le matin, il arrivait à l'hôpital de bonne heure et passait prendre son gros mentor allemand qui, lui, refusait de quitter son uniforme. Les mains derrière le dos, son ventre en avant, il suivait la visite, l'air important, opinant du bonnet à l'occasion. Parfois, il mettait sa casquette sous le bras, laissant voir un crâne rasé du plus joli rose. Avec sa figure couperosée et ses petits yeux porcins, il avait l'air d'un moine déguisé en soldat.

Ensuite, Florian voyait quelques consultants, puis partait pour la salle d'opération. Il avait repris goût à la chirurgie. Appendicites, hernies, kystes de l'ovaire, parfois une hystérectomie, rarement plus. Il n'avait pas assez de personnel pour entreprendre des interventions à risques, et il évacuait sur Amiens ou la capitale les cas les plus graves. En effet, il cumulait les fonctions de chirurgien et d'anesthésiste, de radiologue et de biologiste. Certains soirs, il était épuisé. L'après-midi était consacré aux pansements et aux grandes consultations. Pendant plusieurs heures, c'était le défilé ininterrompu des misères du monde.

Les carences commençaient à se faire jour, et les enfants présentaient des signes de rachitisme et d'avitaminose. Ils étaient plus fragiles sans doute, et la traumatologie tenait aussi une grande place dans l'activité du chirurgien de Saint-Yé. Il n'opérait pratiquement jamais un os ni une articulation. Les résultats de cette chirurgie étaient trop incertains pour qu'il s'y hasarde. Il intervenait en cas de fracture ouverte, pour fermer les téguments avec force désinfectant, et il se servait ensuite de plâtres dont il maniait les multiples modèles avec une dextérité admirable.

— Comment faisait-on autrefois, disait-il souvent avec humour, sans radio et sans anesthésie ? Maintenant l'orthopédie est un plaisir. Et il faut être fou comme ces Allemands pour mettre des clous à l'intérieur des os.

Depuis la création du Service du travail obligatoire qui envoyait les jeunes hommes dans les usines allemandes, une autre variété de consultants étaient née. Celle des réfractaires. Il fallait leur trouver des prétextes médicaux pour les faire réformer. Dans cet art, Madeleine était vite devenue la reine des virtuoses. Elle avait commencé par se procurer aux archives toute une collection de radiographies pathologiques sur lesquelles elle mettait le nom du sujet à faire dispenser. Les bureaux de recrutement n'étaient pas équipés, au début, pour contrôler la fraude, et les résultats de ces supercheries furent excellents. Mais bientôt les radiographies de contrôle firent leur apparition et il fallut inventer autre chose.

Un nouveau produit avait fait son apparition dans l'arsenal de la pneumologie, le Lipiodol. C'était un liquide opaque destiné à visualiser les bronches. Madeleine l'injectait avec adresse sous l'omoplate de ses protégés, réalisant une image pulmonaire impressionnante de caverne tuberculeuse. La pratique systématique du cliché de profil aurait décelé la supercherie, mais ce n'était pas à la mode en ce temps-là.

Bref, Saint-Yé avait la réputation d'un hôpital où l'on pouvait facilement se faire réformer, et cela se savait dans les campagnes.

Enhardi par une longue impunité, Florian prenait des risques. Il faut dire que la demande augmentait, et Vireux avait de plus en plus souvent besoin de lui. L'hôpital souterrain fut mis en service, et il y eut bientôt en permanence quelques blessés en attente. La pénicilline faisait merveille, et de nouveaux arrivages vinrent reconstituer les stocks.

Florian et Madeleine menaient une double vie. Officielle le jour, clandestine la nuit. Le danger de dénonciation augmentait et tout le monde le savait. Or ils avaient une angoisse permanente : les enfants. Leur origine juive était un secret, mais avait-il toute l'étanchéité voulue ? Il fallait les mettre à l'abri.

Avec l'appui de Carrel, qui avait des relations à Paris, Guillaume fut mis pensionnaire à l'école Gerson, rue de la Pompe. Les prêtres savaient que bon nombre de leurs élèves avaient des problèmes familiaux peu avouables, et ils étaient capables de ne pas poser de questions.

Raphaëlle prit une chambre en ville à Paris, et l'on décida qu'elle éviterait Saint-Yé pendant un moment. En réalité, Florian ne savait pas qu'elle appartenait à un réseau parisien, et qu'elle était spécialisée dans le transport du courrier, l'une des activités les plus dangereuses de la Résistance. Elle-même ne connaissait qu'à peine le rôle de son père.

Le cloisonnement était si parfait, qu'elle aurait été incapable de dire quelle avait été la cause exacte du drame qui survint le 15 mai 1944.

Ce matin-là, Florian dormait dans son bureau comme cela lui arrivait de plus en plus souvent. Il avait opéré une partie de la nuit dans le souterrain, et quand il entendit du bruit il eut l'impression d'émerger d'un profond coma. Il regarda sa montre, il était cinq heures. Il pensa que des urgences arrivaient. Il fut vite détrompé.

Un violent coup de pied fit sauter le verrou de sa porte qui s'ouvrit brutalement, cognant le mur. Deux Allemands, des SS en noir, mitraillettes au poing, firent irruption. Puis Steiner entra à son tour. Il était blême. Le gros médecin ventru le suivait, plus mort que vif, lui aussi.

— La comédie est terminée, *Herr Professor*. Où est le souterrain ?

— Quel souterrain ? demanda Florian d'un air angélique.

Un SS s'avança et le menaça du poing. Florian se leva. Il dépassait l'Allemand de quelques centimètres, et son allure hautaine figea son adversaire. L'autre hésitant, Steiner fit diversion.

— Je sais que vous ne parlerez pas, *Herr Professor*. Je ne vais pas m'abaisser à laisser frapper un vieillard. Votre mépris vous ferait trop chaud au cœur. Mais je vais trouver le souterrain, et nous visiterons ensemble votre domaine clandestin.

Le colonel semblait éprouver une joie sadique à s'exprimer avec recherche devant l'homme qu'il cherchait à humilier. Plus que tout, il était vexé d'avoir été trompé par ce médecin qui avait gagné sa confiance pour mieux le trahir. Surtout, il savait que ses découvertes mettraient fin à un foyer de résistance que recherchait la Gestapo depuis des mois. Et, en guise de félicitations, il risquait pourtant de se retrouver sur le front russe en peu de temps, il en avait la conviction !

Il leur fallut une bonne heure pour penser à bouger la lourde armoire de la pharmacie qui bouchait l'entrée de la cache. Et quand ils arrivèrent en bas, les oiseaux s'étaient envolés. Les soldats parcoururent au pas de course le long tunnel qui s'ouvrait dans les éboulis du château, et leurs recherches demeurèrent vaines. Les marais commençaient quelques centaines de mètres plus bas, et ils avaient appris à ne pas s'y engager à la légère.

Pendant ce temps, Florian s'était habillé et, assis à son bureau, avait mis ses papiers en ordre, conscient que c'était la dernière fois qu'il accomplissait cette tâche. Sur le bureau, il y avait une photo de Guillaume et de Raphaëlle. Il la regarda longuement, pour bien graver leur image dans sa mémoire. Il pensa aussi à Madeleine. Par un de ces hasards étonnants, elle qui ne bougeait pratiquement jamais de Saint-Yé, était allée à Paris la veille, pour consulter un de ses amis, phtisiologue comme elle, car elle se sentait de plus en plus fatiguée et craignait d'avoir réveillé une vieille tuberculose présumée guérie. « Pourvu qu'on arrive à la prévenir, et qu'elle ne vienne pas se jeter dans la nasse », songeait Florian.

Steiner revint.

— Vous m'avez bien eu, *Herr Professor*. Félicitations, votre tunnel était introuvable. Et avec une issue de secours ! Vous allez payer de votre vie. Debout !

Florian, la gorge sèche, sortit, suivi par les deux mitraillettes qui ne quittaient pas ses reins. Tout le personnel de l'hôpital était rassemblé dans la cour, sous la surveillance d'une dizaine d'Allemands en uniforme noir.

Steiner s'avança vers eux, et parla d'une voix forte.

— Le docteur de La Verle va désigner ceux de ses employés qui ont été ses complices.

— Aucun, parvint à articuler Florian. Un infirmier travaillait dans le tunnel et y habitait. Il était recherché par la police, lui aussi. Je suppose qu'il a dû fuir avec les autres.

La voix s'était raffermie, et la fin de cette tirade avait été dite sur un ton clair et autoritaire.

— Je ne vous crois pas !

Steiner avait un sourire crispé qui lui déformait le visage. Florian le regardait droit dans les yeux. L'officier SS observait cet affrontement avec un air de dégoût. Il se retourna vers ses soldats et cria, en allemand :

— Fusillez les cinq premiers !

Soudain un remue-ménage se fit. Les SS séparaient brutalement trois hommes et deux femmes du reste du groupe et les poussaient vers le mur du fond.

— Vous n'avez toujours rien à dire, *Herr Professor ?* demanda Steiner d'une voix blanche.

Florian ne pouvait rien dire. Il était parfaitement exact qu'aucun des employés réunis là n'était officiellement au courant de ce qui se passait dans le tunnel.

— Je vous donne ma parole qu'ils ne savent rien.

— Feu !

Les rafales de mitraillettes les firent tomber comme des quilles, les uns sur les autres, avec des positions grotesques. Le visage de Florian se couvrit de larmes.

— Ils ne savaient rien...

Steiner n'était pas un assassin de métier. Mais il jouait sa propre vie sous l'œil de ce lieutenant en uniforme noir qui le surveillait.

Il donna l'ordre de rentrer à la *Kommandantur.* Florian, ses deux mitraillettes toujours dans les reins, descendit cette route pour la dernière fois.

En chemin, ils croisèrent des spectateurs silencieux qui regardaient partir leur chirurgien. Le père Vireux était parmi eux, les dents serrées, le visage bouleversé. Personne ne savait ce qui avait pu craquer dans son dispositif.

Sur le soir, des voitures cellulaires quittèrent Saint-Yé pour Paris.

CINQUIÈME PARTIE

Guillaume

CHAPITRE PREMIER

La salle d'opération devint en un instant le siège d'une agitation fébrile. Toutes les lumières s'allumèrent et le brancardier se précipita en poussant son chariot. Avec l'aide de l'infirmière panseuse, il allongea la jeune femme sans connaissance sur la table. L'anesthésiste entra au pas de course en nouant sa bavette, et entreprit immédiatement de poser une perfusion. Le bras était d'une blancheur cireuse. De l'autre côté, l'infirmière sanglait l'appareil à tension et, le stéthoscope aux oreilles, actionnait la petite poire pneumatique.

— Il n'y a rien, dit-elle en regardant l'anesthésiste.

C'était un homme d'une quarantaine d'années, au regard aigu derrière des lunettes cerclées d'or.

— Je crains que nous n'arrivions trop tard, murmura-t-il.

Une autre infirmière surgit dans la salle avec un flacon de sang à la main.

— Elle est A positif, et j'ai deux autres flacons en réserve. Mais, s'il le faut, nous enverrons le garçon à la banque du sang pour en chercher...

— Merci, répondit l'anesthésiste, branchez celui-ci, et faites-le passer à toute vitesse. Nous saurons bientôt s'il en faut plus...

Son ton était sans illusion. Il écarta le drap qui recouvrait la patiente et regarda attentivement le petit trou rond, noirci par la poudre, qui s'ouvrait juste sous le sein gauche. De son court stéthoscope en bois, il ausculta longuement le ventre distendu par la grossesse.

Quand il se redressa, le chirurgien entrait dans la salle. Il venait de se laver les mains, et les agitait comme des marionnettes pour les faire sécher plus vite. Derrière lui apparut son aide, les mains mouillées également.

L'anesthésiste fit une grimace.

— Tu sais, Guillaume, je crains que nous ne fassions tout cela pour rien.

Le chirurgien enfila la casaque stérile que l'infirmière vint lui nouer dans le dos. Derrière la bavette on ne vit bientôt plus que son regard sombre sous les sourcils froncés.

— Tant qu'il y a une activité cardiaque, on a une petite chance de la rattraper.

Le cardioscope dessinait une courbe irrégulière et chaque battement dépassait à peine l'horizontale.

— Il bat, mais à mon avis, sans efficacité. Quant au fœtus, je ne suis pas sûr de l'avoir entendu.

Ses yeux parcoururent la salle où les infirmières ouvraient les boîtes d'instruments. Il finissait de mettre ses gants. L'anesthésiste continua d'un ton pessimiste :

— En tout cas, je pense qu'il faut commencer par la césarienne. Essayons, au moins, de sortir l'enfant. Elle a sûrement des dégâts irrécupérables, et ce n'est pas dix minutes de plus ou de moins qui auront quelque importance. Tu tires le gosse, et après on verra.

Le chirurgien était du même avis. Cette jeune femme s'était tiré une balle en pleine poitrine, elle avait donc bien peu de chance d'être sauvée. En revanche, pour le bébé, la partie n'était peut-être pas encore perdue.

En quelques instants, le gros ventre fut badigeonné et recouvert de champs. L'aide fixa l'aspirateur. Le chirurgien prenait ses instruments quand la tête de Gérard Merlot apparut dans l'entrebâillement de la porte. Le médecin parcourut d'un coup d'œil le spectacle de la salle, et son visage s'illumina d'un large sourire.

— Je vois qu'elle vit encore ! Bravo ! J'ai prévenu les flics. Maintenant je vais pouvoir vous donner un coup de main. À ce moment, il s'aperçut que la césarienne était en préparation. Il s'écria : Dis donc, professeur, tu sors le mouflet d'abord ? Tu n'es pas optimiste ! Tu as peut-être raison. Moi, je peux m'occuper du gosse pendant que vous enchaînerez sur le thorax de la mère. D'accord ? Je vais m'habiller.

Sans attendre de réponse, il disparut. Le chirurgien, le bistouri en main, demanda :

— On y va ?

L'anesthésiste réglait le cardioscope, et enregistrait une bande d'électrocardiogramme.

— Pas besoin de l'endormir, elle est dans le coma. Si elle bouge, on verra. Vas-y !

Le chirurgien incisa la peau que l'alcool iodé avait colorée en brun acajou. Le sang perla à peine, tant la pression artérielle était faible. L'opérateur ouvrit avec dextérité la paroi abdominale, puis incisa l'utérus, libérant un flot de liquide amniotique que l'aide essayait de faire disparaître dans son aspirateur. Quelques secondes après les fesses du bébé apparurent entre les lèvres de la plaie, et le corps tout entier émergea dans une vague sanguinolente. Il restait relié encore à sa mère par son cordon.

Merlot était allé passer une blouse. Il entra dans la pièce en nouant sa bavette, quand Guillaume leva vers la lumière le petit corps inerte et chiffonné. Deux pinces sur le cordon et un coup de ciseau libérèrent l'enfant que le médecin saisit, par l'intermédiaire d'un champ stérile.

— Il n'a pas l'air vivace, grogna-t-il en se précipitant vers la salle voisine où l'infirmière avait préparé la table spéciale pour la réanimation des nouveaux-nés. Merlot était à son affaire. Il avait été externe à la maternité de Port-Royal, et maîtrisait parfaitement ces techniques.

Pendant ce temps, le chirurgien enlevait le placenta et entreprenait de refermer l'utérus par un rapide surjet de catgut.

— Tu fermes la paroi sommairement, intervint l'anesthésiste, ce n'est pas le moment de faire de l'esthétique...

— Bien, mon lieutenant !

Guillaume de La Verle et Roland Mange avaient fait leur service militaire en même temps en Algérie, et ils avaient passé de nombreux mois ensemble dans une antenne chirurgicale. À cette époque, l'anesthésiste était un militaire plus ancien que le chirurgien, et il avait déjà deux galons sur les manches. Son jeune collègue n'était encore qu'aspirant. En fait, ils avaient rapidement constitué une équipe soudée et efficace.

Une solide amitié les unissait depuis ces temps troublés, et leur différence hiérarchique actuelle ne jouait aucun rôle dans leurs relations. Roland Mange était un personnage autoritaire, et les titres universitaires de son ami ne l'impressionnaient pas. Cependant, quand il était un peu trop directif, Guillaume l'appelait avec bonne humeur, « mon lieutenant », et l'autre faisait semblant de se fâcher en riant.

— Tu sais ce qu'il te dit, le lieutenant ?

— Pas de grossièreté devant les dames, s'il te plaît !

— Taisez-vous donc tous les deux, intervint l'infirmière-panseuse. Comment pouvez-vous plaisanter devant cette pauvre petite que vous n'arriverez peut-être pas à sauver, alors que son bébé...

Elle n'eut pas le temps de finir sa phrase ; un vagissement provenant de la pièce voisine prouva le succès du réanimateur. Derrière les masques, les yeux commencèrent à sourire.

Malgré cet intermède, Guillaume ne relâchait pas son attention, et continuait à opérer. Ses gestes n'avaient rien perdu de leur rapidité. La paroi musculaire refermée, quelques strips rapprochèrent la peau, et un pansement vint cacher la plaie cutanée. On prépara ensuite un nouveau champ opératoire ; l'alcool iodé teinta d'ocre rouge le thorax et l'abdomen de la blessée, tandis que des champs stériles délimitaient la zone où le bistouri allait passer. Une instrumentation différente avait été installée et l'interne rangeait les longues pinces à poumon à côté des clamps vasculaires. Les infirmières ouvraient les boîtes avec des mouvements d'automates, et personne ne parlait plus. Chacun était concentré sur son travail, conscient que la rapidité de l'intervention était le meilleur gage de succès.

Merlot était descendu en maternité mettre son précieux fardeau dans l'incubateur. Quand il remonta, Guillaume incisait déjà le thorax.

La lame du bistouri passa entre deux côtes, faisant apparaître la masse rose et mouvante du poumon qui baignait dans une mare de sang. L'aspirateur faisait son incessant bruit du succion. Un écarteur à crémaillère ouvrit le thorax.

Derrière le drap tendu à la tête de la patiente, les visages masqués surveillaient les progrès de l'exploration. Mange, Merlot et les deux panseuses suivaient les gestes du chirurgien. L'enveloppe du cœur était distendue par l'hémorragie et Guillaume l'incisa. Il passa sa main sous l'organe qui apparut aux yeux de tous, animé de battements médiocres. Surtout, chacun vit distinctement les petits jets de sang qui giclaient à chaque contraction au travers d'une plaie de la paroi.

— C'est le ventricule gauche, murmura Guillaume. On va le suturer tout de suite.

L'interne lui tendit un porte-aiguille d'où pendait un long fil noir.

— L'hémorragie devait le comprimer, dit Mange en regardant le cardioscope, les complexes sont bien meilleurs depuis quelques secondes.

— J'aurais préféré qu'il se tienne tranquille encore un peu, marmonna Guillaume.

Le cœur, libéré, avait repris des battements plus énergiques et tressautait maintenant dans la main de l'opérateur. L'aiguille, à la volée, pénétra le muscle en plusieurs points et le chirurgien noua avec précaution son fil de suture qui occulta instantanément la brèche.

— Derrière, ce sera moins facile, dit Guillaume.

Relevant le cœur, il aperçut une plaie identique sur sa face postérieure. L'interne tendait déjà un autre fil de suture. La manœuvre était plus délicate. Cependant, le même point permit d'aveugler aussi la seconde plaie.

— Comment va-t-elle ? s'inquiéta l'opérateur.

— Beaucoup mieux, répondit Mange. J'ai même été obligé de la calmer. Elle sortait de son coma, j'ai eu peur qu'elle ne t'engueule.

— Tu as eu raison !

— Ils sont incorrigibles, grinça l'infirmière choquée. Et elle ajouta : Dépêchez-vous de finir, vous plaisanterez après !

De fait, il fallut aussi suturer le poumon et la plèvre au niveau de l'orifice de sortie de la balle pour rendre son étanchéité à la cavité thoracique. Mais il y avait pire : le diaphragme était perforé, ce qui signifiait que la balle avait traversé la cavité abdominale et y avait fait probablement d'autres dégâts. Comme pour confirmer ces réflexions, Mange s'écria :

— Elle s'était améliorée, mais tout d'un coup elle va moins bien. À mon avis, depuis que le cœur est redevenu plus efficace, il y a un saignement qui a repris quelque part.

— Dans le ventre sans doute, répondit Guillaume.

L'infirmière intervint de sa voix sèche et précise :

— La banque du sang a du A positif en réserve, et le garçon est allé en chercher. Mais il n'est pas encore revenu, et mon dernier flacon se termine...

— Je vais ouvrir le diaphragme et la paroi abdominale, on verra bien ce qui saigne.

La longue incision fut prolongée sur la ligne médiane et la patiente s'ouvrit comme un livre. Là encore, le sang avait coulé à flots. L'aspirateur recommença son travail pendant que Guillaume cherchait la source du saignement. Dans la salle, l'angoisse régnait de nouveau. L'infirmière avait entrouvert la porte pour guetter l'arrivée du garçon.

— Le cœur s'affole, murmura l'anesthésiste.

Guillaume sentait la sueur lui couler dans le dos. Il avait passé sa main sur la rate qui était indemne. L'estomac ne paraissait pas perforé, le colon non plus. L'hémorragie devait provenir de plus profond, mais les caillots le gênaient. De plus, la faiblesse des contractions cardiaques avait diminué la pression sanguine et le saignement s'était, sans doute, partiellement tari.

— Guillaume, le cœur !

Mange avait crié. Les battements venaient de s'arrêter. Le chirurgien passa sa main dans le thorax, il prit le cœur dans le creux de sa main et commença à simuler les contractions. À chaque pression des doigts, le muscle semblait réagir, mais il ne repartait pas. Soudain le cœur se crispa et de minimes frémissements parcoururent sa surface.

— Il s'est mis en fibrillation !

L'infirmière avait prévu l'incident, et le défibrillateur était prêt. L'interne saisit, dans la boîte qu'elle venait d'ouvrir, les longues cuillères métalliques dont elle attrapa les fils. Elle les brancha sur l'appareil, tandis que l'anesthésiste faisait les réglages. Les mains protégées par des champs, Guillaume plaça les lames métalliques de part et d'autre du cœur qui continuait à frissonner.

— Je suis prêt.

— Attention...

Mange avait le doigt sur la manette de commande. Il hésitait à envoyer la déflagration. Lentement son doigt se déplaça, et, soudain, le choc électrique traversa la patiente qui se cabra sur la table. L'infirmière ne put s'empêcher de crier :

— Ça marche !

Les contradictions cardiaques étaient reparties, et le dessin familier avait réapparu sur l'écran. Dans la salle, les respirations reprirent. Et au même moment on entendit la porte d'entrée qui s'ouvrait. C'était le sang !

Guillaume reprit ses explorations et s'exclama bientôt :

— La voilà ! C'est au niveau de l'artère splénique ! Ça saigne juste au-dessus du pancréas. On va y arriver...

Il fallut batailler longtemps encore, mais l'hémorragie était stoppée. Il n'y avait plus que des gestes mineurs à accomplir.

Dans la petite salle à manger attenant au bloc opératoire, les quatre hommes étaient attablés devant une assiette de jambon, du fromage et une carafe de vin. Ils avaient les traits tirés, et les yeux agrandis par la veille. Guillaume paraissait éreinté. Il ne sentait jamais la fatigue en opérant mais, une fois le pansement terminé, elle lui tombait sur les épaules, et, cette nuit-là, il avait l'impression d'être incapable de faire un pas de plus.

— Alors, Merlot, raconte-nous cette histoire de suicide par le début.

Gérard Merlot était aussi un ancien de la guerre d'Algérie. Médecin de corps de troupe, le hasard des affectations l'avait rapproché, pendant plusieurs mois, du duo Mange-La Verle. Tous les trois parisiens, lui externe et les deux autres internes, ils n'avaient pas tardé à sympathiser, et de longues soirées nostalgiques les avaient réunis souvent. Ils avaient vécu ensemble quelques aventures médicales qui marqueraient leur mémoire à jamais.

Après sa libération, Merlot s'était installé à Neuilly, dans le cabinet médical où son père exerçait depuis trente ans. Les deux hommes avaient travaillé ensemble jusqu'à ce qu'un infarctus emporte brutalement l'aîné. Les transformations immobilières du quartier avaient permis au cabinet du jeune médecin de se retrouver, un jour, au rez-de-chaussée d'un immeuble moderne, avec un appartement ouvert sur un petit jardin.

Il raconta le suicide de la jeune femme avec une véhémence qui témoignait de son émotion rétrospective.

— Simone m'appelle pour dîner. Je vais embrasser les enfants qu'elle venait de coucher. Je m'asseois à table, et j'entends un coup de feu. Comme s'il avait été tiré dans la pièce à côté. Je me dis : « C'est chez Cindy. »

— Qui c'est cette Cindy ? demanda Guillaume en mâchonnant son sandwich.

— Enfin, Cindy, la chanteuse ! On n'entendait qu'elle il y a deux ans ! *Aime-moi,* tu t'en souviens !

— Non !

Guillaume commençait à avoir l'œil glauque.

— Évidemment, reprit Merlot, si tu avais des enfants, tu serais plus au courant.

Le conteur ne vit pas le coup d'œil mauvais que lui envoya le chirurgien. Sans avoir eu conscience de sa gaffe, il continua :

— Moi, je l'ai entendu pendant trois mois, le quarante-cinq tours de Cindy ! Un succès international ! Après l'été, elle est venue habiter l'appartement à côté du mien. Mes gosses étaient fous de joie. Ils l'apercevaient dans le jardin. Elle vivait avec un type assez beau, mais qui lui flanquait des trempes. Nous, à côté, on entendait tout. Et puis un jour, ce fut le silence. Elle était toujours là, mais elle ne travaillait plus. Un matin, je l'ai vue par-dessus la haie, et j'ai compris. Elle était enceinte ! Et pas qu'un peu ! Son mec avait dû la laisser tomber. Pauvre petite, elle faisait pitié...

— Abrège, supplia Roland qui commençait à s'endormir.

— Quand j'ai entendu le coup de feu, j'ai deviné. J'ai sauté le grillage et je suis entré dans son salon. Elle était assise sur un fauteuil, l'air hébété, et elle appuyait ses deux mains sur sa poitrine. Par terre, il y avait un revolver, et ça sentait la poudre. Et puis j'ai vu le sang qui coulait entre ses doigts, mais elle était vivante ! Elle me regardait sans rien dire. C'était terrible !

— Alors, tu as sauté sur ton cheval, tu l'as mise en travers de ta selle et tu es arrivé ici au galop.

— C'est presque ça. Je me suis dit : « Il est huit heures et demie. À la clinique, Guillaume doit être en train de finir d'opérer. S'il est encore là, elle est sauvée ! » Elle a perdu connaissance dans la voiture. Mais il ne s'est pas écoulé plus de dix minutes entre le coup de feu et le coup de bistouri. Vous avez été formidables !

Roland Mange regarda sa montre.

— Il est deux heures et demie, les enfants, moi je vais me coucher dans la chambre de garde. S'il y a un pépin cette nuit, j'appelle. Tu dors chez toi ?

Guillaume releva la tête.

— C'est pas parce que je suis célibataire que je découche tous les soirs...

— On ne sait jamais !

Merlot adorait ces allusions salaces, et il prêtait à son ami une vie dissolue qui n'avait rien à voir avec la réalité. Mais il avait pour lui le regard d'un bon chien. Le contraste entre les deux hommes était flagrant. Le médecin devait mesurer pas loin d'un mètre quatre-vingt-dix, avec une carrure de déménageur, des cheveux blonds coupés en brosse, et des gros yeux bruns cachés derrière des lunettes de myope.

Guillaume était long et mince, un peu voûté, avec des cheveux noirs qui commençaient à grisonner. Son regard bleu sombre avait parfois une acuité troublante, et il valait mieux l'éviter les jours de colère. Mais pour Merlot, il était un modèle. Tout ce qu'il aurait souhaité être.

Paradoxalement, Guillaume, de son côté, enviait aussi la vie du médecin qui régnait paisiblement sur une demi-douzaine d'enfants blonds, et faisait son métier, comme autrefois, avec une clientèle fidèle qui l'adorait. Certains dimanches, il déjeunait avec eux, et passait un après-midi tranquille, en famille, loin de la jungle hospitalière parisienne à laquelle il ne parvenait pas à s'habituer.

Le lendemain matin, Guillaume se rendit très tôt à la clinique avant d'aller à l'hôpital. Il aimait rouler vite dans les rues encore vides. À condition de savoir éviter les camions-poubelles, c'était le seul moyen de ne pas perdre de temps. Il laissa sa voiture devant la porte et grimpa au deuxième étage où ses malades étaient habituellement hospitalisés.

— Où avez-vous mis ma patiente d'hier soir ? demanda-t-il à l'infirmière principale.

— Au vingt-trois. Elle va très bien.

La chambre était ouverte, et il s'arrêta sur le pas de la porte, pour ne pas gêner l'anesthésiste qui, le stéthoscope aux oreilles, auscultait le cœur. Il sourit à Guillaume.

— C'est parfait ! Elle n'a pas repris connaissance, mais elle respire seule, le cœur est régulier, la tension est à douze-huit, la diurèse est bonne... On ne peut pas espérer mieux. On a bataillé un peu, cette nuit, avec le drain thoracique qui avait tendance à se boucher, mais maintenant il n'y a plus de problème.

En parlant, il s'était reculé pour montrer le flacon de verre où montait un chapelet de bulles à chaque mouvement respiratoire de la jeune femme. Guillaume s'approcha, et, pour la première fois, il regarda le visage ravissant de son opérée. Elle était blonde, presque rousse, avec des taches de son sur le nez. Ses yeux étaient fermés, et son visage lisse semblait reposé. Il écarta le drap et palpa délicatement le ventre couvert de sparadrap. Tout était souple et rassurant. Il prit le stéthoscope que Mange venait de reposer, et ausculta longuement les deux champs pulmonaires. Quand il se redressa, il fit un sourire.

— La seule question qui reste, est donc de savoir dans quel état est son cerveau.

L'anesthésiste passa sa main dans ses cheveux ébouriffés.

— À mon avis, elle n'est pas restée assez longtemps sans tension pour avoir des lésions irréversibles. Elle est jeune, et je pense qu'elle va récupérer.

— Tu as vu la famille ?

— Oui. Son père est venu cette nuit. C'est un médecin, paraît-il. Il n'a pas dit grand-chose, mais il était bouleversé. Elle allait déjà mieux quand il est arrivé, alors je ne me suis pas attardé. Je suis allé roupiller un peu.

— Et le bébé ?

— Aucun problème. On l'a évacué chez les prématurés à Port-Royal, mais c'était à peine nécessaire.

Il avait les yeux rouges et gonflés. Avec ses joues pas rasées et ses cheveux en bataille, il avait l'air d'un noceur au petit matin.

— Viens boire un café, dit-il à Guillaume en le prenant par le bras.

Dans la salle à manger blanche, une grosse cafetière en émail fleuri fumait à côté d'un pot de lait crémeux, comme à la campagne. La clinique appartenait aux sœurs Augustines, et si elles ne portaient plus le voile, elles avaient conservé des traditions hospitalières qui avaient disparu de la plupart des établissements de santé modernes. Ici tout était peint en blanc, les parquets cirés brillaient, et un petit crucifix ornait chaque chambre. Les médecins ne pouvaient plus distinguer les religieuses des laïques, et on les appelait toutes « mademoiselle » ou « madame », mais l'atmosphère avait conservé cette note monacale que les malades appréciaient sans le dire.

L'anesthésiste se tailla une tranche de pain frais qu'il recouvrit d'une couche impressionnante de confiture « maison ».

— Comme on n'opère pas ce matin, mon assistante me relayera pendant que je vais faire ma visite à l'hôpital. Je serai ici tout l'après-midi ? Et toi ?

— Je repasserai à cinq heures, et je consulterai ici ensuite.

— Alors on se revoit tout à l'heure.

Les deux hommes se séparèrent. Pendant que Mange allait prendre sa douche, Guillaume fit rapidement le tour de ses autres opérés, accompagné par l'infirmière de l'étage qui notait ses prescriptions.

Puis il descendit.

Dans le hall une jeune fille attendait. Quand elle le vit arriver, elle s'approcha. Elle était ravissante, très petite, avec des yeux noirs à peine bridés, et des pommettes hautes qui trahissaient quelques chromosomes asiatiques.

— Professeur de La Verle ? demanda-t-elle d'une voix énergique qui cadrait mal avec son air angélique.

— Oui ?

— Florence Armand. Je suis journaliste à l'ORTF, et je voudrais vous poser quelques questions à propos de Cindy.

Guillaume se recula comme s'il avait vu un serpent. À ce moment, la directrice sortit de son bureau, l'air furieux.

— Mademoiselle, je vous avais dit de rester dehors. Vous n'avez rien à faire ici. C'est un établissement privé...

Guillaume l'arrêta d'un geste.

— Ce n'est rien, cette jeune fille va s'en aller tranquillement. Il ouvrit la porte et, avec un charmant sourire, incita la journaliste à passer devant lui : Après vous, mademoiselle.

Elle sourit aussi et passa la porte. À son tour, il sortit en faisant un geste d'impuissance à la directrice courroucée. Mais quand il fut sur le trottoir, la surprise le cloua au sol : une douzaine de jeunes gens étaient là, qui se précipitèrent immédiatement sur lui, posant tous ensemble des questions différentes.

Il éclata de rire, et leva les deux mains comme s'il était menacé par une arme. Le silence se fit.

— Vous êtes bien gentils de m'accueillir avec autant d'enthousiasme, dit-il en souriant, mais vous savez que je suis lié par le secret professionnel et que je ne vous dirai rien.

Au-dessus du groupe, il vit une caméra apparaître, et se braquer sur son visage. Il jeta un coup d'œil dans sa direction, et conclut :

— Ne prenez pas cette peine, je pars immédiatement, je suis attendu à l'hôpital.

— Vous pouvez tout de même nous dire si elle est vivante !

— Elle est vivante.

— Et son bébé ?

— C'est une fille. Elle est vivante aussi, et elle a été transportée à la maternité de Port-Royal. Maintenant, s'il vous plaît, laissez-moi partir.

Il essayait de les écarter, mais le groupe était compact.

— C'est un suicide ou un meurtre ?

Cette question agaça Guillaume qui foudroya du regard l'impertinent. Il répondit d'une voix soudain glacée :

— Je ne sais pas, et même si je le savais je ne vous le dirais pas. Pour qui me prenez-vous ?

L'autre, pas impressionné, reprit :

— C'est vrai que le cœur a été touché ?

Guillaume, exaspéré, ne répondit pas. Il commençait à écarter ses agresseurs avec plus d'autorité, quand, par-dessus le brouhaha, il entendit la voix de la jeune journaliste qui criait :

— Professeur de La Verle, êtes-vous spécialiste de chirurgie cardiaque ?

Surpris, il se retourna.

— Non, pourquoi ?

— N'aurait-il pas mieux valu évacuer Cindy dans un centre spécialisé ? N'aurait-elle pas eu de meilleures chances ?

En répondant, il était tombé dans le piège. Furieux, il lui lança un regard haineux, mais ne se laissa pas prendre au jeu. Brutalement, il bouscula deux garçons qui protestèrent et monta dans sa voiture. En démarrant, il jeta un dernier coup d'œil vers cette horde vociférante et croisa le regard de la jeune fille. Elle souriait d'un air moqueur, et, du bout des doigts, elle lui envoya un baiser.

Il se renfrogna et appuya sur l'accélérateur.

CHAPITRE II

Le dimanche suivant, Merlot avait invité tout le monde à déjeuner chez lui pour fêter le réveil de Cindy. Le père médecin avait envoyé une caisse de chambertin, « pour le professeur de La Verle et son équipe », et Simone leur avait promis un coq au vin dont ils se souviendraient.

Roland Mange était venu avec sa jeune femme Cécile, une opulente Bretonne, joviale et gourmande, qu'il venait d'épouser. Guillaume était seul, comme d'habitude, et la fille aînée des Merlot, Mathilde, était restée pour aider sa mère. Les cinq autres enfants passaient la journée chez leurs grands-parents.

Les convives levèrent leur verre à la santé de l'ex-suicidée.

— Ce matin, raconta Mange, je lui ai demandé si elle regrettait d'être vivante, et je l'ai vue sourire pour la première fois. On venait de lui ramener sa fille et elle semblait avoir de la peine à y croire. Elle a levé ses grands yeux vers moi, et elle a murmuré un « merci » qui m'a remué jusqu'au ventre !

— Attention, intervint la grosse Cécile, je vous surveille, monsieur !

— Tu as raison car ce n'est pas n'importe quelle minette, intervint Merlot, elle est drôlement jolie !

— Qu'en pensez-vous, Guillaume ? demanda Cécile Mange.

— C'est vrai qu'elle est mignonne ! Et quel charme ! répondit-il avec une moue admirative.

— Pas autant que Florence Armand ! glissa perfidement l'anesthésiste.

Guillaume plongea le nez dans son verre. L'épisode de la journaliste lui laissait un souvenir trouble. Elle l'avait agacé, mais il n'avait pas pu s'interdire une certaine émotion quand il s'était vu apparaître au journal de vingt heures. La jeune fille, très à l'aise à l'écran, avait ironisé sur le corps médical qui garde le secret « quand ça l'arrange ». On la voyait lui demander s'il était spécialiste du cœur, et son air furibond était un peu ridicule.

C'était la première fois qu'il était filmé, et son patron lui avait fait des remarques acides.

— Pourtant, La Verle, vous êtes membre du Conseil de l'Ordre ! Vous n'auriez pas dû vous prêter à cette comédie.

Guillaume essaya d'expliquer qu'il n'est pas si facile de ne rien dire. Ses réponses avaient été parfaitement anodines. Mais, ce jour-là, le vieux voulait être agressif, et il ne s'en était pas privé !

— Évidemment, quand on est le chirurgien des vedettes, on ne peut pas se plaindre de devenir un chirurgien-vedette, avait conclu le vieil homme sur ce ton aigre qu'il savait si bien prendre.

— On ne peut rien contre ces gens-là, avait répondu Guillaume. Vous verrez, monsieur, dans l'avenir les médecins seront sur la sellette comme tout le monde, et le conseil de l'ordre n'y fera rien !

Chaque jour ou presque, la jeune Florence passait à la télévision pour donner des nouvelles de la patiente, et Guillaume se dépêchait pour ne pas manquer le journal. Elle avait été jusqu'à filmer Cindy dans sa chambre, avec le bébé dans les bras. La journaliste n'omettait jamais de rappeler que l' « opérée du professeur de La Verle » était une véritable miraculée de la chirurgie moderne. On devait pleurer de joie dans les chaumières.

Le cahier de consultation de Guillaume s'était rempli en quelques jours ! Il ne pouvait plus donner de rendez-vous avant deux mois.

— Comment vous arrangez-vous avec l'administration de l'hôpital ? demanda Cécile Mange. Vous êtes plein-temps, n'est-ce pas ?

— Je suis plein-temps parce que, depuis 1968, la réforme Debré est entrée en application, et que les nouveaux nommés le sont tous obligatoirement. Mais nous avons tout de même le droit de faire deux après-midi de clientèle privée par semaine. Normalement, on aurait dû mettre à notre disposition un bureau, un secrétariat, et des lits privés, à l'hôpital même. Mais, dans des établissements aussi vétustes que Sainte-Marthe, rien n'est prévu pour une telle pratique. Alors, une certaine activité en clinique privée est tolérée. Quand ils auront construit l'hôpital moderne dont j'ai vu les plans, le « privé » se fera sur place, et ce sera beaucoup mieux. Et nous aurons aussi un laboratoire de recherche...

Roland Mange le regardait avec un sourire ironique. Si Guillaume n'avait jamais triché jusqu'alors, il allait avoir du mal à s'en tenir à deux après-midi par semaine avec la clientèle qui le sollicitait depuis quelques jours !

Simone Merlot, qui n'aimait pas ces conversations dangereuses, intervint énergiquement.

— Vous ne me dites rien de mon coq au chambertin !

Son mari répondit le premier :

— Ma chérie, il est excellent ! Il n'y a pas à dire, le coq au vin est meilleur quand le vin est bon ! Je pensais que pour cuire de la viande, le gros rouge était suffisant, eh bien je me trompais !

Tout le monde renchérit, et la conversation vogua un moment sur la cuisine. Puis, selon l'habitude, elle dériva vers l'Algérie. Les trois hommes avaient été tellement marqués par ces trente mois d'armée qu'il leur était difficile, quand ils se retrouvaient, de ne pas repartir sur ces vieilles histoires de leur jeunesse.

— Vous vous souvenez, quand on allait manger le méchoui chez Ahmed ? Et pour sa fille, qui le regardait comme si elle n'avait jamais entendu l'histoire, il précisa : Ahmed, c'était notre infirmier à l'hôpital civil. Le meilleur que j'ai connu. Il savait tout faire : les plâtres, la radio, les aides opératoires... C'était un ancien infirmier militaire qui avait servi outre-mer pendant des années. Rendu à la vie civile il était revenu en Algérie au moment des événements, et tout le monde pensait qu'il était chef fellagah. On mangeait le méchoui dans la cour de son immeuble, et les femmes nous regardaient derrière les carreaux.

— On buvait une *gazouse* infecte, intervint Roland. Devant sa famille et ses amis, il n'aurait jamais osé déboucher une bouteille de vin.

— Ce qui ne l'empêchait pas d'en boire quand il n'y avait personne pour le voir !

— C'est vrai, avouait Merlot, c'était un drôle de type. Il adorait Guillaume. Il disait : « Li lieutenant La Virle, ci li meilleur. Il opère toujours avec li livre. C'est li plus sérieux de tous ceux qu' ji vu ici ! »

Tout le monde éclata de rire. Merlot prenait parfaitement l'accent arabe.

Pour Cécile, qui le connaissait peu, et qui le regardait avec étonnement, Guillaume expliqua :

— Quand j'ai été incorporé, je n'avais fait que six mois d'internat. C'était en 1957. À Paris, la bagarre entre les différentes factions du FLN faisait rage. Chaque nuit ou presque, nous recevions des blessés par balle. Donc, je connaissais bien cette chirurgie. En Algérie, je me suis retrouvé avec Roland dans une petite ville des Aurès où les légionnaires ne chômaient pas. Nous étions bien formés pour soigner les blessés, et nous avons rarement eu des problèmes techniques. On les évacuait ensuite vers l'hôpital Maillot, à Alger. Mais nous nous occupions aussi de l'hôpital civil dont les médecins étaient partis. Et là, il fallait faire une chirurgie que les appelés comme moi connaissaient mal. Alors j'avais mon « Quénu », le gros manuel opératoire, et quand je ne savais plus très bien ce qu'il fallait faire, Roland me tournait les pages.

La jeune femme paraissait suffoquée.

— Mais ça se passait très bien, intervint Merlot. Moi, quand mon unité n'était pas en opération, je jouais les médecins de ville, et je leur envoyais les malades. Je les ai vus opérer ! Ils se débrouillaient drôlement bien !

— De toute façon, intervint Mange avec ce ton désabusé qu'il affectionnait, chez les musulmans, c'est Dieu qui décide de la vie ou de la mort des gens. Le chirurgien fait de son mieux, mais il ne peut rien contre la volonté d'Allah. Quand le malade est sauvé, c'est un champion. Quand il meurt, Dieu l'a voulu !

— Oh ! protesta Merlot scandalisé. Ils ne mouraient pas !

— Pas tous, c'est vrai, transigea Roland.

Cécile prit un air dégoûté.

— Ces médecins, ils sont horribles !

— Encore un peu de pommes de terre ? demanda Simone pour faire diversion.

— Et tu te souviens de la fille du préfet ?

Merlot avait un peu bu, et il ne parvenait pas à changer de sujet.

— Je la vois encore, elle s'appelait Agnès. Elle avait une douzaine d'années et des yeux verts. Un soir, elle s'était mise à vomir.

— Tu ne pourrais pas raconter autre chose ? demanda Simone avec une moue de dégoût, mais sans conviction.

Elle savait que rien ne pouvait arrêter son mari.

— Le commandant me dit : « Merlot, allez-voir. » Je rectifie la tenue, je prends ma Jeep, et je fonce. La gamine avait un joli teint grisaille. Je l'examine, c'était une appendicite évidente. Et sérieuse ! Il était sept heures du soir, pas d'évacuation sanitaire possible. Je téléphone à Guillaume. Il arrive. Même diagnostic. Il va voir le préfet, et il lui dit : « Il faut opérer votre fille. » Vous auriez vu sa tête !

Merlot éclata de rire. Il racontait cette histoire comme un roman d'aventure. Sa fille et Cécile buvaient ses paroles.

— Le préfet, il avait immédiatement compris. L'hôpital civil, croyez-moi, ce n'était pas l'hôpital américain de Neuilly. Quant à l'antenne chirurgicale, c'étaient des baraques en tôle avec du matériel de campagne ! Grand seigneur, il a dit : « Docteur, vous décidez ! »

Guillaume écoutait son ami avec un petit sourire. C'est vrai que ce soir-là, il n'en menait pas large. L'appendicite ne lui faisait pas peur, mais tout de même, la fille du préfet ! S'il y avait un problème, on en entendrait parler !

Tout s'était bien passé, et il était devenu l'ami de la famille. Pendant que Merlot racontait encore leurs exploits, il revoyait les magnifiques jardins de la préfecture où sa jeune opérée avait fait ses premiers pas de convalescente en le tenant par la main. Elle lui montrait les fleurs que sa mère avait fait planter, des strelitzias orange qui se dressaient avec orgueil près des glaïeuls, et des collections de fuchsias qui alternaient leurs couleurs violentes à l'abri des palmiers centenaires. Curieuse de tout, elle lui posait mille questions sur la médecine et la chirurgie. Il avait dû lui expliquer en détail l'histoire de l'appendicite. Une anecdote avait particulièrement amusé la gamine :

— Tu sais qui c'est Gambetta ? lui avait-il demandé.

— Bien sûr, c'est un gros homme barbu qui s'est sauvé de Paris en ballon. J'ai sa photo dans mon livre d'histoire.

— Quand était-ce ?

— Il n'y a pas très longtemps, mais je me souviens pas vraiment.

— Je vais te le dire. Tu te rappelleras que c'était il y a moins de cent ans. Cet homme très important, plus encore que ton papa, est mort en 1882, d'une appendicite que personne n'a osé opérer. C'était une maladie qu'on ne connaissait pas encore. Et pourtant, elle tuait beaucoup d'enfants... et d'adultes.

— Je serais morte, si tu ne m'avais pas opérée ?

— C'est possible.

Elle lui avait sauté au cou, et lui avait murmuré à l'oreille :

— Tu es mon chirurgien préféré, et je ne t'oublierai jamais !

Il fut tiré de sa rêverie par Simone qui insistait pour qu'il reprenne du gâteau, mais il ne pouvait plus.

— Non, merci, juste une tasse de café.

Le soir, rentré chez lui, Guillaume se contenta d'un bouillon de légumes. Le bourgogne avait été lourd à digérer. D'autant qu'il avait fallu prendre aussi du fromage d'Époisse, du gâteau aux noix...

Il aimait ces soirées solitaires dans son bel appartement. Il venait de le récupérer, et n'était pas encore habitué au spectacle grandiose des quais de Seine bordés de marronniers ambrés par l'automne commençant. Il avait entrepris de rédiger ses Mémoires, comme tous les La Verle avant lui. Ensuite, il s'attaquerait à l'histoire de sa famille, avec tous les documents qui se trouvaient dans la grande malle aux armes de Naples dont il caressait souvent le cuir patiné.

Cet appartement était le lien avec ses ancêtres, et pourtant il était le premier à y habiter. Souvent il se rappelait ces journées dramatiques de l'après-guerre, quand les frères Legrand annoncèrent que la famille La Verle était ruinée ! L'oncle Octave avait été un bien mauvais gestionnaire, avaient-ils dit... Guillaume et sa sœur s'étaient regardés sans comprendre. Il ne leur restait que des dettes, la maison de Saint-Yé en ruines et l'hôtel particulier de la rue de l'Entrepôt. Les banquiers étaient d'accord pour le leur reprendre, pour solde de tous comptes.

Bien conseillés, Guillaume et Raphaëlle avaient confié le vieil hôtel à un promoteur ami de la famille Bloch qui l'avait transformé en un bel immeuble dont le dernier étage revenait aux enfants. Raphaëlle et son mari avait vendu leur part quand Samuel Bloch avait été nommé à Bâle, à la Direction scientifique des laboratoires Sandoz, et Guillaume avait loué le sien. Ainsi avait-il pu bénéficier de revenus suffisants pendant ses études, et les frères Legrand avaient été payés.

Depuis sa nomination, il avait récupéré son bien, et il ne regardait jamais sans émotion ce panorama que ses ancêtres avaient admiré avant lui.

Il décida d'écouter un peu de musique et feuilleta ses « 33 tours ». Il choisit un quatuor de Schubert, *La Jeune Fille et la Mort,* et s'assit dans un grand fauteuil Louis XIII qu'il affectionnait. Ce disque était le préféré de Séverine...

Les déjeuners en famille chez les Merlot lui mettaient la nostalgie au cœur, et il s'y complaisait. Comme on appuie la langue sur une dent qui fait mal. « La douleur qu'on s'impose à soi-même est un plaisir à côté de celle que les autres nous font subir », disait Montherlant.

Inlassablement, il se rappelait ces temps de bonheur merveilleux, interrompu un soir de réveillon en 1960, quelques mois seulement après le mariage, par un ivrogne qui ne s'était pas arrêté à un feu rouge. Le choc avait été terrible. Séverine avait dit que tout allait bien. Elle n'avait qu'une grosse plaie du cuir chevelu. Quelques minutes plus tard, elle avait sombré dans le coma. Cette perte de connaissance secondaire, Guillaume le savait, signait un diagnostic terrible : l'hémorragie intracrânienne. Un ambulancier de passage l'avait prise en charge et ils étaient partis comme des fous vers le service de neurochirurgie de la Pitié. Mais l'hôpital n'était pas de garde. À cette époque, un seul service assurait les urgences pour tout Paris. Ce soir-là, c'était Lariboisière. Partout, il y avait des noceurs qui encombraient les rues et klaxonnaient parce qu'il était minuit.

À leur arrivée à l'hôpital, le bloc opératoire était déjà encombré de traumatisés, et quand l'intervention avait pu enfin avoir lieu, elle avait été sans effet. Séverine de La Verle était morte de n'avoir pas été opérée à temps.

Cindy, elle, avait été sauvée parce qu'un médecin intelligent et énergique avait pris sur lui de la transporter immédiatement vers un bloc opératoire miraculeusement disponible, avec une équipe prête à opérer.

« À quoi tient la vie ? », pensa Guillaume en regardant les phares des bateaux-mouches qui illuminaient les murs du Louvre. Le disque était terminé. Il se leva pour en changer. Il choisit le *Concerto pour piano* de Lizt, et alla s'asseoir à son bureau. Il prit son gros cahier noir, comme ceux qu'utilisent les comptables et, de sa petite écriture serrée, il entreprit de raconter cet épisode lamentable de sa vie.

Le lundi soir, quand il passa à la clinique, il eut une surprise dans la chambre de Cindy. Florence Armand, la journaliste, était là, avec ses yeux bridés qui semblaient narguer tout le monde. La chanteuse lui expliqua qu'elles s'étaient liées d'amitié depuis l'intervention, et qu'elles se voyaient presque chaque jour. La jeune métisse souriait.

— Aujourd'hui, c'est vous que je voulais rencontrer, professeur. Voudriez-vous m'accorder une entrevue ?

Le ton était ironique mais charmeur, et Guillaume ne savait que répondre. Il se méfiait de la journaliste comme d'un animal dangereux, mais, d'un autre côté, elle le fascinait, et il ressentait une violente attirance pour elle.

— Je n'ai pas le temps aujourd'hui, répondit-il, mais...

— Vous pourriez juste m'inviter à dîner.

Guillaume capitula sans condition.

Un moment plus tard, ils se retrouvaient installés à La Coupole où le chirurgien avait ses habitudes. Le maître d'hôtel lui trouvait toujours une table sans le faire attendre.

Florence avait à peine plus de vingt-cinq ans, et elle minaudait parfois comme une petite fille. Mais, par moments, elle s'exprimait avec l'assurance et le ton désabusé d'une femme mûre. Guillaume s'aperçut vite que son savoir n'était qu'un vernis. Elle avait beaucoup d'aplomb, et jouait n'importe quel personnage avec un talent qui s'expliquait par plusieurs années d'art dramatique au cours Simon. Quelques verres de Sancerre aidant, elle perdit sa belle autorité et raconta qu'après avoir quitté le lycée avant la fin de sa terminale et voulu faire du théâtre sans grand succès, elle s'était consacrée au journalisme grâce à un oncle qui avait une position importante à l'ORTF. Elle avait épousé un grand reporter qui courait le monde.

— Où est-il actuellement ? demanda Guillaume.

— Au Liban.

— Son absence ne vous attriste pas trop ?

Elle lui fit un sourire en biais avant de répondre :

— Non ! Nous sommes un couple très libre. Il mène sa vie et moi la mienne. On se voit tous les deux ou trois mois, mais il passe rarement plus d'une semaine à Paris.

Guillaume était de plus en plus étonné par ce spécimen féminin qui ne ressemblait à personne. Elle était le charme personnifié, et il était prêt à y succomber. Pourtant une sorte de sonnette d'alarme résonnait dans un coin de son cerveau.

— Vous savez, avoua-t-elle au moment du dessert, si je voulais dîner avec vous, ce n'était pas pour vous raconter ma vie. Habituellement, je suis plutôt secrète. Je ne sais pas comment vous vous y prenez, mais je ne parviens pas à vous faire parler. Je pose des questions, et c'est moi qui réponds pendant des heures. Parlez-moi de vous, maintenant.

— Il n'y a pas grand-chose d'intéressant à raconter. Dites-moi plutôt ce qui justifiait votre envie de dîner avec moi. J'avais cru comprendre que vous vouliez me poser une question précise.

— C'est vrai. J'ai un papier à faire. Je voulais savoir comment vous conceviez votre rôle de médecin en face des suicidés. Chacun est libre de ses actes. Pourquoi vous opposez-vous au choix de ceux qui veulent mourir ?

Elle avait pris, tout à coup, un ton sérieux, et semblait parler sans détour, pour la première fois.

— Vous regrettez que Cindy ait été sauvée ?

— Ce n'est pas la question.

— Et elle, le regrette-t-elle ?

— Non. Pas complètement.

— Un peu tout de même ?

— Je vais vous dire un secret. Me promettez-vous de le garder pour vous, quoi qu'il arrive ?

— Question difficile. Mais les médecins savent se taire, vous le savez.

— Je ne vous raconterai pas les problèmes sentimentaux qui ont contribué à lui faire prendre sa décision, cela ne vous regarde pas. Mais il y a un élément important que vous devez savoir. Cindy a perdu sa mère quand elle était toute petite fille, et elle en a été très affectée. Plus tard, elle a appris qu'elle avait aussi cette maladie. Elle avait peur que son enfant soit atteinte, puisqu'il s'agit, paraît-il, d'une maladie héréditaire. Abandonnée par l'homme qu'elle aimait et rejetée par sa famille, avec un bébé peut-être malade... N'avait-elle pas des raisons de vouloir en finir ?

— Je n'ai pas à juger. Mais je constate que cette jeune femme semble heureuse de vivre avec sa fille, qui ne présente aucune signe inquiétant. Connaissez-vous le nom de cette maladie ?

Elle secoua négativement la tête, et le chirurgien continua.

— Quant aux suicidés en général, les médecins n'ont pas à s'interroger sur leurs motivations. Ils sont là pour défendre la vie humaine, et ils le font. C'est vrai que certains désespérés récidivent et ne se ratent pas la fois suivante. Mais la plupart refont leur vie autrement en remerciant le Ciel d'avoir été sauvés d'un moment de déprime.

— Vous sauvez les suicidés par principe, sans jamais vous poser de questions sur les cas particuliers.

— C'est un peu ça.

— Vous faites un travail mécanique. Les cas de conscience, c'est pas votre truc !

Elle commençait à être agressive pour le faire sortir de ses gonds. Il le comprit vite et ne se laissa pas entraîner. Il précisa même le fond de sa pensée, pour que la situation soit bien claire entre eux.

— Ne comptez pas me mettre en colère pour me faire dire des choses que je serais susceptible de regretter ensuite. Il y a une chose que je vais vous demander, et il faut que vous me compreniez bien. La philosophie de la médecine m'intéresse, et je suis prêt à en parler avec vous autant que vous voudrez, pourvu que cela ne tourne pas au pugilat verbal. Je peux vous expliquer tout ce que vous voulez et vous permettre de faire des papiers sérieux. À une condition, c'est que vous ne me citiez jamais. Si une seule fois, vous prononcez ou écrivez mon nom, vous ne tirerez plus jamais un mot de moi, et je démentirai immédiatement les propos que vous m'aurez prêtés. C'est clair ?

— Je pourrai vous demander tout ce que je voudrai ?

Elle avait un ton ambigu qui ne lui échappa pas. Il répondit sur le même registre.

— À condition d'éviter ce que la morale réprouve, évidemment !

Ils rirent tous les deux et elle se pencha en murmurant :

— Je pense que nous allons nous revoir souvent, car je vais avoir terriblement besoin de vos conseils.

Cindy s'appelait Sibylle Dinello, et son père était un de ces médecins parisiens qualifiés habituellement de mondains. Ancien externe des hôpitaux, il avait acquis suffisamment de connaissances pour éviter de commettre des erreurs graves, et il s'était spécialisé en endocrinologie. Sous cette étiquette imprécise, il traitait surtout des obèses riches par des moyens aussi mystérieux qu'onéreux. Un peu de psychologie, beaucoup de savoir-faire et d'astuce, avec un rien de cynisme lui assuraient une situation financière brillante, et le mépris envieux de ses confrères.

Dès le lendemain de l'opération, il était venu remercier Guillaume, et il avait gémi un long moment sur la difficulté des parents dans la vie agitée des Parisiens de ce temps. Il était veuf et remarié, et ce n'était pas facile, disait-il, d'élever une adolescente. Paradoxalement, le suicide de sa fille lui inspirait surtout des réflexions amères sur son sort de père, et il ne semblait pas se demander pourquoi Cindy en était arrivée là.

Guillaume était si choqué qu'il avait fait une remarque acidulée, mais rien de plus. Selon la règle, il avait demandé à un psychiatre d'examiner la jeune fille. Le père avait fait un scandale en prétendant qu'il était assez grand pour savoir ce dont sa fille avait besoin. L'infirmière lui avait répondu qu'il était un peu tard pour de telles affirmations !

Cindy n'avait fait aucune allusion à ce problème, et quand Guillaume lui avait demandé comment elle allait s'organiser pour la suite, elle avait répondu qu'elle partait d'abord en convalescence chez une de ses tantes dans le Midi, puis qu'elle retournerait dans son appartement de Neuilly. « Le bon docteur Merlot ne sera pas loin de moi en cas de besoin, avait-elle conclu avec un sourire désarmant. Florence aussi viendra souvent, elle est devenue une grande amie. »

Guillaume l'avait laissée en se disant que la vie avait tout de même de curieux caprices. Cette fille abandonnée de tous au point de vouloir mourir, venait de trouver des amis solides qu'elle n'avait aucune chance de rencontrer auparavant.

« À quelque chose, le suicide est peut-être bon », conclut-il dans son journal, ce soir-là.

Guillaume enviait la sérénité des Merlot. Il aurait tant aimé vivre au milieu d'une ribambelle d'enfants, avec un avenir tout tracé. Il était fatigué des incertitudes qui dominaient sa vie et de la solitude où il était confiné. Il n'avait que deux amis, Gérard Merlot et Roland Mange. Encore n'étaient-ils liés que par leur passé et le quotidien de leur métier, mais il n'y avait aucune communauté de pensée entre eux, et s'ils lui racontaient volontiers les événements marquants de leur vie, ils ne disaient jamais rien de leur intimité.

Lui non plus, d'ailleurs, ne parlait pas de sa vie personnelle. Qu'auraient-ils pu y comprendre ? Ils l'imaginaient dans les dîners parisiens, couvert de jolies femmes, finissant ses soirées chez Régine ou Castel. Il les laissait dire. Mais sa vie était autrement plus sage.

Il avait une liaison, une seule. Sylvie Leblanc, qui était institutrice quand il avait fait sa connaissance en Algérie. Elle était mariée alors avec un « pied-noir », et le couple vivait là-bas avec ses deux enfants. Très accueillants, les deux « instits » recevaient les médecins du contingent, qui passaient chez eux des soirées conviviales heureuses en écoutant de la musique. Après la guerre ils étaient rentrés en France et le ménage avait craqué. Les enfants s'étaient mariés, et Sylvie avait abandonné l'Éducation nationale. Elle était devenue musicologue. Elle écrivait des commentaires pour les pochettes de disques et collaborait à plusieurs revues spécialisées. Elle vivait seule dans un studio, rue de Rennes, et Guillaume l'avait retrouvée par hasard, après la mort de sa femme.

Il l'avait accompagnée à quelques concerts où elle était obligée d'aller, et il y avait pris goût. Puis, elle l'avait invité à venir écouter les enregistrements que lui envoyaient les maisons de disques, et ils avaient passé de nombreuses soirées ensemble. Un jour, il n'était pas rentré dormir chez lui.

Ils avaient à peu près le même âge, chacun savait ce qu'avait été la vie sentimentale de l'autre, et le cœur ne participait pas vraiment à leurs ébats. Mais elle était toujours là quand il l'appelait, elle faisait bien la cuisine, et aimait le bon vin qu'il apportait. Elle lui faisait entendre des grands interprètes, l'initiait à l'opéra, et lui offrait des disques de qualité. Il lui parlait de ses ambitions, racontait les épisodes de sa guérilla quotidienne, et oubliait ses rages et ses rancœurs quand elle s'allongeait près de lui.

Elle était la seule à savoir ce qu'était sa vie de chirurgien. Les autres voyaient un jeune professeur ambitieux mener sa carrière avec brio, lutter contre les concurrents, se frayer sa route au milieu des arcanes de l'administration, et réussir à peu près tout ce qu'il entreprenait. Avec elle, il passait aux aveux. Elle savait l'angoisse qu'il ressentait physiquement pour chacun de ses opérés, et quels combats étaient engagés chaque jour dans cette salle d'opération où la vie devenait tout à coup une valeur incertaine.

Il lui arrivait de téléphoner tard pour demander s'il pouvait venir. Elle savait qu'il avait besoin de parler pour s'apaiser.

— J'ai opéré une occlusion, racontait-il, et le foie était plein de métastases. Il a fallu donner des explications aux enfants, et ils ne pouvaient pas croire que leur mère allait mourir.

Une autre fois, c'était un enfant chez lequel il avait mis en évidence une tumeur rénale. On le lui avait envoyé pour une appendicite, mais il avait découvert une infection urinaire. Soupçonneux, il avait fait faire des radios, et le diagnostic était devenu soudain évident. Il avait dû expliquer à la mère ce qu'allait être le traitement, la nécessité d'aller dans un centre spécialisé, et l'obligation de faire subir au pauvre bambin toutes les agressions de la thérapeutique moderne. Ce genre d'épreuve l'épuisait.

Souvent aussi, quand il avait réalisé une opération hasardeuse, il évoquait ses soucis techniques. Une hémorragie qu'il avait eu du mal à stopper, une suture digestive acrobatique dont il craignait la désunion.

— C'est en Algérie que j'ai ressenti pour la première fois cette solitude de l'opérateur, confessait-il. Quand tout était fini, le pansement fait, l'attente commençait. Qu'allait-il se passer ? C'étaient souvent des blessés graves et, jusqu'au lendemain, aucune évacuation n'était possible. Aucun avis ne pouvait être sollicité de qui que ce fût. L'anesthésiste et le réanimateur étaient des internes nommés fraîchement au concours et qui avaient choisi leur spécialité pour ne pas aller en corps de troupe. Ce n'était pas une vocation, et ils n'avaient que quelques mois de préparation. On était tous les trois sur un pied d'égalité, et c'est de là qu'est née, en France, la notion d'équipe chirurgicale. On n'en était plus au temps du grand prêtre officiant devant une cour de servants admiratifs. Nous étions trois copains attelés à une tâche qui nous dépassait parfois. Mais, après l'intervention, c'est vers le chirurgien que se tournaient les regards quand la tension baissait ou quand le transit digestif ne se rétablissait pas.

« Des gens qui ont la responsabilité de milliers de personnes, sont incapables d'imaginer ce qui se passe dans la tête d'un chirurgien qui regarde mourir le patient qu'il vient d'opérer, même s'il pense n'avoir commis aucune erreur... Chaque intervention est un challenge, et si le chirurgien perd la partie, c'est la mort qui gagne. Quand nous étions à Alger, continuait Guillaume, tu ne peux pas imaginer la peur qui me serrait les tripes quand je voyais arriver les gros hélicoptères d'évacuation. Nous avions beau être de repos, l'atterrissage s'apercevait de loin et, quand les ambulances remontaient lentement vers l'hôpital, c'est qu'elles avaient fait leur plein de blessés ! Alors, nous revenions tous vers nos services. La salle de « triage » ressemblait à une cour des miracles avec tous ces pauvres garçons entortillés dans leurs pansements d'urgence, entourés d'une nuée de réanimateurs qui branchaient des flacons de plasma et de sérum... Les chirurgiens allaient se laver les mains et entraient en salle pour des nuits entières de combat silencieux et parfois désespéré.

Sylvie sentait la détresse rétrospective de Guillaume et cherchait alors à faire dévier la conversation.

— Si on te demandait quel est le progrès apporté à la chirurgie par la guerre d'Algérie, que répondrais-tu ?

Il hésita une seconde.

— La création des équipes chirurgicales où le chirurgien n'est qu'un des rouages de la machine, et l'hélicoptère. Cet engin a transformé le pronostic des plaies de guerre !

Parfois, il racontait des anecdotes plus cocasses. Comme l'histoire de cet homme venu tard, le soir, prendre des nouvelles de son neveu, gravement blessé. Il était inquiet car c'était un garçon fragile, et il redoutait le pire. De là, il s'était répandu en considérations amères sur l'âge qui l'empêchait de combattre. Non pas qu'il souffrît lui-même du vieillissement, car, à soixante ans il se trouvait parfaitement en forme, mais tout de même, il sentait, disait-il, que les forces vitales perdaient de leur énergie... Il lui avait fallu une demi-heure pour arriver à se libérer de son problème : il était devenu impuissant. Y avait-il un traitement chirurgical ?

En fait, Guillaume aimait faire parler les gens et savait les écouter.

— Pour peu qu'on leur en laisse le temps, disait-il, ils en arrivent toujours à leurs propres problèmes. Plus personne n'a la patience de tendre l'oreille, et, pourtant, plus ça va, plus les gens ont des choses à dire...

Sylvie ne souriait pas quand elle l'entendait conclure ainsi, mais elle savait bien qu'il lui demandait, avant tout, justement de l'écouter lui aussi.

CHAPITRE III

Cindy était sortie de clinique depuis quelques jours, quand Guillaume reçut une visite singulière. C'était un vieil homme au regard clair, mince et droit, habillé d'un strict costume sombre et démodé. Il avait pris rendez-vous pour une consultation, et il était le dernier dans la salle d'attente.

Guillaume le fit entrer dans son bureau.

— Je vous prie d'excuser la liberté que j'ai prise en sollicitant un rendez-vous d'apparence médicale, alors que ma santé ne me pose aucun problème, Dieu merci !

La voix était claire, l'expression parfaite... Le chirurgien sourit, intrigué, et fit asseoir son visiteur.

— Je suppose que ce que vous avez à me dire est tout de même assez important pour que vous soyez venu jusqu'à moi, alors je vous écoute.

L'autre le regarda une seconde sans parler, et ferma les yeux.

— Vous n'imaginez pas l'émotion que je ressens. Cette douceur dans votre voix, ce ton affable... C'est votre père que j'entends.

Guillaume sursauta.

— Vous avez connu mon père ?

— Oui, à Mauthausen. Quand je vous ai vu, l'autre jour, à la télévision, j'ai ressenti une violente envie de vous parler. J'ai hésité, parce que vous devez être un homme très occupé... Et puis je me suis décidé. Peut-être n'avez-vous jamais eu de détails sur son séjour là-bas. Alors, je me suis dit que vous aimeriez savoir ce qu'a été sa vie pendant ce séjour d'horreur.

— C'est vrai, je ne sais rien.

— Moi j'ai vécu avec lui pendant presque une année, et il m'a sauvé la vie. Malheureusement, je n'ai pas pu lui rendre la pareille...

Des bouffées de souvenirs douloureux revenaient à la mémoire du jeune chirurgien.

Il était à Paris, avec sa sœur, quand son père avait été arrêté par la

Gestapo, à Saint-Yé. Jusqu'à la Libération, ils avaient mené une vie de proscrits, cachés par des patriotes et les pères de l'école Gerson. Ensuite ils étaient retournés à Saint-Yé, mais les destructions étaient telles qu'ils n'avaient pas pu y rester. Leur maison avait été éventrée, comme l'hôtel du Cerf-à-Genoux. L'hôpital avait souffert aussi, mais certaines salles avaient été rouvertes, et de nouveaux praticiens nommés.

Après la capitulation nazie, les déportés avaient commencé à revenir, et Guillaume se rappelait les journées passées gare de l'Est, à guetter l'arrivée de ces squelettes ambulants, vêtus encore de ce pyjama rayé qui allait devenir le symbole dérisoire de leur martyre.

— J'étais de ceux-là, intervint le vieil homme, mais je ne vous connaissais pas, et j'étais si heureux de retrouver ma famille, que je ne me préoccupais guère des autres, à cette époque.

Les yeux parfois embués de larmes, il continuait à parler, dévidant l'écheveau d'images pénibles qu'il ne parvenait pas à oublier.

Après son retour, il avait repris son travail d'instituteur, dans la région parisienne, jusqu'au jour où on lui avait proposé la direction d'un collège d'enseignement secondaire. Parmi les postes disponibles, il y avait un établissement neuf à Saint-Yé. Il ne connaissait pas la ville, mais il se souvenait du chirurgien qui lui avait sauvé la vie en Allemagne. Alors il était venu en visite, et il avait découvert combien ce nom de « La Verle » était ancré dans l'histoire de cette région. Il avait accepté ce poste où il avait terminé sa carrière. Il venait d'y prendre sa retraite, et il avait acheté une petite maison.

— Le temps passe si vite...

— Mon père vous avait sauvé la vie ?

— Oui ! En m'opérant. À cause de son âge et de sa profession, il avait été affecté au « Revier », une espèce d'hôpital où les plus malades d'entre nous venaient souvent finir leurs jours. Il n'y avait pas beaucoup de moyens thérapeutiques mais, grâce à quelques médicaments envoyés par la Croix-Rouge, les médecins essayaient de soulager un peu les malades. C'est le docteur Debrise qui s'occupait des cas « médicaux ». Vous le connaissez, je suppose.

— Non !

— C'est le professeur Gilbert-Dreyfus, le patron de la Salpétrière. Il a été magnifique. Les Allemands n'ont jamais su qu'il était juif, sinon, il ne serait pas revenu !

— Je savais qu'il avait été déporté, mais je ne pensais pas qu'il avait connu mon père.

— Ils ne se sont pas connus, car il n'était plus là quand votre père est arrivé.

— Et on lui a confié un poste chirurgical ?

— Oui ! Mais dans quelles conditions ! Lui qui avait opéré au Rockfeller Institute, et avec Leriche à Strasbourg, il travaillait dans une baraque en bois, avec des instruments rouillés à force de bouillir dans une casserole, sur le poêle de fortune où l'on brûlait tout ce qui nous tombait sous la main, pour avoir un semblant de propreté !

— De quoi vous a-t-il opéré ?

— D'une appendicite. J'avais mal au ventre, comme tout le monde là-bas. Avec ce que nous mangions... Mais moi, je sentais bien que c'était autre chose. Je l'ai dit à votre père. Quand il a diagnostiqué une appendicite, tout le monde lui a ri au nez. Il a fallu trois jours pour qu'on l'autorise à m'opérer. J'étais dans un état lamentable. J'ai failli y passer cent fois. Comme anesthésique, il avait un peu d'Évipan. Il l'économisait. Heureusement, nous étions dans un tel état de faiblesse que quelques gouttes suffisaient. Quand il m'a ouvert le ventre, les SS étaient dans la salle. Ils regardaient, pour être bien sûr qu'on ne leur racontait pas des histoires. Il paraît que mon appendice était pourri. Une horreur ! Il m'a fallu un mois pour m'en remettre, avec un gros drain, et le pus qui coulait à flots ! Beaucoup d'opérés mouraient dans les suites. Moi j'étais costaud, et votre père s'arrangeait pour me trouver de quoi manger... Il s'épuisait au travail... Et je crois qu'il donnait sa part de soupe à ses opérés.

Guillaume baissait la tête. C'était pire que ce qu'il avait imaginé. L'autre poursuivait, le visage crispé, souffrant, dans sa mémoire, des douleurs passées.

— Il est mort de froid, d'épuisement, et sans doute de désespoir devant toute cette misère qu'il ne parvenait pas à soulager comme il l'aurait voulu. C'était un matin d'hiver, au début de 1945. Dans la cour du camp, le vent était glacial et on grelottait. Depuis des heures, les geôliers nous comptaient et nous recomptaient. Nous arrivions à peine à tenir debout. Tout à coup il s'est abattu, sans un mot, comme un arbre trop vieux qui cède au vent. Les bourreaux ont ri. Sur leur grand registre ils ont dû écrire : « Décès par arrêt du cœur. » Ils avaient la conscience en paix, puisque leur comptabilité macabre était bien tenue !

Le vieil homme se leva, il était blême.

— Il faut que j'arrête. Je pourrais vous en raconter la nuit entière. Il faut que je rentre, mes enfants m'attendent pour dîner. Ils habitent Paris. Demain, je rentrerai à Saint-Yé.

Guillaume se leva aussi. Il avait du mal à articuler une phrase de politesse. Son interlocuteur s'en rendit compte.

— Professeur, je vous appellerai demain, pour vous poser une question. Maintenant, il est trop tard.

Ce soir-là, Guillaume écrivit longtemps dans son journal. Il comblait un vide au milieu de ses souvenirs. En 1945, il avait quatorze ans. Sa sœur Raphaëlle allait se marier avec le capitaine Samuel Bloch.

Elle avait déjà mis au monde une fille, France, et elle était enceinte de la seconde, Victoire. La vieille Madeleine habitait avec eux, dans une petite chambre d'où elle ne sortait guère. Elle avait failli mourir d'une méningite tuberculeuse après l'arrestation de Florian, mais on avait essayé sur elle un médicament nouveau, la streptomycine, qui l'avait guérie. Malheureusement elle était devenue sourde, car on ne savait pas encore que ce produit était toxique pour le nerf auditif. Elle avait vécu quelques années ainsi, assise devant sa fenêtre, lisant, écrivant, et caressant les cheveux de cette petite fille qui montait la voir et qui l'appelait « grand-mère », mais qu'elle n'entendait pas. Elle s'était éteinte en silence, comme une bougie, et reposait maintenant dans le cimetière de Saint-Yé. On avait gravé son nom sur le marbre à côté de celui de son mari, Florian de La Verle, qui aurait dû reposer là.

Le lendemain, le vieil homme rappela.

— Je ne suis pas sûr de vous avoir dit mon nom. Je m'appelle Georges Falquier, et je voulais vous demander si vous accepteriez de venir à Saint-Yé faire une petite conférence sur l'histoire de cet hôpital que votre père avait fait reconstruire dans les années trente. Nous voudrions sensibiliser les pouvoirs publics pour qu'il soit rénové.

— Une conférence ?

— Oui, je suis président du Rotary-club de notre ville, et nous invitons des personnalités pour qu'elles fassent un petit laïus sur tel ou tel sujet qui nous intéresse. Beaucoup de membres de notre club aimeraient vous revoir ou faire votre connaissance. Venez, ce sera très sympathique.

Guillaume accepta, sans trop savoir à quoi il s'engageait. Ils convinrent que ce serait le mois suivant, un soir, à l'heure du dîner. Falquier viendrait le chercher à la gare. Avec le nouveau train, il ne fallait que trois quarts d'heure pour faire le trajet.

Dans la voiture, Guillaume se renseigna.

— Le Rotary, c'est une sorte de franc-maçonnerie ?

— Non, ça n'a rien à voir. C'est une organisation qui a été créée en 1905 par un avocat américain de Chicago. C'était l'époque où les affaires se traitaient, là-bas, à coups de mitraillette. Il a réuni quelques amis en leur proposant de former une sorte de club d'honnêtes gens qui pourraient se faire confiance dans leurs affaires. Il fallait seulement éviter de mettre ensemble plusieurs hommes du même métier pour qu'ils ne se fassent pas concurrence entre eux. Ils décidèrent de se rencontrer une fois par semaine, chez l'un ou l'autre, à tour de rôle, par rotation, d'où le nom. Ce club eut un tel succès qu'il s'en créa partout dans le monde, et qu'il existe maintenant près d'un million de rotariens, dans plus de cent pays...

— Et il y a donc un club à Saint-Yé.
— Oui, et vous rencontrerez ce soir tous les hommes de la ville qui comptent un peu.
— Les notables...
— Si vous voulez, encore que je ne pense pas être un notable, je ne suis qu'un vieux prof...
Un moment plus tard, Guillaume était dans la grande salle du Sofitel, devant une trentaine d'hommes de tous âges qui l'écoutaient avec intérêt. Il leur raconta la naissance de l'hospice, au XVIe siècle, créé par les comtes de Malmort, avec les sœurs de la Charité, puis les vicissitudes de l'établissement sous la Révolution ; il avait été remis en état sous la Restauration et le Second Empire, et reconstruit avant la guerre de 39-45. Trois noms revenaient sans cesse dans son récit, Malmort, Legrand et La Verle.
Pendant qu'il parlait, ses auditeurs regardaient souvent un homme d'une quarantaine d'années qui souriait en l'écoutant. Après les applaudissements, il vint se présenter.
— Olivier Legrand. Je suis le directeur de cet établissement, et l'un des descendants des hôteliers du Cerf-à-Genoux. D'ailleurs, après le dîner, si vous voulez bien, je vous montrerai, dans mon bureau, la fresque que j'ai conservée, et qui se trouvait autrefois dans la salle à manger de l'hôtellerie. Vous y verrez le cerf, à genoux devant le saint. Maintenant c'est une pièce de musée.
Il se mit à rirc. Guillaume, lui, ne riait pas.
— Que sont devenus les frères Legrand, les neveux d'Octave ?
— Ils sont morts, ruinés. Ils se sont lancés dans des affaires compliquées et y ont laissé leur fortune. C'étaient mes oncles. Mon père, leur petit frère, a été tué pendant la guerre, et ils ont dépouillé ma mère de sa part d'héritage. Cette sainte femme m'a envoyé dans une école hôtelière pour que je reste dans la spécialité familiale.
Guillaume lui serra chaleureusement la main.
— Nous sommes donc de très lointains parents, et sur le plan financier, nous avons subi le même sort. Vous m'êtes très sympathique !
Parmi les autres rotariens qui lui furent présentés, Guillaume découvrit un personnage qui l'intéressa beaucoup aussi, le docteur Morand, chirurgien de Saint-Yé, qui vint s'asseoir à côté de lui pour le dîner.
Il était un peu plus âgé que lui et avait fait ses études de médecine à Lille. Après la guerre, il avait appris que Saint-Yé cherchait un chirurgien pour l'hôpital. Il s'était présenté à la municipalité qui l'avait accueilli à bras ouverts. Mais devant la pauvreté des installations hospitalières et le besoin grandissant d'une population en développement, il avait acheté, pour une poignée de francs, l'hôtel du Cerf-à-Genoux, ou ce qu'il en restait après les bombardements. Il

l'avait transformé en clinique obstétrico-chirurgicale. Il était le chirurgien des deux établissements, et, avait-il ajouté à voix basse, cette situation lui attirait l'hostilité de quelques habitants de la ville, qui l'accusaient de privilégier sa clinique au détriment de l'établissement public.

— Comment pourrait-il en être autrement, précisa-t-il, ils ne veulent pas investir un sou, et ils voudraient que je fasse des miracles. Qu'ils équipent l'hôpital aussi bien que la clinique, et il n'y aura plus de différences...

Guillaume lui avait raconté toutes les difficultés qu'il avait, à Paris, pour obtenir un service moderne, et l'obligation dans laquelle il se trouvait, lui aussi, d'opérer dans une clinique privée.

Après le dîner, le chirurgien insista pour inviter Guillaume à boire un verre au bar de l'hôtel, vide à cette heure, avant qu'il monte se coucher.

— Vous n'imaginez pas le plaisir que j'ai eu à vous rencontrer, lui dit-il avec chaleur, je vais vous raconter pourquoi.

L'homme était assez grand, mince et élégant, au visage racé, avec un front dégagé par une calvitie naissante. Ses yeux sombres, mobiles, avaient des reflets de feu quand la conversation s'animait. Guillaume serait volontiers allé dormir, mais cet homme l'intriguait.

Un verre de fine en main, ils s'installèrent dans des fauteuils confortables, et l'homme se racla la gorge, comme si ce qu'il avait à dire venait mal. Enfin, il se décida.

— Je souhaiterais que cette conversation reste entre nous. Que vous la considériez un peu comme un secret... professionnel.

Guillaume acquiesça de la tête. Sa curiosité était extrême.

— Voilà. Ici je m'appelle Morand. Mais mon père s'appelait Morand de Marteuil. Et comme il était un peu snob, il se faisait appeler plus simplement le colonel de Marteuil.

Guillaume eut un vertige. Cet homme était le fils de Marie-Geneviève de Malmort ! Cette Mary-Gi dont le rôle avait été tellement odieux sous l'Occupation.

— En 1944, quand mes parents ont suivi le maréchal Pétain en Allemagne, ils m'ont laissé à leur cuisinière qui m'adorait. Elle était de Lille. Elle m'a emmené et élevé comme un fils. J'ai su plus tard qu'ils avaient été tués dans un bombardement. Ma tristesse a été atténuée par la discrétion de leur mort et l'absence de procès en collaboration. Ils n'ont pas eu à subir les mêmes avanies que l'infortuné maréchal.

Guillaume sursauta.

— Vous savez que mon père est mort en déportation, du temps où « l'infortuné maréchal » gouvernait la France !

— Je ne veux pas entamer une polémique sur le rôle de ce vieillard à cette époque, mais j'ai des documents qui prouvent qu'il était complètement manipulé. Mais ceci est une autre histoire. Sachez bien que je ne les excuse pas, et que j'ai honte de ce qui s'est passé. J'aurais été fier de pouvoir dire, ici, que je suis un descendant des Malmort, mais je suis condamné au silence, et je pense que je ne ferai jamais état de ce passé. Vous êtes le premier à qui j'en parle, parce que, justement, j'estime que vous avez droit à la vérité.

Guillaume ne savait pas comment répondre. L'autre continuait.

— Ce qu'il est important que vous sachiez, c'est que ma mère n'a jamais fait de politique. J'ai d'innombrables lettres où elle traite les Allemands de soudards, et je suis convaincu qu'elle n'est pour rien dans la déportation de votre père. Ce dont je suis sûr, en revanche, c'est qu'elle était profondément amoureuse de lui, et qu'elle ne lui a jamais pardonné de n'avoir pas voulu l'épouser.

— Je l'avais compris !

— Tout ce qu'elle a fait n'était motivé que par le dépit, et l'amour qu'elle persistait à lui porter. J'ai le double de plusieurs lettres envoyées à la police allemande après l'arrestation de votre père pour le faire libérer. Elles ont dû rester sans réponse. Comme les sentiments qu'elle lui avait manifestés pendant tant d'années.

Guillaume ne répondit rien. Un long silence suivit cette conclusion. Tout cela était si loin. Qui pourrait raconter l'exacte vérité ? Que s'était-il passé vraiment entre ces deux êtres que le destin avait liés à jamais dans la même issue tragique ?

Le lendemain matin, Guillaume rentra à Paris. Et il passa le week-end suivant à consigner dans son journal tous les détails de cette étonnante soirée.

Quand il eut fini, il avait pris une décision : faire reconstruire la maison de Saint-Yé. C'était sa ville, son enfance s'était passée là. Il avait couru les sentiers et les marais d'une campagne qui lui avait confié ses moindres secrets, et qui lui avait appartenu jusqu'à ce que les événements le chassent...

Il téléphona à sa sœur, à Bâle, et lui annonça ses projets. Elle renonçait à ses droits sur cette propriété indivise, et lui laissait tout loisir d'y faire ce qu'il souhaitait.

Le dimanche suivant, il était sur place, avec un architecte. Ils préparaient ensemble ce qui allait devenir, de nouveau, la maison des La Verle.

CHAPITRE IV

Les quatre bâtiments de briques rouges du vieil hôpital Sainte-Marthe n'avaient qu'un étage, et ils étaient reliés par une sorte de coursive vitrée où un incessant va-et-vient donnait une impression de vie intense. Dans cette sorte de déambulatoire où tout le monde se rencontrait, les nouvelles circulaient vite. On l'appelait « le boulevard à ragots ». Ces couloirs voûtés bordaient une cour pavée où une fontaine ébréchée crachouillait dans un bassin de pierre.

Damien et Florian de La Verle avaient exercé là au siècle précédent.

Guillaume imaginait les internes d'autrefois, coiffés de leur calotte de velours crasseux, les mains dans les poches du tablier, la pipe au bec sous des moustaches arrogantes. Quand il était externe, ces attributs avaient déjà pratiquement disparu. Certains patrons portaient encore une calotte blanche, surtout les chirurgiens, mais ils se faisaient rares. Le tablier, cependant, restait l'emblème de la fonction. Externes et internes en médecine avaient la poche ventrale encombrée de stéthoscopes et de marteaux à réflexe, alors que les chirurgiens portaient le tablier à l'envers, la poche inapparente, pour bien montrer qu'ils n'avaient pas besoin de ces outils trop « médicaux » pour eux. En chirurgie, c'étaient les anesthésistes qui auscultaient !

Désormais, cette mode était passée. Les chirurgiens portaient une chemise Lacoste et un pantalon blanc avec la blouse non boutonnée. Les médecins restaient en costume de ville sous la blouse marquée de l'emblème de l'Assistance publique. Pour les étudiants et les infirmières qui travaillaient en chirurgie, le suprême chic était de conserver la tenue opératoire, le pyjama bleu ou vert unisexe, bien apparent sous la blouse blanche, afin que nul n'ignore leur appartenance à la race des « saigneurs ».

Sainte-Marthe, comme plusieurs hôpitaux de la capitale, était un mélange de vétusté lamentable et de modernité clinquante. Les salles de malades, hautes et voûtées, avaient été « humanisées » par des cloisons qui isolaient les lits quatre par quatre, et les bruits résonnaient sous les voûtes de pierre. Le service le plus pittoresque était celui de la radiologie, car les appareils modernes étaient installés dans l'ancienne chapelle où les murs de protection se raccordaient bizarrement avec les piliers de soutènement.

Les consultations étaient organisées dans une baraque provisoire qui avait dû être installée avant la guerre. Les parois trop minces mettaient toutes les conversations en commun.

— Vous urinez sans difficulté ? demandait le médecin.

— Comment ? criait le malade sourd.

L'urologue répétait sa question en haussant un peu le ton, conscient de l'indiscrétion des locaux. Mais l'autre ne comprenait toujours pas. Alors il criait à son tour.

— Pour pisser, ça va ?

Le vieillard, ravi d'avoir entendu, répondait sur le même niveau sonore.

— Oh, oui ! Je pisse trois ou quatre fois par nuit. Mais pour le reste c'est fini. Une ou deux fois par an, pas plus !

Dans les bureaux voisins, tout le monde pouffait de rire.

Pourtant, on construisait de nouveaux bâtiments universitaires dans tout Paris, et les hôpitaux étaient transformés en chantiers. C'est ainsi que Saint-Antoine, Bichat, Necker et d'autres se hérissaient de tours où s'élaborerait la médecine de demain.

Malheureusement, à l'hôpital Sainte-Marthe, l'avenir n'était pas clair. Il devait être remplacé par une tour moderne, mais les habitants du quartier craignaient un tel voisinage et avaient fait des pétitions pour conserver les bâtiments historiques, oubliant les avanies infligées par des générations de médecins « novateurs ». L'administration se demandait s'il ne faudrait pas plutôt réaliser une opération immobilière, en livrant le site aux promoteurs, et disperser les services de Sainte-Marthe vers les hôpitaux voisins. Cette solution mettait les médecins dans un état de rage facile à imaginer.

Le professeur de La Verle suivait ce problème avec intérêt, car il avait un grand projet, réalisable seulement si le nouveau Sainte-Marthe était construit. Il voulait faire créer un grand service qui aurait la vocation d'accueillir toutes les urgences, ainsi que tous les consultants médicaux et chirurgicaux. Cette idée avait deux motivations. D'abord l'amélioration des rapports avec la clientèle tout-venant. Les malades qui venaient directement consulter à l'hôpital devaient y être reçus de manière courtoise et efficace, sans passer des heures à attendre un hypothétique médecin occupé ailleurs à des tâches plus intéressantes. De même, les urgences chirurgicales devaient être gérées par un chef de service et non par des internes qui préféraient rester dans leur salle d'opération plutôt que de s'occuper des plaies et bosses de la traumatologie quotidienne. La seconde idée était intimement liée à la précédente. C'était le maintien de deux services conjoints destinés à l'enseignement de la médecine et de la chirurgie générales.

La spécialisation à outrance devenait une plaie de la vie hospitalière, et il n'y avait plus personne pour former les jeunes à une approche globale des malades. Pour les chirurgiens, la situation s'avérait d'autant plus aiguë qu'à l'intérieur même des services spécialisés, on se spécialisait encore. Les humoristes disaient qu'on finirait par avoir un hôpital différent pour la hanche gauche et pour la hanche droite. Personne ne semblait se demander comment seraient formés les futurs chirurgiens des hôpitaux régionaux, dont l'importance n'était pas suffisante pour occuper à la fois un orthopédiste et un viscéraliste. D'autant que, pour assurer les gardes et les congés, il fallait bien deux personnes par spécialité, chacun refusant de travailler dans la discipline qui n'était pas la sienne. Guillaume avait rencontré, en province, un jeune orthopédiste au regard méprisant, fier de sa compétence toute neuve, incapable d'opérer une appendicite aiguë ou une hernie étranglée. C'était inadmissible !

Il fallait évidemment sortir du système ancien qui faisait d'un chirurgien des hôpitaux un praticien prêt à opérer aussi bien une cataracte qu'une césarienne. Mais de là à former des chirurgiens incapables de faire face aux problèmes les plus élémentaires de la pathologie quotidienne, il y avait une limite à ne pas franchir.

Pour illustrer ce que ses confrères appelaient souvent sa lubie, Guillaume racontait une anecdote édifiante. Un jour, il avait été appelé au téléphone par un vieil ami dont l'épouse venait de ressentir un grave malaise. Il lui avait conseillé de la faire conduire aux urgences sans délai. C'était une femme d'une cinquantaine d'années ; elle avait été prise subitement, au matin, d'une douleur brutale dans la poitrine et se trouvait au bord de la syncope. Sa pâleur, et la chute de la tension, évoquait, à son âge, un infarctus du myocarde. L'interne en médecine qui l'avait reçue la dirigea d'office vers le service de cardiologie où elle serait plus vite prise en main. Guillaume avait rassuré de son mieux le vieux mari affolé, en lui vantant les mérites de son collègue médecin. De toute façon, lui avait-il dit, il leur rendrait visite dans la matinée, pour voir comment évoluait la situation. De fait, une heure après, il retrouva l'interne en question. Celui-ci avoua n'avoir pas trouvé de signes électriques d'infarctus.

— C'est probablement une symptomatologie retardée, conclua-t-il. Je l'ai mise sous anticoagulants, je lui ferai un nouvel électro dans un moment, et cette fois il sera probant, j'en suis sûr.

Guillaume, peu convaincu, mais respectueux de la déontologie, s'inclina et alla voir ses amis. La pauvre femme avait le visage encore plus défait qu'à l'arrivée. Le chirurgien, inquiet, palpa et percuta attentivement son ventre. Il fit la grimace. Il y avait là manifestement un épanchement.

— À mon avis, c'est une hémorragie interne, dit-il au mari.

— Mais qu'est-ce qui saigne ? demanda l'autre, stupéfait.

— Je ne sais pas, mais je suis sûr qu'elle saigne.

— Et alors ?

— Il faut l'opérer immédiatement.

— Mais de quoi ?

— Je ne sais pas. On verra.

Si Guillaume n'avait pas bénéficié du préjugé favorable que procure l'amitié, l'autre aurait certainement refusé. Pourtant sa femme allait si mal qu'il admit la nécessité d'une décision thérapeutique, fût-ce par un geste dont il ne comprenait absolument pas la motivation.

Guillaume fit un saut jusqu'au bureau de son collègue et lui expliqua la situation en deux mots. Le médecin accepta volontiers le transfert ; et la patiente se retrouva sur un chariot, en route vers le bloc opératoire qui avait été prévenu par téléphone. Quand le chirurgien arriva, tout était prêt, la malade installée, groupée, et déjà sous transfusion.

L'intervention fut un succès facile. C'était une rupture secondaire de la rate.

L'interrogatoire de la patiente, après son réveil, lui fit se rappeler que deux semaines auparavant, alors qu'elle était sur un petit voilier dans le golfe de Saint-Tropez, elle avait subi un choc imprévu provoqué par les vagues d'une puissante vedette à moteur. Elle s'était cogné la base du thorax, et en avait souffert un peu pendant quelques jours. Mais rien de plus que les douleurs habituelles des petites contusions de la navigation.

Que se serait-il passé si le chirurgien ami n'était pas venu l'examiner ?

Devant un tel exemple, il devenait évident que l'unité de lieu et l'approche pluridisciplinaire des patients étaient bénéfiques. Guillaume avait reçu, à plusieurs reprises, l'assurance que le nouvel hôpital comporterait un tel département. De nombreuses séances de travail avaient eu lieu au siège de l'Assistance publique, avenue Victoria, pour déterminer les objectifs des praticiens, orienter les architectes, et coordonner les impératifs de chacun.

Guillaume réfléchissait, dessinait, observait... Ce grand projet occupait l'essentiel de ses moments de liberté, à la vérité fort rares.

Dans l'ensemble, il prenait rarement le temps de flâner tant son agenda était encombré. Du matin au soir, il courait. Les interventions, l'enseignement, la clinique, les réunions, conférences et autres tables rondes, auraient dû lui suffire ; mais il avait fallu qu'il accepte de se présenter aux élections pour une place au Conseil de l'Ordre. Il avait aussi hérité de responsabilités syndicales. Et quelques mondanités obligatoires complétaient le tableau !

Sa vie privée était insignifiante, mais la jolie Florence aux yeux bridés tentait d'y mettre une note joyeuse en l'appelant de temps à autre.

Ce qu'elle fit un certain matin avant qu'il parte pour l'hôpital.

— Je voudrais vous voir cinq minutes pour une émission que je prépare. Ce serait possible ce soir ?

— Je finirai tard...

— Vous serez à la clinique ?

— Oui.

— Je vous y attendrai.

— Ce ne sera pas avant neuf heures.

— Je vous emmènerai dans un restaurant vietnamien que vous ne connaissez pas. On sera servi très vite, vous ne rentrerez pas tard.

Il ne parvint pas à refuser.

Le soir, il se retrouva donc attablé sous une lumière rosée, devant des plats parfumés au coriandre, servis par des silhouettes furtives et silencieuses. Florence était dans son élément. Comme d'habitude, c'est d'elle qu'elle parla. Son père était militaire. Il avait pris sa retraite en 1962, après la guerre d'Algérie, déçu par ce qu'il appelait la trahison du général de Gaulle. Depuis, il vivait en Sologne, dans un domaine qui appartenait à son frère, et s'occupait de la chasse et des fermes.

— Et votre mère ?

— Elle est morte quand j'étais petite. Elle était née à Saigon, d'un père légionnaire et d'une mère annamite. C'est elle qui m'a donné mes yeux en biais. Papa l'a épousée pendant la guerre. Elle était très belle.

Elle rit. Elle riait souvent, même quand ce qu'elle disait n'était pas risible. Elle avait une sorte de gaieté permanente et communicative. Jamais Guillaume ne s'amusait autant qu'avec elle.

Il avait très envie de lui prendre la main et de l'embrasser. Mais il sentait qu'il ne fallait pas. Cette fille était sûrement un danger pour lui. Il se força de paraître sérieux.

— Quelle question vouliez-vous me poser ?

— Au journal, ils m'ont demandé de leur faire une mise au point sur les « arthroplasties » de hanche. Le patron doit se faire opérer, et il flippe un peu. Il ne sait pas qui est le meilleur spécialiste à Paris, ou ailleurs. Elle baissa la voix pour ajouter : Et moi je ne sais même pas ce qu'est une arthro... !

Guillaume répugnait un peu à se lancer dans une conversation pédagogique. Il essaya de lui expliquer rapidement que la pose d'une prothèse était une intervention destinée à remplacer un organe : des dents, une articulation, ou un morceau d'artère. Pour l'amuser, il lui raconta qu'un Français, Robert Judet, avait inventé les premières prothèses de hanche, dans les années cinquante. C'étaient alors des petits champignons de plastique qu'on mettait aux vieilles dames qui se fracturaient le col du fémur, pour remplacer le morceau cassé.

— Et elles pouvaient marcher ?

— Bien sûr. Mais au bout de quelques années la prothèse prenait du jeu, ou s'usait.

— On pouvait la changer ?

— Oui, mais on a préféré chercher des modèles qui tenaient mieux.

— Et on en a trouvé ?

— Plein ! Actuellement, il en existe des milliers sur le marché. Dans tous les pays, on a imaginé des variantes de forme, de taille et de fixation. On en fait dans tous les métaux et on n'a sûrement pas fini d'inventer de nouvelles astuces.

— Ils sont bons, ces résultats ?

— Excellents.

— Alors pourquoi continuent-ils à chercher ?

— Parce qu'on tente de se rapprocher le plus possible de la perfection.

— Qui est le meilleur spécialiste des prothèses, en ce moment ?

— Je ne pourrais pas dire. Il y en a beaucoup d'excellents !

Elle sortit un petit papier de son sac, le lut attentivement et demanda :

— Qui c'est... Merle d'Aubigné ?

Guillaume éclata de rire.

— C'est le chef de service d'orthopédie de l'hôpital Cochin.

— C'est le meilleur ? Mon patron a envie d'aller le voir.

— Il a raison, c'est un grand orthopédiste.

— Vous n'avez pas l'air enthousiasmé.

— Je ne suis pas un de ses élèves et je le connais mal, mais c'est un grand chef d'école, et un chirurgien indiscuté. Il eut un sourire ambigu pour ajouter : Il faut laisser votre patron suivre son idée. Quand on se fait opérer par un praticien qui fait autorité, s'il y a des complications, ce ne peut pas être de la faute du chirurgien. C'est la malchance qui est en cause, ou le malade qui est mauvais.

Elle rit à nouveau. C'était comme un petit cri d'animal. Guillaume commençait à avoir la gorge serrée en voyant ces petites dents nacrées qui devaient aussi savoir mordre.

Ils sortirent et furent surpris par la douceur de la nuit.

— On marche un peu ? demanda-t-elle.

Il ne souhaitait rien d'autre. Ils descendirent vers la Seine. Il n'habitait pas très loin, et sa voiture pouvait rester garée là où elle se trouvait.

En marchant, elle racontait sa vie à la télévision, où la règle était de dramatiser systématiquement tous les événements. La hanche du patron était le sujet du jour. Tout le monde racontait son anecdote et chacun vantait les mérites du chirurgien qui avait opéré tel ou tel membre de sa famille. Ils approchèrent de la rue de l'Entrepôt. Guillaume n'était pas de ces dragueurs qui emballent systématiquement une fille chaque soir. L'idée d'entraîner Florence chez lui tournait dans sa tête depuis le début de la soirée, mais il ne pouvait se résoudre à accepter qu'il en mourait d'envie.

— Voilà ma maison, dit-il en arrivant à l'angle du quai.

Et avant qu'il ait pu en dire plus, la jeune fille regarda sa montre et s'exclama :

— Ah ! vous habitez là ? Que ce doit être agréable ! Ma maison n'est pas bien loin non plus, dans une petite rue derrière. Je me sauve. Merci pour ce dîner, et tout ce que vous m'avez raconté.

Surpris par cette retraite brutale, Guillaume bredouilla :

— Vous ne voulez pas...

— Non, une autre fois, il est tard. À bientôt, je vous appellerai. Bonne nuit !

Avant qu'il ait pu répondre, elle avait fait demi-tour et s'était sauvée en courant.

Au moment de fermer ses volets, il resta longuement sur le balcon, à regarder la nuit. Il faisait anormalement doux pour la saison. Il acceptait mal sa déception. Il regrettait moins la fille qu'il ne s'en voulait de la regretter, et sourit en faisant cette constatation.

Lucide, il était conscient de la fréquente ambiguïté de ses sentiments. C'est ainsi que sa fierté d'appartenir à la lignée des La Verle ne tenait pas compte du fait qu'il était un enfant adopté, fils d'un médecin juif de Berlin ! Il n'osait pas se poser des questions sur ce qu'avait pu être réellement la vie de ses parents. Il avait seulement une immense reconnaissance pour Florian. Cet homme généreux qui lui avait donné un statut protecteur à une époque où ses origines lui faisaient courir un danger de mort et qui l'avait élevé comme un fils au péril de sa propre vie.

D'un autre côté, il était plutôt fier d'être juif, et ses intimes le savaient. Quand il l'avait dit à Séverine avant leur mariage, elle avait ri. La notion même de racisme lui était totalement étrangère.

Mais l'histoire de son enfance n'avait qu'une valeur anecdotique. Il appartenait à la famille La Verle par quelques chromosomes mais surtout avec un sentiment d'adhésion plus fort sans doute que pour ceux qui n'avaient jamais eu à se poser une telle question.

Très souvent, il se disait qu'il se devait d'assurer sa descendance pour respecter la continuité de cette famille qui l'avait si généreusement accueilli. Et il avait honte, à quarante ans, de n'avoir pas encore de fils. Mais il avait conscience aussi de n'avoir pas le droit de se laisser aller à n'importe quelle union.

Il se voyait mal demander à Florence, par exemple, de devenir la baronne de La Verle. Titre nobiliaire dont, au demeurant, il ne faisait jamais état, trouvant même un peu ridicules ceux qui se targuaient de noblesse, et qui n'avaient jamais rien fait par eux-mêmes pour mériter de n'être pas traités comme le commun des mortels.

Il ferma ses volets et rentra dans son bureau-salon. Il mit l'électrophone en marche, sans savoir quel était le disque laissé sur la platine. Ce fut une surprise. Il écouta les premières mesures d'une *partita* de Bach, et se réjouit de ce choix. Puis il s'assit derrière son bureau et entreprit de raconter à son journal ses émois de quadragénaire.

Quand il n'était pas content de lui, il prenait ainsi son stylo et, au fil des pages, mettait ses pensées en ordre. La paix revenait au bout d'un moment. Sinon, il allait voir Sylvie, qui avait des moyens infaillibles pour lui faire oublier ses idées embrouillées... Mais ce soir-là, c'eût été de fort mauvais goût !

Il s'en voulait d'autant plus que, contrairement à la plupart des hommes de son âge, les filles aussi jeunes que Florence ne l'intéressaient pas vraiment. Il pensait qu'un jour il referait sa vie avec une femme plus mûre, et qu'ils se dépêcheraient alors d'avoir un ou deux enfants.

Ce serait l'époque où il dirigerait son grand service de chirurgie générale et formerait des générations de bons chirurgiens. Le dimanche, ils iraient à Saint-Yé et il montrerait à son fils les chemins secrets de son enfance.

Mais d'ici là, que de luttes en perspective !

Chaque quinzaine, il avait un rendez-vous de chantier à Saint-Yé avec les entreprises qui redonnaient vie à sa maison. Il avait fallu refaire le toit percé par une bombe et réaménager l'intérieur, poser un chauffage central, et créer une salle de bains pour chaque chambre. Les travaux avançaient vite.

L'après-midi, il passait une salopette et s'occupait du jardin. Il disciplinait une nature abandonnée à elle-même pendant vingt ans. Dans les broussailles, il découvrait des plantes rares à moitié étouffées et qui ne demandaient qu'à se développer.

Un jour Morand vint lui rendre visite. Il le félicita de redonner vie à une propriété qui avait dû être superbe et qui allait de nouveau faire honneur au village.

— Savez-vous comment on l'appelle ici ?

— Non.

— *La Maison de Madeleine.*

— Comme c'est drôle. C'est vrai que ma mère s'en était beaucoup occupée, plus que mon père qui avait toujours autre chose à faire et qui, je crois, n'aimait guère jardiner. Et puis, c'est elle que les gens connaissaient. Elle avait tant fait pour les jeunes de ce pays, en particulier au temps du service obligatoire en Allemagne, le STO de si funeste réputation...

Morand ne se laissa pas entraîner dans une conversation sur une époque dont il ne voulait plus parler. Il changea de sujet.

— Et votre hôpital, où en est-il ?

— L'actuel est toujours aussi vieux. Le nouveau Sainte-Marthe n'est pas sorti des cartons. Ce serait imminent...

— Mais comment avez-vous échoué là et pourquoi vous contentez-vous d'un tel dénuement ?

— C'est toute une histoire ! Venez, je vais vous expliquer en buvant une bière.

C'est pendant un stage aux États-Unis, raconta Guillaume, qu'il avait appris qu'une révolution bouleversait Paris, cn mai 1968. Cet éloignement lui permit de ne voir que l'essentiel des événements, sans participer au délire collectif qui domina la capitale pendant un mois. En revanche, il lui fut difficile de comprendre quel était le lien entre les revendications estudiantines, et une agitation ouvrière qui était venue s'y greffer sans logique évidente. Le tout aboutissant à une grève générale incompréhensible.

L'été fini, il rentra en France, tout étonné d'avoir oublié la petitesse et la pauvreté des hôpitaux parisiens. Après deux années passées dans des laboratoires modernes, merveilleusement équipés et informatisés, où l'on travaillait avec un acharnement méthodique, il craignait de se retrouver un peu à l'étroit.

Après mai 1968, la vie des hôpitaux s'était transformée et les jeunes de sa génération reprenaient espoir. Edgar Faure avait bousculé la réforme imaginée dès 1958 par Robert Debré, et qui tardait à entrer en application. Une douzaine de centres « hospitalo-universitaires » avaient été créés à Paris et dans sa périphérie immédiate. L'ancien enseignement de la Faculté était théoriquement joint, désormais, à celui de la médecine hospitalière. Les étudiants allaient vivre et travailler à peu près sur place, et si l'unité de lieu n'était pas encore parfaite partout, il y avait des progrès.

L'application de la réforme Debré créa un corps médical hospitalo-universitaire « plein-temps », avec un mode de recrutement nouveau. Le système des concours anciens, dont l'impopularité avait éclaté au grand jour, était aboli. À la place, il était créé une « liste d'aptitude » où devaient être inscrits les candidats, en fonction de leurs travaux et publications. Sur cette liste, un jury nommait les « professeurs des universités-praticiens hospitaliers » en fonction des places disponibles. Ce titre unique destinait les heureux lauréats à une triple activité : la pratique hospitalière, l'enseignement et la recherche.

Cette réforme salutaire fit de Guillaume un « chirurgien des hôpitaux-professeur » nommé dans les toutes premières vagues ; dès la rentrée 1969, tant il y avait de postes nouveaux à pourvoir. Il était devenu l'assistant d'un patron ancien régime qui avait refusé d'opter pour le plein-temps en raison des conditions matérielles qui étaient les siennes : des locaux vétustes, pas la moindre salle de cours, des bureaux de consultations sordides, et pas le plus petit embryon de laboratoire.

Dans ces conditions, les débuts de Guillaume furent inconfortables. Il donnait ses cours à l'hôpital Saint-Antoine, et, par dérogation, opérait sa clientèle privée à Neuilly où exerçait son ami Merlot. Quant à la recherche, il n'en était pas question encore ! On lui avait promis une place dans un laboratoire de l'INSERM.

Dans la pratique, il n'y avait donc guère de différence avec les temps d'avant la réforme ! Les humoristes, parodiant Jacques Brel, chantaient : « C'est la valse à plein-temps... »

Mais il avait foi en l'avenir, avec le service de chirurgie générale qu'il attendait, et ce qui en dériverait pour former les jeunes.

Morand l'avait écouté avec beaucoup d'attention. À la fin, il avait brièvement formulé son opinion.

— Vous vivez d'espoir, et même si rien ne vous prouve que vos souhaits ont la moindre chance d'être exaucés, je sens que vous persévérerez. Il n'y a rien à faire pour vous tirer de ce système !

Guillaume éclata de rire.

— C'est vrai ! Je pense que je finirai mes jours dans la peau d'un fonctionnaire de l'Éducation nationale et des hôpitaux de Paris !

— Dommage ! Je vous aurais assez bien vu à Saint-Yé, moitié à l'hôpital, moitié à la clinique.

— En association avec vous ?

— Pourquoi pas ? Votre capital de sympathie dans la population locale serait un grand apport pour nous deux, et cela revigorerait la clinique dont les finances souffrent...

Guillaume sourit.

— Vous êtes gentil. Malmort et La Verle à nouveau réunis pour le bien de l'humanité souffrante, quel beau programme ! Mais si vous avez besoin d'un associé, j'ai d'excellents élèves qui accepteraient volontiers.

— Pourquoi pas ? Un chirurgien généraliste qui ferait avec prédilection la pathologie viscérale. Moi, je préfère l'orthopédie.

— J'ai sûrement ce qu'il vous faut. Nous en reparlerons.

CHAPITRE V

En 1970, Guillaume eut une autre grande joie : l'installation à Paris de sa nièce France, la fille de Raphaëlle, avec son mari Alexandre et leur fille Élodie. Le jeune marié était un polytechnicien aux dents longues, mais sympathique et agréable à vivre. La petite Élodie adorait son oncle chirurgien, qui la couvrait de cadeaux ; et France retrouvait l'ami de sa petite enfance.

Le jeune époux venait d'être chargé de mission au ministère de la Santé, pour étudier, justement, la mise en application du plein-temps hospitalier. Avec Guillaume, il avait une source d'informations privilégiée ; mais le chirurgien n'allait pas tarder à s'apercevoir que son technocrate de neveu avait suffisamment d'idées préconçues pour lui donner des leçons.

Le couple loua un appartement boulevard Saint-Germain. Ils embauchèrent une bonne espagnole prénommée Dolorès, et achetèrent une Peugeot 404 dernier modèle. Ils avaient aussi la panoplie complète des jeunes cadres dynamiques. France avait été enrôlée dans les services parisiens des laboratoires Sandoz, et ils s'intégrèrent rapidement à la vie des notables parisiens. Dans ce milieu privilégié, il était toutefois de bon ton d'afficher des idées de gauche, d'autant plus volontiers que la droite, apparemment, ne courait pas le moindre risque de quitter le pouvoir.

Guillaume aimait beaucoup sa nièce. Il l'avait vue naître pendant les jours les plus sombres de l'occupation allemande, et ses sentiments pour elle étaient très protecteurs. Il était plus un grand frère qu'un oncle. Bien qu'un peu jaloux de la complicité qui l'unissait à son épouse, Alexandre était trop bien élevé pour le laisser paraître. Il se vengeait par des attaques perfides contre un milieu médical qu'il détestait. Le chirurgien attendait de voir comment le jeune technocrate se comporterait s'il était confronté, un jour, avec la maladie.

C'est l'indispensable Dolorès qui lui en donna l'occasion. Elle fit un malaise, un soir où Guillaume était venu dîner. Bien que ce ne fût pas sa spécialité, il comprit rapidement que la jeune Espagnole avait un problème cardiaque sévère. Il l'interrogea longuement et le diagnostic devint évident. Née en Espagne, dans une famille pauvre, elle avait eu une enfance souffreteuse, avec des crises de rhumatisme articulaire comme on n'en voyait plus en France, et des atteintes cardiaques multiples. Elle était venue à Paris pour travailler, être inscrite à la Sécurité sociale, et avoir ainsi la possibilité de se faire soigner efficacement.

Guillaume la fit hospitaliser en médecine à l'hôpital Sainte-Marthe, et, au bout de quelques jours, le verdict des cardiologues tomba comme un couperet. Son cœur était miné par des destructions valvulaires graves, et ils lui donnaient peu de temps à vivre si elle ne prenait pas des précautions draconiennes.

Alexandre, qui avait désormais des relations dans les milieux médicaux, prit les choses en main. Sa situation officielle au ministère en faisait un personnage respecté, et le dossier de sa soubrette passa entre les mains les plus autorisées.

— Il n'y a pas grand-chose à faire pour Dolorès, annonça-t-il un jour, à moins qu'une greffe cardiaque ne soit possible...

Guillaume leva les bras au ciel.

— Comment peut-on entretenir les gens dans de faux espoirs avec des sornettes pareilles !

Alexandre toisa le chirurgien de son œil glacé.

— Mais enfin, depuis Barnard...

— Barnard est une vedette du show-biz, qui a choisi la chirurgie comme d'autres le cinéma ou la musique. Souvenez-vous. Sa greffe a eu lieu en décembre 1967 et son opéré a vécu dix-huit jours ! Le monde médical sérieux a été scandalisé qu'une telle opération ait été faite, alors qu'en l'absence d'un traitement antirejet efficace, on savait l'échec inéluctable !

— Bon, c'était en 1967 ! Mais maintenant...

— Depuis, rien n'a changé, Alexandre. Seulement le succès médiatique de cette grande première a été tel que, dans le monde entier, toutes les équipes prêtes depuis longtemps à réaliser des greffes cardiaques, s'y sont lancées. Avec les mêmes échecs ! Tous les greffés sont morts, à quelques rares exceptions près, dont on se demande encore comment ils font pour être vivants !

— Alors ?

— Alors on ne greffe plus de cœur, ou presque ! On attend que les biologistes, les chimistes, les obscurs besogneux des laboratoires, comme votre beau-père, trouvent le moyen de combattre le rejet !

Alexandre sourit à cette boutade. Samuel Bloch n'avait vraiment rien d'un obscur besogneux. Mais c'est vrai qu'il dirigeait une cohorte de savants anonymes dont on ne disait jamais rien. Pourtant, c'est d'eux que viendrait le progrès.

— Donc, pour Dolorès, il n'y a aucun espoir.

— Aucun dans l'état actuel de la science, comme disent les commentateurs. Si elle était de ma famille, je la laisserais vivre, et peut-être mourir, mais en paix ! Sans lui imposer ce simulacre de traitement qui ne bénéficie qu'à ceux qui l'appliquent, ces chirurgiens qui se pavanent devant les caméras, comme les vainqueurs d'une étape du Tour de France. Quand leur opéré meurt, ils ne passent pas au Journal de vingt heures pour le raconter !

— Vous n'exagérez pas un peu, Guillaume ?

— Pas le moins du monde ! N'avez-vous pas vu ce prêtre opéré à cœur ouvert qui disait, le plus tranquillement du monde, que si c'était à refaire il ne le referait pas ? Et pourtant, pour lui c'était un succès ! Imaginez ce qu'ont pu penser ceux dont le calvaire s'est mal terminé !

— Vous êtes contre la chirurgie cardiaque ?

— Non ! Je m'insurge seulement contre les effets pervers d'une publicité abusive, et contre la tentation qui pourrait pousser les chirurgiens à opérer, plus pour se faire valoir que pour sauver des malades !

— La chirurgie serait-elle trop sérieuse pour être confiée à des chirurgiens ?

— Il y a de tout, vous savez, dans notre corporation. Comme dans la vôtre, probablement. La chirurgie à cœur ouvert date de 1956. Depuis cette époque, des miracles de réparation ont été réalisés, dont on ne parle jamais en dehors des milieux spécialisés. Mais depuis Barnard, beaucoup d'opérateurs ont été saisis par la folie médiatique ! Dans le monde entier !

Dolorès passa quinze jours à l'hôpital Sainte-Marthe. Grâce à un traitement médical sérieux, son état se trouva très amélioré ; et elle décida de se faire suivre de plus près, sans rêver à des solutions qui relevaient encore de la science-fiction. Elle reprit son travail auprès d'Élodie, et France décida de la faire aider par une femme de ménage supplémentaire.

Le destin qui avait poussé Guillaume de La Verle sur le devant de la scène au moment du suicide de la belle Cindy, intervint encore pour modifier le cours normal de sa vie. Son patron, sans doute traumatisé par tous ces changements, fit subitement un fâcheux accident vasculaire cérébral durant l'hiver 1971.

Lors des obsèques, les collègues de Guillaume le regardaient avec envie. En vertu des règles du nouveau système, il se retrouvait chef de service deux ans après sa nomination au Bureau central ! Et tout le monde savait maintenant que l'hôpital serait reconstruit. Dans cinq ou six ans, il serait à la tête d'un des services les plus modernes de Paris. Des éclairs de jalousie passaient dans l'œil de ces jeunes hommes qui suivaient, l'air recueilli, le corbillard surchargé de couronnes fleuries où brillaient les traditionnelles banderoles : « À mon cher patron. »

En attendant, Guillaume était devenu le chef d'un des plus anciens services de chirurgie de la capitale, et, à Boston, aucun de ses amis n'aurait imaginé qu'on puisse travailler dans un tel décor. Tout aurait dû être rasé depuis longtemps.

Seul le bureau du chef de service valait d'être conservé, tant il était majestueux et solennel, avec son immense bibliothèque d'acajou et son bureau Napoléon III. C'est là que Guillaume se fit envoyer les internes de la nouvelle promotion, « ses » premiers internes.

Deux garçons et une fille entrèrent, précédés par la surveillante. Dès le premier coup d'œil, Guillaume eut un choc. Il connaissait la fille, mais il ne parvenait pas à mettre un nom sur son visage. Elle était de taille moyenne, très brune, avec des yeux verts qui le regardaient d'un air un peu ironique. Elle avait compris qu'il ne parvenait pas à la situer. Elle fit un pas en avant, attendit encore une seconde en souriant, et fit cesser ce petit jeu.

— Bonjour, mon chirurgien préféré...

Cette phrase lui fit remonter le temps. L'armée, l'Algérie, la sous-préfecture...

— Agnès ! Mon Dieu, comme tu as changé !

— Forcément, en dix ans !

— Agnès Delègue ! Qui aurait pensé que tu ferais des études de chirurgie ?

— Tu as sûrement été pour quelque chose dans ma vocation.

— Je suis, en tout cas, ravi de te retrouver ici.

— Et moi, je suis heureuse de faire mes premières armes sous ta direction !

Guillaume était très ému de revoir la petite gamine qu'il avait opérée en Algérie quand elle n'avait que douze ans. Que de souvenirs cette présence lui rappelait !

Il se retourna vers les deux garçons. Le plus grand avait les cheveux longs et des petites lunettes cerclées de fer à la façon de John Lennon. Le modèle standard du soixante-huitard. Lui aussi fit un large sourire.

— André Daubin. J'étais stagiaire quand tu étais interne à Cochin, et j'ai fait un remplacement d'externe avec toi, il y a... longtemps. Je suis en première année également.

Ce tutoiement choqua Guillaume. Mais il se souvenait d'avoir effectivement connu ce garçon autrefois, et comme la règle est de se tutoyer entre externe et interne, l'autre devait trouver normal de continuer ! Tout de même, il n'avait jamais vu les internes parler ainsi à l'un de leurs patrons. Il fallait bien reconnaître qu'il faisait jeune, lui aussi, et que la différence hiérarchique ne sautait pas aux yeux !

Il savait que pendant les événements de mai 1968, dans les amphithéâtres en folie, patrons progressistes et étudiants révolutionnaires se tutoyaient. Ils se croyaient sans doute ramenés en arrière de deux siècles. Mais même sous la Convention, il est probable que les étudiants ne tutoyaient pas leurs maîtres.

Guillaume se tourna vers le troisième. Celui-là était petit et rond, avec de grosses lunettes d'écaille qui lui donnaient un regard de batracien.

— Je m'appelle Francis Barbier.

— En première année d'internat aussi ?

— Oui, monsieur.

Le ton respectueux rassura Guillaume. Pour celui-là, au moins, il avait l'air d'un patron. Mais n'avait-il pas décelé une nuance d'hésitation dans la réponse du jeune interne ? « Ce serait un comble, pensa Guillaume, qu'il soit gêné de me dire vous ! »

Il continua :

— Mes chers amis, je vous souhaite la bienvenue dans mon modeste service, et ce n'est malheureusement pas une image, car nos installations sont plus que vieillottes. Nous essayerons tout de même d'y faire du bon travail. Nous exerçons ici la chirurgie générale, vous le savez, avec un recrutement d'urgences envoyées par les médecins du quartier, lesquels font confiance à notre établissement depuis plusieurs générations. Notre tâche consistera à développer l'activité de ce service où nous serons ensemble pendant six mois. J'aimerais savoir quelles sont les raisons de votre choix, et surtout quelles sont vos aspirations ultérieures.

Agnès répondit la première à cette question imprudente. Elle jeta un coup d'œil à ses deux collègues avant de parler, comme pour solliciter par avance leur assentiment.

— Je crois que nous avons choisi ton service parce qu'il n'y avait pas de places ailleurs. Sans te vexer, l'hôpital n'a pas une réputation fantastique... Mais personne ne savait, quand nous sommes allés au choix, que tu deviendrais si vite le chef de service !

— Merci !

La jeune fille était gênée, mais c'était vrai, cet hôpital avait une réputation détestable. Les installations, un patron vieillissant et peu tolérant, l'absence de spécialistes renommés en faisaient un service peu demandé.

— Et ensuite, Agnès, que comptes-tu faire ?

— De la gynécologie chirurgicale. Alors, tu comprends, les fractures, les appendicites...

— Et toi ?

André Daubin se racla la gorge.

— Je voudrais faire de la chirurgie cardio-vasculaire...

— Et vous ?

Francis Barbier rougit.

— Moi je ne sais pas trop... Déjà que je ne suis même pas sûr d'avoir envie de faire de la chirurgie...

Guillaume sourit de cette franchise.

— Alors pourquoi avoir fait ce choix ?

— Parce que je n'ai vraiment pas envie de faire de la médecine.

Le jeune patron connaissait sa première déception. Aucun de ses trois internes ne venait dans son service par goût de ce métier. Et, grâce à Agnès, tout le monde s'était exprimé avec une liberté inhabituelle. Guillaume n'était pas loin de penser qu'un peu de dissimulation polie lui aurait rendu la tâche plus aisée.

Il surmonta son amertume et essaya de leur montrer l'intérêt qu'il espérait susciter chez eux par la qualité du travail qu'ils feraient ensemble. Il leur décrivit l'activité du service avec un certain enthousiasme, leur parla de la perfection technique à laquelle il était attaché, et de l'enseignement qu'il était décidé à leur donner, tant sur le plan clinique que pratique. Le samedi matin, une réunion générale ferait le bilan de la semaine, et trois après-midi par semaine seraient consacrés à des séances de bibliographie et de pédagogie en mettant au point des projets de publication.

André Daubin et Agnès se regardèrent avec un étonnement mêlé d'anxiété. C'est encore elle qui prit la parole.

— Tu sais, si tu le permets, j'aimerais bien continuer à aller faire de l'endoscopie gynécologique avec Palmer, à Broca... L'après-midi, il organise lui aussi des séances de travail pour les gens qui veulent faire la spécialité... Pas tous les jours évidemment, mais si tes horaires et les siens ne correspondaient pas, ce serait dommage... Tu comprends ?

Palmer était l'un des premiers spécialistes mondiaux de la stérilité, et un virtuose de l'endoscopie. Guillaume comprenait l'intérêt que pouvait manifester la jeune fille pour ce maître, mais c'est à Sainte-Marthe qu'elle était interne ! Son agacement s'accentua quand le jeune Daubin prit la parole à son tour.

— Moi je fais de la microchirurgie, à l'hôpital Henri-Mondor, à Créteil. Comme je ne suis pas motorisé, je voulais justement te demander si, certains jours, je ne pourrais pas partir un peu plus tôt...

Guillaume se leva brusquement.

— Ce sont là des problèmes d'organisation que nous réglerons plus tard. D'une façon générale, je vous rappelle tout de même que vous êtes internes à Sainte-Marthe, et pas à Broca ni à Henri-Mondor. Vos activités extérieures dépendront du temps libre que vous laissera votre travail ici. Vous êtes dans un service plein-temps, qui marche à plein-temps. Pour le reste, on en reparlera. Maintenant vous allez voir la surveillante générale qui vous répartira les lits et les gardes. Dans une heure, l'un d'entre vous sera en salle d'opération pour m'aider. Merci, à plus tard.

Surpris de ce discours devenu violent, les trois jeunes gens sortirent sans un mot.

« Voilà donc les nouvelles générations, marmonna Guillaume, en passant sa blouse. Ils tutoient le patron, et lui expliquent qu'ils ont autre chose à faire qu'à s'occuper du service ! C'est insensé ! »

Sans se l'avouer, il était troublé, en plus, par la présence d'Agnès. Elle était devenue plus que jolie. La clarté de son verbe et l'énergie de son attitude dénotaient un tempérament musclé avec lequel il allait devoir compter. D'autant qu'elle avait pris un rôle de leader, et que leur amitié ancienne devait la libérer de cette retenue respectueuse qui simplifie habituellement l'exercice de l'autorité.

Compte tenu de la façon dont s'était déroulée cette première rencontre, Guillaume se disait qu'il aurait préféré qu'elle choisisse un autre service, et qu'ils se retrouvent en terrain neutre ! Il aurait aimé bavarder avec elle, mais en dehors des contraintes du métier !

Après le dîner vietnamien, Guillaume avait décidé que la sagesse était de mettre un peu de distance entre Florence et lui. Le jeu de la jeune fille l'irritait, et il voulait lui montrer qu'il n'était pas de ceux qu'il est facile de manipuler. Quand elle téléphona de nouveau, il fit répondre qu'il était absent. Chez lui, il installa un répondeur téléphonique qui lui permit aussi de filtrer les appels, et la belle aux yeux bridés buta sur ces barrages efficaces. Elle se lassa sans doute, car Guillaume n'entendit plus parler d'elle. Au journal télévisé, il la voyait parler des vedettes du show-business, mais elle avait abandonné les sujets médicaux.

Pour le chirurgien, ce renouveau de paix était bienvenu, car l'hôpital lui laissait de moins en moins de loisirs. Même Sylvie se plaignait de ne plus le voir et leurs relations s'espaçaient. La vie chirurgicale à Sainte-Marthe accaparait toute son énergie, tant il y avait de choses à reprendre. En particulier, le bloc opératoire souffrait d'un sous-équipement désolant, et les internes n'avaient même pas un bureau pour travailler. Il était difficile de leur imposer une présence permanente dans le service !

Guillaume résolut de s'attaquer aux problèmes d'équipement par la diplomatie. Il fit connaissance avec le directeur, un brave homme en fin de carrière et, à force de visites amicales et de bavardages d'apparence anodine, il parvint à le convaincre de la nécessité de moderniser, du moins le matériel. Il était évident que l'amélioration de locaux voués à une future démolition pouvait passer pour une œuvre superflue. Mais si l'on prenait du retard sur l'actualisation technique, le rendement de l'hôpital allait baisser, et les pouvoirs publics tarderaient encore plus à construire les futurs bâtiments. Alors que, si les chiffres augmentaient, ils comprendraient l'urgence de cette construction.

Guillaume parvint ainsi à faire mettre au budget un appareil de radio pour le bloc, avec amplificateur de brillance (ce qui fit hurler les radiologues jaloux de leurs prérogatives), et un endoscope gynécologique pour son interne qu'il fit passer pour une éminente spécialiste capable d'augmenter la clientèle de cette discipline.

Ainsi, au lieu d'attaquer Agnès de front pour qu'elle se consacre plus à son service, Guillaume s'était résigné à la laisser aller à Broca aussi souvent qu'elle le voudrait, à condition de faire de la gynécologie moderne à Sainte-Marthe. L'hôpital fit donc l'acquisition d'un appareil japonais qui transforma le diagnostic des affections féminines. Trois fois par semaine désormais, Agnès faisait des coelioscopies, et elle commença une consultation de stérilité qui ramena à l'hôpital des patientes du quartier.

En remerciement, Guillaume essayait, chaque fois qu'un problème chirurgical gynécologique se présentait, d'aider Agnès à opérer. Elle faisait ainsi ses premiers pas de chirurgien dans cette spécialité. Ravie, la jeune fille décida de rester six mois de plus à Sainte-Marthe, et il fut entendu que, lorsqu'elle partirait, elle garderait peut-être une consultation dans le service. Elle pourrait même éventuellement devenir, plus tard, la gynécologue maison...

Francis Barbier travaillait avec une conscience professionnelle parfaite, et remplaçait ses collègues chaque fois qu'il le fallait. Daubin était sérieux, malgré son allure impossible. Son expérience en microchirurgie en faisait un opérateur attentif et méticuleux, ce qu'appréciait Guillaume qui put, assez vite, lui lâcher la bride et se libérer un peu.

En effet, sa fonction administrative de chef de service était prenante et il lui aurait fallu un assistant pour le seconder. La « concertation », née des réformes de 1968, entraînait de nouvelles habitudes hospitalières terriblement mangeuses de temps, et que les facétieux appelaient la « réunionnite ». Comités, commissions, tables rondes et autres conférences se succédaient à un rythme soutenu que les chirurgiens, obligés de passer une grande partie de leur temps en salle d'opération, avaient du mal à suivre !

Certains jours, Guillaume enviait ses amis qui avaient abandonné l'hôpital et ne se préoccupaient que de leur métier, pour un revenu deux ou trois fois supérieur au sien ! Avec ses deux après-midi par semaine, il augmentait son salaire, mais trop peu pour le temps et l'énergie qu'il y consacrait. Il lui arrivait même de rêver à Saint-Yé...

Ceux de ses collègues qui avaient réussi à se faire aménager des lits privés étaient plus heureux. Les mauvaises langues disaient que leurs opérés n'y restaient qu'un ou deux jours, et qu'ils regagnaient ensuite les lits publics. Si bien que leur rendement de clientèle payante pouvait devenir considérable.

Guillaume avait du mal à croire à ces médisances, et, de toute façon, il réprouvait ces pratiques qu'il aurait été bien incapable d'appliquer. Le fait même d'aller consulter et opérer en clinique le mettait mal à l'aise. Il souhaitait se mettre en conformité avec le choix qu'il avait fait, mais dans des locaux adaptés.

Vaillamment, il faisait le siège des dirigeants de l'Assistance publique pour que les travaux du nouveau Sainte-Marthe commencent enfin. Hélas, certains jours, des bruits insistants lui revenaient aux oreilles. Il était de nouveau question d'une opération immobilière et de la dispersion de son cher hôpital vers les établissements déjà construits ou en passe de se terminer...

Combien de temps l'avenir resterait-il aussi incertain ?

Un matin, en arrivant dans le service, il trouva la surveillante qui l'attendait à la porte de son bureau. Elle était manifestement hors d'elle.

— Ah, monsieur ! Vous ne savez pas ce qui s'est passé !

— Calmez-vous et entrez, vous allez me raconter cela en me faisant un café.

— Il est bien question de café ! Elle s'était plantée au milieu du bureau, les mains sur les hanches, et elle parlait si fort que la fumée semblait lui sortir des naseaux : Ce matin, à sept heures, une jeune femme s'est présentée en disant qu'elle avait besoin d'une intervention d'urgence et que c'était vous qui deviez l'opérer. Je lui ai répondu qu'il n'y avait pas de place, qu'elle devait se présenter aux urgences, ou revenir ce soir à votre consultation. Elle a tourné les talons et elle est partie furieuse.

Guillaume souriait en imaginant la scène. L'autre reprit son souffle et continua, de plus en plus rouge de colère.

— Savez-vous ce qu'elle a fait, cette petite garce ? Elle est passée derrière mon dos sans que je la voie, elle a dû ouvrir la porte de toutes les chambres et, arrivée au 27 que nous gardions pour la vésicule qui doit entrer ce matin, elle s'est mise dans le lit !

La situation tournait au plus haut comique.

— Et alors ? demanda Guillaume.

— Je lui ai dit que j'allais la faire mettre dehors par la force. Elle s'est dressée comme un serpent et m'a répondu qu'elle était journaliste et que ça irait mal pour nous !

Le chirurgien blêmit.

— À quoi ressemble-t-elle ?

— Petite, brune, avec des yeux un peu chinois...

Guillaume, cette fois, ne répondit rien. Il passa sa blouse et partit à grands pas vers la chambre 27. Il était décidé à sortir l'impudente par la peau du cou. Cette fois, elle avait dépassé les bornes.

Il entra dans la chambre comme une bombe, mais s'arrêta au pied du lit, stupéfait par le visage de Florence. Elle était allongée et n'avait pas ouvert les yeux. Elle avait le teint terreux, avec des cernes qui lui descendaient jusqu'au milieu des joues, et le nez pincé des malades graves. Il contourna le lit et se pencha.

— Que se passe-t-il, Florence ?

Elle ouvrit les yeux, et le regarda comme si elle ne le reconnaissait pas. Puis son visage s'anima.

— Mon Dieu, merci, vous êtes là !

— Mais que vous est-il arrivé ?

— Depuis deux jours j'ai mal au ventre. J'ai vu un médecin qui m'a donné des trucs à prendre, sans résultat. Elle parlait par saccades, comme si elle avait eu du mal à reprendre son souffle : J'avais de plus en plus mal. La nuit a été atroce. À cinq heures, j'ai voulu me lever pour prendre un calmant et j'ai eu un malaise. Quand j'ai pu reprendre mes esprits, j'ai appelé un autre docteur qui m'a fait une piqûre et signé un bon d'hospitalisation. J'ai téléphoné chez vous... mais il y avait cette saleté de répondeur. À la clinique, on m'a dit qu'il n'y avait pas de lit. Ici, cette grosse a voulu me jeter...

La surveillante ouvrit la bouche pour hurler, mais Guillaume l'arrêta d'un geste. La jeune femme allait mal, c'était l'évidence. Il lui posa la main sur le ventre et elle fit la grimace. Pendant quelques instants, il glissa ses doigts sur la paroi contracturée. C'était sérieux. Il lui posa encore quelques questions, mais le diagnostic sautait aux yeux.

— Voulez-vous aller me chercher de quoi l'examiner ?, demanda-t-il à la surveillante sur un ton qui ne souffrait pas de réplique.

— Le médecin, cette nuit, a dit que c'était une appendicite...

Guillaume secoua la tête sans répondre.

Quelques instants plus tard, il concluait :

— Prévenez le bloc que je l'opère en urgence, avant le programme prévu, et qu'on la groupe immédiatement, c'est une grossesse extra-utérine rompue.

La grosse femme n'en revenait pas. Elle tourna son visage courroucé vers Florence qui lui tira la langue. Guillaume était déjà sorti de la chambre, et il ne vit pas cet échange de civilités peu habituel.

Agnès aida son patron à opérer la jeune fille. L'hémorragie avait envahi tout l'abdomen, et les lésions siégeaient sur la trompe droite éclatée. Guillaume avait fait une incision minime qui serait dissimulée par la pilosité pubienne, et il était mal à l'aise pour évacuer les multiples caillots qui s'étaient formés. Il vérifia que les annexes gauches étaient normales, puis il pratiqua l'ablation minutieuse de la trompe rompue. Il laissa en place l'ovaire droit qui avait peu souffert.

Dès le lendemain, Florence avait déjà un meilleur teint. À cet âge, la récupération est rapide. Guillaume s'assit sur le bord du lit et entreprit d'expliquer à la jeune fille ce qui s'était passé.

— J'étais donc enceinte...

Elle leva vers lui ses yeux noirs, brillants de larmes, puis, baissant le regard, elle continua :

— Mon mari est revenu, le mois dernier. J'aurais bien voulu avoir un enfant... Je suis si seule...

— Vous en aurez, l'autre trompe est normale.

Elle secoua négativement la tête.

— Elle est bouchée. J'ai déjà fait faire des examens, et ils me l'ont dit.

Il se fit rassurant :

— C'est un problème que nous reverrons ultérieurement, quand tout ira mieux. N'ayez pas trop de crainte.

À ce moment, on frappa à la porte, et Agnès passa la tête.

— Je peux te voir une minute ? demanda-t-elle à Guillaume.

— Oui, entre ! Et pour Florence il ajouta : Je vous présente l'interne qui va s'occuper de vous. Elle s'appelle Agnès Delègue, et c'est une spécialiste de gynécologie. Elle a participé à votre opération, et elle saura vous expliquer ce qu'il en est.

Il se tourna vers sa jeune collaboratrice et surprit le coup d'œil glacé qu'elle lançait à Florence. Il regarda aussitôt la journaliste et comprit qu'entre les deux femmes, ce n'était pas la tendresse qui allait présider aux débats. « Pourtant, se disait-il, elles n'ont aucune raison d'être jalouses l'une de l'autre. »

En retournant à son bureau, il pensait qu'elles étaient les représentantes parfaites de la jeunesse de ce temps, tout en évoluant aux antipodes l'une de l'autre. L'une charmeuse et opportuniste, mauvaise élève sans doute, l'autre première de la classe, bûcheuse et bourrée de diplômes. Elles avaient en commun une ambition obstinée et une féminité dangereuse. Chacune dans sa catégorie était une championne qui ne devait pas s'en laisser compter.

Dans le couloir, il croisa Cindy, un bouquet de fleurs à la main.

— Vous avez pu l'opérer, que je suis heureuse, elle avait si peur. Comment va-t-elle ?

Il la rassura et s'excusa de devoir partir.

« Quel trio ! marmonna-t-il en se sauvant. Tout le monde va penser que je suis un homme à femmes ! »

Cette conclusion, au fond, ne lui déplaisait pas !

CHAPITRE VI

Les mois passaient et le nombre des malades du service n'augmentait pas. Les jeunes médecins du quartier orientaient plus volontiers leurs patients vers des établissements modernes, mieux équipés, et Guillaume n'avait aucun moyen de développer son rayonnement. En dehors de la gynécologie, pour laquelle Agnès jouait un rôle efficace, les autres disciplines stagnaient. Le secrétariat était insuffisant pour assurer une liaison soutenue avec les praticiens de ville, et toute amélioration envisagée butait sur l'absence de moyens en personnel et en matériel. L'enthousiasme du jeune patron s'effritait.

Les autres services de l'hôpital étaient encore tenus par des patrons « temps partiel », qui ne faisaient que de brèves apparitions matinales et s'en retournaient rapidement vers leur clientèle de ville, sans souhaiter le moindre changement.

L'administration se posait des questions. Était-il bien raisonnable d'envisager des investissements majeurs pour un hôpital dont l'existence même ne s'imposait pas ?

Guillaume commençait à se demander s'il avait eu raison de choisir une telle place. Ses collègues, qui l'avaient jalousé au début, riaient maintenant de son dénuement. Sa seule consolation était le succès de sa réunion de travail bimensuelle. Tous les quinze jours, en effet, il organisait vers dix-huit heures une séance de travail sur un thème de chirurgie générale. Il faisait d'abord un historique de la question, et s'étonnait toujours de l'absence complète de culture historique chez ces jeunes gens qui avaient pourtant passé un concours difficile et dont le niveau intellectuel était nettement supérieur à la moyenne. Puis, il analysait les problèmes posés par la réalisation d'une intervention moderne parfaite, et enfin il abordait l'étude des progrès à apporter aux techniques traditionnelles, compte tenu des acquisitions les plus récentes.

La soirée était agrémentée par une collation qu'il payait généralement de sa poche, à moins qu'il ne parvienne à intéresser au sujet traité un laboratoire qui avait un produit nouveau à promouvoir ou un film à montrer. Le tout se déroulait dans une atmosphère décontractée et souriante propice aux échanges. Guillaume invitait généralement un de ses collègues spécialistes à venir faire le point sur une question d'actualité. Il arrivait même parfois que des affrontements amicaux opposent des écoles différentes.

C'est ainsi qu'une belle empoignade verbale avait animé la soirée, quand un laboratoire américain était venu présenter les appareils à suture mécanique. Dans l'esprit du fabricant, ces agrafeuses devaient, à court terme, remplacer les sutures à l'aiguille. Guillaume avait posé la question qui lui paraissait essentielle :

— En admettant que cette technique soit efficace, faut-il en généraliser l'usage, ou la réserver aux praticiens chevronnés, déjà capables de se servir d'une aiguillée classique ?

— Excusez-moi, monsieur, fit, avec un accent anglais prononcé, un petit jeune homme au teint olivâtre qui accompagnait le démonstrateur. Puis-je vous demander ce que vous appelez un praticien chevronné ?

Guillaume apprit que ce garçon travaillait dans un laboratoire de Dallas, et qu'il avait réalisé quelques milliers de sutures digestives, en mettant ces machines au point.

Une autre question se posait : le prix de ces petites merveilles.

— Elles seront remboursées par la Sécurité sociale, répondit le démonstrateur.

Guillaume sourit.

— Vous vous rendez compte de ce que va devoir payer la collectivité !

L'Américain intervint à nouveau.

— En prospective, il faut comparer le prix du matériel utilisé au gain de temps pour le chirurgien et à la diminution de l'hospitalisation. Le bilan est globalement positif. Il baissa la tête un instant, puis continua avec un demi-sourire : À moins que ce matériel ne soit utilisé en dehors de ses vraies indications. Si vous prenez une agrafeuse pour enlever un appendice, vous perdez de l'argent, c'est sûr !

Venaient là les anciens internes du service, ceux des services voisins, et bien entendu tous les internes et externes du semestre.

Agnès était une fidèle de ces réunions, même quand le sujet ne la passionnait pas. Elle manifestait ainsi sa reconnaissance au premier patron qui lui avait fait confiance, et lui avait permis, si vite, d'exercer sa spécialité. Elle était maintenant interne dans son cher hôpital Broca, aussi vétuste que Sainte-Marthe, mais mieux équipé.

Guillaume était plus à l'aise avec elle depuis qu'elle avait quitté son service, et il se laissait aller à une certaine familiarité. Souvent il lui demandait des nouvelles de ses parents, que les fonctions préfectorales promenaient aux quatre coins du pays. Un jour, Agnès resta après la séance de travail pour lui annoncer une nouvelle qui la remplissait de joie : son père était nommé au ministère de l'Intérieur, et rentrait donc à Paris. Il lui avait dit la joie qu'il aurait à retrouver le jeune chirurgien d'Algérie.

Et c'est ainsi que Guillaume dîna, quelques semaines plus tard, dans un somptueux appartement de fonction, rue de Varenne, chez les Delègue qu'il n'avait pas revus depuis près de quinze ans. Meubles Louis XVI, tapisseries des Gobelins, objets précieux, on se serait cru dans un musée. Il y avait là quelques fonctionnaires de haut rang, et aussi un long jeune homme très empressé auprès d'Agnès. La jeune fille le présenta à Guillaume :

— Alain Lemercier, mon fiancé.

Le chirurgien eut un pincement au cœur qui l'agaça. Il n'acceptait pas l'idée qu'il puisse être jaloux de ce garçon, dont l'âge était, à l'évidence, mieux assorti que le sien à celui d'Agnès. La soirée fut délicieuse. La maîtresse de maison avait vieilli, mais en conservant ce talent des vraies femmes du monde qui savent donner à chacun de leurs invités l'impression qu'il est l'homme le plus important du jour. Guillaume fut brillant et bavard. Il raconta quelques anecdotes qui donnèrent des frissons à ses interlocuteurs pour lesquels la chirurgie demeurait essentiellement un sujet de frayeur.

Le jeune fiancé affectait de le regarder avec admiration. Il affichait une élégance raffinée, très « mode », et son amabilité accentuait encore l'agacement du chirurgien.

Ce soir-là, Guillaume rentra chez lui avec la tristesse au cœur et écrivit dans son journal jusqu'à une heure avancée de la nuit. Il éprouvait plus souvent le besoin de faire une sorte de bilan de sa vie et le résultat était amer. Il lui semblait vivre une série d'échecs complets. Sa vie professionnelle s'enlisait dans un fonctionnariat où rien n'incitait à l'effort, et sa vie privée s'était brisée un soir de Noël, sans espoir de renouveau.

Il avait manifesté à la jeune Agnès un intérêt qu'elle avait rangé dans le répertoire de l'amitié, et elle avait sans doute eu raison ! Florence lui faisait les yeux doux, mais il regardait ailleurs, et Cindy lui avait dit qu'en la ramenant à la vie il était devenu pour elle un autre père.

Il téléphona à Sylvie… Il n'y avait personne.

Chez les Dinello, il fut invité un autre soir. Le décor n'était pas le même ! Cindy lui avait demandé d'arriver un peu plus tôt pour qu'elle puisse lui faire visiter l'appartement professionnel de son père. Il exerçait avenue Victor-Hugo, et habitait l'étage au-dessus du cabinet.

Dès l'entrée, Guillaume eut un choc. Les murs laqués noir

brillaient sous l'éclairage indirect, assuré par des spots cachés dans les angles du plafond et braqués sur des objets insolites qui semblaient rayonner de lumière. Un stabile de Calder et un piano éclaté d'Armand décoraient le vestibule. De là on pénétrait dans un long couloir noir, éclairé seulement par l'encadrement des portes réalisé en une matière lumineuse.

Il passa la tête dans le bureau du docteur. Tout était noir aussi, y compris les meubles. Seul le fauteuil, derrière le bureau, paraissait posé dans le cône d'une lampe.

— Vous comprenez, dit la jeune fille, pour les patients, seul le médecin est important. Il ne faut pas qu'ils soient distraits par autre chose. Ils ne doivent voir que lui.

« Mais lui, pensa Guillaume, voit-il ses malades ? »

Les autres pièces ressemblaient à la première. C'était le triomphe du clair-obscur, du faux jour, de la pénombre et des demi-teintes sur fond noir et brillant. Salle d'attente, espaces de relaxation, de sophrologie, de massage et de gymnastique précédaient une salle de bains où les patients terminaient leurs soins. Avec une baignoire creusée dans le sol, et un jacuzzi.

— Mon père soigne beaucoup d'obèses, expliquait Cindy. Il pense que pour les faire maigrir, il faut un suivi psycho-affectif permanent. Ils viennent ici deux ou trois fois par semaine. Ils subissent des soins, déjeûnent sur place et parlent avec leur thérapeute qui joue un peu le rôle d'un gourou. Les résultats sont spectaculaires, car ils ont peur de lui faire de la peine en ne perdant pas de poids.

Elle se mit à rire. Se moquait-elle, ou était-ce de l'admiration ? Difficile à dire !

Quand ils remontèrent dans l'appartement, des invités étaient déjà arrivés. Cindy le laissa.

— Je reviens dans quelques minutes.

Un maître d'hôtel, noir évidemment, et ganté de blanc, s'inclina avec cérémonie et le fit entrer dans le salon. Là le décor était en acier. Partout le métal brillait, comme dans un film de science-fiction : on se serait cru dans un vaisseau spatial. Mme Dinello se précipita.

— Voilà donc le sauveur de ma belle-fille. Que je suis heureuse de vous recevoir enfin. Au moment de l'accident je n'étais pas montrable. J'étais au Brésil. Et elle baissa la voix pour ajouter d'un ton complice : Chez Pitanguy, vous connaissez ?

Comme tout le monde, il connaissait de réputation le célèbre plasticien qui recevait ses patients, disait-on, sur l'île dont il était propriétaire.

— Ce cher Ivo, c'est un ami délicieux, continua-t-elle. Elle le prit par le bras. Venez, je vais vous présenter.

Il y avait là un avocat célèbre et un prince saoudien, qui bavardaient avec un joueur de polo argentin accompagné d'une époustouflante sexagénaire gréée comme un trois-mâts et couverte de bijoux. Plus loin, deux hommes politiques parlaient du Tchad où des légionnaires français venaient de tomber dans une embuscade. Ils tournèrent à peine la tête quand la maîtresse de maison leur présenta Guillaume. Il vit encore un producteur de cinéma, un décorateur homosexuel, et tout un lot de femmes superbes dont on pouvait se demander si elles étaient invitées ou louées à une agence spécialisée.

Cindy revint l'arracher aux griffes de sa belle-mère.

— Je te laisse tes autres invités, et je reprends mon chirurgien. Tu veux bien ?

La jeune femme avait été mettre un tailleur blanc dont elle portait la veste sans chemisier. Son décolleté, orné d'un long collier de perles attirait le regard. Toutes les invitées portaient des robes qui fleuraient bon la haute couture.

Durant le dîner, la conversation tourna autour d'un seul sujet : l'argent. Ces gens ne semblaient s'intéresser qu'aux cours de la Bourse, aux prix des nouveaux cabine-cruisers italiens, au coût de la construction et des appartements de l'avenue Foch, comparé à ceux de New York et de Londres. Ils s'envoyaient des millions de dollars à la figure avec des gestes désabusés. Guillaume, en silence, convertissait en francs, et se trompait dans les zéros.

Quand il glissa à l'oreille de Cindy son désir de s'en aller discrètement, elle protesta.

— Papa souhaiterait bavarder cinq minutes avec vous quand les autres seront partis. Ne vous inquiétez pas, le prince va inviter tout le monde au *Crazy-Horse* où sa table est réservée chaque soir, et ils ne tarderont pas à s'en aller.

Effectivement, un moment plus tard, le docteur Dinello et le chirurgien restaient seuls, un verre de fine en main, dans le salon déserté. Les variateurs d'éclairage avaient permis de limiter la lumière, et de la concentrer sur la table en laque qui les séparait.

— J'attache beaucoup d'importance aux jeux d'ombres, avoua-t-il, comme si Guillaume n'avait rien remarqué. Il sembla méditer un instant et reprit : Je vous ai invité avec ces gens-là, car ils représentent un échantillonnage de ma clientèle, et je souhaitais que vous les connaissiez. Il marqua encore un temps d'arrêt, et sembla se décider : Je voulais vous demander si vous accepteriez d'être mon correspondant pour toute la grosse chirurgie plastique. Devant l'air surpris de son interlocuteur, il continua : Je sais que vous avez été l'élève de Raymond Vilain et que vous connaissez donc bien la chirurgie de la silhouette. C'est celle qui m'intéresse. Beaucoup de chirurgiens esthétiques, vous le savez, sont des oto-rhinos qui ont commencé par enlever les amygdales et les végétations, puis ils ont redressé des cloisons nasales, et après ils se sont mis à la rhinoplastie. Souvent d'ailleurs ils la font très bien. Mais quand ils se mettent à opérer des seins ou des ventres, ils sont moins bons, et les complications s'accumulent. Non ! Il me faut quelqu'un habitué à la chirurgie lourde. En particulier, pour les plasties abdominales chez ces gens adipeux, au cœur fatigué, qui n'ont jamais fait de sport, et pour lesquels la chirurgie est une entreprise dangereuse. Cette proposition vous convient-elle ?

Guillaume ne savait comment répondre. C'est vrai qu'il connaissait bien cette spécialité, et si Dinello voulait lui adresser des malades, ce n'était pas difficile, il savait où le trouver. Cette proposition avait l'air d'un marché. Que devrait-il donner en échange ?

— C'est une chirurgie qui m'intéresse beaucoup, et que je connais bien, répondit-il prudemment.

— Ce que vous connaissez sans doute moins, c'est ce type de clientèle. Ils ne sont pas toujours faciles, mais je les ai bien en main et ils font ce que je leur dis. Il hésita une seconde avant d'ajouter : Peut-être faudra-t-il que vous opériez dans un établissement plus prestigieux, comme l'hôpital américain de Neuilly par exemple, mais ce n'est pas là une décision urgente à prendre, nous en reparlerons. Ma secrétaire téléphonera à la vôtre pour organiser les rendez-vous des consultants que je vous adresserai. Il leva son verre et s'écria joyeusement : Buvons à cette collaboration nouvelle. Puis il conlut : J'aime les relations claires avec mes correspondants. Dans ma spécialité, les truands pullulent, je ne vous l'apprends pas. Moi je joue carte sur table : Je n'ai jamais demandé un sou aux spécialistes qui travaillent avec moi. Je prends mes honoraires, ils prennent les leurs. Vous déciderez des vôtres.

Guillaume s'en fut, très étonné.

En quelques jours, trois patientes prirent rendez-vous de la part du « professeur » Dinello. Sur le papier à lettre de son correspondant, Guilaume découvrit qu'il enseignait à « l'Institut français de médecine psychosomatique appliquée ». D'où le titre dont il se parait ! Bien sûr, il n'avait jamais entendu parler d'un tel Institut.

Les deux premières interventions eurent lieu sans incident, et Guillaume fut même assez satisfait des résultats obtenus. Il s'agissait de corriger l'abdomen et les fesses après des amaigrissements considérables. La cicatrisation était parfois difficile à obtenir. Là, tout s'était bien passé. Mais, au moment d'opérer la troisième, Roland Mange vint voir le chirurgien dans son bureau. Il s'assit avec le dossier médical en main, et prit un air un peu mystérieux pour déclarer :

— Cette fois-ci, Guillaume, on va se planter.

— Ah oui, pourquoi ?

— Je ne t'ai rien dit les deux fois précédentes, parce que je n'étais pas sûr de moi. Et puis, il faut bien l'avouer, moi aussi, je m'intéresse à une clientèle plus friquée que celle que nous envoie notre ami Gérard. Mais aujourd'hui, je crois qu'il faut que tu sois prévenu.

Guillaume le regardait sans comprendre. Mange ouvrit son dossier et lui tendit l'électro-cardiogramme de la patiente prévue pour le lendemain.

— Je sais bien que tu n'es plus très familiarisé avec la cardiologie, mais tu peux tout de même voir, au premier coup d'œil, que ce cœur n'est pas normal. Rapide, irrégulier, c'est un rythme qui fait penser à une maladie thyroïdienne. Or, voici l'électro avec lequel ta patiente est arrivée hier. Il est normal. Je lui ai demandé quand il avait été pris. Devine la réponse !

Le chirurgien prit le document et regarda la date.

— Il y a huit jours.

L'anesthésiste plissa les yeux.

— Non, mon cher. Il y a six mois. Avant la cure d'amaigrissement. C'est une fausse date.

Guillaume ne comprenait pas.

— Cet électro a été pris avant la cure, c'est-à-dire avant que la brave dame ait été bourrée d'extraits thyroïdiens. Et il en est de même des examens de labo que notre cher correspondant nous a fournis. Tout a été refait hier, et j'ai été affolé.

— Alors, contrairement à ce qu'il dit, il leur donne des drogues dangereuses...

— Ainsi que des amphétamines et des diurétiques, sans doute.

Guillaume s'insurgea.

— Mais il n'y a rien de tel sur les ordonnances qu'ils nous ont montrées !

— Interroge les malades. Ils viennent deux ou trois fois par semaine chez lui pour des soins. Et là on leur donne à boire des décoctions d'herbes amaigrissantes qui proviennent du Tibet. Tu imagines ce qu'il y a avec les herbes.

— Le salaud !

Mange sourit.

— Il fait comme il veut, c'est son problème ; mais nous, un jour ou l'autre, on va avoir un pépin. Déjà, pour les deux premières, l'anesthésie avait été un peu houleuse. Je ne t'en avais rien dit parce que c'est mon travail. Mais cette fois, je t'avoue que j'ai un peu les jetons... Si un jour nous cassons l'une de ces mémères, on va venir nous demander des comptes. Pour un membre du Conseil de l'Ordre, avoue que cela ferait mauvais effet.

— J'ai bien envie de lui faire sa fête, au Dinello, mais nous n'avons aucune preuve.

— Voilà ce que je te propose. J'ai vu le cardiologue et je lui ai montré le dossier. Il est d'accord pour me faire une lettre où il précisera clairement la contre-indication opératoire. Nous allons renvoyer le colis à l'expéditeur avec le refus motivé, et nous verrons bien comment il réagira.

Dinello ne réagit pas. Mais Guillaume ne vit plus une seule de ses patientes. Le langage était clair.

Quelques jours plus tard, Cindy revint pour une visite de contrôle. Elle voulait savoir si elle pourrait encore avoir des enfants. Guillaume l'examina longuement, et lui donna de multiples explications sur les conséquences de la césarienne. Il s'attendait à une réflexion concernant son père. Rien ne vint. Alors il lui demanda des nouvelles de ses parents.

— Je suppose qu'ils vont bien. Mais je les vois peu, vous savez. Depuis le dîner où vous étiez, je ne suis pas retournée chez eux.

— Ils ne voient pas non plus votre bébé ?

— Non ! Ils ne l'ont pas vraiment accepté. Pourtant elle est très belle, ma Sidonie ! Et ils se privent d'une grande joie. Demandez à Simone Merlot, c'est elle qui me la garde quand je m'absente.

— Alors quand nous avons dîné ensemble...

— Ils m'avaient demandé de vous inviter. Ils voulaient vous connaître mieux et papa désirait parler travail. C'est tout.

Elle ne semblait pas au courant des pratiques paternelles. Guillaume n'insista pas. Il n'avait pas non plus de nouvelles de Florence, mais il se garda bien de lui en demander. Il avait, vis-à-vis de la jeune femme, une méfiance qui ne désarmait pas.

CHAPITRE VII

Florence fit sa réapparition à la clinique, un soir, après la consultation. Elle avait dû remarquer que la secrétaire partait vers dix-neuf heures. Elle s'était assise dans la salle d'attente, après l'entrée du dernier patient dans le bureau du chirurgien.

Quand Guillaume sortit pour raccompagner son consultant, il découvrit la jeune fille, sagement assise, une revue sur les genoux. Il la fit entrer et, pendant qu'elle passait devant lui, il ne put s'empêcher de jeter un coup d'œil admiratif sur ses longues jambes dont la mini-jupe ne cachait qu'une infime partie.

Elle se mit sur le bord du fauteuil, les genoux serrés, l'air très comme-il-faut.

— Que puis-je pour vous ? demanda Guillaume de sa voix la plus froidement professionnelle.

La jeune fille leva des yeux pleins de contrition.

— M'excuser de vous faire perdre votre temps. Mais j'avais envie de vous voir.

— Florence, vous êtes adorable, mais vous l'avez dit, j'ai tant à faire que je ne peux pas m'attarder à régler des problèmes qui ne sont pas de ma compétence.

— De quoi parlez-vous ?

— Vous avez envie de me voir parce que vous vous sentez seule. Votre mari doit être à l'autre bout du monde, et vous cherchez quelqu'un...

Elle l'interrompit brutalement, et se leva.

— Je ne cherche personne ! Je viens vous voir parce que je vous aime, et que vous me repoussez. J'ai été obéissante, je vous ai laissé en paix, mais ce soir je ne pouvais plus tenir, je voulais vous voir, j'avais besoin de vous voir.

Sa phrase s'était terminée dans un sanglot, et elle était retombée assise, le visage dans les mains. Elle pleurait maintenant, et Guillaume ne voyait plus que ses cheveux, secoués par des vagues qui jouaient dans la lumière. Il avait une folle envie d'aller la prendre par les épaules, et de la consoler, mais il se retenait, accroché à sa table, comme un naufragé qui a peur de couler.

Il se reprit en quelques secondes et résolut de se défendre en attaquant.

— Allons, Florence, cessez cette comédie, ce sont des enfantillages. Vous ne m'aimez pas plus que je vous aime, et vous vous conduisez comme une gamine.

Brusquement, elle cessa de pleurer. Elle se releva et sourit au travers de ses larmes qui étaient bien réelles.

« Quelle comédienne ! » pensa Guillaume.

Elle contourna le bureau et s'approcha de lui.

— Vous avez raison, ne parlons plus d'amour. C'est mon problème, et pas le vôtre. Vous avez assez de femmes à vos pieds pour ne pas vous encombrer d'une « gamine » comme moi.

— Ne dites pas de bêtises, Florence, s'il vous plaît.

— Cette Agnès, il n'y a qu'à voir comment elle vous regarde. Elle ne s'est jamais vraiment occupée de moi. On m'a donné un rendez-vous, pour que je revienne la voir après ma sortie de l'hôpital, mais j'aurais préféré mourir que consulter cette chipie. J'ai un gynécologue qui s'occupe de moi, et je n'ai pas besoin de vous, ni d'elle.

Le ton avait été d'une agressivité brutale, et pendant ce petit discours les yeux de la jeune femme lançaient des éclairs. Mais elle se reprit aussitôt :

— C'est bien, je me le tiendrai pour dit. Vous ne voulez pas me revoir, je ne viendrai plus vous importuner. Vous ne me reverrez plus. Il ne me reste qu'à vous remercier pour tout. Elle fit mine de partir, mais se retourna, comme si elle avait oublié quelque chose. Elle fit rapidement les trois pas qui la séparaient de Guillaume et s'arrêta près de lui : Merci surtout pour la cicatrice. Personne ne peut la voir.

Et, d'un geste rapide, elle dégrafa sa ceinture et souleva sa robe très haut sur sa poitrine. Guillaume resta interdit devant le spectacle de ce ventre lisse, satiné, bronzé encore, avec un pubis bouclé que ne cachait pas une culotte minuscule, en voile de nylon transparent. La cicatrice, c'est vrai ne se voyait pas sous la toison touffue. Elle soulevait sa robe jusqu'à la naissance des seins qui apparaissaient petits, fermes et arrogants.

Guillaume mit plus longtemps qu'il aurait voulu avant de réagir. Il se dressa soudain et abaissa la robe d'un geste brutal.

— Ça suffit, maintenant ! Allez-vous-en ! Vous vous conduisez comme une petite pute. Sortez !

Elle le toisa d'un œil glacé, et sortit en réagrafant sa ceinture. Sa démarche était ferme et sa taille ondulait jusque dans la tête du chirurgien qui la regardait partir en se demandant s'il ne laissait pas passer là une occasion exceptionnelle.

Quand il eut refermé la porte, Guillaume se rassit. Il avait l'impression de s'être conduit en héros. Il n'était pas très sûr de savoir pourquoi il avait réagi ainsi mais, depuis le premier jour où il avait vu cette fille, il avait été saisi par des sentiments complètement ambigus.

Cette fois, il n'hésita pas à téléphoner à Sylvie qui par chance était chez elle.

— Je t'emmène dîner, d'accord ?... Ah non ! pas chez un Vietnamien, j'ai horreur de ça !... Oui, c'est nouveau. Et pourquoi pas !... On va manger une choucroute !... Tu préfères des fruits de mer ? Allons à La Coupole, et nous mangerons les deux !

Guillaume croyait s'être débarrassé de la jeune fille aux yeux bridés. Il se trompait. Mais c'est du papier bleu qu'elle lui envoya. Une assignation devant le tribunal correctionnel. Stupéfait, il lut un texte rédigé dans un charabia juridique pompeux et mensonger, d'où il ressortait qu'il avait opéré cette pauvre Florence Armand avec une légèreté coupable, la condamnant par un geste inconsidéré, à une stérilité définitive et dramatique pour son psychisme. Les conclusions faisaient de lui une espèce de boucher méprisant la féminité, opérant en dépit du bon sens, tout et n'importe quoi.

Atterré, il confia l'assignation à l'avocat du Conseil de l'Ordre qu'il connaissait bien. Il s'attendait à un éclat de rire pour le côté ridicule de ce texte. Mais l'autre ne rit pas. Il demanda à Guillaume de rédiger un résumé circonstancié de cette affaire, et de lui confier rapidement une photocopie des documents relatifs à l'intervention chirurgicale : compte rendu opératoire, résultat des prélèvements, etc.

— Mais c'est grotesque, intervint Guillaume.

— Ne croyez pas cela, mon cher professeur. Les tribunaux ne sont pas tendres avec les représentants du corps médical, et on ne sait jamais comment une telle affaire peut tourner. Il faut être vigilant, et nous le serons. Constituez-moi un dossier solide, et préparez-vous à être convoqué pour une expertise. Le tribunal ne s'en tirera pas autrement. Je préviendrai votre compagnie d'assurance.

Quand il raconta cette scène à Agnès, elle prit un air gêné.

— Dans le service où je suis, tu sais, on n'enlève plus une trompe pour grossesse extra-utérine.

— Mais tout le monde sait qu'un geste conservateur risque de provoquer une récidive. Enfin, Agnès, tu te souviens bien dans quel état était cette fille. Elle a failli y passer. Si je n'étais pas intervenu si vite, elle ne serait peut-être plus là pour me faire un procès.

— Dans quelques années, Guillaume, on fera d'abord une tentative de traitement par cœlioscopie, sans toucher à la trompe.

— Tu es folle. Elles auront dix fois le temps de mourir, vos patientes.

— Ce n'est pas certain.

Guillaume s'en fut, agacé. On ne pouvait tout de même pas lui reprocher de n'avoir pas utilisé des techniques qui en étaient encore à l'état d'expérimentation. Il évoqua cette question avec l'avocat.

— Vous devez imaginer, mon cher professeur, que d'expertise en contre-expertise, de renvoi en appel, avec la lenteur de notre justice, ce procès ne sera jugé que dans quatre ou cinq ans. Où en sera la gynécologie chirurgicale à ce moment-là ?

— Je serai tout de même jugé en fonction de l'état des idées aujourd'hui, n'est-ce pas ?

— Bien sûr, mais l'évolution influence les juges, et l'avocat de la partie adverse ne manquera pas de dire qu'au moment des faits, vous vous deviez, vous, monsieur le professeur, d'être au courant des progrès de la gynécologie moderne. Ce qu'ils vont vous reprocher, je le sens venir, c'est de ne pas avoir demandé l'avis d'un spécialiste.

Guillaume passa de très mauvaises soirées, à ressasser cette histoire, et à se poser de multiples questions. Qui serait nommé expert ? Qui serait là pour témoigner de l'état dans lequel était la jeune fille ? L'anesthésiste sans doute, mais c'était un jeune. Saurait-il être convaincant ? Et l'avocat de Florence ne ferait-il pas remarquer que lui non plus n'avait jamais exercé dans un service de gynécologie...

Il fulminait. Des gens notoirement malhonnêtes, comme ce Dinello et tant d'autres, restaient impunis malgré des activités hautement répréhensibles, et lui, qui enseignait journellement la rigueur, l'honnêteté et le respect du malade, il se retrouvait au banc des accusés !

Il en parla beaucoup avec ses collègues du conseil de l'ordre, et tous convinrent du caractère scandaleux de cette procédure. En en parlant ainsi autour de lui, Guillaume découvrit que les actions judiciaires contre le corps médical se multipliaient, et qu'il fallait craindre une accentuation de ce phénomène, comme c'était déjà le cas aux États-Unis.

Un collègue américain rencontré à un congrès lui raconta que, là-bas, les patients attaquaient leur chirurgien même s'ils n'avaient rien à lui reprocher. Leur avocat leur promettait de parvenir à démontrer que le résultat obtenu aurait seulement pu être meilleur. Et comme, de toute façon, c'étaient les compagnies d'assurances qui réglaient les dommages et intérêts...

Ces gens ne se rendaient pas compte que les primes d'assurances professionnelles devenaient prohibitives, et que leur coût se répercutait sur les honoraires des praticiens. Au bout de la chaîne, les patients paieraient l'addition.

De plus, si ces abus continuaient, certaines spécialités à haut risque allaient bientôt disparaître de la pratique quotidienne. C'est ainsi qu'aux États-Unis plus personne ne voulait faire de la neurochirurgie. La fréquence des séquelles après ce type d'intervention est telle que les chirurgiens se retrouvaient quasi-systématiquement au tribunal ! De quoi tarir les vocations ! Ce serait bientôt la même chose en France, à n'en pas douter. Guillaume eut une pensée émue pour Harvey Cushing, l'ami de son père, qui était mort en 1939. Si une telle psychose procédurière avait existé de son temps, il n'aurait sans doute pas donné à cette spécialité l'essor qu'elle avait connu !

Guillaume découvrit aussi, à cette occasion, une pratique américaine qui expliquait en partie ces excès. L'avocat ne demandait aucun honoraire, mais seulement un pourcentage sur ce qu'il ferait gagner à son client. Renseignements pris, cette pratique était interdite en France, mais pratiquée cependant par certains malfrats en robe noire, honte de leur profession, qui glanaient ainsi les dossiers que leur médiocrité ne leur aurait pas permis d'obtenir autrement. Leurs clients, bernés, se retrouvaient parfois condamnés pour procédure abusive, sans bien comprendre ce qui leur arrivait.

Gérard Merlot était un médecin généraliste heureux. Ainsi, il avait dans sa clientèle de nombreux chasseurs, et l'habitude d'offrir du gibier à son médecin demeurait une coutume heureusement respectée par les habitants de Neuilly. Si bien qu'au mois de septembre, il était de tradition d'aller savourer le civet de lièvre que Simone Merlot préparait comme sa mère le lui avait appris, c'est-à-dire à la perfection.

Ce dimanche-là, ils avaient invité, en plus des convives habituels, la jolie Cindy. Vêtue simplement d'un jean et d'un chemisier de soie aux couleurs d'automne assorties à celle de ses cheveux, à peine maquillée, elle était un ravissement pour le regard. Quand elle entra, Gérard Merlot, Roland Mange et Guillaume de La Verle arrêtèrent de parler. Ils étaient en train de goûter un Meursault 1966 frais à point, et ils restèrent le verre en main, muets d'admiration.

Cécile Mange avait de l'humour.

— Simone, s'exclama-t-elle, comment oses-tu inviter une aussi jolie femme, quand nous avons tant de mal à conserver intacte la vertu de nos maris ?

Cindy rougit de plaisir, et courut embrasser les deux femmes qui étaient devenues ses amies. Simone, l'air faussement fâchée, répondit :

— Mais notre ami Guillaume est célibataire. Il faut bien le distraire un peu de sa solitude. À mon avis, il doit commencer à en avoir assez de déjeuner avec des mères de familles aussi mûres que nous. Une jeunette ne peut que lui faire plaisir !

— C'est vrai ? demanda Cindy à son chirurgien, cela vous fait plaisir de me voir ?

Guillaume éclata de rire.

— Cindy, vous êtes un rayon de soleil ! Quel homme ne rêve pas d'être votre cavalier ? J'ai cette chance aujourd'hui, venez vous asseoir là, et racontez-moi comment va votre fille.

Astucieusement, Guillaume replaçait la conversation sur le sujet de la famille, et il prenait une position paternelle qui le rassurait. Ses deux amis riaient avec lui, mais avec une pointe de jalousie qui n'échappa pas aux deux femmes. Peut-être même aux trois !

Le civet, bien arrosé, fut dégusté dans une ambiance chaleureuse et bruyante. Guillaume, poussé par ses amis, et rendu bavard par un Pommard capiteux, racontait des histoires de salle de garde qui les faisaient hurler de rire bien qu'ils les aient déjà entendues cent fois.

— Raconte à Cindy l'histoire de Roger Frey.

Guillaume aimait voir s'éclairer le visage de la jeune femme qui conservait toujours un air de tristesse qu'il ne s'expliquait pas.

— À cette époque, Frey était ministre de l'Intérieur et il était venu à Beaujon remettre la Légion d'honneur à un patron. Celui-ci, méfiant, n'avait pas invité les internes. Vexés, ils étaient venus chanter en chœur, dans le grand hall de l'hôpital, quelques cantiques appropriés aux circonstances. Par exemple : « Plus Frey de toi mon Dieu... » Le ministre, amusé, avait accepté, après la cérémonie, de passer boire un verre en salle de garde, pour y admirer des fresques célèbres dans tout Paris. Et, sans le savoir, il avait mangé des toasts au Canigou !

Il en avait raconté ainsi jusqu'au dessert. À la fin, la jeune femme pleurait de rire. Après le café, les deux couples s'affrontèrent en une partie de pétanque aussi traditionnelle que le civet. Cindy resta à table avec le chirurgien.

— C'est bon, avoua-t-elle, de s'amuser ainsi. Vous avez un métier si sérieux, et vous parvenez à oublier tous vos ennuis avec une telle bonne humeur...

— Mes ennuis ? demanda Guillaume. Vous avez vu Florence ?

— Je la vois rarement maintenant, mais je sais qu'elle vous fait un procès.

— Et vous l'approuvez ?

— Comment pourriez-vous penser cela ! Je lui ai dit que son attitude était scandaleuse. Mais elle a pour vous une agressivité incroyable. Son mari joue un rôle bizarre. Je crois qu'il est jaloux de vous, et il la pousse à vous attaquer.

— Vous le connaissez ?

— Un peu. C'est un très gentil garçon, et un journaliste de grande valeur, dit-on. Il adore sa femme, et il croit la détacher de l'admiration qu'elle a pour vous en la poussant à ce procès...

— Que peut-elle espérer ?
— Vous ennuyer, et attirer votre attention sur elle.
— Quelle absurdité !
— Oui. Elle qui a la chance d'être en si bonne santé !
Elle avait dit cette dernière phrase avec une voix si triste que Guillaume s'en étonna.
— Je vous trouve le teint bien pâle, Cindy, ne restez-vous pas trop enfermée avec votre fille ?
Elle le regarda longuement avant de répondre.
– J'ai un problème de reins qui est en train de mal tourner.
– Que voulez-vous dire ?
— J'ai une malformation rénale de naissance qui s'est aggravée depuis que ma fille est née.
— Des kystes ?
— Oui, j'en ai au foie également maintenant, mais ce sont surtout ceux des reins qui se manifestent. Je vais régulièrement à l'hôpital Necker, et ils disent que je vais bientôt devoir passer au rein artificiel.
Guillaume était atterré. C'était donc là le secret dont Florence lui avait parlé après le suicide. La polykystose rénale est une maladie héréditaire qui s'accentue, effectivement, avec les grossesses et qui représente 10 % des insuffisances rénales chroniques. Elle était mortelle avant les techniques de dialyse.
— Que pensez-vous de la greffe de rein ? demanda la jeune femme avec un regard angoissé.
— C'est sûrement la solution d'avenir, mais les problèmes de rejet ne sont pas résolus.
— Il faut trouver un donneur compatible, n'est-ce pas ?
Guillaume hésita une seconde avant de répondre.
— Il faut que les reins prélevés soient d'un groupe proche du vôtre. Plus la compatibilité est bonne, et plus le résultat a des chances d'être durable.
— Il paraît que je suis d'un groupe rare… Mais papa m'a dit qu'il allait trouver une solution. Il est très sensibilisé à ce problème, car maman est morte à quarante ans de la même maladie que moi.
Guillaume était intrigué. Il se méfiait du médecin dont il avait eu l'occasion de découvrir les méthodes peu orthodoxes.
— Quelle solution propose-t-il ?
— Il m'a dit de ne pas en parler, mais c'est en Angleterre que j'irai si la greffe est nécessaire.
— Pourquoi en Angleterre ? La France est le pays le plus avancé sur cette question, et c'est Jean Dausset qui a fait faire le pas décisif en découvrant les fameux groupes cellulaires qui ont tant d'importance. On dit même qu'un jour il aura le prix Nobel pour cette découverte. Alors je ne vois pas ce qu'il y a de mieux outre-Manche…
La jeune fille avait l'air un peu gêné.

— Il ne faut en parler à personne, s'il vous plaît... Elle posa sa main sur l'avant-bras du chirurgien avant de poursuivre à voix basse : Il paraît que là-bas, ils recrutent des donneurs vivants dans les pays du tiers-monde. On teste beaucoup de volontaires, et quand on trouve un sujet dont le groupe cellulaire est proche de celui qui est recherché, il vient à Londres. L'opération s'exécute dans les meilleures conditions possibles car il n'y a aucune perte de temps, le prélèvement et la greffe sont exécutés ensemble... Elle sourit, avant d'ajouter : Le donneur retourne chez lui avec une somme qui va mettre sa famille définitivement à l'abri du besoin. Il y a tant de misères dans ces pays-là !

Guillaume était muet de stupeur devant un tel cynisme. Cependant, il se garda de manifester son sentiment. Pouvait-on parler d'éthique à une jeune femme qui, en l'absence d'une solution comme celle-là, était peut-être condamnée à une mort affreuse, en pleine jeunesse... Il se dit qu'il était facile de porter des jugements péremptoires dans l'ambiance sereine des organismes officiels.

Restent les intermédiaires. Ces gens qui vont recruter les « donneurs », quel profit tirent-ils d'une telle exploitation de la misère humaine ? Et les chirurgiens qui opèrent, combien demandent-ils ? Quelle idée ont-ils de leur éthique professionnelle ?

Guillaume pria le ciel de n'être jamais confronté à une telle situation, au conseil de l'ordre. La condamnation était obligatoire. Mais si le « bénéficiaire » était un de ses proches, parviendrait-il à être aussi intransigeant qu'il le fallait ?

Cindy devait aller récupérer sa fille que gardait une baby-sitter. Elle embrassa tout le monde et se sauva. Simone et Cécile rentrèrent s'occuper de la vaisselle, pendant que les trois hommes discutaient.

Liés par le secret professionnel, Gérard Merlot et Roland Mange écoutèrent Guillaume leur raconter ce que Cindy venait de lui confier. Ils restèrent muets un bon moment. L'anesthésiste, comme beaucoup de ses confrères, était un excellent pharmacologue et rien de ce qui touchait à l'immunologie moderne ne lui échappait.

— Elles tiennent, les greffes de rein ? demanda Merlot.

— De mieux en mieux.

— Depuis quand ?

— En 1953, un jeune ouvrier qui s'appelait Marius Renard a eu un accident : son rein unique a éclaté. On lui a greffé celui de sa mère, et il a vécu vingt-trois jours.

— Je me souviens, dit Guillaume, la presse en avait beaucoup parlé à l'époque. Je venais de passer l'externat.

— Ensuite, il y a eu de nombreuses tentatives qui aboutirent toutes à des rejets. Jusqu'à ce qu'on découvre des produits qui diminuent la réaction immunologique. L'azathioprine, la 6-mercaptopurine...

— Arrête, Roland, on te croit, s'écria Merlot qui avait toujours été fâché avec la chimie. On leur fait des rayons aussi, et de la cortisone... Non ?

— Oui, et la liste des moyens anti-rejet n'est pas close. Mais aucun n'est vraiment efficace, et personnellement, comme beaucoup de biologistes, je pense que le médicament miracle n'est pas prêt de voir le jour...

— Alors, à ton avis, les greffes ont peu d'avenir ?

— Elles ne peuvent pas réussir en dehors d'une bonne histocompatibilité. Actuellement, ils commencent à utiliser les ordinateurs pour comparer le groupe cellulaire des patients en attente de greffe avec celui des gens qui meurent accidentellement. Quand le groupe est simple les malades ont une petite chance. Quand ils ont le malheur, comme Cindy, d'avoir un groupe rare, ils ne parviennent pas à résister assez longtemps.

— De toute façon, il paraît qu'on manque de donneurs, intervint Guillaume.

— Moi cela ne m'étonne pas, dit Merlot avec son gros bon sens. Il y a tout de même beaucoup de gens qui n'ont pas envie d'être dépouillés après leur décès. Par exemple, ceux qui croient à la résurrection des morts, et qui ne voudraient pas revenir sur terre avec la moitié de leurs organes en moins...

— Ce qui est intéressant, c'est d'imaginer ce qu'un type comme Hitler aurait pensé d'un tel moyen thérapeutique. Lui qui ne s'embarrassait pas de scrupules sur les droits de l'homme, n'aurait-il pas créé de vrais supermarchés de la greffe ? Les condamnés à mort auraient été testés, et quand un personnage important du régime aurait eu un problème, on aurait cherché le donneur adéquat. « Un rein pour M. Goebbels, un autre pour M. Himmler... »

— Quelle horreur !

— Des trafics comme ceux qui semblent exister à Londres ne vont pas tarder à se multiplier si les traitements immunodépresseurs permettent de banaliser les transplantations.

— Nous n'en sommes pas là, conclut Roland.

CHAPITRE VIII

Juin 1972. Bâle brillait sous un soleil printannier, et Samuel Bloch était dans un état d'énervement que le mariage de sa fille Victoire ne suffisait pas à expliquer. Alexandre et France étaient venus avec Guillaume, et ils se réjouissaient de voir la petite sœur si heureuse. Elle épousait un garçon charmant, ingénieur chez Sandoz. Toute la hiérarchie de la chimie pharmaceutique était là.

Parmi les invités, Guillaume salua un certain M. Borel qu'il ne remarqua pas plus que les autres, jusqu'à ce que Raphaëlle le prenne dans un coin et lui dise :

— Tu vois, cet homme discret, il vient de faire une découverte qui devrait lui valoir le prix Nobel. Samuel est enthousiaste !

Guillaume regarda l'intéressé avec plus d'attention, pendant que sa sœur continuait ses explications. Il s'attendait à entendre parler d'une formule de manipulation génétique incompréhensible, mais il se trompait.

— Il a mis en évidence les propriétés immunosuppressives d'un nouveau produit : la ciclosporine, tiré d'un champignon, le Tolypocladium inflatum... Ce nom ne te dit rien, je suppose.

Guillaume éclata de rire.

— N'oublie pas, sœurette, que je suis chirurgien, pas biochimiste comme tous les gens qui t'entourent. Et je dois même avouer que mes examens, dans ce domaine, ont été un calvaire. Si j'avais dû faire mes études de médecine aujourd'hui, je n'aurais jamais franchi le barrage de la première année !

Raphaëlle sourit.

— Tu es un modeste ! Ce que tu vas comprendre, c'est qu'il s'agit du plus puissant médicament anti-rejet jamais découvert.

Guillaume lui prit le bras, soudain ému :

— Les transplantations d'organes ?

— Oui ! Tout va devenir possible. Elles seront multipliées par dix dans les années à venir.

Samuel vint surenchérir.

— Je te l'avais prédit, Guillaume, et mes amis biologistes n'y croyaient pas. Avant la fin de ce siècle, la moitié des interventions chirurgicales seront des remplacements d'organes. On peut même se demander si le problème du vieillissement ne va pas trouver là une ébauche de solution !

Comme d'habitude, il se laissait emporter par son enthousiasme scientifique et la perspective de ventes fructueuses. Mais sa réflexion incitait à la rêverie, personne ne pouvait le nier... Les disciples de Barnard triomphaient enfin.

Le soir, fatigué du bruit de la fête, Guillaume s'éclipsa pour faire un tour en ville. Il alla s'asseoir sur un banc, sous les arbres de la petite place qui domine le Rhin, là où son père, un siècle plus tôt, avait appris que sa propre mère avait un cancer du sein. On lui avait conseillé d'aller se faire opérer aux États-Unis par Halsted, celui qui avait inventé les gants chirurgicaux et qui était surtout le créateur de cette chirurgie anatomique, fine et délicate, devenue la règle dans le monde entier. C'est un peu grâce à lui, si l'on en était arrivé à la technique des greffes d'organes, rendues viables par des produits comme la ciclosporine.

Quel chemin parcouru en moins de cent ans ! Beaucoup plus que pendant les cent siècles précédents !

Cette chirurgie de la transplantation allait tout de même poser des problèmes difficiles, et on parlait déjà de créer des organismes de coordination pour collecter les organes à greffer.

Quand Guillaume rentra, les invités et les jeunes mariés avaient quitté la maison. Samuel, Raphaëlle et lui restèrent longtemps assis avec France et Alexandre dans le jardin. La nuit était étonnamment belle, et chacun voguait sur ses pensées. Lorsque France s'était mariée, Guillaume était déjà venu, accompagné de Séverine, qu'il devait épouser l'année suivante...

Samuel rompit le silence, en proposant de boire une dernière bouteille de champagne avant l'extinction des feux. Quand il servit son gendre, il ne put s'empêcher de le questionner sur l'avenir des transplantations d'organes, vues du côté de l'administration.

Le jeune homme eut une moue désabusée.

— Vous m'excuserez, mais je me pose immédiatement la question du financement de cette chirurgie de pointe. Si demain la greffe d'organe se banalise, vous rendez-vous compte de ce que coûteront ces interventions à une Sécurité sociale en permanence au bord du gouffre ? Elle aussi va faire un grand pas en avant !

Samuel éclata de rire. Mais Alexandre se reprit :

— Vous me pardonnerez cette plaisanterie éculée, mais en ce

moment, je suis jusqu'au cou dans les problèmes financiers posés par vos confrères, mon cher Guillaume, et je ne vois plus que ce côté des choses. Sur mon bureau, j'ai plusieurs dossiers de chirurgiens plein-temps qui auraient exigé un dessous de table en liquide avant d'opérer. Qu'en pensez-vous ?

— Je n'ai jamais rien entendu de tel et, si j'étais à votre place, je me méfierais. L'agressivité à l'égard du corps médical, dont Molière a été l'un des grands instigateurs, atteint de nos jours un niveau jamais égalé. Au Conseil de l'Ordre, nous croulons sous les dossiers de plaintes injustifiées.

— Je n'ai pas de certitudes, avoua Alexandre, mais de fortes présomptions. Cela dit, ne vous inquiétez pas pour vos confrères, en ce qui me concerne, je fais de l'information, pas de la police. J'étudie des dossiers et j'essaie de les comprendre. Il y a d'autres organismes qui font de la répression, et les cloisons sont étanches entre les différents ministères. Mais j'ai la conviction que les affaires que j'ai eu à connaître sont véridiques.

Très à l'aise, le jeune homme alluma un cigare, but une gorgée de champagne et continua son réquisitoire dans le silence :

— Mais il y a plus grave que le bakchich qui est vieux comme le monde et qui sévit dans de multiples branches de la société. Notre pays est encore un des moins touchés de la planète et ce n'est pas la communauté qui paie ! Ce qui me préoccupe plus, ce sont certains moyens plus pervers d'enrichissement médical illicite. Et là, les industriels de la santé sont les grands responsables d'une fraude qui spolie toute la société. Vous voyez de quoi je veux parler, Guillaume ?

Le chirurgien sourit tristement.

— C'est vrai, les praticiens qui donnent des coups de canif dans le serment d'Hippocrate ne sont pas toujours les vrais fautifs. Ils sont sollicités de manière très efficace par des professionnels qui se comportent avec eux comme on le fait dans les autres branches du commerce, je suppose.

— Que veux-tu dire ? demanda Samuel qui sentait venir la critique.

— Au laboratoire de recherche où je travaille depuis peu, expliqua-t-il, nous avons mis au point une prothèse de hanche qui devrait réunir l'essentiel des qualités actuellement connues. Nous n'avons pas fait œuvre de création à proprement parler, mais plutôt une compilation des meilleures prothèses existantes. Seul le métal est un alliage nouveau dont la souplesse et la résistance devraient permettre une parfaite adaptation au tissu osseux de l'opéré. En plus il est très peu onéreux.

« Fabriquée en grande série, cette prothèse coûterait, disons, mille francs. Alors que celles qui sont sur le marché à ce jour, coûtent jusqu'à dix ou vingt mille francs. La Sécurité sociale les rembourse toutes au prix où on les lui facture, sans discuter. Un fabricant est venu me supplier de lui accorder l'exclusivité de notre modèle en proposant de me ristourner, personnellement, pour chaque prothèse posée, la somme que je demanderai. Mille, deux mille, trois mille francs, ce que je veux... Et sur un compte à Genève. Pour lui ce n'est qu'un problème d'addition, la Sécurité sociale financera la différence.

— Et voilà ! intervint Alexandre. C'est l'assuré social qui paie, mais indirectement. Et il risque d'en être bientôt de même pour toutes les prothèses : articulaires ou artérielles. Ainsi que pour les pacemakers et toutes les autres fournitures chirurgicales remboursables.

Guillaume continua :

— Si je parviens à convaincre les pouvoirs publics que ma prothèse est la meilleure, bien qu'elle ne vaille que mille francs, qui m'en saura gré ? En tout cas, je sais qu'il y aura demain, dans la presse spécialisée, dix publications prouvant que ma prothèse est nulle, et que les autres sont beaucoup mieux.

Alexandre surenchérit :

— Et dix ministres voudront faire poser à leur vieille mère une prothèse soi-disant exceptionnelle, qui vaudra cinq ou dix fois plus ! La Sécurité sociale pleurera dans le désert et si elle décide de ne rembourser que celle à mille francs, quel scandale ! Tous les chirurgiens crieront à la dictature !

— Que peut-on faire contre la toute-puissance de l'argent ? demanda Raphaëlle d'un air résigné.

— L'éducation, l'éthique, le Conseil de l'Ordre peut-être, répondit Guillaume.

— Des lois et des inspecteurs du fisc, grinça Alexandre. Que le ministre daigne m'écouter et en parler à son collègue des Finances. Ces excès cesseront, je vous le promets !

— Sauf si le chirurgien est un ami du ministre, et qu'il l'invite à chasser en Sologne, pour lui expliquer le contraire !

Raphaëlle, toujours pragmatique, intervint.

— Il faut que les gens qui ont de l'argent aient le droit de se faire poser des prothèses en platine s'ils le souhaitent. C'est leur problème, pas le nôtre !

— D'accord, mais qu'ils ne nous demandent pas de les leur rembourser, ajouta Guillaume d'une voix douce.

— Mais si, mon oncle, c'est la solidarité nationale. Il faut que les pauvres paient pour les riches ! Comme ils sont beaucoup plus nombreux, cela se voit moins !

Alexandre devenait franchement agaçant !

Pressés de rentrer à Paris, France et son mari prirent l'avion. Guillaume revint par le chemin des écoliers. Il flâna sur les départementales, visitant, au passage, les châteaux bourguignons qui semblaient veiller sur des vignobles aux noms prestigieux. Il acheta quelques cartons de vin qui iraient vieillir doucement rue de l'Entrepôt. En signant ses chèques, il se disait que, s'il acceptait de négocier sa prothèse, il pourrait se constituer une cave prodigieuse !

Dès qu'il avait le volant entre les mains, il rêvait, réfléchissait, et refaisait son petit monde. Cela donnait lieu à de sérieuses erreurs d'itinéraire, mais il s'en moquait. Il s'arrêtait, reprenait sa carte, choisissait sa route, et allait se tromper un peu plus loin.

Cette fois, après les conversations de Bâle, il s'était branché sur son avenir et ses projets. Comme toujours, il refusait de se laisser piéger par le côté ingénieur de ce métier — qu'il n'avait pas choisi pour avoir l'impression d'être un simple technicien, prêt à vendre son talent au plus offrant. Il rêvait d'être un chef d'école pour inspirer à ses élèves l'esprit qui avait guidé ses ancêtres. Un certain don de soi, de désintéressement, de dévouement au service public, sans trop se soucier de ce profit qui gâchait tout.

« Mais tout de même, se disait-il, ce serait bien d'avoir les moyens de s'acheter du bon vin ! Il n'y a pas que les producteurs de disques, les joueurs de football et les présentateurs de télé qui doivent pouvoir se le permettre ! Dans l'échelle sociale, quelle place occupons-nous donc ? Il est tout de même plus difficile de tenir un bistouri qu'un micro ! Greffer un foie, c'est mieux que de marquer un but ! Et pourtant, il n'y a aucune commune mesure entre la rétribution d'un chirurgien de renommée internationale et un international de football ! »

Agnès se maria en octobre 1972. Guillaume envoya une gerbe de fleurs, mais n'assista pas à la réception. Il n'avait aucune sympathie pour le garçon qu'elle épousait, qui travaillait avec son père dans leur affaire de travaux publics. C'était un esprit brillant, il avait fait une *business-school* américaine, selon la mode du moment, mais, comme celle d'Alexandre, sa mentalité était glacée par l'argent. Son slogan était : « Je vais là où il y a du blé à faire » ; la devise d'Alexandre : « Ils font du blé, je vais les coincer. » Chacun dans son genre était simplement odieux, et Guillaume craignait de les rencontrer, car il était obligé, chaque fois qu'il discutait avec eux, de prendre une position excessive qui n'était pas la sienne. Il s'énervait sans jamais convaincre, et s'exaspérait.

De plus, il reprochait au jeune Lemercier, sans se l'avouer, de lui avoir enlevé Agnès. Non pas qu'il fût amoureux, mais il avait eu longtemps l'impression d'être le seul homme de sa vie. Aujourd'hui il devait se rendre à l'évidence, il s'était leurré. Elle restait cependant son élève et sa collaboratrice préférée, mais rien de plus.

Quelques semaines après le mariage, Guillaume la fit venir dans son bureau. Il était convoqué pour l'expertise commandée par le tribunal dans l'affaire Florence Armand. Il avait préparé un dossier sur lequel il voulait l'avis de sa gynécologue. Elle prit l'affaire très au sérieux, et emporta les documents pour les étudier chez elle.

Une réunion préparatoire fut organisée avec l'avocat du Conseil de l'Ordre, et il fut entendu qu'il demanderait à l'expert l'autorisation de faire accompagner Guillaume par Agnès au titre de conseiller. L'expert accepta d'autant plus volontiers que la partie adverse avait fait une demande identique.

Ils se présentèrent donc tous les trois au lieu de rendez-vous, dans des locaux anonymes de la faculté de médecine, rue des Saints-Pères. C'est là que Guillaume avait fait la plus grande partie de ses études et il était ému de s'y retrouver, une fois de plus, pour passer une sorte d'examen !

Dans le hall, ils aperçurent le trio adverse, et firent semblant de ne pas les voir. Florence portait une robe austère, elle n'était pas maquillée, et semblait jouer le rôle de la pauvresse éplorée. Agnès la regardait de biais, avec une haine manifeste. Pourtant, pensa Guillaume, elle n'avait rien à lui reprocher personnellement.

Ils entrèrent dans une salle de conférence et s'assirent autour d'une table recouverte d'une feutrine verte d'une propreté douteuse. L'expert était un patron retraité, moustachu et chauve, habillé de noir, avec de longues mains manucurées qui donnaient une note insolite à sa silhouette de vieux pasteur. Il avait eu plusieurs fois déjà l'occasion de rencontrer Guillaume, mais il fit comme s'il ne le connaissait pas. Son salut fut d'une politesse glacée.

Il commença par un bref rappel des circonstances de l'affaire, et demanda aux protagonistes s'ils avaient des remarques à formuler. Il se tourna d'abord vers Florence. Elle se borna à confirmer que sa stérilité était un drame affreux, et elle plongea son visage dans un vaste mouchoir de grand-mère pour sangloter. Son avocat, un bellâtre aux cheveux ébouriffés, lui tapota l'épaule et découvrit des dents de carnassier dans un sourire contraint, avant de se lancer dans une tirade vengeresse à l'égard d'un corps médical irresponsable.

— Maître, vous n'êtes pas ici pour plaider, bougonna l'expert. Nous étudions des faits. Monsieur de La Verle, je vous écoute.

Guillaume déclara que l'exposé qui venait d'être fait ne justifiait pas d'observation de sa part.

C'est alors qu'Agnès intervint. Les coudes sur la table, les doigts joints devant son visage, et d'une voix basse que Guillaume n'avait jamais entendue, elle posa une question.

— Monsieur l'expert, je n'ai pas trouvé, dans le dossier médical, d'éléments relatifs à la stérilité de Mlle Armand. Elle a, prétend-elle, passé des examens qui prouvaient que sa trompe restante n'était pas perméable. Pourrait-elle nous éclairer sur ce point ?

L'expert se tourna vers Florence d'un air interrogatif. La jeune fille, d'une voix soudain claire et nette, répondit en fixant Agnès d'un air mauvais.

— J'ai passé de multiples radiographies à la Salpétrière, mais les archives ont été détruites par un incendie, vous le savez sans doute, et je n'ai pas pu obtenir de documents.

Le médecin qui était assis à côté d'elle renchérit :

— Je surveille, médicalement, Mlle Armand, et je sais combien cette impossibilité d'avoir des enfants est dramatique pour elle.

— Excusez-moi, cher confrère, je n'ai pas bien entendu tout à l'heure votre spécialité ? demanda Guillaume, avec un ton d'une extrême courtoisie, et un sourire angélique.

— Je suis psychiatre et psychanalyste.

— Et vous suivez Mlle Armand sur le plan gynécologique depuis longtemps ?

L'autre leva les bras comme s'il évoquait l'éternité.

« Comme tous ces gens jouent bien la comédie », pensa Guillaume.

L'expert intervint.

— Excusez-moi, confrère, nous évoquions les antécédents gynécologiques de votre patiente, pouvez-vous nous éclairer sur ce point.

— Certainement ! Du moins sur leur retentissement psychologique.

— Avez-vous eu connaissance de radiographies faites « avant » l'opération du professeur de La Verle ? demanda Agnès.

— J'en ai entendu parler...

— Les avez-vous vues ?

Cette fois, la jeune gynécologue avait haussé le ton, et l'expert la réprimanda du regard en fronçant les sourcils.

— Excusez-moi, monsieur, lui dit-elle, mais nous sommes au cœur du problème. Les conclusions de la partie adverse ne font état que de ce qui s'est passé pendant et après l'opération...

— Sans cette opération, nous ne serions pas là, docteur !

C'est l'avocat de Florence qui avait parlé, avec une voix grinçante. Agnès fit comme si elle ne l'avait pas entendu.

— Le professeur de La Verle a enlevé une trompe malade parce que l'aspect de l'autre trompe était normal. On nous dit qu'elle était obstruée. Où sont les preuves de cette obstruction ? Je ne demande rien d'autre.

Florence se fit toute douce pour répondre.

— Je ne peux rien contre la destruction de ces archives.

— Vous devez avoir des ordonnances, des comptes rendus...

— Tout a été envoyé à la Sécurité sociale.

Son visage aux yeux bridés était un univers de charme. L'expert la regardait avec un sourire béat. On sentait qu'il l'aurait volontiers consolée.

Mais Agnès, elle, ne se laissait pas impressionner. Insensiblement, le dialogue s'était limité aux deux femmes, et les hommes se bornaient à suivre un débat impressionnant d'intensité.

— Je sais bien que les hôpitaux gardent abusivement les documents de leurs patients, et qu'ils n'apportent pas tout le soin qu'il faudrait à leur conversation. Mais alors, ne serait-il pas possible de reproduire ces documents ?

— Voulez-vous dire qu'il faudrait retourner subir ces examens ?

— Mademoiselle, c'est le point essentiel.

— Je suppose que vous pratiquez ce genre d'investigations, puisque c'est votre spécialité, docteur ?

Étonnée, Agnès vit le moment où Florence allait lui proposer de les lui faire recommencer.

— Bien sûr.

— Mais vous n'y êtes sans doute jamais passée vous-même.

— C'est vrai. Les médecins ne poussent pas la conscience professionnelle jusqu'à subir tout ce que nécessite l'état de santé de leurs patients.

— Eh bien, si vous saviez ce qu'est une « hystéro-salpingographie », docteur, vous ne me proposeriez pas de récidiver dans le simple but de confirmer un diagnostic bien établi, au risque de déclencher une infection dont je n'ai pas besoin. Car le risque infectieux existe, n'est-ce pas ?

L'assistance était suffoquée d'un tel discours. « Ce n'est pas possible, pensa Guillaume, elle l'a appris par cœur. »

Agnès, impassible, continuait.

— Je comprends vos réticences, mademoiselle, elles sont légitimes. Mais suivez-vous actuellement un traitement quelconque pour vaincre cette stérilité ?

— On m'a expliqué que le seul traitement était chirurgical. Il faudrait opérer la trompe restante. Mais, vous comprenez, la chirurgie, je sors d'en prendre...

Elle fit un geste montrant qu'elle en avait par-dessus la tête. Et elle l'accompagna d'un coup d'œil vers Guillaume qui manquait d'aménité.

— Si je comprends bien, actuellement, vous êtes résignée à la stérilité.

— Comment faire autrement ?

— Pourtant, le désir d'avoir un enfant vous tenaille.

— Comme toute femme normale, docteur. Vous n'avez pas envie d'avoir des enfants, vous ?

Le dernier mot avait claqué comme un coup de feu. Agnès se leva, et répondit sur le même ton.

— Oui, mademoiselle, j'espère avoir des enfants, mais moi je ne prends pas la pilule !

Le regard de stupéfaction de Florence n'était pas feint. Agnès se tourna vers l'expert et continua d'une voix plus calme, après s'être assise de nouveau.

— Le hasard veut que Mlle Florence Armand soit suivie par un gynécologue que je connais, car il est élève de l'hôpital Broca comme moi. Sans lever le secret professionnel, car il ne savait pas qu'il y avait là un problème judiciaire, il m'a confié que sa patiente prenait un traitement anticonceptionnel. Je lui ai demandé une déposition officielle, et il me l'a donnée. Elle sortit de son sac une enveloppe cachetée, et poursuivit : Si l'expertise a besoin de ce témoignage, ce qui à mon avis est évident, cette enveloppe sera confiée au président du conseil de l'ordre qui l'ouvrira devant le juge.

Et d'un geste qui ne manquait pas de panache, la jeune femme lança l'enveloppe devant l'expert. Puis ce fut le silence. Les protagonistes se regardaient, se demandant qui allait parler le premier. Ce fut Florence Armand. Elle se dressa comme une furie, renversant sa chaise qui tomba derrière elle avec fracas, et cria, à l'intention d'Agnès qui la regardait en souriant :

— Salope, tu me le payeras !

Puis, comme une reine outragée, elle quitta la salle à grands pas sans se retourner. La porte claqua avant que quiconque ait réagi.

— Je proteste ! s'écria alors l'avocat aux dents longues.

L'expert se leva, souriant lui aussi, et déclara, d'une voix très officielle :

— En ce qui me concerne, la plaignante s'étant soustraite à mon examen, je me déclare dans l'impossibilité de réaliser l'expertise pour laquelle j'étais commis, et j'en référerai au juge avec des conclusions motivées. Je vous remercie.

Il replia le dossier qui était ouvert sur la table et le rangea avec soin dans sa sacoche pendant que l'avocat et le psychiatre de Florence quittaient la salle, visiblement furieux.

Guillaume et ses amis n'avaient pas bougé. Le chirurgien regardait l'expert d'un air incrédule.

— Vous avez de la chance, La Verle, lui dit le vieil homme. Mademoiselle, je vous félicite de votre démonstration. Cela dit, je doute que le président du conseil de l'ordre vous eût autorisé à vous servir de ce témoignage.

Sans répondre, Agnès reprit l'enveloppe blanche qui était restée sur la table et l'ouvrit. À l'intérieur, il n'y avait qu'une feuille blanche.

— La plaignante, comme vous dites, ne savait pas à quel point les médecins sont scrupuleux. Les scrupules, ce n'est pas son fort...

Jamais son gynécologue ne m'aurait donné un tel témoignage. Nous étions ensemble un jour à Broca quand Mlle Armand passait à la télé. Il m'avait dit qu'il la connaissait. « Tu la soignes ? » avais-je demandé. Sa réponse fut très courte : « Non, je lui prescris seulement sa pilule... ! » Pour le reste, j'ai fait un peu de cinéma !

Tout le monde éclata de rire. Guillaume se leva enfin, et l'embrassa sur les deux joues.

— Tu es vraiment la plus forte.

Elle le regarda avec tendresse, avant de lui répondre, et c'est d'une voix navrée qu'elle conclut :

— Tu es vraiment le patron le plus bête que je connaisse. Et c'est sans doute la raison pour laquelle tes élèves t'aiment tant !

CHAPITRE IX

Guillaume fêta à Saint-Yé la fin heureuse du procès. En même temps, il pendait la crémaillère de sa maison rénovée. Tous ses amis étaient venus... Les Mange et les Merlot évidemment, avec leur fille aînée, Mathilde, qui, la veille, avait soufflé, ses dix-huit bougies. Guillaume avait invité aussi un de ses anciens internes que l'association avec Morand intéressait. L'héritier des Malmort était là également, avec son ami Olivier Legrand qui s'était occupé de l'intendance. L'hôtel Sofitel, pour l'occasion, faisait office de traiteur. Agnès arriva avec Alexandre et France. Ils n'avaient pris qu'une voiture, et ils avaient amené Cindy. Alain Lemercier s'était fait excuser.

Une fine pluie d'automne brouillait la campagne, et une grande table avait été dressée dans le salon sans meubles qui sentait bon la peinture fraîche. Les voix résonnaient contre les murs nus. Guillaume, assis tout au bout, avait des airs de patriarche. Les plats défilèrent, accompagnés de vins soigneusement choisis par le maître de maison, et l'ambiance rappela vite celle des mariages de province. Il ne manquait que les enfants qui courent autour de la table, et un orchestre pour faire danser.

À peine avait-il eu cette pensée que Guillaume entendit des flonflons. Olivier Legrand se précipita et ouvrit la porte à deux battants, laissant entrer l'orphéon du village sous les applaudissements. C'était la première fois depuis plus d'un siècle, que se trouvaient réunis les représentants des trois familles qui avaient fait l'histoire de cette ville.

L'hôtelier tapota son assiette avec un couteau pour réclamer le silence. Puis il leva son verre en l'honneur de celui qui portait le nom du premier maire élu par les habitants de Saint-Yé, et dont la présence renouait avec une tradition plusieurs fois centenaire. Guillaume, très ému, comprit que ces gens souhaitaient le voir revenir, et peut-être même s'intéresser de plus près à la vie municipale. Et au fond, pourquoi pas ?

Agnès le regardait avec émotion.

Quelques semaines plus tard, elle vint le voir un soir à la clinique. Elle avait triste mine. Elle s'assit dans son bureau, et il vit son regard embué de larmes.

— Que se passe-t-il ? demanda-t-il, inquiet.

— Je suis venu te demander un conseil. Mon père est très malade... et je crois qu'il est perdu.

Elle enfouit sa figure dans ses mains et se mit à sangloter en silence. Il se leva et vint s'asseoir à côté d'elle. Il lui posa sur l'épaule une main affectueuse. Il aimait beaucoup François-Henri Delègue, et cette nouvelle le bouleversait.

— Raconte-moi.

Elle s'essuya longuement le visage avant de répondre.

— Il avait mal au dos depuis quelque temps. Il pensait que c'était un rhumatisme. Il ne me parle jamais de ce genre de choses. Moi, je suis la gamine, et mon statut de chef de clinique ne l'empêche pas d'imaginer que je joue toujours à la poupée ! Un spécialiste qu'il est allé voir lui a fait faire des radios, puis une scintigraphie, et un scanner. Pour le traiter, hier il lui a proposé des rayons. Ma mère ne sait rien, et il nous parle toujours de ses rhumatismes.

— Qui le soigne ?

Elle ouvrit son sac et lui tendit une ordonnance.

— C'est un très bon rhumatologue que je connais bien. Il est de Lariboisière. Veux-tu que j'essaie d'en savoir plus ?

Elle hocha la tête. Il se remit à son bureau, prit son annuaire, composa un numéro de téléphone. La conversation ne fut pas longue. Guillaume ponctuait le texte de son correspondant par des « oui, bien sûr » qui n'expliquaient rien. Puis il remercia et raccrocha.

Il hésitait à parler. C'est elle qui rompit le silence.

— Il faut que quelqu'un sache ce qu'il en est. Ce n'est pas de la curiosité malsaine. Mais j'ai besoin de savoir quelle attitude prendre. Est-il soigné comme il faut, n'y a-t-il rien d'autre à faire ? Que va-t-il se passer ? S'il lui arrivait malheur, maman n'a pas un sou. A-t-il pris des dispositions pour elle ? Elle avait un regard lamentable : Aide-moi, je t'en prie, Guillaume, mon mari ne m'est d'aucun secours dans ce genre de problème. Je n'ai personne à qui me confier. En plus, j'attends un enfant et ce n'est pas la meilleure façon d'assumer une grossesse.

Elle se remit à pleurer doucement. Guillaume lui caressait les cheveux, plus ému qu'il voulait bien le dire.

— Pourquoi n'es-tu pas allée voir ce médecin qui le traite ? Tu es ancien interne, tu peux lui poser la question...

— Je ne le connais pas, je n'ai pas osé...

Guillaume se jeta à l'eau.

— Tu as raison de t'inquiéter, Agnès. Ton père a un cancer généralisé dont le point de départ est probablement prostatique. Mais ce sont les métastases qui ont parlé en premier, et elles ont envahi la colonne vertébrale. Le rhumatologue a prescrit ce qu'il faut, mais au point où nous en sommes il est probable qu'il sera inefficace.

— Mais c'est incroyable ! À notre époque, un cancer de la prostate peut arriver ainsi, chez un homme de soixante ans, et se généraliser sans aucun symptôme ?

— Oui, hélas ! Et ton père ne s'imagine pas un instant la gravité de son cas. Du moins à ce qu'il paraît. Il n'a posé aucune question. Il a pris son ordonnance et il est parti tout joyeux. Mon collègue m'a dit qu'à son avis, il fallait respecter cette insouciance pour le moment, et qu'il sera bien temps, plus tard, de lui dire ce qu'il en est, quand il s'inquiètera. Aujourd'hui, qu'il le sache ou non, cela ne changera rien !

— Oh ! il a raison, il ne faut rien lui dire. Il paraît fort, quand il est dans son monde, mais pour sa santé, il est très douillet, presque infantile. S'il savait, ce serait terrible ! Tant qu'on pourra le lui cacher, ce sera mieux, j'en suis persuadée. Elle avait repris son contrôle, et se redressa : Excuse-moi pour tout à l'heure, je me suis laissée aller et ce n'est pas mon genre, mais l'incertitude est la pire des situations. Maintenant je vais pouvoir l'aider mieux.

— N'a-t-il pas un médecin traitant ?

— Il est mort. C'était un vieux monsieur déjà quand j'étais petite. Depuis, nous n'avons eu besoin de personne à Paris. Nous avons connu de bons médecins, mais c'était en province...

— C'est le plus important. Il faut que quelqu'un puisse être là quand ce sera nécessaire. Un généraliste qui viendra quand on l'appellera et qui prescrira les calmants nécessaires. Un bon médecin, qui le prendra en charge. Ce qui évitera peut-être l'hospitalisation.

— Gérard Merlot ? Comment l'introduire dans le jeu ?

— La prochaine fois que tu auras un petit rhume, ou la grippe, tu demanderas à ta mère d'appeler ce médecin que tu connais vaguement. Il fera connaissance avec ton père, il sympathisera avec lui j'en suis sûr, et le moment venu, il sera là. Il hésitait : Tu ne crois pas qu'il faut en parler à ta mère ?

— Maman est encore plus fragile que lui. Quand il le faudra, je lui expliquerai. Mais dès qu'elle sera au courant, elle fondra en larmes chaque fois qu'elle le verra. Ce n'est pas la peine ! Elle se leva : Je vais m'en aller. Mais comment te remercier ?

Il avait une folle envie de la prendre dans ses bras, mais il se retenait.

— Ce n'est rien. Il y a tant de choses entre nous. Tiens-moi au courant. Je ferai de mon mieux.

Gérard Merlot était de la race des médecins d'autrefois. Guillaume pensait qu'il aurait dû être rangé dans la catégorie des espèces protégées. Surtout dans les grandes villes. Pour l'ancien préfet, il était le thérapeute idéal, adroit, cultivé, courtois... Ils avaient sympathisé dès la première visite. Agnès faisait semblant d'être souffrante.

— Elle se dit médecin, s'écria son père, et elle n'est même pas capable de se soigner quand elle a la grippe !

— Toi, tu devrais parler de ton dos au docteur Merlot, papa, avait dit Agnès, je ne suis pas certaine que tu fasses bien ce que te dit ton spécialiste...

Merlot s'était récrié, mais très adroitement il avait posé des questions. Il soignait maintenant le père d'Agnès, en collaboration avec le rhumatologue.

— Cette fille est remarquable, disait Merlot à Guillaume. Elle est dévouée, intelligente, fine mouche... Et son père ne se doute de rien. C'est drôle comme cet homme qui joue un rôle officiel important est crédule en ce qui concerne sa santé.

— Mais tu l'as tout de même prévenu un peu, non ?

— L'autre jour, il m'a dit, en rigolant, que j'allais le faire crever avec mes médicaments. J'ai sauté sur l'occasion, et je lui ai répondu que c'était bien possible ! Si les rhumatismes font des centenaires, les médicaments efficaces ne sont pas sans danger. Comme il souffre beaucoup, et qu'il ne peut pas se passer d'antalgiques majeurs, il a eu un moment d'angoisse. Je l'ai rassuré, mais je lui ai tout de même recommandé de mettre ses affaires en ordre. « Si vous aviez un pépin sérieux, il faudrait au moins que votre fille soit en mesure de s'occuper de votre femme, le temps que la situation s'améliore. » Je lui ai dit ça d'un ton badin, mais il a compris le message, et sa fille me l'a confirmé. Le soir même il lui montrait où se trouve la clé du coffre, et il lui expliquait sa situation.

— Et le gendre ?

— Celui-là, il me regarde de haut. Je suis convaincu qu'il me prend pour un incapable. Mais je crois tout à fait superflu de le mettre au courant de quoi que ce soit.

Guillaume savait, presque au jour le jour, ce qui se passait, mais il n'avait revu ni la jeune femme ni son mari quand elle accoucha à la fin de l'été. Il reçut un faire-part qui lui fit mal. Comme il aurait aimé être le père de cet enfant ! Pourquoi n'avait-il pas eu le courage de dire à Agnès qu'il l'aimait ?

Un matin, Merlot arriva bouleversé.

— Le con de gendre m'a engueulé hier soir parce que son beau-père était abruti par mes drogues. Tu comprends, il commence à se paralyser et je l'ai mis au lit en lui parlant d'un lumbago aigu, prétendant que le traitement était le repos absolu. De toute façon, dans huit jours il ne tiendra plus debout. Je l'ai mis sous potion de Saint-Christopher, et il ne souffre pas trop. Évidemment, il a l'idéation un peu molle ! J'essaie de varier les produits au maximum, mais on arrive toujours à la morphine sous une forme ou une autre ! Le gendre est venu m'expliquer qu'il a déjà vu des gens soignés pour un tour de reins, et qu'on ne les drogue pas ainsi ! Tu sais, ça va être difficile, avec ce débile !

Le soir Agnès téléphona.

— J'ai parlé à Alain. Il voulait mettre Merlot à la porte ! Alors je lui ai tout expliqué ! Il est furieux parce qu'il n'a pas été tenu au courant, et parce que son beau-père est soigné par un petit docteur de quartier. Il est parti comme un fou, et il a dit qu'il allait appeler un grand professeur.

Guillaume pensa que le doigt de la bêtise s'était introduit dans le mécanisme du bon sens. Cet homme avait failli mourir en paix, grâce à une médecine sage. Qu'allait-il arriver maintenant ? Le lendemain, l'irréparable avait été commis.

Un professeur dont Mme Delègue n'avait pas compris le nom était venu, alors qu'Agnès n'était pas à la maison. Il avait « clarifié la situation ». Avec « beaucoup de tact », il avait annoncé au malade qu'il allait mourir, qu'il aurait besoin de beaucoup de courage, et qu'enfin, le jour venu, on saurait l'aider à partir « dans la dignité ».

Agnès pleurait dans le combiné :

— Ma mère est morte de chagrin, mon père est effondré, il ne veut plus de médicaments, il a un regard de dément, et il veut se suicider tout de suite. Que peut-on faire ?

— Et ton mari ?

— Il maudit tous les médecins ! Je lui ai dit d'aller voir le rhumatologue qui a fait le diagnostic, mais il refuse. Il dit qu'ils sont tous de mèche.

Agnès sut rétablir la situation. Avec cet instinct infaillible des femmes qui aiment, et un sens médical aigu, elle parvint à convaincre son père qu'il n'avait rien compris aux paroles du professeur. Qu'il « risquait », voilà ce qu'il avait dit. Que c'était « peut-être » un cancer, mais que rien n'était certain. S'il avait eu un cancer on l'aurait opéré... Le malade s'était calmé.

— Il m'a pris la main, et il m'a demandé de jurer que je ne mentais pas...

— Et alors ?

— J'ai juré ! Depuis, il est calme. Il a même regardé la télévision, et je l'ai vu rire de nouveau ! Il m'a aussi demandé de ne rien dire à maman, quoi qu'il arrive.

— Elle est déjà au courant ?

— Oui, mais j'ai réussi à lui faire admettre, à elle aussi, qu'elle n'avait rien compris. Je pense que les gens croient à ce qui les arrange !

— C'est sûrement mieux ainsi ! Et Merlot ?

— Il est revenu avec un nouveau médicament. Il a dit une chose extraordinaire : « Je ne peux rien vous jurer, mais avec cette nouvelle molécule, on a vu des miracles... » Et Papa prend sa pilule toutes les trois heures en surveillant sa montre.

— Comment est-il, physiquement ?

— C'est un squelette qui fait peur. Ce matin, pendant que je lui faisais sa toilette, il s'est regardé et m'a dit : « Tu ne trouves pas que j'ai un peu regrossi ? C'est sûrement le nouveau médicament ! » Moi je crois qu'il est un peu plus ballonné parce qu'il ne va plus du tout à la selle... Pourvu qu'il ne se mette pas complètement en occlusion !

— Ton mari est un peu calmé ?

— Il m'a traitée de gourde, et je ne lui parle plus. Quant à mon père, il a convoqué son notaire, et ils sont restés deux heures ensemble. Après il m'a dit : « Un testament n'a jamais fait mourir personne. S'il m'arrivait quelque chose, ne t'inquiète pas, vous êtes à l'abri du besoin. » Et il a allumé la télé.

Chaque soir, maintenant, elle appelait pour raconter la journée à Guillaume. Il s'arrangeait pour être là vers huit heures, au moment où l'infirmière de nuit arrivait pour la toilette du soir. Agnès s'éclipsait et téléphonait.

À la clinique, Merlot confirmait que son malade était sous des doses massives de calmants, mais qu'il ne se plaignait pas. Il lui arrivait même souvent de dire qu'il se sentait mieux...

Le professeur avait téléphoné. Agnès l'avait poliment remercié et l'avait assuré qu'on ne manquerait pas de faire appel à lui quand le moment serait venu.

Merlot avait installé une perfusion, avec un cathéter, et les calmants étaient injectés directement dans la tubulure sans que le malade s'en étonne.

— Tu guériras plus vite ainsi, avait dit Agnès.

Malgré les soins de l'infirmière, des escarres commencèrent à se former. Alain revint à la charge, scandalisant sa femme. Elle racontait à Guillaume les scènes pénibles qu'il lui faisait subir.

— Il m'a dit que la situation était intenable, que je ne m'occupais pas assez du bébé, et qu'il fallait arrêter cette agonie. Mais je te jure que mon père ne souffre pas, il ne s'est même pas rendu compte qu'il avait des escarres. Il plane complètement, et il fait des projets d'avenir ! Honnêtement, tu crois qu'il faut...

— C'est pour ton mari que la situation est intenable. Merlot m'a confirmé que ton père n'en a plus pour très longtemps, mais qu'il ne souffre pas au point de lui injecter des doses léthales.

— C'est vrai. Nous réglons le débit du goutte à goutte en fonction de sa tête. Il dort presque tout le temps, et parfois on le voit grimacer, alors on accélère le débit. Quand il se réveille, et qu'il est bien, je le freine un peu...

Guillaume imaginait cet appartement qu'il avait vu au temps de la splendeur de cet homme, à l'agonie maintenant. Avec le gendre qui s'impatientait et la fille, dévouée comme un chien de garde, qui protégeait les derniers instants de son père. Il ne pouvait s'empêcher de penser à son propre sort. Qu'adviendrait-il de lui si le malheur voulait qu'il subisse le même drame ? Il n'avait pas de fille pour le garder, et en aurait-il jamais ? Devrait-il être laissé aux mains de ceux qui planifient la mort des autres... ? Aurait-il le courage de mettre lui-même de l'ordre dans sa vie, le moment venu ?

M. Delègue s'éteignit le 7 novembre 1973. Il était resté vingt-quatre heures dans le coma. Ses derniers mots avaient été pour sa fille : « Fais-moi penser à faire un chèque pour le docteur Merlot. » Il avait été un homme de devoir jusqu'à la dernière seconde.

La veille du décès, Merlot avait discrètement modifié la composition de la perfusion.

Quelques jours après les obsèques, Agnès téléphona un soir à Guillaume chez lui. Elle voulait lui rendre visite. Elle arriva avec un paquet dans les bras.

— Voilà, c'est pour te dire merci.

C'était une édition originale du *Journal de chirurgie* créé par Desault en janvier 1791, et rédigé essentiellement par Bichat, avec des notes manuscrites.

— Tu n'imagines pas la valeur d'un tel cadeau pour moi, s'exclama le chirurgien. Parmi ces observations médicales, certaines ont été faites par mon ancêtre Benoît de La Verle. Il était avec Bichat quand ils ont mis au point les travaux de leur maître commun, après sa mort.

Il l'embrassa longuement, peut-être même un peu plus que ne l'auraient voulu les convenances. Mais elle restait appuyée contre lui. Et il n'avait pas envie de la lâcher.

Un peu plus tard elle se mit à parler. Blottie dans l'un des deux grands fauteuils Louis XIII, le regard perdu sur la Seine qui scintillait sous les lumières du soir, elle raconta combien sa vie était triste.

Son mari ne s'intéressait qu'à l'esbroufe et il ne cherchait dans son métier que les coups financiers. Il ne fréquentait que des gens de son espèce et passait ses soirées chez Régine ou Castel. Il disait qu'on gagne souvent plus d'argent en buvant un verre, qu'en restant dans son bureau assis toute la journée.

Elle était en fin de clinicat, et seule la fécondation artificielle la passionnait.

— Bientôt, disait-elle, il n'y aura plus de chirurgie de la stérilité. Plutôt que de se lancer dans des opérations coûteuses et acrobatiques, pour des résultats décevants, on fécondera l'ovule *in vitro* et on le réimplantera dans l'utérus de la mère, ou dans celui d'une autre s'il le faut. Le pourcentage de réussite sera bientôt meilleur que dans toutes les autres techniques. Et ce sera moins cher pour tout le monde.

De son côté, pour la distraire, Guillaume lui fit part aussi de ses projets. Il voulait éditer une revue qui s'appellerait *Technologie chirurgicale*. On y ferait le banc d'essai du matériel nouveau, et une tribune libre où les spécialistes pourraient donner leur opinion sur les gadgets qui fleurissaient dans tous les domaines. Les chirurgiens généralistes trouveraient là les informations qui leur manquaient, maintenant que chaque spécialité avait sa revue où seuls les initiés s'y retrouvaient. Mais un éditeur serait-il intéressé ?

Plus originale était l'idée d'une école de chirurgie élémentaire. En cours du soir, et en stages d'une ou deux semaines, les jeunes viendraient apprendre les gestes et l'ABC du métier avec des moniteurs qui seraient recrutés pour leur adresse et leurs vertus pédagogiques. Les étrangers, il en était sûr, se bousculeraient pour venir apprendre ce savoir-faire qui fait les grands chirurgiens, mais qu'il est si difficile d'enseigner. La rigueur, l'asepsie, et l'élégance des mouvements, quc certains trouvent dans leur berceau et que d'autres n'auront jamais parce que personne n'aura su leur dire comment poser leur main sur un fil, ou prendre un instrument.

— Il est stupéfiant, disait-il, qu'à notre époque, un plasticien aussi inventif que Raymond Vilain ait été obligé de consacrer pratiquement toute la fin de sa carrière à la lutte contre l'infection hospitalière ! Cent ans après Pasteur, cinquante ans après la découverte de la pénicilline, l'infection continue à être un souci majeur que les jeunes (et les moins jeunes) oublient périodiquement. Faute d'en être instruits.

Agnès n'était pas convaincue.

— Tu mènes un combat d'arrière-garde, tu sais, Guillaume, avec ton goût de la chirurgie générale. Regarde autour de toi : les changements vont si vite que ce que tu apprendras à tes élèves sera démodé le lendemain.

— C'est faux, Agnès, je t'ai montré comment faire correctement tes nœuds, tenir un porte-aiguille, faire une cicatrice esthétique, et ose me dire que tout cela ne t'a pas servi depuis !

— Tu as raison. Elle se rapprocha de lui, et minauda : D'ailleurs, tu as toujours raison...

Il la prit par les épaules, et ils restèrent ainsi longuement, sans parler.

Alain Lemercier avait montré sa vraie nature d'affairiste sans scrupule. Agnès s'était trouvée, au contraire, en parfaite harmonie avec Guillaume, lequel avait joué son rôle avec tant d'autorité et d'humanité, que la jeune femme avait compris brutalement tout ce qui la rattachait à cet homme depuis si longtemps. Ce soir-là, elle rentra chez elle beaucoup plus tard que d'habitude.

CHAPITRE X

Le chantier du nouvel hôpital Sainte-Marthe fut ouvert en janvier 1974. Quelques mois plus tard, il ressemblait à une fourmilière. Chaque semaine, le bâtiment central grandissait d'un étage. C'était la période grisante où le gros-œuvre avance à pas de géant. Mais Guillaume savait qu'il ne devait pas se leurrer : il lui faudrait encore beaucoup de patience avant d'inaugurer « son » service.

En attendant, presque chaque jour il passait un moment au milieu des échafaudages, évaluant la taille des futurs locaux, et découvrant la vue magnifique qu'auraient les patients des étages supérieurs. Il avait été fasciné par le tâcheron qui posait les huisseries métalliques. Il vivait sous une tente, au milieu de la bâtisse ouverte à tous les vents, à côté de son stock d'armatures de porte. Son chien, un bâtard tacheté noir et blanc, ne le quittait pas du regard. Ils vivaient tous les deux dans ce décor de béton, et de l'aube à la nuit il agrafait dans le sol ces carcasses de fer qui schématisaient le plan du futur hôpital. Avait-il seulement remarqué ce chirurgien qui le regardait ?

Guillaume admirait la maîtrise technique de cet ouvrier dont personne ne saurait jamais le nom.

Un jour, Agnès vint le retrouver sur le chantier. Elle avait besoin de lui parler, et l'infirmière lui avait dit que le patron, à cette heure-là, était sûrement « dans les étages »... Il lui expliqua longuement le fonctionnement du pistolet avec lequel l'homme travaillait.

— On dirait que tu l'envies, murmura la jeune femme, pourtant c'est un spécialiste...

— C'est faux, je n'envie que sa paix de l'esprit ! J'admire qu'il puisse se contenter de cet univers de ferraille et de béton. Je ne crois pas l'avoir vu regarder par la fenêtre ! Il ne sait pas que Paris est à ses pieds ! Mais parmi les gens qui l'entourent, il est le seul à pouvoir faire ce qu'il fait !

Elle rit et le prit par le bras.

— Allez, viens, j'ai une patiente à te montrer.

— C'est une urgence ?

— Non, mais c'est pressé. Il s'agit de Simone Merlot. Elle a un cancer du sein !

— Simone, mon Dieu ! Gérard est au courant ?

— Non, pas encore. Elle n'en a parlé qu'à moi. Cela n'a pas été facile de la décider à se faire opérer. J'ai réussi à l'amener jusqu'ici et il faut que tu la voies. Tu es le seul à pouvoir l'influencer.

Depuis la mort de son père, Agnès se rapprochait chaque jour davantage de Guillaume. Ils avaient une identique conception de leur métier, et la même passion les animait. Alain Lemercier n'avait jamais compris sa femme. Il lui était impossible d'imaginer qu'autant de temps passé, autant d'énergie dépensée rapportent si peu d'argent. Agnès refusait de faire de la clientèle privée, pour se consacrer exclusivement à son activité hospitalière et au laboratoire de l'INSERM où elle avait été nommée maître de recherche.

Elle s'occupait parfaitement de son fils, mais sans lui sacrifier son métier, ce qu'Alain n'acceptait pas. Il aurait voulu la savoir au service exclusif du gamin, alors qu'Agnès estimait qu'elle serait capable d'apporter à son enfant une éducation plus enrichissante en étant autre chose qu'une femme au foyer.

En fait, c'est avec Guillaume qu'elle s'épanouissait, et quand elle évoquait avec lui ses problèmes de couple, elle sentait bien qu'il l'approuvait sans oser le dire.

Simone Merlot avait une mine défaite. Avant que Guillaume ait pu parler, elle se lança dans un discours désespéré entrecoupé de sanglots. Elle allait mourir, comme tant de femmes qu'elle connaissait. Elle avait entendu son mari déplorer si souvent la mort des patientes dont il s'occupait. Elle ne voulait pas de cette chimiothérapie qui tuait plus vite que la maladie, elle ne voulait pas perdre ses cheveux, et avoir une poitrine mutilée...

Soudain elle prit les mains de Guillaume.

— Ne m'opère pas, s'il te plaît. Mes enfants sont presque élevés, laisse-moi terminer ma tâche, et après je ferai ce que vous voudrez. Mathilde va avoir vingt ans, elle saura s'occuper du petit dernier. L'année prochaine, il entrera en sixième. Ce cancer me laissera bien deux ou trois ans encore. Après, je pourrai mourir. Mais si tu m'opères maintenant, je sens que je ne m'en remettrai pas...

Il fallut à Guillaume tout son talent pour apaiser sa vieille amie. Posément, il lui expliqua l'absurdité de cette panique. Le cancer du sein pris à temps, comme c'était le cas pour elle, guérissait presque à tout coup maintenant. Il n'était plus question de chirurgie mutilante. L'ablation limitée de la tumeur, et une irradiation bien dosée guérissaient la majorité des lésions débutantes. Si elle refusait, elle ne pourrait jamais plus vivre en paix avec cette menace permanente... Il finit par la convaincre.

Ensuite, il fallut en parler à son mari. Il parut encore plus atterré. L'éventualité de perdre sa femme était une hypothèse inconcevable. Après un moment d'abattement, il reprit ses esprits et, lui aussi, sut se faire l'avocat de la chirurgie.

— Tu ne m'entends parler que des échecs, plaida-t-il, parce que la guérison est la règle quand les femmes sont vues précocement. Heureusement, Agnès a tout de suite su faire ce qu'il fallait. Mais c'est vrai aussi qu'il y a encore trop de malades qui refusent le dépistage par peur du diagnostic et du traitement. Et là, l'évolution est catastrophique.

— Mais qui peut dire que la maladie n'évolue pas déjà depuis longtemps en silence. Avant même que j'ai senti cette drôle de boule...

— Personne ne peut répondre à cette question, Simone ! Mais la seule chose que nous sachions c'est qu'en l'absence de traitement, l'issue est certaine. Nulle n'y échappe.

Guillaume appliqua le protocole thérapeutique le plus moderne. Avec chimiothérapie pré-opératoire, exérèse limitée de la tumeur, examen des ganglions, et bombe au cobalt ensuite. Simone, une fois sa décision prise, fut une patiente exemplaire. Et au bout de quelques semaines, un examen du dossier à Villejuif confirmait qu'elle avait toutes les chances d'être guérie.

— Ce qui a été le plus dur, raconta-t-elle plus tard, c'est l'irradiation. Pas les rayons, mais ces séjours quotidiens dans ce service encombré de malades dans un état dramatique. Surtout les hommes au cou troué par la trachéotomie, avec des tumeurs apparentes et des allures de cadavres ambulants. Et le personnel...

Simone avait honte de critiquer des gens dont elle avait fait le métier. Elle savait quelle dose de dévouement et d'abnégation il faut pour vivre ainsi, quotidiennement, au milieu d'une horde de condamnés, et garder le sourire.

— Certains sont fantastiques, c'est évident. Mais d'autres ne paraissent pas se rendre compte de l'état moral d'une grande partie de leurs clients. Ils les rabrouent, les tarabustent, les malmènent comme s'ils n'avaient rien. Je me souviens d'un enfant assis dans un fauteuil roulant, et secoué de nausées. On l'avait laissé là, tout seul. Il cherchait avec un regard désespéré quelqu'un pour lui donner une bassine, une serviette... Je me suis approchée de lui, et il s'est mis à pleurer dans mes bras. L'infirmière lui a intimé l'ordre d'arrêter de geindre. Il a fallu que je lui dise que, moi aussi, j'étais diplômée d'État, pour qu'elle cesse de ricaner. Elle est partie ulcérée, en me demandant de m'occuper de ma santé...

Guillaume connaissait trop bien ce thème pour s'en offusquer. Lui aussi s'était usé la volonté à réclamer du personnel mieux formé et plus nombreux. La pénurie était la règle et, paradoxalement, certaines infirmières débordées finissaient par s'habituer, elles aussi, à n'être plus en mesure d'exercer leur travail convenablement, et elles abandonnaient la partie. Elles devenaient encore plus insensibles, parce que démotivées.

Il refusait d'accepter cette situation, et de renchérir avec ses patients mécontents, mais il n'avait pas non plus le courage de les contredire. Parfois il avait l'impression de déserter.

« Quand nous serons dans un service moderne, ce sera différent », se disait-il pour se consoler.

Il n'en était pas de même à la clinique, où l'autorité des religieuses se faisait sentir efficacement. Elles avaient beau avoir abandonné les attributs de leur ordre, les bons principes étaient toujours vivaces. Elles n'avaient pas d'heure, et pas d'état d'âme, du moins en public ; pas d'enfants malades, ni de maris impatients. Elles ne subissaient que les exigences du Seigneur, qui semblait se faire bien tolérant depuis quelques années. Elles paraissaient plus humaines.

Guillaume se trompait, et il en fit l'amère constatation à l'occasion d'un épisode particulièrement pénible.

C'était après le cancer de Simone. Il avait imposé à Gérard Merlot d'emmener sa femme en convalescence. Et, pour qu'elle se change vraiment les idées, il avait suggéré un voyage lointain, au soleil, aux Antilles ou en Extrême-Orient. Eux qui ne prenaient pratiquement jamais de vacances s'étaient donc retrouvés, un beau matin, dans un charter pour la Thaïlande, et on n'avait plus eu de nouvelles.

Mathilde était arrivée un soir à la clinique, à la fin de la consultation, avec la mine des grands drames. Guillaume avait immédiatement pensé qu'il s'agissait d'une mauvaise nouvelle des parents. Pas du tout. La jeune fille avait posé un résultat de laboratoire sur son bureau : test de grossesse positif !

— Ce n'est pas possible ! Toi, Mathilde !

Devant cette réflexion d'adulte, elle s'était rebiffée. Avant de fondre en larmes.

Il avait fallu un long moment pour qu'elle déballe son histoire. Elle était amoureuse. Il était marin. Comme dans les mauvais romans. Équipier sur les bateaux de course qui font le tour du monde. Un soir, ils avaient trop bu. Ils fêtaient le départ de l'équipage pour Sidney. Et après, elle était allée chez lui. C'était la première fois.

— La première fois que tu allais chez lui ?

— La première fois... de tout !

— Et la pilule ?

— Pour quoi faire ? Je ne sortais avec personne...

— La preuve !

Elle lui jeta un regard haineux et se leva, comme si elle allait partir.

Il la fit rasseoir et entreprit de la calmer. Il lui proposa d'en parler à ses parents quand ils reviendraient. Il saurait les convaincre. Et puis ce garçon finirait bien par rentrer au port, il aurait peut-être envie d'avoir cet enfant. Ils se marieraient, et il choisirait un métier plus... terre à terre. On l'aiderait.

Avec calme, elle démonta cette belle argumentation. Sa décision était prise, elle avorterait. En France, s'il avait une adresse à lui donner, sinon en Angleterre où certaines de ses amies étaient allées. Il y avait aussi Amsterdam...

Guillaume connaissait la détermination de ces jeunes femmes de bonne famille qui abandonnent toute logique quand il s'agit de n'être pas fille-mère. Simone était une catholique rigoureuse, et il était certain qu'elle aurait accepté l'enfant, douloureusement, mais sans rechigner, parce qu'il n'y avait pas d'autre solution imaginable.

— Je ne peux pas faire supporter ce choc à maman en ce moment, plaida la jeune fille. Ma décision est prise.

Dans la tête du chirurgien, un galop de souvenirs lui martela les tempes. Une patiente lui avait tenu le même langage, quelques années auparavant, et il avait refusé de s'en occuper. Elle était morte à Necker, d'une septicémie. Une autre fois, une gamine de dix-huit ans avait été menée par sa mère chez une faiseuse d'anges et elle était revenue mourir aussi sans que Guillaume parvienne à la sauver. La mère éplorée avait expliqué pour sa défense qu'elle ne pouvait pas faire autrement. Même si le mariage avec le responsable était prévu. « Vous ne vous rendez pas compte, avait-elle dit, je suis divorcée. Si le petit était né trop tôt, mon ex-mari aurait encore dit que je n'étais pas capable de surveiller ma fille ! »

Devant le regard suppliant de Mathilde, Guillaume prit sa décision en quelques instants.

— Je ferai cette interruption de grossesse moi-même.

— Mais, Guillaume, tu n'y penses pas. Si quelqu'un l'apprenait... Tu risques ta carrière. Tu es au Conseil de l'Ordre.

— C'est mon affaire.

Il réfléchit un instant et mit sa stratégie au point. Elle viendrait chez lui samedi soir. Il la ferait conduire à la clinique en ambulance, en prévenant que son état nécessitait un curetage d'urgence, pour un diagnostic qu'il inventerait. Le lendemain, dimanche, il l'emmènerait à Saint-Yé où elle pourrait se reposer. Agnès s'occuperait de ses frères et sœurs.

— On leur expliquera que j'ai besoin de toi là-bas, pour je ne sais quoi. Nous trouverons le bobard nécessaire. Compris ?

Tout se passa comme prévu. Le curetage eut lieu à neuf heures du soir, avec l'infirmière de garde, une vieille religieuse soumise et muette. Roland Mange donna l'anesthésie. Sa discrétion ne faisait pas de doute.

Le lundi matin, Mathilde menait les petits à l'école comme d'habitude, et la famille Merlot ne sut jamais rien de cette aventure.

Mais pour Guillaume les choses ne furent pas aussi simples. Le lundi soir, la supérieure demanda à lui parler. C'était une grande femme aux cheveux blancs tirés en un austère chignon. Elle portait, d'un bout de l'année à l'autre, une robe grise à col blanc, qui rappelait l'habit d'autrefois, et dirigeait sa clinique avec une autorité incontestée. De la femme de ménage au chirurgien le plus titré, tout le monde baissait les yeux devant son regard bleu pâle impitoyable, auquel rien ne semblait échapper.

— Professeur de La Verle, nous devons parler d'une chose grave. D'une gravité à laquelle vous ne m'avez pas habituée.

Guillaume comprit immédiatement de quoi il retournait. Il n'aurait jamais cru que sa supercherie serait dévoilée aussi vite, et il se promit de faire la vie dure à l'infirmière qui l'avait dénoncé.

La supérieure entra dans le vif du sujet sans détour.

— Je sais que les députés discutent du projet d'une certaine Simone Veil, et que nous sommes en passe en France, de légaliser l'avortement. Je voulais que vous sachiez, monsieur de La Verle, qu'en ce qui nous concerne, nous ne l'accepterons jamais. Si cette loi est votée, dès le lendemain je ferai signer aux chirurgiens de cette maison un engagement par lequel ils renonceront à exécuter de tels actes, contraires à nos principes les plus sacrés. Elle ajouta, d'un ton presque solennel : Nous condamnons formellement l'avortement, monsieur le Professeur ! Ne l'oubliez jamais.

— Moi aussi, ma mère, je le condamne, répondit Guillaume sans se démonter.

Surprise, la religieuse, eut un sourire méprisant, et elle allait répondre que ce n'était pas l'impression qu'elle avait eue, mais Guillaume ne lui laissa pas le temps de parler.

— Je suis convaincu, comme vous, qu'un acte consistant à interrompre la vie d'un être intra-utérin est inadmissible. Mais c'est la femme qui prend sa décision, et elle n'a de compte à rendre qu'à sa conscience et à Notre Seigneur. Quand je ferai des interruptions de grossesse, car j'en ferai, ce sera avec la conviction que j'évite à la mère de se retrouver entre les mains de ces avorteurs abominables qui ne sont motivés que par l'appât du gain, et qui exploitent la détresse de femmes dont vous devriez avoir pitié, vous aussi, ma mère. Même si vous ne pouvez pas comprendre leurs motifs. Quant à moi, j'espère ne plus jamais voir mourir dans les services de néphrologie toutes ces pauvres filles que la loi ne savait pas protéger.

La supérieure resta médusée par ce discours. Guillaume reprit son souffle avant de continuer.

— Je souhaite, du fond du cœur, que des communautés religieuses comme la vôtre prennent en charge ce type de problème. Il faut que ces malheureuses soient aidées, secourues dans ce moment terrible. Un chirurgien fera l'interruption de grossesse, et vous, vous apporterez toute cette compassion que votre religion vous enseigne.

— À des traînées...

— Ne parlez pas de ce que vous ne connaissez pas ma mère, et pensez à Marie-Madeleine ! Et souvenez-vous bien de ce que je vais vous dire, car nous n'aurons jamais plus de conversation sur ce sujet, à moins que vous ne changiez d'avis. Les établissements qui interdiront à leurs médecins de faire des interruptions de grossesse, relèveront à mon avis de la non-assistance à personne en danger, et auront un jour à rendre des comptes ! Il se leva, et conclut d'une voix glacée : Je reconnais à chacun le droit de raisonner comme il l'entend ; mais le jour où vous me demanderez de signer un engagement quelconque de ce type, je quitterai votre établissement. Bonsoir, ma mère.

Lorsque le toit de l'hôpital fut terminé, on y accrocha un drapeau et l'entrepreneur offrit un verre aux ouvriers. Ils avaient prévenu Guillaume, et lui avaient demandé de se joindre à eux.

— Vous êtes le seul médecin à être venu sur le chantier. Nous avions l'impression de travailler pour vous !

— Vous avez raison. C'est « mon » hôpital que vous construisez.

On vit arriver aussi les journalistes de télévision : une jeune femme et deux techniciens. Guillaume pensa à Florence. Comme il déplorait qu'elle se soit conduite de façon aussi abjecte. Il aimait son arrivisme forcené et le charme séducteur qu'elle mettait au service de son ambition. Certains soirs, il regrettait de ne pas s'être laissé séduire complètement.

Celle qui était là aujourd'hui avait un peu la même allure, avec son jean et son blouson de cuir. Elle interrogeait le chef de chantier pendant que le cameraman filmait au travers des baies sans fenêtres le panorama infini des toits parisiens. De loin, Guillaume vit qu'ils parlaient de lui, et la jeune femme se rapprocha. Ses cheveux blonds volaient au gré d'un vent frais qui s'engouffrait le long des murs nus.

Elle se présenta, et le regarda attentivement.

— N'êtes-vous pas le chirurgien qui a sauvé Cindy ?

— Quelle mémoire !

— Je n'oublie jamais un visage. C'est mon métier. Accepteriez-vous de dire quelques mots sur cet hôpital où vous allez exercer ?

Cette fois, il n'avait pas de soucis à se faire pour le secret professionnel. Après quelques essais de cadrage, ils convinrent de marcher dans les futures salles pendant qu'elle poserait ses questions. Les techniciens reculaient devant eux.

— On m'a dit, monsieur le professeur, que vous étiez un peu

historien, à vos moments perdus. À votre avis, qu'y a-t-il de réellement nouveau dans un hôpital moderne ?

— L'importance des équipements : la radiologie, le scanner, la bombe au cobalt... Les salles d'opération n'ont plus rien à voir avec ce qui se faisait avant la dernière guerre, car l'hygiène hospitalière impose des locaux différents, avec une ventilation spéciale, des accès contrôlés, etc. De plus, la construction doit tenir compte du fait qu'avant dix ans, il faudra sans doute de nouveaux appareils dont nous n'avons pas la moindre idée aujourd'hui.

— Pourtant, vous avez des spécialistes en prospective...

— Bien sûr, mais cet hôpital a été conçu il y a quinze ans !

— On l'a tout de même mis au goût du jour, je suppose.

— Les lenteurs administratives gênent énormément la mise en œuvre d'un vrai modernisme technique.

— Quelle serait la solution ?

— Construire des structures modulables, sans limitation d'espace.

— À la campagne alors ?

— Ce serait plus facile, mais les villes ont aussi besoin de structures hospitalières incluses dans le tissu urbain. Et ces édifices manquent de flexibilité. Il faudrait moins de temps entre le projet et l'inauguration !

— L'hôpital moderne idéal doit donc être capable de s'adapter à tout moment aux derniers caprices du progrès. C'est sa première qualité ?

— Oui ! Il faut aussi le concevoir pour le malade, et non pour les médecins et les administratifs.

— Que voulez-vous dire ?

— Quand on conçoit un établissement polyvalent comme celui-ci, il faut se poser une question qui va résumer toutes les autres : quels sont les besoins des 95 % de patients qui vont arriver ici et serons-nous capables de les satisfaire ?

La journaliste, qui se prenait au jeu, compléta la pensée de Guillaume :

— Pas seulement sur le plan médical pur ?

— Non, bien sûr ! Posez-vous la question. Que voulez-vous, quand vous entrez dans un hôpital ?

— Être bien accueillie...

— Et puis ?

— Ne pas attendre... Elle sourit : C'est vrai, comprenez-moi, il est important de ne pas se dire qu'on va passer toute sa matinée pour une radio pulmonaire.

— Bien sûr, et encore ?

— Être soignée par des gens compétents...

— C'est-à-dire ?

— ... pas par des étudiants qui apprennent leur métier.

— Je suis bien de votre avis !

Elle s'arrêta de marcher. Il fallait conclure.

— Un hôpital moderne pose de nouvelles questions, et il faut espérer que celui-ci apportera les réponses. Professeur de La Verle, prenons rendez-vous pour une émission qui sera tout entière consacrée à ce problème de notre temps... Le jour de l'inauguration, par exemple.

— Volontiers !

— Merci ! À vous les studios.

La jeune femme était enthousiaste, et elle se promit de revenir sur ce sujet. Ils descendirent ensemble, et, en chemin, elle lui posa une dernière question.

— Maintenant que nous sommes hors antenne, cet hôpital répond-il aux critères de modernité que vous venez d'exprimer ?

— Pas vraiment.

— Pourquoi ?

— Parce qu'il y a eu trop de tergiversation depuis l'élaboration des plans. Et nous n'en sommes pas encore à l'inauguration future. Il y a encore place pour les changements de tendance politique, les grèves, les retards de tous ordres... Et puis les médecins ne sont pas assez écoutés. Les politiciens font la loi. Et leurs motivations ne sont pas forcément les bonnes !

— Vous êtes pessimiste !

— Non, seulement désabusé... et usé !

Le soir, le reportage passa au journal de vingt heures. La journaliste, face à la caméra, avait fait sa propre conclusion, sans doute après le départ de son interlocuteur. « Espérons que les vœux du professeur de La Verle seront exaucés, et que les architectes, les ingénieurs et les politiciens, pour une fois, se seront penchés sur les désirs des malades. À propos leur a-t-on demandé leur avis ? »

Les amis de Guillaume le félicitèrent de ses déclarations courageuses, mais ses collègues pensèrent qu'il n'était peut-être pas très opportun d'exprimer publiquement de telles critiques sur le pouvoir en place... Agnès était de leur avis, mais elle n'en dit rien. Elle se rapprocha un peu plus de lui.

À l'ombre du bâtiment nouveau, le vieux Sainte-Marthe continuait ses activités, et, bien que l'échéance ne fût pas encore imminente, chacun se préparait au grand déménagement. Francis Barbier avait définitivement pris la place de premier assistant. Souriant et pondéré, il était un médiateur né, et c'est lui qui calmait les esprits quand son patron laissait éclater ses colères. Il avait pour alliée la vieille surveillante infirmière : elle adorait Guillaume et était la seule à lui parler sans détours.

— Vous prenez trop les choses à cœur, mon pauvre patron, lui disait-elle souvent, faut arrondir les “ ongles ”, pour obtenir ce qu’on veut !

André Daubin déployait une activité incessante. Sur la brèche depuis le petit matin, il animait une équipe de microchirurgie qui commençait à faire parler d’elle. Il replantait des membres accidentés, et surtout il inventait des transplantations de lambeaux cutanés et musculaires dont la chirurgie plastique devenait friande. Guillaume l’avait fait nommer professeur un an après Francis Barbier, et il était fier de ses deux poulains. Agnès ne serait pas mutée dans le service, mais, de l’hôpital Broca où elle était assistante, elle formait un jeune gynécologue qui viendrait se joindre à la nouvelle équipe.

Avec le patron de médecine, des réunions de travail régulières devaient aider à mettre au point une organisation qui n’existait encore nulle part ailleurs. Il faudrait faire travailler, dans des locaux communs, des chirurgiens et des médecins à même d’être capables de se remplacer pour l’accueil des patients, en les orientant ensuite, pour le traitement, vers la spécialité dont ils relevaient.

Quant à la direction bicéphale de ce monstre, ses modalités de fonctionnement n’étaient pas précisées pour le moment, et, d’un commun accord, les deux chefs de service en avaient remis l’étude à plus tard. Ils étaient convenus qu’il n’y avait pas là de réel problème, et que la solution viendrait d’elle-même quand les autres questions seraient réglées.

Guillaume adorait organiser cette vie future. Il passait des soirées entières sur les plans que lui avaient confiés les architectes, et il précisait les circulations, la place des bureaux, et les circuits d’ordinateurs. Il était convaincu que l’informatique jouerait bientôt un rôle primordial, et qu’il était capital d’en prévoir l’installation au même titre que l’électricité ou le téléphone. Ses confrères, pour la plupart, ne le suivaient pas dans ces élucubrations qui leur paraissaient relever de la science-fiction. Seul Francis Barbier, sans en avoir l’air, se passionnait pour ces projets, et soutenait son patron de toute son énergie. Chez lui, il travaillait sur son Apple dernier modèle.

À Saint-Yé, Guillaume était sollicité pour contribuer à l’harmonisation des relations entre l’hôpital et la clinique. Le dimanche soir, les supporters de chaque établissement venaient le voir à tour de rôle, et chacun plaidait sa cause en lui demandant d’intervenir à Paris pour faire aboutir des projets souvent contradictoires. Il était convaincu que la concurrence, sur un territoire aussi limité, était plus nocive qu’utile, surtout sur le plan financier. Quand la clinique s’offrait un nouvel appareil de radio, l’hôpital s’empressait de faire une acquisition identique, et un double emploi les empêchait d’acquérir un matériel plus performant qu’ils auraient pu mettre en commun.

Le vieux Georges Falquier lui avait raconté qu'au sein même du Rotary-club, les clans s'affrontaient. Avec courtoisie, mais sans concessions, les tenants du public et ceux du privé campaient sur leurs positions inconciliables.

— Ce qui est étonnant, concluait Guillaume, c'est le mépris général pour l'aspect financier du problème. À l'heure où la Sécurité sociale pleure misère, personne ne veut voir le coût exorbitant de cette lutte fratricide. Les deux établissements, j'en suis sûr, poussent à la consommation pour boucler leur budget, et la clientèle, sans le comprendre, paie les frais. Non seulement elle ne fait rien pour que ce jeu malsain cesse enfin, mais elle attise le feu !

— C'est comme pour l'enseignement, ajoutait le vieux prof, la bataille de l'école libre n'est pas terminée !

— Le mot « complémentarité » est exclu du vocabulaire politique !

Guillaume, sans se l'avouer, aimait assez le rôle que les habitants de Saint-Yé lui faisaient jouer. Et son ami Morand, regrettait sûrement de ne pas pouvoir se présenter officiellement comme le descendant des Malmort, pour revendiquer un tel rôle. Il le lui avoua, un soir qu'ils discutaient tous les deux au Sofitel.

— On ne peut pas être juge et partie, lui répondit Guillaume. Moi, j'assiste à cette opposition de l'extérieur, et j'essaie, grâce à mes amis parisiens, de réaliser l'équilibre entre les deux camps, mais sans trop d'espoir.

Olivier Legrand n'avait pas entendu le début de la conversation. Il arriva avec une bouteille de fine et trois verres.

— Il faudrait que vous preniez la direction de l'hôpital, monsieur de La Verle, comme vos ancêtres. Mais je sais bien que Paris vous retient...

Guillaume sourit :

— Ce n'est pas le moment de partir. Mon service va être bientôt prêt et je vais y réaliser le rêve de ma vie. Il baissa les yeux, puis ajouta : Plus tard, je reviendrai...

— Et on vous portera à la mairie !

— Ou au cimetière...

Les deux autres se récrièrent !

CHAPITRE XI

Guillaume mettait de l'ordre dans son bureau quand Francis Barbier entrouvrit la porte.

— Je ne vous dérange pas ?

— Pas du tout, Francis, entrez. Asseyez-vous où vous pouvez, c'est un peu en désordre... Et, s'il vous plaît, ne faites pas cette tête-là !

Le jeune chirurgien avait un visage embarrassé.

— Alors c'est vrai, monsieur, ce qu'on m'a dit, vous partez ?

— Exactement. J'ai remis ma démission ce matin, et demain je ne serai plus là. C'est probablement vous qui ferez l'intérim...

— Mais, que s'est-il passé ?

— Vous n'êtes pas au courant ? Je vais me faire un plaisir de vous raconter.

Guillaume vint s'asseoir derrière sa table. Dans cette magnifique pièce du vieux Sainte-Marthe qu'il occupait depuis plus de dix ans, les rayons de la bibliothèque étaient à moitié vides et les livres s'entassaient dans des cartons qui provenaient de la pharmacie.

— Je suis passé à la direction de l'Assistance publique hier soir, et j'ai appris, avec stupeur, que mon projet de service médico-chirurgical polyvalent était subitement refusé. J'ai consacré l'essentiel de ma vie à la mise sur pied de cette entité nouvelle et tout le monde a toujours été d'accord pour ce projet, même s'il a fallu quelquefois batailler. Et brutalement, c'est annulé ! Je devrais subir le fait du prince et renoncer ! Savez-vous qui est à l'origine de ce changement ? Le visage de Guillaume virait au rouge foncé. Il cria : André Daubin ! Un garçon qui a été parmi mes premiers internes, que j'ai fait nommer chirurgien des hôpitaux, et qui devait être l'un des deux agrégés de mon futur service... Vous savez qu'il a épousé la fille d'un sénateur influent ! Eh bien, il a obtenu un service de microchirurgie autonome. Une décision émanant directement du ministre !

— Il devait bien s'occuper de la microchirurgie chez vous ?

— Oui, mais dans le cadre de la chirurgie générale et de l'urgence. Il aurait été le plasticien de l'équipe ! C'était l'accord que nous avions pris quand je l'ai fait nommer. Aujourd'hui, il a changé d'avis, ou plus exactement il est revenu à son idée obsessionnelle. Et grâce à ses appuis politiques, il a mis par terre le programme que j'avais défendu depuis que les plans de Sainte-Marthe sont ébauchés.

— Ce n'est qu'un élément de moins, le projet demeure...

— C'est plus grave que vous ne croyez. Dans le mouvement, les orthopédistes, selon leur habitude, exigent l'exclusivité de la chirurgie ostéo-articulaire, et par conséquent mon service de chirurgie générale se résumera aux interventions viscérales. En attendant que l'urologue, le gynécologue et le gastro-entérologue réclament leur dû. Nous voilà revenus à cette hyperspécialisation contre laquelle je lutte depuis toujours. Il n'y aura bientôt plus de service pour éduquer les internes. Quant à mon collègue médecin, il m'a demandé à quoi rime une direction bicéphale dans ces conditions. C'est un désastre !

— On ne peut rien dire contre leurs façons de faire...

Guillaume marqua un temps avant de reprendre la parole.

— Ma réponse est toute simple. Je m'en vais. Je ne peux plus les supporter.

Francis avait le visage de plus en plus catastrophé. Guillaume continuait à vitupérer.

— J'ai appris un métier que je ne peux plus exercer. J'ai milité pour maintenir une école de chirurgie qui est indispensable. Aussi bien en France que pour l'étranger, dans le but de former les chirurgiens des pays sous-développés, c'était le service idéal. Tout le monde s'en moque ! Cette idée logique est effacée aujourd'hui d'un trait de plume, par un caprice de politicien. Il s'arrêta de parler un instant, puis reprit, de plus en plus furieux : Enfin, qui a mis la microchirurgie à la mode en France ? Raymond Vilain. Il n'a pas crée pour autant un service autonome. SOS-Main est né chez lui, à l'hôpital Boucicaut, et il n'a pas moins bien marché pour autant ! Vous savez ce qui dérange M. Daubin ? Je vais vous le dire. Il a peur que la gloire de ses succès retombe sur son chef de service, et non sur sa seule personne. Imaginez qu'on annonce, au journal de vingt heures : « Grande première dans le service La Verle. » Il devrait partager la renommée, et quelqu'un pourrait penser que le patron y est pour quelque chose ! Quelle horreur !

Francis Barbier souriait. Il savait à quel point Guillaume raisonnait juste. Il connaissait André Daubin depuis longtemps, puisqu'ils avaient été nommés au même concours d'internat, et il savait quelle ambition dévorait l'ancien militant anarchiste de mai 68. Il était un de ces hommes de gauche qui ne rêvent que de yachts et de châteaux. Tout le monde savait combien devaient payer les clients privés qui demandaient à être opérés par lui. « Il n'y a qu'une loi, disait-il, l'offre et la demande. Plus je monte mes prix et plus on me réclame. Pourquoi veux-tu que je m'arrête ? »

En écho à ces pensées, Guillaume continuait :

— L'avenir de notre chirurgie ne me plaît plus. Le progrès dévore tout et les jeunes n'ont pas assimilé l'éthique de notre métier. Ils sont passés directement à l'exploitation industrielle de leur technique, comme s'ils n'avaient pas en face d'eux des êtres humains. Pour eux, tout s'achète et tout se vend. Tous les moyens sont bons pour être le premier, sinon le meilleur, le plus riche, le plus fort, et surtout le plus connu. Ils sont attirés par le petit écran, comme les moustiques par la lumière.

— Vous exagérez, monsieur, protestait Francis Barbier.

— Oui, j'exagère. C'est évident. Vous en êtes la preuve. Vous êtes le modèle des assistants, Francis, et vous n'êtes pas seul de votre espèce, mais vous savez comme moi que ceux dont je parle existent, et tiennent une place de plus en plus grande...

Ce soir-là, comme prévu, Agnès vint dîner chez lui. Il lui avait préparé un souper raffiné et elle paraissait heureuse.

Elle était séparée de son mari depuis plusieurs mois, mais il avait refusé de divorcer. Ils habitaient deux appartements jumeaux, chacun vivait sa vie, et leur fils était en indivision. Elle avait été prévenue : si elle demandait le divorce, il gardait l'enfant. « Je saurais prouver aux juges ton inconduite ! », avait-il clamé. Tant qu'elle resterait Mme Lemercier, il la laisserait en paix.

Guillaume avait donc une jeune maîtresse, belle et brillante, mais qu'il ne voyait qu'en fonction des caprices du bambin. Il avait bien été obligé de se conformer à ces contraintes. En semaine, il ne retrouvait Agnès que si son mari était là pour garder le chérubin, car il n'était pas question de laisser le petit trésor à une quelconque baby-sitter. Justement, ce jour-là, un film de Walt Disney réunissait le père et le fils devant le petit écran, et elle avait pu s'échapper.

Au premier coup d'œil, elle vit que Guillaume n'allait pas bien. Après quelques hésitations, elle le questionna. Il lui fit part de ce qu'il avait appris, et de la décision qu'il avait prise. Elle le laissa parler longtemps, et n'intervint que dans le silence, quand il eut épanché sa bile.

— Tu es un utopiste, Guillaume. Sous prétexte que tu as vécu dans l'ombre d'une famille illustre, tu ne peux pas te résoudre à n'être qu'un chirurgien comme les autres. C'est ton originalité que tu défends, pas la chirurgie. Tu veux être un patron, comme l'ont été tes ancêtres. Et tu refuses l'état d'esprit des jeunes de ce temps. Tu as engagé contre eux une partie perdue d'avance.

Guillaume la considéra avec stupeur. Elle aussi était donc contre lui. Pourtant, elle le regardait avec amour, même si elle lui faisait du mal.

Sans se préoccuper de son étonnement, elle poursuivit.

— Tu ne te rends pas compte que ton autorité naturelle empêche les gens de te parler en face. Tu affirmes ce que tu crois être des vérités premières, et tu ne laisses aucune place au doute ni à la contradiction.

— Me voilà habillé pour l'hiver, ma chérie. Si j'avais besoin d'être soutenu dans un moment difficile, je suis servi !

— Tu vois, dès qu'on te résiste c'est de la cruauté mentale !

Elle se leva et vint s'asseoir sur ses genoux. Elle lui prit le visage entre ses mains.

— La différence entre les autres et moi, Guillaume, c'est que moi je t'aime. Alors je cherche à te comprendre. Et j'y parviens. Moi, je sais que tu as raison. Mais les autres, ils s'en foutent que tu aies raison. C'est leur intérêt qui compte, et leur façon de voir les choses. Même si ce sont des médiocres, ils existent. En ce moment, ils sont en train de chercher à prendre ta place et ils vont y parvenir !

Guillaume ferma les yeux, accablé. Il brûlait de répondre, mais il faisait l'effort d'écouter, parce qu'il savait que cette femme qui l'aimait ne pouvait pas lui mentir.

— Là où tu as déliré, mon chéri, c'est dans ton appréciation sur les hommes, pas dans ton évaluation des besoins en chirurgie. Tu as manqué ton virage au moment où tu as été nommé chef de service. Au lieu de voguer sur tes utopies, il fallait que tu enfourches un dada, n'importe lequel, et que tu fonces. À notre époque, on doit être le plus fort dans le domaine le plus pointu. Sinon, on n'est rien. Très peu de tes collègues ont su plonger et devenir les meilleurs dans un domaine précis. Pour la plupart, ils ont été vite dépassés. Regarde ce qu'ils deviennent. Ils passent leur temps en commission, en comité ou en conférence, et pendant ce temps, leurs élèves sapent l'édifice sur lequel ils se croient confortablement installés. Ces jeunes reviennent tous d'Amérique ou du Japon avec le dernier gadget ou la dernière méthode révolutionnaire. Et ils veulent que leur talent et leur technique soient reconnus, et admirés. Il leur faut du nouveau, à n'importe quel prix !

Guillaume savait qu'elle avait raison. Dans tous les domaines la chirurgie traditionnelle reculait. Des machines à ultrasons cassaient les calculs dans le rein ou la vésicule, les gynécologues-endoscopeurs évacuaient les grossesses extra-utérines par une incision d'un centimètre, les gastro-entérologues cueillaient les polypes du colon et colmataient les ulcères de l'estomac. Les radiologues, un instant irrités par ces explorations qui remplaçaient les traditionnelles radiographies, avaient vite pris leur revanche. Non contents d'avoir annexé l'usage de l'échographie, du scanner et de la suite, ils montaient maintenant des sondes opératrices dans tous les vaisseaux. Bientôt, sans doute, c'en serait fait de la chirurgie artérielle et des opérations intra-cardiaques. Avec des petits ballonnets et des bistouris électriques miniaturisés, ils entreraient dans tous les organes pour opérer « par le dedans ». Et ils travailleraient confortablement assis devant un écran de télévision !

— Je ne suis pas contre ce progrès, grommela Guillaume, si le laser remplace le bistouri et les agrafeuses rendent les fils inutiles, j'applaudirai. Si on enlève tous les organes par le nombril, je m'y mettrai. Mais il faudra toujours recevoir les malades, leur dire : « Que puis-je faire pour vous ? », et traiter convenablement tous les petits maux de la chirurgie quotidienne. Il faudra toujours apprendre aux jeunes à faire un examen clinique et à intervenir, en urgence au besoin, sans faire appel au scanner ou à la résonnance magnétique nucléaire ! Et former ceux qui n'auront jamais à leur disposition de telles technologies... Il y aura encore longtemps des pays où il faudra enlever des appendices à la main sans endoscope !

Agnès sourit pour répondre sur le même ton.

— Les ordinateurs se chargeront de l'enseignement élémentaire, les vidéothèques remplaceront les professeurs et les chirurgiens confirmés se consacreront aux inventions nouvelles que leur concocteront les bio-ingénieurs. Tu n'y peux rien, Guillaume, c'est un mouvement irrépressible. Et ceux qui ne veulent pas le suivre seront laissés au bout du chemin !

— Arrête, Agnès, implora-t-il, tu ne vas pas me dire que les chirurgiens traditionnels doivent tous monter au cocotier.

— Je ne sais pas ce qu'ils doivent faire, Guillaume, mais c'est vrai que les jeunes ont planté les cocotiers...

Il sourit tristement. Encouragée, elle reprit :

— Prends mon exemple. Dans le service, je suis la meilleure pour les prélèvements d'ovules. Quel bénéfice j'en tire ? Aucun, sinon la considération de mon patron. C'est lui qui passe à la télé. Le jour où son agrégé pourra prendre sa place, c'est nous qui aurons la vedette.

— Non ! C'est l'agrégé qui sera en première page, pas toi.

Elle sourit en biais.

— Le jour où il sera patron, celui-là, je le serai aussi, ne t'inquiète pas ! Son service est bien trop grand pour lui tout seul. Il devra partager !

Le sourire de Guillaume se figea un instant.

La réforme hospitalo-universitaire avait créé un système géographiquement bloqué. L'appartenance à un CHU déterminait la carrière d'une vie. Dans chaque filière, il n'y avait pas d'autre sortie que par le haut. On imagine les montagnes de haine qui pouvaient s'accumuler entre ceux qui cohabitaient ainsi. Au Moyen Âge, ces problèmes auraient trouvé leur solution dans des poupées de cire lardées d'aiguilles ou des fioles de poison. De nos jours, c'était le triomphe de la peau de banane, de l'appui politique, et de la magouille la plus éhontée.

— La magouille a toujours existé, c'est vrai, marmonnait Guillaume, mais elle atteint maintenant des niveaux vraiment insupportables ! La politique et le fric sont partout.

— Je suis sûre, conclut-elle, que si tu relis tes archives familiales tu y trouveras d'autres exemples, pas moins choquants que ceux de notre temps.

— Tu as raison. Il l'embrassa tendrement en chuchotant : Je commence à me demander si ce n'est pas toi qui as toujours raison...

Ce soir-là, il ne voulut pas qu'elle reste. Il avait besoin d'être seul, et elle le comprit. Elle lui dit des choses tendres avant de le quitter, et ils s'embrassèrent longuement. Mais elle sentait qu'il y avait en lui une sorte de cassure.

Le lendemain matin, il se leva tôt pour continuer ses rangements. Mais à huit heures, il reçut un appel de sa nièce. Il avait complètement oublié que la greffe cardiaque de leur Espagnole était revenue à l'ordre du jour et que la jeune femme était à Broussais dans un état grave, en attente d'un donneur. On venait d'en trouver un, annonça France, et la transplantation devait avoir déjà commencé. Elle aurait aimé qu'il aille voir comment se passait l'intervention. Dolorès avait une grande confiance en Guillaume et elle le lui avait demandé.

— Si les choses vont mal, j'aime mieux mourir que souffrir, avait-elle dit. Ne me laissez pas aux mains de ces gens. Pas d'« acharnement thérapeutique » !

Guillaume souriait en se souvenant de cette phrase de la jeune femme. « C'est bizarre, pensait-il, comme certains mots font fortune. » Le spectacle des médecins s'acharnant lui paraissait passé de mode. À moins qu'ils ne veuillent faire des prélèvements d'organes !

En route, il imaginait ce qu'avaient dû être, pour la future greffée, ces journées d'attente.

Le développement des transplantations, et la difficulté d'obtenir des donneurs, ne risquaient-ils pas de susciter des sentiments pervers dans l'âme de ceux qui espéraient ? Quand on n'est assuré de survivre qu'au prix de la mort d'un autre, comment ne pas souhaiter qu'il meure !

Le chirurgien de Sainte-Marthe était curieux de voir cette intervention. De plus, il n'avait pas pénétré dans un bloc opératoire moderne depuis de nombreuses années.

Il ne fut pas déçu. L'admirable ballet des hommes et des machines était réglé avec une minutie parfaite, comme dans une véritable usine miniaturisée et informatisée. Aucun des acteurs présents n'avait plus de quarante ans. Toutes les difficultés techniques avaient été gommées par l'habitude, et on en était déjà à plusieurs centaines de greffes cardiaques par an ! Le greffon venait d'arriver dans son container spécial, et une équipe le vérifiait déjà. Il avait été prélevé à Orléans trois heures auparavant, à la suite d'un accident de voiture survenu la veille. Guillaume frissonna en se souvenant d'un certain soir de Noël.

C'était toujours la même émotion au moment où le défibrillateur remettait le muscle en action, avec l'angoisse des regards fixés sur le cardioscope. La courbe verte semblait hésiter à reprendre le dessin et le rythme attendus.

L'équipe des anesthésistes manipulaient leurs ordinateurs et injectaient des produits multiples aux noms compliqués... Guillaume eut une pensée émue pour l'externe qu'il avait été en 1954 quand son patron lui avait mis un masque dans les mains pour endormir son opéré ! 1954, ce n'était pas si loin !

L'opérée fut transportée en chambre stérile, dans le service de réanimation où les spécialistes allaient, pendant plusieurs jours, régler les perfusions, surveiller les pressions, et prélever les secrétions pour guetter l'infection sournoise capable de faire échouer l'intervention, si l'antibiotique efficace n'était pas mis en action à temps.

Guillaume s'en fut discrètement.

Il avait promis de téléphoner à Alexandre, au ministère de la Santé, dès qu'il sortirait de l'hôpital. Mais comme il devait se rendre dans le quartier du ministère, il préféra passer au bureau de son neveu. Il voulait lui parler aussi de sa démission. En chemin, il réfléchissait à cette intervention qu'il venait de voir, et à sa banalisation. Si le recrutement des donneurs trouvait sa solution, la transplantation ne risquait-elle pas de prendre un essor abusif ? L'éthique de ceux qu'il venait de voir à l'œuvre ne posait aucun problème, c'était évident, mais en serait-il toujours et partout de même ? Le coût d'une telle opération devait être de l'ordre de quatre cent, cinq cent, six cent mille francs... Un joli « marché » qui devait en faire rêver certains...

Alexandre avait un magnifique bureau avec deux fenêtres sur l'avenue de Ségur. Il se précipita vers Guillaume.

— Alors ?

Le chirurgien le rassura en quelques mots. Il était étonné de voir ce technocrate, qui jetait habituellement sur la vie un regard sans émotion, s'impliquer autant pour cette jeune femme.

— Elle a élevé les deux enfants, et ils l'adorent, avoua-t-il. Tu sais, France et moi, nous ne sommes pas souvent à la maison. Elle a joué un grand rôle dans notre vie, et j'ai une certaine responsabilité vis-à-vis d'elle. Si elle n'était plus là, pour nous ce serait une vraie catastrophe...

Guillaume eut soudain une idée machiavélique.

— Tu sais qu'ils ont failli ne pas l'opérer ce matin ! dit-il avec un ton criant de vérité.

— Ah ! oui, pourquoi ?

— Ils étaient deux du même groupe tissulaire en attente d'un greffon. L'autre était un chercheur de l'Institut Pasteur. Il est arrivé une note de ton ministre, disant qu'il fallait qu'il passe en priorité.

Le visage d'Alexandre s'était soudain durci comme un masque de cire.

— Et alors ?

— J'ai insisté personnellement...

— Je te remercie, conclut-il, mais je vais savoir qui est le salaud...

Guillaume éclata de rire.

— N'en fais rien, je plaisantais. Mais imagine que le problème se soit effectivement posé. Entre une bonne espagnole et un savant français, que faut-il choisir ?

— Arrête de dire n'importe quoi. Il n'y a pas de réponse rationnelle à cette question.

— Mais si, il y en a une. Le médecin doit avoir son libre choix, et comme deux cas ne sont jamais identiques, il doit prendre sa décision sans se soucier des différentes pressions extérieures. Tu ne crois pas ?

Alexandre voyait très bien ce que voulait dire le chirurgien. Le trafic d'influence ne devait pas avoir sa place dans ce genre de choix... Il saisit la balle au bond :

— Il ne faut pas non plus que ce soit celui qui paie le plus qui passe le premier.

— C'est vrai...

— Alors, il ne faudra jamais laisser ce type de chirurgie tomber dans l'exercice privé ! Je les connais, tes confrères, et je les imagine faisant monter les enchères.

Guillaume s'exclama :

— Ce genre de raisonnement ne m'étonne pas de toi Alexandre. Dès qu'il est question d'argent, tu vois rouge. Pourtant tu vis dans un monde où tout s'achète, mais pas forcément avec une enveloppe. Une place dans quelque fromage, un ruban pour une boutonnière, un passe-droit, une protection font l'affaire ! Mais, n'est-ce pas pire qu'un chèque ?

Cette conversation prenait un tour odieux. On s'approchait doucement du règlement de comptes. Guillaume décida de calmer le jeu.

— Je t'accorde qu'il y a une raison pour ne pas laisser les transplantations entrer dans une pratique à visée lucrative, du moins dans l'état actuel des choses. C'est que, de nos jours, le don d'organes a une valeur émotive telle, qu'il serait intolérable d'y adjoindre des manœuvres mercantiles. Que penserait une mère qui a autorisé le prélèvement du cœur d'un enfant mourant, si elle savait qu'on allait le vendre au plus offrant ?

— Oui, il faudrait au moins lui donner un petit pourcentage, conclut Alexandre, qui savait parfois donner dans le plus mauvais goût ! À propos, ajouta-t-il, tu m'avais raconté que la petite Cindy était allée se faire greffer son rein en Angleterre. Tu as des nouvelles ?

— Elle est morte.

— Greffée ?

— Je ne sais pas. Elle est partie à Londres sans prévenir, et c'est une fille Merlot qui a lu l'annonce de sa mort dans un journal de jeunes.

La démission de Guillaume fit beaucoup de bruit. Personne ne s'attendait à ce qu'un chef de service se rebiffe avec autant de détermination. De plus, il coupa son téléphone, et refusa de discuter avec qui que ce fût, même ses meilleurs amis. Finalement il n'en avait pas parlé non plus avec Alexandre. Il n'avait pas voulu avoir l'air de gémir sur son sort. L'autre aurait été trop content de lui proposer son appui.

Dans son appartement, il vidait les derniers cartons rapportés de l'hôpital et rangeait sa bibliothèque. Il écoutait de la musique de chambre, et restait dans ses pensées. Parfois il s'asseyait dans son grand fauteuil et regardait la Seine. Un spectateur se serait étonné de le voir aussi songeur. Lui, si actif, toujours entre deux projets, il paraissait abattu. N'avait-il pas une idée derrière la tête en jetant l'éponge d'une façon si spectaculaire ? Tout le monde pensait qu'il partait dans le privé, à Saint-Yé sans doute. Il n'aurait pas été le premier.

Guillaume faisait le *black-out* complet. Son répondeur ne prenait même pas les messages !

Agnès arriva en fin d'après-midi. La sonnette de la porte d'entrée le fit sursauter.

— J'ai essayé de te téléphoner toute la journée, mais rien à faire !

— Excuse-moi !

— Remarque, je te comprends. Tout le monde doit se demander ce que tu vas décider maintenant. Tu es un peu jeune pour prendre ta retraite !

— Eh bien, tu seras la première à le savoir : je pars en voyage. J'ai toujours rêvé de faire le tour du monde...

Agnès restait bouche bée.

— Je t'aurais bien emmenée, continua-t-il, mais avec ton hôpital, ton fils, ton mari...

Elle se dressa et siffla comme un serpent :

— C'est un reproche ?

— Non, un regret.

Ils restèrent un long moment sans parler. Elle reprit la parole en premier. Son visage était devenu d'un blanc cireux, et ses lèvres tremblaient.

— N'est-ce pas une façon de me faire comprendre que tu en as assez de moi ?

Guillaume vint s'asseoir en face d'elle et lui prit les mains.

— Agnès, je n'ai toujours eu qu'une envie, te garder avec moi, rien qu'avec moi, depuis le jour où je t'ai retrouvée. Quand tu es venue prendre ta place d'interne, j'étais prêt, déjà, à te donner la première place dans ma vie.

— Pourquoi n'as-tu rien dit ?

— Parce que nous n'étions pas préparés à une telle décision, ni toi ni moi.

— Et aujourd'hui, c'est trop tard ?

Sa voix s'était brisée. Guillaume baissa la tête. Quand il la regarda de nouveau, ses yeux brillaient anormalement. Il lui répondit que la roue de la vie s'était mise soudain à tourner trop vite ! Agnès marcha vers la fenêtre. Elle n'avait pas envie de se mettre à pleurer devant lui.

— Quand pars-tu ? dit-elle en lui faisant face de nouveau.

— Demain matin !

Elle reçut la réponse comme une gifle.

— Tu vas vite en besogne... C'était si pressé ?

— J'ai eu le sentiment, tout à coup, d'une sorte d'urgence !

Elle le fusilla du regard, et s'en fut d'un coup, en claquant la porte derrière elle, si fort qu'un tableau se décrocha du mur et tomba dans un fracas de verre brisé.

De son balcon, il regarda partir la petite Austin qu'il avait tant de fois guettée, puis il rentra dans l'appartement et ferma la fenêtre. Dans sa bibliothèque, il choisit quelques livres et les emporta dans sa chambre. Lentement, il remplit un sac de voyage. Il emportait bien peu de choses pour son « tour du monde ».

Il n'avait dit à personne qu'il serait hospitalisé le lendemain matin dans la clinique chirurgicale de Saint-Yé, pour être opéré d'un cancer du colon. L'échographie avait montré qu'il y avait déjà une métastase dans le foie, et on se demandait s'il serait possible de l'enlever également.

Guillaume partait pour un grand voyage, dans un pays qu'il avait fait traverser déjà à une foule d'inconnus, et où, pourtant, il entrait pour la première fois.

Annexes biographiques

BAUDELOCQUE Jean-Louis (1746-1810).
Né dans la Somme d'un père chirurgien qui l'envoya à Paris faire ses études médicales. En 1795, il fut nommé professeur de gynécologie à la nouvelle École de santé et chef du service d'obstétrique dans la nouvelle maternité de Port-Royal qui existe toujours. Il fut l'accoucheur de toutes les célébrités de ce temps.

BERGER Paul (1845-1908).
Il naquit en Alsace, mais son père, pasteur, fut nommé, en 1855, au temple de la Rédemption à Paris, et toute la famille s'installa dans la capitale. Comme ses sept frères et sœurs, il y fit de brillantes études qui auraient dû le conduire à l'École normale supérieure. Mais il préféra la médecine. Interne en 1867, médaille d'or en 1871, il fut enrôlé comme aide-major dans le premier régiment de gardes mobiles de la Seine. Agrégé en 1873, chirurgien des hôpitaux en 1877, il prit, en 1904, la chaire de clinique chirurgicale de l'hôpital Necker. Novateur rigoureux, il fut un des premiers à utiliser des gants de caoutchouc, et c'est en opérant une hernie qu'il mourut subitement, dans son service, à l'âge de soixante-trois ans.

BICHAT Xavier (1771-1802).
Né dans un village du Jura, il fit ses études de médecine à Lyon, puis vint à Paris, attiré par le rayonnement de Joseph Desault dont il devint le protégé. Après la mort du maître de l'Hôtel-Dieu en 1795, il en rédigea l'œuvre posthume avant de se consacrer à ses propres recherches. Travailleur infatigable et passionné, ses travaux anatomiques, en particulier sur les membranes synoviales, montrent à quel point ses idées étaient en avance sur son temps. Son œuvre considérable fut interrompue par une mort prématurée. À trente et un ans, il fut emporté, probablement par la tuberculose.

BOYER Alexis (1757-1833).
Né dans une famille modeste du Limousin, il fit d'abord de simples études primaires avant de devenir « petit clerc » chez un notaire. Mais, fasciné par un barbier du voisinage, il commença à l'aider, puis, remarqué par un maître en la matière, Antoine Cruvelhier, il en devint l'apprenti. À dix-sept ans, il

vint à Paris avec un oncle bouvier, mais, trop démuni pour y faire des études de médecine, il entra de nouveau chez un barbier et travailla à l'École d'anatomie où il fut bientôt capable de donner lui-même des leçons. Ses qualités le firent encore remarquer et il devint élève interne à la Charité en 1782, à l'âge de vingt-quatre ans. À trente ans, il y était nommé chirurgien gagnant-maîtrise. Après le massacre du 10 août 1792, les députés votèrent l'éviction des frères de la Charité, et Boyer fut nommé chirurgien en second, poste qu'il conserva jusqu'en 1825, année où il fut nommé chirurgien-chef. Entre-temps il était devenu chirurgien de l'Empereur qu'il accompagna en Allemagne en 1806 et 1807, et qui le fit baron. Louis XVIII le nomma à l'Académie de médecine en 1820.

BROUSSAIS François Joseph Victor (1772-1838).

Né à Saint-Malo, il fut d'abord médecin de marine avant de connaître la gloire dans les armées napoléoniennes. Nommé professeur puis médecin-chef du Val-de-Grâce, il devint célèbre par ses théories médicales qui s'opposaient radicalement à celles qui prévalaient alors, et que défendait notamment Laennec. Obstinément persuadé que toutes les maladies prenaient naissance dans l'appareil digestif, il prônait une thérapeutique univoque : la diète et la saignée, ou, mieux encore, les sangsues. Il devait aussi son succès auprès des étudiants à ses idées révolutionnaires opposées au monarchisme de la Restauration.

CARREL Alexis (1873-1944).

Né près de Lyon où il fit de brillantes études médicales, il s'insurgea contre ses échecs successifs et immérités au chirurgicat des hôpitaux. Furieux, il émigra aux États-Unis en 1904. En 1906, il entra au Rockfeller Institute de New York et obtint le prix Nobel en 1912 pour ses travaux sur les sutures artérielles et les transplantations d'organes. Il regagna la France pour participer à la guerre de 1914-1918, pendant laquelle il mit au point, avec le chimiste anglais Henri Dakin, un antiseptique d'une efficacité si remarquable qu'il est encore en usage de nos jours. Reparti aux USA, il revint en France pour participer, malgré son âge (soixante-six ans), à la guerre de 1939-1940. Il y demeura, et ses raisonnements idéalistes le firent suspecter, à tort, de sympathie à l'égard de l'occupant nazi.

CORVISART Jean-Nicolas (1755-1821).

Né près de Vouziers, en Champagne, il commença ses études chez un prêtre avant d'entrer au collège Sainte-Barbe à Paris. Puis il entreprit des études de droit dans le but de succéder à son père avocat. Mais, bientôt passionné de médecine, il abandonna ce projet et devint un élève de Desault. Il se destina d'abord à la chirurgie et fut nommé docteur régent en 1782, mais il changea encore de direction et devint professeur de clinique médicale à l'hôpital de la Charité en 1789. En 1795, il fut l'un des professeurs de la nouvelle École de santé créée par Fourcroy. Fervent adepte de la méthode anatomo-clinique, il écrivit le premier ouvrage de pathologie cardiaque. Il s'est rendu célèbre pour avoir décrit la technique de percussion d'Auenbrugger en 1808. Distingué par Napoléon qui le fit baron en 1804, il fut un praticien célèbre et adulé par une opulente clientèle

COURVOISIER Ludwig-Georges (1843-1918).
Chirurgien de Bâle qui fut un spécialiste de pathologie biliaire et d'entomologie.

CUSHING Harvey William (1869-1939).
Né à Cleveland (États-Unis) dans une famille de médecins, il fit ses études à l'université d'Harvard et fut nommé assistant au John Hopkins Hospital de Baltimore. Il voyagea en Europe (Angleterre, France, Italie...) avant de se consacrer définitivement à la neurochirurgie dont il fut l'un des pionniers. Pendant la guerre de 1914-1918, il vint en France comme volontaire et fut nommé neurochirurgien en chef de l'armée américaine.

DESAULT Joseph (1738-1795).
Né dans une famille d'agriculteurs, il fit des études à Paris et il gagna sa vie en enseignant l'anatomie au laboratoire de Winslow. Nommé en 1785 chirurgien à l'Hôtel-Dieu de Paris, il fonda l'enseignement clinique au lit de malade et son succès fut immense. Des étudiants venaient de l'Europe entière pour suivre ses leçons, si bien que pendant les guerres de la Révolution et de l'Empire, les chirurgiens des deux camps avaient souvent été formés par le même maître. Il mourut d'une brève et mystérieuse maladie après avoir donné ses soins, à la prison de Temple, au fils de Louis XVI.

DESGENETTES Nicolas René (baron DUFRICHE) (1762-1837).
Né à Alençon d'une famille bourgeoise, (il s'appelait alors Dufriche des Genettes) il fit d'excellentes études et voyagea en Angleterre et en Italie (1784). Médecin militaire dans les armées du roi, puis de la Révolution, il devint enfin médecin des armées napoléoniennes et se couvrit de gloire en Italie, en Égypte et dans toutes les campagnes européennes. En demi-disgrâce à la Restauration, il fut tout de même nommé professeur d'hygiène à la faculté de médecine, mais destitué comme tous les opposants au régime en 1822. Sous la Monarchie de Juillet, il fut nommé médecin-chef des Invalides.

DIONIS Pierre (1650-1718).
Authentique représentant des chirurgiens-barbiers membres de la confrérie de Saint-Cosme, sa célébrité le fit nommer premier chirurgien de Madame la Dauphine, Marie-Adélaïde, fille de Louis XIV. C'est pour lui que le roi créa le « Jardin du Roy » (actuellement Muséum d'histoire naturelle) afin qu'il puisse y enseigner son art loin des stériles querelles de la Faculté. Il publia de nombreux ouvrages sur l'anatomie et la chirurgie, et, fait capital pour l'époque, en français. Il reste, pour la postérité, un enseignant et un praticien hors pair, contrairement aux théoriciens verbeux de ce temps.

DOPTER Charles (1873-1950).
Né à Paris, il fit ses études médicales à l'École du service de santé militaire de Lyon. Agrégé en 1903, il se consacra à la biologie, publiant ses travaux

sur la dysenterie amibienne et l'infection méningococcique. Nommé professeur d'épidémiologie en 1912, il fut chargé, pendant la guerre de 1914-1918, de la lutte contre les épidémies. Nommé directeur de l'École d'application du Val-de-Grâce après le conflit, il prit la tête du service de santé au ministère de la Guerre en 1930, poste qu'il garda jusqu'à sa retraite en 1935.

DUNANT Jean Henri (1828-1910).
Homme d'affaires suisse né à Berne. En 1859, il souhaita rencontrer l'empereur Napoléon III pour solliciter son aide pour un projet qu'il avait en Algérie. Il décida de le rejoindre pendant sa campagne d'Italie et arriva à Solferino à la veille de la bataille qui devait être une des plus meurtrières de ce siècle. Bouleversé par un tel spectacle, il participa à la relève des blessés et à l'organisation des soins. Rentré à Genève, il publia un ouvrage sur ses souvenirs en proposant des mesures humanitaires et notamment la neutralité du corps médical afin que les blessés puissent être soignés, quelle que soit leur nationalité. Ces nobles idées reçurent un écho enthousiaste dans de nombreux pays et la Société de secours aux blessés militaires, future Croix-Rouge, prit naissance à Genève, lors d'une conférence internationale en 1864. Prix Nobel de la paix en 1901, cet idéaliste précurseur négligea ses propres affaires, et se ruina pour défendre ses idées.

DUPONT (de l'Eure) Jacques-Charles (1767-1855).
Né à Neubourg, dans l'Eure, dont il est élu maire à vingt-cinq ans. Magistrat, il devint membre du Conseil des Cinq-Cents sous le Directoire, président du Tribunal criminel de l'Eure sous l'Empire, ministre de la Justice en 1830, et enfin président du Gouvernement provisoire dc la République en 1848.

DUPUYTREN Guillaume (1777-1835).
Né près de Limoges, il serait volontiers devenu militaire si son père, avocat, ne lui avait imposé de devenir chirurgien, et d'aller faire ses études à Paris. C'est là que commença son exceptionnelle carrière, malgré un dénuement proche de la misère. Il devint, à vingt-cinq ans, chirurgien en second à l'Hôtel-Dieu chez Pelletan qui avait succédé à Desault, et fut nommé chirurgien-chef en 1815, à trente-six ans. Praticien éblouissant, enseignant fascinant, il devint le plus célèbre chirurgien de Paris et soigna Louis XVIII et Charles X. Il mourut prématurément, à cinquante-huit ans, à la suite d'un accident vasculaire cérébral qui l'avait beaucoup diminué.

FOURCROY Antoine François (1755-1809).
Né dans le Boulonnais d'une famille aristocratique ruinée, il fit de brèves études arrêtées à quinze ans, et devint copiste. Puis, grâce à une bourse de la Société royale de médecine, il fit ses études médicales à Paris. Nommé professeur au Jardin du Roy en 1784, il s'orienta vers la chimie. Mais la Révolution interrompit sa carrière scientifique et il siégea à la Convention. Il se consacra alors à la refonte de l'enseignement supérieur anéanti par les lois de 1793, et continua sa brillante carrière sous l'Empire. Ministre de l'Instruction publique de 1802 à 1808, il fut, comme tel, responsable de la

création, en 1802, de l'internat des hôpitaux de Paris. Il fut fait comte par Napoléon, l'année de sa mort, en 1809.

HALSTED William Stewart (1852-1922).

Né dans une famille aristocratique de New York, il fit des études médiocres à Yale, se consacrant essentiellement au sport. En 1874, il s'inscrivit au département médical de l'université de Columbia. Il passa les années 1878 et 1879 en Europe, séjournant dans les grandes villes universitaires germanophones : Vienne, Würzburg, Leipzig, Berlin, Kiel, Hambourg... Il rentra aux États-Unis définitivement marqué par les méthodes germaniques de recherche en laboratoire. En 1889, était inauguré le John Hopkins Hospital de Baltimore dont il devint, en 1892, le chirurgien-chef. Il fut l'initiateur d'une nouvelle technique chirurgicale faite de précision, de délicatesse des gestes, et de fine dissection. Il l'appliqua à tous les domaines chirurgicaux et laissa son nom à de nombreux instruments qu'il créa, et à plusieurs opérations d'exérèse dont celle du sein.

HUNTER John (1728-1793).

Chirurgien anglais, il fut le premier à s'intéresser à l'anatomie comparée et fonda une véritable école où s'instruisirent Edward Jenner et Parkinson. Il n'hésitait pas à étudier les maladies sur lui-même, et c'est ainsi qu'il s'inocula, pour mieux l'étudier, une gonococcie. Malheureusement le sujet qu'il avait choisi était aussi porteur d'une syphilis, ce qui perturba les observations cliniques... C'est d'ailleurs de cette maladie qu'il mourut, en pleine célébrité, à soixante-cinq ans. Il fut enterré dans l'abbaye de Westminster à Londres.

JEANBRAU Émile (1873-1950).

Professeur de chirurgie et d'urologie à Montpellier, s'est spécialisé dans les problèmes de transfusion sanguine après la guerre de 1914-1918.

JENNER Edward (1749-1833).

Né en Angleterre, à Berkeley, dans le Gloucestershire, il fit ses études médicales à Londres, puis il étudia l'anatomie et la chirurgie dans le laboratoire de John Hunter Déçu par la mortalité opératoire de l'époque, il s'installa dans sa ville natale comme médecin de campagne, tout en continuant à se passionner pour les sujets les plus divers. C'est ainsi qu'il découvrit que les sujets atteints de cette maladie de la vache qu'on appelle la « vaccine » étaient naturellement protégés contre le fléau médical de ce temps, la variole. Il eut l'idée d'inoculer cette maladie bénigne à des sujets sains pour les prémunir contre la petite vérole. Ainsi naquit la « vaccination », ce terme ayant été utilisé ensuite pour la création des « vaccins » contre d'autres maladies.

KOCHER Émile Théodore (1841-1917).

Né à Berne, il fit ses études à Paris, Londres, Berlin et Vienne et il revint dans sa ville natale prendre la direction du service de chirurgie de l'hôpital universitaire Il obtint, en 1909, le prix Nobel pour ses travaux sur la thyroïde Il fit de nombreuses communications et mit au point des instruments chirurgicaux multiples dont une pince hémostatique qui porte son nom et qui a servi de modèle à la plupart des instruments d'hémostase actuels.

LAENNEC René Théophyle Hyacinthe (1781-1826).

Breton de naissance il vint à Paris terminer ses études de médecine, et il y fit une carrière brillante. Inventeur de l'auscultation et du stéthoscope, il est un des grands noms de cette méthode « anatomo-clinique » qui plaça la France au premier rang de la science médicale mondiale. Il décrivit avec minutie les symptomes de nombreuses maladies en les comparant aux constatations de l'autopsie. Il mourut à quarante-cinq ans de cette tuberculose dont il avait tant fait progresser la connaissance.

LARREY Jean-Dominique (1766-1842).

Né dans les Hautes-Pyrénées, il fit ses études à Toulouse sous la direction d'un oncle chirurgien. D'abord chirurgien de marine, il vint à Paris en 1788 et enseigna l'anatomie à l'École pratique. En 1792, il devint chirurgien dans les armées de la Révolution, puis fut nommé professeur au Val-de-Grâce, mais c'est sur le terrain des combats qu'il acquit sa célébrité. « C'est l'homme le plus vertueux que j'ai connu », disait de lui Napoléon. C'est vrai qu'il était à la fois un chirurgien virtuose, un organisateur né, un enseignant qui sut transmettre son savoir-faire à plusieurs générations de médecins militaires, et surtout un personnage de la plus haute moralité. En 1815, il dut se contenter de n'être plus que chirurgien de la Garde royale, mais il fut cependant élu à l'Académie de médecine et à l'Académie des sciences.

LARREY Félix-Hippolyte (1808-1895).

Fils du précédent, il entra au Val-de-Grâce en 1828, et y passa sa thèse de doctorat en 1832. Agrégé en 1835, il fut nommé professeur de pathologie chirurgicale au Val en 1841. Il prit part à la campagne d'Italie et Napoléon III le nomma « chirurgien ordinaire » à ses côtés. Il fut, en 1870, à l'armée de Metz, puis à celle de Paris investi. Enfin il passa à l'armée des Versaillais et participa à la reprise de la capitale. Moins brillant que son père il a laissé le souvenir d'un professeur consciencieux et méthodique, d'un chirurgien adroit et prudent, et d'un homme amène, cultivé et distingué.

LERICHE René (1879-1956).

Né à Roanne, il fit ses études médicales à Lyon où Alexis Carrel fut son conférencier. Après quatre ans de chirurgie de guerre, il fut nommé chirurgien des hôpitaux de Lyon en 1919. Mais, conscient qu'il n'aurait pas les moyens de réaliser ses projets scientifiques dans cette université sclérosée, il accepta, en 1924, la chaire de clinique chirurgicale à l'université de Strasbourg rendue à la France. Il put alors se consacrer à cette chirurgie physiologique nouvelle dont il fut le précurseur.

LUCAS-CHAMPIONNIÈRE Just (1843-1913).

Né à Paris, il y fit de brillantes études de médecine. Interne en 1865, chirurgien des hôpitaux en 1874, il avait fait, en 1869, le voyage d'Édimbourg pour voir opérer Lister dans son nuage d'acide phénique. Il lui fallut attendre de diriger un service à l'hôpital Lariboisière pour mettre enfin en pratique cette méthode unanimement décriée par ses contemporains. Mais c'est à l'hôpital Saint-Louis qu'il fit l'essentiel de sa carrière de novateur, décrivant de nombreuses techniques chirurgicales. Malgré sa nomination à l'Académie de médecine et à l'Institut, la rancune de ses pairs l'empêcha d'être nommé professeur !

MAGENDIE François (1783-1855).
Né à Bordeaux, il y fit de brillantes études médicales et se spécialisa en psychologie expérimentale dont il fixa les bases modernes, ultérieurement exploitées et développées par son élève Claude Bernard. Il fut nommé chef de service de médecine à l'Hôtel-Dieu de Paris de 1830 à 1845, date à laquelle il se retira dans sa propriété de Saunois.

MARTEL Thierry de (1876-1940).
Né à Neuilly, fils de la romancière Gyp, et descendant d'une famille noble liée à celle de Mirabeau, il fit ses études à Paris. Brillant interne des hôpitaux, c'était aussi un grand sportif. Il décida de se consacrer à la neurochirurgie alors balbutiante et devint un novateur de réputation internationale. En 1914, à trente-huit ans, il s'engagea dans une unité combattante et il fit lui-même le coup de feu. Chirurgien-chef de l'Hôpital américain de Paris au moment de la Seconde Guerre mondiale, il se suicida lors de l'entrée des Allemands dans la capitale, le 14 juin 1940.

MORGAGNI Giovanni Battista (1682-1771).
Professeur de médecine à l'université de Padoue, son ouvrage *De sedibus et causis morborum* rapporte son expérience de l'autopsie. C'est le premier rapprochement qui ait été réalisé entre les symptômes des maladies et les constatations faites après la mort. Il jetait ainsi les fondements de la méthode anatomo-clinique qui a donné naissance à la médecine moderne. À notre époque, quand des étudiants veulent parler discrètement d'autopsie devant des malades, ils disent : « Chez Morgagni... »

MORTON William Green (1819-1868).
Né à Charleston en Nouvelle-Angleterre, il fit ses études de dentiste à Baltimore puis à Boston où il rencontra Horace Wells avec lequel il ouvrit un cabinet dans le Connecticut, puis à Boston. C'est ce dernier qui eut, le premier, l'idée de tenter une anesthésie générale au protoxyde d'azote. Mais en janvier 1845, le premier essai en public fut un échec. Morton, reprenant le même principe, mais en choisissant l'éther, et en l'administrant avec un réservoir équipé d'un débimètre rudimentaire, réussit sa démonstration publique le 16 octobre 1846, avec le chirurgien J. C. Warren. Tandis que son invention transformait définitivement l'art de la chirurgie, il s'enfonçait dans des conflits dramatiques pour en garder la paternité lucrative. Contesté, négligé, blessé dans son orgueil et presque oublié, il mourut à quarante-huit ans, à New York, sans avoir reçu les récompenses qu'il méritait.

NIGHTINGALE Florence (1820-1910).

Née dans une famille bourgeoise anglaise très croyante, elle reçut, à dix-sept ans, la révélation qu'elle devait se consacrer à soigner ses semblables. Après avoir passé trois mois dans une école d'infirmières allemande, à Kaiserswerth, elle revint en Angleterre où elle écrivit des articles polémiques sur la condition lamentable des malades hospitalisés. Devenue célèbre, elle fut désignée pour diriger l'équipe d'infirmières envoyée, en 1855, à Scutari en Albanie, où étaient concentrés les services sanitaires britanniques de la guerre de Crimée. Plus tard elle créa les premières écoles d'infirmières laïques en Angleterre et, à ce titre, elle peut être considérée comme la véritable initiatrice de cet enseignement et de cette profession inexistante jusque-là.

PASTEUR Louis (1822-1895).

Né dans le Jura, il fit ses études d'abord à Besançon puis à Paris où il réussit le concours d'entrée à l'École normale supérieure de la rue d'Ulm en 1843. En 1848 il fut nommé professeur suppléant de chimie à Strasbourg. En 1864 il devint doyen de la faculté des sciences de Lille. C'est là, à la demande de l'industrie betteravière, qu'il commença ses travaux sur les fermentations en démontrant que des « micro-organismes » en étaient responsables. À partir de cette constatation, il mit en évidence l'origine bactérienne des « infections », ouvrant la voie à la découverte des microbes, et permettant aux chirurgiens, à la suite de Lister, d'utiliser l'antiseptie puis l'aseptie. Bien qu'à l'époque l'opposition du monde médical ait été presque unanime, on peut considérer que cette découverte a été, pour la chirurgie, la plus importante acquisition du siècle. Mais Pasteur fit avancer la science dans de multiples autres domaines encore, et, en 1892, on célébra son jubilée triomphal dans le nouvel amphithéâtre de la Sorbonne, en présence du président de la République Sadi-Carnot.

PARÉ Ambroise (1509-1590).

Né dans la région de Laval, il fit là ses premières armes d'apprenti barbier et devint chirurgien par compagnonnage. Il passa trois ans à l'Hôtel-Dieu de Paris avant de s'engager comme chirurgien militaire. Il devint bientôt le chirurgien des grands de ce monde (le duc de Guise, Henri II, François II, Charles IX...) et consacra la fin de sa vie à rédiger de nombreux ouvrages de chirurgie. N'ayant jamais appris le latin, il fut le premier auteur de livres médicaux écrits en français. La postérité a retenu sa célèbre formule : « Je le soignai, Dieu le guérit. »

PÉAN Jules Émile (1830-1898).

Né près de Chartres, c'est là qu'il fit ses études pour devenir clerc de notaire. Mais, en 1851, il vint à Paris s'inscrire en faculté de médecine. Externe en 1852, interne en 1855, il fut chirurgien des hôpitaux en 1865, puis chef de service à l'hôpital Saint-Louis. L'anesthésie était alors pratiquée depuis dix-neuf ans, mais la mortalité, faute d'aseptie, continuait à être prohibitive. Parmi les moyens envisagés pour améliorer ces résultats catastrophiques, le contrôle opératoire des saignements était considéré comme primordial. C'est ainsi que Péan mit au point des pinces adaptées à cet usage, et qui sont encore présentes, de nos jours, dans les boîtes d'instrumentation. Sa carrière de brillant chirurgien fut émaillée de multiples querelles concernant sa primauté dans l'exécution de certaines interventions nouvelles ou dans l'invention de ses fameuses pinces. Il en fut de même quand les travaux de Lister sur l'antiseptie chirurgicale atteignirent Paris. Il n'en resta pas moins un remarquable opérateur, à la pointe du progrès, qui marqua l'histoire de la chirurgie mondiale.

PELLETAN Philippe-Jean (1747-1829).

Né à Paris d'un père chirurgien, il fit d'abord des études littéraires avant de revenir au métier familial. Il fut nommé Maître en chirurgie en 1775. Pendant la Révolution, il manifesta tout son enthousiasme pour les idées du jour et se lança dans le journalisme médical. Il fut appelé au chevet de Marat après son assassinat. C'est lui encore qui vint constater le décès du Dauphin à la prison du Temple et, lors de l'autopsie, il subtilisa le cœur de l'infortuné enfant. Il essaya, après la Restauration, de rentrer dans les grâces de Louis XVIII en lui livrant la précieuse relique. Plus orateur que praticien de la chirurgie, il avait pourtant été nommé professeur de clinique chirurgicale à l'Hôtel-Dieu à la suite du décès de Desault. Mais lorsque Dupuytren, en 1802, devint son second, la guerre éclata entre les deux hommes et c'est le plus jeune qui triompha et fut nommé à la place de son patron en 1815. Il termina sa carrière comme professeur de médecine opératoire, poste que Dupuytren avait laissé vacant...

PERCY Pierre-François (1754-1825).

Né en Haute-Saône, il fit ses études à Besançon et, comme son père, il devint médecin du Service de santé des armées. Promu chirurgien-major en 1782, il passa des armées royales à celles de la Révolution, et il créa, en 1796, les premières ambulances mobiles, les fameuses « Wurst ». Sous l'Empire, il fut nommé inspecteur général du service de Santé. Il prit sa retraite après la campagne d'Espagne en 1809. Il réintégra le Service de santé des armées pour les Cent-Jours, avant de se retirer définitivement de la vie publique. Ses travaux scientifiques furent nombreux, mais son œuvre est dominée par un grand souci d'humanité devant les carences dramatiques du système médical militaire de l'époque. C'est ainsi qu'il a écrit : « On croirait qu'un malade, un blessé cesse d'être un homme, quand il ne peut plus être un soldat. »

ROUX Philibert-Joseph (1780-1854).

Né à Auxerre dans une famille de chirurgiens, il fit d'abord des études médiocres, et il avait quatorze ans quand son père, Jacques Roux, le prit avec lui dans son service pour lui apprendre le métier. Attiré par les voyages, il partit en 1795, à quinze ans et demi, comme officier de santé de troisième classe dans l'armée de Sambre et Meuse. Après le traité de Campoformio, en 1797, l'armée fut licenciée et il vint faire ses études de médecine à Paris où il fut parmi les premiers chirurgiens formés dans la nouvelle École de santé. En 1802, comme Bichat avant lui, il ouvrit un cours privé d'anatomie avec des cadavres fournis par Allard, le fossoyeur du cimetière Sainte-Catherine. Nommé chirurgien adjoint à l'hôpital Beaujon en 1807, il épousa, en 1810, la fille de Boyer alors que celui-ci la destinait à Dupuytren. Entre les deux jeunes chirurgiens ce fut, pendant toute leur carrière, une compétition permanente et c'est Dupuytren qui abandonna la partie le premier en mourant en 1835. Roux lui succéda alors à la chaire de clinique chirurgicale de l'Hôtel-Dieu qu'il conserva jusqu'à sa mort, malgré de nombreux soucis de santé. Il fut un fervent défenseur de l'anesthésie et, pour l'histoire, il est considéré, avec Boyer et Dupuytren, comme l'un des trois grands chirurgiens de la première moitié du XIXe siècle.

SEMMELWEIS Ignaaz (1818-1865).

Né en Hongrie, il fit ses études à Vienne et il fut nommé assistant dans la maternité de l'Hôpital général en 1845. C'est là qu'il découvrit la similitude des lésions constatées chez les femmes qui mouraient de la fièvre puerpérale, avec celles d'un de ses maîtres mort après une piqûre septique faite au cours d'une autopsie. Il en déduisit que les « particules » environnant les cadavres étaient responsables de cette infection et exigea que les étudiants qui participaient aux accouchements se lavent les mains après les autopsies, faisant ainsi diminuer de façon manifeste le taux de mortalité dans son service. Mais c'était prouver que les médecins étaient responsables de la plupart des décès après accouchement, et il déclencha, contre lui, la colère du monde médical viennois. Il dut bientôt interrompre ses activités, et mourut dans un asile d'aliénés. L'écrivain français Louis-Ferdinand Céline lui consacra sa thèse de médecine.

SYME James (1799-1870).

Chirurgien écossais, chef de service de chirurgie de l'hôpital d'Édimbourg, il découvrit la manière de pratiquer la résection des jointures, ce qui limita le nombre des amputations. Sa fille Agnès épousa John Lister.

TERRIER Félix (1837-1908).

Né à Paris dans une famille bourgeoise, il passa d'abord deux ans à l'École vétérinaire avant de s'inscrire en médecine. Interne en 1862, il fit la guerre de 1870 dans l'ambulance de Trelat avec Just Lucas-Championnière. Agrégé en 1872, il fut nommé professeur de clinique chirurgicale en 1900. Fidèle admirateur de Pasteur, il appliqua très vite la méthode antiseptique, et il la perfectionna en évoluant vers l'aseptie dont il fut le premier défenseur. Sa rigueur technique et l'honnêteté de ses statistiques en font le premier chirurgien de l'époque contemporaine.

TRONCHIN Théodore (1709-1781).

Né à Genève, il était destiné à la carrière ecclésiastique, quand sa famille fut ruinée par la faillite du système Law. Il partit en Angleterre continuer ses humanités, puis, séduit par les écrits de Boerhaave, il vint à Leyde étudier la médecine auprès du médecin hollandais. Nommé docteur en médecine en 1730, il resta professeur à Amsterdam jusqu'en 1754, puis décida de rentrer à Genève où sa célébrité l'avait précédé, et où il devint le médecin des plus grandes familles européennes. Lors de ses voyages en Angleterre il apprit à inoculer la variole selon la technique de Lady Montagu. Il pratiqua cette méthode de prévention avec tant de succès qu'il devint à Paris le médecin ordinaire de la famille d'Orléans, et c'est au Palais-Royal qu'il mourut, riche et admiré de ses clients, malgré la haine et la jalousie du corps médical officiel.

VILAIN Raymond (1921-1989).
Chirurgien plasticien prestigieux, il fut nommé interne des hôpitaux de Paris en 1948, chirurgien des hôpitaux en 1962, et chef de service à l'hôpital Boucicaut en 1969. D'une créativité et d'un talent médiatique incomparables, il s'attaqua aux sujets d'apparence banale, comme les escarres de décubitus, les panaris, les brûlures, pour bousculer les idées reçues et transformer l'attitude thérapeutique des chirurgiens de son temps. C'est ainsi qu'il créa, en 1970, le premier « SOS-mains » français, dans un service d'orthopédie vétuste qu'il avait déjà rendu célèbre par son combat original et efficace contre l'infection hospitalière.

VIRCHOW Rudolf (1821-1902).
Né en Poméranie, il fit ses études médicales à Berlin où il fut nommé, en 1856, professeur d'anatomie pathologique. C'est lui qui démontra que, contrairement à la théorie des origines « humorales » des maladies qui prévalait depuis toujours, c'est l'atteinte des cellules qui en est la caractéristique. Ses travaux furent ainsi à l'origine de la conception moderne des maladies.

WINSLOW Jacques Bénigne (1669-1760).
Né au Danemark, il vint faire ses études d'anatomie en France, et il enseigna d'abord au Jardin du Roy. Puis il fut nommé, en 1743, professeur d'anatomie et de chirurgie à la faculté de Paris. Ses travaux en font l'un des meilleurs anatomistes de l'histoire de cette discipline.

YOUNG Arthur (1741-1820).
Agronome anglais né à Londres, qui vint en France à trois reprises en 1787, 1788, et 1789. Il visita le pays en s'intéressant tout particulièrement aux problèmes agricoles, comparant les coutumes et techniques des deux pays. Il écrivit plusieurs ouvrages commentant ses voyages, et d'autres sur les méthodes de l'agriculture moderne. Fervent admirateur de la Révolution française débutante, ses livres furent publiés et traduits en France.

Table

Cet ouvrage a été composé
par l'Imprimerie BUSSIÈRE
et imprimé sur presse CAMERON
dans les ateliers de B.C.A.
à Saint-Amand-Montrond (Cher)
en octobre 1992

Table

35-33-8604-06

ISBN : 2.213.02833.8

N° d'édition : 1013. N° d'impression : 92/483.
Dépôt légal : octobre 1992.

Imprimé en France

60p